桂冠政治學叢書[24]

西方政治思想史

賽班著　　李少軍、尚新建譯

A History of
Political Theory

George H.　Sabine

George H. Sabine

A History of Political Theory

fourth edition

Revised by Thomas Landon Thorson

1937 by the Dryden Press

Hinsdale Illinois

第一版　前言

　　這部政治思想史是按照下述假設而撰寫，即政治理論本身就是政治的一部份。換言之，政治理論並非指外在的實際情況，而是政治本身所由存在的社會環境的正常產物。對政治行動的目的、實現這些目的的方法、政治情勢的可能性和必然性、政治目的所加諸的種種義務等等進行思考，是整個政治過程固有的組成部份。這種思考制度、政府機構以及它所涉及到的道德上和生理上的壓力一起開展。人們至少願意相信，這些壓力多少是受思想所控制。

　　如此看來，政治理論也與政治本身一樣，沒有終了，其歷史也不會有終結的一章。即使人類歷史會有一個神聖而遙遠的結局，本書作者也絕不吹噓知道歷史的歸趨何在。整體而言，某一種政治理論很難說就是真確的。在它的組成部份中，包括對於事實的某些判斷，或是對於或然性的某些估計，也許只有時間才能客觀地證明這些判斷或估計是對或錯。在它試圖綜合相關的組成部份時，還涉及某些邏輯一致性的問題。無論如何，它總是含有個人或是集體的種種評價和偏愛，這些評價或偏愛會歪曲對事實的感受、對或然性的估計和對一致性的權衡。對政治理論進行批評所最能做到的，或許就在盡量將這三種因素區分清楚：避免把偏愛與邏輯的必然性或事實的確定性混為一談。

　　我們無法想像當代任何的政治哲學會不同於以往的任何政治哲學，能夠脫離它處身其中的種種關係——這些關係涉及它那個時代的種種問題、價值、習慣，甚或偏見。一個撰寫歷史的作家，至少應避免自我中心主義（egoism），因為自我中心主義會使每一代人都自命為一切時代的繼承人。另一方面，他除了忠於原始資料（這是每一個嚴肅的歷史學家的義務），或是承認有意偏愛（這是每一個誠實的人都免不了的）

之外，也絕不自稱公允。若非如此，在任何意義上自稱公正無私，不是淺薄，就是虛僞。

如果讀者有興趣，同樣有權指出歷史學家個人的哲學偏好。至於本書作者的偏好，與第二十九章第一節中所陳述的休謨對自然法批評的結論，大致相同。就作者所知，邏輯推理與事實的眞假是兩回事，任何邏輯推斷出所陳述事實的眞諦，而不論是邏輯還是事實，也都不包含價值。因此作者認爲，把這三種作用溶爲一體的企圖，不論是溶於黑格爾的唯心主義，或與之異曲同工的馬克思主義，都只會使自然法體系中固有的知識混亂繼續存在下去。用進化或歷史進步是有確定秩序的信念來取代理性是不證自明的信念，乃是用一種不能證實的觀念，去代替另一種更不能證實的觀念。任何像歷史「必然性」的東西，也似乎還是屬於觀念或然性的推測，而這種推測通常是不可能加以應用，並且總是很不確定的。至於價值，對作者來說，往往是人類的偏好某種社會和自然事實的狀態的反應；實際上，價值觀念過於複雜，以致甚至不能用功利這樣不確切字詞加以概述。儘管如此，經濟因果律的觀念（idea of economic causation）大概仍然是十九世紀社會研究所增添的最富啓發性的見釋。

從這樣一種社會相對論的觀點出發，西方政治理論的整個歷史，恐怕不是一個審愼的學者所應嘗試的浩大課題。此一課題包含著作者痛感自己所未具備的一系列知識。因爲，一方面政治理論始終是哲學和科學的一部份，是將當時可以得到的知識和評論工具應用於政治的結果。另一方面，它又是對道德、經濟、政治、宗教和法律的思考，而不論要解決的問題是在什麼樣的歷史和制度的情況下提出。於此所採取的主要的觀點就是，哪一方面的因素都不應忽略。知識工具至少對政治理論來說是重要的，只要它眞正適合於分析某些事態，現實的制度也很重要；只要它們能喚起並左右思考。理想的情況是，歷史學家應同樣清晰地考慮，並陳述這兩者，實踐中的政治理論應當和書本中的政治理論，得到同等的探討。這對歷史學家的學識所作的要求，無寧是要求過甚，不勝負荷。

在處理構成政治思想史原始資料的大量文獻時，作者試圖盡量避免將那些因篇幅所限而不能結合其背景加以描述的人和著作一筆帶過。一

個人的存在或是一本書的寫作，此一事實本身並不是本書所設想的政治思想史的內容。在許多情況下，必須直下挑選一個樣板來代表相當數量的羣體，而略去其他可能的代表。挑選之後，最困難的就是在所包含的主題之間如何保持合理的比例。特別是在論及目前這個時代，由於篇幅有限，要確知什麼該取、什麼該捨，並決定已選入條目的相對重要性，就變成幾乎無法解決的難題了。具體地說，作者深恐，如果論黑格爾之後的幾章與以前各章要保持勻稱比例，是否略去了許多應納入的內容。如果作者能有藉口的話，那就是一位朋友，弗朗西斯·科克爾（Francis W. Coker）教授，新近已經完成了此項工作，而作者無論如何是比不上的。

　　作者要深深感謝許多學者的惠助，他們在處理本書主題的某些方面或有關部份時，比作者更加貼切。

喬治·霍蘭·薩拜因（G. H. S.）
1937 年 4 月 10 日於紐約州伊瑟卡

第三版　前　言

　　這一版與前一版一樣，改動部份主要在最後三章，頁碼則未加更動地保持到（原書）第 740 頁。然而，參考書目已再一次作了全面修訂，附註中也增補了一些新的出版物。論述洛克的一章，在參酌彼得・拉斯勒特（Peter Laslett）先生的著作後，內容有幾處略加修改，而服若要充份利用馮・雷登（W. von Leyden）所編的洛克《論自然法文集》（*Essays on the Law of Nature*），也許這一章重寫會更好一些但這大概就需要作出超越這一修訂計畫的改動了。

　　第 740 頁以後論述現代自由主義一章的最後一節是重寫的，以期澄清對自由主義政治的種種假定的解釋。論馬克思一章也幾乎是完全重寫，旨在改進論述方式，但多少也是為了使過渡到共產主義一章更為清楚。有關剩餘價值學說的解釋則已刪略掉了，這有一部份是因為此一解釋似乎並未針對理論的爭論，但主要還是因為在馬克思主義的政治理論中，太過技術性的論證並不重要。

　　論共產主義一章已完全重新政寫，這有若干原因：第一，近十年中關於這一題目的重要出版物，已為數眾多，因此，作者對列寧主義歷史的說明，似乎有可能比一九五〇年寫得更好；第二，作者確信，在前一版中對列寧和馬克思之間形式上的不一致，著墨太多。現在，馬克思主義對作者來說，並不像他當時所想像的那樣結構嚴謹，而列寧得自馬克思的正是此一主義，只是此一主義與西歐闡釋者過去關於馬克思的看法完全不同。總之，有兩種馬克思主義的傳統，即最後導致西方社會黨的傳統和最終導致共產主義的傳統。這兩種傳統並不一致，但都來自馬克思；第三，作者現在感到，他關於共產主義的說法，言詞過於籠統，例如他對列寧關於黨的理論的陳述，似乎僅僅是對該黨一九〇二年第一次

聲明的闡釋。作者仍然認為，原則依舊，實際上並未改變。但事實上，對於這些原則的運用，在精通這些原則的人們之間也還是爭議所在。現在，作者認為他自己的信念——即政治理論是作為政治的組成部份而發展的——應該使他在探討列寧學說時，推論不致過於嚴格。因此，他在重寫這一章時，作者幾乎完全依照編年順序，以便說明列寧的原則如何在環境的壓力下化約成為有點類似程序規則的東西。

最後，論述國家社會主義的最後一章大部份已重新改寫，主要是為了濃縮。在過去十年中，全世界都樂於——甚或是太樂於——忘掉希特勒。連篇累牘地陳述那些常是華而不實，並且總是歇斯底里的所謂「理論」，現在看來已沒什麼必要了！這並不是因為作者認為政治已不受歇斯底里症的影響，而是正因為作者確信，新的攻擊還是會找到可以利用的新而不同的受騙者。

對於牛津林肯學院的克里斯托弗・布賴瑟茲（Christopher Brei-seth）先生在籌劃此一修訂版的出版方面，提供了十分有效的幫助，作者願借此機會向他表示謝意。

喬治・霍蘭・薩拜因
1961 年 1 月於紐約州，伊瑟卡

第四版　前　言

三十多年來，這部著作不僅一直是標準的教科書，而且在相關領域內早已被公認為一部經典著作。無庸贅言，為這樣一本書進行修訂工作，的確讓人有點惶恐不安。不過，我明白我的工作是在宏揚薩拜因教授的非凡事業，繼續發揚光大它。而不是對它的主旨或內容作實質性的改動。

重新修行另一作者的著作，最可能產生的困難就在怎樣保持學術觀點的一致性。薩拜因教授在一九三七年初版前言中指出，他的觀點實質上大衛・休謨（David Hume）的觀點，特別是在休謨對自然法基礎的邏輯批判方面。我本人的《民主政治邏輯》（ *The Logic of Democracy,* New York: Holt, Rinehart and Winston, 1962 ）一書，對政治哲學就提出了一種非常合乎休謨傳統的看法。因此，我希望我夠資格說，我理解並欣賞休謨論證的力量，以及其論證所代表的懷疑主義和經驗主義。

然而，像休謨一樣，當然也像薩拜因一樣，我確信文化傳統和思想史（intellectual history）的確對於政治學和政治的理解具有根本的重要性。我的《生物政治學》（ *Biopolitcs* ；New York：Holt, Rinehart and Winston, 1970 ）一書，為文化發展是生物進化的延伸這一理論提供了論證，儘管這一理論非常符合剛才提到的歷史觀點的精神，但我知道它會讓休謨和薩拜因稍感不悅。雖然在此不宜擴大討論這個問題，但我只想提示一點，就是近幾十年在各個領域中對人類起源和本性所作的大量研究，已使得人們漸有可能了解人與自然，而休謨在邏輯上的非難是很難抹殺這些研究的。

歸結地說，我發現我自己比薩拜因教授更贊同自然法傳統以及黑格爾和馬克思的進化觀點，而這種傾向也就制的了我對此書的修訂工作。

第一章是新增補的,旨在把政治思想史置於人類進化和古希臘時代以前,未有哲學思想以前的源流之中。西方政治理論對於非西方世界的滲透,本來是可以廣泛討論的,但我暫時僅限於在論述共產主義一章中,補充中國與毛澤東一節,加以論述。散見於全書討論中的評斷,也改得緩和了,常用的方法是略去若干詞句。最顯著的刪略是論黑格爾一章,其中有好幾眞是直接刪節掉。

　　在第三版(1961年)中,薩拜因重寫並大爲濃縮了關於法西斯主義和國家社會主義的論述。十二年過去了,由於種種原因,各個地方的人們又再度對這個問題感興趣,所以我再度恢復它原來的論述。至於參考書目,業已全部重新修訂,並且有不少地方增添了新的註解或對原有的註解增列新的參考書。

　　最後,或許也是最重要的是,此書不論在版式或字型方面,都已重新安排設計過,希望能藉此打開更易掌握喬治‧薩拜因的卓越學識和智慧的方便之門。

托馬斯‧蘭敦‧索爾森(T. L. T.)
1973年1月於印第安納州拉波爾特

推薦序

　　自一九三〇年代以來，賽班教授（Professor Sabine）對西方政治思想的研究成果，所呈獻的鉅著——《西方政治思想史》——已成為傳統政治理論研究的代表作。迄今，賽班教授的《西方政治思想史》，仍為美國最熱門的大學教科書。

　　賽班教授的基本論點是，政治理論是政治的一部份，隨政治而發展，從而政治思想與政治制度是相互影響。如此，政治思想史是政治研究不可或缺的一環。尤其，更具慧眼的是，賽班教授將西洋政治思想史劃分為三個時期，分別為古希臘城邦、大一統與民族國家時期。如此的劃分在歷史敍述上脈絡相連，在主要論點的舖陳上，思想觀念與政治制度相互輝映。由此可見，賽班教授的《西方政治思想史》之所以成為頂尖而歷久不衰的教科書，實良有以也。

　　即使經過三次改版，但仍以賽班教授對思想發展時期的劃分與舖陳，最為傑出，也最為精湛。而在思想觀念的引介上，賽班教授將思想家的原著觀念、對應的政治環境與制度，與他自己的觀點融通敍述，仍是頗為引人。在第四版中，T. L. Thorson 雖力圖使賽班教授的《西方政治思想史》，有更完整中肯的敍述，但所增加的「政治理論的由來」一章與「共產主義在中國」一節，並未增添多少原書的光彩，甚至可以省略。畢竟，賽班教授的政治學成果，仍較為人激賞。

　　無論如何，以賽班教授為主所著的《西方政治思想史》，恐為一本研習西方政治思想的重要參考書與入門書。一讀此書，即可一窺西方政治思想的門徑與堂奧。而今，桂冠圖書公司出版的此書中譯本，根據第四版的《西方政治思想史》（一九七三年出版）全書譯成，經過多次琢磨，譯筆大體上順暢平實，頗具可讀性。依筆者任教經驗，要以英文閱讀賽

班教授的《西方政治思想史》，常有語文與思考上的雙重困難，而形成閱讀原書上的阻滯。如今，桂冠圖書公司出版的此書全文中譯本，對許多讀者來說，當可減少甚或消除語文上的障礙，進而加入領會這本在美國叫好又叫座的《西方政治思想史》的讀者羣中，開展自己的視野與思想領域。

張明貴謹識

譯後記

　　在桂冠圖書公司賴先生組織下，本書得以譯出，前後歷時將近一年。第 1-23 章爲李少軍譯，第 24-36 章爲尚新建譯。翻譯過程中，石霞女士和杜麗燕女士亦參與做了大量工作，促使本書及時譯出。對於她們的幫助，筆者謹致誠摯的謝意。

譯者
1989.3.27

目　　錄

第一部
關於城邦國家的理論

第一章
政治理論的由來

政治理論和人類的進化

　　二十世紀後三十年的科學，使我們很有自信地把人劃歸在靈長類動物王國的成員中。人，像其他靈長類動物一樣，不斷地面對著適應這地球生活條件的無數問題——在這一點上，人跟所有其他動物和植物沒有兩樣。人類擁有動物所具有的適應能力，既在膚色、肺活量或禦寒能力上的遺傳變化，同時也意味著發現和發明了對抗自然界、對待其他人的方法與準則，而最重要的是我們懂得如何與人作思想意識的交流❶。

　　我們所說的政治和社會組織——即在不同的程度上，把人們聚集在相互聯繫羣體中的那些習慣、常規和傳統做法——也許是人類適應外在和內在環境的最重要形式。研究人類學和動物行為的學者越來越清楚，對人和絕大多數靈長類動物以及許多其他種類的動物而言，社會生活組織（social life and organization）是生物生存的基本手段。人沒有像海龜那般的硬殼，也沒有像豪豬那般的脊背，但是他有自己的社會生活模式，以及為了生存而有效組織社會的能力。

　　我們必須以此為背景，並且在這個脈絡裡，開啓對政治理論（或政治思想）的瞭解。簡言之，政治理論是人有意識地瞭解和解決其羣體生活組織問題的嘗試。因此，政治理論也就是一種思想的傳統及其歷史，而其歷史則包含了人類長久以來對各種政治問題進行思考的演進過程。

　　人類學者喜歡把人說成是傳承文化（culture-bearing）的動物，傳播理論家馬歇爾・麥克魯漢（Marshall McLuhan）則把溝通媒介和文

化措施說成是人的擴展（extension）❷。政治理論正是人所「傳承」或傳播的這種文化的一部份。它是人的延伸，而它的表達則是以諸如說話、寫作、印刷以及新近的廣播和電視，這些人的延伸為其形式和條件。

如果我們把政治學說（或政治思想）廣義地界定為「任何關於政治或有關政治的思想」，那我們差不多就把人類任何時代的所有思想都包括進來了。然而，在本書中，我們所指的政治理論，乃是對政治問題的專門研究。依此定義，政治理論大約創始於西元前十五世紀，即古希臘時代。

如果借用生物學的講法，我們可以說，正如自然界在某一時空中演化出哺乳動物一樣，在某一時空中，傳承文化的動物也是這樣演化而來的，並且開始有了專門的、自覺的政治研究。我們必須把這種關於進化的想像性再進一步推展。自然界對於哺乳動物的「創造」，並非意味著所有哺乳類動物同時出現在這世界上，並且立即充份發展，而只是意味著跨越某一門檻，自此以後，哺乳類動物才蛻化成長。

從通過那一門檻開始──不管一次還是多次──哺乳動物逐發展起來，並遍及地球各處。秉持這個觀點，我們可以談論哺乳動物的發展史。以同樣的方法我們也可以談論思想的傳統，談論傳承文化中人類的種種擴展，最後是談論政治理論的歷史。

政治理論與政治制度

政治理論作為「對政治問題的專門研究」，大致上是哲學家的領域，他們被公認在哲學和文學方面有卓著的成就。例如，柏拉圖（Plato）、亞里斯多德（Aristotle）、聖奧古斯丁（St. Augustine）、托馬斯·阿奎那（Thomas Aquinas）、霍布斯（Hobbes）、洛克（Locke）、盧梭（Rousseau）、黑格爾（Hegel）與馬克思（Marx）等，一般說來都是西方思想傳統上的偉大人物，而且也是政治理論的大家。

在研究政治思想史時，首先必須把握而且是非常重要的一點：我們研究的主要對象是蒐集到的著作，而不是實際的政治制度、常規和習

俗，雖然對於後者的收集，在較廣泛的意義上仍是可能的。這也就是說，文獻的考量與邏輯的分析絕對是重要的，但是，這並不意味著思考任何政治著作時，可以脫離相關連的政治實務。

政治制度和政治理論都是文化的一部份，它們是人的物質實體的延伸。不論哲學家是否做哲學化的思考，不同的人類羣體都一直在創造制度和慣例。然而，一旦當柏拉圖或洛克已經寫下其省思時，那些省思便能夠成為（並且已經成為）社會創立制度和慣例的方法之一。

政治制度和政治理論的目的，都是基於某些共同利益或共同利害的關係，把人、目標和事件聯繫在一起。正是在這個意義和範圍內，政治制度和政治理論互相融為一體。政治理論的重要功能不僅在於說明政治實務是什麼，而且還在於說明它的涵義。而在說明政治實務的涵義或它應當有什麼涵義時，政治理論同時就能夠改變實際的狀況。

我們習慣以這樣的觀點來思考，即認為理論家與其正在推論的自然現象之間，存在著一種完全客觀的關係。於是物理學家或化學家就被理想化地認為，他們在對元素、原子或分子進行完全精確的陳述（完全精確地描繪時），是全然超脫而客觀的。依此而論，伽利略（Galileo）只是觀察從斜坡滾落的球，他的存在對球、滾落或是坡面都沒有影響。

許多科學哲學家以及科學家本身，對於以這樣純粹客觀的「超然觀察」來描述理論家和自然界之間的關係，都有所懷疑。他們指出，除非透過人的語言、工具和概念，否則沒有人能夠瞭解自然界，也因此，絕沒有人是僅僅在做觀察。無論如何，我們可以堅決地說，政治理論總是與政治的自然界（political nature）複雜而微妙地交織在一起，理由無他，只因為「政治的」自然界本身主要就是人所締造的。

如果這一點令人不解，也許可以透過回答這個問題來加以澄清，即「某些事物是如何成為政治自然界的一部份？」。在一個我們所指名為政治的社會裡，制度代表一種權力和權威的安排。在此社會中，某些制度被認為是合法的，具有為整個社羣作決定的權威（如果某個地區或是某個整體並沒有這樣的制度，那就很難說那裡存在著真正的社會或政治社羣）。利益和目的受這些制度影響的團體或個人，其注意力自然而然地會被這些制度或所採取的決定所吸引❸。當利益團體或是個人針對政治制度採取行動時，不論這些行動在最初是肢體上的，還是言語上的，

亦或是兩者的結合，毫無疑問都將成爲社會的政治層面或政治自然界的一部份。於是，針對政治制度而採取行動的人們，在將自身及其利益與政治自然界連結起來時，至少在某種程度上也就構成了政治自然界的一部份。

這種政治連結（connect）可能——而且經常是——始於運作政治制度的人。某種公共決策，例如一項關於管理汽車廢氣排放的規定，其作用就是把這種原來多半是化學的現象，轉變爲政治現象。相似的例子不勝枚舉，但重點是在於政治制度的這種關連或連結的特徵。從這個意義上來說，政治理論家所要論述的政治自然界，乃是一種人造的羅網或網絡，它以一種涉及社會公共或公衆利益的方式，將人、目的和事件關連或連結起來。前面所舉的例子強調了在空間中形成的關連，但我們也必須認知到，這種關連也能在時間中形成。例如，由政府自雇主徵收雇員社會保險金，而在幾十年以後才發放爲退休津貼。

依照這種關於政治自然界的觀點，不難看出，政治行動者是連結人（connector）或關係人（relator）。直言之，正是這樣的人在編織政治結構。政治理論家對他和他的行爲進行觀察，並且就他可以做什麼以及不應做什麼提出勸告和建議。

當眞正的政治理論家觀察和解說政治自然界中某種「顯然存在的」關連時，他並不是僅止於簡單地指出它的存在，他還會設法指出這種關連的涵義。這也許要連帶解答它最初是怎麼形成的，它已有了什麼效應，以及它將會產生什麼效應等問題。理論家在如此指出某一關連並尋求闡述其意義時，由於使他的讀者重新調整焦點，看淸政治環境，因此也能在政治自然界中產生作用。

在這方面，政治理論家是一種超級從政者——他周密思考，並且頗具說服力地陳述某些關連的性質和可欲性，而這些可能是一般政治領導人無法理解或分析的。例如，法國理論家孟德斯鳩根據權力或功能分立的學說，論述他那個時代的英國政府。他的立論對於美國憲法的起草人發生了重要影響，他們了解分權制的意義和優越性，儘管許多評論家後來指出，孟德斯鳩誤解了英國制度的本質。不管怎麼說，孟德斯鳩作爲一位政治理論家，在美國歷史上的確是一位比康華里（Cornwallis），甚至比華盛頓（Washington）更爲重要的政治人物。

政治理論是西方文化傳統的特質

正如前述，政治理論基本上並不是詩歌、音樂或是藝術傳統的一部份，相反的，它主要是與哲學—科學的傳統和論辯方式相關。的確，政治理論就其研究主題而言，多半是以所謂的建構（architectonic）為特點。因此，政治理論家正如建築設計師一樣，是站在這個建築物的「外面」。他把政治理論視為一整體，設計整體的發展，並著眼於整體的成功，而在某方面進行調整。

正如前面所提到的，政治理論作為這種哲學—科學思維方式的一部份，是在我們所稱的古希臘時期開始出現的。我們所談的政治理論起源於西元前十五世紀。對於現代學生來說，這似乎非常遙遠——事實上，它遠得令人對其是否能揭示當代問題發生懷疑。我們認為這些希臘人是古代人（ancient），而且要說有多古老，就有多古老。然而，從另一個角度，並且從許多更為真確的方面來看，儘管他們並非當代人，但我們可以較準確地稱他們為「現代人」。

人們通常會懷著崇敬之心來回顧雅典（Athens）的黃金時代——或稱伯里克利斯（Pericles）時代——確認為歐洲文明史的開始，也就是我們現在所說的西方文明的開始。但是，從人類歷史更廣義的角度來看，雅典的興盛是頗晚的，而且只是一種邊陲的發展。距離我們所在的二十世紀，伯里克利斯時代已有二四〇〇年之久，這是非常容易理解的。然而，看出另一點也是很重要的，即伯里克利斯距離擁有高度複雜的數理天文學和工程技術的基奧普斯（Cheops）大金字塔的建造者們，也間隔了大約相等的年代❹。

希臘是歐洲人與古代中東文明的銜接地，而人類跨進科學、哲學和政治理論的大門，也正是在希臘。由於當代西方人多少有點偏狹心態，他們在評估柏拉圖、亞里斯多德以及希臘科學和哲學的時候，通常只是與當代西方的科學和哲學相對照，而幾乎從不與發生於古希臘人之前的文明相對照❺。

要瞭解作為人類的擴展的政治理論的性質，就必須根據它的發展系

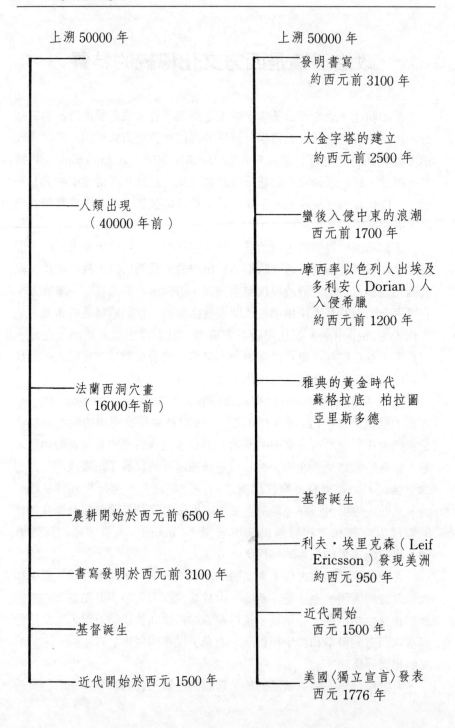

上溯 50000 年　　　　　　　　　上溯 50000 年

　　　　　　　　　　　　　　　　發明書寫
　　　　　　　　　　　　　　　　　約西元前 3100 年

　　　　　　　　　　　　　　　　大金字塔的建立
　　　　　　　　　　　　　　　　　約西元前 2500 年

　　　　　　　　　　　　　　　　蠻後入侵中東的浪潮
　　　　　　　　　　　　　　　　西元前 1700 年

　　　　　　　　　　　　　　　　摩西率以色列人出埃及
　　　　　　　　　　　　　　　　多利安（Dorian）人
　　　　　　　　　　　　　　　　入侵希臘
　　　　　　　　　　　　　　　　約西元前 1200 年

人類出現
（40000 年前）

　　　　　　　　　　　　　　　　雅典的黃金時代
　　　　　　　　　　　　　　　　蘇格拉底　柏拉圖
　　　　　　　　　　　　　　　　亞里斯多德

法蘭西洞穴畫
（16000年前）

　　　　　　　　　　　　　　　　基督誕生

　　　　　　　　　　　　　　　　利夫・埃里克森（Leif
　　　　　　　　　　　　　　　　Ericsson）發現美洲
　　　　　　　　　　　　　　　　約西元 950 年

農耕開始於西元前 6500 年

　　　　　　　　　　　　　　　　近代開始
　　　　　　　　　　　　　　　　西元 1500 年

書寫發明於西元前 3100 年

基督誕生

　　　　　　　　　　　　　　　　美國〈獨立宣言〉發表
　　　　　　　　　　　　　　　　西元 1776 年

近代開始於西元 1500 年

統來了解。因此，在進入下一章討論與蘇格拉底（Socrates）和柏拉圖直接有關的希臘城邦國家之前，我們需要做兩件事：我們必須確定希臘文明出現的時期，而且我們還必須檢視在哲學和政治理論出現之前的思想風格和形式。

希臘人之前的文明發展

過去數十年的考古學研究──這種研究迄今尚未終止──已經大大地增加了我們對古代世界的認識。雖然廣義上來說人類似乎是誕生於非洲❻，但人類在西元前六五○○年左右跨過上述具有決定意義的門檻，卻是在中東的某個地方。在這裡，人類首次由狩獵者、採集者、放牧者，變成了以非常簡單的方式耕作的農夫。這種簡單的農業技術似乎不斷傳播，直至西元前三○○○年，這種種植穀物的農業社羣已出現於北非沿岸、歐洲和印度，並且越過伊朗高原而進入中亞。

農業只能在特別有利的條件下，才會發展出文明，興起於大河沖積平原之上──明顯的始於底格里斯河與幼發拉底河（Tigris-Euphrates）流域。依定義而言，文明需要有超越再生產和最低的農業維生水平的社會活動，因此不難理解，一條大河沖積所帶來的大量肥料，足夠使農產品豐饒，支持人類特有的文明（civilization）活動。

比單純使土地更肥沃還重要的沖積平原提供了一種環境，使人能夠應用一向具有的才智來發展相當精緻的灌溉制度。灌溉工程需要大規模的協同努力，這意味著一羣「管理者」的發展，不論是祭司、酋長，還是軍事領導人，他們大概都有權力得到經由灌溉創造的剩餘產品。一旦這些剩餘產品落入管理者手中，人就可能不僅僅被僱用去挖灌溉渠道，而且也有了工匠、藝術家或音樂家，也就是有了致力於精益求精，提升各種活動的專業人員，這些活動就代表著人類它經達到我們所謂的文明化水平。

因此，最重要的人類擴展之一──書寫，約在西元前三一○○年左右，由擁有農業剩餘產品的蘇美人（Sumerians）在底格里斯河與幼發拉底河流域發明出來，也就不是偶然了。

　　簡單的自給農業可能是從中東不斷地拓展到非洲、歐洲和亞洲。一旦獲得基本的農業技能，開拓新的土地就不成問題。只要存在符合最低要求的土壤和氣候條件，一條連綿不斷的農業地帶就可能在長時期內得到發展。然而，原始的文明卻不同，因爲它與特定條件相關連。文明不得不像蛙跳般地從一個可灌漑的沖積平原，躍向另一個同樣的平原，而事實上具備這樣條件的地區是相當稀少的。儘管有些城市❼能夠在短時間內抵禦山地和沙漠野蠻人的攻擊，沿著較小的河流發展起來，然而，只有尼羅河（Nile）和印度河（Indus）（毗鄰中東，但從蘇美人到此只能走海路）能夠供養大規模的文明社羣。至於裡海那邊的奧克蘇斯河與傑克夏提玆河（Oxus-Jaxartes）流域，可能是一個平行發展的地區，但迄今爲止，人們對這個地區的情況所知甚少。可以相比較的發展，則有稍後出現於中國的黃河流域，以及更晚出現的柬埔寨流域。

　　隨著時光流逝，在這些高度發展的河岸地區和較未開發的鄰近地區之間，不可避免地會發生許多接觸和衝突。可以分解的文明成份，因此得以傳播開來。當周圍的野蠻人爲了發展而對文明地區發起武裝攻擊時，抵抗是必要的，但抵抗並非一定能成功，因此在西元前三〇〇〇年到西元前一七〇〇年之間，底格里斯河與幼發拉底河流域政治格局的中心一再變更。隨著野蠻人先是進攻而後爲灌漑文明所同化如此循環不已，而且此模式似乎文明有向向北擴張的趨勢。因此，在西元前三〇〇〇年前後，政治中心是蘇美爾以及瀕臨南部河口的地區，而西元前一七〇〇年，政治中心則是遠在北方的巴比倫（Babylon），該地區當時是處於阿莫利特（Amorite）「野蠻人」漢謨拉比（Hammurabi）的霸權控制下。

　　雖然人們對印度人（Indus）知之甚少，但一般推測他們大概也存在著與周圍部族有關的問題。不過相對來說，埃及人則沿著尼羅河被隔開了，因此能夠成就一種相當靜態的生活和思想方式。埃及人的思想方式、希臘人所創造哲學，形成一個重要而有啓示的對比。我們稍後還會談到這一點，但卻要先弄清楚希臘人是在什麼情況下登上世界舞臺。

　　大約始於西元前一七〇〇年，來自北方的入侵浪潮，使得人類發展進入一個新階段。同一語系——印歐語系（Indo-European）的人，橫掃了印度河流域，並且摧毀了該地區的發展。而後，他們遷移到中東，

領導當地部落團體，最後征服了埃及。這些武士後來往西遷徙到了阿蒂卡（Attica）和伯羅奔尼撒（Peloponnesus），印歐語言也就是早期希臘語的一種形式。

這種入侵大約持續了二百年，劇烈改變了中東形勢，連埃及也不再能保持隔離狀態。隨著古代文化和地理障礙的突破，把埃及、美索不達米亞以及兩地區間的一切結合在一起，所謂的世界文明也就因此誕生了。儘管埃及和美索不達米亞的文化、思想與政治型態依然保持強勢地位，且在某種程度上是分開的，但從西元前一五〇〇年到西元前五〇〇年之間，一個共同的「大社會」還是從尼羅河一直延伸到底格里斯河與幼發拉底河流域，乃至更遠的地方。在這個時期的稍早階段——大約西元前一二〇〇年——一位由埃及祭司訓練和教育出來的沙漠部落領導人，帶領他的人民離開了埃及，越過西奈（Sinai），尋求上帝許諾的福地（Promised Land）。大約與此同時，另一支位於埃及和美索不達米亞之間邊緣地帶的閃族人（Semites），顯然無法掌握埃及人和美索不達米亞人的複雜書寫方式，而將書寫簡化為二十到三十個符號，用這些符號代表基本的音節，從而發明了字母❽。大約也是在同一時期，說希臘語的蠻族多里安人（Dorians）的遷徙浪潮，從北方來襲。荷馬（Homer）的《伊利亞德》（Illiad）所記載的特洛伊（Troy）之戰，傳說就是發生於西元前一一八四年。

西元前一千年的前半期，儘管中東繼續存在著大一統，並且在西元前五〇〇年左右由波斯人（Persian）實際完成了政治的統一，但後來的發展卻是三種週邊文化的天下：中國產生了孔子，印度產生了佛陀，而希臘最終則產生了蘇格拉底、柏拉圖和亞里斯多德。

在討論居魯士（Cyrus）和岡比希斯（Cambyses）（接近西元前五〇〇年）統治下的波斯霸權對中東的支配時，歷史學家威廉・麥克內爾（William H. Mcneill）推斷說：

　　由於此一成就，古代東方的政治演變，如果不是得到歷史性的結論，至少也得到了一個邏輯性的結論。古代的文明世界是在一個統治機關之下統一起來的，蠻族世界受到了有效的震懾。但是在他們的西北邊境，波斯人所碰到的問題事實上是他們的力量所不能解決的。甚至在居魯士時代之前，一些小的希臘城邦已開始創造一種文化，這種

文化儘管汲取了許多東方的成份，但在性質上卻與東方文化截然不同。不久，這種文化就成了指引馬其頓（Macedonia）、色雷斯（Thrace）以及俄羅斯南部蠻族的星辰，而且即使在波斯，也的確開始受到敬仰。早在西元前四七九年，希臘人出人意料地贏得薩拉米（Salamis）和布拉底（Platea）之戰的勝利，已迫使波斯人轉為防禦。一個半世紀之後，希臘化的馬其頓人（Macedonians）及其希臘盟友終於攻進波斯帝國，並且將之摧毀（西元前334～330年），使得古老的中東文明受到一既新且強的文化力量的影響。

希臘文明以中東文明邊緣分支的身分興起，達到了與古代文明中心並駕齊驅乃至凌駕其上的地位，這象徵著文明史上一個關鍵性的轉捩點。中東優勢地位的時代，因此結束。歐洲、中東、印度與中國這幾個主要文明社會，開始了複雜的文化交互影響。在歐亞大陸（Eurasia）上呈現了類似文化上的平衡，這種平衡一直持續到西元一五○○年之後，亦即歐洲人開始確立其對全世界人民與文化的新優勢。

要給卓越的中東時代劃定任何終止日期，當然都會失之武斷。但是，西元前五○○年可作為一方便的整數，代表波斯人對希臘與古代東方世界的印度邊境之權力與威望的高峯。而這年，也是在西元前四九九年愛奧尼雲人（Ionians）叛亂，向大王權力挑戰之前。同時，也是在西元前五○○年，希臘、印度和中國的文明已成就了許多特點。希臘的藝術和哲學已經出現，而在中國的孔子、在印度的釋迦牟尼其時也都發揮了相當的影響，成為中國和印度文明的特色。❾

政治哲學的創立

強調希臘是位於埃及和美索不達米亞邊陲，但並未與它們隔離，這一點是非常重要的。相較之下，印度實際上就比較隔離，而中國則幾乎完全隔離。

中國人，儘管他們起步晚，但經歷的發展階段好像與埃及和美索不達米亞有許多相似之處。因此，中國皇帝及其統治政權與美索不達米亞皇帝或埃及法老及其統治政權，是非常相似。反而是希臘人做了些迥然

不同的事情，正如我們在前面以進化論術語所提到的，他們跨越了人類發展的門檻。

在希臘，政治開始與宗教分開，哲學和科學開始與神話區分開來。這些區分，在當代西方人看來是理所當然的。確實，即使是今天，這些區分在西方仍比在東方要鮮明得多，這絕非偶然，因為希臘文化的直系傳人正是西方人，而不是東方人。

在當今世界，我們能夠輕而易舉地區分兩種關於太陽在天空運行的解釋：一種解釋所描述的太陽是，沿著天上某種路徑被驅趕的火戰車；另一種解釋所描述的太陽是，一個巨大、熾熱的氣態球體，它看起來在動是因為地球在自轉。前面的解釋是神話式的，而後者則是科學的。

神話的形式是故事形式：火戰車由八匹馬或四頭公牛拖曳著，由某特定個人駕馭，它被一巨大的鳥所吞噬（在日蝕期間），而後又再度出現；科學的形式是抽象的原則，是準確的客觀陳述。在嚴格的科學解釋中，不含任何人格化的屬性。我們須謹慎地注意到，在真正的神話中，故事並不是象徵性的說明，而是實實在在的描述。對古埃及人而言，太陽並不代表或表示某一種神明，它不是由一具有人格、至尊而又看不見的神所操縱的（這是希伯來人的發現），太陽〔拉（Ra）〕本身就是一個神。明確地創造某一「神話」作為影響他人的方式（例如，柏拉圖在《理想國》中所創造的神話），那是現代心靈的標誌。就原始意義言，神話乃是一實在的描述。

人類學和兒童故事使我們認為，神話僅僅是簡單化的、富於想像力的故事薈集。然而證據顯示，就古埃及人以及在某種程度上就美索不達米亞人而言，他們對於人、地球和天之間關係的理解，雖然多半是採取神話形式，但他們對這基本主題素材的實際處理，卻是非常嚴謹而複雜的。

埃及和美索不達米亞的古代天文學家觀察到，天空中的一切變動，都發生於一條寬14°的天空軌道──即天文學家稱為黃道的附近。太陽、月亮和行星在天空中的這條軌道上運行時，天空中的其餘部份就構成為一「蒼穹」，為此活動提供背景。於是，當黃道帶那些為人所熟悉的羣星占據這條天空軌道時，就有了「丘比特（Jupiter）出現於人馬座」的占星術說法。在千變萬化的星座中，雖然太陽、月亮和行星的運

行是以神話的形式表明，但觀測和計算天體運行所使用的數學方法卻是準確的，並且極富想像力。

這些情況造就了一整套由擅長數學、天文學（這在古代與我們所說的占星術是同一回事）的祭司所掌握，且極為複雜神秘的宗教──科學教義，也造就了複雜的書寫方式以及對神話的解釋。

證據顯示，大河流域文明的居民將他們的河流理解為黃道在現世的反映或浮現，或者太陽穿越天空軌道。他們的國王就是太陽，而且無疑就是神的化身。當地居民經由神殿之塔（巴貝爾塔以及可能還有基奧普斯大金字塔均為典型例子），來銜接塵世與天界。希臘人稱這些殿塔廟宇為「奧法洛斯」（omphalos），其意是肚臍。顯然在是作為連繫人間與天上的臍帶。顯而易見，這是神話的素材，然而，建築物在天文與數學上的精確性和工程的複雜性，以及塔的安置、曆法的演算、天文的紀錄等，都在在顯示了希臘人以更「科學」的智慧達到以往所不能做到的更大成就。有些學者指出，古埃及人是按照天體模型進行細心的觀測與設計，而基奧普斯大金字塔就是一座天文觀測台，並且事實上是一個精確的北半球模型 ❿！

儘管混亂和不完備構成了古中東歷史的特點，卻仍然可以從中看出一種政治模式。合為一體的神與國王是政治秩序的中心，輔以祭司官僚的支持和服侍，這些祭司官僚是以神話形式來詮釋世界，而神話則被巧妙地轉變為嚴密的天文星相學。

野蠻的希臘人是存在此一智慧早開的文明後期，也就是在此一文明已臻顛峯之後才與其接觸。正如希臘人學習書寫一種由楔形文字或象形文字簡化而來的字母一樣，他們看到這種天體的、數學與幾何學的、「自然的」基礎，可以作為支持政治秩序的力量。但他們以一種脫去神話色彩的形式，掌握這種思考方式。麥克內爾論稱，希臘人把他們主要的社會體制──政治體（polis）或城邦國家（城邦國家將在下一章詳細討論）──解釋為宇宙：

> 與東方以及蠻族社會的接觸，使愛奧尼亞人瞭解到當時存在的種種宗教信條。雖然他們已擺脫荷馬神學，但他們還是保留了對無形而不可抗拒的命運觀念，因為命運籠罩，最終並支配神和人。正是這一真正具有決定性的因素把我們帶回到了希臘城邦。在六世紀的愛奧尼

亞，人類的事務是由非人的、統一的，並且又予人希望的公正法律井
然有序地治理。愛奧尼亞的哲學家們顯然認為他們能夠在整個宇宙中
發現自然法則，這種自然法則與城邦法律有著驚人的相似之處，儘管
看不見，卻毫無疑問地支配著他們自己的個人生活。因此，希臘哲學
的肇端可以視為之，針對繁忙而有序的城邦世界體系所作的一種天真
而又成果豐碩的想像。

　　早期的思想家，不論是希臘人還是野蠻人，都把他們的社會環境
投射到宇宙。但是，幾乎在所有的早期社會裡，人們都不得不屈服於
變化莫測的自然界，或屈服於支配社會者的專橫意志，或者在絕大多
數情況下同時屈服於兩者。只要社羣的食物依賴於變幻無常的氣候，
公共福利取決於也許是遠在天邊的最高統治者的興緻，而生命本身又
不斷地遭受頻繁的襲擊和時疫，那麼任何宇宙觀，若不強調世事無常
且不可測，就顯然是荒誕不稽的。但是在一個像米利都（Miletus）那
樣繁榮而獨立的城市裡，公民的生活和福利主要是依靠他們自身遵照
法律規範，採取協調行動。當地的遠洋貿易船隻能夠帶來城市所需要
的穀物，因此莊稼的欠收就不怎麼令人恐慌。遠方的帝王絕不能將米
利都人的命運，操在他的手心裡。即使是戰爭的成敗，主要也是依賴
公民從軍的訓練和紀律。於是，城邦就在其公民和反覆無常的自然界
之間插入了一個緩衝墊，並且還為防止執政官和統治者的專橫衝動，
編織了一件窄小的夾克，此外，實施軍事訓練，甚至成功地把戰爭的
危機減到最低。這種城市的公民，與一個能從他人意志之下擺脫出來
的人，所享有的自由是一樣的，然而，他們的生活是為法律所嚴格約
束的。因此，如果有幾個愛好思索的公民想像宇宙可能也是受同樣的
管理，也就不足為奇了。然而，這令人難以置信的猜測使得後來所有
的希臘人（以及歐洲人）的思想有了獨特的傾向，這是很值得注意
的。不過更值得注意的事實是，在各種表象的背後，自然法則似乎確
實存在❶。

政治理論（思想）正是在這種希臘城邦開始出現的，在第二章，我
們將論述這種城邦。

註　解

❶人類學者威斯頓・拉・巴雷（Weston La Barre）具說服力地論述了理解這一點的必要性，即人類作爲動物不僅需要適應外界客觀環境，而且需要適應他自己的恐懼、夢想和幻覺的世界。見威斯頓・拉・巴雷的《幽靈舞蹈》（ *The Ghost Dance* ; Garden City: Double & Co., 1970）。

❷見馬歇爾・麥克魯漢（Marshall McLuhan）的《古騰堡的羣英》（ *The Gutenberg Galaxy* ; Toronto: University of Toronto Press, 1962）和《認識媒介》（ *Understanding Media*, New York : McGraw-Hill , 1964）。

❸見萊昂内爾・泰格（Lionel Tiger）和羅賓・福克斯（Robin Fox）的《超級動物》（ *The lmperial Animal* ; New York : Holt , Rinehart and Winston , 1971）。

❹見彼得・湯普金斯（Peter Tompkins）的《大金字塔的秘密》（ *Secrets of the Great Pyramid* ; New York : Harper and Row , 1971）。

❺這一點對基督教來說，也是如此。當代知識份子是把基督教教義與今天的科學理性主義相比，而極少與最初的基督教教義競爭的神話思想型態相比。

❻參閱羅伯特・阿德里（Robert Ardrey）的《非洲人的源流》（ *African Genesis* ; New York : Atheneum , 1962）；索爾・塔克斯（Sol Tax）編輯的《達爾文之後的進化論》（ *Evolution after Darwin* ; Chicago: University of Chicago Press, 1960）第2卷，第17～31頁所載的利基（L. S. B. Leakey）所撰的〈人類的起源〉（The Origin of the Genus Homo）；比約恩・卡頓（Björn kartén）的《並非來自人猿類》（ *Not from the Apes*, New York: Pantheon Books , 1972）。

❼例如，約旦（Jordan）的耶利哥（Jericho）在舊約全書時代前二千年，有過一次突然的發展。

❽埃及的象形文字和美索不達米亞的楔形文字不以圖象表示讀音，而是像中國字一樣，是思想、事物、音節和聲音的複合體。字母已被廣泛證明更具靈活性和適應性。參閱托馬斯・蘭敦・索爾森在《生物政治學》（ *Biopolitics* ; New York : Holt , Rinehart and Winston , 1970）中的討論，第156～160頁。

❾威廉・麥克内爾（William H. McNeill），《西方的興起》（ *The Rise of West* , Chicago : University of Chicago Press , 1963），第116頁。

❿參閱湯普金斯的《大金字塔的秘密》。

⓫參考麥克內爾前引書，第 214～215 頁。

參考書目

1. *Afrian Genesis*. By Robert Ardrey. New York, 1962.
2. *Before Philosophy*. By Henri Frankfort *et. al.* Harmondsworth, 1941.
3. *Political Philosophy and Time*. By John G. Gunnell. Middletown, 1968.
4. *The Ghost Dance*. By Weston La Barre. Garden City, 1970.
5. *Not From the Apes*. By Björn Kartèn. New York, 1972.
6. *The Gutenberg Galaxy*. By Marshall McLuhan. Toronto, 1962.
7. *Understanding Media*. By Marshall Mcluhan. New York, 1964.
8. *The Rise of West*. By William H. McNeill. Chicago, 1963.
9. *Evolution after Darwin*, vol. Ⅱ. Edited by Sol Tax. Chicago, 1960.
10. *Biopolitics*. By Thomas Landon Thorson. New York, 1970.
11. *The Imperial Animal.* By Lionel Tiger and Robin Fox. New York, 1971.
12. *The Fabric of the Heavens*. By Stephen Toulmin and June Goodfield. London, 1961.
13. *Israel and Revelation*. By Eric Voegelin. Baton Rouge, 1956.
14. *Politics and Vision*. By Sheldon S. Wolin. Boston, 1960.

第二章
城邦國家

　　現代大多數政治理想——諸如正義、自由、立憲政體以及尊重法律
等——或者至少可說是這些理想的界定，都起源於希臘思想家對城邦制
度的論述。然而，在漫長的政治思想沿革中，這些名詞的涵義已有了種
種變更，通常是不得不根據這些理想藉以實現的制度，以及這些制度得
以發揮作用的社會來理解。希臘的城邦與現代人生活於其中的政治社羣
有很大的不同，因此需要以豐富的想像力才能描繪出其社會和政治生
活。希臘哲學家們所思考的政治慣例，遠不同於現代世界流行的政治慣
例，而且他們在其中發揮作用的整個輿論趨勢，也與現代不同。雖然他
們的問題與今天不無相似，但與現代問題絕對不是同一回事。他們據以
對政治進行評價和批評的道德倫理體系，也與現代所流行的極不相同。
爲了更貼切理解其理論的一切涵義，至少需要先粗略地瞭解他們所考慮
的是什麼類型的制度，以及公民身分作爲事實也作爲理想，對於他們當
時的公衆到底具有什麼含意。因此，雅典政府就顯得特別重要，這有一
部份是因爲它最著名，但主要還是因爲它是最偉大的希臘哲學家特別關
切的對象。

社會階級

　　與現代國家相較，古代城邦國家無論在領土，還是在人口上，都是
微不足道的。例如，阿蒂卡（Attica）的領土僅比羅得島（Rhode Isl-
and）的三分之二大一點，而雅典（Athen）在人口方面，則只能與丹
佛（Denver）或是羅徹斯特（Rochester）這樣的城市相較。儘管難以

確切肯定，但雅典接近正確的人口數字，大概要超過三十萬人。這種由單一城市統治的狹小地域，就是典型的**城邦國家**（city state）。

城邦人口分為三個主要的階級，不同的階級在政治上和法律上都有顯著的區別。處於社會最底層的是奴隸，此因奴隸制在古代世界是一普遍的制度。在雅典的所有居民中，或許有三分之一的人口是奴隸。正如現代社會是以工資勞動為特徵一樣，作為一種制度，奴隸是城邦國家經濟的特徵。毫無疑問，奴隸在城邦國家並無政治地位可言。在希臘的政治理論中，奴隸的存在被認為天經地義，正如中世紀的封建階級制或現代社會的雇主雇員關係被認為是理所當然的一樣。有時人們痛惜奴隸的命運，但有時卻為這個制度辯護（儘管不是在辯護它的弊端）。

然而，由於奴隸的數目相當可觀——而且往往被加以誇大——逐產生了一種令人嚴重誤解的荒唐想法。這種想法認為，城邦的公民構成了一個「有閒階級」，而其政治哲學因此就成了一個不必謀利營生的階級哲學。

這幾乎完全是一種錯覺。在雅典，有閒階級幾乎不可能比美國同樣城市的閒暇人數多，因為希臘人並不富裕，而且是依靠非常有限的經濟餘額為生的，如果他們比現代人有更多的閒暇，那是因為他們真的知道享受閒暇，並且是以較低的消費水平來享受閒暇（他們的生活步調不像現代人這麼緊張）。希臘人的簡樸生活是現代美國人所無法忍受的。可以肯定，絕大多數的雅典公民必是商人、工匠或農民，他們是靠從事各自行業的工作維生的。對他們來說，除此之外，別無其他生計。因此，像大多數現代社會的人一樣，他們只有在工作餘暇，才能從事政治活動。毫無疑問的，亞里斯多德痛惜這種事實，他認為最好是讓奴隸從事全部手工勞動，以便使公民們能夠有閒暇獻身政治。不管如何思考這一理想具有什麼智慧，可以確定的是，亞里斯多德並非在描述已存在的事實，而是對政治改良提出建議。希臘的政治理論有時把閒暇階級理想化了，而在貴族政治國家裡，統治階級也大概都是擁有土地的貴族，不過把類似雅典那種的城市裡的公民都想像為典型的優游歲月的人，則是相當錯誤的。

除奴隸之外，希臘城邦的第二個主要團體是那些外國居民，即外僑（metic）。在一個雅典那樣的商業城市裡，人口應該是很多的，且在

他們之中有許多已不再是過客。但是，由於並無合法的歸化形式，這些人即使居留好幾代，仍然是處於公民團體之外的外僑，除非他們恰好在粗心大意，或是有意默許的情況下被接納爲公民。這就好像擁有盎格魯撒克遜（Anglo-Saxon）血統的美國開拓者承認來自不同地方的移民，但卻不給他們公民權一樣。儘管外僑是自由人，而且雖受排斥，並未受到社會歧視，但卻像奴隸一樣，不能參與城邦政治生活。

　　最後是公民團體，也就是城邦中有資格參與城邦政治生活的那些成員。這是一種生來就有的特權，因爲對希臘人來說，只要父母是城邦公民，子女也就具有公民身分。在城邦政治生活中，公民身分就是一種成員身分，享有政治治活動或公共事務的一種最低限度的參與。所謂最低，可能僅僅就是指參加城鎮會議（town-meeting）的特權，而這種特權本身的重要與否，取決於流行的民主程度；或者，它也可能包括擔任廣義或狹義公職人員的資格。因此，亞里斯多德顯然是考慮到了雅典人的習慣，認爲能否行使陪審職責是評判公民身分的最佳標準。對一個人來說，他是否適任許多職務還是僅僅幾個職務，同樣是由他所在城邦流行的民主程度所決定。需要特別提到的是，希臘人的公民身分總是意味著諸如此類的參與，只是程度多少不同罷了！因此，這種觀念比現代的公民身分觀念更多私密關係而較少法制意味。按照現代的觀念，公民是指一個人具有法律保障的某些權利，這一點羅馬人可能比希臘人更容易理解，因爲拉丁文的 "ius" 也意味著具有私人權利。然而，希臘人認爲公民身分並不是一種占有，而是某種分享，與家庭成員的身分非常相似。這種情況對於希臘的政治哲學有很深的影響。這意味著他們所考慮的問題，不是使人得到他的權利，而是使人保有其身分所應得的位置。換句話說，在古希臘思想家的眼中，政治問題就是揭示各類別或階級的人，在一健全的社會裡所應得到的身分地位，以便使種種有意義的社會工作能夠進行。

政治制度

公民團體據以對政治事務進行處理的制度，可以用雅典這個實行民主憲政最著名的典型作為例子來說明❶。全體男性公民構成了**公民大會**（Assembly 或 Ecclesia），這種城鎮大會每一位年滿二十歲的雅典人都有資格參加。大會每年定期召開十次，並且可以根據**議會**（Council）的要求，召開臨時大會。這種城鎮大會所通過的法案，幾乎這種體制中的任何作為一樣，都相當於具有政治體所有公共權威的現代法令。但這並不是說，政策的制訂和法案的討論都是或打算在這個機構裡進行的。由聚集在一起的全體人民實行直接民主，與其說是一種政體形式，不如說是一個政治神話。此外，所有形式的希臘政體（逾越法律的獨裁制除外），不論是貴族制還是民主制，都包括某種類型的人民大會，儘管人民大會在政府中所占的份量可能很小。

關於雅典政體的最有趣的事情，其實並不是全體人民的會議，而是為了使行政官吏對全體公民負責，並接受其控制而設計出來的政治方法。如此，據以達到效果的措施是一種代表制，雖然此一代表制與現代的代表制觀念有種種重大的不同。其目標是選出一個團體，這個團體的人數足以形成全體公民的各方代表或樣本，而且可以在一定的情況下或者在一短時期內以人民的名義行事。這個團體的成員任期很短，通常還有不得連選連任的規定，這樣就為其他公民敞開了輪流處理公共事務的道路。與這種政策一致的是，行政官員的職權通常不是由個人，而是由十人委員會掌握，這個委員會的每一個成員選自劃分公民的每一部落。然而，這些行政官員多半權力很小。在雅典，構成人民控制政府的兩個關鍵機構，是五百人會議和擁有龐大人民陪審團的法庭。

從挑選這些管理機構成員的方式來看，可以說他們是代表全體人民。為了實行地方自治，雅典被劃分為大約一百個**自治區**（deme），或者也許可以稱之為區、教區或村鎮。這些自治區是地方政府的單位。不過，這些自治區嚴格說來有部份與地方行政單位不大相符。自治區成員的身分是世襲的，而且即使一個雅典人從某一自治區遷到另一自治區，

他仍然是原屬自治區的成員。因此，雖然這種自治區是一個地區，但卻並不是一種純粹的地方代表制。然而，這種自治區仍實現了某種程度的地方自主，並具有一些瑣碎的地方治安責任。此外，自治區是雅典人獲取公民身分的門徑，因為自治區保有其成員的登記名冊，而每一個雅典男孩到十八歲時都要登記入冊。然而，自治區真正重要的職能，是提出候選人充任中央政府各個機構的工作。這種制度是選舉和抽籤的結合。各自治區大致按照它們的大小比例選舉候選人，而實際任公職者是經由選出的人選以抽籤決定的。按照希臘人的理解，這種抽籤擔任公職的方式是獨特的民主統治形式，因為每一個人擔任公職的機會相等。

其實，雅典還有一個不以抽籤方式選任官員的重要機構，比其他官員有著更大程度的獨立性。他們是經直接選舉選出的十位「將軍」，而且可以連選連任。當然，這些將軍在理論上是純粹的軍事官員，但是在顯赫時期他們實際上不僅行使雅典帝國的外交大權，而且對雅典「議會」和「公民大會」的決定，也有莫大的影響力。因此，這種職位其實並不是軍職，在某些情況下倒是最重要的政治職位。身為將軍的伯里克利斯（Pericles）年復一年成為雅典政策的領導人，他在議會和公民大會中的地位，就類似現代政府中的總理，而不單只是軍隊指揮官。不過，他的權力在於事實上，他能左右公民大會，一旦做不到這一點，那就會去職，正如不信任票能使必須向國會負責的總理去職一樣。

如前所述，在雅典真正的統治機關是五百人議會和擁有龐大民選陪審團的法庭。希臘城邦國家的特點之一是，都有某種類型的議會，但在貴族掌政的國家裡，例如斯巴達（Sparta），議會卻是元老院，這是由被選定終生任職的元老所組成的，不必對公民大會負責。在一般情況下，這種議會的成員身分乃是出身名門的統治階級的特權，與雅典民選的議會完全不同。在雅典，有一種貴族元老院的殘餘，即最高法院委員會，但其權力已因民主政治的興起而遭剝奪。實質上，五百人會議是公民大會的執行委員會和指導委員會。

政府的實際工作，事實上是集中在這個委員會處理。但五百人對於處理事務來說仍嫌過多，因此總以輪值方式將人數減到便於工作。雅典人分為十個部族，每一部族產生五十名議員，而來自同一部族的五十名議員，其值勤期為一年的十分之一。這個五十人組成的委員會，加上來

自非值勤中的其他九個部族的各一名議員，實際上就是以整個議會的名義來管理和處理事務。這五十人以抽籤選出每日的主席，而任何雅典人在其一生中得到這種殊榮，最多只能有一天。這個議會所擔負的重要職責，就是向公民大會提出法案，以便審查，而公民大會也祇處理議會提交的問題。在雅典憲政鼎盛時期，能有效制定法案的機關似乎是議會，而非公民大會。後來，議會有意把自己的職責限定爲起草供公民大會討論的法案，除了這些立法職責之外，議會還是政府的主要執行機構。外國大使館只有經由議會，才能接觸到人民。行政官員在很大程度上隸屬於它的管轄。議會可以拘禁公民，甚至判處死刑。議會本身可以作爲法庭，也可以把罪犯移交給普通的法庭。它完全控制著金融、公共財產的管理和稅收。艦隊及其兵工廠都由議會直接控制。許多委員會、行政機構或公務人員，也都直接或間接隸屬於議會。

然而，議會的大權往往有賴於公民大會的支持。公民大會對議會所提出的問題，可權宜通過、修正或否決。公民大會可以提案交議會處理，而議會也可以未經申請就向公民大會提出議案。一切重大的事情，諸如宣戰、媾和簽約、結盟、直接稅的表決，或是一般法律的制定，都要提交公民大會，裨能獲得人民的同意。但很明顯的是，這並不是期望議會僅僅作爲一個起草機構，至少在雅典政治的盛世，就非如此。無論如何，法令都是以議會和人民的名義通過的。

然而，人民得以充份控制行政官員和法律，都要透過法院。毫無疑問，雅典的法庭是整個民主制度的基石。它們所占有的地位，不是任何現代政體中的法庭所能比擬的。它們的職責像任何其他法庭一樣，當然是就各個民事案件或刑事案件作出司法判決，不過在此之外，它們還有更廣泛的權力，這種權力以現代觀點來看，顯然是行政和立法性質，而不是司法性質。

法庭的成員（即陪審團成員）是按自治區提名。每年選出的陪審團成員有六千名，然後再以抽籤的方式分派法庭，列席處理案件。凡年滿三十歲的雅典公民都可能被選派擔任職務。這個法庭是一非常龐大的團體，幾乎從未少於 201 人，通常多達 501 人，甚至有時規模更大。這些公民都是泛泛之輩的審判員和陪審員，因爲雅典法庭並沒有與法律形式的專業發展相對應的機構。訴訟當事人必須親自陳訴案件。法庭的表

決，先是確定是否有罪的問題，如果裁決有罪，就在訴訟當事人各方提
出他們認爲公道的處罰之後，再確定刑罰。法庭確定判決，就成定讞，
因爲根本沒有上訴制度。實際上，這是完全合乎邏輯的，因爲雅典法庭
的理論認爲，法庭是以全體人民的名義行事和裁決的。這種法庭不單是
個司法機關，而且它代表雅典人民眞正參與統治。因此，一個法庭所作
出的判決，對任何其他法庭是絕無約束力的。事實上，法庭在某些方面
是與公民大會處於同等地位。因爲公民大會與法庭都是人民的替身。所
以，法庭乃是用來確保公民對於行政人員和法律本身的控制。

　　法庭主要透過三種方法，來確保對於行政官員的控制：第一，在候
選人即將任職之前，行使檢覆權。如果某個候選人不適合任職，那麼法
庭可以提起訴訟，並取消其資格。這種程序使得經由抽籤選任的官員，
不能藉由機會而濫竿充數地投機；第二，官員在任期終了時，其所做所
爲會受到審查，而這個審查也是在法庭進行；最後，在每一位官員任職
期滿，要對其帳目及所掌管的國家財產進行特別的檢查和審查。雅典的
行政官員極少能自主行動，因爲他不能連選連任，而且在其任職前後必
須接受由五百個或更多公民所組成的法庭加以審查。就將軍的情況而
言，由於他們得以連選連任，使得他們能夠不受審查，毫無疑問的，主
要就是因爲如此，所以他們是最具獨立性的雅典官員。

　　法庭的控制絕非只對官員，它也能控制法律本身，這或許賦予了它
眞正的立法權，並使它在某些情況下能夠與公民大會分庭抗禮。由於法
庭不僅能夠審判一個人，而且能夠審判一項法律，因此，議會或是公民
大會的決定就可能受到法庭提出特殊會狀的攻擊，聲稱其與憲法牴觸。
任何公民都能夠提出這樣的控訴，於是所涉及的法令就中止實施，直到
法庭作出決定。有問題的法律就如同個人一樣，要受到審理，而且一旦
由法庭作出反對的決定，就將其廢除。顯然，這樣的訴訟實際上是不受
限制的，只要指稱法律是有問題或是不適當，就可能成立。還有一點是
很明顯的，那就是雅典人爲了達到控制的目的，認爲陪審團與全體人民
是一體的。

政治理想

　　經民眾選舉產生並向公民大會負責的議會和獨立而民選的陪審團，是雅典民主政治特有的制度。然而，如同任何政府體系一樣，在這個制度後面，存在著制度所須體現的某種構想，存在著制度要實現政治生活的可貴理想。這樣的理想不易發現，也難以確切描述，但是對於瞭解政治哲學來說，它們的重要性絕不亞於制度本身。幸好，歷史學家修昔底德（Thucydides）有一段非常出色的陳述，說明了民主政治對於思想豐富的雅典人所具有的意義。這就是著名的〈葬禮演說〉（Funeral Oration），可出自於民主政治領導人物伯里克利斯（Pericles）之口，是爲悼念與斯巴達作戰第一年中戰死的官兵而發表的❷。在歷史文獻中，大概再沒有一篇文章能如此卓越地陳述政治理想。在字裡行間中，表現出雅典人以其城邦爲榮、熱愛其衷心參與的公民生活，以及雅典民主政治在道德上的重大意義。

　　伯里克利斯演說的主要目的，顯然是想喚醒聽眾的心靈意識，把城邦本身作爲他們最有價值的財產，作爲他們可以爲之獻身的最高利益。演說旨在喚起愛國意識，而時機則是葬禮，因此人們預期，演說者應該強調傳統的虔敬和祖先的偉大。但事實上，伯里克利斯卻很少提及傳統和過去，他強調的是團結與和諧的雅典人現有的光榮。他對聽眾所要求的是，看到真實的雅典，了解雅典對公民生活的意義，就好像她是一位最美麗和尊貴的女神一樣——

　　　　我要求你們日復一日地注視著偉大的雅典，直至你充滿了對她的愛慕，當你對她的光輝景象留下深刻印象，就會想到這個帝國的存續是依靠瞭解自己的職責並有勇氣履行職責的人，在戰鬥的時刻，他們總是想到要維護榮譽，因此，即使他們失敗，他們也不願失去美德使國家蒙羞，而情願將他們的生命，作爲能夠獻祭給國家的最佳獻禮。

　　在當時，公民身分是雅典人的最高榮譽。「我推崇這個城邦，就是讚美他們。」到底有什麼稀世珍寶，使一個有思想的人竟然樂於如此？

他擁有什麼樣的財產使他那麼珍惜，或者說他會爲此冒險和做出更多的犧牲呢？他難道寧可不要財產或他的家庭嗎？除了使一個人能夠享有來自積極參與城邦生活所帶來更高的善之外，財產還有什麼用？至於家庭，即使有古老和光榮的血統，除了使人加入公民生活所體現更高的社會關係形式之外，還有什麼價值呢？在所有派系之上，在所有較小的團體之上，聳立著城邦，而城邦使他們都有其意義和價值。家庭、朋友和財產，只有在構成至善的因素時，才能美滿地享有，而至善就在城邦自身的生活和活動中。

　　儘管在那樣的場合下詞藻的誇張也是無可厚非的，但事實上〈葬禮演說〉仍然表達了希臘政治生活的完美理想。這種生活所具有的親密性質，現代人是很難將它與政治聯想在一起的。相對而言，現代國家是如此龐大、如此遼濶、如此超脫個人，以致不可能在現代生活中像城邦那樣成爲希臘人生活的一切。雅典人民的利益很少被分割，很少切割出完全互不相關的部份，而且它們都集中於城邦。人民的藝術，就是城邦的藝術；人民的宗教，只要超出家事範圍，就是城邦的宗教，而其宗教節日也就是城邦的慶典。與現代生活情況相較，雅典人民的營生，也更依賴於國家。因此，對於希臘人來說，城邦是一種共同的生活。它的憲政，正如亞里斯多德所說，是一種「生活形態」而不是法律結構。因此，所有希臘政治理論中的基本思想，就是協調這種共同的生活。涉及這個思想的各個層面，也很少有什麼區別。對於希臘人來說，城邦的學說就是倫理學、社會學和經濟學以及現代人所理解的狹義政治學。

　　這種共同生活的普遍性以及雅典人賦予它的價值，明顯地體現在他們的制度上。輪換任職、通過抽籤決定任職人選、把統治實體擴大到極不便利的程度，所有這些都是爲了使更多的公民能夠參政。雅典人和任何人一樣，瞭解反對這些作法的異議，但是爲了他們確信的益處，他們還是寧願忍受這些弊端。雅典人的政治是一民主政體，「因爲治權是操在多數人而不是少數人手裡」。在現代政治學中，這樣的表述似乎不能完全按照其字義而被接受，除非它被理解爲有相當公平的投票權。除了少數以政治爲職業的人之外，可以肯定，在現代民主人士的思想中，是否擔任公職並非那麼重要，但對於雅典人來說，它卻是絕大多數公民一生中的大事。根據亞里斯多德在其著作《雅典的憲政》(Constitution of

Athens）中所提供的數字，估計每年有六分之一的公民可能任職從政
——縱使僅僅只是參加陪審團活動。而且，即使他不擔任公職，他在每
一年中仍然可能定期參加十次在全體公民大會上對政治問題所進行的討
論。這種有關公共事務的討論，不論正式與否，是雅典人一生中主要的
樂趣和愛好之一。

　　因此，伯里克利斯最誇耀的，就是比其他任何國家都優越的雅典，
已找到了使她的公民能夠把對個人事情的關心，和參與公共生活結合起
來的秘密——

> 　　雅典公民不會因為照料自己的家事而忽略國家，即使是我們之中
> 忙於工作的人也有著鮮明的政治觀念。對於公共事務沒有興趣的人，
> 唯獨我們不認為他是無害，而是視其為無用之人。縱使我們之中少有
> 創作者，但我們都是政策的可靠評判者。

把全部時間集中於個人私事，對於伯里克利斯時代的雅典人來說，好像
是對社會價值的荒唐扭曲。雅典的製造業，特別是陶器和武器生產，在
那個時代的希臘世界裡確實是最好的，但即使是工匠，如果他沒有空閒
去關心公共事業、關心城邦事務，對生活也會感到不快。

　　根據所有人都應當參與政治生活的要求，必然會導致這種理想，即
任何人都不應當因身分或財產的不同而被排斥——

> 　　當一位公民在任何方面有所成就時，他就會被推舉從事公眾工
> 作，這不是一種特權，而是作為對功績的報償。貧窮絕不是障礙，即
> 使是一個卑微的人，也可能造福於他的國家。

換句話說，沒有人是生來做官的，也沒有人能花錢買官做，一個人的任
職是在平等機會中被挑中的，是天賦給予他的資格。

　　最後，此一人人都應積極參與公共生活的理想，預設了一般人都具
有政治天賦的樂觀估計。在消極方面，它認為不需要嚴格的訓練和豐富
的專業知識以構成對於政治和社會問題的理智判斷。在伯里克利斯的演
說中，說得再清楚不過的，就是這位崇尚民主政治的雅典人從他那「自
得的多才多藝」中所體驗到的自豪感——

> 　　我們所依賴的不是手腕或詭計，而是自己的熱忱與努力。就教育

而言，他們（斯巴達人）總是從青少年起就從事體能訓練，以便變得勇敢，而我們則過著自在的生活，並且同樣準備面對他們所面對的危險。

當然，這是諷刺斯巴達人刻板的軍事訓練，但它並非僅限於此。這種業餘的態度，無論好壞，都是雅典人政治實踐的鮮明寫照。雅典人是才智聰敏的，而且雅典人樂於相信——不惜爲此付出代價——聰敏的智慧可以取代熟練的知識和專門化的技巧。儘管如此，雅典人所誇耀的卻是實實在在的，他們的確單憑智慧而能在藝術、技術、海戰，以及在治理國家的能力上超越所有其他的國家。

因此，在雅典人的概念中，城邦是一個社羣，其成員在其中過著和諧的共同生活，它盡可能允許更多的公民積極參與，誰也不會因地位和財產而受到歧視。在其中，以個人的才幹能找到自然的、自發的和令人滿意的表現方式。在某種程度上，伯里克利斯時代的雅典大概也比任何其他人類社會更成功地實現了這種理想。然而，它畢竟是理想而不是現實。即使在這一民主政治的興盛時期，也有著其陰暗的一面，而這個陰暗面正如它的成功一樣，對早期的政治理論發生了重大的影響。柏拉圖所著的〈理想國〉（Republic）幾乎可以說是關於「自得的多才多藝」的民主觀念之述評。對柏拉圖來說，此一觀念正是任何民主憲政所不能根除的缺點。的確，在目睹了伯羅奔尼撒戰爭的悲慘結局之後，柏拉圖對這些價值可能比伯里克利斯有了更多的懷疑。同樣的，在修昔底德所著《歷史》中亦對此抱持懷疑，當他緊接在〈葬禮演說〉之後敍述雅典人的戰敗故事時，豈不正是對〈葬禮演說〉尖刻的諷刺！

從實現和諧的共同生活這個廣泛的論題來看，我們應當承認，城邦國家僅僅取得了有限的成功。這種城邦生活的親密和普遍，儘管在多方面造就了這個理想的崇高道德，但也導致了與其美德相悖的缺點。總之，城邦國家很容易成爲派系爭執和黨派敵對的犧牲品，這種對立之激烈只有親密朋友的爭差可比擬。修昔底德描繪了一幅隨著戰爭的進行，在希臘各城邦普遍出現的革命發展和派系紛爭的可怕圖景：

　　魯莽大膽被認爲是忠誠的勇氣；謹愼的拖延成了膽小鬼的藉口；沒有男子漢的怯懦以中庸爲僞裝；什麼都知道就成爲什麼都不做。瘋

狂的精力成了男人的真正特質……喜愛暴力者總是得到信任……黨派
的紐帶強於血緣的紐帶……真誠的誓約不是神聖的法律，而是罪惡的
友情。❸

後來，戰爭結束後，柏拉圖悲哀地說道：「任何一個城市，不論它多麼
小，實際上都分成了兩個，一個是窮人的城市，另一個是富人的城
市。」❹

　　這個和諧的理想之所以這樣持久地成為希臘政治思想的一部份，正
是由於這個理想只是部份地或是在朝不保夕的情況下實現。人們總是把
忠誠獻與特定形式的政府或黨派，而不是獻與城邦，這就非常輕易地開
啓通向完全的政治利己主義道路，而這種主義甚至也不會再忠於黨派。
在這方面，雅典肯定比一般城市好，然而阿西比亞德（Alcibiades）的
生涯說明了，宗派的危險和不擇手段的自私，可能在雅典政治中同樣存
在。

　　每位公民都應作為最大幸福享有的和諧共同生活的理想，儘管是在
朝不夕保的情況下實現，卻始終是希臘政治理論的指導思想。這點比任
何其他理由更能說明，一個現代讀者初讀柏拉圖和亞里斯多德的政治著
作時，為什麼會驟然感到困惑。在他們的著作中，沒有我們的政治概
念，特別是賦予私人權利的個別公民和國家的概念。現代國家係經由法
律保護公民的權利，為此目的並可以強制公民承擔義務。我們最熟悉的
政治思想，是力圖求得這兩種對立傾向的某種平衡，即以足夠的權力使
國家得以有效運轉，同時以足夠的自由使公民成為一種自由人狀態。在
城邦哲學家眼中，卻沒有看到這種對立，也沒有看到這種平衡。對他們
來說，公道或正義意味著公民共同生活的憲政或組織，而法律的目的就
是在城邦的總體生活中為每一個人找到他的身分、職位和功能。公民享
有種種權利，但這些權利並不屬於私人，它們屬於他的職位。他也有義
務，但這並不是國家強加於他的，義務來自於實現其個人潛力的需要。
幸虧希臘人沒有這樣的幻覺，即他擁有願意做什麼就做什麼的固有權
利；也沒有這樣的自負，即他的義務是秉承「來自上帝嚴峻的意旨」。

　　在公民和諧及共同生活的概念所確定的範圍內，雅典人的理想為兩
個基本的政治價值找到了適當的位置，這就是自由和尊重法律；在希臘
人心目中，它們總是緊密相連，猶如兩大支柱。看一看伯里克利斯是怎

樣在幾乎同一個命題中把這兩者結合起來是很重要的——

> 在我們的公共生活中不排斥任何人，在我們的私人交往中不相互
> 猜疑，我們也不會因我們的鄰居做了他們喜歡的事而生氣，當然我們
> 也不會給他慍怒的臉色，儘管這無害，但卻令人不快。如此當我們自
> 由地從事我們的私人交往時，一種敬重的精神就會普及於我們的公共
> 行為中。我們以尊重權威和法律來防止錯誤，我們特別尊重那些用以
> 保護受害者的法律和那些使犯罪者受到輿論譴責的不成文法。

城邦的各種活動是經由公民的自願合作而進行，這種合作的重要的
手段，就是對政策的各個方面進行自由而充份的辯論——

> 以我們的觀點看來，行動的真正障礙不是討論，而是缺乏知識
> ——缺乏可以經由行動前的辯論而得到的知識。因為我們具有在行動
> 之前進行思考的特殊能力，也具有採取行動的特殊能力，而其他人卻
> 因無知而勇敢且又畏於反思。

正是這種把辯論作為制訂和實行政府法案最佳手段的信念——這種信念
認為一個明智的法案或是一個良好的制度必須經得起眾人智慧的檢驗
——使得雅典人成了政治哲學的創造者。當然，這並不意味雅典人蔑視
習俗，而是絕不相信一個習慣法僅因它古老就具有約束力。雅典人更樂
於瞭解習慣法中所假定的基本原則，並經由理性的批評，使之更為明白
和更易於理解。這個有關習慣和理性相互關係的問題，貫穿於城邦的一
切理論中，例如，懷疑論認為凡是正當的不過是盲目的習慣，並此認為
政治制度只是政治體制的受惠者獲取利益的一種手段。在柏拉圖看來，
懷疑論是一種最致命的社會毒藥。不過，在這方面柏拉圖卻贊成希臘人
的純樸觀念，認為政府最終依靠的是說服而不是強制，而且它的制度正
是為了說服而不是為了壓制而存在。政治並不為天生的貴族保留任何神
秘事物。公民的自由在於他具有理性的本能，在與其同伴進行自由而不
受拘束的交往中，他能夠說服別人，也能夠被別人說服。希臘人的確有
某種天真的信念，以為在所有人當中唯獨自己被賦予這種理性能力，而
且在所有政體中，只有城邦國家才能使這種能力得到自由的運用。這就
是希臘人以傲慢態度對待「野蠻人」的原因，正如亞里斯多德所說的，

「野蠻人」生來就是奴隸。

因此，自由就意味著尊重法律。雅典人並不認為自己是完全不受約束的，而是對約束作了嚴格的界定。一種約束只是屈從另一個人的專橫意志，而另一種約束則是共認應當受到尊重的法律準則，因而在這個意義上是自願接受約束。有一種觀點是所有希臘政治思想家都贊同的，那就是專制是所有政體中最壞的，因為專制意味著使用非法暴力，即使它的目標和結果是慈善的，它也仍然是壞的，因為它摧毀了自治——

> 最壞的敵人莫過於專制暴君，
> 在他的統治下，首先不能有習慣法，
> 有的只是個人的統治，
> 在他個人手中控制著法律。❺

在自由的國家裡，至高無上的是法律，而不是統治者，而且法律應該得到公民的尊重，即使在特殊情況下它傷害了他。自由和法治仍是良好政體中兩個相輔相成的層面，正如希臘人所相信的，這是城邦國家的秘密，也是全世界人民中只有希臘人能夠享有的特權。

這就是伯里克利斯自詡「雅典是希臘的學校」（Athens is the school of Hellas）一言的涵義。雅典人的理想可以概括為——對一個自由國家中自由公民身分的構想。政府的作用也就是公平法律的作用，而法律之所以有約束力，正因為它是正當的。公民的自由就是他的理解（求知）的自由、討論的自由以及貢獻的自由，公民的自由不因地位和財富而有不同，而是他的天賦和品德。這一切的最終結果是實現一種共同的生活，就個人而言，這種生活是天賦能力最好的訓練學校，就社會而言，則充滿了文明生活的愉快。這種生活所伴隨的寶貴財富是物質上的舒適，是藝術、宗教和智識的自由發展。在這樣的共同生活中，個人的最高價值就在於以他的能力和自由去做有意義的貢獻，在城邦生活中不論擔任怎樣低賤的職位。雅典人對其城邦生活的自豪使他相信，人類歷史首次實現這個理想的手段已幾近完善。由於雅典人在這方面的成功，使得後來的人在提出關於公民自由的理想時，不得不受其制度和哲學的影響。

註　解

❶即克利斯提尼（Cleisthenes）憲法，他的改革於西元前五〇七年得到採用，以後
　又不時有一些較小的改變，主要目的是增加由選舉和抽籤產生官員的數目以及有
　報酬的公職人員數目，因為這兩者都是實現民治政府的手段。克利斯提尼的改革
　確立了雅典全盛時期及以後繼續保持著的憲政體制。在伯羅奔尼撒戰爭之後，有
　過一短暫的寡頭政治的反動，但到西元前四〇三年，舊有的形式又恢復了。

❷《修昔底德》，第二卷，第35～46頁。下面的引文摘自班傑明‧喬伊特（Benj-
　amin Jowett）的譯本，第二版（Oxford, 1900）。

❸《修昔底德》，第3卷，第82頁。

❹〈理想國〉（Republic），第4卷，422e。

❺歐里庇得斯（Euripides），《懇求者》（ *The Suppliants* ），第二卷，第429～432
　頁〔韋（Way）的譯本〕。

參考書目

1. *Greek Political Theory: Plato and His Predecessors.* By Ernest Barker. 4th ed. London, 1951. Chs. 1,2.

2. *Hebrew Thought Compared With Greek.* By Thorleif Boman. London, 1960.

3. *Lawyers and Litigants in Ancient Athens: The Genesis of the Legal Profession.* By Robert J. Bonner. Chicago, 1927.

4. *Aspects of Athenian Democracy.* By Robert J. Bonner. Berkeley, Calif., 1933.

5. *Classical Greece.* By C. M. Bowra. New York, 1965.

6. *Aspects of the Ancient World.* By Victor Ehrenberg. Oxford, 1946. Essays 3, 7.

7. *Hellenistic Athens: An Historical Essay.* By W. S. Ferguson. London, 1911.

8. *Greek Imperialism.* By W. S. Ferguson. Boston, 1913.

9. *Thucydides.* By John H. Finley, Jr. Cambridge, Mass, 1942.

10. *The Pre-Socratic Philosophers.* By Kathleen Freeman. Oxford, 1946.

11. *The Growth of the Athenian Economy.* By A. French. London, 1946.

12. *The Greek City and Its Institutions.* By G. Glotz. Eng. trans. by N. Mallinson. London, 1929.

13. *Essays in Greek History and Literature.* By A. W. Gomme. Oxford, 1937. Chs. 4, 5, 9, 11.

14. "Democracy at Athens." By George M. Harper, Jr. in *The Greek Political Experience: Studies in Honor of William Kelly Prentice.* Princeton, N. J., 1941.

15. *The Liberal Temper in Greek Politics.* By Eric A. Havelock. New Haven, 1957.

16. *A History of the Athenian Constiution to the End of the Fifth Century*

B. C. By C. Hignett. Oxford, 1952.

17. *The Early Ionians.* By G. L. Huxley, London, 1966.

18. *Athenian Democracy.* By A. H. M. Jones. Oxford, 1957.

19. *A History of the Greek World from* 479 to 323 B.C. By M. L. W. Laistner. 3b. ed. London, 1957.

20. *Representative Govemment in Greek and Roman History.* By J. A. O. Larsen. Berkeley, Calif., 1955. Lecture 1.

21. "Cleisthenes and the Development of the Theory of Democracy at Athens." In *Essays in Political Theory.* Ed. by Milton R. Konvitz and Arthur E. Murphy. Ithaca, N.Y., 1948.

22. *The World of the Polis.* By Eric Voegelin. Baton Rouge, 1957.

23. "Athens: The Reform of Cleisthenes." By E. M. Walker. In the *Cambridge Ancient History*, Vol. IV (1926), ch. 6.

24. "The Periclean Democracy." By E. M. Walker. In the *Cambridge Ancient History*, Vol. V (1927), ch. 4.

25. *Greek Oligarchies, Their Character and Organization.* By Leonard Whibiey. New York, 1896.

26. *A Companion to Greek Studies.* Ed. by Leonard Whibley. 3d ed. rev. and enlarged. Cambridge, 1916, ch. 6.

27. *Staat und Gesellschaft der Griechen.* By Ulrich von Wilamowitz-Moellendorff. 2d ed., 1923. In *Die Kultur der Gegnwart.* Ed. by P. Hinneberg. Berlin, 1906~1925.

28. *The Greek Commonwealth: Politics and Econmics in Fifth-century Athens.* By Alfred E. Zimmern. 5th ed. rev. Oxford, 1931.

第三章
柏拉圖之前的政治思想

　　雅典人公共生活的全盛時代，到西元前五世紀的後期趨於衰微，而其政治哲學的輝煌時代卻是在雅典被斯巴達攻陷之後才到來。這如同歷史上的許多情況一樣，省思緊隨成就之後，種種原則只是在經過長期實施之後才被人以理論陳述出來。在西元前五世紀，雅典人的讀書和寫作機會並不多，再者，在柏拉圖前的時代，政治論文即使寫出來，也很難保存下來。不過有迹象清楚地顯示，在西元前五世紀有許多活躍的思想和討論集中於政治問題上，而且後來柏拉圖和亞里斯多德著作的許多概念，在當時早已相當明確。這些思想的起源和發展不可能完全追溯清楚，但是那個輿論環境則必須闡明，因為下一世紀更明確的政治哲學正是從這發展而來。

民衆的政治討論

　　西元前五世紀的雅典人熱衷於政治討論，這一點大概無須贅言。公衆事務以及對公衆事務的管理，是他們非常感興趣的話題。雅典人生活的環境，就是口頭討論和談話的環境，這在現代看來似乎很難以想像。可以肯定，好奇而愛追根究底的希臘公民，會以他們的智慧對每一類有趣的政治問題進行仔細的討論。的確，這種環境對於進行某些政治探討應該不是很有利。希臘人幾乎是被迫思考我們今天所說的比較政治。在整個希臘境內，希臘人能夠發現各種各樣的政治制度，雖然這些制度都屬於城邦國家類型，但仍然可能有很大的不同。至少有一種是爲每一位雅典人在他成長到能完全聽懂談話時，一定會在辯論中聽到的，那就是

雅典與斯巴達之間，進步國家與保守國家之間，或者說民主國家與貴族國家之間的比較。當時，在東方始終存在著波斯的可怕陰影，這是任何希臘人不會遺忘的。實際上，希臘人幾乎不把它當作一個真正的政體，或者至多把它視為只適合於野蠻人的政體，然而它卻構成了一個陰暗的背景，使希臘人能夠據此為自己設計更好的制度。隨著希臘人的足跡到達更遠的地方——埃及、地中海西部、迦太基，以及亞洲內陸的部落——希臘人不斷發現可供比較的新資料。

西元前五世紀的希臘人，對充滿其世界的奇妙法律和制度已養成了強烈的好奇心。希羅多德（Herodotus）在其著作《希臘羅馬史》中，所呈現出豐富的人類學知識，已充份證明了這一點。外國人的奇特風俗和舉止，構成了他收集貿易問題材料的一部份。在某一國家被認為是表示最大虔誠和善意的行為，在另一個國家則可能遭遇冷淡甚至厭惡。每一個人自然而然地都較喜歡自己國家的風俗習慣。任何人的生活都必須合乎於一定的標準，雖然這些風俗不一定真的比其他國家的優越。人的本性需要那種隸屬於某種慣例的虔誠。希羅多德是以一種好奇而寬容的眼光，同時也帶著敬意來看待他所揭示的奇風異俗。他認為這正足以證明岡比希斯（Combyses）的狂暴，因為他竟然蔑視和凌辱波斯鄰近其他民族的宗教習慣，「我認為品達（Pindar）的詩說得對，『世俗是一切的主宰』。」❶

甚至就在這本非哲理的書中，也有一個相當令人驚訝的段落❷，表明希臘公眾思想的發展已達到對政體進行理論化的程度了。這個段落，描寫了七位波斯人，他們參與討論君主、貴族和民主政體的相對缺點。絕大多數論點皆指出：君主易於蛻化為僭主，而民主政體則是法律之前人人平等。不過民主政體容易成為暴民政治，因此由最合適的人來管理的確較為可取。然而，最好又是只由一位最合適的人來統治。這是真正希臘式的體驗，希羅多德的確不是從波斯學來的。在人們尚未了解政治哲學之前，這種有關政體形式的分類，在當時已是一種相當流行的理論推理。俟這種理論出現在柏拉圖和亞里斯多德的著作中時，它早已成為無須太認真對待的老生常談了。

在政治思想形成的早期階段，對外國無偏見的好奇無疑是有意義的，但好奇肯定不是主要的目的。最重要的情況是雅典政體本身的急劇

變革，以及導致這些變革的鬥爭。在歷史紀元中並不存在這樣的時期，即雅典人的生活——實際上乃是希臘人的生活——在相當程度上受到了公認習俗的管制。斯巴達（Sparta）確實可以自認為是政治穩定的非凡國家，而雅典人既然沒有什麼古老制度可以稱道，便不可避免地只能以進步為傲。雅典民主政體的最終勝利，並不會早於伯里克利斯在政治上的成功，而憲政的確立，則只能追溯到西元前六世紀的最後幾年。民主政體的初創時期，從梭倫（Solon）建立公民對法庭的控制起計，經歷也不到一百年。此外，自梭倫掌權以來，雅典的內政一直沒有改變。其基本原因有經濟上的，也有體現為貴族政治和民主政治爭議的問題。維護貴族政治的是古老的名門世族，這些人的財產是土地。維護民主政治的是謀求外貿利益的人，其目標則在海上發展雅典的實力。梭倫曾經誇口，他立法的目的是要使富人和窮人能進行公平的競賽，但在柏拉圖看來，這種利益上的差別仍然是希臘政權內部不協調的根本原因。雅典史和真正的希臘城邦史，一般說來至少有兩百年的時間是活躍的黨派鬥爭場所和急劇的憲政變革舞臺。

只是偶爾一瞥，就能使人猜想到，伴隨著這些政爭，對政治問題的討論，將是如何的激烈。關於民主政治在雅典的勝利，特別有一小段令人驚訝的政治描述呈現出此一景況，這種描述很可能不是孤立的，它表明了作者對於政治變革的經濟原因是多麼瞭解。這篇〈雅典憲法〉（Constitution of Athens）的短文，乃是出自某一不滿現實的貴族之手，以前曾被（錯誤地）認為是色諾芬（Xenophon）❸所撰。此文作者認為，雅典憲法是民主政治的主要工具，也是政體完全變壞的表現形式。他還認為，民主政治的根本力量在於海外貿易，以及因此而來的海軍重要地位。在古代的條件下，海軍是軍事系統典型的民主分支，正如重裝步兵是典型的貴族政治分支一樣。民主政治是用於剝削富人，且將之放入窮人口袋的手段之一。他認為人民法庭只是向六千名陪審員分發薪金，以及趁雅典盟友們等待司法案件處理時，強迫他們把錢花在雅典的一種聰明方法。如同後來的柏拉圖一樣，他抱怨在民主制度下，當一個人在大街上與別人相撞時，甚至不能辨別這人是不是一位奴隸。很明顯，柏拉圖在〈理想國〉第八卷中關於民主國家的諷刺性敘述，並沒有什麼新意。

　　另外其他的證據顯示，雅典民眾對於辯論最激進的社會改革方案絕
不是門外漢。因此，阿里斯多芬（Aristophanes）能夠從堅持女權和廢
除婚姻制度的觀念中，構思出他的喜劇〈執政的女人〉（Ecclesiazusa-
e）。這部戲劇大約上演於西元前三九〇年，它所體現的觀念有力地指
出，它與柏拉圖大約在同一時期提出共產思想有密切的關係。它主張女
人應把男人從政治中剔除；婚姻制度應當拋棄；應使孩子不知其真正父
母而全部成為他們長輩的同等後裔；勞動應完全由奴隸進行；賭博、偷
盜和訴訟都應該廢止。所有這一切與〈理想國〉的關連是模糊的，因為我
們無法確定阿里斯多芬和柏拉圖的作品到底哪個先發表。❹不過，這並
不是真正令人感興趣的重點。阿里斯多芬的諷刺劇似乎不是一種思辯哲
學，而是激進民主政治的烏托邦構想。既然這個喜劇的主要要求就是成
功地演出，因此他的觀眾必須知道他要講的是什麼。顯然可以確定，至
少早在西元前四世紀，雅典的觀眾絕不會看不懂針對他們的政治和社會
制度的惡意批評。此外，柏拉圖也並不是一位改革者，他不過想認真地
處理婦女的社會地位問題，這個問題在那時如同現在一樣，乃是一個嚴
肅的問題，儘管它可能受到輕視。

自然界和社會的秩序

　　因此，可以很清楚看出，有關政治問題和社會問題的積極思考和討
論，早於明確的政治理論，而一些多少具有重要意義的個別政治概念，
在柏拉圖試圖將它們納入一套圓滿的哲學之前，早已是一般常識了。然
而，也有一些流行帶有某種普遍性的概念，它們本身並不具有政治本
質，但卻構成某種思想觀點，政治思想即在其中得到了發展，並首次使
其變得明朗化。在這裡，也是概念的提出和表達先於純理論地陳述哲學
原理。這樣的假定雖頗令人困惑，然而卻很重要，因為它們在很大程度
上將決定什麼樣的解釋使人感到思想的滿足，並因此決定了往後的理論
選擇的方向。

　　如上一章所述，希臘人有關國家觀念的基本思想，就是國家全體成
員融洽地參與共同的生活。梭倫自詡他的立法導致了富人和窮人間的和

諧與平衡，在其中每一黨派都得到了它應得的合理權益❺。和諧與比例平衡的觀念在希臘人的美和倫理這兩個概念所發揮的重要影響，因常被強調以致無須重複。這些思想發生於希臘哲學的早期，當時阿納西曼德（Anaximander）試圖把自然界描繪爲一種對立屬性（例如冷與熱）所構成的體系，這種對立的屬性是由一種潛在的中性實體分裂而成。和諧或平衡，或許也可稱之爲「公道」，是所有最早創立物理世界理論的努力中一項終極原理。赫拉克里圖（Heraclitus）說：「太陽不會逾越他自己的本份。」如果他逾越的話，正義女神的侍女伊利逆絲（Erinyes）就會給他應得的處罰。」特別是畢達哥拉斯學派（Pythagorean）的哲學，把和諧或平衡視爲音樂、醫藥、物理學和政治學中一個基本的原則。在英語中依然存在著一種形象的說法，把公道描述成一「平方」數。這種把度量標準或比例平衡視爲倫理性質的想法，曾被記述在這句有名的諺語裡：萬物皆有定份（nothing too much）。在歐里庇得斯（Euripides）的劇作〈腓尼基少女〉（Phoenician Maidens）中，以文學的形式表達了相同的倫理觀念，其中的俄卡斯達（Jocasta）勸告她的兒子要節制，懇求他做到──

> 平等──
> 使朋友和朋友，城市和城市，同盟和同盟互相親密。
> 人類的自然法則就是平等。
> ……
> 平等是人命定的度量標準，
> 權力和命運的分配由她來指定。❻

由此可見，人們最初是把和諧或平衡的基本觀念不加區別地視爲物理原則和道德原則來應用，而且不加區別地把它表述爲一種自然界的屬性或人性的合理屬性。不過，這個原則的最初發展，是在自然哲學之中，而且這個發展又反過來在其後來的道德思想和政治思想的應用上發生了影響。在物理學中，度量標準或比例平衡都具有確定的和某種技術上的意義。這意味著對構成物理世界的瑣事，或特殊的事件和物體可以以這樣的假說來解釋，即它們是本質始終如一的基本實體的變異或變形。在這裡，對比出現在短暫多變的具體事物和不變的「自然」（nature）之間，而後者的性質和規律則是永恆的。這種作為物理學原則的概念，以原子論的形式（在西元前五世紀後期）達到了巔峯；依據原子論，不變的原子經過各式各樣的不同組合後，造就了世界上一切形形色色的物體。

對於物理世界的興趣，產生這個非凡的、第一次接近於科學的觀點，這種興趣從始至終持續於整個西元前第五世紀，不過大約在那個世紀的中葉，也開始出現興趣的轉變。這是在人文研究方面的轉變，它表現在語法、音樂、演講和書寫藝術等方面，最終出現於心理學、倫理學和政治學。這種以雅典為中心的變革，其原因首先是財富的成長，精緻生活的發展，以及對高水平教育的需求感，特別是對諸如公共演講那樣的技巧需求感，因為這種公共演說對一個民主政體中的發迹有直接的關係。著手進行改革的，是那些以巡廻教師如知名的論辯家或「辯士」（Sophist）。他們賴以為生——有時是非常富裕的生活——是依靠提供教育給那些付得起學費的人。但是，使這種興趣的改變得以完成的力量，乃是蘇格拉底驚人的品格，這種品格又經柏拉圖在《對話錄》中的描述而更為彰顯。這種變化所導致的結果，無異於一場思想革命，因為它使哲學脫離了物質的自然界而走向人文學的研究——走向了心理學、邏輯學、倫理學、政治學和宗教。即使仍堅持對物質世界的研究，如亞里斯多德，其解釋的原理大部份也來自於對人類關係的觀察。從蘇格拉底死後一直到西元十七世紀，純粹研究外在世界而不顧及它與人類事務和人類利益關係，再也不是大多數思想家關切的問題。

至於辯士學派（Sophists），他們毫無哲學可言，他們所教授的正是那些富家子弟付錢所要學的東西。然而，他們之中至少有一些人主張新的觀點，這種觀點與當時旨在揭示物質變化的永恆不變實體的流行哲學形成對比。這種新觀點的積極作用是人文主義——以人為中心將知識編織在一起。在消極方面，它意味著某種懷疑主義，懷疑在較古老觀念中，對物理世界有某種超然的知識理想。普羅塔哥拉斯（Protagoras）的名言可以最恰當地理解這點，「人是萬物的尺度，是他是其所是和非其所非的尺度」（Man is the measure of all things of what is that it is and of what is not that it is not.），換句話就是，知識是人的感官和其他官能的所創造，因此它是嚴格的人的事業。普羅塔哥拉斯確實想

告知人們這個觀點，即任何人願意相信的任何事物都是眞實的。儘管柏拉圖認爲這個觀點正是普羅塔哥拉斯所主張的確實意義，不過，柏拉圖卻沒有提及普氏如何爲自己的主張辯護。對於一個職業教師來說，這確是一個自殺性的敎旨。其實，普羅塔哥拉斯的意旨大概是「關於人類的眞正研究離不開人」。

　　然而，新人文主義的目的，如果是想在實際上完全放棄自然哲學所遵循的陳舊思想方法，那麼它是完全失敗了。它的成功給予人們新的興趣和方向。較早期的哲學家們已逐漸把對自然的解釋設想爲，揭示變態之中的單純和不變的實體，認爲具體事物表面隨處可見的變化，正是由這種變態所引起的。但是西元前五世紀的希臘人——由於與外族的接觸並且經由自己國家立法的急劇變革——已熟悉了人類習俗的多樣性和多變性。因此，他們能夠在習俗和慣例中找到轉瞬即逝的類似現象，並且尋求使現象可被化約成規律性的「本質」或永久原則，這難道不是很自然的嗎？自然哲學家所謂的本體，因此再次以「自然法則」的面貌出現，這種自然法則永遠存在於人類環境中無止盡限制和變動之中。如果能夠發現這一種永久的法則，那麼人類社會就可以達到合乎理性的境界。這樣，希臘的政治哲學和倫理哲學就碰巧是沿著由自然哲學開創出來的古老路線前行——以尋求變化中的永恆和紛亂中的統一。

　　無論如何，問題依然是：這一永恆的因素在人類生活中應該呈現出什麼樣的形式。不論習慣和風俗所形成的人的「第二本性」（second nature）是什麼，人所共同具有的人性中不變精髓究竟是什麼呢？去掉了習慣所賦予的一切奇異形式之後，人類關係的永久原則又是什麼呢？顯然，只假定人有天性，假定某種形式關係是正確的和適當的，無論如何還是不能解決這個原則究竟爲何的問題。再者，發現了它將會有什麼結果？一個人將其民族的風俗和法律與這個標準進行比較會如何？它將會強化合乎傳統虔敬的眞正智慧和理性，還是會具有顛覆性和破壞性？如果人們發現了怎樣做到「出乎本性」，他們還會對他們的家庭忠誠、對他們的國家效忠嗎？於是，「出乎本性」乃被投進於所有概念上最困難和最模糊不清的政治哲學大鍋中，被當作人類實際行爲所表現出的心理上與道德上的混亂溶劑。對於許多問題的解答都是依賴什麼才是出乎本性的考慮而得到。除了懷疑論者，一切人都承認，有些事物是出乎本

性的，而懷疑論者最後也十分厭倦地宣布，一切事物都是出於本性，只不過習俗和慣例則是「一切的主宰」。這就是說，某種法則是確實存在的，瞭解這個法則，就能夠說明人們爲什麼會這樣行爲，說明他們爲什麼認爲某些行爲是高尚的和善的，而認爲另一些行爲是卑劣的和邪惡的。

自然和常規

有充份的證據顯示，在西元前五世紀的雅典人中，曾廣泛展開這場有關自然對常規（nature versus convention）的辯論。當然，這種辯論正如它以後經常出現時那樣，總爲叛逆提供辯護的理由，即以某種更高的法則名義，來反對社會既存常規和現行法律。在希臘文學中，反映這個主題的典型例子就是索福克利斯（Sophocles）所作的《安提戈涅》（Antigone），或許，這是一位藝術家首次探討尊重人的法律和尊重上帝的法律間的衝突。當安提戈涅因違反法律完成其兄葬禮而受刑與譴責時，她回答克萊昂（Creon）：

> 的確，這些法律並非宙斯制定，
> 僅被賦予與諸神共居於宙斯之下的地位，
> 正義，不是由這些人類法律所頒布。
> 我也不認爲你，一個凡人
> 能夠一口氣就取消和踐踏
> 上天永世不變的不成文法。
> 他們不是生於今天，也不是昨天，
> 他們絕不會消亡；也無人知道他們起於何時。❼

這種將自然本性與上帝法律等同合一，以及將約定的常規與眞正的正義對比的作法，幾乎注定成爲往後批評種種弊端的公式，而承擔這項任務的自然法（law of nature），後來，就不斷的地出現在政治思想史當中。這項任務所採取的對比作法，也出現在歐里庇德斯（Euripides）的作品中，他用這種方法否定基於出身的社會差別性，甚至用它

否定對希臘社會具有決定意義的奴隸制：

> 唯一給奴隸帶來恥辱的是奴隸這個名稱，
> 此外，奴隸絕不比自由人更壞，
> 所以他有一個正直的靈魂。❽

還有，

> 誠實的人是大自然界的貴族。❾

西元前五世紀，富於批評性的雅典人，非常清楚其社會有醜惡的一面，因此批評家準備訴諸自然權利和正義以對抗常規中的外在差別。

另一方面，絕對沒有必要設想大自然確立了理想化的正義和公道的法則。正義本身可以視為約定俗成的，它除了國家本身的法律外，沒有其他的基礎，而自然則不論在何種常用意義裡，其所扮演的角色都可能與道德無關。這種觀點與後來的辯士學派密切相關，他們顯然發現，經由否定「天生自然的」奴隸身分和貴族身分，可以有效地動搖保守意識。於是，雄辯家阿爾西達馬（Alcidamas）有一句名言──「上帝使人人自由，沒有人天生就是奴隸」（God made all man free; nature has made no man a slave）。最令人震驚的是，辯士安提芬（Antiphon）否認希臘人與野蠻人之間存在任何「自然的」差別。到西元五世紀末，不甚恭敬的年輕一代對他們父輩的偏見，開始作仔細的剖析。

幸運的是，這位辯士安提芬的某些思想，因其著作《論眞理》（*On Truth*）❿的零星殘篇能夠保存下來而為人所知。他直率地斷言，一切法律純粹都是約定俗成的，因而與自然的相對。最有利的生活方式是在證據面前尊重法律，一旦有人不能做到「順從自然」的時候，就意味著他是出於自身利益的考慮。破壞法律的罪惡是顯而易見的，而且只要依靠「意見」就可以定罪，但是反對自然的惡果，卻是無法逃避的。大多數依照法律所謂的公道行為卻是違背自然的，不能自作主張的人也總是得不償失。法律上的正義對於遵守法律的人而言毫無用處，它既不能防止傷害於前，也不能糾正傷害於後。在安提芬看來，「自然」就是利己主義或自私自利。但是他顯然要把自私自利樹立為一項道德原則，藉以反對所謂的道德。遵循自然的人，總是為其身盡力而為。

這些殘篇清楚地表明，柏拉圖在〈理想國〉中對正義所作的思辯，並不是他自己的想像發明的。色雷塞馬庫斯（Thrasymachus）的論證具有相同的精神，他認為，旣然每一個國家的統治階級都制定了最有利於自身利益的法律，因而正義不過是「較強者的利益」。卡利克勒斯（Callicles）在《高吉亞斯》（*Gorgias*）中提出了一個更為詳盡的相似觀點。他論證說，自然的正義是強者的權利，法律上的正義只是芸芸弱者保全自己的屏障——「如果有人擁有足夠的力量……他就會踐踏我們的一切成規，咒語和護符，踐踏我們所有違背自然的法律。」❶在修昔底德的記載中，雅典駐米洛斯（Melos）使者的著名演說也體現了相同的脈絡：「我們所相信的神和我們所了解的人，都利用符合他們自身本性的必要法律，在他們力所能逮的地方進行統治。」❷看來非常清楚，修昔底德是用這個演說來表達雅典人對盟邦的政策精神。

當然，把自然與利己主義等同看待的理論，不一定含有安提芬著作中或柏拉圖賦予卡利克勒斯演說中的反社會涵義。在〈理想國〉第二卷中，格勞孔（Glaucon）即把這種理論更溫和地發展為某種社會契約論，根據這種契約，人們一致同意不做傷害之事，爲的是避免互相傷害。這個規則仍然是利己主義的，但正如大多數行得通的共同生活方式一樣，開明的自利跟法律和正義還是可以相容。這個觀點，雖然不會導致無法無天，但與城邦是一種共同生活的思想仍然無法相容。一個人在確信沒有吃虧之前拒絕與其他公民伙伴親近，這種冷冰冰的方式是不符合「社羣」精神的。因此，亞里斯多德在《政治學》（*Politics*）❸中反駁這種思想，並認為它來自於辯士萊科夫朗（Lycophron）。由於萊科夫朗是第二代辯士，是高吉亞斯的弟子，因此某種契約理論——自利原則的功利主義發展——在西元前四世紀的早期可能就已存在了。稍後，這種政治哲學又再出現於伊比鳩魯學派（Epicureans）的思想中。

因此，在西元前五世紀終結前，關於自然和常規的對比，開始往兩個主要方向發展。一種觀點把自然想像爲人類和世界所固有的正義和公道法則。這種觀點不可避免地導致世界秩序是明智的和慈善的僞實。它對於弊端可能過於挑剔，但它在本質上是道德主義的，並且最終將求助於宗教手段。另一種觀點認爲，自然與道德無關（非道德的），正如它在人類中所體現的那樣，它就是自作主張或利己主義，是對於享樂和權

力的欲望。這種觀點可能發展為一種尼采哲學式（Nietzschean）的自我表現論，或者以比較溫和的形式變為功利主義。而它的極端形式，則可能呈現絕對的反社會的面目。因此在西元前五世紀，已有了一些（儘管還沒有系統化或抽象化的思想）其中已包含了大多數產生於西元前四世紀的哲學體系的重要觀念。或許只有到了雅典陷於不幸之時，就像她在伯羅奔尼撒戰爭結束時那樣，才使得她的人民更沉於思考而不是行動，並使她在修昔底德從未夢想過的程度上成為「希臘人的學校」。

蘇格拉底

　　使上述這些富啟示性思想變為明確哲學的媒介，正是蘇格拉底。而且令人驚訝的是，一切可能的發展都同樣歸功於他。他個性中那深深撼動人心的性格，影響了性格極不相同的人，導致那些顯然都是來自於他的結論，在邏輯上卻是很不相容的。因此，安提西尼（Antisthenes）能夠從他的自我克制中找到他的個性秘密，並把它發展成為厭世倫理學；而阿里斯蒂卜（Aristippus），卻能在同一個性的秘密中發現享受快樂的無限能力，並把這些擴展為一種享樂倫理學——這是卡利克勒斯關於強者蔑視弱者的社交理論的兩個截然不同的變形。在當時，這些哲學看來並非十分重要，因為柏拉圖和亞里斯多德的光輝使得它們黯然失色，但它們最終都樹立起自己的哲人典範，而且兩者的典範都是蘇格拉底。儘管如此，似乎可以肯定，有關蘇格拉底的個人品格以及思想上更確切的概念，已溶入於他最傑出的弟子柏拉圖的學說之中。然而，由辯士學派所開啟的人文主義，無疑地已在蘇格拉底的所有弟子中引起了充份的迴響。在蘇格拉底的成熟時期，他至少對倫理學問題有巨大興趣，簡言之，就是對多數地方性的和可變的常規，以及真正和永久的公道方面的難題感興趣。

　　然而，蘇格拉底畢竟與辯士不同，他把較早的自然哲學的理性傳統引入他的人文主義之中。他最具特色的學說原則：一是相信美德即知識，因而美德是可學可教的；二是亞里斯多德歸功於他的方法，也就是追求準確的界說。有了這兩者，發現行動的一般有效原則就有可能了，

經由教育傳播它，也就可行了。或者換個稍微不同的說法，如果能夠界
定倫理概念，那麼在特定情況下對它們作科學性的應用就有可能，而
且，可以用這門科學來造就並維持一個可以證明是優秀的社會。柏拉圖
一生所孜孜以求的，就是這種合於理性、可以證明的政治科學。

　　蘇格拉底關於政治學的確切結論究竟是什麼，後人已無從得知。不
過一般說來，他把美德和知識等同起來的結論極為清楚而不被漏掉。蘇
格拉底的確是雅典民主政體和這種政體有關任何人都能充任公職之假設
的批評者。這一點在〈自辯篇〉（Apology）中有廣泛的提示，而且在色
諾芬的《言行錄》（*Memorabilia*）❶中也有實際說明。無論如何，對蘇
格拉底的審判和定罪是令人難以理解的，除非在這背後存在著某種「政
治鬥爭」。此外，在〈理想國〉中有相當部份的政治原則，實際上是屬於
蘇格拉底的，而且是柏拉圖從他那裡直接學得。不管怎麼說，〈理想國〉
中的理智主義特徵，尋求受過充份教育的統治者拯救人類的傾向，肯定
是對蘇格拉底關於美德即知識信念的闡述，而這種美德當然包括了政治
的美德。

註　解

❶希羅多德，《希臘羅馬史》，第 3 卷，38。

❷同上，第 3 卷，第80～82頁。

❸見 達肯斯（H. G. Dakyns）譯的《色諾芬著作集》（*Xenophon's Works*），第 2
卷；以及布魯克斯（F. Brooks）譯的《雅典民主政治的雅典批評家》（*An Athen-
ian Critic of Athenian Democracy*）文章的年代大約是西元前 425 年。

❹詹姆士・亞當（James Adam）在他所編〈理想國〉第 1 卷第 345 頁，及以後數頁
中討論了各種各樣的假設。希羅多德著作的讀者也或許對婦女的共產主義非常熟
悉。參閱該書第 4 卷，第104，180頁。還可參閱歐里庇得斯（Euripides）的殘
篇，第655頁（Dindorf）。

❺詩文係厄內斯特・巴克（Ernest Barker）所引，見《希臘政治學說》（*Greek Po-
litical Theory*），1925 年版，第 43～44 頁。

❻台詞，第536～542頁（章的譯本）。

❼台詞，第450～457頁（斯托爾譯本）。在《李西亞斯》（*Lysias*）（《反對安多希
德》，10）中有一段提到這個思想來自於伯里克利斯的一篇演講。

❽《伊昂》（*Ion*），第 2 卷，第854～856頁（章的譯本）。

❾歐里庇得斯的殘篇（Dindorf），巴克譯，第345頁。

❿見《奧克興居古草紙書》（*Oxyrhinchus Papyri*）第 1364 號，第 11 卷，第 92 頁
及以下諸頁。還可見厄內斯特・巴克的《希臘政治學說》中的〈柏拉圖和他的先輩〉
（*Greek Political Theory, Plato and his Predecessors*），1925 年版，第 83 頁及
以下諸頁。不要把辯士安提芬與西元前 441 年領導雅典寡頭政治暴亂的安提芬相
混淆，儘管他們是同時代人。

⓫484a，喬伊特譯。

⓬同上，第 5 卷，第105頁。

⓭1280b 第12頁。

⓮同上，第 1 卷，第 2 章，第9頁。

參考書目

1. *An Introduction to Ancient Philosophy*. By A. H. Armstrong. 3d ed. London, 1957. Ch. 3.

2. *Greek Political Theory: Plato His Predecessors*. By Ernest Barker. 4th ed. London, 1951. Chs. 3~5.

3. *Greek Philosophy. Pa*rk I, *Thales to Plato*. By John Burnet. London, 1914. Book Ⅱ.

4. "The Age of Illumination." By J. B. Bury. In the *Cambridge Ancient History*, Vol. V (1927), ch. 13.

5. *Before and after Socrates*. By F. M. Cornford. Cambridge, 1932.

6. *The People of Aristophanes: A Sociolology of Old Attic Comedy*. By Victor Ehrenberg. 2d ed. rev. Cambridge, Mass, 1951.

7. "The Old Oligarch." By A. W. Gomme. In *Athenian Studies Presented to William Scott Ferguson*. Cambridge, Mass., 1940.

8. *Greek Thinkers: A History of Ancient Philosophy*. By Theodor Gomperz. Vol. Ⅰ. Eng. trans. by Laurie Magnus. New York, 1901. Book Ⅲ, chs. 4~7; Vol. Ⅱ. Eng. trans. by G. G. Berry. New York, 1905. Book Ⅳ, chs. 1~5.

9. *Paideia: The Ideals of Greek Culture*. By Werner Jaeger. Eng. trans. by Gilbert Highet. 3 vols. 2d ed. New York, 1939~1945. Book Ⅱ.

10. *Society and Nature: A Sociological Inpuiry*. By Hans Kelsen. Chicago, 1943. Part Ⅱ.

11. *Greek Thought and the Origns of the Scientific Spirit*. By Leon Robin. Eng. trans. by M. R. Dobie. New York, 1928. Book Ⅱ, chs. 1,2.

12. *A History of Greek Political Thought.* By T. A. Sinclair. London, 1952. Ch. 1～6.

13. *Socrates.* By A. E. Taylor. New York, 1933.

14. *The Sophists.* By Mario Untersteiner. Eng. trans. by Kathleen Fremman. New York, 1954.

第四章
柏拉圖：〈理想國〉

　　雅典的帝國野心隨著其在伯羅奔尼撒戰爭的失敗而煙消雲散，然而盡管她的角色改變了，但她對希臘的影響，以及對古代世界的影響，卻絲毫沒有減退。在失去她的帝國之後，雅典日益成爲地中海世界的教育中心，甚至在她失去政治獨立之後，仍然保持著這種地位，且一直持續到進入紀元之後。雅典的哲學、科學和修辭學學校是歐洲最早的眞正學院。這些學校專門進行高等教育，進行必須伴以先進教育的研究，並且對來自羅馬及古代世界各方的學生進行教育。柏拉圖的學園（Academy）是第一所哲學學校，儘管伊索克拉特（Isocrates）開辦學園專門教授修辭學和雄辯術大概還要早了幾年，比起亞里斯多德在萊森（Lyceum）開辦的學園在時間上約要晚五十年，另外兩個重要的學校——伊比鳩魯學園（Epicurus）和斯多噶學園（Stoic），開辦時間又比亞里斯多德學園要晚大約三十年。

　　在伯里克利斯時代（The Periclean Age），那些在生活和藝術兩方面都蓬勃發展的人，幾乎不可能不把雅典菁英的這種學園式專業化活動視爲一種衰退。如果雅典的生活能保持幸福和繁榮，就像伯里克利斯（Pericles）的〈葬禮演說〉（Funeral Oration）中使人感受到的，或許雅典人也許眞的不會轉向哲學，至少不會以那樣的方式轉向哲學了。到目前爲止，誰也不會懷疑，雅典學園的教育活動與西元前五世紀的藝術一樣，在歐洲文明中發揮巨大的影響。因爲這些學園標誌著歐洲哲學的開始，特別是標誌著哲學與政治學及其他社會研究的聯繫的開始。在這個領域，柏拉圖與亞里斯多德的著作在歐洲知識界發生了偉大的啓蒙作用，最初，他們只有一個雛型的開端，完全無法被稱之爲「科學」，根本缺乏現在看來相當淺顯的區別和分類方法。各研究學科以及它們之間

的相互關係都還在創始階段。但是，當亞里斯多德的《全集》（*Corpus*）在西元前三二三年完成時，知識的總輪廓——分爲哲學、自然科學、人類行爲的科學以及藝術批評——在形式上就固定下來了，這一形式是後來任何一代歐洲思想界都能認同的。毫無疑問地，任何學者都不敢輕視這種隨著學園的興辦而來，對專業化知識的推進和在專業上的高度精確性，儘管它也帶來了某些學究式弊端和遠離公民生活的東西。

對政治科學的需求

　　柏拉圖出身雅典名門，大約生於西元前四二七年。許多評論家把他對民主政治所以採取的批評態度歸因於他的貴族血統，而他的親戚之中也確實與西元前四〇四年的寡頭暴亂有明顯關係。然而，這件事完全可以從別方面作出圓滿的解釋。他對民主政治的不信任絕不會比亞里斯多德更甚，而亞里斯多德並非出身貴族，他甚至不是雅典人。柏拉圖思想發展的顯著事實，是他在年輕時與蘇格拉底（Socrates）的交往。從蘇格拉底那裡，他得到了其政治哲學中主要的思想依據——道德即知識。換言之，它意味著，無論對於個人還是對於國家，好的生活是客觀的，可以作爲研究對象，也可以透過有條不紊的理性方法予以界定，因此，是可以透過聰明才智來追求而來的。這種信念本身解釋了爲什麼柏拉圖在某種意義上必定是貴族政治論者，因爲學術研究的衡量標準，絕不能聽任多數人或民衆的意見來決定。柏拉圖成年時已屆伯羅奔尼撒戰爭結束之際，因此幾乎不可能指望他會分享伯里克利斯關於民主生活中「自得的多才多藝」的熱情。他在《理想國》中記錄他最早的政治思想時，很可能適逢雅典人對斯巴達的紀律印象最深之時，當時這種紀律的虛僞不實，還未被斯巴達（Sparta）帝國的不幸歷史所證實。

　　在《第七封信》（*Seventh Letter*）❶所附的自傳中，柏拉圖談到他作爲一個青年是多麼希望獲得政治上的成功，而且甚至希望「三十僭主的貴族暴動」（西元前 404 年）將會帶來使他能夠參與許多實質性的變革。然而，寡頭政治的實施，很快襯托出民主政治似乎像黃金時代一樣，而在恢復民主政治之後，隨即又因蘇格拉底的處死而證明了民主政

治的健全——

　　結果是，最初我充滿了對從政生涯的渴望，然而當我注視公共生活的漩渦和奔騰不息的巨流時，最終卻感到頭暈目眩……並且終於看清，所有現存國家毫無例外，它們的制度都是壞的。

　　它們的憲法都不可救藥，除非透過奇蹟式的計畫並借助於好運氣。所以我不得不稱讚這種正確的哲學——它提供了一個有利的地位，可以看出一切社會與一切個人要如何才合於公道。因此除非那些正確且真誠地遵循哲學的人獲得政治權力，或者有政治控制力量的階級因天啟而成為哲學家，否則人類將不可能目睹到較好的日子。❷

　　在這個極具吸引力的段落中，可以看出柏拉圖建立學園的一個重要理由，雖然令人驚訝的是，這封信中竟然沒有提到這所學園。學園建立的時間，一定是在他結束廣泛的旅行，於西元前三八八年回到雅典之後的幾年之內。毫無疑問，這所學園的建立絕非只是出於單一的目的，不過，如果說柏拉圖竟欲建立一個機構以進行政治學的科學研究並訓練政治家，那也未免太言過其實了。當時的專業化進程還沒有達到這一步，柏拉圖幾乎不可能把政治學對哲學家的需求看作是在行政和立法方面對受過特別職業訓練人的需求。他認為對哲學家的需求是需要這類人，他們經過足夠的智識訓練，對好的生活有敏銳的知覺，因而準備去辨別真的「善」（goodnees）和假的「善」，辨別達到真「善」的適當和不適當手段。這個由自然與習俗之間的差別所衍生出來的問題，在西元前五世紀的下半葉一直縈迴於希臘人的腦際。因此，在柏拉圖的概念中，這個問題是把真知與現象、輿論和純粹幻覺相區別的總問題中的一個重要部份。對於這個問題，沒有任何高深的學科，諸如邏輯學和數學，是與之無關的。由於他確信這種知識，以及統治者獲得這種知識是拯救國家的唯一方法，如果說他並未希望和期待學園能傳播真正的知識和哲學，而不傳播諸如雄辯術那樣的技巧，是令人難以相信的。當然，後來他相信，治理國家的才能纔是最高的或「君王」的科學。

　　在西元前三六七年和西元前三六一年，柏拉圖前往叙拉古（Syracuse）作了兩次著名旅行，以幫助他的朋友戴昂（Dion）教育和指導年輕的國王戴奧尼西厄斯（Dionysius）——一個擁有無限權力並且樂於

利用學者和有經驗的政治家的綜合意見的年輕統治者。柏拉圖從戴奧尼
西厄斯的繼位中，看到了他所希冀見到的激進政治改革的良機。這件事
情的經過，在《第七封信》中有極其生動的記述。然而，柏拉圖很快就發
現自己為傳聞所騙，這種傳聞說戴奧尼西厄斯樂於接受勸告，而且致力
於學習，與公務。計畫徹底失敗了，可是柏拉圖的目的似乎並非不切實
際。他給戴昂追隨者的信中所包含的建議是合理且溫和的。看來戴昂計
畫的失敗是由於他未能以安撫政策來應付叙拉古人。在柏拉圖《第七封
信》的某些部份提及西西里（Sicily）有一個强大的希臘政權與迦太基人
（Carthginian）抗衡，對整個希臘世界來說是非常重要的❸。這當然是
一個具有遠見的計畫，而且如果他相信沒有君主就不可能有足夠强大的
政權，那麼亞歷山大（Alexander）使東方希臘化的事實就可以證明這
個結論是有道理的。就柏拉圖對西西里冒險的個人感受而言，他明顯地
感覺到，任何向當代人宣傳政治需要哲學的嚴肅學者，絕不會拒絕戴昂
所要求的支持——

> 我害怕看到我自己最終成為一個只會說空話的人，一個從來不願
> 意從事任何實際工作的人。❹

　　在柏拉圖的《對話錄》（*Dialogues*）中，有許多篇內容或多或少與
政治哲學有關，但是，有三篇是主要談論這個問題的，從這三篇中就可
以大體上推斷出他的理論。這三篇是：〈理想國〉（Republic）、〈政治
家〉（Statesman）和〈法律篇〉（Laws）。〈理想國〉寫於柏拉圖成熟時
期的較早階段，很可能是在他的學園興辦之後的十年內。儘管這篇著作
顯示力圖做到前後一貫，並且使它的最好的批評者們得到深刻的印象，
但它的寫作很可能延續了許多年，而且在文體上也有可靠的證據顯示，
在第一卷中關於正義的討論是比較早的。另一方面，〈法律篇〉則是柏拉
圖晚年的著作，而且根據傳說，柏拉圖西元前三四七年去世前，一直在
撰寫這部著作。因此，從寫作〈理想國〉到寫作〈法律篇〉，其間經過了三
十年（或者也許更長）。在前篇著作中，似乎可以看到柏拉圖成熟之初
的熱情，當時正是創辦學園的時代；在後篇著作中，則顯露出隨著年事
日增而產生的幻滅感。並且或許還因為他在叙拉古的冒險失敗而加甚，
〈政治家〉則寫於上述兩篇對話錄之間，它很可能更接近於〈法律篇〉而不

是〈理想國〉。

道德即知識

　　〈理想國〉是一部無法進行歸類的著作。它既不合於現代社會研究的門類，也不合於現代科學的門類。實際上，這部著作觸及且發展了柏拉圖哲學的每一個方面。這部著作內容的類別是如此之廣，以致可以說與全部人類生活都有關。它涉及到「好的」人和「好的」生活，這對柏拉圖來說意味著在一個「好的」國家裡的生活，它還探討瞭解這種完善是什麼和怎樣達到它們的方法。它所涉及的問題是如此的普遍，以致無論個人活動還是社會活動，沒有任何方面能與之毫無牽連。因此，〈理想國〉不是任何種類的論文，儘管它包括了政治學、倫理學、經濟學，或心理學乃至更多的學科，但它並不屬於這些學科，因為藝術、教育和哲學也並未被排斥在外。這種使得一個受過理論訓練的讀者感到有點為難的廣博論題，是由一個具體原因造成的。柏拉圖所使用的這種對話形式的純文學結構，准許兼容並蓄和自由安排，這是論文所不能容許的。再者，當柏拉圖寫作的時候，上面提及的各種「科學」，還沒有後來經過人為劃分的明確界限。然而，比文學或科學技術更為重要的事實──在城邦裡，生活並不像今天那樣分門別類並且分工細密。由於一個人的全部活動與他的公民身分緊密地聯繫在一起，由於他的宗教就是國家的宗教，甚至他的藝術在某種程度上是城邦的藝術，因此不可能把這些問題截然分開。一個好的人必須是一個好的公民，除非是在一個好的國家裡，否則一個好的人又幾乎是不可能存在的。討論對一個人來說什麼是「好的」，而不同時考慮對於一個城邦來說什麼是好，是毫無意義的。正是因為這個緣故，柏拉圖原來試圖要做的就是把心理學問題和社會問題，把有關倫理的考慮和政治的考慮交織在一起。

　　〈理想國〉中，問題和內容的豐富及多樣性，並沒有妨礙這篇著作中所包含的政治理論的高度統一性，也沒有妨礙它形成相當簡明的邏輯結構。這些主要的和最具柏拉圖特色的見解，大概可以簡化為幾個命題，所有這些命題不僅是由一個單一論點所支配，而且是用一種抽象推理方

法恰當而嚴格地推導出來的。實際上，這種抽象推理方法並沒有脫離對現實制度的觀察，但它卻不承認依賴於這種觀察。按照這種說法，在第八部和第九部中對政體形式的分類，在某種程度上就是一種例外了，然而其中對於實際國家的討論卻被引導到與理想國家的對照上，因此這種討論在考慮〈理想國〉的中心論點時就可能被忽略。此外，在〈理想國〉中關於國家的理論，是沿著一個統一、簡明、而緊密聯結起來的思路發展的。確實有必要指出，這個理論過於受單一個觀念所支配，而在公平對待柏拉圖的主題，即城邦國家的政治生活方面，卻未免過於簡單化了。這就解釋了他為什麼不得不系統地提出第二個理論——無論如何他不承認第一個理論不可靠——而且解釋為什麼他最傑出的弟子亞里斯多德雖然接受〈理想國〉中的某些最籠統的結論，但從整體上來看其觀點卻接近於〈政治家〉和〈法律篇〉中所發展起來的政治哲學形式，而不是〈理想國〉所闡述的理想國家。在這部早期著作中所包含的政治理論，除了一些非常概括性的原則外，是過於簡單化了，這使它成了這個學科發展過程中的一個插曲。

柏拉圖在〈理想國〉中提出的基本思想是以他老師的信條——道德即知識為形式的。他不幸的政治經驗強化了這一思想，並使之具體化為興辦學園，以此反覆灌輸作為治國之術哲學基礎的真知精神。然而，道德即知識的命題意味著存在一個真實的、客觀的「好」，而且事實上是能夠被認識的，不過不是透過直覺、推測或運氣，而是透過理性的或邏輯的思考。這個「好」無論人們怎樣思索它都是客觀、真實的，它之所以應當被實現，不是因為人們需要它，而是因為它是「好的」。換言之，在這個問題上，意願僅僅是次要的。人們要什麼，取決於他們看出那樣東西有多少的「好」，而任何事物之所以是「好的」，絕不僅僅是因為人們需要它。由此得知的結論是，一個瞭解「好」的人——哲學家、學者或科學家——應該在政府中擁有決定性的權力，他所以有這種資格，僅僅因為他有知識。這個信念構成了〈理想國〉中一切內容的基礎，這也是柏拉圖為什麼捨棄國家理論中一切不符合開明專制原則的原因。

不過，經過審視，這個原則的基礎比最初可能設想的要來得寬闊。因為根據分析，似乎社會中人與人的關係取決於相互間的需求，以及由此而來的商品和服務的交換。因此，哲學家對權力的要求，只不過是一

個在任何人們共同生活的地方都能發現的非常重要的事實，即任何合作的事業都有賴於每一個人能否從事他自己的那一份工作。為了瞭解這點對國家的意義，就有必要認識哪些工作是根本的。透過考查，可以發現三個等級，其中哲學家統治者明顯地處於最重要的位置。然而這種分工和確保對每一項工作的最完善的執行——這種職能的專業化是社會的根本——又依賴於這兩個因素，天資和訓練。前者是先天的，而後者則是經驗和教育的問題。作為一個實際事業，國家依賴於對這兩個因素的掌握，並且依賴它們的互相結合。換言之，也就是有賴得到人的最大才幹和透過最好的教育發輝這種才幹。這個總體的分析強化了這個最初的概念，只有將權力掌握在這些人的手中，國家才有希望——因為這些人瞭解一個完善的國家所需要的工作是什麼，與什麼樣的遺傳和教育能夠提供適合完成這些工作的公民。

因此，柏拉圖的理論可以分為兩個主要部份或命題：第一，政治應當是一門依賴於精確知識的技藝；第二，社會是人們需要的一種相互滿足，而他們的才幹也是互補的。在邏輯上，第二個命題是第一個命題的前提。然而由於柏拉圖的第一個命題大抵是從蘇格拉底的學說推導而來，因此在時間上來說，可以合理地認為，第二個命題只是第一個命題的概括或延伸。結果，蘇格拉底的道德即知識的原則，表現了比它表面上所具有的更大的應用性。

意見的無能

「好」是一個與正確知識相關的問題，這個命題是柏拉圖直接從早已存在的與自然和習俗（約定）的區分，以及蘇格拉底和辯士學派之間的爭論繼承而來。除非存在眞實而客觀的「好」，除非有理性的人們能夠贊同它，否則像柏拉圖所期望找到的治國之術的標準是不存在的。這個問題以其各種的衍生形式散見於柏拉圖較早期的《對話錄》之中，諸如在政治家和醫生或熟練工匠之間進行無止盡的類比；在〈高吉亞斯篇〉（Gorgias）中把雄辯術和烹調術對食慾的滿足作完全相反的對照；在〈普羅塔哥拉斯篇〉（Protagoras）中認為辯士學派的教義缺乏方法且又

自負，並且在一個更高的純理論的水平上頻頻提出關於理性和靈感，或有條理的知識和直覺的相對地位的問題。同一範疇中，還有〈理想國〉中關於藝術的冗長討論，以及對藝術家們不令人喜歡的評價，即不知如何和為何取得效果的人。這點恰與對政治家的指責是一樣的，也就是說政治家，甚至是最偉大的政治家，都只依靠一種「天賦的狂熱」來統治。顯而易見，絕沒有人會希望一本正經地教授這種天賦的狂熱。

無論如何，就柏拉圖而言，城邦國家的困難不只是教育不完善的結果，更不是因為政治家或教師缺乏道德，這些困難寧可說是從整個公眾主體和人類本性的病態中所產生。他說，公眾是偉大的詭辯家。在他的倫理學中反覆暗示這個信念，即人類本性是處於與自身的鬥爭之中，高尚的人性必須不惜代價把自己從低劣人性的手中解救出來。正是由於這個信念，在教會的神父們看來，柏拉圖「幾乎是一個基督徒」。在〈葬禮演說〉中，受到盛讚的「愉快且多彩多姿」的信念已完全消失。出自本能而進行成功的創造活動的人，使他們感到滿足的自信，已較化為一個更富於批評性時代的困惑和猜疑了。然而，柏拉圖仍然堅持這種期望：重新獲得較快樂的心境是有可能的，但只有透過有條不紊的自我檢查和嚴格的自我約束。因此，從起因來講，〈理想國〉是對於城邦國家的批評性研究，它實際也正是如此，它批評柏拉圖所看到的一切具體的缺點，儘管出於特殊的原因，柏拉圖還是寧願把他的理論寫成一個理想城邦的形式。這個理想就揭示那些現存城邦公然蔑視的自然的永恆法則。

柏拉圖所抨擊的種種弊端中，主要的是政治家們的無知和無能，而這一點正是民主政治的禍根。工匠們不得不熟悉他們的手藝，但政治家們卻除了迎合「真正的衣冠禽獸」的卑劣技藝之外一無所知。在伯羅奔尼撒戰爭造成悲慘結果之後，〈理想國〉的寫作年代是一個特殊的時代，這一代雅典人可能很欽佩斯巴達的嚴整和紀律。在這方面，色諾芬是比柏拉圖走得更遠，事實上柏拉圖絕不可能全力地讚美像斯巴達那樣的偏重軍事教育，不管柏拉圖多麼讚揚這種教育所產生對職責的獻身。然而值得注意的是，在晚年寫作〈法律篇〉時，他對於斯巴達的批評比〈理想國〉更為尖銳。此外，在柏拉圖的盛年，關於對專門技能進行職業訓練的觀念纔剛剛出現。在學園開辦的前幾年，一個名叫伊菲克拉特（Iph-icrates）的職業軍人曾使世人震驚，他證明了一支經過職業訓練的裝備

輕武器的軍隊甚至能夠抵禦斯巴達的重步兵。隨著伊索克拉特（Isocr-ates）學園的興辦（職業雄辯術也開始於同一時期），柏拉圖只不過是使這個已產生的觀念明確化而已。他所眞正領悟到的，是這個問題的全部遠比訓練士兵或雄辯家，或者甚至比訓練本身大。在訓練的後面存在一種需要，那就是要知道該敎授什麼人以及訓練人們去做什麼。不能假定有人已具備了所要敎授的知識。最急迫需要的是更多的知識。柏拉圖眞正有特色的東西是把訓練和研究考查結合在一起，或把技能的專業標準與知識的科學標準結合。他在〈理想國〉及類似著作中有關較高級敎育的理論創見就在於此，這不由得使人相信，他肯確定要通過學園的開辦而把這些想法付諸實施。

「無能」（incompetence）是民主國家的一個特有的瑕疵，然而柏拉圖在所有現存政體形式中還看到了另一個缺點，這就是極端激烈和自私自利的黨派鬥爭。這種鬥爭在任何時候都將導致一個宗派把自己的利益置於國家利益之上。政治生活的和諧——也就是伯里克利斯誇耀在雅典實現的公共利益和個人利益的協調——正如柏拉圖所察覺到的，在很大程度上只是一種理想。對城邦的忠誠充其量不過是一種基礎不可靠的品德，一般習俗中的政治品德很可能是對某種類型的階級政權的忠誠。貴族忠於寡頭形式的政體，出身普通的人則忠實於民主憲法，而兩者都極有可能祇跟與它們同類型政體的國家合作。按照現代的政治倫理學標準可能被視爲不忠的習慣，在希臘政治活動中卻相當普遍。阿爾西比亞德（Alcibiades）就是一個最著名但絕非最惡劣的例子，他爲了重新確立自己的政治影響和黨派，毫不猶豫地勾結斯巴達和波斯反對雅典。以寡頭政治爲政體形式的斯巴達，經常被其勢力範圍內，其他同屬寡頭政體的城邦視爲馬首，希望它支持他們，而雅典則以同樣方式與民衆黨派（popular faction）進行合作。

這種令人難以忍受的**宗派主義**（factionalism）和自私的黨派風氣，顯然是城邦國家政局不穩的首要原因之一。柏拉圖認爲這種現象主要來自於有產者和無產者之間的經濟利益差異：寡頭政治的支持者只圖保護他的財產和收取債款，而不會顧及窮人的勞苦；民主主義者則圖謀以公費資助懶惰和貧窮的公民，所用的資本正是取自於富裕階級。因此柏拉圖斷言，即使是在最小的城邦裡，也存在著兩個城邦，一個是富人

的城邦，一個是窮人的城邦，彼此之間永遠處於鬥爭之中。柏拉圖認爲
情況是如此的嚴重，除非對私有制進行深刻的變革，否則找不到治癒希
臘政治中的宗派主義的良策。他不贊成徹底而根本的將私有制廢除，但
最低限度，他相信必須消除貧富懸殊的現象。因此，教育公民看重城邦
福利甚於其他一切，其重要性完全不亞於教育統治者。任何改善城邦國
家的計畫所會遇到的基本的政治弊端，就是無能和宗派主義。

作爲典型的國家

　　對柏拉圖來說，其原則的理論意義或科學意義的重要性，決不亞於
批判上的意義。「好」無論對個人還是對國家來說都是存在的，掌握這
個「好」，瞭解何爲「好」和何以爲「好」，乃是一個知識的問題。固
然，人們對於「好」有各種各樣的看法，對於怎樣達到「好」也有各式
各樣的印象主義式的意見，然而在無窮無盡的意見中，可取者卻很少。
關於「好」的知識，如果可以獲得，它可能是一種完全不同的東西。首
先，這種知識具有某種理性的保證，它有能力爲自身辯護，如果沒有這
種辯護能力，人們又將意見紛紜。其次，它是同一的和不變的，在雅典
與斯巴達都不會有所不同，無論何時何地都將始終如一。總之，它應屬
於自然而不應屬於易變的習俗和約定的常規。與世界上的其他部份一
樣，人有某種內在的、永恆的東西，一種有別於表象的天性（nat-
ure）。掌握天性恰恰就是把知識與意見區別。當柏拉圖指出只有哲學
家懂得「好」的時候，他絕不是自誇無所不知，而只是斷言存在著一個
客觀的標準，而且斷言知識優於臆測。柏拉圖始終認爲「好」的知識是
與專業知識或科學知識相類似。一個政治家應當像醫生瞭解健康一樣，
懂得一個國家的「好」，而且與此類似，他應當瞭解各種擾亂性原因及
維持性原因的運作，只有知識能分辨眞的政治家和假的政治家，正如知
識能分辨醫生和江湖騙子一樣。
　　在柏拉圖撰寫〈理想國〉時，這個合乎科學的限定，意味著他的理論
必須勾劃一個理想的國家，而不是單純描述一個既存的國家。這似乎有
點弔詭，因爲文獻上的〈理想國〉其實是在描繪一個烏托邦。不過，正如

鄧寧（Dunning）想像的，這個烏托邦並非出自一種「浪漫」，而是因為柏拉圖想將它作為好的觀念（idea of the good），作科學研究的起點。❺政治家是真正瞭解「好」是什麼，並從而瞭解建立一個「好」的國家需要些什麼人。他還必須瞭解國家是什麼，這種瞭解不是基於國家偶然性的變異，而是瞭解其內在的或本質的東西。附帶言之，哲學家統治的權利只有蘊藏於國家本質中的這點被顯示出來後才可能被辯明。柏拉圖的國家必須是一個原型的國家（state as such），即為一切國家的典型或樣板。任何關於現存國家的純粹描述性的說明都不合乎柏拉圖的目的，任何純粹功利主義的論據都不能證明哲學家的權利是合理的。作為一種類型或典型，國家的本質是本書的主題，而現實的國家是否能達到這個標準則是次要的問題。這種作法說明柏拉圖並不重視實際應用的問題，這很可能會使現代讀者感到困惑。柏拉圖的遠離實際，是容易被誇大的，但是，根據他對這個問題的理解，他的理想國家能不能產生，實際上對他而言並不是不相干的問題。他只是試圖說明原則上的國家必須是什麼樣子。如果事實不合乎這個原則，那是事實的問題，或者換個稍微不同的說法，他所假定「好」的存在是一種客觀存在，至於人們是否喜歡它或能不能被說服去得到它，則是另一回事。當然，如果道德是知識，那麼可以假定，當人們發現「好」是什麼的時候，將會力圖得到它的，但「好」並不會因此而變得更高級。

如果我們明瞭柏拉圖在某種程度上回到了古埃及人的時代，而關於「什麼能構成令人滿意的政治科學」的概念是建立在幾何學的方法上，那麼對於他這種處理問題的方式就容易理解多了。他的哲學和希臘數學的關係非常密切，這一方面是由於畢達哥拉斯學派（Pythagoreans）對他的影響，另一方面是由於在他的學園裡至少有兩位當時最重要的數學家和天文學家。實際上，作為一個傳統，他拒絕接納沒有學過幾何學的學生。再者，柏拉圖親自向他的學生提出把無規律的行星運行簡化為簡明的幾何圖形的問題，而這個問題已由奈多斯（Cnidos）的歐多色斯（Eudoxus）所解決。❻這個功績引出有關行星系的科學理論，並引出了對任何自然現象接近於數學的解釋。總之，這種出現於希臘幾何學和天文學中，後來又再現於十七世紀的天文學和數學物理學中所進行的精確科學解釋的方法和理想，是偉大的柏拉圖傳統的組成份子之一。它

恰好起源於經歷學園創立和〈理想國〉寫作的那一代人之手。

　　因此，柏拉圖設想對於完美生活的理性認識，可以透過類似的方式而發展，就不足爲奇了。顯然，對他來說，嚴密科學的精確性取決於理想典型的把握。除非滿意於與理想化的圖形而忽略發生於理想型描繪之中的差異和雜亂，否則根本不可能有幾何學，例如在天文學方面，以經驗爲根據的事實能夠要求的一切，就是所使用的理想典型應當能「保全表象」。簡單地說，也就是天文學家的推論應當與天空中發生的明顯現象一致。顯然天文學家的理想典型——他絲毫不差的圓形和三角形——清楚地說明了「眞正」發生的是什麼❼。同樣，〈理想國〉並非意在描述種種國家，而是企圖在其中發現什麼是根本的或理想型的國家——發現一般的社會原則，也就是謀求完美生活爲目的的任何人類現存社會賴以存在的原則。這個思路與導致赫伯特・斯賓塞（Herbert Spencer）力主演繹性絕對倫理學（Absolute Ethics）的思路相似。作爲說明社會問題的參考標準，它對完全適應於全面發展社會的人而言是適用的。❽這樣由柏拉圖或斯賓塞所想像的方案，其實用性乃至實現的可能性也許都值得商榷，但如果我們以爲柏拉圖是要放任其想像力，任憑它在幻想的世界翔翔，那也是嚴重的誤解。

相互需求和分工

　　政治家應當是懂得「好」的觀念的科學家，這個命題爲柏拉圖提供了一個能夠對城邦國家進行批評的觀點，同時也爲他提供一種達到理想國家的方法。從這個論點出發，他直接開始了對理想型國家的分析。在這裡，他又一次發現，能夠遵循專業化的法則。他在政治家和其他種類的熟練工人、工匠或專業人員之間，經常做的類比實際上不僅僅是類比而已。這是因爲社會的產業首先出於人們的需求，這種需求祇有當人們互相補充時纔能得到滿足。人們有各種的需求，沒有人能夠自給自足。因此他們使用幫手並且互相提供幫助，最簡單的例子，當然就是食物和其他維生物品的生產和交換。然而這個論證可以遠遠超出一個社會的經濟需求的範疇，對柏拉圖而言，這種論證可以對結成社會團體的一切人

類聯合形式進行普遍的分析。無論什麼地方，只要存在社會，就一定會存在以滿足某種需求爲目的而進行的勞務交換。

柏拉圖簡單而明確地引入理想國結構的分析，是其社會哲學中最深刻的發現之一。它揭示了一個社會的面向，被公認爲對任何社會理論都極端重要。而且，它徹底地指出城邦國家的社會理論從未放棄的一個觀點。簡單地說就是把社會想像爲一種服務的體系，在社會中，每一個成員都爲別人服務，也接受別人的服務。社會所要管轄的就是這種相互的交換，而且它所要安排的就是使需求得到最大的滿足，並使服務的互換達到最和諧的程度。在這個體系中，人乃是完成需求任務的執行者，他們的社會重要性取決於他們所從事的工作價值。因此，個人所擁有的首先是一種地位，這種地位使他享有採取行動的特權。而國家爲他所確保的自由，與其說是讓他運用他的自由意志，還不如說是讓他履行他的天職。

這種理論，不同於以契約或協定的術語來描述社會關係的理論，因此而設想國家主要是與維持選擇的自由理論有關。正如在上一章所指出的，屬於後一類的理論，曾出現於辯士安提芬（Antiphon）的殘卷之中，也曾出現於〈理想國〉第二卷格勞孔（Glaucon）早期有關正義的評論中❾。但是柏拉圖否定了這種理論，因爲完全依賴意志的協定，無法顯示正義是一種內在的品德。爲了顯示社會的安排主要依賴自然而非約定，只有顯示一個人的實際作爲是比他只想有所作爲更有意義。柏拉圖對其理想國家的論證並未使亞里斯多德受到多大影響，但在這個問題上，亞里斯多德卻與他觀點完全一致，這一事實說明這個論點的說服力。亞里斯多德在《政治學》開頭部份對社會所作的分析，只不過是柏拉圖有關社會相互需求的論點的一種翻版。

然而，服務的交換還意味著另外一個幾乎是同等重要的原則，那就是勞動的分工和工作的專業化。這是因爲需求如果是經過交換而滿足，那麼每一個人必須提供超過個人需求的商品，正如他所接受的商品必定少於他個人的需求一樣。農夫生產超過他需要的食物，而鞋匠則生產多於他所能穿的鞋。兩者合作，將使兩者能吃得更好和穿得更好，因此每一個人都應該爲另一個人生產兩者都互蒙其利。按照柏拉圖的理論，這一點是基於兩個人類心理學方面的基本事實：第一，不同的人有不同的

天資，因此做某些種類的工作比做另外一些工作；第二，只有人們堅定而專心地從事他們天生就適宜的工作，他們才能得到那樣的技能——

> 我們必須推測，要使一切東西都生產得更豐富、更容易和品質更好，只能一個人做一件天生適合他的事情，在合適的時間去做，並放下其他事情。⑩

柏拉圖針對社會和人性所做的這種簡潔而透徹的分析，正是他進一步設計國家的根據。

因此，這種分析結果就是，哲學家統治者並不特殊，通行於整個社會的同一原則證明，他對權力的要求是合理的。如果徹底排除專業化，那麼一切社會互換也會隨之而被排除。可以想像，假設人們的天資沒有任何差別，專業化的基礎也就不存在了。取消天資藉以發展成技能的一切訓練，專業化也就毫無意義了。因此這些是人類本性的力量，社會建築在它的上面，而國家也不得不依賴於它。既然這樣，問題就不在於是否應利用它們，而只在於是否能很正確地利用它們。人們的劃分應根據他們的真正才能嗎？應對這些天資進行明智而充份的訓練，使其達到最完好的形態嗎？人們謀求共同滿足的需求是他們的最高和最真誠的需求，抑或只是他們的較低劣和符合較奢侈本性的要求？對於這些問題，只有根據柏拉圖所謂廣義的「好」的知識才能回答。瞭解「好」也就是瞭解怎樣回答這些問題。而這就是哲學家的特殊職能。哲學家的知識也就是他進行統治的權利和義務。

階級和心靈

仔細思考我們就會明白，上述論證得引一個柏拉圖未作明確闡述的重要假定。柏拉圖設想當個人的能力經過適當的設計和管理教育而得到發展後，可以造就出一個和諧的社會團體。其困難在於現存的國家教育一直是有缺陷的；或是不論如何，如果需要更好的教養——柏拉圖認為是需要的——現存氣質的改良將可達到這個目的。換言之，他理所當然的認為，有教養的人是不會厭惡社交或不合群的，這些有教養的人所以

會導致不協調，正是因爲個人能力過於全面和完善的發展。這個假定顯然是錯誤的，在柏拉圖之後的許多思想家都對此提出疑問。有些人甚至提出相反的假定，即社會化的訓練肯定或多或少會壓抑個人的自我表現。但是柏拉圖並沒有考量到這種可能性。然而，儘管柏拉圖沒有明確表述前面提及的假定，但這一假定確實體現在〈理想國〉的某一論點中，如果不加以解釋，這很可能令人不知所云。這一點就是，國家只被假定爲個人的「擴大」（大我）❶，因此在這裡，關於正義的問題就從對個人品德的研究轉化成爲對國家屬性的研究。在現代讀者看來，這種轉變不免有點牽強，但柏拉圖卻以這種推斷掩蓋了轉變的困難，即人類本性與社會和社會對於人類本性都具有一種內在的適應性，柏拉圖把這種適應性視爲是平行的現象。人和國家都具有一種單一的基本結構，這種結構可以使雙方好的標準不致於產生本質上的差異。

　　一般認爲，在城邦國家的倫理理想和柏拉圖對這個理想所作的說明之中，許多最具吸引力的內容都是起因於這個假定。這個假定，解釋了爲什麼在柏拉圖的倫理學中愛好與職責之間，或個人利益與個人所屬的社會的利益之間沒有最終的對立。一旦發生這種衝突——〈理想國〉的寫作就是因爲這些衝突的出現——問題的癥結乃在發展與調整，而不是壓制與強迫。不合羣的個人所需要的是，更徹底地瞭解他自己的本性，並根據所得的知識更完全地發展他的能力。他的內心衝突並非表現爲他要做的和他應該做的這兩者之間的不可抑制的鬥爭，因爲最終他的天賦能力的表現，也就是他所要得到和應當得到的東西。另一方面，不和諧社會所需要的，恰恰是爲其公民們提供他們要求的那種完全發展的可能性。好的國家和好的人是一體兩面，道德應同時是個人的和公眾的，如果它不是這樣，就要透過矯正國家和改善個人來解決，直到它們達到可能達到的和諧程度。是否有人曾經陳述過比這更好的道德理想，是非常值得懷疑的。

　　在此同時，柏拉圖對國家和個人所作的分析，爲他提供了一個解決問題的理論，不過這理論似乎太簡單以致無法解決他的問題。關於國家的分析顯示，他提出三個必須執行的職能：基本的物質需求必須供應；而且國家必須得到保護和治理；及專業化的原則要求區分最基本的工作。結果就產生了三個階級：從事生產的<u>勞動者</u>和<u>護國者</u>（guardian ），護國者又分爲軍人和統治者，不過後二者的區分並不嚴格；如果統治者只是一個人，那麼他就是哲學王（ philosopher-king ）。但是，由於職能的劃分取決於天賦的不同，因此三個等級也就建立在人可分爲三種的基礎之上：某些人的本性適宜於勞作而不適於統治；某些人只有在另外一些人的監督和指導之下才適宜統治；最後的那一部份人適宜於執行治理國家的最高職責，諸如對手段和目的能做最終的選擇。這三種天賦，在心理學方面意味著三種極爲重要的能力或「心靈」：一種是包括增進食慾和營養的機能，柏拉圖假定它存在於腹部；一種是行政方面的和「富有勇敢精神的」機能，它存在於胸中；另一種就是認知或思考的機能，這種富有理性的心靈，居於頭腦之中。看起來很自然，每一種心靈，都應有它自己特別的長處或美德，而且柏拉圖這種設想事實上已有部份付諸實際。智慧是理性心靈的長處，勇氣是行動心靈的表處，但柏拉圖不願意把克制限定爲營養心靈的長處。不論就國家中的等級或就個人能力而言，這三種職能保持適當的相互關係就是正義。

　　過份强調有關這三種心靈的理論，可能就要犯錯了。柏拉圖似乎從未打算認眞地發展這種理論，而且他在心理學的討論中也並未經常運用這一理論。再者，可以肯定，柏拉圖在〈理想國〉中對這個理論所作的的闡述，並沒有像某些人們的期望，把這三個等級截然分開。這種等級肯定不屬種姓（ caste ），因爲其成員身分不是世襲的。相反的，他的理想似乎是每一個孩子生來就應選擇依他的天賦能力使他從中能獲得的最好訓練的社會，而且在這個社會中，每一個人都能晉升到他的成就（能力加上所受的教育和經驗）得以勝任的國家最高職位之上。在〈理想國〉中，柏拉圖令人驚異地表明，他自己沒有等級偏見，在這方面他超越了亞里斯多德，而且比他自己在〈法律篇〉中概述第二級國家時也更開明。但是即使如此，事實上，在心理能力和社會等級之間所假定的對應，仍產生了侷限作用，妨礙他在〈理想國〉中，公正地討論複雜的政治問題。這個理論使他不得不假定，國家的一切才智都是集中在統治者身上，雖然從他反覆論及工匠在各自行業方面的技能來看，他並未完全相信這一點。另一方面，勞動者的政治才能無法施展只有服從，這與表示他們完全沒有適宜的政治才能幾乎是同一回事。他們被派定的崗位甚至是不能經由教育改變的，因爲他們似乎不需要接受從事城邦活動—— 即參與社

會自治活動的教育。在城邦生活的這部份裡，他們只是旁觀者。

人們往往把這種結果歸於與腦力勞動相較而產生的對工匠和手工藝人的輕視，例如愛德華・澤勒（Edward Zeller）就是這樣。⓬然而，事實上柏拉圖卻指出，他對手工藝技能有著比亞里斯多德更真誠的敬佩。下述假定可以使我們對這個問題有所解釋，即好的政體只不過是關於知識的問題，而知識總是掌握在專家的手裡，就像開業行醫一樣。按照柏拉圖的理論，大多數人與其統治者間的關係，永遠如同病人和醫生的關係一樣。在這一點上，亞里斯多德提出過一個中肯的問題，即有時經驗的指引是否比專家的知識好⓭？必須住進房子裡的人，是無需建造者告訴他房子是否夠寬敞的。但是柏拉圖在寫〈理想國〉的時候，有關健全的知識概念卻很少承認經驗的重要性。結果，他沒有抓住城邦國家中最重要的政治面向，而這正是他想要改善的城邦國家的公民生活。他對於「快樂的多才多藝」是如此的不信任，以致他轉向了另外一個極端，認為工匠除了本行之外，沒有擔任公職的能力。往日城邦大會和議事會中，自由的言語交鋒已經蕩然無存，而且，雅典民主派視為高於一切的人類個性的部份，也必須從公眾中完全根除。就生活中較高級的活動而言，他們祇是生活在一個由更聰明的人指導的國家。

正　義

〈理想國〉中關於國家的理論，最終被歸結為正義的概念。正義是把聯結社會的紐帶，它使個人能和諧地結合在一起，其中的每一個人都能根據他的天資和所受到的訓練，找到他的畢生事業。它既是公共的品德，也是個人的品德，因為它對國家和國家成員而言，都內含了最高的善。就一個人來說，最好能從事自己的工作並且勝任這個工作，就他人以及整個社會來說，最好能夠擔任有資格擔任的職位——

> 這樣，大概可以把社會正義界定為社會原則，這個社會由不同類型的人所組成……他們是在彼此需求的推動下結合在一起，透過他們在社會中的結合，以及不同職能的集中，他們形成一個整體，這個整體是完美的，因為它是全部人類智慧的產物和體現。⓮

　　這就是柏拉圖所精心闡述有關正義的初步定義，即「給予每個人以他應得的」（giving to every man his due）。因爲每個人所應得到的是根據能力和訓練所給予公正的對待，而他所應付出的就是忠實地執行那些他所任職位要求他所執行的任務。

　　給正義下這樣的定義，對現代讀者來說，它所遺漏的東西至少和它所囊括的東西一樣驚人。它絕不是關於正義的定義。因爲它缺少拉丁文"ius"一詞和英文"right"一詞所表示的概念，即一個人在實施自願行動的能力時，應該得到法律的保護和國家權力的支持。就因缺少這個概念，所以公共的和平與秩序的維持，在柏拉圖看來，並不意謂正義，至少，表面上的秩序不過是構成國家所需要的和諧的一小部份。國家不會像實際生活那樣爲它的公民提供那麼多的自由和保護——提供爲補償文明生活而進行的社會互換的一切機會。實際上，在這樣的社會裡存在的權利，正如也存在著的義務一樣，但是，在任何特殊的意義上，與其說它們是隸屬於個人的，倒不如說它們是因個人所執行的服務或職責而擁有。根據這個原則，國家是相互需求的產物，因此，分析必須根據服務的觀點而不是權力的觀點。甚至統治者也不例外，因爲他履行的只不過是他的智慧使他有資格擔任的職責。柏拉圖的政治理論中完全沒有像羅馬人加諸於其長官職務上的各種權威或主權的觀念，事實上，任何希臘哲學家的理論中都沒有這種觀念。

　　這就是柏拉圖有關國家理論的概念。這個理論從這樣的概念出發，即應當進行有條不紊的研究來瞭解「好」，然後根據這種瞭解，透過內含於一切社會的相互需求原則的說明，對社會進行解釋。勞動的分工和工作的專業化是社會合作的條件，而哲學要解決的問題就是以最有利的方式安排這些事宜。由於人類具有先天的和內在的社會性，而國家的最大利益即意味著公民的最大權益，因此目標就是進行完善的調節，使人類得到國家可能提供的最有意義的工作。柏拉圖其餘的論證幾乎可以說都是這種推論的必然結果。唯一遺留的問題，是政治家用什麼方法才能實現這種必要的調節。概括地說，解決這個問題只有兩種方法。消除使公民不能表現良好品德的特殊障礙，或發展使公民表現良好品德的積極條件——第一種方法衍生出共產主義的理論，而第二種方法則衍生出敎育理論。

財產和家庭

柏拉圖的共產主義，主張以兩種方式來廢除家庭：第一，不許統治者們擁有私有財產，不論房屋、土地或是金錢都在禁止之列，並且規定他們必須住進營房並在公共餐桌上吃飯；第二，廢除永久性的一夫一妻制的性關係，代之以按照統治者的指令以進行控制生育，確保得到最好的後代。這種把「人口的生產」和「商品的生產及擁有」這兩種社會機能相提並論的做法，在一個以家庭經濟為主的社會比今天更顯而易見。對一種機能的徹底改革，很容易與對另一種機能的改革結合。不過，〈理想國〉中的共產主義，只適用於護國者階級，也就是只適用於軍人和統治者，而工匠則可以擁有他們的個人家庭，包括財產和妻室。但是，柏拉圖並未解釋這種設想如何與一個人從低層次晉升到高層次的設想一致。實際上，柏拉圖並未用心制定詳細的計畫。此外，與他的私有財產理論相關，且更令人驚訝的事實是，他竟然完全沒有談到奴隸。看來，柏拉圖的國家好像沒有奴隸也能存在，因為他沒有提到任何特別要由奴隸來做的工作，在這方面與〈法律篇〉的國家大相逕庭。這種情況使得康士坦丁・李特（Constantin Ritter）認為，〈理想國〉「在原則上廢除」奴隸制。❺這簡直無法令人相信，柏拉圖打算廢除一個普遍的制度卻根本不提它。可能是他只認為奴隸制度無關緊要。

國家公民在經濟上形成分裂，是一種最危險的政治情況，這點絕非只有柏拉圖一人相信。一般說來，希臘人都非常坦率地承認，經濟動機在決定政治行為和政治歸屬方面有著非常重要的影響。遠在柏拉圖撰寫〈理想國〉之前，歐里庇得斯（Euripides）就已把公民分為三個等級：無益的富人，他們總是貪得無厭；窮人一無所有，但充滿著嫉妒；只有中間等級是堅定的自由民，他們纔能「拯救國家」。❻對一個希臘人來說，寡頭政治的國家意味著一個擁有世襲財產的名門貴族為了自己的利益統治國家，而一個民主國家則是為了「大多數」的利益，由「大多數」既無顯貴出身也無財產的人統治的國家。政治差別的關鍵是經濟差別，這一點從柏拉圖有關寡頭政治的論述中可以看得非常清楚。❼因

此，在政治學中，經濟原因的重要性並不是什麼新思想，柏拉圖遵循的是一個累積許多代希臘人之經驗的共同信念，他認為財富的懸殊與一個好的政體是不相容的，至少從梭倫時代起，雅典城市騷亂的原因主要就在於此。

柏拉圖堅信財富對政府有不良影響，因此他認為就軍人和統治者而言，除非廢除財富，否則就無法消除這種弊端。為了根治統治者的貪婪，只有取消他們把東西攫為己有的權利。獻身公職，就不容許私人競爭。柏拉圖在得公出這個結論時，非常看重斯巴達的例子，在那裡，公民不能使用金錢，也無權進行貿易。無論如何，柏拉圖主張廢除私產的理由，並非因為財富的不平等將對有關的人不公道（他對這點是毫不關心的）。他的目的是要在國家內部實現最高程度的和諧一致，而私有財產是與此不相容的。強調這個重點是希臘思想的特徵，因為亞里斯多德批評共產主義的時候，他所持的立場並不是認為它不公平，而是認為它事實上不可能實現和諧一致。因此，柏拉圖的共產主義具有一種嚴格的政治目的。這個思想體系嚴格說來，與那些使現代社會主義烏托邦具有活力的思想是完全相反的。他並不打算利用政治平均財富，而是要透過平均財富消除政府中的不安因素。

事實上，柏拉圖主張廢除婚姻也是出於同樣的目的。因為他認為家庭的情感是針對特定的個人，較之於對統治者的忠誠來說是國家另一個強有力的競爭對手。他認為，對孩子的掛念是一種比謀求財產更為隱晦有害的追求私利的方式，而且私人家庭對孩子的訓練，不可能把孩子造就成全心全意的將自身奉獻給國家。但是在婚姻問題上，柏拉圖同時還有另外的目的。他對人類性行為的隨便感到驚駭，正如他所說的，這種情況在任何家畜的繁育中心也是不能容許的。種族的改善要求對男女結合方式做更嚴的控制和更苛的選擇。最後，廢除婚姻大概意味對雅典婦女地位的一種含蓄的批評，因為雅典婦女的全部活動就是操持家務和撫養孩子。在柏拉圖看來，這將使得國家有一半潛在的護國者不能為國家服務。再者，他看不到婦女的任何天賦在雅典的實踐中發生相應的作用，而婦女在承擔政治或軍事的職責時是與男子一樣的。因此，護國階級的婦女應當參與男子的全部工作，這使得她們有必要受到同樣的教育，而且應從純粹的家庭中解脫出來。

柏拉圖用不近情理的方式，從家畜繁育論證到男女之間的性關係，以現代而言，是有點令人吃驚的。實際上他並非漫不經心的看待性問題，因爲把他的論證顛倒過來就是完全正確的了。事實上，他要求的是一定程度的控制和自我控制，而這一點還從未在較大範圍的人口中實現。問題在於他堅持貫徹一種思想方針，卻忽略了許多無法明確陳述的困難。國家的統一是必須確保的，財產和家庭卻是統一的障礙。因此，必須廢除財產和婚姻。毫無疑問，柏拉圖在這裡所講的是教條式的激進主義語言，這種論調準備遵循它可能引導出的論點。根據常識，亞里斯多德的回答是再好不過的。他指出，這樣就有可能使一個國家統一到不再是一個國家的程度。家庭是一回事，而國家則是另一回事。

教　育

柏拉圖是把共產主義作爲一種手段，以清除政治家的障礙，然而，無論他對此如何重視，他的主要信念還是建立在教育上，而不是共產主義上。由於教育是一種積極的方法，統治者可以藉此使人性朝著正確的方向發展，因此就能夠造就一個和諧的國家。一個現代讀者，對柏氏花了那麼多時間討論教育及其各種不同的影響，對國家教育機構的功能，承認得那麼具體是非常令人驚訝的。他認爲，教育是「唯一重大的事情」。如果公民受到良好的教育，他們將很容易洞悉所遇到的困難，並且能夠應付突發的情況。教育在柏拉圖的理想國家中的地位是如此顯著，以致有些人認爲教育是〈理想國〉的主題。盧梭指出，這本書根本就不是一本政治著作，而是一本最偉大的教育著作❶。這種看法絕非偶然，而是從這部著作的寫作宗旨中得到的結論。如果道德乃是知識，那它就是可以教授的，而且教授道德的教育制度是一個優秀國家所不可或缺的。依照柏拉圖的觀點，一個完美的教育制度，任何進步都是可能的；如果忽視教育，國家所做的任何其他事情都無足輕重了。

承認教育的重要性，隨之而來的就是國家不能讓教育任由私人擺佈，也不能由商業化的機構提供，而必須由國家提供需要的計畫，必須使公民實際得到他們所需要的訓練，並且必須確保教育與國家的和諧及

安寧的一致，因此，柏拉圖的計畫是由國家控制的義務教育制度。他的教育綱要也就自然而然地分成了兩個部份：初等教育，包括對年輕人的訓練，直到他們二十歲左右開始服兵役時爲止⑲；而高級教育，則是旨在教育那些挑選出來的男女，他們將成爲統治階層的成員，其教育期限從二十歲持續到三十五歲。對於教育的這兩個分支，我們有必要像柏拉圖那樣分別予以考慮。

　　這一強制的、由國家指導的教育綱要計畫，大概是柏拉圖針對雅典的實際情況而提出的最重要改革，而他在〈理想國〉中，對這一點的強調，或許可以解釋爲對民主習慣的連續性批評。按照這種習慣，每一個人都爲他的孩子取得他所喜歡的或者是市場上能夠提供的教育。在〈普羅塔哥拉斯篇〉中，他清楚的指出，雅典人在訓練孩子時所用的心思往往還不如訓練一匹優良的小馬。雅典在教育上對婦女的排斥，也受到了同樣的批評。由於柏拉圖相信男孩和女孩的天賦沒有本質的差別，因此他認爲，男孩子和女孩子都應接受相同的教育，且婦女有資格擔任與男子一樣的職務。當然，這絕不是爲女權所進行的辯護，只不過是爲了使人的全部天賦能爲國家所用而制訂的一項計畫。從教育在國家中的重要地位這一點來看，令人意外的是，柏拉圖絕口不談對於工匠的訓練問題，而且即令關於初等教育的計畫把他們包括在內，但是如何把他們包括在內，卻沒有明確的實行方針。這個事實再一次顯示他的結論過於鬆散和籠統。由於他確實想提升出身於工匠之家的有前途的孩子，那麼，除非有一個具有競爭性的教育制度可以篩選，否則他的意圖是完全無法實行的。另一方面，柏拉圖雖然沒有把工匠排除在外，但有些評論家，特別是澤勒（Zeller），認爲柏拉圖的疏漏是顯示他輕視勞動者的貴族態度的證據。這種觀點是否正確尚待討論。儘管柏拉圖非常重視對有天賦的年輕人進行有選擇的教育，可是他卻並不重視普通教育。

　　柏拉圖在〈理想國〉中所擬定的初等教育計畫，並不是創立一種全新的制度，而是對當時通行的慣例提出改革。這種改革大體上是把給予雅典紳士的兒子的訓練和給予斯巴達青年由國家控制的訓練結合，並且對兩者的內容作大幅的修改。於是全部課程劃分成了兩個部份：以體育來鍛鍊身體，以「音樂」來訓練心靈。所謂音樂，柏拉圖特指詩歌名作的研究和解釋，以及 lyre（古希臘七弦琴）的演唱和彈奏。人們往往過於

誇大斯巴達對於柏拉圖教育理論的影響，其實，教育專門用於訓練公民，這就是柏拉圖理論中最具斯巴達特色的重點。柏拉圖教育的內容是典型的雅典式的，而其目的是盡可能地培養道德和智力。即使體育也是如此，體育的第二位目標才是增強體能。體育是透過身體對心靈的一種訓練，以有別於音樂對心靈的直接訓練。正如柏拉圖本人所規定的，體育意味著要教授諸如自制和勇敢這些軍人品質，教授透過文雅陶冶的敏銳體能。因此，在有教養人的本質構成問題上，柏拉圖的訓練計畫體現了雅典人的概念，而不是斯巴達人的概念。對於一個認為實行智力訓練是拯救國家唯一途徑的哲學家而言，任何別的結論都是不可思議的。

　　雖然初等教育的內容主要是詩歌和高級形式的文學，但我們不能因此就認為柏拉圖想從美學方面欣賞這些著作。他把這些著作視為道德教育或宗教教育的工具，正如基督徒之於《聖經》那樣。❹由於這個原因，他不僅主張要果斷刪除過去的詩中不純潔的部份，而且要使未來的詩人服從國家統治者的審查制度，以免青年人受到不良道德的影響。對一個本身就是藝術家的人來說，柏拉圖有一種異常庸俗的藝術概念。或者，更確切地說，當他撰寫關於藝術的道德目的時，顯然有某種清教徒式的、幾乎是禁欲主義的傾向。雖然這種傾向也出現於柏拉圖的其他著作裡，但整體看來，這一點與一個西元前四世紀的希臘人是不相稱的。摒棄詩歌形式採用對話形式，柏拉圖也許在暗示，詩歌所強調的人類行為的情感，而較枯燥無味的對話則強調理性。在哲學上，這與心靈和身體之間的鮮明對照聯繫，在〈斐多篇〉（Phaedo）裡，這一點尤其明顯，這一靈肉的對照由柏拉圖傳給基督徒。柏拉圖對其統治者的清貧要求，或許也表明了同樣的傾向，還有，柏拉圖在構想他的理想國家之初，所表示的一種非常純樸（非奢侈）的國家偏愛，以及附在〈洞穴神話〉（Myth of the Den）的建議，可能不得不強迫哲學家脫離冥想生活而參與人的事務，也是同樣的情況。很明顯的，哲學家的統治可能很容易成為聖徒的統治。與柏拉圖的理想國家最為接近而曾經存在過的類似團體，大概就是修道院組織。

　　毫無疑問，在〈理想國〉中最別出心裁，同時也是最具特色的建議，就是高等教育的制度。根據這個制度，精選出來年齡介於二十歲和三十五歲之間的學生，要為擔任護國階級中的最高級職位而受訓練。柏拉圖

非常強調這種高等教育概念與建立學園的關係，以及與培養治理國家的
科學和藝術才能的整體計畫的關係。若不是學園的經驗，柏拉圖無從自
希臘教育中找到任何可依賴的形式，這種觀念完全是他所特有的。對護
國者所進行的高等教育，其宗旨是進行專業教育，柏拉圖所挑選的全部
課程，只是他所瞭解的科學學科——數學、天文學和邏輯學。毫無疑
問，他相信唯有這些最嚴格的學科，才適合作哲學研究的入門，而且也
沒有理由值得懷疑，他期待哲學家的特殊研究對象——關於善的觀念
——能夠產生同樣精密和準確的結果。由於這個原因，理想國家的要旨
最終當然會歸結爲一個教育計畫，按照這個教育計畫，應當促進這樣的
研究，進行新的調查研究，並且使新的知識爲統治者所用。爲了評價這
個概念的重要性，沒有必要相信柏拉圖始終期待政治科學應像數學一樣
精確。柏拉圖原本能夠繼續他本人和他那些學生在數學方面的優勢地
位，這也許是人類智慧中最眞實的不朽事業。如果我們對他的要求比這
更高，那就有欠公允。

法律的疏漏

　　在自稱是論述政治問題的著作中，很少有像〈理想國〉那樣推理嚴謹
和結構協調的。也許沒有任何其他著作所包含的思想體系如此不拘一
格，新奇、富於刺激性。正是這種特質使它成爲傳世之作，使後人從中
得到了各種極不相同的啓示。基於同樣的原因，最重要意義就在於它流
傳的廣泛和普及，而不在於對它進行具體模仿產生的效果。在某些人的
眼中，〈理想國〉是最偉大的烏托邦，而且所有烏托邦哲學家全都追隨其
後。然而，柏拉圖對書中的這部份卻少有興趣，使得他在完成這個計畫
的細節時幾乎漫不經心。〈理想國〉眞正浪漫之處，是關於智力的自由，
這種智力不受習俗的約束，不受人類的愚昧和固執己見的阻礙，甚至能
夠指導習俗和愚昧的勢力沿著理性生活的道路前進。〈理想國〉永遠是學
者的呼聲，是知識份子信念的自白，認爲知識和開化是社會進步必須依
靠的力量。當然，有誰能夠說出，作爲一種政治力量，知識界限是什
麼？而且，又是怎樣的社會使受過訓練的科學智慧力量對它的種種問題

產生了影響？

　　到目前為止，這個結論是不可避免的，柏拉圖像大多數知識份子一樣，把問題簡化得超出了人類關係所能容許的範圍。當柏拉圖斷定依靠智慧的政府必定是依靠少數人的政府時，他是正確的，但是人們不能單純推論出這種開明專制就是最好的政治。斷言政治是關於科學知識的問題，廣大民眾可以把自己托付給少數受過高級訓練的專家，這就忽略了這樣一個深刻信念，即有些決定是必須由個人自己決定的。當然這絕不是贊成「糊裡糊塗地達到目的」，在這裡，糊裡糊塗意味著胡亂選擇手段以達到公認的目的。但是柏拉圖的論證假定，選擇目標和選擇實現一個達到既定目標的方法是完全可以相比的，這一點看來是非常不正確的。他把政治與醫術相比，並且達於極端，使得政治也不成其為政治。對於一個能夠承擔責任的成年人來說，即使算不上一個哲學家，也肯定不是一個除了內行的照料外就別無所求的病人。在其他方面，他要求照管自己的特別權利，和以負責的方式與其他同樣負責的人們相處的權利。柏拉圖把政治從屬關係簡化為一種模式，即有知的人與無知的人的關係，就事實而言，這是過於簡化了。

　　〈理想國〉所疏漏的方面，即法律和公共意見（輿論）的影響，絕不是最次要的方面。這種疏漏完全是邏輯上的，因為如果柏拉圖的前提得到認可，那麼他的論點就是無法辯駁的。如果統治者行使權力的資格只取決於他們優越的知識，那麼輿論對統治者的判斷便無足輕重，而徵詢民意的虛偽動作，也只是政治上的詭計，用以使「羣眾的不滿」不致爆發而已。同理，用法律規範束縛哲君的手腳，與強迫一個熟練的醫生依據醫學教科書的處方開藥方是一樣的愚蠢。實際上，這個論證是以假定為論據的辯。因為它假定輿論無非只是對統治者已經認知的事物提供意見，而法律的意義只不過是提供一種只適用於普通案例的笨拙規則。正如亞里斯多德所指出的，我們因為使用和憑直接經驗而對某個事物行為得到的知識，在性質上與對於此一事物的科學知識，完全是兩回事，而大體上輿論所表達的正是這種對於由政府所造成的壓力和負擔的直接體驗，是對這種壓力和負擔給人類利益和目的所帶來的直接體驗。同樣，法律大體上所包含的也不只是一般規則，而且還包括在具體情況下應用智力的成果的累積，以及公平對待類似案件的觀念。

　　總之，〈理想國〉所描述的理想國家，直接了當地否定了城邦國家的
政治信仰，否定了它的自由公民身分的理想以及希望，即每個人都應當
在他力所能及的範圍內成爲政府義務和權力的共享者。這種城邦國家的
理想是建立在這樣的信念上，即在服從法律和服從另外一個人的意志之
間，存在著根深蒂固的道德差別，縱使另外一個人是聰明仁慈的專制君
主。這裡的差別在於，前者與有關自由和尊嚴的意識是相容的，而後者
則不然。在法律指導下的個人自由感，正是城邦國家的要素，希臘人賦
予這個要素最高的道德價值，並認爲希臘人之異於野蠻人，正在於具有
這種要素。必須承認，這種信念已從希臘人傳入了大多數歐洲政府的道
德理想之中。人們把這種信念表述爲——「政府合法的權力來自於被統
治者的同意」的原則，儘管同意的涵義仍然模糊不清，但很難想像這個
理想本身會消失。由於這個原因，柏拉圖在他的理想國家中略去法律，
只能解釋爲他沒有認識到他所欲使之完美的那個社會有這種極爲重要的
道德面向。

　　同時有一點是很清楚的，就是除非柏拉圖重新改造。整個哲學架
構，將理想國家成爲其中一部份，否則不可能將法律包括爲其理想國家
的一個必要因素。他的疏漏並非由於無心的疏忽，而是哲學本身的邏輯
結果。因爲科學知識如果像柏拉圖所設想的那樣永遠優於民眾的意見，
就根本沒有尊重法律並從而使之成爲國家最高權力的理由了。法律屬於
約定俗成之類，它出自於使用和習慣，它是在一個個先例中緩慢成長的
經驗產物。經過對於自然的理性洞察而產生的智慧是不會在法律的主張
面前放棄自己的主張的，除非法律自身能達到某種不同於科學推理所得
到的智慧。因此，如果柏拉圖打算把國家改造成一個教育機構是錯誤
的，如果這樣做是使教育背上了一個它無法勝任的負擔，那麼，他的一
套哲學原則——特別是自然與約定的習俗以及理性與經驗之間的鮮明對
照——就需要重新加以審查了。我們懷疑事實上確是如此，至少可以說
〈理想國〉中並沒有探究所有涉及的問題，這導致柏拉圖於後來的歲月中
又詳細討論了法律在國家中的地位，並在〈法律篇〉中構思了另一種類型
的國家，在這類型國家中，應當成爲統治力量的是法律而不再是知識。

註　解

❶關於柏拉圖在西西里冒險的記述足以證明，第三封信、第七封信和第八封信即使
不是眞的，其所敍述的歷史也是可靠的。

❷第七封信，325d～326b，波斯特（L. A. Post）譯。柏拉圖寫於西元前 352 年。
其最後的名言重複了〈理想國〉中（473d）關於哲學家成家國王的著名段落。

❸332e～333a。

❹第七封信，328c。

❺《政治理論史：古代和中世紀》（*History of Political Theories, Ancient and Mediaevel*），1905 年版，第 24 頁。

❻參閱托馬斯‧希斯爵士（Thomes Heath）的《薩莫斯島的阿里斯塔庫斯》
（*Aristar chus of Sarmos*），1913 年版，第 15 章和第 16 章。

❼參看眞正天文學和占星術（star-gazing）的對照（〈理想國〉，529b～530c），以
及柏拉圖關於高等數學教育的說明中涉及到的科學和計算的關係。

❽見《倫理學資料》（*Data of Ethics*），第 15 章。

❾358e 及以後數頁。

❿〈理想國〉，370c。

⓫368d。

⓬《柏拉圖和古老的學園》（*Plato and the Older Academy*），阿利尼（S. F. All-
eyne）和阿爾弗雷德‧古德溫（Alfred Goodwin）譯，1888 年版，第 473 頁。

⓭見《政治學》，3, 11；1282a17以下。

⓮見巴克（E. Barker）的《希臘政治學說：柏拉圖和他的先驅》（*Greek Political
Theory, Plato and his Predecessdrs*）（1925），第 176～177 頁。

⓯《柏拉圖：生平，著作和學說》（*Platon, seine Leben, seine Schriften, seine Le-
hre*），第 2 卷，第 596 頁。

⓰《恩求者》，第 2 章，238～245。

⓱〈理想國〉，551d。

⓲還可以參閱埃里克‧哈夫洛克（Eric A. Havelock）的《柏拉圖導論》（*Preface to
Plato*, Cambridge: Harvard University press），1963 年版。

⓳威拉莫維茨（Wilamowitz）根據〈法律篇〉推測，在柏拉圖寫作之時，雅典八歲

到二十歲的男子的義務兵役制大概還沒有實行，儘管沒過多久這項制度就被採用了。參閱《亞里斯多德和雅典》（ *Aristoteles und Athen* ），1893 年版，第 1 卷，第 191 頁。

❷詩歌是有文字以前社會用以保留和傳遞道德和技術兩方面的有效信息的手段。節奏和押韻就像故事體裁一樣，是幫助記憶的。因此，《奧德賽》（ *Odyssey* ）和《伊里亞德》（ *Illiad* ）在現代的意義上並不單單是「藝術著作」，它們是早期希臘的百科全書，其中容納了無文字時代希臘長者傳給年輕人的包括從道德到造船的一切信息。相當有趣，在二十世紀的巴爾幹山區，偶爾還能碰到一些能憑記憶背誦整部《伊里亞德》和《奧德賽》的文盲。參閱前註中的哈夫洛克的著作以及阿爾伯特・洛德（ Albert B. Lord ）的《歌手的傳說》（ *A Singer of Tales*, Cambridge, Harvard University Press ），1960 年版。

第五章
柏拉圖：〈政治家〉和〈法律篇〉

　　在〈政治家〉和〈法律篇〉中所包含的柏拉圖晚期政治哲學結構，其形成年代比〈理想國〉中所包含的要晚許多年。這兩部晚期著作有點相似，所包含的理論也與〈理想國〉中的理論有顯著的差別，它們共同體驗了柏拉圖對於城邦國家種種問題進行沉思的最終結果。〈法律篇〉肯定是他的一部晚年之作，所有評論家都認爲在其中可以看到他能力衰退的證據。儘管這一點往往被誇大。就文筆而言，在〈理想國〉和〈法律篇〉之間是根本不能相比的。前者在整個哲學著作當中是公認的最偉大的文學傑作，反之，〈法律篇〉顯然是很難讀的。即使充分考慮到對話體裁所容許的不拘一格，它也太漫無邊際了，它的文字囉嗦而且重複。關於這部著作未經作者最後修改的傳說似乎頗有道理。這部著作中有一些精彩的段落——有資格的學者認爲這些段落與柏拉圖著作中任何其他好的段落一樣精彩——但是對於使作品具有持久的文學效果，柏拉圖似已既無能力也無興趣了。

　　由於〈法律篇〉在文筆上的缺點，與〈理想國〉相比較，已經很少有人去讀它，而且或許存在著一種傾向，把它在文學質量上的下降同智力的下降混淆了。這當然是錯誤的。〈法律篇〉中的政治哲學，沒有〈理想國〉中可以看到的那種純理論結構的大膽延伸，但另一方面，柏拉圖在其晚期的理論形式中，是打算以一種他在早期著作中從未用過的方法來把握政治現實。這多少說明了爲什麼這部著作缺乏條理。它很少根據單一的連續思想加以發揮，而更多地是根據它的主題的複雜性。〈理想國〉是一部傳世之作，因爲它所闡述的原則的普遍性幾乎沒有時代限制。而柏拉圖的晚期思想形式，卻主要對古代世界他的繼承者們發展政治哲學產生了影響。這一點在亞里斯多德的主張中很明顯，因爲正是〈政治家〉和

〈法律篇〉，而不是〈理想國〉，構成了亞氏〈政治學〉的出發點。至於說到
這兩部著作對於亞里斯多德討論一些個別政治問題的純理論方面的影響
——舉例說，諸如國家結構，它們的政治組織，以及關於所謂**混合式國
家**（mixed state）的特殊理論——那麼無論怎樣誇大〈法律篇〉的重要
性也不算太過份。

重新承認法律

　　柏拉圖在〈理想國〉中所遵循的思想體系產生了這樣一種理論，即一
切都從屬於哲君的理想之下，而哲君之所以享有專權的資格，是由於只
有他瞭解對個人和國家來說什麼是善。以這樣一種思考方法處理問題，
導致完全從理想國中排斥了法律，並且導致這樣的構想，把國家僅僅視
爲一個教育機構，在其中，大多數公民永遠處於哲學家統治者的教導之
下。這些結果與希臘人關於在法律之下享有自由的道德價值，以及公民
參與自治工作的最深刻的信念，都是完全背道而馳的。在這個意義上，
柏拉圖政治理論的最初形式，是片面地忠實於一個單一原則，而無法充
份表達城邦國家的理想。這一點疑惑，造成柏拉圖後來思想發展方向的
改變。正如對話錄中所表明的，〈法律篇〉的撰寫，就是要恢復法律在希
臘人的道德評價中的地位，而柏拉圖確曾試圖取消這種地位。〈理想國〉
和〈法律篇〉的根本理論區別在於：前者的理想國家是一個由專門挑選和
專門培訓出來的人才所組成的政府，它完全不受任何一般規則的束縛，
而後者所描繪的國家是這樣的政權，在其中法律至高無上，統治者和被
統治者都須同樣服從法律。這個區別意味著關於政體的一切基本原則的
激烈變革，這種變革遠比柏拉圖所成功地得出的邏輯性結論更爲劇烈。
　　人們通常認爲，柏拉圖由早期政治理論型態向晚期政治理論型態的
轉變，一定是由於他遭受了幻想的破滅，這種破滅，是他試圖參與敍拉
古（Syracuse）事務遭受失敗的結果，而且，這種經歷很可能以特別辛
辣的方式使他清楚地認識到了政治生活的現實。然而，亦不能任意設想
他去敍拉古是期望建立一個由哲君統治的理想國家，只是由於後來的失
敗才修改到了他的觀點。柏拉圖本人在《第七封信》中所說的就與此相

反，在給戴昂追隨者的勸告中，他說：

> 不要讓西西里、也不要讓任何地方的任何城邦屈服於人類的主子
> ——這就是我的教條——而應該服從於法律。不論對統治者、或對臣
> 民、對他們自己、對他們的子女的子女，甚至對所有後代而言，服從
> 於人總是不好的。❶

儘管這封信寫於西元前三五三年，但柏拉圖仍然說，關於他建議成立一
個立法委員會以起草新的法律的計畫，與他和戴昂打算共同貫徹的主張
是一致的❷。因此很清楚，在敍拉古的冒險，從一開始就在意造就一個
以法律形式爲指導的國家。這個立法委員會——在希臘通常是爲殖民城
市制訂法典的機構——是爲法律提供辯護理由的文字機構。如果〈政治
家〉大致寫於柏拉圖與戴昂交往的同一時期（西元前 367～361 年），那
麼有關法律在行政管理中的長處和短處的討論，顯然使他在思想上對
〈理想國〉中所得結論是否可行產生了疑問。因此不妨下這樣的結論，即
柏拉圖在他的信念中從未作任何突然的改變，而且他在很長的時期內一
直覺得，從理想國家中略去法律是根本不可能的。

　　另一方面，柏拉圖也確實從未明確判定〈理想國〉中研討的理論有錯
誤，因而是必須丟棄的。他反覆聲明他撰寫〈法律篇〉的目的是要描述一
個「次好的國家」，而且他有時把這個主張與他竭力強調法律的重要性
聯繫在一起。沒有法律，人就「與最野蠻的動物全然沒有區別了」，然
而一旦產生出稱職的統治者，那麼人類就不需要法律的統治了，「因爲
沒有任何法律或法令比知識更強更有力」❸。因此，歸根究柢，柏拉圖
相信，在一個眞正的理想國家裡，應當鼓吹的是以哲君爲實體，而且不
受法律或習俗妨礙的純理性的統治。也許他從未確信這樣的理想能夠實
現，反而隨著時間的推移，他逐漸認識到這個理想是不能被實現的。國
家實行法治，往往是對於人性弱點的遷就，而他絕不願意承認這種國家
擁有與理想國家處於同等地位的權利。再者，如果實現哲君的知識是不
可能達到的，那麼柏拉圖明白，一般相信法治政府優於人治政府的道德
意識是正確的，因爲統治者終究是靠不住的。這兩種理論之間的關係很
難使人感到滿意，上述理想在邏輯上是無可指摘的，但事實上卻達不
到，而次好國家雖然並非不能實現，唯就其可靠性而言則是有疑問的。

　　由此說來，關於最好的國家和次好的國家的爭議，實際上是來自於柏拉圖哲學的基本問題，柏拉圖在晚年不得不在許多方面面對這個問題，而且他從未成功地解決這個問題。問題不單單在於他是否決心把法律作爲政治的要素而加以高度評價。如果〈理想國〉中所遵循的推理方法（連同整套哲學原則）是正確的，那麼在國家中就沒有法律的地位。反過來說，如果不得不給法律一個地位，那只能對整個哲學結構作深刻變革，至少要接受可能會使整個哲學結構大大複雜化的種種原則。情況頗令人進退兩難，而柏拉圖對這個難題的瞭解和陳述，正是衡量他崇高智慧的尺度。自亞里斯多德以來，或許還沒有那一位批評家曾提出過一項反對柏拉圖的理由是閱讀柏拉圖的著作而發現不出來的。

　　在理想國家之中排斥法律，是出於雙重原因，一方面柏拉圖把治國之術界定爲一種依賴於精確科學的藝術，另一方面則按照數學的形式把這種科學設想爲對典型的理性見解，對於這種見解，實際知識並無補益，或者至多只能起例證的作用。支持這個理論的是這樣的假定，即理智與知覺至少是異類的，甚至也許是對立的；一個思想家只要被知覺所感受到的微不足道的變動所包圍和限制，就不可能得到典型的知識，正如只要人們確信他們所看到的就是行星的實際運行就不可能瞭解眞正的天文學一樣。在倫理道德方面，關於善的知識意味著與肉體關係最爲緊密的嗜好和欲望具有同樣的獨立性，這種肉體和精神的區分，有時會發展成爲一種較低水平的天性和較高水平的天性的徹底對立，這種差別是柏拉圖思想中一個難以處理的因素，儘管他從未徹底承認這種區分的全部含意。至於談到政治領域，實證法——實際存在並且由現實社會中的人來實施的法律——算是在感覺和意願一邊。這一點在古希臘或許比今天更爲明顯，因爲希臘人的法律完全是一個運用習俗和慣例的事，而不是屬於有職業審判員和多少是合乎科學的司法制度的因素。但是在任何情況下，法律所表現的智慧都是經驗的智慧，它是透過一個又一個的前例來摸索其方法，是在案件出現的時候制訂種種法則來適應這些案件，並且永遠不可能得到關於其原則的最明確的知識。總之，法律與柏拉圖所想像的藝術——自覺地運用經過科學確定的原因以達到一個明確可以預見的目標，是完全不同的。這個問題是自然和約定的對照之中所固有的，而這個對照正是柏拉圖的出發點。因爲法律如果說屬於約定（在希

臟這兩個詞是同一回事），而且是作爲統治中的一個不能予以排除的因素，那麼，怎樣才能建立在能實現最大可能的自然之善的理性基礎上的種種制度呢？

縱使在今天，這也絕不是一個過時的問題。一個受到計畫管理的社會，如何與羅馬法或英國不成文法的精神所體現的那樣大的心理力量相協調呢？在日常生活中，每天對事物的評價與期望，都發生於習俗和慣例的「母體」之中，這種「母體」確實在變，但變化緩慢，而且就整體來說，人們從不對其進行整體計畫和設想，因爲計畫和評價總是在這個「母體」當中進行的。總之，它不是反理性，而是與理性無關，儘管其中的一些部份正是作爲約定的常規或習俗的非理性力量而不斷地嶄露頭角，並阻礙了對現存秩序作任何明智的變更。是不是可以把作爲生活基礎的慣例——人們用以調節他們的志向，調節他們與別人進行交往的合乎習慣的價值和理想——解釋成理智的敵人以及生活和管理中的巨大障礙呢？實際上，這就是〈理想國〉中的理想國家所依據的假定，而這個假定迫使柏拉圖成爲反叛者，反抗他所欲挽救的國家中最被珍視的政治理想。但是，如果習俗和慣例不是眞正的敵人，如果約定的常規不是自然的對立物，那麼怎樣才能把這兩者解釋成爲相輔相成呢？一僕能兼侍二主嗎？抑或他不必服侍一個而敵視另一個？柏拉圖的這一點是學自蘇格拉底——而始終不曾改變他的見解——即他必須堅持理性，但是，對於應當蔑視約定的常規這一點，他卻變得拿不定主意了。這就是他在晚期政治理論中感到困惑的問題，即必須在國家中賦予法律以地位的問題。

金質的法律紐帶

可以看到，在〈政治家〉中所出現的正是這個法律問題。實際上，這篇對話從根本上來說不是一部政治著作，而是關於定義的討論。政治家是柏拉圖挑選的話題，但選擇這個話題大概並非出於偶然。有一點可以肯定的是，這個討論所得出的結論認爲政治家是一種藝術家，其主要條件就在於有知識。討論中把政治家比作牧羊人，控制和管理著一個人類的羣體，或者更具體地說是一家之長，他爲了全體家庭成員的幸福而支

配著他的家庭。順便應當提到，這個論點構成了亞里斯多德撰寫《政治學》的出發點，這部著作一開始就試圖說明家庭和國家是不同類的團體，因此對於公民政府來說，家庭並不是相當的類似體。這個問題看來比它表面上所涉及的範圍要廣泛，而且在傳統上也成了專制政府辯護者和自由政府辯護者之間進行爭論的焦點。當然，爭論之點在於究竟是把臣民們設想為依賴於統治者，就像孩子們必須依賴於他們的雙親一樣，還是把他們設想為能夠承擔責任並且能夠實行自治？不管怎麼說，重要之處不在於柏拉圖對這個問題的回答，而在於他對這個問題的討論。〈理想國〉中已有了這樣的假定，即政治家是一位藝術家，他之所以有進行統治的權利，是因為只有他瞭解什麼是善。在〈政治家〉中，柏拉圖對這個問題進行了詳細的討論，而且使〈理想國〉中的假定形成為一個經過精心定義的主題。

　　這個定義是以一個有利於政治專制主義的強有力論點為依據，條件就是統治者在其工作中是一個真正的藝術家——

　　　　在所有的統治形式之中，有一種是完全恰當，並且是唯一真正的政府，在其中，不論他們的統治是否依據法律，不論他們的臣民是否心甘情願，都可以看到統治者確實擁有，而且不單單是表面上擁有科學知識……❹

這確實是一種「令人難以接受的說法」，即統治可以在沒有法律的情況下繼續下去。大體上，法律必須處理的只是一般的案件，而一個真正熟練的統治者如果因此而束縛住自己的腳，則是十分可笑的，這就像強迫一位醫術精通得能寫一本醫書的醫生要照書開藥方一樣可笑。從柏拉圖時代一直到我們今天，人們一直用這個論據來為開明專制辯護。如果人民被迫「違反成文法和固有的傳統，去做比他們先前所做的更公正、更高尚和更好的事」❺，那麼說他們遭受愚弄就是荒唐的了，因為不能期望有許多人瞭解什麼是對國家善的。這樣，〈理想國〉中的假定就清清楚楚地表述出來了，並且它的結論也被完全地接受。在理想的國家裡，臣民的同意不是統治者的必備條件，因為臣民按照法律的習慣和傳統享有的自由，只會對懂得藝術的統治者自由地運用其藝術才能起妨礙作用。

　　可是，柏拉圖並不十分願意承擔他的結論的全部後果，或者至少他

已充份注意到事情還有另外一面。事實很明顯，柏拉圖給政治家所下的定義，恰恰是在爭執之點上對國王和暴君作了明確的區分。暴君統治不情願的臣民是依靠暴力，而眞正的國王或政治家卻具有讓人願接受其統治的藝術❻。這樣兩種方式，無論如何是不相容的，但柏拉圖顯然不願意放棄其中任何一種。迫使人們優於傳統並非不公正，可是他不能克服希臘人對公然憑藉武力的政府的厭惡。這段話令人想起〈理想國〉第八部和第九部中對暴政和暴君的雄辯滔滔的指責，但這絕不是因爲暴君完全缺乏對於一切正常人類關係的虔誠和尊敬。

　　柏拉圖在〈政治家〉中對國家的分類也表明，他在〈理想國〉中所想採取的立場已有了某種程度的改變。值得注意的兩點是：第一，他把理想的國家從有可能實現的國家類別中明確地劃分了出來；第二，對比〈理想國〉中的論述，他賦予民主政治以更爲有利的地位。在〈理想國〉中，他不太注意，甚至完全不注意國家的分類，只以理想國爲首位，把現實的國家以一個墮落爲另一個的方式依次排列。這樣，**榮譽政治**（timocracy），即軍人統治的國家，乃是理想國家的墮落；**寡頭政治**（oligarchy），也就是富人統治的國家，則是榮譽政治的墮落；**民主政治**（democracy）的產生，是由於寡頭政治的墮落；而**暴君政治**（tyranny），這種政治排列於名單之末，可說是民主政治的墮落。在〈政治家〉中，柏拉圖試圖以一種更詳盡的方式進行分類。理想國家，也就是由哲君統治的純粹的君主政治（monarchy），是神聖的（divine），它是這樣的完美，以致不適用於人事。它與所有現實國家的區別在於：在其中是靠知識來統治而不需要法律。於是〈理想國〉中的國家就明確地作爲「安置於天國的樣板」（model fixed in the Heaven）而被束之高閣了，人類可以仿效它，但無法達到它。對於現實的國家，柏拉圖在〈政治家〉中是透過把兩個類別相互交叉而加以分類的，即是把傳統分法中的每一類再細分爲無法律和有法律的兩種形式。在這裡，柏拉圖以這種方法將國家劃分爲六類，即三種有法制的國家和與之相應的三種無法律的墮落形式。後來亞里斯多德在《政治學》中亦採用了這種分類方法。這樣，一個人的統治就產生了君主政治和暴君政治；少數人的統治則產生貴族政治和寡頭政治。與此同時，柏拉圖首次承認了兩種類型的民主政治，即溫和型和極端型。此外，更引人注目的是，他此時認爲民主政

治是無法律國家中最好的，儘管亦是有法律國家中最壞的。因此，兩種
類型的民主政治都優於寡頭政治。柏拉圖顯然採取了日後在〈法律篇〉中
所採取的立場，在〈法律篇〉中，他把次好的國家視爲是君主政治和民主
政治的結合。此即默認在現實國家裡，人民的同意和參加是不容忽視
的。

　　因此，柏拉圖的新論，也就是他自認是次好的理論中，難以令人滿
意的說法就是把天國城邦和塵世城邦加以對照。既然人類智力的有效累
積還不能使哲君的出現成爲可能，那麼在人力所及的範圍內，最好的解
決辦法就是依靠那些能夠體現爲法律的智慧，依靠人們對明智的習俗和
慣例所表現出的天生忠順。柏拉圖在接受這樣的折衷理論時所感受到的
苦澀，顯然可從他所說的這句反語中看出來，那就必須證明蘇格拉底被
處決是正確的。❼國家的法律雖然是繼承而來，但必須想像它是對天國
城邦的某種模仿。至少可以肯定，法律比任性要好，守法統治者的虔
敬，比暴君、財閥寡頭或者一羣暴民的專橫意志要好。同樣無可懷疑的
是，法律一般說來是一種促進文明的力量，如果沒有法律，對人性聽其
自然，人就會成爲最野蠻的動物。可是，這種使人聯想起亞里斯多德的
說法，對柏拉圖來說，只是一種維護信仰的行爲，而他的哲學，就其把
知識和意見進行對比而言，是不能爲這個信仰提供任何眞正的辯護的。

　　在〈法律篇〉一個最引人注目的段落中，柏拉圖毫不猶豫地說這是維
護信仰的行爲：

　　　讓我們假定我們每一個活著的人都是神的製作精巧的木偶，不論
　　是作爲他們的玩具被製作出來，還是爲了某種嚴肅的目的被製作出來
　　——對此我們一無所知；然而有一點我們是知道的，那就是我們內心
　　的情感會像肌腱或紐帶一樣牽引著我們向前，在彼此互相敵對的情況
　　下，會拉著一個人加入反對另一個人的敵對行動中；而善與惡的分界
　　線也就在這裡。正如我們的論證所表明，由於存在著這樣一種拉力，
　　因此每一個人都應當永遠遵循它並且無論如何不能放手，藉此抵抗其
　　他腱的拉力：這就是「深思熟慮」的引導，它是寶貴的和神聖的，被
　　定名爲國家的公法。有鑑於其他紐帶的結實和頑強，並且有各種可能
　　的形式和外觀，這一種拉力應當是靈活和始終如一的，因爲它是黃金
　　一樣的東西。有了這種最卓越的法律的引導，我們必然需要經常進行

合作，因為既然深思熟慮是卓越的，而且與其堅強有力，不如柔和文雅，那麼這種深思熟慮的引導就需要幫助者，以確保我們之中的寶貴天性能夠克服其他天性。❽

因此，柏拉圖晚期理論中的國家，是透過**金質的法律紐帶**（golden cord of the law）而結合在一起，而且這意味著它在組織上的道德原理已有別於〈理想國〉中的論述。法律此時可以說已經取代了理性，而這種理性，柏拉圖曾謀求使之在理想國家中居於最高地位，並且還曾認為它是自然界中的最高力量。他因此曾相應地認為理想國家的主要美德就是正義，而勞動的分工和職能的專業化將使每一個人得到他的適當位置，並將使他在最大限度地發揮其才能並充份運用這些才能的意義上「得到公平的對待」。在〈法律篇〉所論述的國家中，智慧結晶為——也許有人甚至會說是凍結為——法律，國家是絕不可能如此靈活地適應於個人的，而法律所確立的規範則被認為「在總體上」是最可行的。結果在這樣一個國家裡，最高的美德必然是克己和自制，這意味著一種守法的意向或尊重國家制度的精神，並且意味著一個人願意使自己服從於國家的法定權力。

在〈法律篇〉的前幾卷中，柏拉圖相當尖銳地批評了像斯巴達那樣的國家，這些國家以第四位的品德——勇敢——作為他們訓練的主要目標，並因此使一切公民品德都服從於軍事上的成功。對斯巴達的這一評價，顯然不如在〈理想國〉中對榮譽政治所作的說明那樣有利，而且它直言不諱地對一些國家把無益的戰爭作為國家目的提出了譴責。國家的目的無論是在國內關係上還是在對外關係上，都是為了達到和諧，只要沒有達到理想國家透過職能專業化而實現的那種完美的和諧，那麼對和諧的最好保證就是服從法律。因此〈法律篇〉所論述的國家，是以克己和中庸為主要美德而建立起來的國家，它謀求通過培植服從法律的精神來達到協調一致。

混合式國家

由此看來，柏拉圖顯然需要設計一個政治組織原則來得到這個所期望的結果，這個原則在他的晚期理論中，將發揮勞動分工和公民分為三個等級的原則在〈理想國〉中所發揮的那種作用。事實上，他的確發現了一個原則❾，這個原則在後來的政治學說史中流傳下來，並且在許多世紀中成功地得到了大多數研究政治體制問題的思想家的贊同。這就是關於「混合式」國家（"mixed" state）的原則。柏拉圖設想這種國家可以通過力量的平衡而達到和諧，或者透過結合不同傾向的各種各樣的原則來達到和諧。這種結合的方式，就是各種不同的傾向應當相互以自己的優點來彌補對方的缺點。這樣，穩定就成了相互對立的政治傾向的產物。這個原則就是許多世紀之後由孟德斯鳩再次發現的著名的權力分立（分權）原則的原型，孟德斯鳩認為權力分立是體現在英國憲法之中的政治智慧的精髓。就柏拉圖而言，人們認為〈法律篇〉所概述的混合式國家，是君主制原則中智慧和民主制原則中的自由的一種結合。然而，不能說他成功地進行了他所設想的這種結合，甚至不能說他始終信仰這種混合制政體的理想。柏拉圖的忠誠陷於絕望的割裂中，並且最終又回到早已在〈理想國〉中得到發展且更意趣相投的思想路線之上。

儘管如此，柏拉圖介紹捍衞混合式國家原則的方式，對於後來這項研究的發展，還是具有極其重要的意義。〈法律篇〉所論及的是現實的國家。柏拉圖因此看到，他在〈理想國〉中所採用的自由進行邏輯和純理論建構的方法是不適當的。此時，問題涉及的是國家的興亡，是國家強盛和衰敗的實際原因而不是想像中的原因。因此，在〈法律篇〉的第三部中，柏拉圖第一次提議在哲學史方面作不懈的努力，以追溯人類文明的發展，標誌出它的重大階段，指明進步和衰退的原因，並且透過對整個文明的分析來追尋可使政治穩定的法律。對於這些法律，明智的政治家應當加以遵守以便控制和指導困擾人類社會的種種變革。他在使人聯想到亞里斯多德的一段話中說，上帝、機遇和藝術控制著人類的生活，而藝術必須與時機互相合作。❿誠然，柏拉圖所憑空想像的哲學史，並沒

有提出任何進行精確研究的準則。然而，〈法律篇〉中關於政治學研究應
隸屬於文明史的建議，比起支配〈理想國〉的分析法和演繹法，更具有實
質的效益。它構成了社會研究的可靠傳統的開端，特別是構成了由亞里
斯多德所採用並使之完善的那種調查研究方法的開端。

　　柏拉圖涉及人類發展的哲學史計畫並不是非常清楚，因為它包括不
只一個目的，兼有不只一個原則。首先，它利用了無疑是希臘人當時流
行的歷史發展方向的概念，希臘人自己的制度就是在這個概念中發展起
來的。最初，人們像牧人一樣生活在孤立的家庭裡，缺乏使用金屬的技
藝，也沒有文明生活中的社會差別和種種惡習。柏拉圖想像這是一種
「自然的」時代，在這個時代裡，人們和睦相處，因為標誌一個更雄心
勃勃社會的戰爭動機還沒有出現。在柏拉圖的著作中，自然狀態（st-
ate of nature）──即後來的政治學家們長期信奉的一種神話──已經
出現了。隨著人口數量的增長、農業的發展以及手工技藝的發明，家庭
聚集為村莊，而最後出現的政治家則把村莊統一為城市。亞里斯多德在
《政治學》的開頭幾章中，正是運用這個演變過程來劃分作為文明生活羣
體城市的獨特職能。

　　不管怎麼說，柏拉圖至少還有另外兩個目的，一個多少是附帶的，
而另一個則與混合式體制的出現有比較密切的關係。他透過追溯斯巴達
專一的軍事組織給其帶來滅亡，附帶對斯巴達提出了批評，因為「無知
是國家滅亡的原因」。然而，他的主要目的是想說明君主政治和伴隨而
來的暴君政治的專橫權力是怎樣成為衰敗的原因的，像波斯就是一個特
別典型的範例。由此，他進而想說明，雅典沒有約束的民主政治由於過
份的自由怎樣使自身毀滅。這兩者如果能滿足於保持節制，以智慧來調
節權力，或以秩序來調節自由，本都可以繼續繁榮昌盛。正是由於走向
了兩個極端，結果導致了毀滅。於是，從這裡就得出了構成一個良好的
國家所必須依據的原則。如果不是一個君主制的國家，那至少必須包含
君主制的原則，即明智而有力的政府必須服從於法律的原則。但同樣，
如果不是一個民主制的國家，那它必須包含民主政治的原則，包括自由
的原則、民眾共享權力的原則，當然，也必須服從法律。

　　這個論證可以加以一般化。從歷史上來講，人們享有幾種得到公認
的行使權力的權利──父母對於孩子的權利、年長者對於年輕人的權

利、自由人對於奴隸的權利、出身高貴者對於出身低賤者的權利、強者
對於弱者的權利，以及透過抽籤而當選爲統治者對於其他公民的權利⓫
——由於一些人與另一些人互不相容，而這正是造成宗派的原因。按照
柏拉圖的觀點，行使權力唯一的「天然」權利，當然就是明智的人對較
不明智的人的權利，但這是屬於理想國家的事情。在次好的國家裡，問
題在於對這些得到公認的權利加以選擇和結合，以使大體上實現最守法
的統治。實際上，這意味著根據有利的年齡、良好的出身或者財產來進
行選擇，以期接近於明智的統治。採取這些條件，或許是因爲它們在表
面上體現了優於一般才能的徵兆，儘管爲了民主政治的緣故，這樣做要
對抽籤作某種讓步。柏拉圖把這種體制作爲君主制和民主制的混合體而
進行的描述，並不是很恰當的。

　　建立一個符合這些要求的城邦，顯然需要注意那些物質的、經濟的
以及社會的基本因素，這些因素正是政治結構所依靠的，因爲柏拉圖的
混合式國家並不單單是政治力量的平衡。因此，柏拉圖一開始就討論了
城邦最有利的地理位置，以及氣候和土壤條件。在這裡，他再一次提出
了在哲學史家的政治理論中倍受賞識並且確實幾乎成爲其傳統部份的一
個論點，這個論點的影響是直接的，正如在亞里斯多德爲準備概述最好
的國家而作的評論中可以看到的那樣⓬。柏拉圖認爲，最理想的地點不
是海岸，因爲外國的商業會帶來腐敗，而且更爲嚴重的是對外貿易意味
著要有一支海軍，而海軍又意味著支持民主派羣衆的力量。這個觀點的
形成是基於雅典的歷史，而對於濫用海軍力量的譴責則是一脈相承的。
理想的社會是以農業爲主，這個社會居於一塊能夠自給自足但卻崎嶇不
平的土地之上，因爲這樣的地方是那種最能吃苦耐勞和最有節制的居民
的發祥地。這個理想令人回憶起十八世紀的許多理論家對於瑞士人的敬
佩，而且也表明了對重商主義和工業主義同樣的不信任。柏拉圖還認
爲，共同的種族、語言、法律和宗教是人們所希望的，只要不因此而過
於重視習俗。

社會制度和政治制度

在所有的社會制度中，從政治上來說最重要的就是財產的所有和使用。這是柏拉圖在〈理想國〉中曾經闡述過的觀點——雖然他曾試圖構想一個把教育放在首位的國家——當他嚐試處理實際國家時，這個觀點就倍加正確了。在〈法律篇〉中他並不諱言這樣的事實，即他仍然認爲共產主義是理想的安排，不幸的是它過於完美而無法與人性相配。因此，他在兩個主要之點上對人類的弱點作了讓步聽任私人所有制和私人家庭的存在。但他仍然保留對婦女施以同樣教育，以及讓婦女承擔軍事和其他城邦職責的計畫，儘管他這時不再談及讓她們擔任公職了。柏拉圖承認永久性的一夫一妻制的婚姻——在難以忍受的公共監督之下——是合法的婚姻形式。柏拉圖把他對財產的私人所有制的讓步，同對於財產的數量和使用進行最嚴格的控制結合在一起，這種控制大體上所遵循的正是在斯巴達行之有效的規則。公民的人數固定爲 5,040 人，土地按相同的數目進行劃分，土地可以被繼承，但不能再加以分割和轉讓。土地的產品可在公共食堂裡共同消費。這樣，地產就平均了。土地是由奴隸，或者更確切地說是由農奴來耕種的，他們是以產品分成的方式繳納地租。

另一方面，個人財產的不均等是允許的，但財產的數量則受到限制，這就是說，柏拉圖禁止任何公民所擁有的個人財產超過一份土地價值的四倍❸。這樣限制的目的，在於從國家中消除貧富之間的懸殊差別。希臘人的經驗表明，這種差別是引起公民爭鬥的主要原因。實際上，對使用個人財產的限制與擁有財產數量的限制是一樣嚴格的——公民不得從事工業或貿易，不得擁有船隻或商店。可是，既然所有這些活動都不能缺少，那就只能由定居的外國人來承擔，這些人是自由民，但不是公民。國家只發行一種代用幣（或許就像斯巴達的鐵幣一樣），禁止爲獲取利息而放債，甚至禁止擁有金銀。公民對其財產的「所有權」（ownership），在柏拉圖所能想到的一切限制之下，完全成了一紙空文。

對〈法律篇〉中所描述的社會安排進行分析，可以使人看到，柏拉圖

並沒有真的放棄他在〈理想國〉中作為整個社會的基本原則而提出的勞動分工。他不過是提出了一個新的勞動分工，以取代早期理論中關於三個公民等級的劃分。這個新的分工涉及面更寬，它適用於國家的全部人口，但卻界線分明，例如，從事農業被視為奴隸的專門職能；從事貿易和工業被視為不是公民的自由人的專門職能；而所有的政治職能則都屬公民的天賦特權。這個計畫顯然像〈理想國〉中的那個計畫一樣，並沒有提供真正解決的途徑而只是消極地擱置了根本的難題。這個難題就是參政的問題，就像伯里克利斯在〈葬禮演說〉中所說的那樣，問題在於尋求一種方法，使廣大民眾能夠照料他們的私事，同時亦能騰出手來處理公事。在名義上，這正是柏拉圖所要尋求的解決辦法，但他所得出的卻是這樣一個國家，在其中享有公民身分的人就是享有特權的人，他們完全能夠把他們的私人事務——用以維持生活的卑賤工作——交付給奴隸和外國人去做。這與伯里克利斯時代的民主精神是顯然不同的。〈理想國〉中所提到的劃分等級的界限，並不具有〈法律篇〉中的那種明顯的重要性，因為前者的界限是劃在公民之間，雖然柏拉圖並沒有非常仔細地思考這個問題。在〈法律篇〉中，從事經濟工作的人口就全然不屬於公民的組成部份，因此國家是直接建立在經濟特權之上。這樣說是非常確切的，因為柏拉圖所提出的那種特權，並非為了謀求財富，而是為了社會的安穩。

　　對柏拉圖建立在他的社會制度之上的政治組織進行詳細說明是沒有必要的。他提出的幾種主要機構——城鎮大會、議事會和行政官——在希臘城邦都普遍存在。值得注意的，這些都是他打算實現他混合式國家的方法。對行政官的挑選是透過選舉——根據希臘人的想法，這是一種貴族政治的方法——而且全體公民大會的責任，實際上就在於進行這些選舉。行政官組成的最高委員會——柏拉圖改稱之為「護法者」而不是「護國者」——是一個三十七人團，是透過三重選舉而產生。這些選舉包括：提名投票，選舉出三百名候選人；第二次投票，從這三百人中選出一百人；最後投票，再從一百人選出三十七人。然而，最具特色的選舉，乃是對於三百六十人議事會的選舉。這項計畫的制訂，是直接了當地把重心放在較富裕者的選票之上。公民依據他們個人財產的數量被劃分為四個等級，這種方法是柏拉圖從梭倫（Solon）在實行民主政治之

前所採用的雅典法規那裡沿用而來。由於個人財產不得超過一分額土地的四倍價值，因此就有了四個財產等級：最低等級是由那些個人財產不超過其所有土地價值的人所構成，然後財產多於這個數額但不超過其土地價值兩倍的人，並依此類推。按照推測，最低等級的人數最多，最高等級的人數最少，但柏拉圖卻設想把議事會的成員名額分派給每一等級四分之一⓮，這非常像以前普魯士的作法，按照普魯士的法規，議會成員的應選名額是分派給三個集團，每一集團繳納國家稅收的三分之一。柏拉圖為了進一步強化較富裕公民的投票力量，還提出對棄權者予以處罰，而這一規定對最低財產等級的人不適用。這個財產等級制度對政府組織也有影響，因為某些公職只能由來自一個或數個最高集團的人來擔任。至於議事會，只有一項措施是對民主精神的讓步；當選的人數是實際職位的二倍，最終通過抽簽決定任職人選。

頗為令人費解的是，柏拉圖竟把這種體制視為君主制和民主制的結合。其實，這種體制的本質無疑是財產等級制（system of propev-ty-classe）。對民主精神的讓步的確是微不足道，而且是「由於民眾的不滿」才勉強作出的。再者，至少亞里斯多德也認為〈法律篇〉中所描述的體制根本不存有君主制的因素，「它只不過是寡頭制和民主制，同時又較接近於寡頭制。」⓯事實上，柏拉圖的意圖是確保守法因素的優勢，並且使人們能在功績面前享有平等地位，但其體制的後果卻是使那些擁有最多個人財產的人居於優勢地位。然而他本人卻說，吝嗇鬼肯定不是什麼善人，但卻很可能比一個樂於為崇高目的而解囊的善者要富有⓰。因此，人們不清楚柏拉圖是否贊同亞里斯多德的觀點，相信富人一般說來比窮人好，亞里斯多德亦為他所設想的中產階級國家制定了財產資格限制。正如業已指出的，在〈政治家〉中，柏拉圖甚至把無法律的民主制，置於比寡頭制更高的地位，這也是事實。但是，要使柏拉圖的政體設想同他的意圖相一致乃是不可能的。顯然，當他進入體制設計的時候，他發現財產的差別是明顯可以利用的，而道德上的差別則不然。

教育制度和宗教制度

　　沒有必要過多地談論柏拉圖後期的教育計畫，在〈法律篇〉中，這個計劃仍然占去了他大部份的注意力。全部課程的總輪廓，例如包括音樂和體育，仍然與〈理想國〉中的非常相似；他對詩人的不信任，仍然表現為要對文學和藝術實行嚴厲的檢查制度；婦女與男子在教育上的平等仍然是這個計畫的重要部份；而且，對於全體公民的教育仍舊是強制性的。不同之處主要在於他給予教育組織更多的注意，因為整個國家不再是一個教育機構了，他不得不考慮教育系統和政府其餘部分的結合問題。首先值得注意的是，他這時概括地描述了一個正規的國立學校系統，配以支付薪資的教員，為初等階段和中等階段的教育提供經過規畫的課程。至於這個體系與國家的關係，柏拉圖讓主管學校的行政官員擔任所有行政官員的首腦。〈法律篇〉中的教育理論與〈理想國〉中的教育理論不同，它闡述的是一種教育制度的體系。

　　在柏拉圖關於宗教以及宗教對國家之關係的論述中，出現了一種類似的制度化傾向。在〈理想國〉中，他對宗教問題只不過是一帶而過，此時表現出如此大的興趣，這也許是一種年老的跡象。在〈法律篇〉第十部中，柏拉圖對宗教法所作的頗為廣泛的發揮，雖然其強烈的信念不無令人難忘之處，但肯定是其天才的最可悲的產物。按照〈法律篇〉的觀點，宗教正像教育一樣，必須服從於國家的控制和監督。因此柏拉圖禁止任何種類的私人宗教活動，只准許在公共神殿裡由委任的祭司來執行宗教典禮。在這裡，部份原因是他厭惡某種無秩序的宗教形式，正如他所指出的，歇斯底里的人特別是婦女才嗜好這種形式；部份原因是他感到私人宗教會打消人們對於國家的忠誠。他所主張對於宗教的控制，並非僅限於宗教儀式，他深信宗教信仰與道德行為有緊密的聯繫，或者更明確地說，某種不信教的態度必定是一種不道德的傾向。因此，他認為必須為宗教提供一種教義，並為國家提供一部反對異端邪說的法律，以懲罰那些不信教者。這種教義很簡明，其所禁止的就是無神論。柏拉圖把無神論區分為三種：否認神的存在；否認神關心人類的行為；以及相信犯

罪之後很容易得到神的撫慰。對無神論者的懲罰是監禁，最嚴重的情況甚至處以死刑。這些主張與希臘人的實踐大相逕庭，而且由於它是最早爲宗教迫害提供有論證的辯護而使〈法律篇〉惡名昭彰。

　　〈法律篇〉的結尾背離了柏拉圖一直遵循的宗旨，背離了他根據這個宗旨而設計的國家。在最後的幾頁，他給國家增加了另外一種前面幾乎沒有提及的機構，這個機構不但不能以任何方式與國家的其他機構結合起來，而且與法律居於國家最高地位的宗旨也是矛盾的。柏拉圖把這個機構稱爲「夜間活動議事會」（Nocturnal Council），它是由三十七位監護人中的十位最年長者、教育主管人，以及某些因具有美德而被專門挑選出來的祭司組成。這個議事會完全不受法律管轄，而且還被賦予控制和指導國家一切立法機構的權力。按照設想，這個議事會的成員都具有拯救國家所必需的知識。柏拉圖的最終結論就是：首先應當建立的就是這個議事會，然後把國家置於這個議事會之下。顯然，這個議事會取代了〈理想國〉中哲君的位置，而且把它納入〈法律篇〉也公然違背了對於次好的國家的忠誠。無論如何，這個議事會與哲君不盡相同。在創立了異端邪說罪和一個受到委任的教士等級之後，這個夜間活動議事會的出現頗有一種令人生厭的「教權主義」（clericalism）味道，而且由於柏拉圖加諸其成員的才智具有明顯的宗教性質，更加重了這種味道。

〈理想國〉和〈法律篇〉

　　如果把柏拉圖的政治哲學作爲一個整體來考慮，並且把它與這個學科的最新發展聯繫起來看，就一定會感到〈理想國〉中所含的國家理論乃是一個錯誤的開端。〈理想國〉爲城邦國家理論所提供的，是作爲社會基礎中最一般性的圓滿分析——社會的本質是服務的相互交換，在這種交換當中，人類的才能會得到同等的發展，直至實現個人得到滿足和成就最高形式的社會生活的目標。然而，在〈理想國〉中，這個概念的發揮幾乎完全依據的是蘇格拉底的學說，即道德是關於善的知識，而知識則是根據精確的數學演繹法推導出來的。由於這個原因，柏拉圖認爲統治者與臣民的關係，就是有知和無知的關係。這導致從國家中排除了法律，

因為在柏拉圖思想的這個階段，那種透過經驗習慣而逐漸增長的才智在他的知識理論中還毫無地位。然而，法律，證明了自由公民身分的道德理想是虛假的，而這一理想本來是城邦國家的真正精華。

柏拉圖在其後期哲學中為恢復法律在國家中的地位而作的努力，在某種程度上始終是不夠熱心而又沒有定論，他那不能令人滿意的折衷方案就表明了這一點，這個方案使他不得不把這種晚年的看法描述為僅僅是指次好的國家。真正的困難在於，這樣的修改要求完全重建他的心理學體系以把重要的位置讓給習慣，並且重建他的知識理論以讓位給經驗和慣例。正是〈法律篇〉中關於國家的研究，表明了所要求的這種修改的特徵。因為柏拉圖在這裡轉向了對於實際制度和法律的真正細緻的分析，並提出把這樣的研究同歷史結合起來。在〈法律篇〉中，他還提出平衡的原則——政治主張須與利益相互調節的原則——作為締造一個法制國家的適當手段。這是認真著手解決城邦國家的疑難問題——使財產的利益能和多數人代表的民主利益相協調，因而遠勝過〈理想國〉中抽象的典型國家，亞里斯多德正是以〈法律篇〉中的這些思想做為起點。在不放棄〈理想國〉中所陳述的那些總原則的情況下——這些原則仍能為他提供種種資料——亞里斯多德幾乎在這方面都沿用了〈法律篇〉中的線索，並透過對以經驗為根據的歷史證據進行更艱苦和更廣博的檢驗來豐富這些線索。此外，亞里斯多德在其哲學體系中，所尋求的是提供一套協調而合乎邏輯的原則，來闡釋並證明他所遵循的方法是正確的。

註　解

❶334c～d; 波斯特（L. A. Post）的譯本。

❷337d。

❸874e; 875c。

❹〈政治家〉，293c；福勒（H. F. Fowler）的譯本。

❺269c～d。

❻276e。

❼〈政治家〉，299b～c。

❽〈法律篇〉，644d～645a，布里（R. G. Bury）的譯本。

❾或許發現混合式國家的並不是柏拉圖。可參閱亞里斯多德提到的其他一些關於混合式國家的理論（《政治學》，1265b 33），這項理論可能來自一些更早的作者。但是，〈法律篇〉終究是現存關於這一理論的最早形式。

❿〈法律篇〉，709a～c。

⓫690a～d。可參照亞里斯多德的《政治學》中（3，12～13 1283a 14 以下）所列舉的相似權利。

⓬《政治學》，第7部（按傳統排列）。

⓭744e。

⓮744e; 756b～e；可參照西塞羅（Cicero）所記述的塞爾維亞憲法（Servian Constitution）在羅馬的情形，〈理想國〉第11卷，22，39～40。

⓯《政治學》，2，6；1266a 6。

⓰743a～b。

參考書目

1. "Greek Political Thought and Theory in the Fourth Century." By Ernest Barker. In the *Cambridge Ancient History*, Vol. VI (1927), ch. 16.

2. *Greek Political Theory: Plato and His Predecessors*. By. Ernest Barker. 4th ed. London, 1951. Chs. 6~17.

3. "Fact and Legend in the Biography of Plato. " By George Boas. In the *Philos. Rev.*, Vol. LVII (1948), p. 439.

4. "The Athenian Philosophical Schools. " By F. M. Cornford. In the *Cambridge Ancient History*, Vol. VI (1927), ch. 11.

5. *The Laws of Plato*. Ed. by E. B. England. 2 vols. Manchester, 1921. Introduction.

6. *Plato and His Contemporaries: A Study in Fourth-century Life and Thought*. By G. C. Field. 2d. London, 1948.

7. *The Philosophy of Plato*. By G. C. Field. London, 1949. Chs. 4, 5.

8. *Plato*. Vol. Ⅰ. An Introduction. By Paul Friedlander. Eng. trans. by Hans Meyerhoff. New York, 1958.

9. *Greek Thinkers: A History of Anient Philosophy*. By Theodor Gomperz. Vol. Ⅲ. Eng. trans. by G. G. Berry. New York, 1905. Book V, chs. 13, 17, 20.

10. *Plato's Thought*. By G. M. A. Grube. London 1935. ch. 8.

11. *Preface: The Ideals of Greek Culture*. By Werner Jaeger. Eng. trans. by Gilbert Hight. 3 vols. 2d. ew York, 1939~195. Book Ⅳ.

12. *Esssays in Ancient and Modern Philosophy*. By H. W. B. Joseph. Oxford, 1935. Chs. 1~5.

13. *Knowledge and the Good in Plato's Republic*. By H. W. B. Joseph. London, 1948.

14. *Discovering Plato*. By Alexandre Koyré. Eng. trans. by Leonora C.

Rosenfield, New York, 1945.

15. *In Defence of Plato*. By Ronald B. Levinson. Cambridge, Mass., 1953.

16. *Studies in the Platonic Epistles*. By Glenn R. Morrow. Illinois Studies in Language and Literature Urbana, Ill., 1935.

17. "Plato and the Law of Nature." By Glenn R. Morrow. In *Essays in Political theory*. Ed. by Milton R. Konvitz and Arthur E. Murphy. Ithaca, N. Y., 1948.

18. *Plato's Cretan City: A Historical Interpretation of the Laws*. By Glenn R. Morrow. Princeton, N. J., 1960.

19. *The Interpretation of Plato's* "Republic" By N. R. Murphy. Oxfrd, 1951.

20. *The Open Society and Its Enemies*. By K. R. Popper. Rev. ed. Princeton, N.J., 1950. Part I.

21. *What Plato Said*. By Paul Shorey Chicgo, 1933.

22. *Plato's Progress*. By Gilbert Ryle. Cambridge, 1966.

23. *Plato: The Man and His Work*. By A. E. Taylor. 6th ed. New York, 1949.

24. *Plato: Totalitarian or Democrat?* Edited by Thomas Landon Thorson. Englewood Cliffs, 1963.

第六章
亞里斯多德：政治理想

　　大約在戴昂（Dion）要求柏拉圖去敍拉古從事冒險，教育年輕的
戴奧尼亞厄斯（Dionysius）並改進敍拉古政治的時候，柏拉圖最傑出
的弟子加入了學園。亞里斯多德不是雅典人，他西元前三八四年出生於
色雷斯（Thrace）的斯塔吉拉（Stagira）。他的父親是一名醫生，曾
在馬其頓的宮廷中任職，亞里斯多德在著作中對生物研究所表現出的極
大興趣，很可能就是出於這個緣故。亞里斯多德之所以爲柏拉圖的學園
所吸引，大概首先因爲這所學園是在希臘繼續從事先進研究工作的最理
想場所。從入園到柏拉圖逝世，他一直是這所學園的成員——前後有二
十年之久——柏拉圖的敎誨在他的腦海裡留下了不可磨滅的印象。他後
來的哲學著作的每一頁都能證明這一點。西元前三四七年柏拉圖去世之
後，亞里斯多德離開了雅典。在其後的十二年中，他受僱從事過多種工
作。這個時期是他的第一個獨立寫作時期。在西元前三四三年，他擔任
了馬其頓年輕王子亞歷山大（Alexander）的老師，但是，要從其政治
著作中找到其間的關係帶給他思想的影響，卻是徒勞的。他似乎缺乏必
要的想像力來領悟亞歷山大征服東方的革命性意義，這個征服帶來了希
臘文明和東方文明的必然的融合。這位王家學生選擇這樣的政策，與亞
里斯多德教授給他有關政治學的一切是直接矛盾的。西元前三三五年，
亞里斯多德在雅典開辦了他自己的學園，這是四大哲學學園的第二所，
他的大多數著作都在其後的十二年中完成，雖然其中包括了在前一個時
期已經動筆的著作。亞歷山大去世後，亞里斯多德爲躲避反馬其頓的騷
亂而離開了雅典，西元前三二二年他死於埃維亞（Euboea），只比他
的傑出弟子多活了一年。

新的政治科學

　　亞里斯多德的著作提出了一個與柏拉圖的《對話錄》完全不同的問題。除去早期流行著作的殘卷，他的現存著作大多沒有完結，而且並不是準備發表的。它們多半用於他的教學，儘管其中的重要部份大概寫於萊森學園（Lyceum）開辦之前。事實上，這些著作直到亞里斯多德去世後的四百年才出版成今天這樣的形式，而在此之前則一直是學園的財產，並且毫無疑問地爲後來的老師所使用。亞里斯多德作爲萊森學園園長的十二年裡，可能花費了很大的精力用於指導由其弟子參加的一批範圍廣泛的研究，諸如關於一百五十八個希臘城邦的憲政史的著名研究，其中《雅典憲政》（*Constitution of Athens*）（發現於 1891 年）是唯一一個倖存的例證。這些研究——關於憲法的研究不過是其中之一——主要是歷史方面的研究而不是哲學方面的研究。它們是眞正以經驗爲根據的研究，從這些研究來看，亞里斯多德不時地對其著作的正文加以補充，而這些著作在學園開辦之時已經完成了。

　　因此，不能把這部名爲《政治學》的傑出政治論著視爲一部已完成的著作，因爲他當初如果是爲普通公衆而寫的，那他是會把它完成的。事實上，人們一直懷疑，這部著作未必是亞里斯多德本人把它編排成現在這個樣子，或者未必不是由編纂者把幾部手稿彙合而成。❶疑點的確存在，任何有心的讀者幾乎都可以發現，但是要解決這些疑點則屬另一回事。後來的編者試圖透過調整其順序以修改這部書，但任何對於原文的重新安排都不能使《政治學》成爲一部統一而完整的著作。❷例如，亞里斯多德在第七部所提出的理想國家的結構，明顯地是銜接於第三部之後，而第四、五、六部論及的，則是現實的國家而不是理想的國家，其自身已構成爲一個單元。由於這個原因，第七部和第八部通常被放在第三部之後，而第四部至第六部則放在書的最後。此外，在第三部接近末尾處對於君主政治的討論和第四部對於寡頭政治和民主政治的討論也有關聯。因此在閱讀原文的時候，不論以什麼順序都有困難，或許羅斯（Ross）是對的，他說，讀者應當按照其傳統順序讀下去。

　　迄今為止，沃納‧耶格（Werner Jaeger）所提出的假設對《政治學》所作的解釋最為深入❸，雖然這個假設沒有得到證實，但它至少提供了一種觀察亞里斯多德政治哲學發展的合理方法。按照耶格的說法，《政治學》的現存形式確屬亞里斯多德的著作而非出自編輯之手。不過原文分屬兩個寫作階段，因而分成了兩個主要的層次：首先，它討論了理想的國家，並涉及了先前關於這個問題的理論。這部份包括第二部中對早期理論的歷史性研究，特別是對柏拉圖的批評；第三部，包含了對國家性質和公民身分性質的研究，但其目的在於作為理想國家理論的導言；而第七部和第八部則論述了理想國家的結構。耶格斷定，這四部的寫作時間是亞里斯多德在柏拉圖去世後離開雅典之後不久。其次，是關於實際國家的研究，主要涉及民主政治和寡頭政治，涉及它們衰退的原因以及使其穩定的最好手段，這樣就產生了第四部、第五部和第六部。耶格斷定這幾部的寫作時間是在萊森學園開辦之後❹，認為這表明亞里斯多德在研究了一百五十八種憲政之後或者在這個研究期間，他又回過頭來研究政治哲學了。第四、五、六部是亞里斯多德插入原稿之中的，結果使論述理想國家的著作擴大為一部政治科學概論了。最後，耶格認為，第一部作為這部擴大了論著的總序言，在各部之中屬最後寫成，儘管它倉促，卻完美地與第二部連接了起來。因此，按照耶格的見解，亞里斯多德是意在使《政治學》成為論述單一科學的專著，但始終未對其進行改寫，因為如果進行改寫的話，或許經過十五年之久的時期，一定會使這部著作的各部份都自成一個井然有序的系統結構。

　　如果這個假設正確，那麼《政治學》就代表了亞里斯多德思想發展的兩個階段。這兩個階段可以透過亞里斯多德擺脫柏拉圖的影響，或者更確切地說，也許可以透過他自己確立獨特的思想和研究方式所經歷的過程來加以識別。最初，他仍然把政治哲學看作是建設理想國家的方法，所依據的是柏拉圖在〈政治家〉和〈法律篇〉中早已特別規定好了的路線。在這個問題上，柏拉圖強而有力的道德影響還居於支配地位——一個有品德的人和一個有品德的公民完全是一回事，或者他們無論如何應當是這樣的，而國家的目標就是造就具有最高道德的人類典型。不要以為亞里斯多德有意識地摒棄了這個觀點，因為關於理想國家的論述構成了《政治學》的一個重要部份。然而，在萊森學園開辦之後不久的某一個時

期，他設想出了一門規模更宏大的政治科學或政治藝術。這門新的科學是普遍性（一般性）的，也就是說，它將同時討論政體的現實形式和理想形式，它將教授以任何所希望的方式來治理和組織任何類型的國家的藝術。因此，這門新的且具有普遍性的政治科學，不單單是經驗性的和描述性的，而且在某些方面不受任何倫理目的所支配，因為一個政治家甚至需要成為一個治理一個壞國家的專家。按照新的觀念，整個政治科學包括的知識涉及兩個方面：一個方面是相對於政治上的善和絕對的政治上的善；另一個方面是應用於低下乃至惡劣目標的政治技巧。這種擴大了範圍的政治哲學定義，乃是亞里斯多德的最具特色的見解。

　　因此，對於亞里斯多德政治哲學的叙述，可以很便利地分為兩個部份：第一部份的資料來源於第二部、第三部、第七部和第八部。在這裡應當考慮的問題是，在他最初試圖創立一門獨立的哲學時，他的思想與柏拉圖思想的關係，並且特別要考慮種種能夠察覺到的迹象，這些迹象預示他跨過最後一步就將大大超越柏拉圖；第二部份的資料來源於第四部、第五部和第六部。這裡所要考慮的問題是，他關於各種政體的最終想法，他對於政治組織和政治變革背後的社會力量的看法，以及他叙述的政治家不得不採用的種種手段。最後，在第一部開宗明義的前幾章中，他為他和柏拉圖共同探討的重大哲學問題，即把自然（nature）與現象或常規（appearance or convention）區別開來的問題作了定論，並且提出了關於自然的概念，這是他最成熟的政治思考的結果。

統治的種類

　　亞里斯多德按照他在研究其他問題的著作中所遵循的習慣，在論述理想國家的著作中，一開始先概述了其他作者關於這個問題的著述。在這裡，最令人感興趣的是他對於柏拉圖的批評，因為人們期望發現，他是否意識到他與其師分歧之關鍵。然而結果是令人失望的。就〈理想國〉而言，他在反對廢除私有財產和家庭問題做了大篇幅的強調。這些反對意見已經提過，無須再進一步加以說明了。另一方面，他對於〈法律篇〉的批評，卻難以進行解釋。他的批評涉及了大量的細節問題，甚至偶有

驚人的不正確論點。下述情況是令人不可思議的，在他構思理想國家的過程中，討論的每一個問題幾乎都出自於〈法律篇〉的提示，而且在一些細小的論點（甚至言詞）上也多有雷同之處❺。顯然，他在撰寫這一段時，認爲不值得花費力氣去分析〈法律篇〉，並陳述他對這部著作有關原則的不同意見。批評的語氣可能暗示了其中的理由。他明顯地感覺到，柏拉圖的兩部政治著作，或許還有他的整個哲學，雖然是卓越的，但卻過於激進和偏重思辯推理。按照亞里斯多德的說法，這些作品絕非老生常談，而總是別出心裁。但他似乎心存疑竇：它們可靠嗎？以一種未加以渲染的幽默言語，他陳述了所以持不同意見的簡略原因，這段陳述比起數頁紙的批評來說，更好地概括了亞里斯多德和他老師之間在氣質上的根本差別：

> 讓我們牢記，我們不應當無視歷代的經驗，這些事物在漫長的歲月中如果是好的，那肯定不會湮沒無聞，因爲幾乎任何事物都已經被發現，雖然有時它們沒有合併在一起；另有一些情況，則是人們不利用他們已擁有的知識。❻

總之，如果說亞里斯多德缺少創造的天才，但他卻更冷靜。他感到脫離實際經驗太遠就可能在某一方面發生謬誤，即使它在邏輯上看起來無懈可擊。

在《政治學》討論理想國家的所有部份中，都可以明顯看出柏拉圖和亞里斯多德有一根本分歧：亞里斯多德所謂的理想國家，往往就是柏拉圖所指的次好國家。對共產主義所持的否定態度表明，即使作爲一個理想，亞里斯多德也始終沒有接受〈理想國〉中的理想國家。他的理想始終是法制的統治而不是專制的統治，即便是對於哲君的開明專制亦然。因此，亞里斯多德一開始接受的就是〈法律篇〉中的觀點，即在任何好的國家中，享有至高無上權力的必須是法律而不是個人，不管這一個人是誰都一樣。他接受這一點並不是作爲向人類弱點的讓步，而是把它作爲一個良好政體的固有部份，並從而作爲一個理想國家的特徵。合乎法制的統治者與其臣民的關係，不同於任何其他種類的從屬關係，因爲雙方都一致地保持自由人的身分，因此，這種關係要求在兩者之間有一定程度的道德上的平等或本質上的相似，儘管雙方之間無疑必然存在著差別。

　　不同種類的統治之間的這種區別，對亞里斯多德來說是這樣重要，
以致他一次又一次的回到這個問題上來，而這個問題也顯然是他早期感
興趣的目標❼。一個實行法制的統治者對於其臣民的權威，完全不同於
主人之於奴隸，因爲按照假定，奴隸具有不同的本性，是較低等的人
類，他出身低賤，沒有能力管理自己。固然，亞里斯多德也承認，這常
常與事實不符，但無論如何這是證明奴隸制合理的理論根據。因此，奴
隸是主人活的工具，應受到善意的使用，但仍然是爲了主人的利益。政
治權威也不同於一個男子對其妻子和兒女所行使的權威，儘管後一種權
威無疑是爲了家屬的利益，同時也是爲了父親的利益。亞里斯多德認
爲，柏拉圖未把家務事區別於政治權威是一個嚴重錯誤，因爲這導致他
在〈政治家〉中斷言國家如同家庭，只不過更大一些。孩子不是成年人，
即使他受到管理是爲了他自己的利益，他仍然不具有平等的地位。關於
妻子的問題，情況不甚明瞭。但亞里斯多德顯然認爲，婦女在天性上與
男子太不一樣了（雖然不一定低劣），以致不能與男子處於特別的平等
地位，而只有具備這種平等地位，才允許有政治關係。因此，理想的國
家如果不是民主制，至少應包含民主的因素。它應是「一個平等的社
會，目標在於實現盡可能是最好的生活」❽，如果在社會成員之間差異
大到他們不再具有相同的「道德」，那麼這個社會也就不再是一個憲政
的或眞正政治的社會了。

法律的統治

　　由最好的人來統治還是由最好的法律來統治？實行法治的國家亦與
這個執優的問題有著密切的關連，因爲一個給其臣民帶來幸福的政府也
就是依據法律進行治理的政府。因此，亞里斯多德把法律至上作爲一個
良好國家的標誌，而不單單是作爲一種不幸的需要。他主張這個立場的
論點就是——柏拉圖在〈政治家〉中錯誤地主張在法律的統治和智者的統
治之中任選其一。即使是最明智的統治者，也不能罷廢法律，因爲法律
有一種不受個人情感左右的品質，這種品質是不論多麼善良的人也不能
得到的。法律是「不受慾望影響的智慧」❾。柏拉圖習慣於在政治和醫

術之間進行類比是錯誤的。政治關係，如果允許自由，就必須是這樣一種關係，在其中的臣民並沒有完全放棄其判斷和責任，而這一點只有在統治者和被統治者都具有法定地位時才有可能。「不動感情的」法律權威並非要取代行政長官，而是需賦予行政長官的權威以一種道德品質，這種道德品質不可能透過其他途徑得到。法治與臣民的尊嚴並不矛盾，而個人的或專制的統治則不然。正如亞里斯多德經常說的，實行法治的統治者，統治的是心甘情願的臣民，他實行統治的根據是被治者的同意，因而與獨裁者是完全不同的。亞里斯多德所試圖指出的道德確切屬性，與現代理論中關於被統治者的同意一樣，是無從捉摸的，但沒有人能夠懷疑它的真實性。

　　按照亞里斯多德的理解，法治這種說法有三個要素：第一，它的統治是為了公共的或普遍的利益，它不同於為了單一階級或個人利益的宗派統治或暴君統治；第二，在依據普遍規則而不是依靠專斷命令進行統治的意義上，同時也是在政府應重視法規所認可的習慣和約定常規的比較籠統的意義上，它是守法的統治（lawful rule）；第三，法治意味著治理心甘情願的臣民，它不同於僅僅依靠暴力支持的專制統治。雖然亞里斯多德清楚地提到了法治的這三個屬性，但並未對它們的任何方面作系統的研究，以查明所列屬性是否完全，或查明三者之間的關係。他意識到，一種政體可能缺少其中的一個屬性而具備其餘的屬性，例如，一位暴君可能作風專制，然而卻是為了公眾的利益，或者一個守法的政府亦可能不公正地偏袒一個階級。不過，亞里斯多德始終沒有真正給法治下過定義。

　　亞里斯多德對法治的強調，是認真採納〈法律篇〉中這個主張的結果，即不想把法律視為權宜之計，而應看作是有道德的文明生活所不可缺少的條件。在撰寫《政治學》的開篇段落時，他顯然銘記著柏拉圖的一句名言：「人，在得到完善的改造時，是最好的動物，然而一旦離開了法律和正義，就是最壞的動物。」❿不過，這種法律觀是站不住腳的，除非設想存在著透過經驗積累而逐漸增長起來的智慧，並且設想這種不斷增長的社會智慧體現於法律和慣例之中。這一點具有重要的哲學意義，因為如果智慧和知識為學者所專有，那麼普通人的經驗帶給他的就只不過是不可靠的意見，而柏拉圖的推論也就是不能辯駁的了。反過來

說，如果柏拉圖忽視歷代經驗是錯誤的，那麼這個經驗必須體現知識的真正增長，儘管這種增長本身是反映在習俗中而非科學中，是產生於常識而非學識。必須承認，公眾輿論不僅是一種不可避免的力量，而且在某種程度上是衡量政治活動的無可非議的標準。

亞里斯多德指出，制訂法律方面，人民的集體智慧甚至優於最聰明的立法者，這一點是能夠加以論證的。他還聯繫關於人民會議的政治能力的討論，進一步發展了這個論點。在整個羣體之中，人們是以各自的方式相互補充，因此一個人瞭解問題的一個部份，而另一個則瞭解問題的另一部份，他們在一起就能共同解決整個問題。他堅持透過這一說法來闡明（或許並不十分明確）這一觀點，即從長遠來看，羣眾對於藝術的鑑賞力是可靠的，而專家們則常常當眾出醜。按照大致相同的意思，他顯然認為習慣法比成文法更好。他甚至準備承認，如果僅僅是就成文法而言，那麼柏拉圖廢除法律的計畫反倒是可取的。但是他清楚地知道，關於最明智統治者的知識優於習慣法的觀點是站不住腳的。這樣，亞里斯多德就打破了自然和約定之間的嚴格區分，打破了蘇格拉底和柏拉圖因從事這種區分而堅持的極端智識主義或理性主義。在一個完善的國家裡，政治家的理性不能脫離他所治理的社會，體現為法律和慣例的理性。

然而，亞里斯多德的政治理想，在確立倫理目的作為國家主要目標方面，卻與柏拉圖的政治理想非常一致。在這一點上，他始終沒有改變觀點，儘管他後來擴大了政治哲學的定義，還把參與遠非理想政府的政治家的一些行動指南也概括進去。國家真正的目的應當包括其公民的道德進步，因為它應當是人們為實現可能的最好生活而共同生活的聯合體。這就是國家的「理念」或涵義。亞里斯多德對此定義所作的最終嘗試是基於他的這個信念，即只有國家是「自足的」，其意義是指只有國家能提供一切條件，使道德發展的最高典型能夠在這些條件中出現。像柏拉圖一樣，亞里斯多德也把他的理想限定於城邦國家，限定於這種小型而親密的集體，在其中，國家的生活也就是其公民的社會生活，它與家庭利益、宗教利益以及個人友好往來的利益都是重疊在一起的。即使在他對於現實國家的研究中，也沒有任何證據可以表明他與腓力（Philip）和亞歷山大（Alexander）的關係，使他能夠瞭解馬其頓征服希臘

世界和東方的政治意義。在他看來，城邦國家的失敗並不會降低其作爲理想國家的性質。

因此，亞里斯多德關於政治理想的理論，是基於他與柏拉圖的交往而早已確定的立場。這個理論的產生，是由於他努力採納並認眞領悟了〈政治家〉和〈法律篇〉中得到發展的主要理論因素，而且爲了使那個理論明確清楚和前後一致，他還進行了種種修改。亞里斯多德特別把這一做法運用在柏拉圖晚期所特有的理論中，認爲必須把法律視爲國家不可缺少的組成部份。作爲一個正確的命題，必須考慮使之正確的人類本性種種狀況，必須承認法律包括眞正的智慧，同時必須考慮這樣的智慧在社會習慣中的累積。此外，還必須使法律成爲不可缺少要素的種種道德要求作爲國家道德理想的組成部份。因此，眞正的政治統治必須包括服從法律的因素和臣民方面的自由及同意的因素。這些因素，並不是構成次好國家的因素，而是構成理想國家本身的因素。

關於亞里斯多德的理想國家本身是無須過多談論的。實際上，他所言明的目的，就是要建構一個從未被實現過的理想國家，而讀者也感到這個任務實在極不符合他的胃口。他所要做的，不是撰寫一部論述理想國家的書，而是撰寫一部論述國家的各種理想的書。在《政治學》第七部和第八部中著手進行的對於理想國家的概述，顯然始終沒有完成，這是很值得注意的事，特別是如果關於這幾卷是屬於《政治學》較早期草稿的假定是正確的話。幸福的生活需要物質上和精神上兩方面的條件，亞里斯多德的注意力正是集中於這些條件。他所列的這些條件，都是從〈法律篇〉中推導出來，其中包括人口在數量和性質兩方面的必要限制，以及領土在規模、特徵和位置方面都極其合適。亞里斯多德並非始終都完全同意柏拉圖，例如，他明顯地更喜歡臨海或近海的領土位置，不過分歧畢竟屬於細節問題，而所列舉的有關條件實質上都是柏拉圖早已提出來的。除了幸福生活的物質條件之外，亞里斯多德和柏拉圖一樣，認爲陶冶公民最重要的力量就是强制性教育。正如人們所預期的，亞里斯多德的教育概論與柏拉圖的區別，就在於更重視良好習慣的形成。這樣，在使人具有美德的三種因素中，亞里斯多德把習慣放在自然天性和理性之間。鑑於在一個守法的國家裡習慣具有重要意義，這樣的變更是必要的。亞里斯多德的討論，完全致力於自由教育，這個討論表明他實際上

遠比柏拉圖更輕視實用性教育。他的論述中明顯缺少的是曾經構成〈理
想國〉著名部份的關於高等教育的計畫——這種疏漏當然可能是由於這
部書沒有完成的原故。對於理想國家政府的論述，也會使人聯想到〈法
律篇〉。財產是私有的，但是應當共同使用。土地應由奴隸來耕種，而
工匠則不具有公民身分，理由是時間完全花在手工勞動上的人是不可能
具有道德的。

理想與實際的衝突

到這裡為止，亞里斯多德政治理想的概述，並沒有對現實的城邦制
度和城邦實踐將會遇到什麼矛盾和困難提出疑問。這個理想幾乎和柏拉
圖的理想一樣，其本身乃是演繹性的，而且它明顯的是由一種對於早期
理論缺點所作的辯證分析所構成。但是，這個理想與實踐的矛盾以及與
統治中實際追求目的的矛盾，對亞里斯多德來說顯然比對柏拉圖更為嚴
重。柏拉圖從不認為理想必須體現在實踐中才站得住腳，而且他從未像
亞里斯多德的理論所要求的那樣，承認習慣一定具有智慧。一旦事實與
理想的真理不一致，柏拉圖就像數學家或神秘主義者一樣，總是說事實
太糟了！亞里斯多德出於對歷代常識和智慧的重大責任感，是不可能就
樣激進的。他可以是改良主義者，但絕不會是革命家。他的整個思想必
定傾向於這樣的觀點，即理想雖然被認為是一種有效的力量，但畢竟還
是現實事務範圍之內的力量，而不是反對現實的毫無生氣的力量。習慣
中所內含的智慧，就好比是一個指導原則，它利用實際情況的可塑性，
逐步把這些情況提高到更適宜的形態。這就是亞里斯多德對社會問題和
生物學問題深思熟慮後，最終引申出關於自然的觀點。

關於這個問題，亞里斯多德即使在撰寫論述理想國家的論著時，也
絕沒有視為當然而不再探討，這一點在內容龐雜的第三部中有大量的記
述，全書的重要問題在這一部都被討論了。這一部的結尾表明，它是作
為介紹理想國家的導言而撰寫。然而，第七部和第八部卻表明，亞里斯
多德發現實行這個方案是如此不能令人滿意，以致始終不能完成它，而
且在初稿加以增補之後，沒有接下去繼續概述理想國家，而是撰寫了第

四部到第六部。這幾部的現實主義的宗旨和格調格外引人注目，但其發展的思路卻起始於第三部。完全可以斷定，隨著亞里斯多德年齡的增長，建設理想國家的問題越來越不合於他的思想方式，而且他最終發現，第三部中關於研究方針的導言，並非他最初意欲追求的研究路線。這個結論是閱讀第三部本身所產生。第三部的內容之所以龐雜，按照亞里斯多德的想法，至少部份原因是因為關於理想國家的導言必須包括對現存種種國家的廣泛研究。較之於他為自己確立的目的，他常常明顯地對以經驗為根據的研究更有興趣。總之，導致亞里斯多德在第三部之後撰寫第四部到第六部的理由是有道理的，雖然人們推測這不是最初導致亞里斯多德撰寫第三部的原因。亞里斯多德的寫作計畫超越了原有的範圍，但它卻是從一開始就存在的興趣中發展起來的。

亞里斯多德所遭遇困難的普遍性質並不難看出。他那來自於柏拉圖的政治理想，認為城邦和公民是兩個密切相關的術語，這說明了他為什麼在第三部一開始就提出這三個問題：什麼是國家？誰是公民？一個好人的美德與一個好公民的美德是一同回事嗎？國家是人們為了實現最理想的道德生活而形成的聯合體。一個人類羣體共同生活的方式，取決於他們是什麼類型的人以及他們要求實現什麼樣的目標，而反過來，國家的目標將決定誰將成為它的成員，以及他們個人將過什麼樣的生活。從這點出發，正如亞里斯多德所說，政體乃是一種對於公民的安排，或者像他在其他地方所講的乃是一種生活，而統治形式正是國家意欲實現的那種生活的表現。國家的道德本質不僅支配著它的政治本質和法律本質，而且好像與後者完全重疊在一起。因此亞里斯多德斷定，一個國家的存在僅僅在於它的統治形式的持久，因為統治形式的改變將意味著政體的改變，或者意味著公民打算實現的基本「生活方式」的改變。法律、政體、國家、統治形式都是趨向於結合的，因為從道德觀點來看，這些都與導致現存聯合體的目的有同等的關係。

只要目標是對理想國家做簡潔的闡述，那麼就不存在無法踰越的障礙。因為這樣的國家是被有可能實現的最高級生活所支配的，而且至少柏拉圖就曾設想，對於善的理念的瞭解將說明這樣的國家是怎樣的一個國家。然而，亞里斯多德卻感到現在根本無法做到這一點，即首先得到關於善的觀念，而後應用這種觀念作為批評和評價現實生活以及現實國

家的標準。從另一個方面來說，如果以觀察和描述現實國家爲開始，那
顯然就必須加以區別。正如亞里斯多德所指出的，除非在一個理想的國
家裡，否則好的人和好的公民並不能完全同一。因爲除非那個國家的目
的是最美好，否則，這些目的的實現將要求公民過一種低於最美好標準
的生活。在現實的國家裡，必定存在具有不同「美德」的不同的公民。
與此相似，當亞里斯多德將公民定義爲有資格參加公民大會，並有資格
擔任陪審團成員的人時——這是基於雅典實踐而作的定義——他不得不
立即指出，這個定義並不適用於任何情況，它只適用於民主制國家。還
有，當他斷定國家的改變與其統治形式的改變具有同一性時，他不得不
補充一個告誡，即不能因此而證明一個新生國家不履行由先前國家約定
的債務和其他義務的行爲是有道理的。在實踐中，差別必定要出現。政
體不僅是公民的一種生活方式，而且也是官員執行公務的組織形式，因
此不能把它的政治方面直接與其道德宗旨等同起來。僅僅觀察一下這些
複雜情況，就會感到，設計一個理想國家作爲一切國家的標準的確是有
困難。

　　當亞里斯多德進而討論統治形式的分類時，他對於問題的複雜性顯
然有一種相似的感受。在這裡，他採取了柏拉圖在〈政治家〉中用過的六
重分法。區別憲政統治（constitutional rule）和專制統治（despotic
rule）是根據這樣的原則，即前者是爲了全體公民的利益，而後者只是
爲了統治階級的利益，他把這種分法與傳統的三分法相交叉，於是得出
一組國家，其中有三種正確的（或合乎法制的）國家——君主制、貴族
制以及有節制的民主制（政體）——和三種反常的（或專制的）國家
——暴君制、寡頭制以及極端民主制或暴民統治。柏拉圖和亞里斯多德
在論述上的唯一不同——而這一點看來並不重要——在於前者把他的眞
正國家稱爲守法的國家，而後者則稱它們是爲了全體的利益。從亞里斯
多德對於法治涵義的分析來看，他肯定認爲這兩種說法差不多是同一回
事。但是，他一完成這種六分法後就指出，在這個問題上存在著一些重
大缺陷。其中最大的缺陷，就是這種根據統治者人數的一般性分法是膚
淺的，除非是在偶然的情況下，否則不能說明使用這種分法的人意欲何
指。一般人認爲，寡頭政治是指富人的統治，正如民主政治是指窮人的
統治一樣。的確，窮人很多而富人很少，但這並不能作爲說明兩種國家

的相關數字。問題的實質在於，兩者對於權力的要求是不同的，一種是根據財產的權利，而另一種則是根據大多數人的福利。

互不相容的權力要求

　　亞里斯多德爲了對這種形式上的分類法進行修改，走了一段漫長的路，因爲這一修正提出了這樣一些問題：在國家中對權力的正當要求是什麼？如果這樣的要求不只一個，那麼他們以怎樣的方式保留所有人的權力要求而相互調節呢？正如前面已經提到的，柏拉圖曾面臨過類似的問題。⓫應當注意的是，這些問題並非眞的與理想國家有關——而且柏拉圖也並未假定它們與之有關——而是與現實國家的相對優點有關，與同一國家的不同階級的相對要求有關。或許可以說，智慧和美德對權力有絕對的要求，至少柏拉圖是這樣認爲的，而且亞里斯多德也並未加以否認。但是，這一觀點未免過於學究式。這裡發生的辯論所關係的不是總體的道德原則，而是在實踐中接近這一原則的方法。亞里斯多德說，任何人都會承認，國家應當最大限度地實現可能的正義，而且承認正義意味著某種平等。但平等是像民主主義者所設想的那樣，意味著每個人都被看作普通一員而沒有任何人被看作具有多於一個人的價值？還是像寡頭政治支持者所認爲那樣，意味著一個擁有大量財產利益，或許還享有良好的社會地位和教育的人應當被看作具有多於一個人的價值？假使統治應由明智和有美德的統治者來實行，那麼要求獲取智慧和美德的權力，或者至少享有最佳機會去得到它們的權力要求，又要怎麼擺平呢？

　　當問題以這樣的方式提出來的時候，亞里斯多德立刻察覺到，相對的問題需要作相對的回答。他輕而易舉地證明，財富在道德上絕沒有要求享有權力的絕對權利，因爲國家並非如智者萊科夫隆（Lycophron）所說的那樣，是一個貿易公司或者是一項契約。同樣容易證明的是，把每一個人都視爲普通一員，至多只是一種方便的虛構。但是另一方面，能說財產沒有任何權利嗎？亞里斯多德確信，柏拉圖在這方面的冒昧已被證明是十分不幸的，正如他所指出的，在任何情況下，劫掠式的民主政治絕不比剝削式的寡頭政治名聲更好。財產會產生道德上的結果，它

是如此之重要，以致任何務實的人都不會置之不理。艮好的出身、艮好的教育、艮好的交遊以及閒情逸致——這些因素在某種程度上都與財產相關——在要求發揮政治影響方面是不容忽視的。同樣，民主主義者爲了他的權力要求也會有所表示。在估計政治影響時，受到影響的人數肯定是一個道德上需要考慮的問題，此外，亞里斯多德確信，所謂的聰明人犯錯的地方，清醒的輿論往往是正確的。這個討論的結果就是，對於每一種可能提出的權力要求，都存在種種反對意見，而且所有這些正常的要求都有某種程度的優點。這個結論很難進一步發展出一個理想國家的架構，但是同樣明顯的是，亞里斯多德以無與倫比的常識處理了一個長期存在的政治倫理方面的爭論。事實上，對民主政治和寡頭政治相互矛盾的權力要求所做的檢驗，導致亞里斯多德放下了對於理想國家的探求，並轉而研究大多數國家可以達到的最好統治形式這一比較適中的問題。

任何階級都不享有對於權力的絕對要求，這個結論強化了法律必須至上的原則，因爲法律的非個人權威要比人們可能要求的更少受情感的支配。然而亞里斯多德承認，甚至他也不能絕對地堅持他的這個最根深蒂固的信念。因爲法律與政體相關，因此一個壞的國家很可能實行的是壞的法律。這樣，法律至上主義（legality）本身不過是善（goodness）的相對保證，雖然優於暴力或個人權力，但也很可能是壞的。一個完美的國家必定是依法而治的，但這與依法治理的國家就是好國家的說法並不是同一回事。

亞里斯多德顯然相信，只有君主制和貴族制才有資格被視爲理想的國家。他對貴族制談得不多，但討論君主制卻相當詳細。正是這個關於想像中的理想國家的討論，再清楚不過地表明他對這個題目是如何諱莫如深，而且這個討論與第四部中對於民主制和寡頭制的相當現實的再討論，有極其明確的聯繫。從理論上說，如果假定能夠找到一位明智而有美德的國王，那麼君主制就應當是最理想的統治形式。柏拉圖的哲君，最接近於擁有行使其權力的絕對資格。但是那樣的話，他就成了凡人之中的神。允許其他人爲人類之神制定法律是荒謬的，而依據「陶片放逐法」（ostracize）排斥他也並非十分公正，唯一可以選擇的辦法，就是讓他進行統治。然而，亞里斯多德甚至也不能完全肯定，這樣的人是否

就享有不可剝奪的統治權利。旣然他賦予存在於同一國家的公民之間平等如此重要的意義，他不禁對完善的美德是否可以作爲例外產生了疑問。平等的問題涉及到一切統治形式，無論好的還是變壞了的。不過，亞里斯多德樂於承認，君主制將適合於這樣的社會：在這個社會裡，有一個家庭無論在品德或政治技巧方面，都遠勝於其他所有家庭。其實，這些理想的君主制對亞里斯多德來說完全是一種不切實際的學究式說法。如果不是因爲柏拉圖的權威，他大概絕不會提到它。他指出，按照法律，君主制其實根本不是一種政體，如果按照字面來理解，那麼，根據好的統治必須承認法律至上的原則，實際上是不能把君主制作爲一個真正的統治形式來加以考慮。理想的君主制與其說是政治統治形式，還不如說是家庭統治形式。僅僅是由於他接受了柏拉圖的六分法，才使他考慮到了這個問題。

當亞里斯多德轉向檢驗種種現存君主制的時候，他完全放棄了對理想國家的考慮。他能分辨君主制的兩種法定形式，斯巴達的國王制以及獨裁制但這兩者都不屬於憲政體制，另外還有兩種類型的君主制政體，東方君主制和英雄時代的君主制。當然，對後者只是出於臆測，實際上是超出亞里斯多德的經驗之外。東方君主制雖然按照野蠻人的方式是合法的，但更確切地說是一種暴君的統治形式，因爲亞洲人天生就是奴隸，他們並不反對專制政體。因此，正如亞里斯多德所瞭解的真正的君主制，實質上就是如同波斯那樣的政體。然而，這個討論對他論述君主制來說，意義仍比不上他對不同類別君主制進行區分那樣重要。在他看來，與根據經驗對政體實際運作所做的研究相比，關於國家的六分法顯然已經失去了它的意義。正是由於這一點，他在第四部中再次開始研究寡頭政治和民主政治，也就是希臘的統治形式。

現在，爲什麼亞里斯多德的政治理想沒有最終歸結爲建構一個理想的國家，原因應該很清楚了。這個理想國家只是代表了他從柏拉圖那裡繼承而來的一個政治哲學概念，而這個概念事實是極少投合他的創造才華。他越是傾向獨立的思維方式和研究方式，他就越是轉向了對現實政體的分析和描述。由他和他的學生大規模滙集的一百五十八種憲政的歷史，標誌著他思想的轉折點，並且提出了一個更廣義的政治理論構想。當然，這並不意味著亞里斯多德轉而僅僅進行描述。新構想的實質，是

把以經驗為根據的調查研究同政治理想的更進一步的理論思考結合起來。道德方面的理想——法律至上、公民的自由和平等、立憲政體、人在文明生活中的完善——對亞里斯多德來說始終是國家應當存在的目的。他發現這些理想的實現極端複雜，需要對現實政體的狀況作無數的調整。理想絕不能像柏拉圖的模式那樣只存在於天國，而應存在於絕非空想的機構當中並透過這些機構而發揮力量。

註　解

❶例如：厄内斯特・巴克（Ernest Barker）在《柏拉圖和亞里斯多德的政治思想》（ *Political Thought of Plato and Aristotle*, 1906,第 25 頁）中認爲，《政治學》是由三套不同的演講筆記組合而成，而羅斯（W. D. Ross）在《亞里斯多德》（1924，第 236 頁）中則稱之爲「五篇單獨論文的合訂本」。

❷各部的參考均表示手稿的順序；曾有許多人嘗試重新編纂，但除了第 1 部到第 3 部之外，其他的編號都極不明確。在 Immisch's Teubner text 的第 7 頁中有一表，開列了主要版本的各部順序。

❸《亞里斯多德》（1923）；理查德・羅賓遜（Richard Robinson）英譯，1934 年版，第 10 章。

❹對耶格假説的批評，可參閱厄内斯特・巴克的《政治學》譯本（1948），導論第二部份第 4 節，第 xli～xlvi 頁。

❺厄内斯特・巴克的《希臘政治理論：柏拉圖和他的先驅》中第 380 頁及以後數頁有一重要的對照表。

❻《政治學》2,5；1264 a1 及以後數頁〔喬伊特（Jowett）譯本〕。

❼參閱《政治學》3,6；在 1278b 31 中，他提到了他早期流行的對話，而僅僅在此之前數行，他提到了在第一部中關於家庭權威的討論，儘管這顯然是一個相同的題目。

❽7,8；1328a 36。

❾3,16；1287a 32。

❿1,2；1253a 31 及以後數頁。參閱〈法律篇〉874e。

⓫〈法律篇〉690a 及以後數頁。

第七章
亞里斯多德：政治現實

《政治學》第四部的開頭幾段，表明了亞里斯多德政治哲學概念的重要擴展。他說，任何科學或藝術都應當包括它的研究題材的全部。一個體育教練當然應能造就一個完美的運動員，但對那些不能成爲完美運動員的人，他也應當能指導他們訓練體能，或者爲那些需要特種訓練的人選擇適當的運動。政治學家也應當如此。如果沒有需要克服的障礙，他必須知道什麼是最理想的政體，換言之，他必須知道怎樣建立一個理想的國家。但是，他也應該知道，相對環境而言什麼是最理想的政體，以及任何既定條件下什麼樣的政體能夠成功，即使這種政體根據抽象的思考或在具體環境下都不是最好的。最後，依靠這種知識的力量，他將能夠判斷什麼形式的政體最適合於大多數國家，而且無須人們具有超乎普通的品德和智力就能達到。運用這種知識，他能夠提出種種措施，這些措施極有可能糾正現存政體的缺點。換言之，政治家必須按照各種政體的現狀，以完善的技巧來把握它們，並且運用其所擁有的手段使這些技巧最充份地發揮作用。正如亞里斯多德後來所實際做的，這種技巧本身甚至可能完全脫離道德上的考慮，去告訴暴君怎樣成功地施行暴政。

亞里斯多德並非有意這樣徹底地把政治與道德截然分開，儘管如此，這個關於政治家技巧的新觀點卻使政治學成了不同於個人道德觀和私人品行的研究科目。在《政治學》第三部的開頭部份，亞里斯多德談到了一個好人的品德和一個公民的品德，並把這作爲一個問題探討它們的非同一性（mon-identity）。在《尼科馬奇倫理學》（*Nicomachean Ethics*）的結尾幾頁中，他認爲它們當然是不同一的，並且提出立法問題作爲一個研究分支，以區別於對倫理理想最高級形式的研究。他說，人們一直過於忽視這個問題，但這個問題對於完成一種關於人性的哲學是

必不可少的。他還意味深長地提到，他所收集的各國國體（constitut-ion）作爲一種原始資料，是用以研究國家興亡和導致好壞政體產生之原因的；幾乎不容置疑，他所建議的這個研究，在《政治學》第四部到第六部的撰寫中得到了實現——

> 從事這些研究，我們或許更有可能全面地瞭解那一種政體是最好的，必須如何整頓每一種政體，以及如果一個政體要處於最佳狀態，必須運用什麼法律和習俗。❶

這種對於倫理學和政治學的區別，標誌著這兩個不同但有互有關聯的研究主題的起步，也是亞里斯多德的整個哲學所表現的驚人邏輯組織能力的一部份。在這種能力方面，他遠勝於柏拉圖，也由於有這種能力，使他能夠概括地闡述科學知識的主要分支，而這些分支甚至一直延用到了現代。

政治結構和道德結構

《政治學》第四部中對希臘政體實際形式的分析，係附屬於第三部中對於政體的六重分類。或許更確切地說，它是同該部後一部份關於君主制的探討相關聯，在這裡，亞里斯多德認爲君主制和貴族制屬於理想國家一類，雖然這與第三部中對這兩種政體的討論不完全一致，而且他的計畫是轉而對寡頭制和民主制作更詳細的研究。他說，人們通常以爲這兩者都各只有一種形式，其實這是錯誤的。這種說法使人想起了他的一個評論：一般人很難看出有好幾種不同的君主制❷。務實的政治家爲了使現實的政體運轉，必須瞭解實際上存在著多少種寡頭制和民主制，以及適合於每一種政體的法律是什麼。這種瞭解可以使他明白：什麼形式的政體對大多數國家來說是最好的；什麼形式的政體對處於某種特殊情況下的國家是最好的；要使任何既定形式的政體切實可行，什麼是必不可少的；以及什麼是造成不同類型國家穩定或不穩定的原因。

重新討論寡頭制和民主制的分類問題，必需再次研究國體的一般性質。在整個第三部中，占土導地位的觀點是：國體是一種公民的安排

（constitution is an "arrangement of citizen"），或者是一種或多或少支配國家外部組織的生活模式。只要國家的倫理面向在亞里斯多德的思想裡還居於最高地位，這個觀點就是一個標準的觀點。因為在任何國家中起決定作用的因素都是公民聯合體立意要實現的倫理價值；公民共同生活的道德目的是他們共同具有的基本目標，因此，可以說是「國家的生活」。然而，亞里斯多德還曾把國體界定爲官員或行政官員的安排，這就更接近於現代意義上關於國家的政治觀點了。在第四部中，他重申了後一種定義，並且把國體同法律作了區分。法律是行政官員在執行其公職義務時所應遵循的規則本體。此外，亞里斯多德還增加了對國家的第三種分析，這種分析對社會階級，或者對諸如家庭那樣的小於國家本身的聯合體，或者對富人和窮人，或者對諸如農民、工匠和商人的職業集團，都表現了很大的興趣。亞里斯多德沒有把國家的經濟結構作爲國體來談，但是談到了國家的經濟結構在決定什麼形式的政治結構（官員的安排）合適或行得通時有決定性的影響。亞里斯多德把經濟階級同動物器官相比較，並且說，有多少種維持社會生活所必須的階級結合方式，就有多少種國家。

　　因此，亞里斯多德在討論現實國家時，一開頭就引入了幾個區別。誠然，他的闡述並不明確，但卻清楚地表明了他在評價政治力量方面取得了長足的進步。首先，是業已提到的對政治學和倫理學的區分。這種區分意味著他計劃撇開理想國體而探討現實國體，並且表明他更加重視把國體定義爲對官員的安排。當時，他還把法律與有組織政府的政治結構加以區分。更爲重要的是，他將政治結構和居於政治結構背後的社會結構及經濟結構加以區分。沒有一位希臘思想家明確而恰當地對國家和社會作過現代意義上的區分，也許在把國家設想爲法定結構之前是不可能進行這種明確區分的，但亞里斯多德至少第一個達到了非常接近於進行這種區分的程度。再者，他能夠以高度現實主義的方式來運用這種區別，他敏銳地指出，政治結構是一回事，而這個結構的實際運作方式又是另一回事。一個形式上民主的政府，可能實行的是寡頭統治，而一個寡頭政府卻可能實行的是民主統治❸。例如，在一個主要是農業人口的民主國家，可能因增加了一個龐大的城鎮商人階級而發生根本的轉變，儘管國家的政治結構——官員，以及國家公民的政治權利——完全沒有

改變。

　　亞里斯多德對國家進行這種兩重分析的方法——分析政治機構以及因相同經濟利益而結成的階級——如果他始終能把對一種分析的運用和對另一種分析的運用區別開來，如果他能把這兩種分析與兩種分析之間的相互影響區別開來，這種方法將會比較容易遵循。不過，在他詳細闡述民主制和寡頭制的種類時，卻經常難以看到他所遵循的分類原則是什麼。事實上，他對每一種政體都提出了兩個分類表❹，卻又不解釋兩者的區別在哪裡，儘管在一個表中他好像主要考慮的是政治結構，而在另一個表中主要考慮的又是經濟結構。再者，這種分類更因區分無法律政體和守法政體而變的更加複雜化；雖然這一區分對寡頭政治完全不適用，而且無論如何都應把這一區分視爲是對官員或階級進行安排的結果。然而，儘管這一探討不具有綱要性質，但它大體上是清楚的，並且毫無疑問表現出非常精通其主題——希臘城邦的內在運作。這種駕馭問題的能力，在後來的政治學家對任何其他形式的政體進行研究時是很少見的。亞里斯多德的思想大致如下：存在著某些政治規則——例如像投票限制和任職資格——這些規則是民主政治的特徵，而另外一些規則則是寡頭政治的特徵。同樣也存在著一些經濟條件——例如像財富分配方式，或指某一經濟階層占居支配地位——這是造成一個國家傾向民主政治或寡頭政治的原因，並且決定哪一種政治結構將最有可能獲得成功。不論政治排列還是經濟排列，在程度上都有所不同，某些排列傾向於比較極端的形式，有些排列則傾向於不太極端的形式。這兩種排列極有可能結合在一起，因爲國家大概不是單單由民主制因素或寡頭制因素所構成，而是由兩種體制的因素所構成，例如，如果公民大會是按照民主方式組織起來，而陪審團是按照某種寡頭制方式進行挑選，就會形成這種情況。政府的實際運行方式，部份取決於政治因素的結合，部份取決於種種經濟因素，而且也部份取決於這兩種因素互相結合的方式。最後，某些經濟因素傾向於造就一個無法律的國家，而另外的經濟因素則傾向於造就一個守法的國家，政治因素實際上也是如此。這樣的結論，很難以一種形式上的分類加以陳述，卻有助於認識大量複雜的政治現象和社會現象。

民主制原則和寡頭制原則

指出亞里斯多德通常怎樣貫徹這些分類方法也就夠了，沒有必要再詳述他對寡頭政治和民主政治的全部細緻分類。如下所述，民主制國家在政治結構上的不同，決定於它們的內涵因素，而且這一點通常是由於它們使用或不使用財產限制所致。民主制國家對公民大會或者對於擔任公職，也許全然沒有限制，也許有較高或較低的限制，也許這種限制只適用於某些職位而不適用於另外一些職位。或許，民主制國家不但不強加任何限制，而且還為其公民參與陪審乃至出席公民大會支付報酬（如在雅典），這是對窮人出席會議的一種獎勵。民主制國家根據其經濟結構也會有所不同。一個由農民組成的民主制國家雖然可能沒有資格的限制，然而，對事務的管理卻可能全部落入貴族之手，因為廣大公眾極少有時間和興趣去為公共事務勞神。亞里斯多德認為，最好的民主制國家是：人民擁有相當大的權力，並且由於人民的可能隨時使用這種權力而得以約制統治者階級，只要統治者的統治是適度的，人民就會放手讓他們自由去做他們認為是最好的事。但是，如果存在著龐大的城鎮人口，他們不僅擁有權力，而且試圖在城鎮會議上處理公共事務，那就會造成一種完全不同類型的民主制國家。這就為那些蠱惑人心者開闢了一個活動場所，而且這樣的民主制國家肯定會變成無法律和無秩序的國家。事實上，這樣的國家幾乎是無法與暴政相區別的。民主政治的問題在於把公眾權力與明智的管理結合起來，而大規模的公民大會是不可能做到這一點的。

區分各種寡頭制國家，根據的是同樣的概括方法。對寡頭制國家來說，得到公民身分和擔任公職都需要具備一定的財產資格或某種適任的條件，這是正常的，不過這種條件可能或高或低。寡頭制國家可能在全體民眾中有廣泛的基礎，也可能權力的掌握僅限於一個小小的派系。這樣的派系可能構成一個戀棧的團體，它以自己內部的人員充任各種公職，甚至連選舉的樣子都不做。而且，在極端的情況下，少數家族，也許甚至只是一個單獨的家族，就可能擁有實際上的世襲權力。可能出現

什麼類型的寡頭制統治，同樣也取決於財產的分配情況。如果存在著一個相當龐大但並非擁有極端巨額財富的有產者階級，那麼寡頭制統治很可能具有廣泛的基礎；但是如果存在著一個狹小的極為富有的階級，那麼政權就很可能會落入一個派系之手。而一旦發生這種情況，派系統治的種種弊端將是很難避免的。在極端狀態下，寡頭制國家與民主制國家一樣，實際上與暴政無異。寡頭制國家的難題恰好與民主制國家的難題相反：它在於把權力掌握在一個比較狹小的階級手裡，而又不允許這個階級對羣衆壓迫太甚，因為壓迫幾乎肯定要造成騷亂。按照亞里斯多德的判斷，富人的侵犯行為比民衆的侵犯行為更有可能發生，因此寡頭制比民主制更難控制。然而，如果寡頭制的統治在全體居民中有廣泛的基礎，在居民中的財富分配相當均勻，它就可能是一種守法的統治形式。

對各種民主制和寡頭制的研究，亞里斯多德後來對政治結構即政治統治機構進行更系統的分析中有詳細的闡述。他對以某種形式存在於一切政體之中的三個部門作了區分。第一，存在著一個審議部門，這個部門行使國家的最高法定權力，諸如宣戰和媾和，締結條約，檢查行政長官的帳目以及制定法律；第二，存在著各種各樣的行政長官或行政職員；第三，存在著司法系統。這些部門可能完全按照、也可能或多或少地按照民主制或寡頭制組織起來。審議機關的人員可多或可少，行使的職責也可大可小。行政長官可由範圍或大或小的全體選民選出來，或者在更民主的政體中是透過抽籤產生的；他們可能被挑選出來擔任長短期不一的職務，他們可能或多或少要向審議部門負責，而且他們的權力可大可小。同樣，法官可透過抽籤從一個很大的陪審團中選擇出來，並且可能像在雅典一樣行使與審議部門同等的權力，或者也可在權力和人數上予以嚴格受限制，經過更有選擇性的方式挑選出來。任何既定的國體，在組織上都可能其中一個部門比較民主而另一個部門卻更符合寡頭制的原則。

最優可行的國家

分析民主制國家和寡頭制國家中的政治因素，使亞里斯多德能夠進而考慮用這樣一個問題來取代建立一個理想國家的問題，這就是：撇開可能是特定事例所特有的特別情況，並且假定一般國家僅僅具有通常所具備的優點或政治技巧，那麼，適合於大多數國家的最好統治形式是什麼呢？這樣一種統治形式，絕沒有理想的涵義；它只不過是為了避免經驗證明是有危險的極端民主制和極端寡頭制，從而得出的切實可行的最好形式。亞里斯多德稱這種國家為**帕勒提**（polity）或**立憲政體**（constitutional government），這個名稱在第三部中用以指稱有節制的民主制；不過，當國體偏離民眾政府太遠以致不能稱之為有節制的民主政體時，亞里斯多德也並不反對採用「貴族政治」一詞（先前使用的是其語源學上的意思，用以指一個理想的國家）。

在任何情況下，這種最優可行的國家（best practicable state）的特徵都是一種混合式的政體形式，其中的要素出自於寡頭制和民主制的明智結合。它的社會基礎是一個龐大的中產階級實體，構成這個階級的人既不是非常富有也不是非常貧窮。正如歐里庇得斯（Euripides）多年前所說的，「拯救國家」的正是這個階級。因為他們既未窮到墮落的地步，也沒有富到鬧宗派的程度。只要存在著這樣一個公民群體，他們所構成的龐大集團就足以為國家提供一個民眾的基礎，他們的公正無私足以使行政長官負起責任，他們的精心挑選足以防止民眾統治的種種弊端。在這樣的社會基礎之上，就可能吸收種種象徵民主政治和寡頭政治的制度而建立起一種政治結構。在這個政治結構中，有可能存在一種僅僅是適度的財產資格限制，或者不存在任何財產資格限制，同時也不透過抽籤過濾行政長官。亞里斯多德認為，斯巴達是混合式國體。他大概認為雅典在西元前四一一年嘗試實行的也是這種國體——實際只是理論上的——其目標在於建立一個限定為五千人的公民團，他們能夠妥善武裝自己。在《雅典憲政》中亞里斯多德指出，這是雅典所曾有過的最好政體。像柏拉圖一樣，亞里斯多德出於現實的考慮，不得不求助於財產以

替代美德。兩位思想家在原則上都不相信財產是美德的標誌，但兩者都得出了這樣的結論，即出於政治目的，財產提供了接近於美德的最切實可行的標準。

中產階級國家的原則是平衡（balance），即在任何政治體系中肯定都很重要的兩種因素之間的平衡。這兩種因素產生於第三部中所討論的對權力的要求，不過，亞里斯多德此時更把它們作爲力量而不是作爲要求來探討。他把這兩種因素描述爲「質」與「量」。第一種因素包括政治影響，諸如產生於顯赫的財富、出身、地位和敎育的影響；第二因素是純粹數量上的影響。如果第一種因素占優勢，政體就成爲寡頭政體；如果第二種因素占優勢，則會成爲民主政體。爲了求得穩定，理想的情況就是政體應當允許這兩者並存，並透過一種因素制約另一種因素而得到平衡。由於在一個存在著龐大中產階級的國家裡最容易做到這一點，因此這種類型的國家就會有切實可行的最可靠和最守法的政體。在某些方面，亞里斯多德把數量的優勢看作安全因素，因爲他相信冷靜的輿論的集體智慧，並且認爲一個龐大的羣體是不容易腐敗的。不過，專門就行政職責而言，還是由有地位和有經驗的人來擔任最理想。一個能夠把這兩種因素結合起來的國家，就解決了安定而有秩序的統治的主要問題。毫無疑問，這個對於城邦國家必然會遇到的內部難題的診斷，已爲希臘歷史所證實。另一方面，亞里斯多德很少談及他所經歷的歷史進程必然會向他提出的一個同等緊迫的難題──關於外交事務方面的困難；他也很少談及這樣的事實，即城邦國家的幅員大小，以致不能成功地統治一個世界，反倒不得不和如同馬其頓或波斯那樣的大國相抗衡。

在第五部中，亞里斯多德最後討論了革命的起因以及能夠防止革命的政治制度，不過他可能忽視了細節。他的政治洞察力以及他對於希臘政治的精通，都躍然紙上。但是關於這個問題的理論，在討論中產階級國家時已經闡述清楚了。寡頭政治和民主政治都是處於一種不穩定的均衡情況之中，結果每一種政體都面臨著因自身向極端發展而導致毀滅的危險。一個政治家的現實問題就是，不論治理哪一種國家，都必須防止其國家的制度順著自身的邏輯而過度發展。一個寡頭制國家越是向寡頭制的方向發展，它就越傾向於一個暴虐的宗派進行統治；同樣地，民主制國家越是向民主的方向發展，它就越是有助於暴民進行統治。這兩者

都趨向於蛻變爲對本身有害的暴政，而且不可能取得成功。亞里斯多德建議專制君主享有的那種幾乎是玩世不恭的自由，成了馬基維利（Machiavelli）的先導。傳統的策略是使所有可能的危險份子蒙受貶抑和屈辱，使臣民變得沒有力量，並在他們之中製造分裂和猜疑。更好的方法則是儘量避免以暴君的姿態治國，總之要避免暴露暴君的惡行。從長遠來看，任何形式的統治都不會永存，除非它得到國家中主要的政治力量和經濟力量的支持——要考慮到質和量兩個方面——因此，能獲得中產階級效忠的政策，通常是好政策。往任何方向走到極端都會導致國家的毀滅。簡言之，如果國家在實際上實行的不是中產階級的統治，那麼就必須盡其所能使其統治像是中產階級的統治，當然，在某種特定的情況下，要始終考慮到任何可能具有決定作用的特殊情況。

政治家的新技巧

亞里斯多德關於新的與更全面的政治科學概念，不僅包括對國家的倫理涵義的研究，而且包括對現實政體的政治要素和社會要素的研究，對它們的結合以及產生於這些結合的種種後果的研究。這樣的概念表明，他根本沒有放棄他從柏拉圖那裡推導出來的基本思想。然而，這個概念確實體現了對這些思想的重要修改和重新調整。只要它的目的在於求得一種治國的技巧，即能夠透過合理選擇的手段以指導政治生活達到道德上有價值的目標，那麼其宗旨就仍然沒有改變。國家作爲文明生活中的一個因素，仍然要實現其眞正目的，因此揭示這個目的仍然是極其重要的。指導政治生活沿著最適合的路線前進，從而使國家能夠有它的眞正目的，這是一項需靠智力來完成的工作，這是一個科學問題同時也是藝術問題，因此，這個問題對亞里斯多德來說如同對柏拉圖一樣，它不同於狡猾政客的精明厲害，不同於民衆大會的草率笨拙，也不同於煽動家或詭辯家的花言巧語。亞里斯多德所做的不是放棄那個理想，而是在其基礎上發展出一個新的科學概念和藝術概念。柏拉圖曾認爲，經由徹底掌握關於善的理念，能使政治學成爲具有自由思辨結構或智識結構的學科，雖然〈法律篇〉的寫作足以表明，他最後還是不得不在實質上遠

離關於這個任務的概念。亞里斯多德與柏拉圖的交往，正是柏拉圖的政治思想進行重新調整的時期，不管怎麼說，亞里斯多德思想的天生傾向大概使他不得不沿著一條不同於柏拉圖起步的路線前進。

　　因此，亞里斯多德從一開始就沒有接受這種自由智識結構的方法——這種方法對於選定數學作為一切知識之典範的哲學來說是很合適的。亞里斯多德不能實現描繪一個理想國家的計畫，就證實了這一點。但是，要將柏拉圖的哲學理想適應於另外一種方法，乃是一件需要長時間的困難工作，而亞里斯多德不得不做的就是這項工作。在亞里斯多德對自己的哲學體系的系統闡述中，記載了這個重新適應的整個經過。在這個體系中，政治科學和政治藝術只構成為單獨的一章，儘管是重要的一章。將法治納入國家的理想之中——包括承認法律、被治者的同意，以及作為良好政治生活固有部份的公共意見——是亞里斯多德邁出的重要的第一步，而這一步又要求他進一步向前走。他不得不繼續分析城邦國家的政治要素，研究基本的社會力量和經濟力量對這些要素的影響。研究這樣一些對象，純理論的方法顯然並不適宜。收集各種國體就是亞里斯多德試圖累積處理這些問題的資料，而第四部到第六部的更注重經驗和現實的理論，則是他對這些問題的解釋。不過，更注重經驗的方法會使他正要研究有關藝術的概念發生變化。目標一旦脫離了建立一個國家所應當依據的政治步驟，就不再合乎需要了。一個具有亞里斯多德的藝術的政治家，就像是身居事務之中。他不能按照他的意志來塑造事務，但能夠利用事態提供的種種可能性。這裡存在著不能迴避的種種必然結果；存在著不利情況所帶來的種種意外事件，這些不利情況甚至可能破壞一個好的計劃；但是也存在著藝術，即明智地運用有效的手段使事務能得到一個有價值的和理想的結局❺。

　　所以，亞里斯多德雖然沒有把政治科學變成專事描述的學科，卻把它變為經驗性的東西；而且這種藝術包括對政治生活的改善，雖然這種改善不得不在最有節制的規模上進行。很自然，他在觀念上的這一進步，會使他的注意力回到最初的原則上去，並促使他重新考慮他和柏拉圖曾作為起點的那些基本問題。在他為已完成的《政治學》撰寫的序言中，也就是在現行版本的第一部中，他作了簡要的回顧。這一部的大部份內容，只是將家庭管理（包括經濟）的理論予以擴大，並簡述了家庭

管理與政治統治的區別。這個問題，亞里斯多德並未完全解決，這大概是由於對家庭的重新研究使他遇到了在第二部中作為批評共產主義早已考慮過了的部份問題。把這兩部份討論融合起來就必須進行改寫，但亞里斯多德始終未進行這項工作。然而，在第一部中的第一部份他又回到了自然和約定的基本問題上，因為對他的理論而言正如對柏拉圖的理論而言一樣，有必要表明國家具有內在的道德價值而不單單是一種強加於人的專橫力量。

　　為了論述這個問題，亞里斯多德詳細而更加系統地討論了關於國家的定義，他論述的出發點與柏拉圖在〈理想國〉中的出發點大體相同。他所採取的程序是遵循以「同類」和「特異」來做定義的（種差定義；definition by genus and differentia）理論。這是在他的邏輯學著作中所發展起來的。他說，國家是一種共同體（community）。共同體是不同人的聯合，由於這些人存在差別，因而他們能夠透過商品和勞務的交換而滿足各自的需求。這與柏拉圖關於國家依賴於勞動分工的信念大體一致。但亞里斯多德也有不同於柏拉圖之處，因為他區分了好幾種共同體，而國家只是其中之一。當然，區分的目的，是要把家庭統治——針對妻子、孩子或奴隸——與政治統治區分開。換言之，柏拉圖曾混淆了類（genera）和種（specy）。因此，問題在於確定國家屬於哪一種共同體。在第一部中，這一討論完全是為了公正地評價柏拉圖，以致亞里斯多德好像沒有充份發揮他自己的整個思想。他在另外的地方指出❻，經由買和賣的貨物交換或者僅僅簽定契約，造就的是共同體而不是國家，因為那裡不需要共同的統治者。在第一部中，他好像是從另一個極端來強調共同體，即一般共同體存在著統治者和被治者的差別，但並不是憲章規定的或政治上的統治者。這一點可以透過主人和奴隸的關係予以說明，在這種關係中，奴隸的存在完全是為了主人的利益。因此，國家是處於一種居中的地位，既不同於契約，也不同於所有權。這種以近似關係作為定義的方法，亦即對可以稱為起限定作用的事例進行區分，是亞里斯多德在其科學著作中經常使用的。遺憾的是，在《政治學》中他出人意料地沒有系統考慮除奴隸制之外的家庭關係的差別，例如家長與其妻子的關係，他認為這種關係和家長與奴隸的關係以及政治統治者與其臣民的關係都是不同的。

　　然而，與家庭相對照，他確實提出了一個界定國家的總原則。這就是他所提到的成長或歷史發展。「不論是國家還是任何別的事物，只要考慮到它們最初的成長和起源，就能夠得到關於它們的最明確的看法。」❼於是，亞里斯多德求助於希臘城邦的傳統歷史，這個歷史，柏拉圖在〈法律篇〉中介紹次好國家的結構時已經運用過了。這一歷史表明，家庭是最原始的共同體，它的存在是出於一些基本的需求，如蔽身、食物以及種族繁衍。只要人類的進步沒有超出對這些需求的滿足，他們就得生活在由家長統治的孤立家庭裡。村莊體現了較高階段的發展，這是若干家庭的聯合；而更高的階段則是國家，這是由村莊聯合而成的。

　　然而，這種發展並非僅限於規模的大小。在某一時刻出現的共同體，實質已不同於更原始的羣體。按照亞里斯多德的說法，它成爲「自足的」了。這在部份上指它的領土和它的經濟支持手段，而且也是指它的政治獨立。不過這些都不是主要的。在亞里斯多德看來，國家的特徵在於它第一次爲眞正的文明生活造就了必不可少的條件。按照他的說法，國家是在極其簡單的生活需求中產生的，但它的繼續存在卻是爲了實現一種完美的生活。爲了這個目標，重要的是國家既不能太大也不能太小。因爲亞里斯多德除了希臘的城邦國家之外，沒有期待過任何其他的社會單元能夠滿足文明生活的需求。的確，國家是把家庭包括在內以作爲它的必不可少的因素——而柏拉圖卻錯誤地打算廢除這種較原始的單元——但國家是一種更發達，並因而是一種更完善的共同體。事實表明，國家所滿足的那些需求是更典型的人類需求。即使是家庭——在最原始的形態下它依賴於人與所有動物共享的物質需求——也肯定需要有超越使羣居動物得以集聚在一起的那些能力。因爲它需要有說話和辨別是非的能力，而唯獨有理性的動物才具有這種能力，國家則甚至能爲這些理性能力提供更高的發展機會。人是獨特的政治動物。只有人居住在城市裡，使自己服從於法律，並且創造了科學、藝術、宗教和多方面的文明成就。這些體現了人類的完美發展，而且這種發展只有在文明社會裡才能實現。若有不需文明社會而能生活的，他必定不是在人類中道生活之下的野獸，便是在其上的神。亞里斯多德確信希臘人具有無與倫比的人類天賦，在這個信念的支配之下，他認爲人類生活的最高形式——

文明的藝術——只有在城邦國家中才能實現。

作爲發展的本性

正如艾德蒙德・柏克（Edmund Burke）所說，國家的涵義和價值來自於這個事實：即它是全部科學和全部藝術的一種結合，而這就是亞里斯多德用以反對那些斷言法律和道德只是約定俗成之人的決定性論點。這個論點正如亞里斯多德的用法，它體現了對「本性」（自然；nature）這一術語重新進行謹愼定義，這樣它就能適用於科學的每一分支，並成爲哲學中的總原則。對於指導調查研究來說，它是一個實用的規則，即首先發生的恰好是最簡單和最原始的，只有經過發展之後才會變得較完全和較完善。然而，後一個階段比前一個階段更充份表現出「什麼是事物」的眞正本性。亞里斯多德發現在他的生物學研究中可以廣泛運用這一規則，例如，一顆種子只有當它發芽並作爲植物而生長時才暴露出其本性，諸如土壤、熱度和水份等自然條件都是必不可少的，但即使這些條件對兩顆不同的種子是一樣的——如對橡樹子和芥末子——那長出的植物也完全不同。亞里斯多德推斷，造成這種不同的眞正原因存在於種子之中，每一種植物都包含著它自己的本性，這種本性隨著植物的逐漸展開而展現自己，並明確地表現出這個種子所內含的是什麼。同樣的解釋也可以應用到社會共同體的成長上面。在社會共同體發展的原始形態，如家庭，其內在本性表現爲勞動分工，但是在其較高的形態上，除了繼續滿足原始需求外，它表明自己還能爲能力的發展提供用武之地，而這種更高的能力在除非家庭存在的情況是不可能得以煥發的。亞里斯多德說，在時間上家庭居先，但「在本質上」則國家更爲重要，說得更確切些，國家是一種更完全的發展，因而更能表現出社會共同體的內含是什麼。基於同樣的原因，國家生活能表明人類固有的本性是什麼。如果生活的進步沒有超越那種爲滿足原始需求而進行的互換，那誰也猜測不到可能出現文明的藝術。

因此，亞里斯多德在指涉社會時使用本性（自然）一詞有雙重意義。的確，人具有內在的社會性，因爲他們相互需要。未開化社會的存

在，依賴於在一切生活中都存在的種種衝動，諸如性的活動和對食物的欲求，這些是必不可少的，但這不是人類生活所特有的，因爲在這些方面人類和較低等動物並沒有多大區別。更具人類特色的本性，體現在那些人類特有能力的發展上。由於國家是使這些能力得以發展的唯一媒介，因此從某種意義上來說，國家「出於本性（自然）」在某些方面與本能是對立的。正如對一顆橡樹子來說，長成一棵橡樹是「出於本性」一樣，對人類來說，在國家當中擴展其最高能力也是「出於本性的」。當然這並不意味著發展一定是不可避免的，因爲缺少必要的物質條件就會妨礙上述兩者的發展。事實上亞里斯多德認爲，只有在城邦的國家條件下較高的發展才會出現，而且他把這一點歸因於在全人類中只有希臘人具有這種發展的能力。只要確實出現這種發展，它就能表明人性是具有這種能力的，正如一棵水份和養料都充足的橡樹能夠展現一顆良好的橡樹子的眞實內含是什麼一樣。國家之所以是出乎本性（自然）的，是因爲它包含著發展完全的文明生活的可能性。但是，由於它的發展需要物質條件以及其他一些條件，這就爲政治家施展其藝術提供了活動場所。應用智力和願望是不能創造國家的，但卻能很好地使它更充份地展露其固有的可能性。

在亞里斯多德看來，諸如這樣的關於本性（自然）的理論——得自於對生物研究和社會研究——爲他更廣泛地構想政治科學和政治藝術提供了一個邏輯基礎。本性根本上是成長的能力或成長的力量的一個體系，這些能力或力量在其固有本性的引導下朝向特有的目標前進。但是這些能力或力量的展露，還要靠一般泛指的物質條件。物質條件雖不能創造目標，但依其是否有利卻可以幫助或阻礙成長。持續不斷地活動和變化都是佔用的過程，在這些過程中，發展的力量佔有了可資利用物質條件。亞里斯多德稱之爲形式、質料和運動的三要素，是構成本性的基本要素。這些要素爲藝術提供了活動範圍，因爲在某些不易覺察的範圍內，藝術家的計畫能夠作爲形式把可以利用的質料集中起來，例如在政治活動中，政治家不能做他選擇的任何事情，但他能夠明智地選擇那些至少有助於社會制度和人類生活向著更好和更理想方向發展的行動。爲了做到這一點，他必須瞭解什麼是可能的和什麼是現實的。他必須知道他所面臨的局勢中存在著什麼樣的發展潛能，知道什麼樣的物質條件能

為這些理想的力量提供手段，從而使之能以最理想的方式充份發揮作用。他的研究通常是把這兩個問題結合起來。這些研究是描述性的，並且是以經驗為根據，因為沒有關於現實的知識他就不能確定可以供他使用的手段是什麼，或者，即使使用了手段也不知結果怎樣。不過，這些研究還必須考慮事實的理想面向，因為不這樣政治家就不知道怎樣使用他的手段才能造就出他的物質材料所能產生的最佳結果。

亞里斯多德的政治科學概念和政治藝術概念所體現的研究風格，為他自己成熟的才智提供了最大的展現園地。在純理論建構的原創性和大膽作風方面，他是絕對比不上柏拉圖，而且他的基本哲學原則也都是從他的老師那裡推導出來的。然而，在知識的組織能力方面，特別是在浩瀚複雜的細節中掌握典型或趨向的能力上，他卻不僅勝過柏拉圖，而且可以和後來科學史上的任何思想家媲美。當亞里斯多德在某種程度上擺脫了柏拉圖的影響，並憑藉他自己的創造性為自己開闢了一條思想路線之後，他在社會研究和生物學研究中，對這種能力的運用表明他的這種能力已臻於完滿。正是朝著這個方向的發展，使他撇開了描述理想國家的那一個因襲而來的目的，並且把他的調查研究首先轉向了憲政史，其後又根據觀察得來的經驗和歷史而轉向了關於國家結構與國家機能的一般結論。亞里斯多德是這種方法的創始者，從總體理論上來說，這種方法是政治學研究中逐漸形成的最完善和最富有成果的方法。

註　解

❶《尼科馬奇倫理學》（ *Nicomachean Ethics* ），10, 9; 1181b 20（羅斯的譯本）。

❷3, 14；1285 a1。

❸4, 5；1292b 11 及以下諸頁。

❹關於民主制，4, 4; 1291b 30 及以下諸頁；4, 6；1292b 22 及以下諸頁。關於寡頭制，4, 5；1292a 39 及以下諸頁；4, 6；1293a 12 及以下諸頁。

❺《形而上學》（ *Metaph.* ），7, 7；1032a 12 及以下諸頁；參閱柏拉圖的〈法律篇〉，709b～c。

❻3, 9; 1280b 17 及以下諸頁。

❼1, 2; 1252a 24 及以下諸頁。

參考書目

1. *The Philosophy of Aristotle*. By D. J. Allan. London, 1952. Ch. 14.

2. *The Unity of Mankind in Greek Thought*. By H. C. Baldry. Cambridge, 1965.

3. *New Essays on Plato and Aristotle*. Edited by Renford Bambrough. New York, 1965.

4. *The Political Thought of Plato and Aristotle*. By Ernest Barker. London, 1906. Chs. 5～11.

5. *The Politics of Aristotle*. Eng. trans. by Ernest Barker. Oxford, 1946. Introduction.

6. *Greek Thinkers: A History of Ancient Philosophy*. By Theodor Gomperz. Vol. IV. Eng. trans. by G. G. Berry. New York, 1912. Book VI, chs. 26～34.

7. *A Portrait of Aristotle*. By Marjorie Grene. London, 1963.

8. *The American Colonial Mind and the Classical Tradition: Essays in Comparative Culture*. By Richard M. Gummere. Cambridge, Mass, 1963.

9. *Morals and Law: The Growth of Aristotle's Legal Theory*. By Max Hamburger. New Haven, Conn, 1951. New York, 1965.

10. *Aristotle: Fundamentals of the History of His Development*. By Werner Jaeger. Eng. trans. by Richard Robinson. 2d ed. Oxford, 1948. Ch. 10.

11. *The Great Dialogue: History of Greek Political Thought*. By Donald Kagan. New York, 1965. Ch. IX.

12. *The Politics of Aristotle*. By W. L. Newman. 4 vols. Oxford, 1887～1902. Vol. I, Introduction ; Vol. II, Prefatory Essays.

13. *Aristotle and the Problem of Value*. By Whitney J. Oates. Princeton, 1963.

14. *Aristotle.* By John Herman Randall. New York, 1960.

15. *Aristotle.* By W. D. Ross, 3d ed rev. London, 1937. Ch. 8.

16. *Aristotle's Constitution of Athens.* Ed. by Sir John Edwin Sandys. 2d ed. rev. and enlarged. London, 1912. Introduction.

17. *The Politics of Aristotle.* Ed. by Franz Susemihl and R. D. Hicks. London, 1894. Introduction.

18. *Rational Man: A Modern Interpretation of Aristoelian Ethics.* By Henry Veatch. Bloomington, 1962.

19. *Aristotles und Athen.* By Ulrich von Wilamowitz-Moellendorff. 2 vols. Berlin, 1893.

20. "Aristotle on Law." By Francis D. Wormuth. In *Essays in Political Theory.* Ed. by Milton R. Konvitz and Arthur E. Murphy. Ithaca, N.Y., 1948.

第八章
城邦國家的黃昏

　　柏拉圖和亞里斯多德的政治哲學，在實踐上和理論上都沒有造成任何直接的影響。事實上，如果根據亞里斯多德去世之後二百年中這個哲學所引起的作用來判斷，大概只能把這說成是一個重大的失敗。失敗的理由在於，這兩位哲學家對於他們所探討的典型政治制度，即城邦國家的理想和原則，論述得比任何後繼者所希望做的都更全面和更完善。確實，在這方面不可能再有所增益了。當然這並不是說柏拉圖和亞里斯多德的著述只有應用於城邦國家才具價值。柏拉圖據以進行論述的假定——人類關係可以作爲理性研究的對象並且可以使之隸屬於理智的指導——是任何社會科學不可或缺的條件。而亞里斯多德的政治理論中較具普遍意義的倫理原則——確信國家應當是道德上平等的自由公民之間的一種關係，它以法律作爲自己的指導，所依靠的是討論和同意而不是暴力——從來沒有在歐洲政治哲學中消失。這些偉大的特質解釋了後世乃至現代的思想家爲什麼一再回到柏拉圖和亞里斯多德的觀點上。但是，儘管他們所寫的許多論斷有如此久遠的意義，實際上柏拉圖和亞里斯多德卻認爲它適用於城邦國家、並且僅僅適用於城邦國家。他們從未設想這些理想或者任何政治理想有可能在其他形態的公民社會中得到實現。爲其假定提供證明的是當時存在的事實，因爲很難想像當時政治哲學會在希臘城邦以外的任何社會中出現。

　　當然，柏拉圖和亞里斯多德充份意識到，在希臘沒有任何城邦實現了他們所確信的那種城邦國家內含的理想。如果他們在思想上並未明確感到需要進行批評和糾正，那他們也許絕不會試圖去分析他們所生活的那個社會，或區分它的墮落和成功了。不過，當他們進行批評的時候——通常是尖銳的——他們仍然相信，完美生活的條件在某種程度上是

存在於城邦國家之中。儘管他們可能樂意改變城邦國家的許多做法，但他們從未懷疑城邦國家有健全的基礎，從未懷疑城邦國家是唯一實現更高文明形式的健全道德基礎。因此，他們的批評基本上是善意的。他們是爲希臘人中對城邦生活大致滿意的階級說話，儘管這種生活絕非完美無缺。然而這並不是一個好兆頭，這兩個人雖然無意作某一階級的代言人，但被迫越來越明確地把公民身分作爲一種特權，從而使那些擁有財產和閒暇的人能夠享受獲取政治地位的樂趣。柏拉圖和亞里斯多德越是深刻認識城邦國家基本的倫理意義，他們就越是不得不作出這樣的結論，即這種意義只是爲少數人而存在的，並非如伯里克利斯時代所想像的民主制那樣，是爲全體的工匠、農民和雇傭勞動者而存在。這一點本身意味著——事實就是如此——那些較少發言權或地位較爲不利的人，可能會把城邦國家視爲一種毋庸加以改良而應予以更替的社會形式；至少他們可能認爲，追求完美生活的人可以對改良城邦置之不理。在柏拉圖和亞里斯多德時代，這種持異議的批評或者至少是中立的批評，雖然不甚鮮明，但確實存在。然而與立即的未來發展密切相關的卻是這樣的歷史情況而不是較偉大人物更堂皇的理論，這就解釋了爲什麼亞里斯多德去世之後他們的政治哲學一時黯然失色的原因。當城邦國家被逐出歷史舞臺，並且再也不能設想政治價值只有在城邦國家才能實現的時候，人們可以回到〈理想國〉、〈法律篇〉和〈政治學〉裡發掘其中的無窮寶藏。

要把握這些形形色色的「抗議」哲學或「冷漠」哲學所採取的共同形式——以及這些哲學在西元前四世紀和三世紀驚人的重要性——就只有明確記住支持柏拉圖和亞里斯多德關於國家全部著述的道德假定。這個假定就是：完美的生活意含著參與國家的生活。正是這個假定，使柏拉圖能夠從這樣一個命題出發，即國家實質上是一種勞動分工，在這個分工當中，具有不同天賦的人們透過相互交換而滿足各自的需求。亞里斯多德對社會共同體的分析，只不過是使柏拉圖的這個概念更加完備而已。這一假定使得兩人把參與視爲一個在道德上比義務和權利都更重要的概念，而且把公民身分看做是一種對共同生活的分享。從這個觀點來看，公民身分乃是人類幸福的頂點，或者至少在城邦和人類本性臻於完美之時是如此。這一假定代表了城邦國家倫理學和政治學的假定。因此，「抗議」的要旨就在於否定這種精神。斷言一個人爲了過完美的生

活就必須生活於城邦之外，或者即使生活在城邦之中但無論如何不能作城邦的人，那你就是確立了一個與柏拉圖和亞里斯多德的假定不僅相異而且根本相反的價值標準。斷言一個明智者應當儘可能少地從事政治活動，斷言他絕不願意承受擔任公職的責任或榮譽，而把這兩者都作爲引起憂慮的原因而予以躲避，你就會認爲柏拉圖和亞里斯多德所提出的關於智慧和美德的觀念是完全錯誤的。因爲這樣一種美德是屬於私人的，無論獲得它還是失去它都是一個人自己的事情，並非取決於一種共同的生活。「自我滿足」在從前被柏拉圖和亞里斯多德認爲是國家的一個特質，如今卻變成個人的一個特質。「善」變成了在城邦國家內是無法嚴格地被想像的東西，因爲「善」如今是一種隱私與退縮的「善」。正是這樣一種倫理學說的發展，標誌著城邦國家的黃昏。

　　柏拉圖和亞里斯多德對待這種退縮道德的態度是重要的。他們瞭解它的存在，但不能非常嚴肅地對待它。例如〈理想國〉中所談到的「豬國」（pig-state）❶或許就是對犬儒派生活方式的一種嘲笑，在那裡生活降到了最簡陋和最原始的程度。亞里斯多德所謂一個沒有國家而能生存的人，則這個人不是野獸就是神，其背後幾乎毫無疑問也帶有譏諷之意；提出個人自給自足理想的道德家自認有神的屬性，但他很可能過的是野獸般的生活。亞里斯多德只是在介紹他的理想國家時，曾打算論證政治家和哲學家生活的相對優點，但他並未眞的這樣做。他只是斷言「幸福在於活動」（happiness is activity）以及「無所事事的人一事無成」❷。我們幾乎可以確定，他想到的是犬儒學派，這並不是不可能的。根據耶格（Jaeger）的看法，他認爲：柏拉圖說過哲學家可能被迫返回書齋，他的學生便照這種精神而擴大其冥想生活的理想。總之，在以後的幾十年中，學園肯定是朝著這個方向發展了。至於亞里斯多德在這方面的論點，則僅限於警句的水平。他的政治思想的整個結構，假定公民的活動是主要的美德，他從未認眞地提出任何其他的觀點。

城邦國家的失敗

在柏拉圖和亞里斯多德的改良主義政治哲學中，除了認爲唯獨城邦國家在道德上是自足的這個理論上的假定之外，還有一個非常重要的實踐上的假定，不幸的是這個假定並非十分切合當時的情況。在統治形式所限定的範圍之內對城邦國家進行改良，因此理所當然地認爲城邦國家的統治者是自由行爲者，能夠透過選擇明智的政策來糾正其內部的錯誤。柏拉圖和亞里斯多德完全接受這樣的政治改良作爲一種道德制度，實際上意味著他們的政治視野受到了這種觀點的束縛。結果，他們誰也不能像他們本應做到的那樣敏銳地意識到外交事務，甚至在城邦國家的內部經濟方面也有著作用。的確，亞里斯多德爲了這一疏漏曾批評過柏拉圖❸，但不能說他自己就做得更好些。如果柏拉圖曾和亞里斯多德一樣，與馬其頓王國有密切的關係，他應該不可能看不到亞歷山大的成功，以及所具有的那種劃時代的重要性。作這樣的猜測是有趣的，即假定城邦國家需要合併到某種更加自足的政治單元中去，就像它自身合併家庭和村莊一樣，那麼如果亞里斯多德考慮到這樣的問題又會做何結論。然而，這超出了他的政治想像力之外。事實上，不管怎麼說，城邦國家的命運並非取決於它藉以管理其內部事務的智慧，而是取決於它與希臘世界其餘部份的相互關係，並取決於希臘與東方的亞洲以及與西方的迦太基和義大利的關係。推測城邦國家可以不顧這些對外關係所確定的種種限制而選擇它自己的生活模式，是根本錯誤的。如同許多其他明智的希臘人一樣，柏拉圖和亞里斯多德大概極爲痛惜希臘城邦之間的那種愛爭吵和好戰爭的關係，但正如結局所證明的，只要城邦保持著獨立，這些惡習就無法根除。

正如弗格森（W. S. Ferguson）教授❹所指出，希臘城邦從它歷史的早期開始，就面對著一個它始終無法解決的政治難題。如果不採取一種孤立的政策，它就不可能在經濟上或政治上達到自足，而如果它使自身處於孤立狀態，那就會在亞里斯多德視爲極度光榮的眞正文化和文明之中陷於停滯。另一方面，如果它沒有選擇孤立狀態，那它就會在政治

需要的驅使下尋求與其他城邦結爲聯盟，而這些聯盟在不損害其成員獨立的情況下是不可能成功的。一個現代的政治觀察家，應該理解這種窘境，因爲這與一個有較大包容性的經濟給民族國家帶來的境況是相似的。現代國家既不能使自己處於隔絕狀態，而且至少到目前爲止也不能過於限制自身的獨立以便組成一個較能生存的政治單元。現代一切與國際準則相聯合的關於完整國家主權的設想，都可以在希臘號稱獨立的城邦聯盟之中找到類似的模式。在西元前四世紀中葉，這些聯盟在希臘世界是最盛行的政治形式，但它們並未使那些國家保持持久和穩定。甚至，遲至西元前三八八年腓力（Philip）在科林斯（Corinth）組織泛希臘聯盟之時，如果那些城邦能夠同心協力，本來可以大大影響乃至控制馬其頓的政策，但城邦國家固有的政治獨立傾向卻使得它們失去了這個機會。如果聽其自然，希臘城邦是否能實現一種眞正有效的聯邦式統治，這只能憑空臆測。這種統治所必不可少的條件，就是城邦絕不能指望自身不受干預。

希臘人的各自爲政及其對於希臘政治生活的危害，甚至在柏拉圖時代就已不是新鮮話題了。特別是那些雄辯家，從西元前四世紀之初就鼓動城邦聯合起來以抵禦東方或西方的野蠻人。利恩蒂尼（Leontini）的高吉亞斯（Gorgias）在奧林匹克運動會上曾以此爲題進行了演說，就像後來萊西亞斯（Lysias）於西元前三八八年所做的一樣。伊索克拉特（Isocrates）也一直鼓動聯合，並活著看到了馬其頓的腓力所帶來的希望，因爲他相信腓力是實現這種聯合的命定之人。然而，安塔爾西達斯（Antalcidas）條約（於西元前387年）卻確立了波斯在宣戰與媾和問題上對希臘世界的宗主權，波斯的這種權力一直持續到科林斯同盟建立之後才轉入腓力之手，兩個世紀之後，羅馬的擴張力量又接替了對希臘的控制。因此，城邦國家在對外事務方面是一直處於失敗境地的，而且這種情況從西元前四世紀相當早的時期開始就多少可見了。即使同盟能成功地在城邦之中建立穩定的聯繫，它們仍然必須對付包圍希臘世界的東方、北方和西方的巨大政治力量，而這更是它們力所不及的。

然而，城邦不能使它們相互之間的關係保持穩定，並不單單是某個特別的管理部門的失職。在城邦國家中，外交事務和國內事務是從來分不開的，因爲在國內政治活動中，寡頭制各城邦的階級利益或民主制各

城邦的階級利益，在其內部政治活動中都是相似的，並且會頻繁地進行合作。地方政府的任何重要方面都必須以某種方式與城邦之間的政治和經濟關係相協調。在這一方面，對待馬其頓的干涉和對待城邦之間的關係並無兩樣。一般來說，馬其頓是關心財產利益的，這就是為什麼比較富有的階級以殷切態度注視腓力權力興起的一個重要原因。由於顯而易見的理由，民主派更多地關心的是地方愛國主義。亞歷山大和科林斯聯盟之間所訂立的條約，極好地說明了那種外交政策和國內政策密不可分的情況。這個條約除了賦予馬其頓和科林斯同盟以控制外交事務的權力之外，還使它們有責任在同盟各城邦鎮壓任何廢除債務、重分土地、充公財產或是解放奴隸的運動。以後的同盟都訂有相似的條款❺，這種貧富之間的古老爭端，柏拉圖和亞里斯多德視之為寡頭政治與民主政治的根本區別，隨著時間的推移絕沒有任何的縮小。說起來它倒是變得更尖銳了，外國的干涉可能在貧富之間重新劃線，但界線仍然存在。

　　實際上，城邦國家並不能解決希臘世界的社會問題和政治問題。如果認為在亞歷山大的征服之後出現的同盟及君主制真正解決了這些問題，那是錯誤的。愈益清楚的一點是，城邦國家的政治界甚至不談這些問題。馬其頓的興起，迫使人們徹底承認了兩個早已存在，但卻明顯地為柏拉圖和亞里斯多德所忽略的事實。一個事實就是城邦國家太小且太愛爭鬥，這使得它們甚至連統治希臘社會也統治不了，而且不論其本身如何改善，總不能使它能與它生活於其中的這個世界的經濟相稱。另一個事實就是，鑑於希臘城邦和亞洲內陸之間長期存在的經濟和文化關係，那種想像中的希臘人對於野蠻人的政治優勢，在東地中海並不存在。當亞歷山大慎重地採取把他的希臘人與他的東方臣民融合起來的政策時——這一政策肯定與亞里斯多德向他傳授的全部政治學說截然相反——他即刻接受了一個他的老師不曾看出其重要性的事實，而且還採取了一個肯定會使他老師的那些政治假定過時的步驟。

引退或是抗議

　　於是，另外一種政治哲學的存在和傳播就絕非偶然了，這種政治哲學與柏拉圖和亞里斯多德的政治哲學相比較，對城邦國家本身價值所持的態度要消極得多。城邦國家當然繼續存在著，而且它們之中的大多數將繼續長期由古老的統治機構來控制其地方事務。對於希臘化時期城邦國家所受到的控制，無法用一個總陳述來涵蓋其全部的程度和形式。然而，任何具有幽默感的觀察家都不會如此認真地看待城邦，以致認為它們的職位是一個極有意義的事業頂點。僅僅是對這樣一個事實的感受就可能導致消極的態度，即城邦的政府並非如人們所想像的那樣重要，任何城邦的生活在很大程度上都已不在它自己的支配之下，而且最有天才的政治家也不能指望在那樣的場所有多大的作為。其結果可能會導致一種失敗主義的態度，導致一種幻滅情緒，一種引退並創造一種私人生活的意願，而這種私人生活與國家利益很少有關係，甚至完全沒有關係，國家的成功可能會變得無關緊要，甚至會被視為實際上的災難。也許以伊比鳩魯學派（Epicureans）或懷疑學派為例，可以對這一觀點作出最好的說明。另一方面，只要不幸的人和被剝奪的人能夠成功地發表意見，那就會出現對城邦國家及其價值的更加直率的否定。這裡可以預期的是，引退可能伴隨著抗議之聲，或者伴隨著對現存社會秩序醜惡一面的強調。這樣的抗議是完全不能陳述它本身的適當理想，因此可能走向古怪想法乃至粗鄙的極端。最能說明這種傾向的就是犬儒學派（Cynic School）。

　　正如前已指出的，所有這些學派的特色，都在於它們並不遵循柏拉圖和亞里斯多德所設計的方法。它們的重要意義在於另闢蹊徑，在於開創了一種未來將賦予其重要意義的思想方法。因此，它們的作品在某些方面遠不如城邦國家偉大理論家的著作那樣完美。它們的創始者中，沒有人具有柏拉圖那樣超羣的才華，也沒有像亞里斯多德那樣無比精通城邦國家的歷史和政治。它們的重要性在於它們提出了不同的觀點，在於它們就最初的原則提出了種種問題，並且在完全不同於柏拉圖和亞里斯

多德所面臨的形勢之下，爲重新陳述這些原則開創了新的源頭。抱同情態度考慮城邦國家的失敗，就必須把這種失敗解釋爲道德上的大災難，至少對那些受到主要影響的階級而言是如此。總之，在整個價值設計主要是爲了在個人自私的時代裡，這種失敗的意義遠遠超過了一個政治事業的結果可能具有的意義。它迫使人們第一次產生了一些屬於個人特質並關於一己幸福的理想，這樣的一些理想，對一個接受了城邦國家理想訓練的希臘人來說，幾乎只能把它視爲一種權宜和一種背棄。這一點可以從大批出於宗教目的或社會目的而發展起來的私人社團中看出來，這種團體在古希臘時代是絕對不需要的，這是希臘化時期所特有的趨向❻。對於因城邦退出頭等重要地位而遺留下這些不能滿足的社會利益，這些社團的產生顯然是補償這種社會利益的一種努力。在柏拉圖和亞里斯多德看來，公民身分所提供的價值好像基本上似乎仍可令人滿意，或者至少是能夠得到滿足的，但在少數與他們同時代的人以及他們的越來越多的後繼者看來，這種看法顯然是錯誤的。正是在這個觀點上的深刻分歧，使得人們不得不暫時把柏拉圖和亞里斯多德所遺留下來的政治哲學撇在一邊。

所有教導個人自足之理想的學派，都聲稱直接起源於蘇格拉底的教誨。這些聲稱到底有多少眞實性是，已很難說清楚，而在親身瞭解他的一代人都已逝去之後，那些自命爲蘇氏的追隨者，對他的瞭解大概也不會比現在的人多多少。蘇格拉底變成了，並且幾乎始終是一位神話式的人物，是理想的智者和哲學英雄，每一個學派都把他樹爲其學說的公認的典範。然而，在某種意義上，哲學問題確實回到了柏拉圖進行研究時所碰到過的狀況。這就是重新討論那個老問題，即關於自然的涵義以及它與合乎一般道德的習慣法和約定的常規之間的關係。對於柏拉圖所屬的那一代人來說，情況當然是如此，因爲他們每一個人都是從蘇格拉底所中斷的地方開始研究的，但在後來的時期裡，對發現自己不接受柏拉圖和亞里斯多德所提供的精細解決方案的人們來說，情況也是如此。對於這一點愈是感到懷疑，即城邦國家是否眞的提供了使文明生活得以實現的唯一條件，就愈有必要重新檢查這個先前的問題：美好生活的理論衍生自人性，而人性之中的基本而永恆的因素是什麼呢？柏拉圖曾考慮過以及否定過的理論，又得到了一個新的闡述機會。

如前所述,在這一關係當中,應當考慮的有兩種主要的政治哲學形式:第一種在伊比鳩魯學派中得到了最充份的發展,雖然就伊比鳩魯派和懷疑學派的政治理論的否定性而言,它們之間的差別並不重要;第二種是犬儒學派的非常不同的政治哲學。按照這個順序來考慮這兩種理論形式將是合適的。

伊比鳩魯學派

概括地說,伊比鳩魯學派❼的宗旨與亞里斯多德之後的這段時期的一切倫理哲學的宗旨大致相同,即在其弟子當中造就一種個人自足的狀況。出於這個目的,它教導人們美好的生活在於享樂,然而它對於這一點的解釋卻是消極的。真正的幸福在於避免一切痛苦、煩惱和憂慮。伊比鳩魯謀求在他的學生圈子裡實現由志趣相投的友誼所造就的種種快樂,這些快樂構成了他幸福說的積極內容,而這牽涉到要從對公共生活毫無用處的掛念之中引退下來。因此,聰明人除非環境所迫,否則是不會去從事政治活動的。這種學說的哲學基礎,是從較早的哲學中沿用下來而徹底的唯物主義體系,選擇這個體系,顯然不是因為它確實可靠,而是因為確信它能給人以慰藉。它所以給人慰藉的力量,秘密在於伊比鳩魯把對於宗教、對於上天報應的憂慮以及對於神靈的不可理解的怪想,通通看作是屬於由人們繼承而來最危險的事情。我們或許可以確定,神並不關心人,對人們生活進程中的善或惡都不加干涉。實際上,這是伊比鳩魯派學說中最強而有力的部份。這派的學說對各種各樣的迷信行動和信念都予以尖刻的批評,諸如對占卜和占星術——這確是真正的禍害——而且它在這方面的成績大可與斯多噶學派(Stoicism)相對照,後者只準備在顯然是不正確的普通信念中發現真理的影子。

因此,就整個的世界而言,自然只是物理,萬物都由其中的原子組成。就人類而言,自然(本性)即是自利,即每一個人為他自己的幸福而著想的欲望。一切人類行為的其他準則都屬於約定俗成的習俗之類,因此對於明智者是沒有意義的,除非習俗能夠造就比人們在沒有約定俗成的規則下所能得的幸福更大的幸福。因此除了幸福之外,不存在任何

固有的道德價值，而且也不存在任何種類的固有價值——

> 從來不存在絕對的正義，只存在爲防止人們遭受傷害而在任何地區的人們相互交往之中不時形成的習俗。❽

反對固有價值的論據是，在不同時期和不同地方流行著各種各樣的道德準則和實踐。這個論據最初爲某些辯士（Sophist）所利用，而且柏拉圖在〈理想國〉中討論正義時也注意到了（並加以反駁）。後來，懷疑論者卡尼亞德斯（Carneades）爲反對斯多噶學派，曾非常詳盡地探討了這個論據。❾這個論據之中的重點是，美德是一種私人的感受，而且，任何的社會安排只有在能確保最大可能的私人利益條件下，才能被證明是合理的。

因此，國家的形成完全是爲了獲得安全，特別是爲了防止他人的劫掠。所有人在本質上都是自私的，並且只謀求他們自己的利益。但這樣一來，每個人的利益就會受到所有他人的同等自私行爲的危害。因此，人們彼此之間就會達成一種默契，既不損害別人也不受別人損害。不正義的行爲就它本身而言並非無利，然而在得不到保護的情況下遭受其後果所帶來的損失，將會超過它可能得到的任何利益。由於普遍的不正義行爲所造成的事態是難以忍受的，於是作爲一種有效的妥協，人們就採取了這樣的方法，即尊重別人的權利以使別人能對他採取同等的克制態度。國家和法律作爲便利人們相互交往的一種契約，就是按照這種方式產生的。如果不存在這樣的契約，就無所謂正義。法律和政府的存在是爲了共同的安全，它們之所以有效，完全是因爲法律的懲罰使得不正義的行爲無利可圖。明智的人將公正行事，因爲不正義行爲所得利益是不值得去冒可能敗露並遭受懲罰的風險的。道德和權宜這兩者是一致的。

由此當然可以得出這樣的結論，即人們所認爲的正義和公正行爲，隨著環境、時間和地點的改變而改變——

> 習慣法中任何在相互交往而產生的需求之中被證明是有利的東西，不論是否適用於所有的人，在本質上都是公正的；而如果任何法律的制訂和實行不能證明是有利於相互的交往，那就不再是公正的了。如果法律所表示的權宜辦法會發生變化而只是暫時與正義的概念相一致，那麼，只要我們不爲空洞的術語擔心而廣泛地著眼於事實，

在這段時間裡它仍然是公正的。⓾

毫無疑問，一般說來，正義在所有人民中大體上是相同的，因為人性在任何地方差不多都是相同的，但也不難看出，至少在正義的運用上，權宜的原則會根據人們所過生活的種類不同而多少有所不同。因此，對某些人民是錯誤的東西，對另外一些人民卻可能是正確的。由於相似的原因，一項因為促進了人類交往而本來或許是公正的法律，也可能因為情況的改變而成為錯誤的。總之，對法律和政治制度的檢驗完全在於是否便利，只要它們滿足了安全的需要，並且使得相互交往更安全和更容易，它們就符合公正一詞唯一明確的涵義。因此很自然的，伊比鳩魯學派儘管極少留心政體形式，卻大體上選擇了君主制作為最強有力並且因而是最可靠的政體。毫無疑問，這些結論主要是從有產階級那裡得來，對他們來說，安全總是一個較大的政治上的好處。

伊比鳩魯學派社會哲學的支柱，一種給人深刻印象的理論，建立在純粹唯物主義原則之上的關於人類制度的起源和發展的理論。這一理論在盧克萊修（Lucretius）的詩集《物性論》（De rerum natura）的第五卷中保存了下來，不過它大概來源於伊比鳩魯。一切形式的社會生活：政治制度和社會制度、藝術和科學，即一切人類文化活動，都是在人的智能而非其他智能的干預下發生。生活本身的存在，純粹是物質原因造成的結果，而伊比鳩魯從恩佩多克勒（Empedocles）那裡借用來的一個理論，很粗淺的提示了關於自然選擇（自然淘汰）的現代假說。人類並非天生傾向於羣居，而且除了不停地追求個人幸福之外，沒有其他的衝動。最初，人過的是一種飄泊不定和孤獨的生活，在洞中謀求庇護，並且同野獸鬥爭以求自立。邁向文明的第一步是偶然發現了火。漸漸地，他學會了以茅屋來保護自己，並且以獸皮來遮身。語言起源於叫喊，透過叫喊他本能地表達他的情感。經驗再加上或多或少是明智地使行為適應於自然環境，終於造就了各種各樣有用的技藝，造就了有組織的社會的制度和法律。文明完全是人類固有的能力在自然環境所確定的條件之中發揮作用的創造物。對神的信仰是在幻想中產生的，智慧的開端在於瞭解到神根本不參與人類的事務。

這種純粹的自我主義和以契約為基礎的社會進化理論和政治哲學，直至現代才有可能得到充份的開展。這種理論在現代又重新活躍起來，

而霍布斯（Hobbes）的政治——在其作爲基礎的唯物主義方面，在把一切人類動機歸結爲自私自利方面，以及認爲國家的建立是出於安全需要方面——與伊比鳩魯學說是極其相似的。在古代世界，思想的趨勢與其中的一個最重大的組成部份——它攻擊宗教和迷信——恰相對立因爲在有關人類的利害關係當中，宗教的重要性在相當穩定地增長。然而從整體來看，伊比鳩魯學說確實是一種逃避現實的哲學，攻擊它是一種肉慾主義，從而予其名稱以一種壞的意義，基本上沒有什麼根據，但這種學說大概傾向於鼓勵一種無生氣的唯美主義，這種唯美主義沒有能力去影響，或者根本不想影響人類事務的進程。對個別的人來說，它是平靜和安慰的來源，但在一時卻無助於政治思想的進展。

犬儒學派

犬儒學派或許堅持的也是一種逃避現實的哲學，不過這種哲學屬於一種非常不同的類型。犬儒學派比任何其他學派都更系統地闡述了對於城邦國家和城邦國家作爲基礎的社會分類的抗議，而他們的逃避就是放棄一切人們通常所說的幸福生活，在於拉平一切社會差別，在於拋棄種種樂事，有時甚至是拋棄合於社會習俗的種種禮節。顯然，他們來自於外國人和流亡者的行列，確切地說，來自於那些早已不具有城邦公民身分的人。這個學派的創始人安提西尼（Antisthenes），其母親是色雷斯人（Thracian），這個學派最著名的成員爲錫諾普（Sinope）的第歐根尼（Diogenes），是一個流亡者，而它的最具代表性的人物克拉特斯（Crates），幾乎放棄了所有財產，只爲作一個遊方乞丐和教師，過一種達觀的貧困生活。他的妻子希帕奇亞（Hipparchia）是一個名門閨秀，最初是他的學生，後來又成了他的流浪伴侶。犬儒學派形成了一個由流浪教師和民間哲學家構成的多少有點模糊不定又相當沒有組織的團體，他們按照原則過著貧困的生活，多少使人聯想到中世紀的托鉢僧。他們的學說多半是講給窮人聽的，他們教導人們蔑視一切習俗，而且他們在舉止上，往往會假裝出令人震驚的粗魯和不講禮貌。就在古代世界所造就的這樣一種現象而言，犬儒學派可以說是無產階級哲學家的

最早典範。

犬儒學派學說的哲學基礎是這樣的信條，即智者應當完全自足的（ wise man ought to be completely self-sufficing ）。他們所志行的這個信條的意思是，只有在他的能力，在他自己的思想和品格之內的東西才是構成幸福生活所必需的。除了道德品質之外，一切都是無關緊要的。在犬儒學派所指的無關緊要的事情中，包括財產和婚姻、家庭和公民資格、學識和良好的聲譽，總之，就是文明生活所通行的一切虔敬和常規。這樣，希臘社會生活的一切通常的差別都受到了一次毀滅性的批判。富人和窮人、希臘人和野蠻人、公民和外國人、自由人和奴隸、出身富貴的人和出身低賤的人全部平等了，因爲他們全部都被降到無關緊要的共同水平之上了。然而，犬儒學派的平等是虛無主義的平等。這一學派從未成爲宣傳博愛或改良的社會學說的媒介，而總是傾向於禁欲主義和清教主義。因爲貧窮和奴隸制在他們看來完全無足輕重，確實，自由人絕不比奴隸好，但無論前者還是後者，其本身都不具有任何價值，而且犬儒學派也不承認奴隸制是罪惡或自由是一種美德。看來，驅使他們的是古代世界普遍存在的對社會歧視的眞正憎恨，但是這種憎恨導致他們對不平等採取了不予理睬的態度，並且到哲學中去尋求進入精神王國的門徑，在那裡，憎恨將起不了作用。這種學說幾乎與伊比鳩魯主義一樣，也是一種「斷念哲學」（ philosophy of kenunciatin ），不過它是禁欲主義（ asceticism ）和虛無主義（ nihilism ）的斷念，而非唯美主義的斷念。

結果，犬儒學派的政治理論成了烏托邦理論。據說安提西尼和第歐根尼都寫過政治學著作，好像都描述了一種理想化的共產主義，或者也許是無政府狀態，其中財產、婚姻和政府都消失了。正如犬儒學派所設想的，這個問題並不是一個涉及絕大多數人生活的問題。因爲大多數人，無論屬於哪個社會階級，總之都是傻瓜。美好的生活僅僅是對明智者而言的。同樣，一種眞正的社會形態也只與明智者有關係，哲學把它的信徒從城邦的法律和習俗的束縛下解放出來；明智者無論在任何地方都安適自在。他不需要家，也不需要國，不需要城市，也不需要法律，因爲他自己的美德就是他的法律。所有的制度同樣都是矯揉造作的，同樣都不值得哲學家去注意，因爲在那些達到道德自足的人們之間，這些

東西全都不需要了。唯一眞正的國家是這樣的，在其中智慧是公民資格的必要條件，而且這樣的國家既無固定的處所也無法律。各地的一切明智者將組成一個單一的社會共同體，一個世界城市。正如第歐根尼所說，明智者是「世界主義者」，是世界公民。這個關於世界公民身分的概念涉及到了一些重要的後果，並且在斯多噶哲學中曾有不凡的歷史，不過，這主要是由於斯多噶派賦予了它積極的意義。犬儒學派所強調的只是它的消極面：原始主義，除了因明智者的責任感而起外，公民的和社會的聯繫，以及各種禁制都予以廢除。犬儒學派反對社會習俗的主張，是一種在極端虛無主義意義上回歸自然的學說。

犬儒學派在實踐方面的重要性在於它是斯多噶哲學得以產生的母體。然而，犬儒學派卻有一個或許是與其重要性不相稱的志趣。過了二千年之後，很難重新揭示其政治思想中比較含糊的因素，以及那些和國家中更有發言權的各階級所不一致的因素。犬儒主義的興起和傳播表明，甚至早到蘇格拉底時代，就有一些受到城邦國家制度沉重壓迫的人認爲城邦國家並不是應當被理想化的目標。由於柏拉圖和亞里斯多德的反對，這些人肯定只是次要的預言家。然而，他們在西元前四世紀之初所看到的城邦國家重要性的日趨衰落，不過是該世紀末大家所目睹到的現象。

註　解

❶372 d。

❷7，3；1325a 16 及以下。

❸《政治學》，2，6；1265a 20。

❹《希臘化時期的雅典》，1911 年版，第 1 頁及以後數頁。

❺塔恩（W. W. Tarn）：《希臘化時期的文明》，1927 年版，第 104 頁。

❻同上，第 81 頁。

❼這個學派是伊比鳩魯於西元前 306 年在雅典創立，作為雅典四大學派之一，它持
　續了幾世紀之久。它是透過阿里斯蒂帕斯（Aristippus）而與蘇格拉底聯繫起來
　的。

❽〈金言〉（Golden Maxims），第 33 頁，見希克斯（R. D. Hicks）所著《斯多噶
　學派和伊比鳩魯學派》（Stoic and Epicurean），1910 年版，第 177 頁及以後數
　頁。

❾西塞羅詳細評論了卡尼亞德斯（Carneades）的論據；〈理想國〉第 3 卷，第 5～
　20 頁。

❿《金言》，第 37 頁。

參考書目

1. *The Greek Atomists and Epicurus.* By Cyril Bailey. Oxford, 1928. Ch. 10.

2. *Titi Lucreti Cari De rerum natura.* Ed. with Prolegomena, Critical Apparatus, Translation and Commentary by Cyril Bailey. 3 vols. Oxford, 1947. Prolegomena, Section IV.

3. *A History of Cynicism from Diogenes to the 6th Century A. D.* By Donald R. Dudley. London, 1937.

4. *Epicurus and His Gods.* By A. M. J. Festugière. Eng. trans. by C. W. Chilton. Oxford, 1955.

5. *Stoic and Epicurean.* By R. D. Hicks. London, 1911. Ch. 5.

6. *The Greek City from Alexander to Justinian.* By A. H. M. Jones. Oxford, 1940.

7. *Representative Govemment in Greek and Roman History.* By J. A. O. Larsen. Berkeley, Calif., 1955.

8. *The Social and Economic History of the Hellenistic World.* By M. Rostovtzeff. Oxford, 1941.

9. *Diogenes of Sinope: A Study of Greek Cynicism.* By Farrand Sayre. Baltimore, 1938.

10. *The Greek Cynics.* By Farrand Sayre. Baltimore, 1948.

11. *Hellenistic Civilisation.* By W. W. Tarn. 3d ed. rev. by the author and G. T. Griffith. London, 1952. Ch. 10.

第二部
關於世界共同體的學說

第九章
自 然 法

　　在政治哲學史中，西元前三二二年亞里斯多德的去世標誌著一個時代的結束，正如那早他一年去世的最傑出的弟子一生標誌著政治學和歐洲文明史的一個新時代的開始一樣。城邦國家的失敗好像在政治思想史上劃了一條鮮明界線，從這一時期開始，這一歷史就一直持續到了我們今天。正如卡萊爾（A. J. Carlyle）教授所指出，如果說政治哲學的延續在某一點上中斷了，那就是亞里斯多德的去世❶。比較起來，基督教的興起只不過在它的進程中造成了一些表面上的變化。然而，無論後來政治思想上的變化有多大，它們終究是有連續性的，從斯多噶學派中出現的自然法理論直到關於人權的革命學說，都是如此。柏拉圖和亞里斯多德對城邦國家理想的莊嚴陳述，與城邦的衰落以及這種哲學完全不能適用於後世人們，形成了如此富於戲劇性的對照——

　　　人作爲政治動物，作爲城邦或自治城邦國家的一部份，已經同亞里斯多德一道完結了；而作爲一個個人，則是與亞歷山大一道開始的。這種個人，需要考慮他自己的生活規則，還要考慮同他人的聯繫，他和其他人共同組成「人居住的世界」。爲了滿足前一個需要，就出現了種種指導行爲的哲學；爲了滿足後一個需要，則出現了某些關於四海之內皆兄弟的新思想。這些都發生在這樣一天——一個歷史上決定性的時刻，當時，在歐庇斯（Opis）的一個宴會上，亞歷山大祈求能精誠團結（homonoia），祈求能有一個馬其頓人和波斯人的聯合國家。❷

個人和人類

　　總之，人們不得不學會他們從來不曾經歷過的單獨生活，並且不得不學會在一種新的、遠比城邦國家規模更大、更少個人色彩的社會聯合體中共同生活。這第一個任務有多麼困難，也許可以從整個古代世界宗教形式的穩定發展中看出來，這些宗教形式提供了個人求生的希望，提供了某種與一位往往是受難或垂死的神進行神秘結合的正式儀式，提供了在今生和來世得救的手段，而且以更粗俗的形式，提供了改變命運和確保獲得神靈幫助的巫術❸。亞里斯多德以後的一切哲學都成了進行倫理說教和安慰的媒介，而且隨著時光的流逝，越來越具有宗教的特色。在任何信仰或感覺的意義上，通常一個有教養的人所具有的哲學不過是宗教而已。在這一時期，沒有任何社會傾向比人們對宗教日益增長的關心，或者說比宗教制度日益增長的重要性更引人注目，這種傾向以基督教的出現和基督教教會的形成而達於頂點。不能不看到，這種宗教的發展對人們是一種情感上的幫助，沒有它，人們會感到他們是孤獨地面對著這個世界，並且會發現他們天生的力量對於嚴峻的考驗來說是太軟弱了。在這一過程中產生了一種自我意識，一種屬於個人隱秘和內在的意識，這種意識是古典時代的希臘人從來不曾有過的。人們正在緩慢地爲他們自己製造靈魂。

　　學習在一種四海皆兄弟的新形式中共同生活有多麼困難，或許可以從政治哲學和倫理哲學對社會關係進行重新解釋的努力中看出來，這種解釋所用的是另外的言詞而非城邦國家所提供的用語。個人的隱秘的和單獨的意識有其相反的一面，這就是人意識到自己是一個人、是種族的一員，擁有不論在什麼地方都或多或少是同一的人性。由於把公民結合在一起的親密聯繫破壞了，從而使他只是一個人而已。現代的法國人或德國人還保持著一種與他人不同的民族意識，這一點至少在他自己看來是如此，甚至當他生活於國外時也是如此，但在古代社會卻不存在這樣的民族意識。在希臘化時期，一個講阿蒂卡希臘語（Attic Greek）的人，至少在從馬賽勒（Marseilles）到波斯之間的各城市裡可以通行無

阻。隨著時間的推移，甚至一度純屬血統問題的公民身分，也能夠馬上
在幾個城市裡獲得，而且各城市實際上都可以把公民身分授予另外一個
城市的全體公民。把人們劃分為種種集團的獨特意識已極少存在。只要
一個人不是一個單獨的個人而且不單單是他自己，他就是一個與其他人
一樣的人，是人類物種的一員。至少，當古老的聯繫走向衰微，特別是
當希臘人和野蠻人的區別在發生於埃及和敍利亞的混合面前日益縮小之
際，情況就更是如此了。

　　因此，政治思想有兩個觀念應當弄清楚，並且需要在一個共同的價
值設計中把它們緊密地結合起來：一個是關於個人的觀念，即具有純粹
個人和私人生活的獨特的人類一員；另一個是關於普遍性的觀念，也就
是在世界範圍的人類中，一切人所具有的共同人性。假定像這樣的個人
具有其他個人理應予以尊重的價值，那麼第一個觀念就可以賦予其道德
上的意義。這樣的假定在城邦國家的倫理道德之中所起的作用並不大，
在那裡，個人都是作為公民出現，其重要性取決於他的地位或他的職
責。在一個巨大的社會裡，幾乎不可能說一個個人會有什麼職責——除
非在某種宗教的意義上——但可以說他能夠實現其微不足道的價值。他
可以宣稱他自己不可分享的精神生活是一切其他價值所由產生的根源。
換言之，他可以要求享有一種固有權利，即他的人格應受到尊重的權
利。但是這一要求本身需要為關於普遍性的觀念增加一個相應的道德涵
義。在僅僅是類別的相似上再加上「精神上的相似」（homonoia 或
concordia），也就是要同心同德，使人類形成一種共同的家庭或兄弟
關係。為使當時的一句口頭禪適合於基督教的目的，聖保羅（St.
Paul）提出：「恩賜原有分別，聖靈卻是一位。功用也有分別，上帝卻
是一位。……就如身子是一個，卻有許多肢體，仍是一個身子，基督也
是這樣。」❹

　　這個由自主個人組成的世界性社會的概念，與城邦國家道德上的親
密關係是有很大的距離，但這兩者並不互相矛盾。指出希臘化時代的哲
學是試圖把最初看來僅限定於城市之內的種種理想反映到宇宙論的領域
中去，那可能是更為正確的。亞里斯多德曾堅持的公民身分的兩個要素
包括：它應當是地位相等者之間的一種關係，應自願效忠於一個守法而
不是具有專制權威的政府。但他又推斷，平等只有在一個狹小和精選的

公民羣體中才能得到維護。新的概念斷定，平等是針對一切人的，甚至
包括奴隸、外國人和野蠻人。因此，它不得不把個人品格的內容或者沖
淡爲在上帝眼中一切靈魂的有點神秘的平等；或者沖淡爲在法律面前人
人平等，而不再顧及智力、品格和財產方面的不平等。然而，儘管比較
抽象，它仍然可以像亞里斯多德那樣論證，即自由的公民身分意味在某
些領域內，國家應當不計人們的差別而一視同仁。同時也可以像亞里斯
多德一樣堅持，對於權威的要求乃是對於權利的要求而不是對於暴力的
要求。對於這樣的要求，一個帶有善意的人在不失去他固有道德尊嚴的
情況下是能夠同意的。這也涉及內容的一種淡化。爲了取代體現單一城
市高度一致之傳統的法律，就不得不爲整個文明世界設想一部法律，一
部每一城市的民法都僅僅是它的一個特殊實例且富於包容性的法律。

　　這個對於觀念的重新調整和對於理想的重新修訂，是政治哲學在城
邦國家崩潰之時所面臨的重大任務。這個任務的完成，也許比任何事實
都更能證明希臘哲學的持久性。似乎要成爲文明之不幸的事情，又變成
了一個新的起點。這個雙生概念，即有關人權和正義及人道所具有普遍
約束力的規則，已牢固地植入了歐洲人民的道德意識之中。不論它們在
文字上受到了多麼嚴重的蔑視和曲解，它們的根紮得是這樣的深，甚至
像現代民族主義那樣強大力量的興起也不能將其摧毀。關於自由公民身
分的理想，經過變革能夠迎合這樣一種情況，在其中，擔任公職和執行
政治機能所引起的作用都無足輕重了，然而這個理想並未完全消失，因
爲它作爲一種關於法定地位和權利主體的概念將繼續存在，個人可以根
據這種概念要求國家進行保護。最後，這個概念被保存下來，這樣，習
俗、約定俗成的權利和特權以及征服之權就應當在實行更高法律的法庭
面前爲自己進行辯護，使它們至少應當受到理性的批判和質問。

和諧與君主制

　　這個重新解釋和重新修訂的工作需要經過一個漫長的時期，並且需
要得到來自多方面的貢獻。這項工作的開始階段格外模糊，不過就哲學
方面而言，人們最終確認它與斯多噶學派哲學的出現大體一致。這是第

四個也是最後一個偉大的雅典學派，是希提烏姆（Citium）的芝諾（Zeno）在稍早於西元前三○○年的時候創建。與其他學派相比，這個學派與雅典乃至希臘的關係都不怎麼密切。它的創始人是腓尼基人（Phoenician），這肯定意味著他的雙親至少有一人是閃族人（Semitic）。在芝諾之後，這一學派的領袖通常都來自於希臘世界的邊遠地區，特別是來自於小亞細亞，在那裡，希臘人和東方人的融合進程最為迅速。直到西元前一世紀，當雅典已不再是斯多噶哲學的中心時，才有一位雅典人成了它的領袖。例如它的第二創始人克呂西波斯（Chrysippus），來自於西里西亞（Cilicia），而把斯多噶哲學帶到羅馬的帕內修斯（Panaetius）則來自於羅得島（Rhodes）。因此，斯多噶哲學從一開始就是一個希臘化時期的學派而不是希臘學派，而且古人們自己也相信其學說與希臘化政治的關係，如普魯塔克（Plutarch）的說法即為證據，即亞歷山大創建了芝諾所建議的那種國家❺，雖然這種說法與其說指的是芝諾本人還不如說是指的後期的斯多噶哲學。特別重要的事實是，斯多噶哲學對西元前二世紀有教養的羅馬人有很大的吸引力，而且希臘對羅馬法學的形成時期所以能夠發生影響，就是以斯多噶哲學為媒介。

斯多噶哲學在開始階段是犬儒主義的一個分支。根據可能是虛假的傳說，芝諾在撰寫他論述國家的著作時，還是克拉特（Crates）的一個學生，這部著作的殘篇表明，它肯定在很大程度上是按照第歐根尼（Diogenes）所描述的輪廓而提出來的一個烏托邦。他說，在理想的國家裡，人們將作為單純的「人羣」而生活，沒有家庭並且大概也沒有財產，沒有種族或等級的區分，不需要錢或法庭。芝諾之所以脫離犬儒學派，是因為自然主義導致了他們的粗魯和沒有禮貌，但他早期對他們的依靠仍然給新的學派帶來了困擾。在斯多噶哲學中根深蒂固地存在著一種空談理論的烏托邦主義因素，它始終沒有擺脫這種因素，儘管這一點越來越無足輕重，特別是在中期斯多噶學派使其學說適應於羅馬所用之時。只要它的政治理論為哲學家所假設的社會提出的是不可能實現的理想，它就不可能真正採納這個和諧的新觀念。放棄希臘人和野蠻人的區別是一個進步，但代之以一個智者和愚者同等鮮明的區別，則於事絕無更大的補益。

　　關於和諧的觀念，與希臘化時期的王權理論有著密切的聯繫。芝諾與他的學生馬其頓王安提戈努斯二世（Antigonus Ⅱ）的私人關係，以及學派的一個成員受命去教育安提戈努斯的兒子，這些事實都暗示著一種開明專制的傾向，但這並不是斯多噶哲學派的普遍特徵。塔恩先生（Tarn）論證說，在希臘人和野蠻人之間造就和諧的計畫是亞歷山大本人所提出，哲學家們的提議則是後來的事。無論如何，關於王權的理論很可能並非來源於斯多噶學派。❻形勢使然才使得君主制能夠引起政治理論家的注意，而在古典時代則不然。亞里斯多德只是把君主制作為一個學院式的問題來對待，但亞歷山大帝國以及這個帝國分裂為若干部份，卻使得古代社會的很大一部份臣服於國王的治下——埃及的托勒密王朝（Ptolemies）、波斯的塞琉古王朝（Selucids）以及馬其頓的安提柯王朝（Antigonids）——甚至那些聯盟也受到了它們的影響或控制。這些新的君主制國家（除了馬其頓），命中注定是專制的，因為沒有任何其他統治形式能將希臘人和東方人結合起來。國王不單單是國家的首領，他實際上就是國家本身，因為沒有任何其他的凝聚力量能使之結合為一體。由於這些王國是由非常不同的因素構成，因此它們必須讓大量地方風俗和地方法律維持原狀，使之服從於王國統一所需要的種種管理。這樣就產生了國王法即共同法與地方法之間的區分。國王成了特殊意義上的統一和良好統治的象徵。

　　然而，希臘化時期的專制主義並未完全喪失這種希臘意識，即政體不應僅僅是軍事專制主義。在亞洲和埃及，國王的神威在宗教中得到了承認，在他死後或者甚至在他生前，就在正式的祭儀中受到了參拜。從亞歷山大開始，希臘化時期的國王就被列入了希臘城邦的諸神之列。受到神化的國王，在東方成為了一種普遍的制度，最後，羅馬皇帝也不得不予以採用。這樣，關於「環繞國王之神威」的信念就進入了歐洲人的思想，並以各種不同形式一直持續到現代。這個概念絕不意味著臣民就特別卑下；對有教養的希臘人來說，這種做法肯定不具有真正的宗教意義，而且在任何情況下，一個人被擡舉到神的行列也不值得大驚小怪。許多希臘城邦的英雄或法典制定人都享有這種榮光。在這些城邦，這種作法的目的和結果都是政治性的，它給予享有這種榮光的亞歷山大及其繼承者以必要的權威，使他們與城邦的聯盟能卓有成效。❼即使在君主

制國家，對於國王的正式參拜也有一種法制的意義，這與神權理論在十六世紀君主制國家中的意義並非完全不同。這是賦予國家以統一性和同質性的最有效的手段，而且這是一種表達方式，表明在國王權威的背後有著某種行使權利的資格。再者，它給予國王法一種超越國王壽命的延續性，而如果這種法只是國王個人意志的體現，那就不可能要求得到這種承認了。最後，宗教的頭銜，諸如救世主和保護人，可能是對一個好國王能夠做什麼的真正描述，臣民對於安定和良好治理的感激之情往往是真誠的。

因此，在希臘化時期就產生了一種關於受到神化的國王的理論，這種理論實際上把國王所應當具有的影響歸之於他的主要天性。一個真正的國王也就是神，因為他給他的王國帶來了和諧，正如上帝給世界帶來了和諧一樣。另有一種廣為流行的說法認為，國王是活的法律，是統治整個宇宙的法律原則和權利原則的人格化形式。因此，他具有一種普通人所不能分享的神威，這種神威會給未經上天應允而對高級職位提出要求的卑劣篡位者帶來災難。因此，他的權威具有道德上和宗教上的制裁力，他的臣民在不喪失其道德自由和尊嚴的情況下，都能夠承認這種制裁力。因為人們一直存在著這樣一種信念，即國王身分與專制主義在本質上是不同的──

　　唉！但願能從人性中除去服從的必要性！可是事實上，我們都是遲早會死的動物，無法免除我們的世俗性的最下流的痕跡，因此，服從的行為幾乎是一種必要的行為。❽

世界城市

然而，對於君權神授的理想化，並沒有出現在斯多噶哲學的古典形式之中，也許是因為它獲得系統性的說明，還是雅典對馬其頓已重新獲得了至少是有條件的獨立。在克呂西波斯（Chrysippus）的掌握之下，斯多噶派在西元前三世紀的最後二十五年中成了雅典最大和最受尊重的學派，而斯多噶哲學則呈現出了在其整個歷史中一直保持著的系統形式。雖然克呂西波斯可怕的寫作風格使得他成了枯燥無味和咬文嚼字

的化身，但他卻成功地賦予斯多噶哲學一種形式，從而以一種古代風格使這種哲學成爲「人們在政治、道德和宗教信念上的思想支柱」❾。它爲世界範圍之國家的觀念提供了一種積極的道德涵義，並且提出了一種具有普遍性的法律，這種法律曾被犬儒學派僅作爲對城邦國家的否定而提出。

　　斯多噶哲學在道德上的宗旨，與其他後亞里斯多德學派的哲學相似，也就是，造就自足和個人幸福。事實上，這個學派對它的理想究竟是超然於世俗利益之上的聖者還是一個現實的人，始終有點舉棋不定。一個斯多噶派門徒和一個伊比鳩魯派門徒都會教導說，有一部份智慧是從人世間得來的。然而出於兩個原因，決定這一點不是斯多噶學派的主要傾向。首先，它謀求通過嚴格的意志訓練來教授如何自足；它所倡導的美德是剛毅、堅忍、忠於職守以及對享樂的誘惑漠然處之。其次，一種與**喀爾文主義**（Calvinism）相類似的宗教學說增強了這種義務感。斯多噶學派對於神的非凡統治力量堅信不疑，他感到自己的生命是上帝指派給他的一種天職，是一種責任，就像士兵的責任是他的指揮官所指派的一樣。另外一個常用的形象化說法是舞臺，而人們只不過是這個舞臺上的表演者，每一個人的責任就是演好分配給他的角色，不管這個角色是引人注目的還是微不足道的，是幸福的還是悲慘的。斯多噶學派的基本信條，就是一種關於自然的統一與完美，也就是關於一種眞正的道德秩序的宗教信念。對他們來說，按照本性生活意味著服從於上帝的意志；與一切善的力量合作，意味著對有利於正義的超人力量的依賴感，以及出於信任世界的慈善及合理性而產生的鎮定自若。

　　因此，人性和一般的本性在道德上是基本吻合的。斯多噶學派透過這種說法來表述這樣一點，即人是理性的，而上帝也是有理性的。給世界帶來生機的同一把聖火，將火花也投入了人的靈魂之中。而這樣，就在靈魂世界的創造物中給了人類一個特殊的位置。動物依據它們的不同種類得到了生活所需要的本能、衝動和力量，而人則有理性。人能講話並且有是非意識，所以，在所有生物當中只有人適合於社會生活，而且對人來說，這樣的生活是必不可少的。人是上帝的兒子，因此彼此之間是兄弟。在斯多噶學派看來，這種對於神的信仰，實質上是相信社會目的的價值，相信善者將承擔其中的一份義務。正是這種信念使得斯多噶

哲學成了一種道德的和社會的力量。它本身並沒有任何烏托邦式的東西，儘管較早期的斯多噶學派事實上很可能把他們的哲學英雄當作偶像來崇拜。

據此，就有了一個世界之國。神和人都是它的公民，而且它還有一部憲章，這就是公正的理性，它教導人們必須做什麼和避免什麼。公正的理性是自然的法則，無論在什麼地方都是正義和公理的標準，它的原則是不可改變的，它約束著一切人，不論是統治者還是臣民，它是上帝之法。克呂西波斯在他的著作《論法律》（ *On Law* ）中，就以如下的表述來開頭：

> 法律是神和人的一切行為的支配者。就什麼是高尚和卑下的問題而言，它肯定是指導者、統治者和引路者，因此它是正義和非正義的標準。對於一切具有社會性的存在者（人類）來說，法律指引著必須做的事情並且禁止一定不能做的事情。

在特定地區流行的傳統的社會差異，對世界國家來說並沒有任何意義。早期的斯多噶學派效法犬儒學派，繼續否認一個明智者的城邦需要任何制度。他們宣稱希臘人和野蠻人、出身高貴者和普通人、奴隸和自由人、富人和窮人都是平等的，人與人之間唯一的內在差別，就是明智者和愚笨者之間的差別，即上帝可以引導的人和上帝必須硬拖著走的人之間的差別。毫無疑問，斯多噶派運用這一平等理論，從一開始就是作為改良道德的基礎，雖然他們對社會改革的考慮總是處於次要地位。克呂西波斯說，絕沒有人「天生」就是奴隸，應當把奴隸作為「終身受僱的勞動者」來對待，這與亞里斯多德稱奴隸為活的工具的論調是大相逕庭的。從潛在的可能性來看，至少世界城的公民資格是向一切人敞開的，因為它取決於理性，而這種理性是人類共同的特徵。事實上，斯多噶學派像大多數嚴肅的道德學家一樣，對愚笨者的數目有深刻印象。道路是艱難的，門是狹窄的，找到它的人是很少的，然而無論如何一個人在這裡只能靠自己的長處，外力對他無所助益。

如果斯多噶哲學減少個人之間社會差別的重要性，那它也會傾向於促進國家之間的和諧。對每一個人來說都存在著兩種法律，他自己城市的法律和世界城市的法律，習慣法和理性法。在這兩種法律之中，第二

種必定具有更大的權威，而且必定提供各城市的法規和習俗都應與之相
一致的規範。習俗是各種各樣的，但理性只有一個，而且在各種各樣的
習俗背後，應當有某種統一的目的。斯多噶哲學傾向於設想一個擁有無
數地方分支的世界範圍的法律體系，根據並非不合理的情況，各個地區
可能是有差別的，而整個體系的合理性則有助於防止歧異變爲對抗。在
實質上，這同亞歷山大所祈求的和諧或「同心同德」並沒有什麼不同。
在希臘化社會的任何地方，都存在著或多或少是自治的大量城市和其他
地方政權；各王國用共同法或國王法把這些地方聚合在一起。在城市之
間，仲裁是解決爭端的一種公認的和廣泛實行的方法。在內部管理上，
判決私人爭端的審判委員會是從其他城市召來，這在很大程度上取代了
古老的人民陪審團。❿

　　這兩種訴訟裁判程序，意味著習俗的比較，意味著訴諸於公正，意
味著最終產生出一部共同法——在種種情況下自然法始終發揮著它的最
重大的影響。從後來的歷史來看，斯多噶學派關於更高法律的觀念對羅
馬法是有比較重大的影響，但其影響的本質似乎從一開始就沒有變化。
它提出了關於合乎理性和公正的理想，作爲現行實證法似乎偏向過狹的
慣例時批評法律的一種手段。問題不單單在於堅持實證法應當是公正
的，希臘人始終認爲法律規定了道德的準則和權利的總則。斯多噶派在
這裡所增加的是關於兩種法律的學說，即城市的習慣法和更完善的自然
法。把公正作爲一個批評的原則加以運用，要求有一個清楚的概念，即
不能把正義與法律現狀等同起來。斯多噶派的世界城市已經走上了這樣
的道路，即它正在變成後來基督教思想中的上帝之城。

對斯多噶哲學的修正

　　斯多噶哲學的一般原則，始終是克呂西波斯在西元前三世紀末所留
下的那些。但是，這些原則經歷了重大的變化，其結果是它們適於爲公
衆所理解和接受，特別是爲羅馬所接受。早期斯多噶哲學的難題，主要
來自於它所內含的犬儒主義因素——認爲明智者完全不同於普通凡人，
而且因此遠離了普通事務，以及一種相應的傾向，不把自然法同各種各

樣現實的習俗和慣例聯繫起來。重新進行調整的主要原因，是懷疑論者卡亞尼亞德斯（Carneades）進行了尖銳的反面批評。在西元前二世紀，斯多噶哲學在保證畢生致力於批評的學派之中獲得了一席之地。據說卡尼亞德斯曾詼諧地問道：「如果不是克呂西波斯，我會在哪裡呢？」卡尼亞德斯對斯多噶哲學的每一點都進行攻擊，攻擊它的神學，它的心理學，當然還有關於自然之正義的理論。就政治理論而言，批判的要點似乎是：第一、斯多噶派的明智者乃是一個怪物，沒有任何自然本性，而以他力圖根除一切情感和情緒來看，則是完全是無人性的。從理論上來講，這個批判是完全有道理的，雖然一般說來斯多噶派哲學是實際勝於理論；第二、卡尼亞德斯指出，面對著在道德信仰和實踐方面實際存在的種種差異，很難相信會存在一部公正的普遍法。卡尼亞德斯本人斷言，人實際上完全是受自身利益和小心謹慎所支配，就此而言，正義只不過是一個表示敬意的稱號。

嚴格說來，對這些批判的回答並不是重新建立斯多噶哲學，而是透過把專門從柏拉圖和亞里斯多德那裡推斷出來的思想包括進去，藉此對其加以修正。到西元前二世紀末，一種世界範圍的文化需要一種世界範圍的哲學，也許是試圖有意識地創造這樣一種哲學，而這種哲學除非把來自許多源頭的因素融滙在內，否則它幾乎是不可能為公眾所接受的。此時，還是有可能返回到西元前四世紀的偉大哲學家那裡，並且不會因熱衷於城邦國家而遭致反感。關於城邦國家的問題早已是一個為人們所遺忘的死氣沉沉的問題了。這是許多次機會中的第一次，這一次向哲學古典傳統的回歸，是達到關於生活和社會聯繫的更人道的觀點的一個手段。就斯多噶哲學而言，這個工作是由羅得島的帕內修斯（Panaetius）完成的，他在西元前二世紀終結前不久領導著這個學派。斯多噶哲學肯定失去了邏輯上的嚴密性，但它在文雅有禮和吸引力方面卻大有斬穫，從而能夠影響對學派專門術語毫不關心的有教養的人們。就它所能發揮的社會影響和政治影響而言，這是第一等重要的事情。帕內修斯的卓越工作，在於另以一種形式重新對斯多噶哲學進行陳述，即使之能夠為貴族階級的羅馬人所吸收，這些羅馬人對哲學一竅不通，但卻對希臘學識充滿激情，雖然這些東西與羅馬人能夠為他們自己造就的東西是如此的不同。希臘沒有任何其他的主義像斯多噶哲學那樣適宜於訴諸特

別爲羅馬人引爲驕傲的諸如自制、忠於職守和公共精神等天賦美德，而且也沒有任何政治概念像斯多噶派的世界國家那樣適宜於將某種理想主義的方案介紹給羅馬人從事征服的過於貪婪的事業。在這個重大階段——西元前二世紀的第三個二十五年裡——接觸之點是兩個希臘人的聯繫，帕內修斯和波里比厄斯（Polybius），他們是圍繞西皮奧‧伊米利安努斯（Scipio Aemilianus）而形成的羅馬貴族集團的私人朋友。

實際上，帕內修斯所做的就是把斯多噶哲學變爲一種人道主義的哲學，他的讓步是爲對付卡尼亞德斯（Carneades）的反對而必須做的。他承認比較高尚和比較富於公益精神的抱負和熱情在道德上是正當的，並且否認明智者應當力求完全拋棄情感。他提出了關於公共服務、人道、同情和仁慈的理想，以取代自足。比這更加重要的是，他放棄了明智者的理想社會和正常社會聯繫之間的對立。理性是一切人的法律，並非僅限於明智者。即使考慮到階層、天賦和財產之間不可避免的差別，這裡也存在著一種人人平等的意識。他們至少都應當有維護人的尊嚴的起碼權利，而正義則要求法律應承認這樣的權利並且保護人們享有這些權利。因此，正義是衆國家的法律，是把衆國家結合在一起的紐帶。當然，這並不是說國家不可能是不公正的，而是說只要一個國家變成不公正的，它就失去了使之成爲一個國家的和諧基礎。這個關於國家的理論，大概是帕內修斯所創造，它保存在西塞羅（Cicero）的著作裡。帕內修斯哲學的人道主義，給所有羅馬的斯多噶派門徒留下了不可抹滅的印象——

> 人類種族的和睦，人的平等以及因此而來的國家中的正義、男女的同等價值、尊重婦女和兒童的權利、慈善、愛情、家庭中的純潔、對我們伙伴的寬容和仁愛，在任何情況下，甚至在必須用死亡來懲罰罪犯的可怕情況下的人道精神——這些就是充滿了後期斯多噶派著作的基本思想。❶

現存最早的羅馬歷史和對羅馬政治制度所作的最早研究，應歸功於波里比厄斯。他所記述的歷史，承認羅馬統治下的世界國家是一個事實。他試圖追尋從西班牙到小亞細亞的事件發生過程，並且揭示「透過什麼手段，憑藉什麼類型的政體，羅馬人在不到五十三年的時間裡征服

了世界。」在他著作的第六卷裡，他提出了一種關於羅馬政體的理論，這一理論大概也反映出了帕內修斯的思想，而且它肯定為西皮奧集團（Scipionic Circle）所賞識。波里比厄斯認為，在歷史中存在著發展與衰敗的不可抗拒的法則。他透過所有非混合式政體以特有方式走向衰敗的趨勢來對此進行說明：君王制走向衰敗就成為暴政；貴族制走向衰敗就成為寡頭制，如此等等。他在這裡應用了柏拉圖的〈政治家〉和亞里斯多德的《政治學》所用過的政體六分法，只不過補充了引起一種形式轉變為另一種形式的更為明確的循環論。他認為羅馬之所以有力量，就是因為它不自覺地採用了一種混合式政體，在其中，各種因素「得到了精確的調整並且處於一種嚴格的平衡之中」。執政官構成了君主制因素，元老院是貴族制因素，公民大會是民主制因素；然而羅馬政體的真正秘密在於三種力量相互制約，這樣就防止了走向衰敗的固有趨勢，而其中任何一種力量如果過於強大，那麼，這種趨勢就是不可避免的。波里比厄斯在兩個方面修改了關於混合式政體這個長期以來老生常談的古老理論：第一，他認為非混合式政體的衰敗傾向是一個歷史的法則，不過他的循環論是根據希臘式經驗提出，完全不適於羅馬政體的發展；第二，他的混合式政體並不像亞里斯多德所提出的那樣是社會階級的平衡，而是政治力量的平衡。在這裡他可能利用了羅馬的共同掌權的法律原則，根據這個原則，任何一個行政官員都可以行使否決權，以阻止其他具有同等或較低權力的行政官員所採取的行動。這樣，波里比厄斯就賦予混合式政體一種具有制衡系統的形式，正是這種形式，後來為孟德斯鳩和美國憲法起草者們所採納。

　　至於歷史的精確性，波里比厄斯對於羅馬政體的分析並不比孟德斯鳩對英國政體的分析更透徹。平民的護民官——羅馬後期體制發展中所有行政官員中的最重要者——完全不適合他的方案。像孟德斯鳩一樣，他抓住的只是他正在檢查的政體中的一個短暫的階段。的確，在斯多噶派思想向羅馬的傳播過程中，混合式政體的理論只具有短暫的重要性。毫無疑問，羅馬貴族在共和國晚期得知他們祖傳的政體是本能地效法了希臘政治科學最偉大的發現時，是會感到滿意的。同樣無可置疑的是，斯多噶學派的世界國家容易助長帝國主義的情感，使得征服者們以為他們正擔負著白種人的責任，並且正把和平與秩序的祝福帶給政治上無能

的世界。最後，西元前二世紀末存在著一種特殊的歷史情況——西元前
一三三年提比留・格拉古（Tiberius Cracchus）爲了進行改革而公然
利用了經濟上對立的階級利益——這種情況要求羅馬的貴族共和派採取
適當的反應以實現階級之間的和諧。混合制國家的理論在西塞羅的思想
裡被大大擴充了，然而它只不過是共和國所無法實現的一個希望。在帝
國之下，直接的發展路線是確立世界範圍的羅馬公民資格，這一點是通
過西元二一一二年的「卡臘卡拉敕令」（Edict of Caracalla）和廢除等
級差別而實現的。這一運動所包含的平等主義，遠比斯多噶哲學在帕內
修斯和波里比厄斯影響下所採取的形式更符合羅馬斯多噶哲學的精神。

西皮奧集團

　　斯多噶哲學爲**西皮奧集團**（Scipionic Circle）帶來具有持久意義的
影響，也就是它帶動了最早從事羅馬法學研究的人。帕內修斯對斯多噶
哲學的重新闡述，似乎爲那些屬於統治階級的羅馬人提供了一種保存最
好的古老羅馬理想的手段，即透過對藝術和文學的研究進行開導，透過
更廣泛的同情心、善意和文雅的態度進行調和。羅馬人把這一點稱爲
「人文化」（humanitas）——這對於沉醉於權力並且趣味或思想都未
經啓蒙之社會的粗鄙來說，乃是一種矯正，而且也是使征服理想化的一
種手段。經由西皮奧集團，或者透過那些與成員關係密切的人，這一理
想在一個關鍵時期對羅馬法的研究施加了影響。毫無疑問，這些對法學
進行系統研究的最早嘗試，都是由那些受到斯多噶哲學強烈影響的人們
進行的❷。
　　在斯多噶哲學傳到羅馬之前，法律本身的歷史已經爲其鋪平了道
路。羅馬的法律，如同大多數古代的法律體系一樣，最初曾是一個城市
的法律，或者更確切地說，是一個非常有限的公民羣體的法律，這些公
民生來就屬於這個羣體，這是他們的公民繼承物的一部份。這種法律與
宗教儀式和祖傳禮節結合在一起，使它對任何非羅馬出身的人都不適
用。隨著羅馬政治權力和財富的增長，在羅馬出現了一個越來越大的外
來居民羣體，這些人必須處理他們相互之間以及與羅馬人之間的事務。

這樣，在實踐中就有必要從法律上以某種方式對他們的行為予以認可。大約在西元前三世紀的中葉，羅馬人為解決這個問題，設置了一種專門處理外國人事務的法官（praetor peregrine）來處理這類事務。由於沒有任何適用的儀式化法律，因此不得不默認訴訟程序中各種各樣不拘禮節的行為，而且，由於同樣的原因，正式的法律不得不繼續以關於公正、公平買賣和常識的種種考慮為補充，簡言之，就是考慮正當的交易慣例所認可的誠實和公正。透過這種方式，一部有實效的法律就形成了。這部法律在很大程度上刪除了拘泥於形式主義的東西，並且一般說來也順從了關於誠實行為和有益公眾的流行思想。對於這部法律，法律家們早已取名曰**萬民法**（ius gentium），也就是一切民族共通的法律。在本質上，這部法律的形成過程與英國商法（English Mercantile Law）的產生過程沒有什麼不同。而且，正如後者最終併入英國法律的主要部份一樣，萬民法影響了羅馬法的發展。事實上，由於它更公平合理，而且總體說來比之古老的嚴格法律更適合於那個時代，更由於它和其他因素，使得羅馬法全部條文的實施開明化了❸。

　　萬民法是沒有特殊哲學涵義的法律概念，而**自然法**（ius naturale）則是個哲學術語，它是斯多噶學派著作由希臘語譯為拉丁語時生造出來的。實際上，這兩者是非常緊密地結合在一起。這兩個概念能夠富有成效地相互影響，因為人們完全能夠感到，普遍的接受和實施為實質上的公道提供了某種保證，至少與地方習俗相比較是如此，同時它們也為理性的規則提供了一個與實踐的接觸之點。因此，人們就把斯多噶學派的理想法律和各國的實證法結合了起來。這樣做對法律體系所產生的影響，最終表明是極為有益的。關於自然法的概念，帶來了針對習俗的開明批評：它有助於消除法律中的宗教性和儀式性特徵；它傾向於促進在法律面前的平等；它強調意圖的因素；而且它緩和了沒有道理的苛刻。總之，它在羅馬法學家面前確立了這樣的理想：使他們的職業成為一種「誠實而公正的行業」。

　　為了評估斯多噶學派政治學的全部成就，有必要回顧到亞里斯多德去世之後二百年間政治社會所走過的漫長道路。與西元前三二二年的雅典相比，後來兩個世紀的地中海世界幾乎是現代社會了。不管怎麼說，它是一個包括了所有已知世界的社會，在這個社會中廣泛的交往已習以

爲常，地方上的差別微不足道且越來越不重要了。城邦國家以自己爲中心的地方主義、在公民和異邦人之間進行嚴格區分，以及僅限於讓那些能夠實際參與統治的人享有公民身分的作法，都成了不可能的事。斯多噶主義承認城邦國家破敗的這個旣定事實，爲適應偉大國家的需要，它大膽地對政治理想重新進行了解釋。它略述了一個關於世界範圍的四海皆兄弟的概念，這些人結合在一種廣泛得足以把他們全部包括進去的正義紐帶之中。它還提出了這樣的看法，即雖然存在著種族、地位和財產的差別，但人們都是生而平等的。它堅持認爲，和城邦國家一樣，即使偉大的國家也是一種道德上的結合，它應當對其臣民的忠誠提出一個道德上的要求，而不能僅僅通過壓服的力量強制他們服從。這些關於人類關係應當如何的見解，不管受到政治實踐的多少破壞，從此再也不能從歐洲人民的政治理想中完全加以抹煞了。

註　解

❶《中世紀政治學說史》（ *History of Mediaeval Political Theory* ），第 1 卷，1903 年版，第 2 頁。

❷塔恩（W. W. Tarn）：《希臘化時期的文明》（ *Hellenistic Civilisation* ），1952 年版，第 79 頁。

❸參閱塔恩前引書，第 10 頁。

❹《科林多前書》（ *I. Corinthians* ），第 12 章，4～12。

❺I. de Alex. virt., 6。

❻塔恩：《亞歷山大大帝與人類的統一》（ *Alexander the Great and the Unity of Mankind* ），1933 年版，《英國科學院學報》（ *Proceedings of the British Academy* ），第 19 卷。參閱古廸納夫（E. R. Goodenough）的〈希臘化時期王權的政治哲學〉（ Political Philosophy of Hellenistic kingship ），載於《耶魯古典研究》（ *Yale Classical Studies* ），第 1 卷（1928），第 55 頁及以後數頁，該文討論了保存在斯托拜歐斯（Stobaeus）的一組年代不詳的畢達哥拉斯著作的殘卷。還可參閱菲希（M. H. Fisch）的〈亞歷山大和斯多噶學派〉（ Alexander and the Stoics ），載於〈美國語言文獻學報〉（Am. J. Philolgy），第 58 卷（1937），第 59，129 頁。

❼塔恩，前引書，第 52 頁及以後數頁。

❽古廸納夫所譯，前引書，第 89 頁。

❾弗格森（W. S. Ferguson）：《希臘化時期的雅典》（ *Hellenistic Athens* ），1911 年版，第 261 頁。

❿塔恩，前引書，第 77 頁。

⓫丹尼斯（Jacques Denis）：《古代倫理學說與思想史》（ *Histoire des théories et des idées marales dans l'antiquite* ），1856 年版，第 2 卷，第 191～192 頁。珍妮特（Janet）在《政治學說史》第 1 卷第 249 頁上引用。

⓬參閱薩拜因和史密斯編輯的《西塞羅論國家》，1929 年版，引言第 36 頁。

⓭參閱德·祖魯塔（F. de Zulueta）的〈共和政體下的法律發展〉（ The Development of Law under the Republic ），載於《劍橋古代史》（ *Combridge Ancient History* ），第 9 卷，1932 年版，第 866 頁以及後數頁。

參考書目

1. *From Alexander to Constantine: Passages and Documents Illustrating the History of Social and Political Ideas*, 336 B.C.~A.D. 337. Trans. by Ernest Barker. Oxford, 1956.

2. "Roman Religion and the Advent of Philosophy" By Cyril Bailey. In the *Cambridge Ancient*, Vol. V Ⅲ (1930), ch. 14.

3. *Stoics and Sceptics* By Edwyn Bevan. Cambridge, 1959.

4. *Chrysippe et L'ancien Stoïcisme*. By Emile Brehier. New ed. rev. Paris 1950.

5. "The Law of Nature." By James Bryce. In *Studies in History and Jurisprudence*. New York, 1901.

6. *An Essay on the Unity of Stoic Philosophy*. By Johnny Christensen. Copenhagen, 1962.

7. *The Meaning of Stoicism*. By Ludwig Edelstein. Cambridge, Mass., 1966.

8. *Alexander and the Greeks*. By Victor Ehrenberg. Eng. trans. by Ruth F. von Velsen. Oxfod, 1938.

9. "Legalized Absolutism en route from Greece to Rome." By W. S. Ferguson. In *Am. Hist. Rev.*, Vol. XVⅢ (1912~1913), p. 29.

10. *Hellenistic Athens: An Historical Essay*. By W. S. Ferguson. London, 1911.

11. *The Theory of the Mixed Constitution in Antiquity: A Critical Analysis of Polybius' Political Ideas*. By Kurt Von Fritz. New York, 1954.

12. "Polybius." By T. R. Glover. In the *Cambridge Ancient History*, Vol. VⅢ (1930), ch. 1.

13. "The Political Philosophy of the Hellenistic Kingship." By Erwin R. Goodenough. In *Yale Classical Studies,*, Vol. I New Haven, Conn., 1928.

14. *Stoic and Epicurean.* By R. D. Hicks. London, 1911.Chs. 3 , 4, 7, 8.

15. *The Greek Sceptices* By Mary Mills Patrick. New, 1929.

16. "The History of the Law of Nature." By Sir Frederick Pollock. In *Essays in the Law.* London, 1922.

17. *The Political Theory of the Old and Middle Stoa.* By Margaret E. Reesor. New York, 1951.

18. *Hellenistic Civilisation.* By W. W. Tarn, 3d ed. rev. by the author and G. T. Griffith. London, 1952.

19. "The Development of Law under the Republic". by F. de Zulueta. In the *Cambridge Ancient History*, Vol. IX (1932), ch. 21.

第十章
西塞羅和羅馬法學家

　　到西元前一世紀初，隨著亞歷山大對東方的征服而開始的種種政治歷程，在很大程度上已經完成了。整個地中海世界被投入了這個熔爐的之中，並且在幾乎形成了一個單一的社會。城邦國家已不復具有重要性，但也並沒有產生如同現代那樣在政治上自覺的民族國家。已經很明顯，作爲馬其頓、埃及以及亞細亞諸王國之繼承者的將是羅馬，而且這個已知的文明世界將結合在一個單一的政治統治之下，就像在隨後的一個世紀裡所確實發生的那樣。同樣在西元前一世紀初，斯多噶哲學傳播了關於世界國家、自然正義以及普遍的公民權等觀念，儘管這些術語所具有的是道德上的意義而不是法律上的意義。進一步發展和澄清這些哲學觀念的舞臺已安排就緒了。伊比鳩魯派和懷疑論者的比較消極的倫理學——把「自然」和個人的自身利益相等同——還繼續存在著，但至少最近的未來是爲斯多噶派所發展起來的那些思想準備的。這些思想是這樣的普及，以致它們即將失去任何哲學體系的標籤，而成爲有教養人的共同財富。

　　這些思想包括一些具有道德或宗教涵義的信念，但在哲學上卻並不具備很高的精確性。隨著學派之間日益增強的相互借鑑的趨勢，它們甚至失掉了克呂西波斯時代斯多噶哲學所具有的精確性，這一點當它們在本質上是世界範圍的文化中成爲流行思潮時是可以預料到的。它們包括這樣的信念，即世界是在上帝的神聖治理之下，而上帝在某種意義上是有理性的和仁慈的，因而與人的關係可以比照父子的關係。它們還包括這樣的信念，即人們彼此皆爲兄弟，都是一個共同的人類家庭的成員，在這個家庭中，他們的理性使他們成爲與上帝類似的種族。縱使有不同的語言和地方習俗在他們中間造成種種差異，他們在一些基本的方面仍

然是相同的。因此在行爲方面就存在著道德、正義和理性的一些準則，
這些準則約束著所有的人，其所以如此，並不是因爲它們載入了實證
法，或是因爲違反這些準則會受到懲罰，而是因爲它們本來就是公正
的，並且是應該得到尊重的。最後，或許是所有信念中最含糊不清的一
個，即感到人們就其本性而言，基本上是「社會的」。這一觀念沒有亞
里斯多德的理論那樣精確，即人是一種在城邦國家的文明中才達到其發
展最高階段的動物。它只是表示，尊重上帝和人的法律，是人類所固有
的天性，透過遵從這種固有的崇敬，就能使其本性臻於完善，而如果他
選擇相反的行爲，那他就會陷入自相矛盾之中。

　　在西元前一世紀及以後的兩、三個世紀裡，這些觀念的發展遵循著
兩條主要的路線：第一條路線所繼續的是斯多噶哲學在影響初期的羅馬
法學時已指明的方向，它具有把自然法植入羅馬法的哲學結構的功效；
另一條路線則與宗教意義有關，認爲法律和政體是植根於上帝爲了指導
人類生活而制定的計畫之中。在這兩種情況裡，政治哲學的發展都是偶
然的。在受到留意的著作家中，只有西塞羅（Cicero）是公認的政治理
論家，然而，他專門研究羅馬共和國政治問題的成果在其著作中卻是最
不重要的部份。不過，儘管對於比較廣泛的目的而言政治學說只是附帶
性的——在前一種情況下形成的是一套法律和法學的體系，而在後一種
情況下形成的卻是神學和教會組織——但由此造成的政治思想的種種模
式，卻與希臘政治學說中流行的觀點相去甚遠，並對以後幾個世紀的政
治思考發生了深刻的影響。法律主義——設想國家是法律的產物，並認
爲關於國家的討論不能根據社會學的事實或倫理學上的善，而應根據法
律上的權限和權利——在希臘人的思想中幾乎是不存在的，不過從羅馬
時代直到今天，這個思想卻一直是政治學說的一個固有部份。國家與宗
教機構的關係以及哲學對神學的關係，對希臘人來說也幾乎一直不存在
什麼困惑，但這些問題在整個中世紀乃至現代，卻一直是主要的難題，
並使所討論的每一個問題都蒙上了這樣的色彩。因此，在政治學說史
中，恰好在紀元前後所發生的變化具有重大意義，雖然這些變化並沒有
產生任何關於政治哲學的系統論述。

　　這一章及下一章將分別討論這兩種傾向，即法學傾向和神學傾向。
就時間而言，它們彼此幾乎是平行的。把西塞羅歸入第一種傾向，而把

塞尼卡（Seneca）歸入第二傾向，從而打亂年代順序，而且似乎還忽略了伴隨基督教的興起而可能發生的中斷。對此，也許需要解釋一下。誠然，把西塞羅與法學家放在同一章裡，並非由於他是一個偉大的法理學家，因爲他並不是；也不是因爲只有法學家才讀他的作品，而僅僅是因爲他的政治觀念看來具有世俗特徵，並因而與法學家們的那些觀念有比較密切的關係。另一方面，塞尼卡則是爲其哲學賦予了明確的宗教方向。所以塞尼卡與基督教父們放在一起，爲的是指出這樣的事實，即在基督教興起的初期，它並未帶來一種新的政治哲學。基督教本身及其作爲帝國的合法宗教而最終確立起來，是長期以來一直起作用的社會的和智識的變革所完成，而且這些變革幾乎同樣影響了那些從未信奉這些敎義的思想家。就政治理念而言，那些敎父們的思想大多來自西塞羅和塞尼卡。爲了歷史的準確性，把基督教的紀元作爲政治思想一個新時期的開始是毫無理由的。

西塞羅

西塞羅（Cicero）的政治思想並沒有因其獨出新裁而具有重要性，正如他自己所承認的，他的書簡直就是編輯品。然而，它們具有一個絕不能忽略的優點，就是誰都要閱讀它們。一種思想一旦載入了西塞羅的著作，就會在全部未來的時間裡爲廣大讀者保存下來。就西塞羅的政治思想而言，他的哲學具有斯多噶學派哲學形式，這種哲學形式是帕內修斯（Panaetius）爲羅馬公衆所確立的，並傳給了西皮奧集團。事實上，所有已知的西元前一世紀初期的這種哲學，幾乎都不得不摘自於西塞羅的著作。他自己的政治論文〈論國家〉（Republi），和〈論法律〉（Laws），大約寫於這一世紀的中葉，它們是羅馬哲學思想、特別是共和制末期保守派和貴族派的政治思想的最好索引。

爲了瞭解西塞羅及其歷史重要性，有必要嚴格區分他寫作的直接目的和他所發揮的長期影響。他的影響非常巨大，但是他的企圖卻完全失敗了，如果這在當時不是一個眞正的時代錯誤的話。他寫作的道德目的是褒揚羅馬傳統爲公服務的美德以及政治家的卓越的成功，並對此進行

富有希臘哲學色彩的說明與調和。他的政治目標簡直就是倒撥時鐘和把共和政體恢復到提比留斯・格拉吉（Tiberius Gracchus）革命性的護民官制度以前的那種型式。這就解釋了為什麼他在《論國家》中把年輕的西皮奧和萊里烏斯（Laelius）作為對話主角的原因。不用說，當西塞羅撰寫這部作品的時候，實現這個目標已沒有多少現實性可言，而在他死後的一個世代裡則根本談不上任何可能了。

在政治理論的這一部份裡，必須指出他十分看重的兩個思想。不過，在我們當前這個時代，它們僅僅具有史料上的意義。這就是：關於混合式政體優越性的信念以及關於各種政體的「歷史循環理論」。他的這兩個思想來自於波里比厄斯（Polybius），或許亦來自於帕內修斯（Panaetius），雖然他盡力按照他自己對羅馬歷史的理解對它們進行了修改。事實上，西塞羅如果有哲學的本領，可能實現其頗有希望的計畫。這就是闡述一種關於完美國家（混合式政體）的理論，使它的種種原則能夠在羅馬政體的歷史進程中得到發展（根據循環論）。正如西塞羅設想的，羅馬政體是由許多不同心靈在不同環境下貢獻的產物，對遭遇到的政治問題也都呈現各種解決方案，可說是引申出來的最穩定和最完善的統治形式。透過追溯它的發展並分析它的各部份之間的關係，有可能將純粹的玄思降至最低限度的有關國家的理論。然而不幸的是，西塞羅缺乏這種創新能力，他不能順應羅馬經驗並釐清其希臘本源而為自己構思出一種新理論。波里比厄斯的循環論——好壞政體有規則的交替，從君主政治到暴君政治，從暴君政治到貴族政治，從貴族政治到寡頭政治，從寡頭政治到溫和的民主政治，從民主政治到暴民統治——主要因為它在邏輯上的嚴整而受到了稱讚，但是，這一理論卻是以對城邦國家的經驗觀察為根據。西塞羅不安地感到，這一理論並不適合他對羅馬歷史的想法。結果，他不過是空談循環理論而已，甚至使之喪失了邏輯上的嚴整性。以大致相似的方式，他讚揚了混合式政體的優越性，他相信這種政體的典型就是羅馬，但他甚至連他所認可的羅馬制度各自代表著混合體的哪一種因素都沒有分析清楚。他對事情的解釋，證明塔西陀（Tacitus）的嘲笑是有道理的，這就是：讚揚一種混合式政體比實現它更容易。密切聯繫羅馬制度的歷史來概述關於國家的理論，這種意圖是值得稱讚的，但這個意圖卻不能由一個運用來源於希臘的現成理論

並把它嫁接到羅馬歷史上的人來實現。

西塞羅在政治思想史上的眞正的重要性，在於他陳述了斯多噶派的自然法學說，使這個學說自當時起直至十九世紀都在整個西歐廣爲人知。這一學說經由他傳給了羅馬的法學家，同樣也傳給了教會的教父。在整個中世紀，對該學說中一些最重要段落的引用不計其數。一個重要的事實是，儘管〈論國家〉的正文在十二世紀之後失傳了，並且直到十九世紀才重新發現，但它的最著名的段落卻早已爲奧古斯丁（August-ine）和拉克坦蒂烏斯（Lactantius）的作品所摘錄，並因而成了衆所周知的常識。當然，這些觀念並不是西塞羅所創造，而是他陳述出來的，他以自己制定的拉丁文詞語對希臘文斯多噶著作進行了大量的翻譯，這些陳述成了在西歐傳播這些觀念的唯一最重要的文字手段。在其後的年代裡，任何想要瞭解政治哲學的人，莫不必須記住西塞羅著作中的一些傑出章節。

首先，存在一種普遍的自然法，它有兩個同等重要的起因：一是上帝的神意統治世界的事實，另一是人類理性的社會本性。人類的這種本性使他們與上帝相近似。這種自然法，似乎可以說是世界國家的法規；它無論在何處都是相同的，並且不可改變地約束著一切人和一切民族。任何違背它的立法都沒有資格叫做法律，因爲沒有任何統治者和人民能夠使正確成爲錯誤——

　　　事實上，存在著一部眞正的法律——即公正的理性——它與自然相一致，適用於一切人，並且是不可改變的和永久的。根據它的命令，號召人們履行他們的職責；根據它的禁令，制止人們去做錯事。它的命令和禁令總是影響著善良的人們，但對惡人卻起不了作用。用人類的法規使這部法律失去效力，在道德上絕不是正當的，即使限制它的實施也是不能允許的，而完全廢除它則是不可能的。不論元老院還是人民都不能解除我們服從這一法律的義務，而且它也不需要塞克斯圖斯·埃利烏斯（Sextus Aelius）予以解釋和說明。它不會在羅馬立下一項規則，而在雅典立下另一項規則；它也不會今天是一項規則，而明天又是另一項規則。將會有的是一部永久的和不可變更的法律，在任何時候都約束著所有的人民，而且可以說還將有一位人們共同的主人和統治者，這就是上帝，他是這部法律的起草者、解釋者和

保證者。不服從這部法律的人，就是放棄了較好的自我，而且是否定了一個人的真正本性，因此將會遭到最嚴厲的懲罰，儘管他逃脫了人們稱之爲處罰的其他一切後果。❶

正如西塞羅以最明確措辭所堅持的，按照這部法律，一切人都是平等的。雖然他們在學識上不平等，而且國家試圖均衡他們的財產也不方便，但是在具有理性，在潛在的心理結構，在對於他們所認爲是高尚或低賤事物的一般態度方面，所有的人卻都是相似的。實際上，西塞羅甚至暗示，是錯誤、壞習慣和虛僞的意見阻礙了人們實現事實上的平等。一切人和一切人類種族都具有獲得經驗、獲得同類經驗的相同能力，而且所有人都具有同等的辨別是非的能力——

> 在哲學家所討論的一切材料之中，肯定沒有比充份認識到我們是爲正義（justice）而生這一點更具價值的了，而正義的公理並不是以人們的意見，而是以自然本性（nature）作爲根據。一旦你得到有關人的夥伴關係以及他與自己同胞結合的明確概念，這個事實即刻就清清楚楚了。因爲沒有任何單一事物與另一事物之間會像我們所有人相互之間那樣相似，那像自身的精確變形。而且，如果壞習慣和虛僞的信念不扭曲意志軟弱者，使其傾向於壞習慣與虛僞的信念所導致的方向，則所有的人將同於他人，一如人之同於自己一樣。❷

卡萊爾（A. J. Carlyle）教授說過，在整個政治理論中，沒有任何變化像亞里斯多德學說到這一段落的變化那樣令人驚訝❸。事實上，西塞羅的推理過程與亞里斯多德曾經用過的方法恰恰相反。在亞里斯多德看來，只有在平等者之間才談得上自由的公民身分，但是，由於人們是不平等的，因此他推斷公民權必定限定在一個狹小和謹愼選擇的集團之內。西塞羅從相反的方向推論說，因爲所有人都服從於同一法律，因而都是同等公民，在某種意義上他們必須平等。對西塞羅而言，平等乃是一個道德上的要求而非事實，它以倫理上的措詞所表達的信念，與一個基督徒說上帝對人一視同仁時所表達的信念十分相同。這裡並沒有任何政治民主的涵義，雖然沒有類似這樣的道德信念，民主將難以捍衛。這裡所主張的，是每個人都應享有某種程度的人類尊嚴和敬重；每個人都是在偉大的人類同胞關係之內而不是在這之外。即使他是一個奴隸，他

也不會像亞里斯多德所說的那樣是一個活的工具，而更接近於克呂西波斯（Chrysippus）所說的那樣，是一個終生受僱的僱傭勞動者。或者，像康德在十八個世紀之後對這個古老理想所作的重新闡述，即必須把人當做目的而不當做手段（工具）。令人驚訝的事實是，克呂西波斯和西塞羅更接近於康德而不是亞里斯多德。

西塞羅從這個倫理原則中所得出的政治結論是：國家除非依靠、承認並使這個把公民結合在一起的彼此負有義務和相互承認權利的意識能夠生效，否則不能永遠存在，或者充其量只能處於殘缺狀態。國家是一個道德的共同體（moral community），是共同擁有國家及其法律的人的集團。因此他以美好的詞語稱國家爲 "res populi" 或 "res publica"，也就是「人民的事務」，實際上這相當於較古老英語用詞 "commonwealth" 的意思。這就是西塞羅反對伊比鳩魯派和懷疑論者的論證所持的立場，即正義乃是內在的善。除非國家是一個出於道德目的的共同體，除非它的聯合是透過道德的紐帶，否則它就像後來奧古斯丁（Augustine）所說的，不過是「大規模的劫掠」（highway robbery on a large scale）。當然，國家可以是專橫的，可以透過暴力統治其臣民——道德法並不能使不道德的行爲不發生——但如果它達到這種程度，它也就喪失了一個國家的眞正特徵——

> 因此，國家（commonwealth）就是人民的事務，人民並不是以任何方式聯合起來的人的任何集團，而是相當數量的人的結合，他們是透過關於法律和權利的共同協議，以及透過分享相互利益的願望而結合到一起。❹

因此，國家是一個法人團體，舉凡它的公民都共同擁有成員身分，它的存在是爲它的成員提供相互幫助的益處和公正的管理。這樣就產生了三個後果：第一，既然國家和它的法律是人民的共同財富，那麼它的權威就來自於人民的集體力量。一個民族就是一個自治的組織，它必須具有保存自己並延續下去所需要的力量，人民的幸福就是「最高的法律」（Salus populi suprema lex esto.）；第二，政治權力只有正當而合法地行使的時候，才眞正是人民的共同權力。行使這一權力的行政官員是借助於他的職務來這樣做；他的證明文件就是法律，他是法律的產

物——

> 正如法律統治著行政官員一樣，行政官員統治著人民，因此可以
> 這樣確切地說，行政官員是開口講話的法律，而法律是默不出聲的行
> 政官員。❺

第三，國家本身和它的法律始終服從於上帝之法，或是服從於道德法或
自然法——即關於正義的更高規則，這一規則超然於人類的選擇和人類
的制度之上。在國家的自然本性中，暴力只是偶然的因素，而且只有在
需要它來實施正義和公正的原則時，它才是正當的。

這些總的統治原則——出自於人民的權利，且應透過法律的批准予
以實行，以及只有以道德爲基礎才能證明其道理——在西塞羅寫就之後
的一個相當短的時間內就得到了普遍的承認，並在往後的千百年中一直
是政治哲學的不易之論。在整個中世紀，任何人對這些原則都不存在任
何實質上的不同意見；它們成了政治思想的共同傳統。然而，對這些原
則的應用，大概總存在著相當多的不同意見，即使對這原則本身疑問的
人亦是如此。例如，每一個人都同意，暴君是可鄙的，他的暴政是嚴重
的過失，但人民對此有權利做些什麼，或者誰代表他們來做，或者弊端
達到什麼程度採取措施才是有道理的，卻並非明明白白。特別是政治權
力出自於人民這個起源本身並不包含任何民主後果，而在現代，這一後
果卻已從被統治者的同意當中推斷出來。同樣，這理論也沒有指出誰代
表人民講話，怎樣得到這種代表講話的權利，或者確切說，誰是「人
民」，代表講話的人究竟爲誰講話——所有這些都是具有極端重要性的
現實問題。如果運用古代政治權力來自於人民的原則來爲現代的代議制
政府形式辯護，那只不過是硬搬一個古老的觀念來適應新的情況。

羅馬法學家

羅馬法學家發展的古典時期是在西元二世紀和三世紀，那個時代的
偉大法學家的著作，大都被摘錄和編入《法學匯纂》（ *Digest* 或 *Pande-
cts* ）之中，這部匯纂是奉羅馬皇帝查士丁尼（ Justinian ）之命於西元

五三三年出版。在這部法學文獻中的政治哲學，將西塞羅著作中的理論的再現和闡述。

政治理論在整部《法學匯纂》中所占的比例無足輕重，有關的段落不是很多，也不很廣泛。這些法學家都是法理學家，並不是哲學家。因此，當一種哲學思想出現的時候，瞭解作者對這種思想認眞到什麼程度往往是困難的，人們不知道作者本人是把它視爲一種文雅的裝飾，還是它眞的在影響著他的法學判斷。顯然，系統地闡述一種政治哲學或是將哲學注入法律，從來不是法學家的目的。羅馬法學家的哲學不是專業意義上的哲學，而是一切有知識者都知道的某種一般的社會概念和倫理概念，法學家們不過在某些方面認爲這些概念對他們自己的法學目的有用處。更令人驚訝的是，他們一致選擇了屬於斯多噶學派和西塞羅傳統的哲學思想。在伊比鳩魯派和懷疑論者作品中所包含的以自我爲中心的個人主義，肯定也受到了他們同樣的對待，但是這些法學家們發現這些思想對他們沒有用處。他們對政治理論的興趣是無條理和不成系統的，但這並不意味他們所不得不說的東西是不重要的。羅馬法在整個西歐都享有巨大的威信，這受到羅馬法承認的任何主張都增加了份量。再者，包含在法律中的任何一般的概念，肯定是一切有教養的人和法學家所知道的，並最終會通過公衆的傳播而使許多完全不是學者的人所瞭解。結果，羅馬法成了歐洲文明史上最偉大的理性力量之一，因爲它提供了種種原則和範疇，人們根據它們思考一切問題，包括占有相當位置的政治問題。法學上的論證方式——根據人的權利和統治者的正當權力進行推理——成了政治理論思考上一種始終得到普遍承認的方法。

《法學匯纂》裡所收錄的法學家，正如在西元六世紀系統架構查士丁尼《法理綱要》（ Institutes ）的那些人一樣，承認法律有三種主要類型：市民法（ ius civile ）、萬民法（ ius gentium ）和自然法（ ius naturale ）。誠然，市民法就是一個特定國家的法規或習慣法，即今天所謂的國內實證法（ positive municipal law ）。其他兩種法，無論是它們之間的區別還是它們兩者與市民法的關係，都不甚清楚。西塞羅使用了這兩個術語，但顯然並未區分它們的涵義。正如在前一章所指出的，萬民法這一術語來源於法學家，而自然法則是從希臘哲學術語翻譯過來的。無論對早期的法學家還是西塞羅來說，這兩個術語的意思顯然是密不可

分的。它們無差別地象徵著那些受到普遍承認，因而對不同民族的法律而言是共通的原則，而且還象徵著那些無論出現在何種法律體系之中都具有內在合理和公正性的原則。由於一致同意是合法性標準，因此差別很容易被忽略。許多民族不謀而合得到的東西，比任何單個民族所特有的東西更有可能是正確的，這一假定看起來似乎頗爲合理。

隨著時間的推移，法學家們顯然看到了區分萬民法和自然法的理由。西元二世紀的蓋尤斯（Gaius）在寫作時還把這兩個術語當作同義語使用，但西元三世紀的烏爾庇安（Ulpian）及以後的作者則都進行了區分，那些在六世紀爲《法理綱要》作準備的法學家們也是這樣做的❻。這種區分增加了法律定義的精確性，而它或許還意味著對於法律的更加透徹的道德批評，即使是普遍實行的東西，也可能仍然是不公正和不合理的。萬民法和自然法的主要區別點就在於奴隸制。根據自然天性，人人生來都是自由和平等的，但依照萬民法，奴隸制度卻是容許的❼。對於那些直截了當地主張天生自由的法學家來說，這種自由究竟意味著什麼，就很難加以說明，但是鑑於人們爲擺脫維護奴隸及其他被壓迫階級地位的法律條款而做的不無成效的努力，這樣進行解釋似乎是合理的，即這種自由代表著對於習慣做法的某種道德上的保留，而依照一切已知的法典，這種習慣做法的合法性却是無可非議的。正如卡萊爾教授所指出的，這個觀念也許旨在點出，在某種比較純粹或比較完善的社會裡，奴隸制並不曾存在或不會存在。總之，在基督教關於人的墮落的故事成爲一種公衆信仰之後，這段話就變得應該這樣來理解。

不管這些法學家是否對萬民法和自然法進行區分，他們之中沒有人懷疑在任何特定國家的法規之上存在著一種更高的法律。像西塞羅一樣，他們認爲這一法律從根本上來說是合理性的、普遍的、不可改變的和神聖的，至少就它有關公正和正義的主要原則而言是如此。像英國的習慣法一樣，羅馬法只有一小部份是立法的產物。所以人們從未做過這樣的假定，即法律所體現的只不過是合法的立法機構的意志；後一觀念乃是新近才產生的。人們設想，「自然」確立了一個實在法必須盡最大努力予以達到的既定標準，就像西塞羅所認爲的那樣，「不合法」的法規簡直就不是法律。在整個中世紀並且直到現代，人們一直理所當然地認爲這樣一個更高法律的存在並理所當然地肯定其有效性。正如弗雷德

里克‧波洛克（Frederick Pollock）所說，從羅馬共和國直至現代，自然法的中心思想就是：「對於作為理性存在及社會存在的人的自然本性來說，它是合適的終極原則，這一原則是或應當是為任何形式的實證法進行辯護的理由。」❽

因此，實證法於理論上應趨近完善的公道和正義；公道和正義代表著它的目標並構成了它的標準。正如烏爾庇安引用塞爾蘇斯（Celsus）的話，它乃是<u>既良好又公正的藝術</u>（ars boni et aequi）──

> 正義是賦予每人以其權利的一種固定的和持久的神意。法律的告誡如下：誠實地生活，不傷害任何人，給任何人以其應得之物。法學是關於人事和神性的學問，是關於正義和不正義的科學。❾

因此法學家是「正義的教士」，是「真正哲學的實踐者，而不是從事模仿的冒充者。」（the practitioner of a true philosophy, not a pretender to an imitation）我們沒有必要將烏爾庇安的華麗文詞視為對事實的樸實陳述，但是，有一點卻始終無可懷疑的，即羅馬的法學家們確實創立了一部前所未有的比較開明的法律，雖然他們所做的種種變革自有其經濟和政治上的原因，但不能想像這些變革的發生與所宣稱的理想沒有任何關係。

自然法應根據這樣一些概念來解釋：在法律面前的人人平等，對待約定的誠實，公正的行為或公平，意圖的重要性超過純粹的言語和公式，對受贍養者的保護以及承認基於血緣關係的要求。程序越來越不拘於純粹的俗套；契約所依賴的是一致同意而不是條款中的言語；父親對其子女的財產和人格的絕對支配被打破了；已婚婦女在對其財產和子女的支配上同她們的丈夫在法律上完全平等；最後，在擺脫維護奴隸制的法律條款方面取得了鉅大的進步，這有一部份是通過保護他們免受虐待的條款，有一部份是盡可能使他們易於得到解放。「公正法律」的現代說明者魯道夫‧施塔姆勒（Rudolf Stammler），把對於正義的這種信仰視為羅馬法學的無上光榮──

> 這一點在我看來是古典羅馬法理學家所具有的世界意義，是他們的永恆價值。他們具有把視線從日常普通問題轉向總體的勇氣。在思考特定案例的有限情況時，他們是把思想針對著一切法律的指導原

則，即思考如何實現生活中的正義。❿

應當注意到，羅馬法中的這些改革雖然完成於西元之後，但並非起因於基督教。斯多噶哲學的人性化影響是卓有成效的，而關於基督教社團對二世紀和三世紀的傑出法學理家所發生的影響，則似乎沒有任何證據。後來，在康士坦丁時期以後，就可以見到基督教的影響了，但它並未表現在上述方面。教會發生影响的目的，在於以不同方式來確保教會或其官員的合法地位，或者幫助貫徹教會的政策。教會爲保護其利益而實現的典型法律上的改變，包括透過遺囑而得到財產的權利，確立主教法庭的司法權，對慈善事業的監督權，廢除反對禁欲的法律以及頒布反對異端和叛教的法律。

最後，羅馬法使已包涵在西塞羅著作中關於統治者的權力來自於「人民」的理論具體化了。烏爾庇安用一段反覆被引用的話概括了這一理論，無論《法學匯纂》還是《法學綱要》中的任何法學家，沒有人對此持有異議——

　　　皇帝的意志具有法律的力量，因爲人民通過王權法（lex regia）把自己的全部權力和權威賦予了他。❿

人們對這一理論的理解，當然是按照嚴格的法律意義，而對它的表述，則用的是具有明確專業意義的術語。就其本身而言，它既不爲國王的專制主義涵義辯護，這種涵義有時可以從前半句中推導出來；它也不爲代議制政體辯護，這種政體正是後半句人民主權思想的體現。在烏爾庇安寫這句話的時候，這後一種涵義在羅馬帝國可能特別不合時宜，因而在烏爾庇安陳述背後，正是西塞羅所表達的那個思想，即法律是一個民族以法人身分所共同所有的。這一思想體現在這樣的理論中，即習慣法是得自人民同意的結果，因爲習慣僅僅存在於共同的實踐之中。這一思想也體現在對於法源的分類上，因爲法律正是從這種法源分類中得出來的。例如，法律可以由公民大會（plebescita）那樣的有權威的部份投票決定，或者根據元老院（senatus consulta）的命令，或者由祭司（constitutione）來發布，或者透過法令發布官員來公布。不過，在所有情況下，來源必須都具有權威性，而且一切法律形式最終都要返回到在政治上組織起來的人民所固有的法律活動中去。在某種意義上，任何

已建立起來的政府機構實際上多少都「代表」人民，並享有某種法定資格，但這顯然不意味著代表人與投票有任何關係，更談不上投票是每一個人的固有權利。「人民」是一個整體，它全然不同於個人，個人只是在某種特定時間裡才偶然被包括在人民之中。

　　同時，有一個精華亦在這個古代學說中保存了下來，這就是法律是一種「與個人無關的理性」（impersonal reason），因此在合法的政府和成功的暴政之間存在著顯著的道德差別。即使前者常常是壞的而後者有時是有效率的，服從於法律並不會與道德自由和人類尊嚴發生衝突，但是，即使是服從於最善良的主人，在道德上也是可鄙的。羅馬法保存了西塞羅這句名言的精神：「我們做法律的僕人，目的在於使我們能夠得到自由。」⓬最好不過的驚人證明，就是在帝王們的個人權力往往無限，而其權力所賴僅為武力的時代，這種精神仍能保存在一種業已達到成熟階段的法律制度中，可見這種信念在歐洲的道德觀念中形成多大的力量。包含在法律裡面的理想，畢竟是歐洲政治文明之中的一個永久性因素——它是來自於城邦國家古老的自由生活的精華——這一因素在東方專制主義的全部奴性明顯地移植到羅馬來的時候，依然能夠持續下來並超越了那個時代。

註　解

❶〈論國家〉（ Republic ），第 3 卷，22，薩拜因和史密斯譯。

❷〈論法律〉（ Laws ），第 1 卷，10，28～29，齊茲（ C. W. Keyes ）譯。

❸《西洋中世紀政治理論發展史》（ A History of Mediaeval Political Theory in the West ），1903 年版，第 8 頁。

❹〈論國家〉，第 1 卷，25。

❺〈論法律〉，第 3 卷，1，2。

❻卡萊爾（ A. J. Carlyle ）：《西洋中世紀政治理論發展史》，第 1 卷，1903 年版，第 38 頁及以後數頁。

❼《法學匯纂》（ Digest ），1，1，4；1，5，4；12，6，64；《法學綱要》（ Institutes ），1，2，2。

❽〈自然法的歷史〉（ The History of the Law of Nature ），見《法學論文》（ Essays in the Law ），1922 年版，第 31 頁。

❾《法學匯纂》，1，1，10。

❿《正義論》（ The Theory of Justice ），英譯本，1925 年版，第 127 頁。

⓫《法學匯纂》，1，4，1。

⓬《為克魯恩提歐辯護》（ Pro Cluentio ），53，146。

參考書目

1. *Roman Stoicism*. By E.V. Arnold. Cambridge, 1911. ch. 12.

2. "Classical Roman Law." By W. W. Buckland, In the *Cambridge Ancient History*, Vol. XI (1936), ch. 21.

3. *A History of Mediaeval Political Theory in the West*. By R. W. Carlyle and A. J. Carlyle. 6. vols. London, 1903～1936. Vol. I (1903), Parts I and II.

4. *On the Commonwealth: Marcus Tullius Cicero*. Eng. trans. by George H. Sabine and Stanley B. Smith. Columbus, Ohio, 1929. Introduction.

5. *The Roman Mind: Studies in the History of Thought from Cicero to Marcus Aurelius*. By M. L. Clarke. Cambridge, Mass., 1956.

6. *Law and the Life of Rome*. By John Crook. Ithaca, 1967.

7. *Rome the Law-giver*. By J. Declareuil. Eng. trans. by E. A. Parker. London, 1927. Prolegomena.

8. *Cicero*. Edited by T. A. Dorey. New York, 1965.

9. *The Moral and Political Tradition of Rome*. By Donald Earl. Ithaca, 1967.

10. *The City State of the Greeks and Romans*. By William Warde Fowler. New York, 1963.

11. *City-State and World State in Greek and Roman Political Theory until Augustus*. By Mason Hammond. Cambridge, Mass., 1951.

12. *Historical Introduction to the Study of Roman Law*. By H. F. Jolowicz. 2d ed. Cambridge, 1952. Ch. 24.

13. "The Idea of Majesty in Roman Political Thought." By Floyd S. Lear. In *Essays in History and Political Theory in Honor of Charles Howard Mcllwain*. Cambridge, Mass., 1936.

14. "Natural Law in Roman Thought," By E. Levy in *Studia et documenta*

historiae et iuris, Vol. XV (1949), pp. 1～23.

15. *The Growth of Political Thought in the West, from the Greeks to the End of the Middle Ages.* By C. H. Mcllwain. New York, 1932. Ch. 4.

16. *Ciceron et les sources de droits.* By Maurice Pallasse. Paris, 1946.

17. *Gai Instiutiones, or Institutes of Roman Law by Gaius.* Eng. trans. by Edward Poste. 4th ed. rev. and enlarged by E. A. Whittuck. With an Historical Introduction by A. H. J. Greenidge. London, 1925.

18. *History of Roman Legal Science.* By Fritz Schulz. Oxford, 1953. Reprinted with additions from 1946.

19. *Roman Law in the Modern World.* By Charles P. Sherman. 3 vols. Boston, 1917. Vol. I, History.

第十一章
塞尼卡和教父時代

　　一方面，由於相信人類的平等，法理學家發展出來的關於共同人種的觀念，完全破除了城邦國家所流行的價值標準。但另一方面，這兩者卻又是連續的。和柏拉圖一樣，對西塞羅來說，建立或統治國家乃是人類英雄能夠在其中最神聖地表現自己的工作，而一生從事政治事務則是人類的無上幸福。羅馬法中所體現的高度集中的權力體系，不僅反映了帝國在行政上的統一，而且也反映了這種的古代信念，即國家在人類機構中是至高無上的。在這個傳統之中，不存在關於忠誠分立的思想，按照這種思想，另一種忠誠是有可能與履行公民義務的要求相抗禮的；而且在「親愛的塞克洛普斯之城（City of Cecrops）」和「親愛的上帝之城」之間並不是必然沒有鴻溝存在——然而，當一位羅馬皇帝、一位在當時最真誠的統治者，在對地上城市和天國城市作這樣的對比時，卻預示著人們的道德體驗正呈現一道裂縫。從馬可‧奧勒留（Marcus Aurelius）對於皇位表現出厭倦的忠誠（他為取悅神而擔任這個職位），以及他明顯地渴望追求更令人滿意的生活，說明了從西塞羅在「西皮奧的夢想」（Dream of Scipio）中把天堂看作是對卓越政治才能的一種獎賞以來，即使是異教徒的靈魂，也走出了這麼遠。馬可‧奧勒留厭世的成熟果實是教會，教會宣稱有資格做比塵世所能提供的任何精神生活都更高的精神生活的代言人，不過這果實所由生長的土壤是早就準備好了的。

塞尼卡

　　把西塞羅和塞尼卡（Seneca）加以比較，就可以清楚地感到，對於政治生涯的估價正在改變，對治國之術能成功地處理社會問題的期望也正在降低。塞尼卡從事着述時大約比西塞羅晚一個世紀，因此他反映了帝國早期羅馬人的觀點，而西塞羅反映的則是共和制晚期羅馬人的觀點。由於這兩個人的哲學信念在體系上差別甚微，因此這種對比就更引人注目。兩者所持的都是折衷的斯多噶哲學，對這種哲學來說，「自然」代表著善和理性的標準。這兩個人還都把共和國的偉大時代視爲羅馬達到政治成熟的時代，認爲從那以後羅馬就衰落了。但是，這裡存在一個本質的差別：西塞羅抱有幻想認爲，偉大的時代可以重現；然而，塞尼卡這位尼祿（Nero）的大臣卻認爲這種幻想的時代早已過去。羅馬已經衰老，腐敗比比皆是，實行專制主義已不可避免。在社會和政治事務方面，塞尼卡表現出了很大的失望和悲觀主義情緒，在西元二世紀，拉丁文學就爲這種情緒所籠罩著。❶問題並不在於是否應實行專制統治，而只在於誰是專制君主。即使依靠一位專制君主也比依靠人民要好一點，因爲羣衆是如此的惡劣和腐敗，以致他們比一位暴君更冷酷無情。因此，顯而易見，對一個好人來說，政治生涯除了使其良知毀滅，幾乎不會爲他帶來別的收穫，而且同樣顯而易見的是，這樣的好人透過擔任政治職務，幾乎也不能爲其同胞做什麼事。由於同樣的原因，塞尼卡並不重視統治形式之間的差別；政體或好或壞都無所謂，因爲任何政體都已不會有多少成就。

　　然而，塞尼卡絕不認爲明智者只應從社會中隱退。他像西塞羅一樣堅決主張，好人的道德職責就是以某種資格提供他的服務，而且他像西塞羅一樣明確反對伊比鳩魯派，因爲他們爲追求私欲而無視公共利益。但是，塞尼卡有一點與西塞羅不同，而且實際上與所有在他之前的政治和社會哲學家都不同，即他能夠設想一種不牽涉任何國家公職而且沒有任何嚴格的政治機能的社會服務。這確實給了這樣一個古老的斯多噶學說新的轉機，即任何人都是兩個社會團體的成員：在公民的國家裡，他

是一個臣民，而且因其具有人性，他還屬於由一切有理性的人所組成的
更大的國家。在塞尼卡看來，這個更大的社會團體與其說是一個國家不
如說是一個社會；它的紐帶與其說是法律的和政治的，不如說是道德的
或宗教的。因此，明智和善良的人儘管沒有政治權力，卻可以為人類效
勞。他是透過與其同胞的道德聯繫，或甚至僅僅透過哲學沉思來行事。
這種依靠其思想而成為人類導師的人，他占有的地位要比政治統治者更
高貴並且更有影響。塞尼卡的意思無非是說，禮拜上帝本身乃是一項眞
正的人類事業，這與基督教作家所教導的是一樣的。

　　塞尼卡在這方面的態度的重要意義，已難再加以誇大。塞尼卡的斯
多噶哲學，正如一個世紀之後馬可・奧勒留的斯多噶哲學一樣，實質上
是一種宗教信仰，這種信仰在為現世提供力量和安慰的同時，轉向了對
精神生活的冥想。這種世俗趣味和宗教趣味的分離——即關於肉體只不
過是「靈魂的羈絆和黑幕」（chains and darkness to the soul）的意
識以及關於「靈魂為反抗情欲的負擔必須不斷進行鬥爭」❷的意識——
甚至是基督教所由發展的異教社會的一個眞正的特徵。對精神安慰需求
的增長，使得宗教在人們的心目中占有了較高的地位，並使它成為與更
高層次的實體接觸的唯一手段，而更遠離了世俗的利害關係。古典時代
必不可少的統一的世俗生活正在瓦解，宗教在國家生活之側乃至其上，
正獲得日益獨立的根基。當宗教利益能夠透過其自身機構加以體現，能
夠在人世間象徵人們作為天國之城的成員而分享權利和義務的時候，它
只不過是這種日益增長的獨立性的一個自然結果。這種已採取基督教會
為形式的機構，按照其自身存在的邏輯，必定要透過這樣一個要求來保
持人們的忠誠，即它不能讓國家來對它進行判決。塞尼卡對這兩種社會
團體的解釋，只是他的思想與基督教思想之間若干驚人的相似之一，這
些相似之處在古代產生了一批偽造的、被認為是來往於他和聖保羅
（St. Paul）之間的信件。

　　塞尼卡思想的另外兩個相關側面，與其哲學中占主導地位的宗教風
格有密切關係。一方面他對人的原罪有強烈的意識，另一方面他的倫理
學則顯示了一種人道主義傾向，這種傾向在後期斯多噶哲學中日益明
顯。儘管塞尼卡重複了斯多噶學派關於智者自足的老生常談，但是早期
斯多噶哲學在道德上的自豪和苛求卻大大降低了。關於人類罪惡的意識

纏繞著他，而且這種罪惡是根深柢固的，任何人都不能逃脫這種罪惡，美德寧可說就存在於爲了得救而從事的無休止的鬥爭之中，而不在於它的成功。大概正是這種認爲罪惡和不幸是普遍的人類品質的意識，使他如此看重人類的同情和溫順，這兩種品德早已不是那種經過嚴格修正的斯多噶哲學的顯著特點。上帝的父親身分和人類的兄弟關係已呈現出對全人類的愛和善意的內涵，這一點終於成了基督教教義的特徵。隨着公民美德和政治美德降到第二層地位，憐憫、仁慈、博愛、慈善、寬容以及愛諸如這些美德──連同基於道德立場而對加於受贍養者和卑下者的殘忍、仇恨、惱怒以及粗暴等的譴責──在道德標準上被賦予了比先前倫理學中遠爲崇高的地位。這種人道主義在古典羅馬法中的影響是顯而易見的，特別是在保護婦女和受贍養兒童的財產與人格、保護奴隸、比較人道地對待罪犯以及實行一項保護無依靠者的公衆政策方面。令人奇怪的事實是，對於人道主義美德的強烈情感，最初竟是伴隨着對於道德腐敗的日益增長的意識而出現的，這兩者肯定都背離了古代早期的道德情操。或許這兩者都是對於生活抱更深思熟慮態度的表現，現在，它們取代了最高的美德是服務於國家的這一較古老的信念。

塞尼卡背離國家是道德圓滿的最高機構這一古老信念的顯著標誌，是他對於黃金時代（Golden Age）的熱烈讚頌。按照他的設想，這個時代存在於失去純眞的文明時代之前。在他的第九十封信中，他描述了這一田園般的自然狀態，與盧梭（Rousseau）在十八世紀傾注在同一題目上的誇張熱情有幾分接近。他相信在黃金時代人們還是幸福和純眞的，他們熱愛一種沒有文明世界的過剩物和奢侈品的簡樸生活。實際上，他們旣不明智，也非道德完善，因爲他們的善與其說來自於從實行中得來的美德，不如說來自於無知的純眞。特別是在塞尼卡所描繪的自然狀態中，人們還沒有得到推動貪婪的巨大動力，即私有財產制；事實上，正是貪婪的增長摧毀了這個原始純潔狀態。再者，只要人們依舊是純眞的，他們就不需要政府或法律，他們自發地服從於最明智和最傑出的人，而這些人在統治他們的同件時並不謀求他們自己的任何利益。但是，當人們受到把東西據爲己有的慾望侵襲時，他們就成了追求私利者，而統治者則成了暴君。技藝的發展帶來了奢侈和腐敗。正是這種連鎖的後果，使得法律和高壓統治成爲必然，以便能制止人類本性的種種

罪惡和墮落。總之，政府是糾正罪惡的必要手段。

對於田園般自然狀態的讚美，早在柏拉圖〈法律篇〉的某些章節中出現過，現在塞尼卡又再用心推敲，這在烏托邦政治學說中的作用是不容忽視的。無論像塞尼卡和盧梭那樣把這種讚美倒退回過去，還是像烏托邦社會主義者那樣用這種讚美來設計未來，其目的往往是相同的——十分鮮明地突出人類的罪惡和腐敗，並控告一個時期的政治或經濟弊端。就塞尼卡而言，黃金時代是他以另外的措辭來表達一種經常縈繞其懷的感覺，即尼祿統治下的羅馬社會已經衰敗了。由於種種不難理解的原因，他關於在自然狀態下不存在私有財產的觀點，幾乎不可能得到法學家們的贊同，顯然他們認爲所有權是完全符合自然法的。就這些法學家而言，最接近的相似處或許就是奴隸制了，正如在前一章所指出的，奴隸制有時被認爲屬於萬民法而不是自然法。一般說來，塞尼卡的法律概念作爲單純的針對罪惡的對策，與烏爾庇安（Ulpian）把法律描述爲「眞正的哲學」，描述爲仁慈和公正的藝術，是大相逕庭的。但是，塞尼卡關於自然狀態的思想卻可能給基督教神學家們留下良好的印象。關於人的墮落的故事意味著相信純眞的原始狀態，而在基督教作家中，確實普遍把這種狀態視爲共產主義的一種狀態，並且認爲在這種狀態下將不需要暴力。當貧窮在道德上優於富有、修道生活優於世俗生活的學說確立以後，自然狀態的觀點就幾乎成爲必然的了。

然而，重要的是這一學說無論在塞尼卡的作品裡還是在基督教作家的著作中，都絕不是對財產或法律和政府的破壞性攻擊。它的含意僅僅在於，這些制度在道德上所代表的是第二等的東西。在一個完善的社會裡，或者當人類的本性得到了淨化之後，這些東西就不再必要了。但是，由於人性確實存在罪惡，因此私有財產很可能是一項有用的制度，而以武力爲後盾的法律大概仍不可免。這一點很容易即刻使人相信，政府完全是爲了人類的罪惡才產生，它是由神意指定，在人類墮落的狀態中統治人類的手段，因此它有要求一切善良之人服從的不能取消的權利。事實上，這在後來就成了基督教的共同信念。

然而，塞尼卡或多或少把政府想像爲糾正人類罪惡的一種權宜之計，表明了一種道德觀點上的巨大轉變，不僅從希臘哲學家對於政治制度的估價來看，就是從不久前西塞羅所持的看法來看，也都是如此。塞

尼卡的觀點和表現在亞里斯多德信仰中的古代概念之間的差異，是難以誇大的。亞里斯多德認為，城邦國家是文明生活的必要條件，而且是使人類天賦達到最高發展形態的唯一手段。塞尼卡關於國家機能的見解所內含的變化，恰好可以與西塞羅關於人類平等所內含的變化相比較。把這兩個變化合起來，就完全推翻了以往的政治評價。取代公民身分這一最高價值的，是各種不同身分的人所共享的普遍平等；取代國家這一積極地表現人類完善之機構的是一種强制的權力，這種權力徒勞無益地力圖使人世間的生活可以忍受。儘管這種價值觀的革命性變革才剛剛提出來，但它的含意卻注定要受到研究，並且越來越牢固地被植入基督教教父的政治哲學之中。

基督徒的服從

　　基督教教會作為擁有管理人類宗教事務之權利並獨立於國家的獨特機構而興起，無論就政治學還是就政治哲學而言，把它描述為西歐歷史上最具革命性的大事，大概都是不無道理的。但是，絕不能因此認為早期基督教的政治概念與其他學說有什麼不同，或者與其他人的政治概念有什麼不同。促使基督徒形成的成因是為了宗教利益，基督教是一種救世之說，而不是哲學或政治學說。基督徒關於後者的觀念，與異教徒並無大的區別。因此基督徒和斯多噶學派同樣相信自然法，相信神意對世界的統治，相信法律和政府負有真正公道行事的義務，相信在上帝眼裡人人平等。這樣的思想在基督教出現之前就廣泛傳開了，並且《新約》中大量常見的章節表明，這些思想立即為基督教作品所吸收。因此，〈使徒行傳〉（The Acts）的作者敍述聖保羅（St. Paul）對雅典人的佈道時，就使用了任何聽過斯多噶演講的人都熟悉的術語：「我們生活、動作、存留，都在祂之中，正如你們自己的詩人也曾說過一樣。」❸只有關於死者復活的新的宗教教義，才是雅典人所無法理解的。與此相類似，聖保羅在致信加拉太人（Galatians）時，代表教會否認了種族或社會地位的差別：

　　　無分猶太人與希臘人，無分奴隸與自由人，無分男的與女的，因

為你們在耶穌基督裡都成為一體了。❹

而在致書羅馬人時，則透過比照猶太人的法律，斷言法律是內含於全部人類的本性之中：

> 沒有法律的外邦人，若順著本性行法律上的事，他們雖然沒有法律，自己就是自己的法律。❺

總之，就自然法、人類平等和正義在國家中的必要性而言，可以說教父實質上與西塞羅和塞尼卡是一致的❻。事實上，異教徒對基督徒所相信的那種包含在猶太教和基督教聖經之中的天啟法律是一無所知的，但是，對於啟示的信仰和認為自然法也就是上帝之法的見解卻並非不能相容。

基督教的創立者甚至把基督徒尊重既定權力的義務也深深地植入了基督教之中。當法利賽人（Pharisees）試圖誘使耶穌反對羅馬政權時，他說出了令人難忘的話：

> 所以，凱撒之物應歸凱撒，上帝之物應歸上帝（Render therefore unto Caesar the things which are Caesar's, and unto God the things that are God's.）。❼

而聖保羅在他致羅馬人的信中，寫上了《新約全書》中最具影響的政治表態：

> 在上有權柄的，人人當服從他。因為沒有權柄不是出於上帝：掌權的都是由上帝任命。所以抗拒掌權者，就是抗拒上帝的命令，抗拒者必自取刑罰。作官的原不是叫行善的懼怕，乃是叫作惡的懼怕。你願意不懼怕掌權者嗎？你只要行善，就可得他的稱讚，因為他是上帝的佣人，是與你有益的。你若作惡，卻當懼怕，因為他不是空空的佩劍，他是上帝的佣人，是伸冤的，刑罰那作惡者。所以你們必須服從，不但是因為刑罰，也是因為良心。你們納糧，也為這個緣故，因他們是上帝的差役，常常特管這事。凡人所當得的，就給他；當得糧的，給他納糧；當得稅的，給他上稅；當懼怕的，懼怕他；當恭敬的，恭敬他。❽

　　也許眞的如一些歷史學家所推測的❾，這一章節以及其他一些具有相似效果的章節，是爲反對存在於早期基督教社團中的無政府傾向而撰寫，情況如果眞是如此，那可說已達到了目的。聖保羅的這些話成了公認的基督教信條，而公民服從（civic obedience）的義務則成了公認的基督教美德，對此，任何教會領導人都無異議。可能聖保羅確實與塞尼卡一樣，相信行政官員的權力是人類罪惡的必然結果；統治者的工作就在抑惡揚善。但正如已經上指出的，這並不意味著尊敬統治者是次要的義務。

　　聖保羅和其他《新約》作者強調，服從是上帝強加的一種義務，這就使得基督教教義的重點與法學家們所強調的羅馬法制理論有所不同，後者認爲統治者的權力來自於人民。猶太教聖經一旦得到承認，這一觀點自然就因《舊約》中對猶太王權起源的說明而得到加强。❿習慣上，猶太人的國王稱爲救世主；按照傳統，這一王位是因爲人民的造反而由上帝設置；而最後——這一點對後來的基督教作家仍有著影響——他得以確立，是經一位先知之手來爲其塗油。在某種意義上，基督教的統治權概念始終意味著神權理論，因爲統治者是上帝的僕人。然而，現代政體之爭是以一種最初或實際上以後幾百年都無人想到的方式加大了這兩種觀點之間的差異。即使權力來自於人民，那也沒有任何理由說明爲什麼對它的尊重不可能是一種宗教上的義務；或者反過來說，如果統治者是上帝任命的，那他仍然可能是依靠一個民族所固有的制度才得到他這種特殊形式的職位。事實上，這兩種理論背後的目的，可以說完全一致。對於聖保羅和所有基督徒來說，應當受到尊敬的與其說是據有職位的人，不如說是那個職位，一位統治者的個人品德的好壞與此毫不相干。一個壞的統治者是對於罪惡的一種懲罰，而且人們依然必須服從於他。對於法學家來說，人民的選擇明白地象徵著所行使的權力在政體上或法律上的性質。這兩種觀點都承認——一種作爲法律而另一種作爲神學——一種制度所固有的權威和僅僅是一個個人可能擁有的專橫權力並不相同。因此，這兩種觀點可以相互支持而並非互不相容。

一分爲二的忠誠

　　因此，尊重法律的權威是任何基督徒都不否認的義務。然而極端重要的事實是，基督徒不可避免地要受到古代異教徒倫理學所完全不瞭解的雙重義務的束縛。他不僅必須把凱撒（Caesar）之物付與凱撒，還必須把上帝之物交付上帝，而且，如果這兩者發生衝突，他必須服從的毫無疑問是上帝而不是人。任何像塞尼卡那樣把公民義務置於第二位的觀點，都會認爲這樣的衝突是有可能發生，但是沒有任何證據表明塞尼卡意識到了這種可能性。基督徒，作爲受迫害的少數派成員，幾乎不可能不意識到這一點，而且不可否認的是，像馬可·奧勒留（Marcus Aurelius）那樣認眞的皇帝（在他的統治下迫害盛行），也正確地認識到了這一點，這一認識雖然模糊但卻堅定，即基督教包含了一種與無條件地爲國家盡義務的而不爲羅馬美德所不容的思想。基督徒相信，他的宗教是上帝爲引導他得救而啓示的眞理，遠高於這個世界所能賦予他的任何命運，因此他必然認爲，任何皇帝也不能解除宗教使其負擔的義務，而公民服從這一公認的義務就必須根據宗教義務來加以衡量和判斷。就這個意義上來說，這個原則雖然陳舊──即每個人都是兩個國家的公民──但對它的應用卻是全新的，因爲對基督徒而言，更大的國家不單單是人類家庭，且是一個精神王國，一個眞正的上帝王國，在這個王國裡，人將繼承永生，將繼承比人間王國所能提供給他的任何生活都優越的命運。

　　確實，並非基督教獨此一家提出這類問題。基督教作爲一門「精神」宗教所具有的這種特徵，或多或少同存在於羅馬世界的其他宗教所共有。希臘和羅馬的較古老的地方祭儀──儘管爲了政治目的而受到了刻意的扶植──在二世紀結束之前實質上就讓位給起源於東方的各種宗教了，而基督教不過是其中之一。所有這些宗教在向被罪惡侵襲而且厭世的一代人提供救贖和永生方面，在維持一批受過職業訓練、精通於提供精神安慰技藝的祭司方面，都頗爲相似──

　　在那個苦悶和無能爲力的沉重時代氣氛中，人們沮喪的靈魂以不

可名狀的熱情渴望著輝煌的天國。⓫

　這就是那個時代普遍瀰漫的社會特徵，基督教和其他東方宗教的傳播所依賴的正是這一特徵。隨著宗教和其他超俗勢力的興起，及獨立宗教機構的興起，打破宗教附屬於國家的舊傳統就不可避免了。基督教──與國家並列的教會──代表了古老帝國思想的最後崩潰和一個全新發展的起點。

　　世界帝國始終不能沒有宗教的支持。一個由民族、部落和城市組成的聚合體，旣缺少如同現代民族情感那樣的強勁紐帶，則除了共同的宗教，是不可能找到任何其他切實可行的聚合力量。從一開始，亞歷山大及其繼承者在這方面就不得不模仿東方的作法，而羅馬人也被迫開始同樣的進程。在東方的行省，早期的皇帝在生前和死後都被神化，但在義大利，從共和國傳到帝國的種種法制上的限制，卻阻止了這一進程。然而，立憲制度的前景是愈加暗淡了，而且隨著戴克里先（Diocletian）統治下帝國的改革，以及皇帝把太陽神崇拜（Mithraisim）確立爲國家的正式宗教以後，羅馬就變得和東方的回教統治區（caliphate）差不多了。即使這樣安排，最後證明也只不過是一種暫時的權宜辦法。宗教力量的增長，最初有可能把皇帝祀奉爲神，然後是必須這樣做，而最終則使這種神化成爲不可能。因爲人們所需要的並不是一種大體上仍被視爲國家附屬物的官式宗教，而是一種擁有自治的教會組織並且與國家平起平坐的宗教。就其所代表實質利益而言，它實際上要高於國家。基督徒依照其宗教，顯然不承認被神化的皇帝有資格就宗教問題作最終裁決。然而，一旦羅馬把作爲宗教和政治權力來源的這一要求擱置一旁，他就能夠以一個帝國公民或士兵的身分予以合作。事實上，教會是很適合於爲世俗政權帶來支持的，因它教導服從和忠誠的美德，並訓練其成員恪守公民的義務。

　　基督教觀點的新奇，在於它假定人有雙重的本性，在於設想基於人生雙重命運而進行的雙重控制。基督教觀點的精髓，是區別教會事務和世俗事務，因此，宗教制度和政治制度的關係就向基督徒提出一個新的問題。從政治義務這個陳舊的帝國概念來看，基督徒在這個問題上的信念基本上是不忠的，正如從基督徒的立場來看帝國的理想亦完全是異教和不敬神的一樣。在一個異教徒看來，最高的道德職責和宗教職責在國

家裡都象徵性地集中於皇帝一人的身上，皇帝既是最高的非宗教權威又是一位神。在基督徒看來，宗教職責是直接來自於上帝的最高義務，是神和人的宗教本質之間的關係產物。世俗力量對這種關係的干涉，基督徒在原則上並不能允許，因此他必然會拒絕以非常正規的儀式向皇帝的才能表示宗教上的敬意。堅持這種更高的關係並且能為靈魂提供與上帝聯繫的媒介機構，必然要求獨特的機構，並且在某種程度上獨立於那些作為肉體和現世存在的工具的世俗機構。因此，基督教提出了一個古代世界還不曾瞭解的問題——關於教會和國家的問題——其中蘊含了一種歧異的忠誠觀，和一種內心裁判的觀念，這都是古代公民權觀念中所不曾包括的觀點。如果不曾有過關於道德和宗教機構要明確獨立於並重要於國家和法律強制的設想，那就難以想像自由何以能在歐洲政治思想中發揮這樣的作用了。

在教會獲得合法地位之前，它的教義和宗教組織先已發展壯大了，這個事實是絕對不容忽視的，這一事實也使教會成為帝國有價值的附屬物。只要它純粹是一個自願的，並且往往是非法的社團，它與國家的關係就不需要任何特別的理論。然而，當它正式建立之後，在宗教事務方面就有了比較明顯的堅持自治的需求。另一方面，教會政治家曾設想，教會和國家不能始終互不接觸，正如靈魂和肉體一樣，雖然它們乃是不同的要素，但卻總是穩定地結合在人生之中。教會和國家的獨立是以包含這兩者的相互幫助為條件，兩者都是由神任命的，是在現世和來世管理人生的代理機構。公民服從的義務像任何其他道德義務一樣，無疑是上帝正確地加之於人的基督教美德，然而卻不是一種絕對的義務。教會戒律能夠給國家以支持，這是君士坦丁（Constantine）使之合法建立的真正原因。另一方面，基督徒王侯贊助和保護教會的義務同樣是無可置疑的，而且這一義務不可能不包括這樣的內容，即在緊急時必須維護其教義的純正性。人們在任何方面都不會認為這一義務與統治者的世俗本性有矛盾，也不會設想王侯因此就成了教義的審判者。基督教的見解意味著兩種義務，宗教的義務和世俗的義務，兩者有時可能會明顯對立，但最終並非不可調和的。與此相似，它還意味著兩種雖然彼此需要但卻保持區別的制度化的組織，而且這兩者在任何正常情況下都接受來自另一方的支持和幫助。

　　衝突的可能性以及衝突這一概念的歧義性，是顯而易見的。確實，任何不發生這類難題的眞正的基督教社會形式都是無法想像的，因爲這些難題正反映了道德生活本身的複雜性。因此，最容易的莫過於指出，教會和國家並非實際上完全互相獨立，因爲在教會建立期間，它不得不主要依靠皇帝的支持，而後，它的更大的權力才可能威脅到世俗政權的自治。像奧古斯丁（Augustine）那樣的思想家都在宗敎寬容問題上前後出現矛盾，大概可以說明這個問題的諸難處。在原則上，讓人接受基督教不能單純依賴武力而粗暴地侵犯宗教自由，但是，眞誠相信異端是極大罪惡的基督教政治家，也不可能坐視那些對其臣民的現世和永恆幸福負責的人們對異端的蔓延置之不理。因此，在奧古斯丁早年，反對使用暴力對付摩尼敎徒（Manichaeans），而後來在與多納圖派（Donatists）的論戰中，他卻主張，爲了異教徒自身靈魂的益處，必須迫使其接受教誨。與此相似，下述情況也是清楚的歷史事實，即君士坦丁的影響對於在尼西亞會議上（Council of Nicaea）擊敗阿里安派（Arians）有著決定作用，但是，在不使自己的信仰陷入自相矛盾的情況下，顯然沒有任何基督徒相信三位一體的正統教義是透過一道敕令確定下來的。問題涉及到對司法權的精心劃分，甚至到了中世紀末，仍然存在關於司法權的爭端，雖然就正常情況而言，界限已劃分得十分清楚了。而最初，首先需要的就是強調教會在宗教事務上的自治。

安布羅斯、奧古斯丁和格雷戈里

　　透過介紹教會合法建立後二百年間的三位偉大思想家，或許可以說明神職人員對這些問題的看法，並且還可以說明他們所使用的概念仍不夠明確。這三位偉大的思想家是：四世紀下半葉米蘭的聖安布羅斯（St. Ambrose of Milan）、五世紀之初的聖奧古斯丁（St. Augustine），以及六世紀下半葉的聖格雷戈里（St. Gregory）。他們之中，沒有人參與擬定系統的教會哲學和解決教會與國家的關係問題，更確切地說，他們屬於基督教思想的形成時期，所論述的都是十分急迫的問題。但他們所闡述的觀點構成了基督教信仰的基本要素，並且成爲思考

教會與國家兩個機構關係的基督教思想的不可缺少的部份。

聖安布羅斯對教會在宗教事務上的自治所作的強有力論述，特別值得注意。在這一方面，沒有理由認爲他和他那個時代的其他基督徒有什麼不同，但是他對這個原則的直言不諱和在面對反對時堅持這個原則的勇氣，使他成爲一位權威，在以後所有涉及這個問題的爭論中，基督教作家都要返回到他的觀點上來，例如，他明確主張，在宗教事務上，教會對全體基督徒都擁有管轄權，其中也包括皇帝，因爲皇帝如其他任何基督徒一樣，也是教會的兒子，他「是在教會之內，而不是在教會之上。」⓬他在致皇帝瓦倫蒂尼安（Valentinian）的信中大膽提出，在信仰問題上「主教通常是基督徒皇帝的法官，而不是相反。」他對服從非宗教權威的義務是絕不懷疑的，但是他斷言，在道德問題上，在教士不僅要教誨而且要力行的戒律上，教士不但有權利而且有義務譴責世俗統治者。在一個著名的場合，他當著皇帝西奧多修斯（Theodosius）的面拒絕舉行彌撒，因爲皇帝對造成希撒羅尼卡（Thessalonica）的大屠殺犯有罪過。在另一場合，他直到皇帝撤回了他認爲有損主教特權的命令之後，才同意舉行彌撒儀式。還有一次，他堅持拒絕按皇帝瓦倫蒂尼安的命令把一個教堂交給阿里安派（Arians）使用，「宮殿屬於皇帝，教堂屬於主教。」他承認皇帝擁有世俗財產的權力，包括對於教會土地的權力，但他不承認皇帝有權侵占作爲直接奉獻給神用的教堂建築本身。不過在此同時，他亦明確駁斥了以暴力抗拒執行皇帝命令的任何權利。他主張爭辯和懇求，但他不願煽動人民造反。因此，按照安布羅斯的見解，世俗統治者在宗教事務上應服從教會的指令，他對某些教會財產的權力應該受到限制，而教會的權利則是透過宗教手段而不是透過反抗來加以維護。不過，這兩類財產的確切界限仍然模糊不清。

這個時代最重要的基督教思想家，是安布羅斯傑出的皈依者和學生——聖‧奧古斯丁。他的哲學只是略有體系，但是他的見解幾乎包括了古代的一切專門知識，這些知識大多是透過他而傳到中世紀。他的著作是思想的寶庫，後來的天主教和新教的著作家，都從中進行發掘。對於他那些與基督教一般思想在本質上一致，而在本章已提過的觀點，這裡沒有必要再重複。他最具特色的思想是關於基督教國家的概念和把這樣的國家描述爲人類宗教發展頂點的歷史哲學。由於他的權威，這一見解

成了基督教思想根深柢固的部份，不僅延及整個中世紀，而且一直傳到現代。在這個問題上，不論是新教的思想家還是羅馬天主教的思想家，都受到奧古斯丁思想的支配。

他的偉大著作《上帝之城》（ *City of God* ），原是爲了捍衛基督教以反對異教徒的目的而撰寫了，即基督教對於羅馬權力的衰落，特別是對造成四一〇年阿拉里克（ Alaric ）洗劫羅馬城應負責任。然而，出乎意料的，他竟由此發展了他的全部哲學思想，包括他關於人類歷史之意義和目的的理論，而根據這一理論，他試圖比較正確地認識羅馬的歷史。這就難免要以基督教的觀點對下述這個古代思想加以重述，即人是屬於兩個城市的公民：他出生的城市和上帝之城。由塞尼卡和馬可·奧勒留所提出的這一區別的宗教含意，在奧古斯丁的著作中明確化了。人的本質乃是雙重的：既是精神又是肉體，因此他同時是這個世界的公民和天國之城的公民。人生的基本事實就是人類利益的劃分，以肉體爲中心的世俗利益和特屬於靈魂的來世利益。正如早已指出的，這一區分是基督教關於倫理學和政治學的全部思想的基礎。

然而，聖·奧古斯丁是把這一區別做爲理解人類歷史的一個關鍵，人類歷史就是由兩個社會的競爭所支配，並且始終會受到這種支配。一方是人間之城，其社會是建立在反映人類較低本性的世俗、慾望和占有的衝動之上；另一方是上帝之城，其社會是建立在對天國和平與精神救贖的盼望之上。前者是撒旦（ Satan ）的王國，其歷史始於天使的違抗，並特別體現於亞述（ Assyria ）和羅馬這樣的異教帝國。另一個則是基督之國，它首先體現於希伯來民族，而後則體現在教會和基督教化的帝國。歷史就是這兩個社會之間的鬥爭，是最終勝利必將屬於上帝之城的富有戲劇性的故事。只有在天國之城和平才可能實現；只有神的王國才是永恆的。這就是奧古斯丁對羅馬陷落的解釋：一切純粹的世俗王國都必將消逝，因爲世俗權力在本質上是無常和不穩定的；它是建立在人類本性中必然造成戰爭，以及必然受慾望支配的那些方面之上。

可是，在解釋這個理論，特別是把它應用於歷史事實之時，需要相當小心謹愼。奧古斯丁的意思並不是說世俗之城或上帝之城能夠和現存的人類機構完全等同起來。對他來說，教會作爲能看得見的人類組織並不同於上帝王國，而世俗政府與罪惡的權力也並不是同一碼事。一位爲

了鎮壓異端而依靠帝國政權的教會政治家，大概不會把政府當作魔鬼王國加以攻擊。像所有基督徒一樣，奧古斯丁相信「現存的權力都是上帝命定的」，雖然他也相信，為對付罪惡而在政治中使用暴力是必要的，並且這是神意指定的糾正罪惡的手段。因此，他並不認為這兩個城市係截然分開。世俗城市是魔鬼之城，是一切惡人的城市；而天國之城則屬今生和來世已得救贖之人所共有。在整個世俗生活中，這兩個社會是混在一起的，只是到了最後審判的時候才分開。

與此同時，奧古斯丁確實認為罪惡王國至少是由異教的國家所代表，雖然他並未把它們完全等同起來。他還認為教會代表上帝之城，儘管後者不能等同於教會組織。他思想中最具影響力的層面之一，是他為教會這一有組織的機構的概念賦予了現實性和力量。他的人類獲得救贖以及實現天國生活的方案，絕對有賴於教會這個作為一切真正信徒的社會團體的存在，他認為上帝的恩典通過教會纔能在人類歷史中發揮作用。❸因此，他認為基督教會的出現乃是歷史的轉折點；在善惡兩種力量的鬥爭中，它標誌着一個新的時代。自此之後，人類的得救就與教會的利益息息相關，而這些利益當然要高於一切其他利益。

因此，教會的歷史對奧古斯丁來說，簡直可以用黑格爾（Hegel）曾相當蹩腳的應用於國家的一種說法來表述，即「上帝進軍世界」（the march of God in the world）。人類確實是一個單一的家庭，但其最終的歸宿卻不是在人間而是在天國。而且，人生就是上帝的善和背叛的靈惡之間進行廣泛鬥爭的舞臺。全部人類歷史是上帝救贖計畫的莊嚴展示，在這個計畫中，教會的出現標誌著一個決定性的時刻。自此之後，種族的統一就意味著教會領導下基督信仰的合一。從這裡很容易得出這樣的推論，即在邏輯上國家將完全成為教會的「世俗臂膀」（secular arm），然而這個結論並不是必然的，而且情況也不可能使奧古斯丁得出這樣的結論。他的關於世俗統治者和教會統治者之間關係的理論，並不比當時其他著作家的理論更明確，因此，後來在關於這個問題的爭論中，任何一方都無法祈求於他的權威了。但是無可爭辯地，他提出了這樣一個劃時代的見解，即在新的統治之下，國家必須是一個基督教國家，它適合於靠共同的基督教信仰而構成的社會，有助於宗教利益明顯高於任何其他利益的生活，並能透過保持信仰的純正性而為人類的

得救做出貢獻。正如詹姆斯‧布賴斯（James Bryce）所說的，神聖羅馬帝國的理論正是以奧古斯丁的《上帝之城》爲基礎。而這一構想並沒因帝國的衰退而消失。對一個十七世紀的思想家來說，最難以理解的莫過於這種看法，即對於一切宗教信仰問題，國家應當完全袖手旁觀。甚至到了十九世紀，格拉斯頓（Gladstone）仍然認爲國家具有一種良心，這使它能夠區分宗教上的眞理和謊言。

一個眞正的共和國必須是一個基督敎共和國，奧古斯丁以是一種最有可能實現的方式提出了必然性。他不同意西塞羅以及其他前基督敎作家的觀點，即實現正義是一個眞正共和國的職責，原因在於任何異敎帝國都不可能做到這一點。認爲一個國家只要它的眞正憲章不把上帝應得的敬仰給予上帝，就能給予每一個人所應得的一切，這在措詞上是矛盾的。❹奧古斯丁的歷史哲學要求他承認，前基督敎帝國已是某種意義上的國家，但是他清楚，它們不可能是適應於基督敎體制的完全意義上的國家。一個公正的國家必須是這樣的國家，在其中所敎授是眞正的宗敎信仰，也許亦是這樣的國家，它是由法律和權威來維持的，儘管這點奧古斯丁並未直接說出來。自從基督敎出現以來，任何國家都不可能是公正的，除非它是一個基督敎國家。任何不顧及與敎會聯繫的政府，都不會有正義可言。這樣，國家的基督敎特徵就被植入了受到普遍承認的原則之中，即它的目的是實現正義和公道。既然社會組織的最終形式是宗敎形式，那麼國家也不得不以某種方式成爲一個敎會，雖然應該採取何種聯合形式可能仍是一個有爭論的問題。

到此爲止，對聖安布羅斯（St. Ambrose）和聖奧古斯丁的政治思想所作的說明，強調了在宗敎事務上敎會自治以及國王和敎會兩個體系分享統治的概念。這種見解不僅意味著敎會的獨立，而且也同樣意味著世俗政府的獨立，只要後者在它自己適當的權限之內活動。聖保羅在《羅馬書》（Romans）第十三章中曾大書特書的公民服從的義務、服從於權力的義務，並沒有爲日益增長的敎會權力所廢除。有趣的是，任何一位敎父爲維護世俗統治者的尊嚴而提出的最強烈要求，都出現在這位被稱爲中世紀敎皇之父的偉大和強有力的敎皇的著作之中，這個事實說明，就這一時期的神職人員而言，並不存在侵犯世俗政府特權的任何意圖。聖格雷戈里（St. Gregory）爲悍衛義大利而反對倫巴德人

（Lombards）所取得的驚人成功，還有他在整個西歐和北非對公正行爲和良好統治的影響，大大提高了羅馬敎廷的威信，而世俗政權的軟弱更使他不得不承擔了政治統治者的職責。此外，格雷戈里是敎父中唯一談到政治統治的神聖的人，他在措詞中提出了一種消極服從（passive obedience）的義務。

格雷戈里似乎認爲，對一位邪惡的統治者不僅應當服從——任何基督敎作家對此大概都會讓步——而且應當沈默和消極服從；其他任何敎父都沒有對這一點作過同樣堅定而有力的陳述，例如，在格雷戈里討論主敎應給予其敎徒何種訓戒的《敎牧規則》（Pastoral Rule）裡，他最堅決地主張，臣民不僅必須服從，而且不應評價或批評他們的統治者的生活——

> 即使統治者的行爲被正確地判定有罪，那也不應對之口誅筆伐。但是，如果不愼譴責了他們，即使是微不足道的，那良心也必然會受到懺悔的痛苦的折磨，直至終極才能得恢復，而且，當心靈觸犯了統治者的權力時，也將會敬畏擁有權力者的審判。❶❺

在無政府狀態較之皇帝控制敎會成爲更大危險的時代裡，這種關於政府神聖的概念並非不可理解。儘管格雷戈里行使著實質上屬於國王的世俗權力和敎會權力，但他寫給皇帝們的信和出自聖安布羅斯之筆的大膽譴責及抗議，在語氣上卻明顯不同。❶❻格雷戈里確實反對他認爲不合敎規的行爲，但他並不拒絕服從。他的見解似乎是這樣的：皇帝甚至有權做不合法的事，當然，只要他願意冒遭詛咒的風險。不但統治者的權力是上帝的，而且除了上帝之外沒有任何人高於皇帝。統治者的行爲，最終是介於上帝和他的良心之間。

雙劍論

敎父時代的基督敎思想家所闡發的最主要論點，蘊含著一種雙重的組織，以及必須保存兩大類價值以對人類社會進行控制。宗敎的利益和

永恆的救贖是由教會管理，並且構成了由教士來引導的專門的傳教範圍；現世或世俗的利益以及對和平、秩序和公正的維護則是由世俗政府來管理，並構成了行政官員的俗務所應達到的目標。在這兩個次序，也就是教士和政府官員之間，應當充滿相互幫助的精神。這一相互幫助的條信幾乎沒有留下任何界限，即在無政府狀態威脅世俗事務或腐敗現象威脅宗教事務的危急時刻不能理所當然地跨過的界限。不過，儘管這個界定不清楚，但人們感到這種危急時刻並不破壞這樣的原則，即這兩種權限都不應受到侵犯，每一方都應尊重上帝賦予另一方的權利。

　　人們常常把這種想法說成是關於兩把劍或兩種權威的學說（the doctrine of the two swords, or two authorities）。西元五世紀末，教皇吉拉修斯一世（Gelasius Ⅰ）對這一學說作了權威性的陳述。它成了中世紀早期得到公認的慣例，並且在教皇和皇帝的對抗之中構成了宗教事務和世俗事務發生爭執的出發點。由兩個具有不同權限的統治集團主持對社會的雙重控制，這一設想即使在爭論的時代可能也是大多數持溫和觀點之人的理想，這些人不喜歡爭端中任何一方所提出的極端要求。由於吉拉修斯致信給君士坦丁堡（Constantinople）的皇帝，且其目的始終是捍衛當時在西方已成為正統的教義，以反對特別存在於東方並且一再重複前一世紀重大的三位一體說爭論的異端邪說，他自然就要遵循已經由聖安布羅斯所確定的路線。在宗教事務方面，皇帝必須使其意志服從於教士，並且必須學習而不是擅自去教授。由此推得，教會透過它自己的統治者和官員，必須擁有對於所有教士的管轄權，因為顯然沒有任何其他方式能夠使之成為一個獨立和自治的機構——

　　全能的上帝業已決定，基督教的教師和教士將不由非宗教法律或世俗權力來統治，而由主教和教士來統治。❼

按照這一原則，吉拉修斯堅持，至少在涉及宗教事務的地方，對於教士的犯罪必須由教會的法庭而不是由世俗法庭來審判。

　　在這一實際推論背後的哲學原則，與聖奧古斯丁的學說可說是完全一致，即宗教事務和世俗事務的區別是基督教信仰的一個基本部份，因此乃是任何遵循基督教體制的政府的規則。把宗教權力和世俗權力結合為一體，是典型的異教制度，也許這在基督之前是合法的，但此時則是

十足的魔鬼詭計。基於人類的弱點並且爲了抑制人天生的自大和傲慢，基督決定分離這兩種權柄，因此基督是最後一個能合法地行使王權和神權的人。在基督教的體制之下，一個人同時是國王和教士乃是非法的。毫無疑問，兩種權力需要相倚相輔：

> 基督徒皇帝爲了永生的緣故而需要主教，而主教則運用帝王的規章來處理世俗事務。⓲

但是，教士的責任要重於世俗統治者，因爲他在最後審判的日子裡要對全體基督徒的靈魂負責，即使那些統治者本身的靈魂也不例外。兩種權力中的任何一方行使另一方所專有的權威，都是絕對不合適的。

因此，由教父們留傳給中世紀有關普遍基督教社會的設想，從根本上來說不同於古代關於世界共同體的觀念，也不同於最終流行於現代的關於教會和國家的觀念。它之所以不同於後者，是因爲正如教父們所理解的，它並不是由自願接受基督教教義的人結合成的特殊集團。按照他們的想法，教會和帝國具有同樣的普遍性，因爲二者都包括了所有的人。人類所構成的單一社會是居於兩種管理之下，每一種管理都有它自己的法律、它自己的立法和行政機構，並且有它自己相應的權利。不過，這一設想已不同於前基督教之古代的任何流行思想，因爲它在兩種理想和兩種統治職權之間分割了人的忠誠和服從。透過給予普遍的社會共同體一種宗教的解釋——即它參與了拯救人類的神聖計畫——基督教在世俗國家的正義要求之外又增加了一項保持純潔崇拜的義務，這一義務是使今生能進入來世的門徑。在世俗權利的觀念之上，它添加了基督教義務的觀念，在公民身分之旁和之上，它又設置了天國成員的身分。這樣，它就把基督徒置於雙重的法律和雙重的管理之下。基督教社會的這種雙重性，產生了一個獨特的問題。這一問題最終對於歐洲政治思想特有財富所作的貢獻，或許勝過任何其他問題。在兩種權力的關係是一個主要爭論的時期已遠遠過去之後，關於宗教所堅持的精神自主和精神自由權利的觀念，仍然殘存下來，而若沒有這種殘存，對於個人隱私權和個人自由的現代觀念就幾乎無法理解了。

註　解

❶參見塞繆爾·狄爾（Samuel Dill）的《從尼祿到馬可·奧勒留的羅馬社會》
（*Roman Society from Nero to Marcus Aurelius*），1904 年版，第 3 卷，第 1
章。

❷*Consol. ad Marc.* 24, 5。

❸〈使徒行傳〉（Acts），17, 28。

❹《加拉太書》（*Galatians*），3, 28。

❺《羅馬書》（*Romans*），2, 14。

❻卡萊爾前引書，第 1 卷，1903 年版，第 3 部份。

❼《馬太福音》（*Matt*），22, 21；參看《馬可福音》（*Mark*），12, 17；《路加福
音》，20, 25。

❽《羅馬書》，13, 1～7；參看《彼得前書》（*I. Peter*），2, 13～17。

❾見卡萊爾前引書，第 1 卷，第 93 頁及以後數頁。

❿見《撒母耳記（上）》（*I. Samuel*）第 8～10 章。

⓫弗蘭茨·卡蒙特（Franz Cumont）的《羅馬異教的來世》（*After Life in Roman
Paganism*），1922 年版，第 40 頁。還可參見同一作者的《羅馬異教中的東方宗
教》（*The Orient Religions in Roman Paganism*），英譯本，1911 版，第 2
章。

⓬引文見卡萊爾前引書，第 1 卷，第 180 頁以下及註解。

⓭必須承認奧古斯丁的思想還有另外一面。在教會政治家和基督教神秘主義者這兩
方面興趣之間，他的性格常常被一分爲二。按照後一種性格，他可能把神的恩典
視爲個人靈魂與上帝的關係，具有新教傾向的作家總是這樣來解釋他。然而，出
於歷史目的，特別是根據他對中世紀的影響，文中的陳述乃是正確的。

⓮在對西塞羅關於國家定義的探討之中，奧古斯丁的意見一直是爭論的對象。麥克
爾溫（C. H. Mcllwain）（見《西方政治思想的發展》，1932 年版，第 154 頁及以
後數頁）就反對卡萊爾（A. J. Carlyle）和菲吉斯（J. N. Figgis）的解釋。我認
爲他是正確的。

⓯卡萊爾所引，同前引書，第 1 卷，第 152 頁，註 2。

⓰參見卡萊爾所引的書信，同前引書，第 1 卷，第 153 頁以及後數頁。

⑰卡萊爾所引，同前引書，第1卷，第187頁，註2。

⑱吉拉修斯（Gelasius），《論文集》（*Tractatus*），第4卷，11；卡萊爾所引，同前引書，第1卷，第190～191頁，註1。

參考書目

1. *L'augustinisme politique: essai sur la formation des théories politiques du moyen-âge.* By H. X. Arquillière. 2d ed. rev. 1955.

2. "The Roman Conception of Empire." By Ernest Barker. In *The Legacy of Rome.* Ed. by Cyril Bailey. Oxford, 1923. (Reprinted in *Church, State, and Education.* Ann Arbor. Mich., 1957.)

3. *The Political Ideas of St. Augustine's De civitate Dei.* By Norman H. Baynes. Historical Association Pamphlet No.104. London, 1936.

4. "The Prophet of Personality." In *Hellenism and Christianity.* By Edwyn R. Bevan. London, 1930.

5. *Grégoire le grand.* By Louis Bréhier. Paris, 1938.

6. "Saint Augustine." in Beryl Smalley (ed.). *Trends in Medieval Political Thought.* By P. R. L. Brown. Oxford,1965.

7. *A History of Mediaeval Political Theory in the West.* By R. W. Carlyle and A. J. Carlyle. 6 vols. London, 1903～1936. Vol. Ⅰ (1903), Part Ⅲ.

8. *St. Augustine.* By Jacques Chabannes. Garden City, N.Y., 1962.

9. *Christianity and Classical Culture: A Study of Thought and Action from Augustus to Augustine.* By Charles N. Cochrane. Rev. ed. London, 1944.

10. *Studies in Medieval Thought.* By G. G. Coulton. London, 1940. Chs. 2～3.

11. *The Political and Social Ideas of St. Augustine.* By Herbert A. Deane. New York, 1963.

12. *The Life and Times of St. Ambrose.* By F. Homes Dudden. 2 vols. Oxford, 1935.

13. *The Ruin of the Ancient Civilization and the Triumph of Christianity.* By Guglielmo Ferrero. Trans. by Lady Whitehead. New York,

1921.

14. *The Political Aspects of St. Augustine's City of God.* By John Neville Figgis. London, 1921.

15. *Introduction á l'étude de Saint Augustin.* By Étienne. Paris, 1931. Ch. 4.

16. *Les métamorphoses de Ia Cité de Dieu.* By Etienne Gilson. Louvain, 1952.

17. *Church and State from Constantine to Theodosius.* By S. L. Greenslade. London, 1954.

18. *Seneca, the Philosopher and His Modern Message.* By Richard Mott Gummere. New York, 1963.

19. "Gregory the Great." By W. H. Hutton. In the *Cambridge Medieval History*, Vol. Ⅱ (1913), ch. 8(B).

20. *Paganism to Christianity in the Roman Empire.* By Walter W. Hyde. Philadelphia, 1946.

21. *Christian Faith and the Interpretation of History: A Study of St. Augustine's Philosophy of History.* By G. L. Keyes. Lincoln, Nebr., 1966.

22. "The Triumph of Christianity." By T. M. Lindsay. In the *Cambridge Medieval History*, Vol. Ⅰ (1911), ch. 4.

23. *The Growth of Political Thought in the West, from the Greeks to the End of the Middle Ages.* By C. H. Mcllwain. New York, 1932. Ch. 5.

24. *The Mind of Latin Christendom.* By Edward M. Pickman. London, 1937. Ch. 2.

25. *The Church in the Roman Empire before A.D. 170.* By Sir William M. Ramsay, 2d ed. rev. London, 1893. Ch. 15.

26. "Thoughts and Ideas of the Period" [The Christian Roman Empire]. By H. F. Stewart. In the *Cambridge Medieval History*, Vol. Ⅰ. (1911), ch. 20.

第十二章
民衆及其法律

　　延至西元六世紀或七世紀的教父時代，仍然屬於古代。儘管在紀元之後，前六個世紀裡發生了許許多多的變化——社會的、經濟的和政治的——塞尼卡和聖格雷戈里（St. Gregory）仍然都是羅馬人。這兩人都生活在羅馬政治思想的範圍之內，因爲對這兩人來說，帝國是唯一有意義的政治存在，這兩人關於國家和法律的主要看法實質上是一致的。甚至教會作爲一個自治的社會機構的興起，以及在格雷戈里時期推動它輕易得到因帝國傾覆而空出來的位置的必然性，在實質上也都沒有打斷古代世界的連續性。然而，在西元六世紀和九世紀之間，西歐的政治命運徹底地落入了日耳曼入侵者之手，他們對於古老帝國結構的衝擊終至打碎了它。查理曼（Charlemagne）可以採用皇帝和奧古斯都（Augustus）的頭銜，無論世俗的還是教會的作家都可以把他的王國描繪成羅馬帝國的再生，但無論如何想入非非，查理曼和那些管理其政府的人也不再是羅馬人了。退到東方的羅馬帝國，甚至連帝國權力的影子都沒給羅馬本身留下，更不用說西方行省了。從堅持正教偶像崇拜的君士坦丁堡教會分裂出來的羅馬教會，變成了西歐的教會，並且由於倫巴人（Lombard）的異教政權，羅馬主教與法蘭克王國（Frankish Kingdom）結爲聯盟，這實際上使得教皇本人成了義大利中部的世俗統治者。蠻族征服本身，連同它帶來的社會和經濟變化，使得大範圍的統治不可能再存在。不論政治上還是理性上，西歐都開始圍繞它自己的中心運行，而不再單純作爲以地中海地區爲中心的世界內地了。

　　從六世紀到九世紀，歐洲國家並未達到允許較多哲學或理論活動存在的程度，而到那時爲止，日耳曼蠻族還不能自如地掌握——更談不上發展——古代的學術遺產。查理曼時期比較井然的秩序，及其短暫的學

術復興，只是一個插曲。西元十世紀和十一世紀新的蠻族入侵——北方的古代斯堪地納維亞人（Norsemen）和東方的匈奴人（Huns）——使得歐洲再一次面臨陷入無政府狀態的危險。直到十一世紀的後半葉，當宗教權威和世俗權威開始大爭論的時候，纔再一次出現了關於政治思想的活躍討論。但是，伴隨著這次在社會和政治歷史上把古代與中世紀分隔開的大斷裂，卻不存在任何對基督教先人所認可的政治見解的有意識的或故意的背離。對聖經、對教父的權威和教會的傳統，甚至對像西塞羅那樣的古代非基督作家的崇敬，都依然是無限的。自然法的有效性及其對於統治者和臣民有約束力的權威，國王公正並依照法律進行統治的義務，在教會和國家中受到委任之權力的神聖性，以及基督教界在世俗最高權力和教會最高權力的平行權力之下的統一，都是得到完全和普遍贊同的東西。

　　儘管如此，還是應該承認中世紀早期出現的那些關於法律和政府的思想，在古代是不曾存在過的，且由於它們逐漸併入了公眾的思想模式，因而對於西歐的政治哲學發生了重要的影響。在某種特殊意義上，其中有一些可能是日耳曼思想，至少它們屬於日耳曼民族。但是沒有必要承認這樣一個神話，即日耳曼思想具有它自己的氛圍。日耳曼民族關於法律的觀念，與其他具有部落組織和半游牧生活習慣的蠻族的那些觀念大體相似。它們是在與羅馬法殘餘的接觸中，並且是在西歐處處都十分相似的政治和經濟環境的壓力之下發展而來。本章的目的就是簡略地敍述一些這樣的新觀念，它們在中世紀早期就成功地轉化入政治思想，並且如同經教父之手而傳下來的古代傳統一樣，成了公認的東西。

無所不在的法律

　　關於法律的最重要的新觀念也許可以概括成這樣一種說法，即日耳曼民族認為法律屬於大眾，或民族，或部族，它幾乎好像是羣體的一種標誌或是一種共同的所有物，人們透過它得以聚合成為羣體。每一個成員都生活在民族的「和睦」之中，而法律則特別提供種種必要的規則，以防止和睦遭到破壞。放逐，對於犯罪的原始的處罰，就是把一個人置

於民族的和睦之外；對一個特定的人或家庭的傷害，即原始的民事侵權行為，就會使這個人處於受傷害一方的和睦之外，而法律則提供一種防止仇恨和恢復和睦的和解關係。在這一早期狀態之下的日耳曼法律，從未書寫下來，而是透過口頭流傳的持久存在的習俗所組成，並構成可以說是部族的和睦生活能繼續下去的智慧。當然，這一法律「在任何情況下都是它所統治的部族和民眾的法律，並伴隨著每一個具有部族成員資格的人。」❶ 這種情況正是如下事實的必然結果，即擁有這種法律的人民到那時為止還未穩定地附著在土地上，游牧的生活習慣剛剛成為過去，而農業此時尚處於比較次要的地位。

這樣，諸蠻族就帶著它們的法律成功地進入了羅馬帝國，雖然他們要在受到羅馬法統治的人們當中定居，但各族的法律仍然為各族的每一成員所擁有。這就是西元六世紀和八世紀之間，當日耳曼法首次用拉丁文而不是用日耳曼語書寫下來時的形勢。在東哥德人（Ostrogoths）、倫巴人（Lombards）、柏根第人（Burgundians）、西哥德人（Visigoths）的王國裡，都系統制定了這樣的「蠻族法典」（barbarian code），而且，為了法蘭克人（Franks）的眾多分支，這些法典不僅為他們的日耳曼居民把日耳曼習俗整理記述下來，而且常常為羅馬居民系統地陳述羅馬法。在羅馬人中間，一些羅馬法的殘餘仍在實行；在日耳曼血統的人中，日耳曼法的特有形式仍有約束力。隨著時間的推移，由於在許多地方頻頻發生法律糾紛，於是出現了種種經過精心推敲的規則，以便處理各方適用不同法律的案件，這十分像現代法律中所包括的某些規則，這些規則專用來處理在某些方面涉及幾個國家的法律事務。❷ 關於法律是一個民族或部族的成員身分所附帶之權利的觀念，在民族作為一個統一集團而不再有別於另一個集團，並占有它自己的一塊地方之後，仍然保持了很久。

然而，隨著羅馬人和日耳曼人民族融合的進展，這種具有個人屬性見解的法律定位就逐漸被法律是因地域或領土而起的見解而取代。後一種見解對於整齊畫一的行政管理的益處是顯而易見的，而這一思想要取得優勢地位，大概要依靠國王成功地把行政管理集中到他們自己的手裡。大約在西元七世紀中葉這個較早的時期，在西班牙的西哥德王國（Visigothic Kingdom），出現了一部羅馬臣民和哥德族臣民所共用的

習慣法法典。在法律繁多的法蘭克帝國，這一進程比較緩慢並且極不規則。國王之法是所轄領土之法（雖然就整個領土而言並不是始終統一的），而且毫無疑問，它一般來說要優於較古老的（個人的）民間法律，而且也實行得更好。西元九世紀之初，在法蘭克帝國的一些地方，以犯罪當地的法律懲處罪犯已開始取代個人的法律。在教會特別感興趣之法律的某些部份，例如有關婚姻的部份，教會勢力對於法律的繁雜也持反對態度。發生這種變化的過程常常已無法追溯，但隨著時間的推移，正如在一個定居的村社中所常出現的那樣，法律變成了地方習俗，所適用的原則挾帶地域性而不是部族性。然而，這樣的地方習俗並不同於國王之法或適用於整個王國的習慣法。各種各樣的法律，特別是私法，在各處都或多或少存在著，這些亦取決於國王在擴大自己法庭權限上所取得的成就，例如在法國，雖然行政法早就統一了，但直至革命之後，私法在很大程度上仍舊是地方性的；另一方面，在英國，主要由於諾曼（Norman）諸王擁有較強的力量，因此在十二世紀末法律實質上就成為共同的了。

在法律從部族實踐到私人所有，從私人所有到地方習俗的整個變化當中，關於法律實質上屬於一個民族或民眾（people or folk）的觀念以某種方式持續了下來。但是，這一觀念並不意味著法律是人民的創造物，決定於他們的意志，能夠透過他們意志的作用制訂或改變。這些觀念的順序毋寧說是相反的：民眾作為羣居的集體也許被更確切地認為是他們的法律的產物，好比一個活生生的肉體可能被等同於它的組織原理一樣。實際上，人們認為法律並不是任何人所訂，既不是一個個人也不是一個民族所制訂。人們想像它是永恆的，就像自然界中的任何東西一樣不可改變，正如霍爾姆斯大法官（Justice Holmes）在他的一個著名見解中所指出的，它「在天空中籠罩著一切」。但是，在中世紀，人們普遍認為法律絕不僅僅在天上，它倒頗像周圍的空氣，從天空一直延伸到地上，瀰漫於人類關係的每一個角落和縫隙。誠然，如上所述，中世紀的每一個人，無論是職業法律家還是外行人，都相信自然法的存在，但是這一信念並未論及對法律的特別尊敬。人們感到一切法律差不多都是永遠站得住的，並且在某種程度上是神聖的，就像認為上帝的旨意是普遍存在的力量一樣，這種力量觸及人們的生活乃至最瑣碎的細節。植

根於民間風俗的習慣法絕非同自然法無關，而是被視爲這株法律大樹的一個細枝，這株法律大樹從地上一直長到天上，一切人類都生活於它的樹蔭之下。當最終又出現律師職業的時候，無論對民法學家還是對教會法規學家來說，法律確實都等同於公正和平等，而人和神的法律亦被認爲是一致的❸。然而，這一理論不過是把人人都確信無疑的東西在學術上重述一番而已。

發現和公布法律

這個遍及生活中一切關係的法律分支，好像是維繫一切人類事務得以繼續的一個永久性結構，尤其在立法事件天天都在上演的年代，而且是在最樂觀的人也不願依照神意的程序進行時，的確是一個不容易重新體驗的概念。儘管如此，在一個幾乎完全談不上制定法律的社會裡，這並沒有什麼可奇怪的。一個社會和經濟結構都簡單的社會，變化總是比較緩慢，而且這種變化在其成員看來，好像比實際發生的更慢。人們認爲遠古的習俗適用於一切需要裁決的問題，而且在相當長的時間內，這幾乎可以說毫無疑問。當它不再確切的時候，自然的解釋並非認爲需要制定新的法律，而是認爲需要揭示古老法律的眞正含意。反之，任何事態長期存在的事實，常常造成這樣的假設，即它是合法的和正當的。這一點正如芒羅·史密斯（Munroe Smith）教授❹所指出的，是整個審判程序的基本假定，這種假定在法蘭克和諾曼法律中的應用非常之多，並且在後來導致了英國陪審團的產生。從這個觀點來看，把法律說成「找到的」而非制定的是合適的，任何肯定有所謂專業的立法機構存在的說法，也肯定是不合適的。當透過審訊或其他活動而揭示法律有什麼重要關鍵的時候，國王或其他某個適當的權威就會在一項「法令」或「條例」中陳述這一發現，以便使之爲人所知，並得到普遍遵循，但是對那些已接受了這些思想的人來說，並不意味著法令規定了某些先前站不住的東西。在中世紀，習俗對於法律觀念強而有力控制，可以透過這樣一個事實表現出來，這就是：甚至在對羅馬法的研究復興之後，一些法學家仍然認爲習俗「建立、廢除和解釋」成文法，儘管另外一些人自

然會持相反的觀點❺。因此，法蘭克國王的法令或敎士會法規不是任何現代詞義上的立法。它們可以指示國王的特派員如何處理某些種類的案件，或者是針對整個帝國，或者針對帝國的某些部份，但是按照對於問題的任何現代理解，它們並不制定法律。憑藉國王議事機構的學識並依照流行的作法，它們說明人們所發現的法律是什麼。

這樣宣布法律自然是以人民的名義行事，或者至少是以一個被認爲有資格爲全體人民講話的人的名義來發布。旣然法律屬於大衆，且自遠古以來就存在，那麼在對其條款作重要聲明的時候，就必須與大衆商量。因此，麥洛溫王朝（Merovingian）諸王的敎士會法規，早在西元六世紀就理所當然地包括了一個明顯的主張，認爲法令是與「我們的主要家臣」，或與「主敎和貴族」商量之後才予以發布的，或者說它是「由我們的全體人民」所做的決定❻。在西元九世紀，可以繼續發現相似的主張。事實上，這種發現是如此之多，以致好像法律一直是有規則的以全體人民的名義發布的。這中間肯定帶有這樣的涵義，即人民的同意是法律有效性的重要因素。然而，「同意」這一措詞可能並非意味著按意願行事，而是承認法律確實如所聲明的那樣。例如，可以舉一個事例，查理曼所用的是如下的制定法律的程序：「皇帝查理曼……連同主敎、修道院長、伯爵、公爵以及基督敎會所有忠實的臣民，並且經由他們的同意和深思熟慮，公告如下……旨在使每一位親自批准這些法令的忠誠臣民能公正行事，並使所有忠誠臣民都願意擁護法律。」❼西元八六四年的一則佈告中，有一句知名的話以概括的措詞陳述了這樣的原則：「因爲法律的制定是伴隨人民的同意並且是由國王公布的……。」下面是來自於十二世紀英國歷史的一個偶然實例：「這是亨利（Henry）國王陛下，即瑪蒂爾達（Matilda）的兒子，在英格蘭透過徵求伍德斯托克（Woodstock）的大主敎、主敎和男爵、伯爵以及英國貴族的意見並得到他們同意，公布關於森林和狩獵野味的條例。」❽

法律屬於它所統治的人民，並且可以透過人民對它的遵守而得到證明，或者在有疑問的情況下可以透過某個受到適當委託的人來決定法律是什麼的聲明得到證明，關於這樣一種信念的實例，無論取自於中世紀的早期還是晚期，大概都不勝枚舉。然而，兩個實例就足夠了。其一是伊伯林的約翰（John）在西元十三世紀所撰寫的故事，講述了大約二

百年前耶路撒冷（Jerusalem）法令的制定情況。他說，戈德弗雷（Godfrey）公爵促使「有智慧的人向（在耶路撒冷的）不同國家的人民打聽他們國家的風俗。」然後在徵得主教和王公貴族的同意後，「他選擇了看來是有利於他的作法，並制定了在耶路撒冷王國必須遵守和遵循的法令和習俗。」❾作爲歷史，這毫無疑問是沒有價值的，但卻絕妙地表明了作者所認爲的立法過程是什麼樣子。透過與知情者商量而弄清流行作法，並且由精通法律者找到應有約束力的慣例，然後再把結果整理、書寫下來並由國王予以頒佈，使之不會再有進一步的疑問。約翰根本不認爲戈德弗雷制定了法律，或者說，他實際上不認爲任何人制定了法律。爲了弄清楚法律，當然必須向那些具有法律知識的人詢諮。

　　第二個實例來自於英國，並且具有某種重要性，因爲它的時期正屬於中世紀法制成形的前夕。在直接導致**模範國會**（Model Parliament）召開的劉易斯戰役（Battle of Lewes）（1264 年）之後，西蒙・德・蒙特福特（Simon de Montfort）的一個追隨者以一首奇妙的詩來慶祝勝利，其中陳述了反叛者對法律所持的觀點——

　　　　讓王國的鄉鎮提出建議，讓大多數人所想的都爲人所知，因爲他們最瞭解他們自己的法律。就是那些鄉下人也不會都如此無知，以致比陌生人更不瞭解他們自己王國的那些從他們祖先傳下來的風俗習慣。❿

鄉村的習俗被認爲具有約束力，而國會的目的就在於弄清楚這種習俗的眞實內容並予以實施。

　　因此，關於法律屬於人民並且在他們的認可和同意下加以運用和修改的信念，是得到普遍承認的。然而，就統治程序而言，這一信念仍非常模糊。它並不意味著任何確定的代表機構，而且實際上在中世紀立憲主義採用諸如在十二、十三世紀出現的國會這樣的機構之前，它已存在千百年之久了。一個地區，一個自治城市，或者甚至是全體人民，可以做出決定，可以提出他們的不滿，可以被召來說明他們的失職，可以批准他們必須據以提供金錢或士兵的政策。這個觀念，不單在過去而且在現在確實也沒有任何本質上的不妥之處。按照現代慣例，所有這些都是由選出的代表來做的，但任何人都知道，這一慣例往往並不正確。一個

社會透過少數人有效地表達它的意見，由於某種原因，它實際上包括這樣的內容，即明確化了被稱爲公衆輿論的模糊東西。只要一個社會的組成能夠相當明確地選定這少數人，只要爭端較少而且問題不是變化太快，那麼代表制即使不要很多機構也可以充份起作用。從歷史上來看，機構晚於這一思想，即人民是一個法人團體，它是透過它的行政官員和當然的領導人來表達其共同心願。正是這樣一些問題，包括這些領導人是誰，或他們怎樣被選定爲領導人，或嚴格說來他們在實際上分別代表的「人民」是誰，只有在著手制定貫徹代表制的方法時，才成爲第一重要的問題。這些以法律上的想像爲形式的較古老的思想，或許仍然可見於布萊克斯東（Blackstone）的理論，即英國的法律是不公佈的，因爲人們以爲每一個英國人都出席了國會⓫。

法律之下的國王

　　法律屬於大衆以及大衆對法律的認可在決定法律內容時起重要作用的信念，意味著在制定或宣布法律時，國王只是一個因素。因此，人們通常認爲，國王本人與他的臣民完全一樣，不得不服從法律。當然，國王像其他凡人一樣，顯然要服從上帝法和自然法，但這並非問題的全部寓意，亦不是眞正的重要之點。如前所述，幾種法律的差別，包括神的和人的，並不意味著它們是截然不同的。被認爲是一種普遍媒介的法律，貫穿並支配著人類的一切關係，其中就包括臣民和統治者的關係。因此，人們覺得國王不但必須公正地而不是暴虐地進行統治，而且必須如實地並依照透過查考遠古慣例而確定的那個樣子實施王國的法律。國王不能將其臣民得到習俗保證或是他的先人已宣布爲國家之法的種種權利合法地置於一旁。例如，一位九世紀的作家，蘭斯的欣克瑪爾（Hincmar）大主教就說過：

> 　　國王和國家的大臣有他們自己的法律，他們應當根據這些法律來統治那些居住在每一個省份的人，他們有基督徒國王和他們先人的教士會法規，他們是在他們的忠實臣民的普遍贊同下合法地頒佈這些法規。⓬

國王向其「忠實臣民」許諾的教士會法規很多，這樣的法律「正如你們的祖先在我的祖先時代所擁有的一樣」❸，它們「不違背法律和正義」去壓迫他們之中的任何人。後一句話的涵義肯定不是指抽象的正義，而是指在固定下來的慣例中產生的期望所界定的正義。國王在其加冕典禮上常常作出這樣的許諾，並且將它包括在他的誓言當中。這些許諾往往是國王在其「忠實臣民」的強有力的措施下被迫作出，當國王在他們沒有必要力量的情況下太輕視他們的已確立的權利和特權時。在適當的鼓勵下這樣的措施無可非議，這已是一種根深柢固的信念了，儘管有前面提到的格雷戈里關於消極的服從的強硬聲明。沒有人在原則上懷疑這一點，即一個人根據神和人的法律，有權利享有他和他的先人早已享有，或者說是由先前某統治者的法令所保證的待遇和身分。這種法律產生了約束整個民族和每個個人的紐帶，這些人都處於被確定的地位；相對地，法律保證每個人享有與其地位相應的特權、權利和豁免權。對於這個總則來說，國王亦不例外；既然他依照法律統治，他就要服從法律。

　　但是，當設想國王服從於法律的時候，認為他是一個與其他人絲毫不差的法律的臣民將是不確切的。這一概念的要點並不在於法律面前的平等，而在於每一個人都是按照他的地位與等級來享有法律賦予他的權利。關於身分的頑固不化的觀念，幾乎使任何不平等都成為正當的了。誰也不會否認，國王的地位在許多重要的方面都是獨一無二的。出於他的職務，他對於他的人民的安寧幸福負有重大責任，在採取撫育人民的措施上擁有相當大的自由決定權，在他的地位賦予他的義務範圍內，他擁有不能取消的權利❹。根據前面已經指出的模糊不清的法制概念，不可能指望皇帝於法律之內行使其獨一無二權利的方式會得到嚴格的限制。即使是應用現代的法制方法，政府為應付緊急情況，幾乎亦能根據法庭裁定的合法方法無限制地擴大其權力。而在中世紀，幾乎無法對任何法制權威做精確的定義。因此，可以同時相信，國王雖是受法律約束，但沒有任何公文會反對他。毋庸置疑，在某些地方是存在著種種界限，國王不違反法律和道德就難以超越這些界限；另一方面，沒有人懷疑他應當擁有不同於任何臣民所擁有的權力。國王是尊於任何單一個人、而低於整個集體。

　　因此，教士法規中所包含的國王概念和羅馬法中所包含的國王概念

是根本不同的。毫無疑問，羅馬法學家的法制理論認爲皇帝的合法權威
來自於人民。在烏爾庇安（Ulpian）的名言中，這一點被認爲是皇帝合
法權力的根據。但是，法學家的理論認爲權力的這一轉讓是一次性的，
當皇帝被授與權力之後，任何他所喜愛的都具有法律效力。另一方面，
中世紀的理論假定在國王和其臣民之間可以繼續合作，這兩者可以說都
是擁有法律的王國機構。其差別可以部份地用這兩種法律概念所由生長
的社會之間的巨大差別來解釋。羅馬法的傳統是一種行政管理高度集中
的傳統，根據這種傳統，按照敕令、元老院法令以及內行的法理學家的
意見，有意識的立法是一個取決於共同經驗的問題，而且這種傳統也導
致法律本身成爲一種高水平的科學系統。中世紀的王國則無論在理論上
還是在實踐上都沒有實現集中制，也許沒有什麼比地方習俗同合理的系
統化更加牴觸的了。人們模糊地感到，王國或民族是根據其法律而組織
起來的一個單元，其中包括國王以及作爲他的特定發言人和代理人的其
他官吏和人員，但是到那時爲止，並不存在關於這些機構的權力和職責
的明確界定，而且也不存在這樣的意識，即通過權力出自單一來源的方
式使他們都嚴格地成爲同等的人。關於委託權力的概念，也不斷受到另
一種概念的阻礙，即權力也在於地位或身分，因此是某些人所固有的，
這些人從另外的方面來看也會被視爲國王的代理人。甚至到十七世紀，
愛德華·科克（Edward Coke）爵士仍然認爲，根據王國法律，國
王、國會和習慣法法庭都享有固有的權力。國王並不像在近代初期的絕
對君主制時代那樣是國家的「首腦」。因此人們根本談不上會意識到國
家是「一個法人」（an artificial person），就像法理分析學家爲了賦
予政府以統一行動的功能而有意識地創造的這一措詞一樣❶。

選擇國王

　　透過考慮人們如何以相信國王被賦予了權力，以及什麼構成了他對
於職務的合法要求，可以進一步闡明在民衆法律之下國王與人民的關
係，以及由此一關係中所產生的政治概念。中世紀對這一問題的思想闡
明了兩個流行的觀念：一是關於人民的同意以及國王服從於法律；二是

還卓越地說明了關於掌權資格仍缺乏精確的法律思想。根據當今的政治思想，一個統治者可以被選舉出來，或者他可以繼承他的職位，但他幾乎不可能同時二者兼有。有關許多中世紀國王令人驚訝的事實卻是，按照當時的流行觀念，他們不但繼承和得到選舉，而且還「根據上帝的恩典」進行統治，這三種資格並不是任擇其一，而是表示同一事態的三個證據。

舉一個實際例子就可以最好地澄清這一模糊觀念。當虔誠者路易（Louis the Pious）於八一七年想要為其子的繼承作準備時，他這樣宣佈他的決定和理由❶。他首先講述「宗教會議和我們全體人民」怎樣按照習俗聚會，以及他的忠實臣民如何「突然在神意的啟示下」勸他應當在上帝賜予和平的時候解決王國的繼承問題。在三天的齋戒和祈禱之後，產生了這樣的結果：

> 根據我們所信仰的全能的上帝的意志，我自己和我的全體臣民的願望都贊成選定我的長子，可愛的羅泰爾（Lothair）。因此，這對於我和我的全體臣民來說都是合適的，即在神意的指示下，在莊嚴地加戴帝國王冠之後，他將根據共同的願望在帝國成為我的皇儲和繼承人，倘若這是上帝旨意的話。

然後又為更年幼的兒子們做出某種規定，並將做出的決定「記錄下來並且經我的手予以確認，這樣，在上帝的幫助下，因為它們是由所有人的共同意志所決定，它們就會因所有人的忠誠而成為不可違背的。」

在這樣的選擇統治者之中，人們將會注意到，選擇有效性的三個根據：第一，羅泰爾實際上是皇帝的長子，雖然對這一點並未強調；第二，他是被選出來的，而且這種選舉被說成是全體人民「根據一切人的共同意志」而採取的行動；第三，這種選擇被認為是在上帝的直接啟示下做出來的。按照路易的想法，羅泰爾對於王位的要求，顯然要以這三個根據的結合為基礎。毫無疑問，這個想法就是：服從於上帝的意志，國王之子是繼承王位的正規候選人，但是實際的選擇卻需要以人民的名義對候選人做出某種批准或認可。

這些因素與人們認為共同促成法令發佈的那些因素極為相似：法律的有效性從根本上來說是神授的，但它是由國王宣佈的，而且在它後面

還有透過王國權貴表達的人民的贊同。毫無疑問，這樣的選舉方法與宣佈法律的方法當然是同樣含糊不清，沒有人能夠指出選舉人的確切條件是什麼。再者，這三個因素在每一個人心目中的結合都有助於解釋這樣一個觀念，即國王一旦當選，仍然是服從於法律的。繼承並不是國王的不可取消的權利，而選擇他的權貴行使選舉權並非出於他們是嚴格的法制意義上的選舉者，而是根據他們的地位所賦予他們的固有權利。西元八七九年欣克瑪爾大主教（Hincmar）在寫給路易三世（Lewis Ⅲ）的信中，以一種極具特色的方式表達了這一觀點：

> 你沒有選擇我作為教會的牧長，但我和我的同僚以及上帝和你的祖先的其他忠實臣民，卻選擇了你來統治這個王國，條件是你必須遵守法律。⑰

因此，在中世紀早期，要求把三種王權的資格結合在一起：國王繼承他的王位；並由他的臣民選舉出來；而且他的統治當然要得到上帝的恩典。隨著法制慣例變得更加規範和明確，當選和繼承權利的差別亦更加清楚了。中世紀最有特色的兩大君主政體，帝王統治和教皇統治，雖經多次努力使之成為一家特權，卻都明確地成為經由選舉產生的權力。教皇統治在形成過程中，透過在十一世紀下半葉建立由教士進行正規選舉程序以取代較古老的方式，往往使得教皇選舉成為羅馬小貴族或帝國政治玩物的非正式選舉，甚而起了示範作用。直到一三五六年，查理四世（Charles Ⅳ）的〈黃金文書〉（Golden Bull）才使帝國選舉的作法明確化，從而賦予帝國一個法制文件，固定了選舉人的數目和資格，建立了多數裁定原則。另一方面，在法國和英國的王國中，盛行長子繼承權，這可能與通常的封建繼承法是類似的。毫無疑問，在封建制度下，世襲君主制更有可能強大起來。但是，即使在王國，這種關於國王在某種意義上是人民選定的感覺還是存在了很長的時間。例如，約翰國王（King John）一一九九年的繼位，實際上就不是嚴格按照長子繼承制進行，編年史家巴黎的馬修（Matthew of Paris）在一次講演中〔這一講演曾被歸於天主教坎特伯雷的休伯特（Hubert of Canterbury）的名下〕，將這一事件描述成選舉的結果⑱。或許，關於選舉的觀念始終沒有從公眾的感覺中完全消失，甚至在合法的繼承權得到確立之後。例如

在十六世紀的法國，當確定國王職責變得重要起來的時候，人們可能會爭辯道，在原則上君主制國家始終是實行選舉制的。

無論國王是透過選舉還是透過世襲繼承得到他的職位，他都要依照上帝的恩典進行統治。世俗的角色來源於上天，國王是上帝的代理人，那些非法地反對他的人乃是「魔鬼的臣民和上帝的敵人」，這些說法沒有任何人加以懷疑。可是，像這樣的一些說法，並不像十六世紀的「君權神授」所最終具有的那種明確的含意。特別是，人們並不認爲它們意味著這樣一種義務，即不論國王的命令是公正的還是殘暴的，就臣民而言都必須消極服從。在沒有嚴格的世襲繼承制的情況下，國王的權威是神聖的這一概念並不能得出如同十六世紀和十八世紀之間「君權神授」這一措詞所意味的那種王朝合法性的理論，而且，在君主制國家的首腦和國王沒有完全等同起來的情況下，消極服從的義務並不能取得它在後來的政治哲學中所得到的那種倫理上的重要性。既然人們認爲國王本人受到國家法律的約束，那麼在某種並非十分明確的情況下，在人們認爲基本的法律受到侵犯的時候，就會把正當的反抗視爲一種道德的權利和合法的權利。但是，人們並不認爲這違反了服從既定權威之基督教義務，而且必定會引用聖格雷戈里（St. Gregory）支持消極服從的宣告來反對騷亂的煽動者。

封建主及其附庸

法律屬於民衆並規定社會的人從上到下相互之間的一切關係，這一思想帶有某種程度的法制觀念的萌芽，諸如王國的法人性質、代表制以及王位的合法權威。但是，在中世紀早期，這些思想缺乏明確的界定，並且在組織機構中也沒有體現出任何明確的制度。組織機構的發展，是從社會和經濟體制以及相當模糊的一大堆被稱爲**封建主義**（feudal-ism）的思想中產生。正如維諾格拉道夫（Vinogradoff）所說的，封建制度對於中世紀的統治就像城邦國家對於古代社會的統治那樣完備。不幸的是，人們不可能對封建主義下定義，不僅因爲它包含了各種各樣的制度，而且因爲它在不同的時間和地點的發展都極不相同。由於後一個

原因，年代就極不可依恃了。在有些地方，像農奴制那樣具有特色的封建制度，早在西元五世紀就存在了，但是封建主義得到最完全的發展卻是在法蘭克帝國崩潰之後，並且直到十一世紀和十二世紀纔對社會和政治制度產生最充份的影響。任何能夠作出的概括性敍述可能都不符合事實，儘管在這多樣的事實背後確有一些制度和觀念在西歐大多數地方都普遍出現過。其中有一些具有重要的理論意義，因此必須進行研究，儘管它們存在於不同國家的歷史已因過於複雜而難以記敍。

　　封建格局出現的關鍵在於，一個常常接近於無政府狀態的混亂時期，龐大的政治和經濟單元不再可能存在。因此，政府傾向於侷限在一個按現代或羅馬標準來看是狹小的範圍之內，這樣的規模較適合於環境。基本的經濟事實是這樣一種農業狀況，它使村莊成爲公社，有附屬它的耕地，幾乎能夠自成一個自足的單元。這一時期的結束開始於十二世紀商業城市的興起，雖然許多重要的封建主義的政治影響在這個時期之後才出現。由於土地是財富的唯一重要形式，從國王到戰士的每一個等級，都直接依賴於土地的產品。對土地的管理是掌握在自有其習慣規章的小公社手裡，而較次要的警察職能則是村莊的責任❶。社會組織和政治組織基本上都是地方性的。典型的封建組織就是建立在這一基礎之上。在連續不斷的混亂狀態下，憑藉最原始的通訊手段，中央政府甚至不能執行諸如保護生命和財產這樣的基本職責。在這樣的情況下，小地主或力量弱小者只有一個辦法：他必須成爲某個有力量幫助他的人的附庸。這種關係於是就構成了兩個方面，它同時是一種個人的關係和財產的關係。貧弱者強迫自己向顯貴者提供服務以換取保護，而且被迫交出其土地所有權並在付出勞役或實物地租的情況下成爲一個佃戶。於是，顯貴者的財產和權力便增大了，而貧弱者的身後則有了一個強有力的庇護者，這個庇護者對他的保護既是權利又是義務。如果這一進程自上而下推行，也會得到相似的結果。國王或是修道院長在利用其土地時，只能把它轉讓給佃戶以換取他們的勞役或地租——

　　　可以把整個制度視爲這樣一種制度，根據這一制度，王國的全部土地都可以得到王國的勞務；或者可以把它視爲這樣的制度，按照這一制度，那些爲公社提供勞務的人則接受以土地產品或工資爲形式的報酬作爲他們的勞務代價。❷

因此，從封建主義的法律原則來看，它是一種土地的使用制度，在這一制度中，所有權被類似租借期的某種關係所取代。或者，正如一個現代法學家所表達的：

> 實際所有權的組成，包括一種終身所有權，這種權利在絕大多數情況下是不可轉讓的，而且還包括一種復歸享有權或保留權，這種權利一經授與，還是另一種終身所有權。㉑

必須想到當時這一制度在社會中是自上而下貫徹的，而且涉及政府的一切主要職能。因此，如果土地制度是合乎邏輯地制定出來，那麼國王將是唯一的土地所有者，他的貴族將是接受他授與土地並向他提供特殊服務的佃戶。而這些貴族將依次擁有居於他們之下的佃戶，直至最低層的農奴，這整個制度正是建築在農奴的勞動之上。由於兵役是對於一個大莊園的典型報償形式，因此王國的軍隊乃是封建的軍隊。這就是，每一個佃戶將不得不提供規定數目的人，並按指定方式武裝起來，而每一位貴族將指揮他自己的人。王國的歲入（暫且不說那些直接來自於國王自己領地的收入）與其說是來自於一般的稅收，不如說是來自於國王的佃戶在固定時期不得不交納的應付款或救濟品。最後和最重要的是，應授與領主在其領地上進行司法審判的權利，並准予這種權利不受國王之官吏的干涉。封建法律的原理可以表達爲這樣的說法，即「封臣的封臣不是君主的封臣」。出於顯而易見的原因，國王是遲遲不願授與這種豁免權的，如果他們能不做這件事的話。因此，相當強大的英格蘭之諾曼國王，就要求在效忠誓言中加入這句適當的話，「保全我應給予我們的領主——國王——的忠誠。」

因此，封建主義必然以最重要的方式影響政治權力的三大工具，即軍隊、稅收和法庭。在所有這三種情況下，國王都只能間接地或經第三道手與其多數的臣民打交道。領主與附庸的封建關係和人們所想像的近代國家中元首與臣民的關係是根本不同的。這種關係的個人方面，連同它強調附庸對上位者不變的忠誠和尊敬，具有與政治隸屬關係並無不同的那些因素，雖然這種關係使得下層人們的忠誠常常離開國王而轉向他們更直接的領主。另一方面，財產關係卻更像一種契約，其中的兩方都能保有各自的利益並相互合作，因爲這樣做對雙方有利，雖然國王的土

地所有權會在長時期中發揮作用以增加他的權力。就這一制度實際發揮作用的方式而言，作出結論需要極為謹慎，因為它事實上具有各種不同的傾向。

　　首先，領主與附庸之間的義務往往是相互的。確切地說，這種關係並不是平等的。因為附庸負有表示忠誠和服從的一般義務，而領主則不需要分擔這種義務。附庸還負有諸如服兵役、出席領主的法庭以及在像繼承人繼承領地這些在一定的場合必須償付的特殊義務。這些義務的特點，在於它們是受限的，例如，兵役的數量和種類就是固定的，嚴格來說，附庸的義務並不超過這個限度。另一方面，領主有義務為其附庸提供幫助和保護，並遵守那些為其附庸規定了權利和豁免權的習慣法或憲章。至少從理論上來說，附庸始終可以放棄他祖賃的土地，並絕斷服從關係——在實踐上這種作法是頗有風險的——或者他可以保有他的土地而不承認他的義務，如果領主否認他被賦予的權利的話。結果，國王答應給予其臣民的法律——這一法律是他們的祖先在古代所享有的——只不過是承認人們認為是現存的或有權利存在的做法。在這種封建做法之中，有一個相互的、自願執行的與意味著契約的方面，這在現代政治關係中幾乎已經完全消失了。它有點像一個公民可能會拒付超過一定數額的稅款，拒服規定期限以外的兵役，或者也可以對兩者都予拒絕直至他的自由得到承認。在這一方面，國王的地位在理論上是軟弱的，在實踐上更常常倍加軟弱，而且封建君主國家比起現代國家似乎更加高度分權。然而在另一方面，封建的土地占有制度有時准許一位國王，或者更特別准許一個家庭，透過合法的封建手段，諸如財產土地的充公，來增大自己的力量。在法國，卡佩（Capetian）王朝權力初期的增長，主要就是透過運用封建法律本身而實現的。

　　其次，領主和附庸的關係之所以不同於元首和臣民的關係，是因為它傾向於混淆私人權利和公共義務之間的差別。雖然典型的封建所有物就是土地，但也並非必然如此。任何有價值的目標都可以被占有：經營一座磨坊的權利、收取一種稅的權利或擔任一種政府職務的權利。整個公共行政管理制度傾向於遵循盛行的土地占有形式，而公職像土地一樣逐漸成為世襲的利益。透過這種方式，職務便在一個人及其繼承者身上永遠保持下來。附庸對其財產的權利包含著一些特殊的職務，亦即，履

行公共勞務的義務是財產權所附帶的。這導致了國家官員占據他的職位並不作為國王的代理人，而是因為他是占據擁有這個職位的約定俗成的權利。他的權力不是經委任所有，顯然，國王的權力在很大程度上取決於他限制這種傾向的能力。不過，這種傾向成功地解釋了封建制度無一定形式的明顯特點。國王左右的人應為國王的朝廷工作，以作為他們的部份封建義務。只要他們的身分清清楚楚，那麼，諸如他們到底代表誰或誰有資格接受諮詢等問題是不會發生的。他們與其說是公僕，不如說是履行契約義務的人。

封建法庭

領主及其附庸的法庭是典型的封建機構[22]。它基本上是領主及封臣的議事會，用以解決發生於他們中間、與他們的封建關係所依賴的種種約定有關的爭端。令人驚異的事實是，領主和附庸雙方在確信自己的權利受到侵犯時所用的恰恰是相同的方法：他可以求助於法庭其他成員的決定。國王或領主應當超出自己的正式權力並根據他自己的意志來做決定，這種見解至少與關於訴訟程序的理論是完全不一樣的。人們認為，訴訟關係人的契約權利或既有權利應當得到嚴格維護。英格蘭的亨利二世（Henry II）在其法庭上進行審判時所作的一項決定（約 1154 年），可以說明這一點。這一審判涉及土地所有權問題，聖馬丁院長（Abbot of St. Martin）和吉爾伯特·德·巴利奧爾（Gilbert de Balliol）提出了同等的要求，院長提出了一份契約米證明他的權利，而立場較不利的吉爾伯特則以該契約沒有封緘為由提出狡辯。「上帝在上」國王亨利說，「如果你能證明這份契約是偽造的，那麼在英格蘭這對我來說價值一千鎊。」但吉爾伯特沒有證據。於是國王就對此案做出判決：

> 如果修道士們能以一份相似的契約和批准書表明他們對現在這塊土地擁有這種權利，也就是說，在我最喜歡的克萊倫登（Clarendon），將不會因對我做出公正答辯而使我不能把這塊地方完全授與他們。[23]

因此，在理論上，封建法庭是根據土地法和意見不一致的專門協定

或契約，來確保每一位附庸由其同僚進行審判。法庭的裁決可以由其成員的聯合力量來強制執行，在極端情況下，人們認爲強制甚至可以違反國王意志。〈大憲章〉（Magna Charta）第六十一條就授權約翰王的二十五位貴族組成的委員會來強制執行憲章，這一條款就是人們爲合法約束國王而做的一種努力——

> 共同擁有全部土地的這二十五位貴族，有權以任何方式對我實行扣押財產和強制……直至按照他們的判決改正過錯。

與此相似，《耶路撒冷法典》（Assizes of Jerusalem）也確保了附庸對領主實行強制的權利，這種權利是保護他們的由法庭確定的正當自由。在一個典型的封建組織裡，國王是同類人中的最尊者（primus inter pares），而法庭本身，或國王和法庭在一起實行聯合統治，則包括了現代國家區分爲立法、行政和司法的全部政府職能。同時，包括國王在內的法庭成員之間的基本契約關係，在任何方面都傾向於阻止權力的集中。這種制度往往可能造成使反叛行爲被合法化的結果，這一點十分明顯，無須再進行說明了。

封建制度與共和國

雖然諸如上述那樣的事態常常存在，但無論在理論上還是實際上，它或許都不能完全代表中世紀君主制國家的全部眞實情況。撇開合法造反所帶來無法容忍的麻煩，國王與其附庸之間的明確契約關係並不能全部概括中世紀的王權理論。無論理論還是實際，都把這種完全不同的概念結合在一起。一個附庸對其領主的尊敬和服從是封建效忠本身的因素，而這種效忠又是對國王在王國中獨一無二地位的一種讓步。再者，沒有人懷疑國王是按照神意選定的，除非是在例外的情況下，否則反抗總是非法的。《羅馬書》（Romans）第十三章中聖保羅的權威和聖格雷戈里關於服從義務強而有力的陳述，在原則上是絕不能加以否認的。最後，封建制度破壞國家權力的傾向和以私人關係取而代之的傾向，絕沒有湮沒透過西塞羅、羅馬法和諸教父傳到中世紀的共和國（res publica）的古代傳統。關於一個民族締造一個共和國，按照其法律組織起來，並能夠透過其統治者行使公共權力的見解，已經和封建分立傾向交叉混合在一起。在西元九世紀和十二世紀之間，這一古代傳統主要是透過敎會作家而得以永久保持下來。在九世紀，蘭斯的欣克瑪爾（Hinc-mar of Rhelms）證實了它的存在，而證明其永存的則是這樣的事實，即在十二世紀索爾茲伯里的約翰（John of Salisbury）所著的《政治家》（Policraticus）中，提出了論述中世紀這種政治問題的第一篇詳盡的論文。後來的著作儘管可能產生於封建主義達到頂點之時，但其主要輪廓卻仍然具有古代模式的特色❷。從長遠來看，國王是這一關於共和國概念中非常明確的受益人，因爲他一直是享有代表公共利益的頭銜，並且在某種程度上是國家權力的保存者。正是這一事實，使得封建國王成了君主制民族國家發展的起點。❷

這樣兩種思想的混合一種認爲國王乃是與其附庸的契約關係中的一方，一種認爲他是共和國的首腦——可以透過封建法學家關於王權的理論加以說明。人們普遍認爲國王是法律的產物並服從於法律，但另一方面，人們又都承認「沒有任何公文能違拗國王」，因此他不會受到他自己法庭的普通訴訟程序的強制。布萊克頓（Bracton）的《論英國人的法律和習俗》（De legibus et consuetudinibus Angliae）中常常被引用的段落，表明了這兩種思想的交叉：

　　在國王的王國中不應有與國王平起平坐的人，因爲這會使如下的規則失效，即一個人對於與他地位同等的人是不可能擁有權威的；更不應有一個比他更高或更強的人，因爲那樣的話，他就會居於他自己的臣民之下，而下級是根本不可能與那些具有更大權力的人處於同等地位的。但是，國王本身不應服從於任何凡人，卻應服從於上帝和法律，因爲法律造就了國王。因此，讓國王把法律給予國王的東西——疆土和權力——交還法律吧！因爲意志進行統治的地方不存在國王，而且法律統治的地方也是如此。❷

作爲上帝的代理人，國王應當行事公正並且應當在他自己的訴訟事件中接受法律的判決，即使這件事在其王國中是最不重要的；如果他不這樣做，他就成了魔鬼的臣僕，而他的臣民別無選擇，只有把他交付上

帝審判。不過布萊克頓還是願意接受這樣的思想，即全體居民和貴族階級（universitas regin et baronagium）或許可以而且應當糾正國王法庭中的弊端❷。而在一個值得注意的段落中（現在人們一致認爲這一段落是當代人所插入），則直截了當地斷言對「放肆的」國王實行强制是正當的——

> 然而，還有位居國王之上者，這就是上帝。法律也是這樣，正是根據法律他才得以成爲國王。法庭也是如此，這是指伯爵和男爵，因爲伯爵彷彿被稱爲國王的伙伴，而誰有伙伴誰就有老師。因此，如果國王沒有約束，也就是説沒有法律的話，他們就應對他加以約束。❷

在這個段落中，國王和法庭顯然都以雙重資格出現：一方面，國王是王國的最高土地所有者，而法庭則由其佃戶構成作爲一個機構，處理他們之間在這種契約關係中所發生的糾葛；另一方面，國王是在王國或民衆中所原有的公共權力的第一承擔者，這一權力無論如何他都是以某種不十分明確的方式同他的朝廷分享。在第一種關係中，國王與法庭的其他人一樣，可以受到控訴；按照他的第二種身分，則沒有任何公文能違拗他，而且他對法律所負有的責任最終取決於他自己的良心。一種觀點代表了將公共權力浸入私人關係的典型的封建主義傾向；另一種觀點則代表了共和國的連續傳統，國王在這樣的共和國裡是最高行政長官。也許正是這兩種觀念的交叉和混合，使得封建法庭成了中世紀晚期的法制原則和制度得以發展的母體。經由分化的過程，各種各樣的統治實體——諸如國王的議事會、審理各種案件的法庭、最後是國會——逐漸承擔了不同部門的國家事務。正如麥克爾溫（McIlwain）教授所詳細指出的，直至十七世紀的內戰期間，英國人仍然認爲國會是一個法庭而不是一個立法機構。經過這一發展，關於公共權力的概念就更清楚了，然而，這一權力從來就沒有完全集中於國王一人之手。當國王變爲專制者的時候，那已是現代而不是中世紀國家的事情了。中世紀的國王採取行動時還必須透過他的議事會，而法庭或它的某些部門則保有一些封建的殘餘諮詢權。基於這個開端，諸如代表制、由議會徵税和立法、對於支出的監督和要求拯救冤苦等法制觀念才能夠出現。至少在英國，立法權基本不在國土身上，除非國王與國會相一致。

註　解

❶芒羅・史密斯（Munroe Smith）：《歐洲法學的發展》（ *The Development of European Law* ），1928 年版，第 67 頁。

❷有關蠻族法典的簡要歷史說明，可參閱芒羅・史密斯前引書，第 2 卷。

❸在卡萊爾的前引書中可以找到許多例證，見第 2 卷，1909 年版，第一部份，第 2 ～6 章；第二部份，第 2～6 章。

❹前引書，第 143 頁。

❺卡萊爾的前引書分析了十一、十二世紀羅馬法專家對這一問題的看法，見第 2 卷，第一部份，第 6 章；有關十一、十二世紀宗教法規學者的看法見第二部份，第 8 章。

❻在 *M. G. H.*, Leg. 第二部份，第 1 卷，第 8 頁及以後數頁中，可以找到許多包含這些或相似措詞的例證。

❼*M. G. H.*, Leg. 第二部份，第 1 卷，第 77 號。卡萊爾也提供了許多例證，見第 1 卷，第 19 章。

❽亨利二世的伍德斯托克法令（Assize of Woodstock），1184 年，見斯塔布斯（Stubbs）的《文件選》（ *Select Charters* ），1913 年第 9 版第 118 頁；亞當斯（Adams）和斯蒂芬（Stephens）譯的《英國憲政史文件選》（ *Select Documents of English Constitutional History* ），1901 年版，第 18 號。

❾卡萊爾前引書，第 3 卷，1915 年版，第 43 頁，註 2。

❿譯文載加第納（S. R. Gardiner）的《學生版英國史》（ *Student's History of England* ），第 1 卷，1899 年版，第 202 頁。

⓫《評論》（ *Commentaries* ），1, 185。

⓬卡萊爾所引用，見前引書第 1 卷，第 234 頁，註 1。

⓭出自法蘭克王劉易斯（Lewis）860 年在科不棱茨（Coblenz）所作的一項聲明，見 *M. G. H.*, Leg. 第二部份，第 2 卷，第 242 號，第 5 節。

⓮麥克爾溫（C. H. Mcllwain）的前引書，第 7 章。

⓯參閱約翰・契普曼・格雷（John Chipman Gray）關於國家的定義，見《法律的本質和來源》（ *Nature and Sources of the Law* ），1921 年第 2 版，第 65 頁。

⓰*M. G. H.*, Leg. 第二部份，第 1 卷，第 136 號。譯文見亨德森（E. F. Henderson）的《中世紀歷史文件選》（*Select Historical Documents of the Middle Ages*），1892 年版，第 201 頁。

⑰卡萊爾所引用，見前引書，第 1 卷，第 244 頁，註 2。

⑱斯塔布斯（Stubbs）：《文件選》（*Select Charters*），1913 年版，第 9 版，第 265 頁；譯文見亞當斯和斯蒂芬的《英國憲政史文件選》1901 年版，第 22 號。休伯特（Hubert）也許沒有像報導的那樣講話，就表現一種公眾情感而言，這一事實並不重要，因爲馬修（Matthew）寫作之時事件僅僅過去了大約五十年。他的說明，使人們對模糊的選舉觀念有了很好的瞭解。

⑲有關英國采邑的描述，可參閱艾什里（W. J. Ashley）的《英國的經濟組織》（*The Economic Organization of England*），1914 年版，第 1 講。

⑳芒羅·史密斯（Munroe Smith）前引書，第 165 頁。

㉑同上，第 172 頁。

㉒有關封建法庭的例證，可參閱關於耶路撒冷拉丁王國的 Haute Cour 的記敍，見約翰·拉蒙特（John L. LaMonte）的《耶路撒冷拉丁王國的封建君主制，1100～1291》（*Feudal Monarchy in the Latin Kingdom of Jerusalem, 1100～1291*），1932 年版，第 9 章。拉丁王國也許是關於封建思想的特別好的例證，因爲在它建立大約二百年後所寫的記敍，還包括了一個政府應當是什麼的流行理論，這涉及了法律及其他，而且也因爲移植過來的制度所包含的理論總是優於那些土生土長的理論。

㉓亞當斯和斯蒂芬的前引書，第 12 號。

㉔參閱約翰·狄金森（John Dickinson）爲其著作《約翰·索爾茲伯里的政治家之書》（*The Statesman's Book of John Salisbury*）中一部份譯文所寫的前言，1927 年版，第 18 頁及以後數頁。

㉕呂謝爾（Luchaire）強調，教會傳統在卡佩（Capetian）君主政治理論中的重要性以及和封建權力的差異，見《法國卡佩王朝初期的君主政治制度》（*Institutions monarchiques de la France sous les premiers Capétians*），1891 年第 2 版，第 1 卷，第 1 章。

㉖F.5b 和來自其他封建法學家的相似例子在卡萊爾的前引書中被引用了，見第 3 卷，第一部份，第 4 章。

㉗F. 171b；卡萊爾前引書，第 3 卷，第 71 頁，註 2。

㉘F. 34；卡萊爾前引書，第 3 卷，第 72 頁，註 1。關於這一段，參閱伍德拜恩

（G. E. Woodbine）編輯的《論法律》（ *De legibus* ），第 1 卷，1915 年版，第
332～333 頁；梅特蘭（F. W. Maitland）的《布萊克頓的筆記》（ *Bracton's Note
Book* ），第 1 卷，1887 年版，第29 及以後數頁；路德韋克·埃利希（Ludwik
Ehrlich）的〈反對王權的訴訟〉（1216～1377 年）（ *Proceedings Against the Cr-
own* ），載《牛津社會和法學史研究》（ *Oxford Studies in Social and Legal Hi-
story* ）第 6 卷，1921 年版，第 48 頁及以後數頁，第 202 頁及以後數頁。關於布
萊克頓在 F. 107 中對格言 *quod principi placuit* 的卓越論述，可參閱麥克爾溫
（McIlwain）前引書，第 195 頁及以後數頁。

參考書目

1. *Civilization during the Middle Ages.* By G. B. Adams. Rev. ed. New York, 1922. ch. 9.

2. *The King's Council in England during the Middle Ages.* By J. F. Baldwin. Oxford, 1913. Ch. 1.

3. *Origins of the Medieval World.* By William C. Bark. Stanford, Calif., 1958.

4. *Feudal Britain: The Completion of the Medieval Kingdoms,* 1066 ~ 1314. By G. W. S. Barrow. Loondon, 1956. Chs. 6, 18.

5. *Feudal Society.* By Marc Bloch. Chicago, 1961.

6. *Aquinas' Search for Wisdom.* By Vernon J. Bourke. Milwaukee, 1964.

7. *A History of Mediaeval Political Theory in the West.* By R. W. Carlyle and A. J. Carlyle. 6 vols. London, 1903 ~ 1936. Vol. I, Part IV, "The Political Theory of the Ninth Century"; Vol. Ⅲ, Part I, "The Influence of Feudalism on Political Theory."

8. "Proceedings against the Crown (1216~1377)." By Ludwik Ehrlich. In *Oxford Studies in Social and Legal History*, Vol. VI. Oxford, 1921.

9. *Kingship and Law in the Middle Ages.* By Fritz Kern. Tran. by S. B. Chrimes. Oxford, 1939.

10. *The World of the Vikings.* By Ole Klindt-Jensen and Svenolov Ehren. Washington, 1970.

11. *Medieval Political Ideas.* By Ewart Lewis. New York, 1954. Chs. 1~2.

12. *The Growth of Political Thought in the West.* By C. H. Mcllwain. New York, 1932. Ch. 5.

13. *Constitutional History of England.* By F. W. Maitland. Cambridge, 1908. Period l.

14. *A History of the Middle Ages:* 284 ~ 1500. By Sidney Painter. New York, 1953. Ch. 4.

15. "Roman Law." By H. J. Roby. In *Cambridge Medieval History*, Vol. II(1913), ch. 3.

16. *Barbarian Europe.* By Gerald Simons. New York, 1968.

17. *The Development of European Law.* By Munroe Smith. New York, 1928.

18. "The Beginnings of Representative Government in England." By Carl Stephenson. In *Mediaeval Institutions: Selected Essays.* Ed. by Bryce D. Lyon. lthaca, N. Y., 1954.

18. *Mediaeval Feudalism.* By Carl Stephenson. Ithaca, N. Y., 1942.

19. *The Early Germans.* By E. A. Thompson. Oxford, 1965.

20. "Foundations of Society (Origins of Feudalism)." By Paul Vinogradoff. In *Cambridge Medieval History*, Vol. II(1913), ch. 20.

21. "Feudalism." by Paul Vinogradoff. Ibid., Vol. III(1922), Ch. 18.

22. *The Growth of the Manor.* By Paul Vinogradoff. 2d ed. London, 1911.

23. "Customary Law." By Paul Vinogradoff. In *The Legacy of the Middle Ages.* Ed. by G. C. Crump and E. F. Jacob. Oxford, 1926.

第十三章
有關授權的爭論

　　十一世紀後半期帶來了對於保存在古代基督教教父傳統中的政治和社會思想本體的再研究，並開始了在隨後幾個世紀中極為輝煌和富有生命力的文化發展。從混亂中再一次出現的秩序，特別是在諾曼第諸國家，開始予人以行政效力和政治穩定的希望，這是自羅馬時代以來歐洲所未曾體驗過的。封建主義開始為自己確立更加明確的制度。從中世紀一直延續到近代歐洲國家的法制原則，就是從這一制度中所產生。首先在義大利，稍後在北方，城市開始建立商業和工業，這就為一種嶄新的和高雅的藝術和文學提供了基礎。哲學和學術有了一個開端，不久就因大量重要的古代學術知識的重新發現而結出了果實。在法國南部及義大利城市拉文納（Ravenna）和博洛哥納（Bologna），對於法學的研究開始使羅馬法的知識恢復起來，並使之應用在當時的立法和政治問題上。在影響思想每一分支的這種思想水平的總體提升當中，政治哲學當然也包括在內。

　　在十一世紀和十二世紀，政治著作主要是爭論性的，爭論的中心是教皇和皇帝之間世俗權力和教會權力劃分。無論如何，爭論的程度是令人驚訝的。或許，寫於亞里斯多德死後到西元十一世紀之間全部現存的政治哲學著作，還不如為爭取世俗的主教任命權的鬥爭中所產生的政治論文數量多。政治理論作為一個系統的學術研究主題，是比哲學的其他分支出現得更慢。在十三世紀，它仍然處於神學和形而上學龐大體系的陰影之下，這些體系是典型的經院哲學家的創造物。到了十四世紀，政治學論文就比較常見了，這種情況從那時一直延續至今。不過，前幾個世紀大量論文的保存，表明人們對這個問題是一直有興趣的。甚至在十一世紀，某些主要的爭論已在進行，某些基本問題已露端倪，而這些問

題在往後的世紀中也得到了不斷的發展。

中世紀的教會國家

十一世紀關於世俗權力和教會權力之間關係的爭論，起點是業已陳述過的吉拉修斯（Gelasian）關於兩把劍的理論，這一理論概括了基督教教父的學說。宗教事務和世俗事務、靈魂利益和肉體利益之間的差別正是基督教本身結構的組成部份。按照在十一世紀得到普遍承認的觀點——實際上在以後的數百年也未必受到公然地否認——人類社會受神意注定，要接受兩種權力的統治，即宗教權力和世俗權力的統治，一種統治由神職人員掌管，另一種統治由世俗統治者掌管，這兩種統治都要依據神意和自然法。按照基督教的體制，任何人也不能兼有宗教職權和政府官職。人們認爲，任何權力都不是隨心所欲的，因爲這兩種權力都必須服從法律，並且要在神聖的自然統治和人的統治當中擔任一項必要的職責。因此，在這兩種權力之間並不存在原則上的衝突。不過，罪惡的傲慢或貪戀權力可能導致任何一方的人代理人跨過法律規定的界限。因此作爲統一的神聖計畫的兩個組成部份，每一種權力都應幫助和支持另一方。

嚴格說來，在這一觀念範圍之內，並不存在現代意義上的教會或國家，不存在構成國家成員的一個羣體和構成教會成員的另外一個羣體，因爲一切人都同時包括在這兩者之中。正如聖奧古斯丁在他的《上帝之城》中所教誨的，只存在一個唯一的基督教社會，且至少在十一世紀，它是包括整個世界的。按照上帝的旨意，這個社會有兩個首腦即教皇和皇帝，有兩個權力本體即教士的宗教統治和國王的世俗統治，並且有兩套進行統治的官員集團。但是，在這兩個實體或社會之間卻不存在任何劃分。這兩個統治集團之間的爭論，就法律意義而言，乃是管轄權限的爭論，就像在同一個國家的兩個官員之間可能發生的爭論一樣。問題在於權限的正確劃分，在於一方或另一方在合法的限度之內可以做什麼，這種限度是由其職位所明白表示或暗示。在這個意義上，並且僅僅是在這個意義上，教會和國家的糾紛從一開始就存在著爭論。隨著時間的推

移，這個最初的想法逐漸被置於一旁，特別是當這一爭端在法律方面變得愈加明確的時候。不過，一開始的爭論是發生在兩個官員集團之間，他們各自都擁有固有的權力，並且都宣稱在其權力範圍之內行事。

關於兩種權力分離的理論，從來也沒有眞正貫徹過。因爲人們一直認爲，這一理論並不否認這兩種權力在世俗實踐中的相互聯繫，或者並不否認每一官員集團應幫助另一方執行其專門職責。因此，當爭論爆發的時候，每一方都可以引證種種歷史上被認爲是正當的行爲，並且也可以解釋爲是一方官員集團對另一方的控制。在羅馬衰落的日子裡，大格雷戈里（Gregory the Great）行使過很大的世俗權力。無論是宗敎會議還是敎士個人，都曾遵循安布羅斯的先例，就國王們的惡行對他們提出告誡。主敎也一律被視爲權貴，制定法律要得到他們的同意，而敎士在選舉和罷黜統治者上，更發揮了巨大的影響。丕平（Pippin）爲了在法蘭克王國廢黜麥洛溫王朝（Merovingian），曾尋求並得到了敎皇的認可。查理大帝（Charles the Great）在西元八○○年的那次著名的加晃典禮，依撒母耳（Samuel）創立的猶太王權制度類推，便容易解釋爲是敎會的權威把帝國移交給了法蘭克國王。實際上，人們普遍感到掌管加晃宣誓的執行具有某種宗敎意義，並且像所有的宣誓一樣，它大致可以歸納於敎會在道德事務上的懲戒權。

然而，從整體來看，直到十一世紀敎會和帝國權限發生爭論之時，皇帝對於敎皇的控制較之敎皇對於皇帝的控制是更加明顯和有效的。在羅馬時代這通常是理所當然的事情，任何人讀到查理曼（Charlemagne）給予他派往整個帝國進行巡廻審判的官吏的指示，都不會懷疑他是把敎士和俗人都視爲了自己的臣民，或者說他完全承擔了管理敎會的職責。就利奧三世（Leo Ⅲ）而言，他把他的調查審問之權擴大到了可以處置有犯罪嫌疑的敎皇的地步。在十世紀，當敎皇職位受到異常削弱的時候，正是從鄂圖一世（Otto Ⅰ）到亨利三世（Henry Ⅲ）的諸皇帝推行了種種改革措施，一直持續到按照敎規儀式罷免格雷戈里六世（Gregory Ⅵ）和聲名狼籍的本尼狄克九世（Benedict Ⅸ）之時。事實上，羅馬城的敎皇選舉乃是小貴族政治角逐的玩物，皇帝對於消除來自於這種事態的醜聞是發揮了主要的影響。當然，迫使皇帝在政策上對敎皇選舉施加影響，理由是顯而易見的。不過，這種影響盡管從敎士

的觀點看來比地方上羅馬人的陰謀詭計要好，但對於教會在宗教事務上
的自治畢竟是一種潛在的威脅。

教會的獨立

　　十一世紀的爭論，就教士方面來講，起始於自覺和獨立意識的增
強，以及要使教會成為一個自治的宗教權力的願望，以便與教會要求得
到承認的合法性相一致。奧古斯丁的傳統使人們想到歐洲大體上是一個
基督教社會，這一社會在歷史上是獨一無二的，因為它第一次使世俗的
權力服務於神授的真理。根據這一概念，為了正義而進行統治的古代理
想要達到其頂點，不僅要賦予每一個人以他的權利，而且要履行更重大
的義務，就是報答上帝他應得的崇拜。吉拉修斯（Gelasius）在寫信反
對教會政策服從君士坦丁堡（Constantinople）的帝國宮廷時，就曾斷
言，教士為永久得救而承擔的職責，是遠重於國王的職責。的確，如果
宗教的目的事實上具有基督教賦予它們的重要性，如果教會真的是達到
這些目的唯一機構，那麼在邏輯上就不可能有別的結論了。十一世紀，
出自於教會內部的啟蒙運動的興起，受到了奧古斯丁傳統要使上述教義
成為基督教輿論環境一部份的學說所支配，因此這一運動不可能不承擔
使上述教義具有實效的義務。在早些時候，還缺乏可能從事這種努力的
環境。然而，基督教文明的第一次偉大的努力，幾乎不可能有任何別的
目的，除了在教皇的保護之下實現基督教社會的理想；而在這樣一個社
會裡，教會根據權利，實際上應當是基督教國家背後的指導力量。

　　早在九世紀，在查理帝國准許學術活動短暫復活的情況下，教士們
就開始提出要求要建立基督教社會的教會。例如蘭斯的欣克瑪爾（Hincmar of Rheims）大主教曾寫道：

　　　　如果他們願意，就讓他們根據塵世的法律或人類的習俗保衛他們
　　自己吧！但是，如果他們是基督徒，就要讓他們知道，在最後審判
　　日，他們不是要受到羅馬法或撒利法（Salic）或貢多巴德法（Gundo-
　　badian）的審判，而是要受到神聖教皇之法的審判。在一個基督教王
　　國裡，即使國家的法律也應當是基督教的法律，也就是說，應當符合

和適合基督教。❶

九世紀的復興只不過是曇花一現，但是與此同時教會本身卻發生了種種變化，這些變化在十一世紀出現更持久的復興光芒，使得對於基督教國家的要求更加有效了。這些變化在教會內部部份地影響了教皇的集權和教會組織的集中，並且部份地影響了教士對基督教理想的更加認眞和更具戰鬥性的追求。第一個變化是與九世紀的一個名爲**僞依西多列教令**（Pseudo-Isidorian Decretal）的文件僞造相聯繫，第二個變化則是與十世紀的**克魯尼改革**（Cluniac reform）有關。

僞造教令❷的目的顯然在於加強主教的地位，特別是保護他們免受世俗統治者罷黜和財產充公的懲罰，以鞏固他們對主教管區教士的控制，並使他們擺脫除了他們自己的宗教會議之外的其他直接監督。作爲達到這些目的的手段，他們指望削弱大主教的權力，因爲這些大主教很可能成爲世俗監督的代理人，同時要相應地加強教皇的權力。僞造教會授予主教向羅馬申訴其案件的權利，並且在案件待決時確保其不會被罷黜或損失財產。對於任何教會案件，教廷的決定就是最終的決定，這一點以最有力的措辭得到了維護。因此，僞造教令在九世紀預示著這樣一種傾向，即把法蘭克領域之內的教會都集中到教廷的周圍，使主教成爲教會統治的單位，迫使他直接向教皇負責，並且把大主教降低爲教皇和主教之間的中間人。概括地說，這就是盛行於羅馬教會的統治模式。一般來說，加強教皇權力可能並無直接意義，而且在這一方面也沒有直接的目的。然而在十一世紀，當人們普遍承認僞教令是眞教令時，它們便提供了論證教會獨立於世俗控制和教皇在教會管理中擁有最高主權的源泉。教皇和皇帝之間的爭論，在很大程度上是起因於前者此時實際上已成爲教會的首腦，並且不再感到自己要依靠皇帝才能進行順利的統治。

更加增強教會自治要求的第二個事件，乃是伴隨著從屬於克魯尼（Cluny）修道院院長的修道院會衆的增長而展開的改革浪潮。❸克魯尼修道院本身建於九一〇年。這個組織的一個重要特徵，就是在管理它本身的事務和選擇其領導人時享有完全的獨立。它的發展的第二個重要特點，是當新的修道院組織起來或老的修道院與之合併的時候，對這些分支機構的管理繼續委託給原有機構的院長。因此，克魯尼諸修道院成爲更加隔絕的僧侶團體。它們實際上形成了一個處於單一首腦控制之下

的教團。這樣，它們就非常勝任作爲在教會中傳播改革思想的工具。再者，這些改革者的意圖又跟克魯尼諸修道院本身之發展的意圖是大致相同的。**買賣聖職**（simony），即出售教會職務，是一項非常需要加以改革的嚴重罪行，而且這一罪行與僱用神職人員在世俗政府中任職亦有密切關係。這一罪行不僅在於實際出售職位，而且在於把教會高級職位作爲政治服務的回報。因此，不可避免的結局，就是對教會職務認識的提高會要求淨化教會，要求使教皇職位永遠脫離它常常跌入的那種貶損境地，並且要求教皇自主地管理教會的官員。正是那些比較正直的教士，最強烈地感受到神職人員捲入世俗統治事務給宗教職位帶來威脅。改革運動在教會管理方面所確定的方向，在一〇五九年的亞特蘭宗教會議（Lateran Synod）上已預示出來了，這次會議試圖確立樞機主教團（College of Cardinals）選舉教皇的有規則的辦法。改革意味著教會必須謀求使自身成爲一個自治的團體，要有掌握在教士手裡的教會政策和行政管理。這樣一個改革的過程，必然隱含著在教皇和皇帝之間發生衝突的潛在可能性。

　　教會自治的要求，實際上是對根深柢固且不斷發展的一種弊端的回答。在九世紀之前很久，教士就已是大土地的所有者了。查理·瑪特爾（Charles Martel）使大量的教會土地實現了封建化，以便爲他反對薩拉森人（Saracens）的戰爭提供財力，而隨著封建制度的發展，教士日益捲入了政府不得不藉以維持下去的制度之中。作爲一個土地所有者，他就負有封建的義務，而且他同樣也有自己的附庸，他們應爲他服務，雖然他不得不在名義上透過代理人來執行與其地位相應的世俗義務，但他的利益在很大程度上與那些封建貴族是一致的。較高級的神職人員由於他們的財產和地位，對世俗政治的每一個問題都極爲關心。他們都是權貴，任何國王都不會忽略他們的力量和影響。確實，撇開封建制度不談，至少他們的平均的良好教育也使他們成爲了最合格的等級，國王能夠從中爲他的王國提拔高級官員。正如前一章所指出的，自羅馬陷落以來的數百年中，教會大概一直是關於公共權力和公民秩序的古代理想的主要保存者，而且教士很可能是貫徹王室政策的最好的代理人，而這種政策則需要王室進行一定程度的控制。因此，在十一世紀，出於封建制度本身所固有的原因，以及超越封建制度的政策上的原因，教士深深地

捲入了世俗政治活動。在高級教士的身上，體現了教會組織和國家組織的交叉和重疊。即使在教士放棄政治職能的基礎上，也顯然不可能把這兩個統治集團截然分開，這一點是毫無疑問的。

在每一部中世紀史中都談到了這場大辯論的始末，除了幾個最重要的關鍵點外，其他的在這裡都無須多談。爭端開始於一○七三年格雷戈里七世（Gregory Ⅶ）就任教皇之際。在第一階段，爭論特別涉及俗人對於主教的授職，換言之，就是世俗統治者在選擇高級教士的部份。一○七五年格雷戈里禁止由俗人為神職人員授職。第二年，皇帝亨利四世（Henry Ⅳ）試圖罷黜格雷戈里，而後者則回報以將亨利黜出教門，並解除其附庸的封建誓約。一○八○年亨利試圖確立一個偽教皇以取代格雷戈里，而格雷戈里則支持斯韋比亞的魯道夫（Rudolf of Swabia）謀求亨利的王位。在這兩位主要人物死後，突出的事件就是人們試圖在教士放棄一切政治職能或特權的基礎上解決亨利五世和帕舍爾二世（Paschal Ⅱ）之間的衝突，但無濟於事。爭論的第一階段因一一二二年的沃爾姆斯宗教協定（Concordat of Worms）而結束，根據這一協定，皇帝放棄了任命神職的專門權利以及作為宗教權力象徵的戒指和權杖，但是保留了授與特權的權利和選擇主教時的發言權。但是在此之後，這一爭論斷斷續續沿著同一路線一直持續到了十二世紀末，這裡是停下來解釋爭論雙方對立意見的一個方便地方。

格雷戈里七世和教皇派的理論

在格雷戈里的主張中，重要的是記住關於他在教會中的職位的見解，雖然嚴格說來這並不是爭論之點。可是，如果他對於教皇職位沒有那樣的想法，那麼與帝國的爭論幾乎就不可能是那個樣子了。按照格雷戈里的觀點，教皇簡直就是整個教會的最高首腦。唯有他能夠任免主教，他的使節是居於主教和其他一切教會官員之上。唯有他能夠召集全體會議並使會議的法令有效。另一方面，教皇的法令是任何人也不能廢除的，而一個案件一旦告到教皇的法庭就不再受任何其他權威的審判。總之，格雷戈里治理教會的理論是君主政治的理論，不過不是在封建君

主制的意義上，而是在更接近於羅馬帝國傳統的意義上。在上帝和神授的法律之下，教皇乃是絕對的。這種教皇制度的聖彼得理論（Petrine theory）雖然最後終得到承認，但在十一世紀卻是一個沒有得到普遍承認的新玩意，並且不時使格雷戈里與他的主教發生糾紛。面對著封建制度權力分散的影響，教會繼續了關於公共權力的概念，因此教會是應用這一概念進行其自身政治勢力重建的第一支力量。

要使參與授權爭論的雙方能有一個明確的爭點，即便有可能也是很困難的。因爲兩者都宣稱接受長期以來所確立關於兩把劍的原則，即每一方在自己的領域中都是至高無上的。但是，雙方在進一步的論證中都不得不把這一原則擱在一旁。皇帝支持者們確實是如此，因爲他們眞正希望的是這樣一種事態的繼續，就是在實際上（如果不是在理論上）繼續維持帝國在敎皇事務上所擁有占壓倒性優勢的聲音。他們的主張在理論上是軟弱的，但是就先例而言則是强有力的，而且由於他們被迫處於守勢，他們便不得不把吉拉修斯的理論作爲他們論證的基礎，以維護世俗勢力的獨立。另一方面，教會的要求，按照公認的基督教準則的整體規劃來看，實際上是無法作答的。教會只有取得一種它從未有過的領導和指導地位，才能使理論好轉，而這種地位必然使之在上帝的名義下遠離對等權威所允許的限度而走向世俗權力。或許，任何一方都不打算侵奪屬於另一方的權力。同時要求兩種權力，仍然很難評估後果，因爲十一世紀所用的法律概念並不像後來隨著羅馬法和教會法的發展而逐漸具有的那種精確意義。

格雷戈里在反對亨利四世時所持的主張，是教會在道德問題上得到公認管轄權的一種自然發展，儘管這一發展頗爲極端。對於買賣聖職罪，格雷戈里建議不僅要對犯罪的教士，而且要直接對世俗統治者起訴，因爲後者同樣有罪。在禁止世俗當局任命主教並發現皇帝拒不執行之後，他採取了逐出教門的辦法來强制實施其法令。這種做法本身並不新奇，但格雷戈里卻補充了這樣一個推論，即一位被逐出教門的國王，作爲一個被基督徒團體所驅除的人，已不能再保有其臣民所提供的服務和忠誠。他並不主張教會可以隨意解除誓約，而只是主張教會作爲一個道德法庭有權在其管轄範圍內宣布一個壞的誓約在法律上無效。格雷戈里捍衛其行爲的根據，是宗教權威對基督教社會每一成員有執行道德戒

律的權利和義務。像聖安布羅斯（St. Ambrose）一樣，他論辯道，一個世俗統治者本身就是一個基督徒，因此在道德和宗教事務方面要服從教會。然而，這實際上等於提出了這樣的要求，即逐出教門的權利是附帶罷黜的權利（當然要有充份的理由）和解除臣民效忠的權利。世俗統治者對等權力的暗中消失，並不意味著教會本身將接收世俗統治的職能，而是意味著教皇將成為最高法庭，一個統治者的合法性將取決於他的判決。

要說明格雷戈里對他所遵循的政策和他所捍衛的論點認識到什麼程度，並不是一件容易的事。這樣一個假設似乎是合理的，即他認為整個爭論所涉及的是教會執行道德戒律的要求，而不是合法的至高權力的要求。他表示，他的目的是在吉拉修斯理論所設想的雙重體系之內維護教會的獨立，對於他的誠意沒有理由予以懷疑。所以，認為他的意思在原則上是維護一種在世俗事務上超越世俗統治者的權力，大概是沒有道理的。❹假定他的論證就法學定義的精確性而言，如同經過兩個世紀的發展之後在教規學家依諾森四世（Innocent IV）手中所掌握的那樣，顯然也是不公平的。另一方面，對於格雷戈里要求的真正涵義則是無可懷疑的。

在爭論中，他慣於使用不受約束的言語，這有時使得他的主張極為激烈。他一〇八一年寫給麥茨的赫爾曼（Hermann of Metz）的信中，經常被引用的一個著名的段落就可以說明這一點。❺在這裡，他談到政治統治，說它簡直就是「大規模的劫掠」，人們經常把這一段落與索爾茲伯裡的約翰（John of Salisbury）的說法相比較，約翰是把劊子手說成為世俗統治的典型——

> 有誰不知道（格雷戈里說）國王和統治者是出自於這樣一些人：他們對上帝愚昧無知，出於極度的貪婪和不可容忍的專橫，透過自大、暴力、背信、謀殺和幾乎每一種罪行，並且在這個世界的王——魔鬼的教唆下，他們冒充了與他們地位相等之人的主人。

這一段話，自從寫出來並作為教會傲慢的例子被無數次地引用以來，受到了極大的憎恨。然而，這樣一個過份誇張的說法，表達的不過是關於政府起源於罪惡的普通信念，而且從其他段落來看，很清楚地，格雷戈

里絕對沒有對國王職位作這樣攻擊的任何意圖。他只不過要求擁有對國王行使同樣戒律的權利，就像教皇對所有基督教徒所擁有的權利一樣。但是他清楚，戒律包括了教會作爲歐洲道德仲裁者的權利，而對宗教和道德的管制是一定不能受不順從之統治者的妨礙的。他關於教士在歐洲事務中應扮演指導角色的看法，出現於他一〇八一年在羅馬一次會議的講話中：

> 我請求你們，聖潔的教父和王公，應這樣行事，以便讓全世界都知道，如果你們擁有在天國實行綑綁和釋放的權力，那你們也有權力在塵世剝奪或授予帝國、王國、侯國、公國、邊界地區和郡，並有權根據一切人的功過剝奪或授予他們財產……讓世界上的國王和一切王公都知道你們有多麼偉大和有什麼樣的權力，並且讓這些小人都害怕違背你們教會的命令。❻

格雷戈里的論點，顯然假設了宗教權力高於世俗權力。假如彼得在天國被授與了綑綁和釋放的權力，難道他不應當在塵世擁有更大的這種權力嗎？此根據並不是眞正的爭論之點，因爲籠統地講，沒有人會否認這一點。然而，宗敎事務具有更重要的地位這一點本身，並不能證明世俗統治者的權力來自於教會。吉拉修斯從未得出過這樣的結論，格雷戈里也不例外。但是，將論證修改成這樣的形式，從而丟棄傳統的兩把劍的理論，顯然並不困難。教會作家在十二世紀就採取了這一步驟，並且在十三和十四世紀對這一論點作了極爲詳盡的闡述。這大概是爭論本身澄清爭議的結果，而且也是關於體制和法律的關係更加明確化的一個標誌。也許，更系統化的封建主義概念亦在致力於這一個目的，並致力於教皇當局想在義大利南部和歐洲其他部份建立封建宗主權關係的傾向。❼後來，在接受了亞里斯多德的學說之後，宗敎所代表的精神力量更爲重要這一觀點本身，就構成了下層權力所依賴的論據，因爲亞里斯多德主義認爲，在下者爲了在上者而存在並受在上者支配，乃是普遍的自然法則。

　　最早明確主張世俗權力來自於宗教權力之說的，似乎是奧格斯堡的霍諾留斯（Honorius of Augsburg），這見於他一一二三年左右所寫的著作《最高的榮譽》（Summa gloria）。❽他的主要證據來自於對猶太

歷史的解釋，這就是：在掃羅（Saul）加冕之前，並不存在王權，掃羅是經教士撒母耳（Samuel）爲之膏油而神聖化，自摩西（Moses）時代以來猶太人就一直是受教士統治。他以一種類似的方式論辯道，基督授予了教士在教會的權力，而在君士坦丁改信基督教之前並不存在基督徒國王，因此，正是教會創立了基督教王位以保護它免受其敵人的侵犯。與這一理論相聯繫的，是把君士坦丁贈禮（Donation of Constantine）解釋爲（或者毋寧說是曲解爲）他將一切政治權力交給了教皇。❾按照霍諾留斯的說法，從君士坦丁開始，皇帝都是在教皇的特許之下才得到帝國的全部權力。與這一論點相一致，他堅持皇帝應當由教皇來挑選，並且應得到諸王公的同意。

　　儘管霍諾留斯在原則上一直是激進的，但在應用時卻寧願採取保守態度，因爲他斷定，在完全的世俗事務上，甚至教士都應尊重並服從國王。即使是在推翻古老的兩把劍學說的思想家，也不願意徹底廢除它。霍諾留斯對法律的分析也是含含糊糊的。他那來自於君士坦丁贈禮的論據極爲冒險，因爲如果教皇的權力是委任的，那麼看來皇帝是可以把他所轉讓的東西收回來。大概霍諾留斯認爲，君士坦丁只不過是承認了在基督教體制之下教會所固有的權利。大約三十年之後，索爾茲伯里的約翰（John of Salisbury）在其著作《政治家》（*Policraticus*）中所持的立場就更加強硬了。約翰根據精神的權力所固有的最高地位，證明兩把劍按照絕對權利都應屬於教會，是教會把強制的權力授予了王公——

　　　　根據神聖的法律而存在並與執行這一法律有關的每一個職務，實際上都是宗教職務，不過，此乃低級職務，因爲它只在於懲罰罪惡，所以它似乎是以劊子手做爲典型的表現。❿

因此，約翰可以透過引證《法學滙纂》（*Digest*）來捍衛罷黜之權，其引文大意是：「他能夠合法地賜與，就能夠合法地拿走。」世俗統治者有一種「使用權」（ius utendi），但沒有完全的所有權。當然，約翰實際上並不認爲適當地運用這一理論會貶低政治權力的價值，或者會損害政治職務的尊嚴。

亨利四世和皇帝派的理論

在授權爭論中，皇帝派所持的主張從整體上來看比教皇派更處於守勢。在本質上，他們是爲過去的情況爭辯，即挑選主教以及選舉教皇在很大程度上都應服從於皇帝的影響。爲了反對教會獨立這個實質上的新要求，他們可以求助於得到普遍承認有關兩個領域各自獨立的權力的理論。因此，帝國立場的基石就是這個得到承認的信條，即一切權力都屬於上帝，不論是皇帝的權力還是教皇的權力。亨利本人於一○七六年三月在致格雷戈里的信中所持的就是這一論調。❶既然他的權力直接來自於上帝，而非經由教會，那麼他行使權力就只對上帝負責。因此，他只接受上帝的審判，而且除非是因持有異端，否則是不能被罷黜的 ——

> 雖然我在基督徒中並不可取，你還是對我這個受神意任命的國王行了按手禮，而且我按照聖教父的傳統教導，只接受上帝的審判，並不能因任何罪惡而受到罷免，除非是我背離了信仰，但那樣的事是絕不會有的。❷

亨利所依靠的「聖教父的傳統」（tradition of the Holy Father），肯定主要是指大格雷戈里就消極服從義務所作的强硬聲明。關於王權不受罷黜的見解，從來不曾消失過。蘭斯的欣克瑪爾（Hincmar of Rheims）在九世紀曾評論過這樣一種觀點（他指出有幾位學者堅持這一觀點），即國王「只服從於上帝的法律和審判」❸，雖然他認爲這一觀點「充滿了魔鬼的精神」（full of the spirit of the Devil）。從十一世紀起，這一理論成了皇帝支持者所持主張的重要部份。當然，它非常適合於吉拉修斯的理論，即兩把劍絕不能集中於一人之手。凡是上帝賜與的，唯有上帝才能拿走。這個論據無疑是强有力的，因爲它扭轉了教皇改革派所處的地位。正如亨利所陳述的，格雷戈里的主要罪過恰恰在於他企圖掌握兩種權力，這樣他就背叛了上帝所確定的人類社會的秩序。一旦混淆宗教事務和世俗事務，則構成爲格雷戈里的行爲進行辯護的主要道德根據也就垮了。在教會獨立的托詞之下，他將進一步使之捲

入世俗事務。這樣一個論據對於格雷戈里比較溫和的追隨者來說，很有說服力。再者，在人們斷言教士野心過大的一切情況下，亨利的主張提供了恰當的神學上的回答，這就是世俗權力本身的神聖性。因此，政治權力在其本身的範圍之內，可以要求成爲詹姆士王（King James）所說的那種「自由的君主權力」（free monarchy）。正是這一點，在任何存在教會干涉危險的政治情況下，君權神授說都成了一個權威的論據。

　　依據神學而爲皇帝所作的辯護，儘管後來不斷重複過無數次，但並沒有很多機會做邏輯上的發展。然而，法學上的理論卻不是這樣。長期以來，法學家才是世俗權力的最能幹和最有效的捍衛者。當然，這種論證形式一開始並不像在後來的爭論中——如博尼菲斯八世（Bonifacs Ⅷ）和法王美男子腓力四世（Philip the Fair）之間的爭論——所發展得那樣完備。儘管如此，開始階段還是饒有趣味的。最早的論據是一○八四年的《爲亨利四世王辯護》（*Defensio Henrici IV regis*）❶，作者彼得·克拉修斯（Peter Crassus）據說是拉文那（Rovenna）的一位羅馬法教師。他聲言根據法律來論證亨利和格雷戈里之間的爭端，他論證的要點在於堅持世襲繼承權不可剝奪。他強調，教皇或亨利的不順從的臣民都沒有權利干涉亨利繼承他的王國，這個王國是他作爲繼承人從他的父親和他祖父那裡接過來的，就好像他們不能拿走任何人的私人財產一樣。爲了支持這一理論，彼得要求承認上帝法和萬民法（ius gentium）的同時，還要接受羅馬法的權威。不過，這一論證與古代或中世紀的法學家所闡述的羅馬法中有關帝國權力的法制理論，並沒有任何聯繫，而且對於一位經選舉產生的君主來說肯定也是不適用的。不過無論如何，彼得的理論提出了神授權利與不可剝奪的繼承權利之間的特有聯繫。從整體來看，這一理論的意義與其說在於它的固有價值，不如說在於它表明了一種運用法律概念來支持世俗權力的傾向。

　　在約克《短論集》（*Tracts*）❺中，人們發現了反對教皇的更重要的論證形式。這一集子大約產生於一一○○年安塞姆（Anselm）和英王亨利一世之間關於授權問題的爭論之中。在授權問題上，對作者的論證是難以評價的。他籠統地主張，國王的權力較之主教的權力是一種更高階層的權力，國王應當統治主教，他有權召集並主持教會的會議。但與

此同時，他否認國王有權授予主教宗教權力。更有趣而且或許更重要的是，這位作者對格雷戈里宣稱有權在教會行使最高權威進行了抨擊。由於對宗教權力的性質和教皇在其中所占比重進行了批判性的檢討，他的抨擊構成了日後爭論中的一個重要部份。在為受到罷黜的魯昂（Rouen）大主教進行辯護而寫的一篇較早期的短文中，他直率地否認教皇有懲戒其他主教的權力，認為在宗教事務上所有主教都是平等的，都享有來自於上帝的相同權力，除了上帝之外誰也不能對他們進行審判。對於羅馬主教所實際掌握的權力，他稱之為篡奪，並且把這種現象解釋為偶然的歷史事件，認為之所以如此是在於羅馬過去一直是帝國的首都。❶在另外一篇短文中❶，他斷言，應服從的並不是羅馬，而只能是教會，「只有上帝的選民和兒子才能被正確地稱為上帝的教會。」約克《短論集》似乎包含了兩個世紀之後由帕都亞的馬西利奧（Marsilio of Padua）在《和平的保衛者》（Defensor Pacis）中所詳細論述的那個論點的胚芽，在這部著作中，這一論點構成了下述傾向的一個重要組成部份，即宗教權威並不是一種權力，而是一種教導和布道的權利。人們對宗教權力愈是只賦予更完全的來世意義，它就必然愈加不能過問世俗權力在法律和政治領域中的馳騁，而不管人們認為它的道德價值有多麼大。約克《短論集》的論點，在這條論證路線上顯然是邁出了有點含糊不定的第一步。

即使在十一世紀，這一爭論也趨向於鼓勵對世俗權力的基礎進行檢討。在格雷戈里罷黜皇帝的企圖之中，就清楚地包括了這個問題。正如皇帝的捍衛者們提出不可剝奪之權利的主張一樣，在教皇一邊則產生了這樣的論點，即皇帝的權力是有條件的，因此他的臣民的義務也不是絕對的。政治義務的有條件性或契約性，不僅透過封建制度的實行可以體現出來，而且還可以透過教父傳下來的古代傳統，特別是透過法律和政府應當永遠要促進正義的原則而表現出來。因此，在一個真正的國王和暴君之間，存在著根本的區別，這意味著在一些情況下反抗暴君是無可非議的。在十一世紀，勞騰巴赫的馬內戈爾德（Manegold of Lautenbach）對這一主張作了最清楚的陳述❶，而到十二世紀索爾茲伯里的約翰則在他的《政治家》的第八卷中發展了這種誅戮暴君的造反理論。無論在那一種情況下，這種論證都不意味著低估政治權力，而是相反，因為

暴君的罪惡大到什麼程度，眞正的王權就相應地會威嚴到什麼程度。然而，王權的本質是職務而不是個人，因此個人占有職位的權利並非不可剝奪。馬內戈爾德運用這一原則指出，當一個國王破壞了設立這一職位所應保有的那些美德時，罷黜就是正當的了。這樣他就得出了關於國王與其人民之間的契約關係的較明確理論——

> 任何人都不能使他自己成爲皇帝或國王，一個民族在其上確立這樣一個人，目的就在於他能夠公正地進行統治，給每一個人他應得的東西，幫助善者，壓制惡者，簡言之，就是他可以把正義給予一切人。如果他違反他據以當選的約定，妨礙並打亂了他本應有條理地處置的事情，那他就理所當然地解除了人民的忠順，特別是當他自己首先破壞了把他和人民結合在一起的信念的時候。[19]

因此，一個民族對其統治者的忠誠，只是支持其合法事業的一種誓約，而在統治者是暴君的情況下，這種忠誠就無效了。馬內戈爾德認爲教皇罷黜國王的權力是道德法庭判斷既成事實眞實性的權利，格雷戈里的行爲之所以得到辯護是因爲他曾「公開廢除了本來已無效的東西」。關於國王與其人民處於契約關係之中的理論，與國王職位本身來自於神授的觀點絕不發生矛盾。

因此，馬內戈爾德（Manegold）的契約理論並沒有爲教皇的廢黜權作徹頭徹尾的辯護。事實上，王權對於人民的依賴，可以同樣適當地解釋爲暗示著它對於教會的獨立。這一主張極爲有利的方面，在於它與羅馬法的法制理論以及與保皇派對於兩把劍之區別的強調相一致。它的發展導致了對歷史先例的更具批判性的檢討，諸如麥洛溫王朝（Merovingian）的廢黜和丕平（Pippin）的加冕，這些先例的提出有利於教皇的罷黜權。[20]人們得出的結論是，罷黜和新國王的挑選乃是「透過王公們的共同投票」而完成，教皇僅僅是進行批准而已。這樣的主張既合乎歷史邏輯，而且戳穿了格雷戈里論證的弱點。並且，特別使人感興趣的是，爲了捍衛皇帝的獨立性，它說明了一系列的世俗歷史事例，從而認爲世俗王公作爲充分的合法權威有權利來決定一個國王的罷黜或加冕。

十一世紀和十二世紀中的爭論，足以表明在吉拉修斯的傳統中世俗

權力和宗教權力之間關係的不穩定和不明確。這兩方各自強調了傳統的不同方面，而這兩個方面也都得到充份的確認。敎皇派強調宗敎權力的最高道德權威，而皇帝派則強調兩種權力的相互獨立。這兩種主張不斷作爲爭論中論據的固有部份，而一直延續到了十三和十四世紀。早期的爭論還提出了隨著雙方論證的發展而必然遵循的路線。敎會所需要的只是使更加明確的法律和法制觀念能占統治地位，以使它在道德方面占優勢的要求能夠轉化爲對合法權力的要求。而對這一主張的陳述只是爲了引出一個相反的論證，意在限制一些非强制性的敎誨和勸勉的宗敎義務。在世俗權力方面，人們也提出了論證的兩條發展路線，一是强調世俗統治者不經任何塵世的媒介直接對上帝負責，再一點是强調世俗社會在上帝的主宰之下有規定其自身政府的權利。

註　解

❶卡萊爾（Carlyle）所引用，同前引書，第1卷，第277頁，註3。

❷它們是由一百餘封僞造的信件以及大批僞造的會議報告所組成，信件多半被認爲是一世紀至三世紀的教皇所寫，而會議報告則被夾進了一批較古老的可靠材料之中。它們出現在法蘭克領域時大約是西元850年。參閱富爾尼耶（P. Fournier）〈僞造教令之研究〉（Études sur les fausses décrétales），載於《魯文教會史雜誌》（Revue d'histoire ecclésiastique de Louvain），第7卷，1906年版，第33, 301, 543, 761頁，第8卷，1907年版，第19頁。

❸撒庫爾（E. Sackur）對此作出了權威性說明，見《克魯尼教士在其教會和一般歷史中的影響》（Die Cluniacenser in ihrer kirchlichen und allemeingeschichtlichen Wirksamkeit），兩卷本，哈雷（Halle），1892~1894年。

❹卡萊爾前引書，第4卷，1922年版，第389頁及以後數頁。

❺卡萊爾前引書，第3卷，1915年版，第94頁；還可參閱第4卷，第3部分，第1章。格雷戈里的作品見《日爾曼文庫》（Bibliotheca rerum Germanicarum），加菲（P. Jaffé）編，第2卷，〈格雷戈里史記〉（Monumenta Gregoriana），第457頁。

❻卡萊爾前引書，第4卷，第201頁，註1；加菲（Jaffé）前引書，第404頁。

❼參閱卡萊爾前引書，第4卷，第三部份，第4章。

❽霍諾留斯（M. G. H.）：《辯論札記》（Libelli de lite）第3卷，第3頁及以後數頁。參閱卡萊爾前引書，第4卷，第286頁及以後數頁。

❾贈禮是八世紀第三個二十五年的某一時間由教廷機關捏造，其目的顯然是支持教皇當時在義大利的要求。霍諾留斯關於這一贈禮適用於全部皇權的解釋是新奇的，這必然是對這一事件的意圖的一種誤解，或者是有意擴大人們先前對其理解的涵義。參閱《劍橋中世紀史》，第2卷，第586頁；卡萊爾前引書，第4卷，第289頁。

❿《政治家》（Policraticus），4，3；狄金森譯本，第9頁。

⓫M. G. H.（霍諾留斯）：《憲法》（Constitutiones），第1卷，第62號。

⓬卡萊爾所引用，前引書，第4卷，第186頁，註1。

⓭同上，第1卷，第278頁，註2；再參閱第3卷，第二部分，第4章。

⓮M. G. H.,《辯論札記》,第 1 卷,第 432 頁及以後數頁。參閱卡萊爾前引書,第 4 卷,第 222 頁及以後數頁。

⓯M. G. H.,《辯論札記》,第 3 卷,第 642 頁及以後數頁,特別是〈短論四〉(Tract IV)。參閱卡萊爾前引書,第 4 卷,第 273 頁及以後數頁。

⓰〈短論三〉。

⓱〈短論六〉。

⓲《致格貝哈都姆》(Ad Gebehardum),寫於 1080 年和 1085 年之間,M. G. H.,《辯論札記》,第 1 卷,第 300 頁及以後數頁;參閱卡萊爾前引書,第 3 卷,第 160 頁及以後數頁。

⓳卡萊爾所引用,前引書,第 3 卷,第 164 頁,註 1。

⓴可專門參閱一位不知名的作者於 1090 至 1093 年之間所寫的小冊子《論教會的團結》(De unitate ecclesiae conservanda)。這本小冊子是對上面提到的格雷戈里致麥茨的海爾曼(Hermann of Metz)的第二封信的答覆。M. G. H.,《辯論札記》,第 2 卷,第 173 頁及以後數頁。參閱卡萊爾前引書,第 4 卷,第 242 頁及以後數頁。

參考書目

1. *Saint Grégoire VII: essai sur sa conception du pourvoir pontifical.* By H. X. Arquillière. Paris, 1934.

2. *The Origins of Modern Germany.* By G. Barraclough. 2d ed. rev. Oxford, 1947. Ch. 5.

3. "Gregory Ⅶ and the First Contest between Empire and Papacy." By Z. N. Brooke. In the *Cambridge Medieval History*, Vol. V (1926), ch. 2.

4. *A History of Mediaeval Political Theory in the West.* By R. W. Carlyle and A. J. Carlyle, 6 vols. London, 1903~1936. Vol. Ⅳ (1922), "The Theories of the Relation of the Papacy and the Empire from the Tenth Century to the Twelfth."

5. *Church and State through the Centuries: A Collection of Historic Documents with Commentaries.* Trans. and ed. by Sidney Z. Ehler and John B. Morrall. London, 1954. Ch. 2.

6. "Respublica Christiana." By John Neville Figgis. In *Transactions of the Royal Historical Society*, 3d Series, Vol. V (1911), p. 63. (Reprinted in *Churches in the Moderm State.* London, 1913. Appedix l.)

7. *Political Theories of the Middle Age.* By Otto Gierke. Eng. trans. by F. W. Maitland. Cambridge, 1900. (From *Das deutsche Genossenschaftsrecht*, Vol. Ⅲ)

8. "Political Thought." By E. F. Jacob. In *The Legacy of the Middle Ages.* Ed. by C. G. Crump and E. F. Jacob, Oxford, 1926.

9. "The Investiture Contest and the German Constitution." By Paul Joachimsen. In *Mediaeval Germany, 911~1250: Essays by German Historians.* Eng. trans. by Geoffrey Barraclough. 2 vols. Oxford, 1938. Vol. Ⅱ, ch. 4.

10. *Die Publizistik im Zeitalter Gregors VII.* By Carl Mirbt. Leipzig, 1894.

11. *Christianity and the State in the Light of History*. By T. M. Parker. London, 1955. Ch. 6.

12. *Church, State, and Christian Society at the Time of the Investiture Contest*. By Gerd Tellenbach. Eng. trans. by R. F. Bennett. Oxford, 1940.

13. *The Growth of Papal Govermment in the Middle Ages: A Study in the Ideological Relation of Clerical to Lay Power*. By Walter Ullman, 1955. Chs. 8, 9.

14. *Roman Law in Mediaeval Europe*. By Paul Vinogradoff. Ed. by F. de Zulueta. Oxford, 1929.

15. "The Reform of the Church." By J. P. Whitney. In *the Cambridge Medieval History*, Vol. V (1926), ch. 1.

16. *The Norman Anonymous of* 1100 *A. D.* By George H. Williams. Cambridge, Mass., 1951.

第十四章
人的普遍性

　　就學術成就而言，開始於十二世紀後期並使十三世紀成爲歐洲歷史上最輝煌最非凡時期之一的**思想復興**（intellectual rebirth）中，上一章所提到的論爭作品很快就過時了。這種新的學術活動，從其依賴於社會事業機構來看，主要應歸功於新的大學，特別是巴黎大學和牛津（Oxford）大學，並且還應歸功於教會的兩大托鉢修會（mendicant order）——道明會（Dominicans）和方濟會（Franciscans）。大學很快就成爲極活躍的思想生活中心。它們吸引了大量的學生望教師。在這些教師當中，有當時最活躍的有識之士，他們有系統地著手研究各門知識，特別是哲學和神學。講到大學，還應該提到那些傑出的法律學校。在十二世紀和十三世紀，有關羅馬法的精確知識在這些學校裡又重新受到重視。在這些大學的發展中，兩個托鉢修會幾乎從一開始就有著重要作用，它們設置訓練其成員的學習課程，並準備了大量的教職員。在十三世紀，最有獨創性的學者中，托鉢修會成員占了很大的份量——道明會的大阿爾伯特（Albert the Great）和托馬斯·阿奎那（Thomas Aquinas），方濟會的鄧斯·司各托（Duns Scotus）和羅傑·培根（Roger Bacon）。

　　大學和修會是傳播新啓蒙思想的機構，但其要旨首先在於使古代的學術著作得以恢復，特別是亞里斯多德的著作，以及阿拉伯和猶太學者對它們所作的一大批註釋。在中世紀早期，人們除了瞭解亞里斯多德的邏輯學著作之外，對他的其他著作仍一無所知。到十三世紀早期，他的科學著作開始爲人所知。最初，人們只知道其中的幾個部份，並且往往是透過阿拉伯版本的拉丁文譯本，但最終則有了直接從希臘原文譯過來的全譯本。除了義大利之外，這些書的主要流通管道是西班牙。托利多

（Toledo）的主教鼓勵大規模的集體翻譯事業，因為與摩爾人的接觸
使人們可以得到阿拉伯文的本子：在政治思想史上，摩爾貝克的威廉
（William of Moerbeke）於一二六〇年左右翻譯希臘文的《政治學》，
是件非常重要的事情。這一翻譯工作構成了在托馬斯主持下為獲得有關
亞里斯多德哲學的準確記述而進行的總努力的一部份。亞里斯多德著作
的再次流行，對於西歐思想發展的最終影響，無論怎樣估價也是不會過
頭的。人們不僅能夠從中得到大量在中世紀早期幾乎是不可想像的知
識，而且這些知識已是諸如物理學、動物學、心理學、倫理學和政治學
那樣的經過整理的科學知識了。這些知識滙合成了對於自然的系統見解
的各個部份，其中最早的一些原則就是以形而上學的形式擬定出來的。
所有這些事情中，最重要的是亞里斯多德的著作為中世紀帶來了有關希
臘思想生活的新景觀以及這樣一種信念，即理性是一把鑰匙，它一定能
打開認識自然界的大門。從十三世紀到今天，這一促進因素從未完全消
失。在開始的階段，人們在知識作了很大的努力來掌握亞里斯多德的著
作，使之與基督教的信仰協調一致，並且建構了一個關於自然和神學知
識的無所不包的體系。

　　從長遠來看，雖然亞里斯多德學說恢復的重要性無論怎樣講都不會
過份，但它對於政治哲學的直接影響卻很容易被誇大。研究《政治學》所
立即產生的效果，是改進了這一學科的陳述方法，諸如所要探討之問題
的規範化內容，一批專門的術語和概念，以及有關材料安排的計畫。在
十六世紀之前，有關政治學的論文如果在這些方面不得益於《政治學》，
那幾乎是不可能寫出來的。然而，很清楚，採用亞里斯多德的論據並不
一定意味著在基本的政治信念或是政治哲學家正在思考的具體問題的性
質上有所改變。在任何情況下，亞里斯多德針對城邦國家所擬定的概
念，都不能依樣畫葫蘆地搬上中世紀社會，而需要根據實際現況作相應
的修正。再者，至少托馬斯無意脫離從教父一直傳到十三世紀的一大批
政治和社會傳統。針對這一遺產，正如針對整套基督教信仰一樣，托馬
斯對亞里斯多德主義的評價，與其說是作為一種創新的手段，不如說是
作為在哲學上對有根據的信仰一種較好的支持。在十三世紀，新的學術
注意力主要還是在神學和形而上學，而不是在政治理論上，而到十四世
紀，有關政治論文的寫作就極為常見了。

索爾茲伯里的約翰

　　亞里斯多德學說的恢復，並沒有立即改變政治哲學的主要方法，索爾茲伯里的約翰（John of Salisbury）在其一一五九年所撰寫的《政治家》（Policraticus）❶中對問題所作的討論，證實了這一結論。這部書之所以具有重大影響，一方面因為它是中世紀廣泛而系統地探討政治哲學的第一次嘗試，另一方面又因為它是寫於亞里斯多德學說恢復之前的唯一一部這樣的著作。它是有關古代傳統的一部概要，這一傳統來自於西塞羅（Cicero）和塞尼卡，經由教父和羅馬法學家而傳到了十二世紀。這部著作在許多方面都試圖比較有條理地陳述每一個人都相信的東西，並且就十二世紀所知道的情況而言，是每一個人都一直相信的東西，最仔細地研究了這部作品的人都同意，它的驚人之處在於其中幾乎不存在有意識地依賴於封建社會組織的東西，而這種封建社會組織在約翰寫作之時實際上是占統治地位的。他的理想毋寧說是共和國，即"res publica"。他仿效西塞羅把它設想為一個「透過有關法律和權利的共同協定而結合起來的」社會，儘管存在著封建主義的離心影響，約翰的政治思想中的基本觀念仍然是：一個民族是由國家政權所統治，這個政權所代表的是總體的利益，而且由於它是合法的，所以它在道德上也是站得住腳的。

　　根據約翰的見解，法律構成了無所不在的紐帶，它貫穿於一切人類關係，包括統治者和被統治者之間的關係，因此它既約束國王又約束臣民。實際上，區別一個真正的國王和一個暴君，對約翰來說相當重要。在中世紀的政治著作中，把他的書列為最明確剷除暴君辯護而享有榮譽還是不大可靠：「篡奪寶劍者理應死於寶劍之下。」（He who usurps the sword is worthy to die by the sword.）——

　　　　在一位暴君和一位國王之間，存在著這樣一個唯一的或主要的差別，這就是後者遵守法律並根據法律的意旨統治人民，認為自己只是人民的僕人。正是借助於法律的力量，他才把實現自己的主張放在管理共和國事務的首要地位。❷

> 現在存在著某些具有永恆必要性的法律箴言，它們在一切民族中
> 都具有法律的力量，違反它們是絕對不能不受懲罰的……讓那些給統
> 治者塗脂抹粉的人……到處鼓吹國王不受法律支配，鼓吹不僅在依照
> 公正模式制定法律的情況下，而且在完全不受任何束縛的情況下，他
> 的意志和欲求都具有法律的力量……但我仍然堅持……國王是受法律
> 約束的。❸

除了爲誅戮暴君辯護之外，約翰關於法律及其普遍適用性的見解，托馬
斯都莫不贊同。約翰表達法律思想的措詞大多來自於西塞羅，而托馬斯
對之進行的詳細論述，卻是透過修改了的亞里斯多德的專業術語。這兩
人都把法律的普遍性視爲一個基本的概念。

聖托馬斯：自然和社會

最初透過猶太和阿拉伯文獻而傳到基督教歐洲的亞里斯多德著作，
是帶著無宗教信仰的特徵。教會最早應予以取締策略，自一二一〇年
起，巴黎大學就禁止使用這些著作，然而這一禁令似乎從來沒有多大效
力。於是，教會明智地改變做法爲改造而不再是禁止。中世紀基督教思
想具有活力的最好證據，就是亞里斯多德的著作不僅迅速地得到了承
認，而且成了羅馬天主教哲學的基石。在不到一百年的時間裡，人們原
本害怕會成爲反基督教新方法源泉的東西，卻轉而成了一種新的且被期
待具有永恆性的基督教化的哲學體系。這一工作是由托鉢修會的教師們
所完成，特別是兩位道明會教士，大阿爾伯特（Albert the Great）和
他那青出於藍的學生——托馬斯・阿奎那（Thomas Aquinas）。實際
上，人們對勝利的完滿性和永久性估計得過高了。除了托馬斯的基督教
化的亞里斯多德之外，從十三世紀起，還存在著阿維羅伊派（Averro-
ist）傳統中的反基督教的亞里斯多德。即使在正統的經院哲學範圍之
內，諸如鄧斯・司各脫和奧肯的威廉（William of Occam）那樣的方
濟會思想家，也常常對托馬斯把信仰和理性緊密結合在一起的企圖存有
懷疑。在十四世紀，政治理論中所出現的這些思想分歧，簡直不亞於一
般哲學中所出現的分歧。

托馬斯哲學的本質，在於它試圖建立一種普遍的綜合，一種無所不包的體系，而這一體系的要旨就是和諧和一致。上帝和自然是巨大的和豐饒的，足以為組成有限存在的所有無窮無盡的差異提供一個活動場所。人類的全部知識構成為一個整體。各自帶有本身專門問題的特殊學科，具有最廣泛的範圍，但卻最缺乏高度綜合。哲學則居於這些學科之上，是謀求表述一切學科之普遍原則的理性學科。而在理性之上並且有賴於上天啓示的基督教神學，乃是一切體系的頂峯。不過，雖然啓示居於理性之上，但它絕非與理性相悖。神學完成了科學和哲學已開創的體系，而沒有破壞其連續性，信仰是理性的實踐，它們共同構築了知識的大廈，而不會相互衝突或矛盾。

托馬斯所繪製的自然景像，與他關於知識的設想完全一致。宇宙構成一個等級體系，上有居於頂端的上帝，下至最為低等的生物。每一種生物都按照其本性所具有的內在衝動行事，尋求各自類別中固有最適宜或完善的形式，並依據它的完美程度在上升的序列中找到自己的位置。在所有的情況下，總是較高者支配且利用較低者，就像上帝統治世界或靈魂統治肉體一樣。不論一種生物多麼低級，都不會完全沒有價值，因為它有自己的位置，有自己的義務和權利，透過這些，它有助於整體的完善。這一設想的本質，即是隸屬於一個目的。在這樣一個結構中，人性在萬物中具有獨一無二的地位，因為人不僅有肉體上的天性，而且還有理性上和精神上的靈魂，由於有這種靈魂，他與上帝是相類似的。在所有生物中，只有他既是肉體又是靈魂，而指導他生活的制度和法律正是建立在這一基本事實之上。

托馬斯關於社會和政治生活的見解，直接融入他對自然的、更大的整體設想之中。他探討這一題目的最重要段落，是他系統論述哲學和神學的巨著的一部份。❹如同整個自然界一樣，社會是一個具有種種目標和意圖的體系，在其中，較低者服務於較高者，而較高者則支配和指導較低者。托馬斯追隨亞里斯多德的學說，把社會描述為一種相互交換的服務，而這種交換是出於謀求幸福生活的緣故，許許多多種職業對此作出了貢獻。農夫和工匠的貢獻是供應物質商品，而教士的貢獻則是透過祈禱和宗教儀式。每一個等級都從事它自己所固有的工作。公眾的利益要求這樣的體系中應有一個統治的部份，恰如靈魂統治肉體或任何高級

本性統治低級本性一樣。托馬斯把國家的建立和管理、城市的計畫、城堡的建築、市場的建立和教育的促進，都比作上帝藉以創造和統治世界的預備。

因此，對整個社會來說，統治者的地位乃是一種職務或責任。如同他的最低級的臣民一樣，統治者所做的一切都是有道理的，這只是因爲他要爲公衆的幸福作出貢獻。由於他的權力是基於人類的幸福生活而從上帝那裡得來，因此這種權力乃是他有義務向以他爲首的社會提供的一種侍奉或服務。超越必要的範圍行使權力，或透過稅收取得財產，都不可能是正當的。因此，政府的道德目的乃是至高無上的。一般說來，統治者的職責就是指導國家中的每一階級的行爲，以便使人民能過一種幸福而有道德的生活，這是人類在社會中的眞正目的。當然，這最終必然導致一種超越現世社會的善，導致一種天國的生活，然而這已超出了人力所能及的範圍，它是由教士而不是由統治者來掌握。不過托馬斯大概認爲，有秩序的政治生活甚至對於這一終極目標也是一個促進的原因，這是他所獨有的特點。更確切地說，現世統治者的職能就是透過維護和平與秩序爲人類幸福奠定基礎；透過讓國家的行政管理、司法和防務上一切不可少的事務正常運作來保持這種幸福；並且透過隨時糾正所發生的弊端，消除通向幸福生活的一切可能的障礙。

政治統治爲之存在的道德宗旨，意味著權力是受限制的，而且它只能依照法律來行使。儘管托馬斯明確反對後者爲剷除暴君辯護，他對暴政的厭惡之深有如索爾茲伯里的約翰。合理的反抗是整個民族的一種共同的行爲，而這種權利是受這樣一種道德條件保障的，即從事反抗的人有責任使他們的行爲對總體利益所造成的損害要小於他們正試圖消除的弊端。他認爲，叛亂是極大的罪惡，但他否認對暴政的合理反抗是叛亂。就暴政而言，把較古老的中世紀傳統和亞里斯多德的學說調和起來並沒有什麼困難，因爲這兩者正是希臘人憎惡非法暴力的同一見解的兩個翻版，而且這兩者都是從同樣一個原則出發，即權力只有在爲公衆利益服務的情況下纔是合理的。不能說托馬斯從亞里斯多德那裡引申出了任何重要的東西，並補充到了關於這一問題的現存看法上。他的興趣，基本上是在有關統治者的道德限制方面，而對這一問題的法律或法制方面卻似乎並不關心。因此，在統治形式問題上，他除了得自於亞里斯多

德的東西之外，幾乎再沒有什麼可講的了，而且，他爲他認爲是最好形式的君主制所作的辯護，遵循的也是《政治學》中所奉行的相當不實用的路線。但他有一項明確主張認爲，國王的權力應當受到節制(temperatur)，雖然他沒有在任何地方確切地解釋過這意味著什麼。或許不妨作這樣的假定，即他曾設想由國王和作爲國王天然顧問和選舉的權貴分享權力。

托馬斯還明確認爲，有別於暴政的眞正政府是「合法的」，但奇怪的是，他卻沒有意識到需要嚴格界定在這一關係上合法的權力意味著什麼。雖然他熟悉羅馬法，但他顯然沒有覺察到這一研究有把最高統治者的權力擡到高於法律本身的傾向。他必定也瞭解有關教皇權力和皇帝權力的大爭論著作，但這並未激勵他去嚴格檢討作爲政治權力基礎的種種原則。關於對暴政的探討，他提出了兩項反對暴君的可行辦法。他設想存在一些統治者的權力來自於人民的政府，而在這種情況下，人民可以合法地強制當局履行獲得權力的條件。所提到的另一項糾正辦法，是在統治者之上存在一個政治上級，在這裡，糾正案是向那個上級提出申訴。❺但他顯然是把這視爲兩種不同類型的統治形式，這似乎表明，他對於政治權力的由來沒有一套通用的理論。

法律的性質

托馬斯之所以會忽視看起來是政治哲學的一個基本點，其原因可能在於事實上他太過於沉浸在中世紀法律神聖的傳統裡。他對法律是這樣的崇敬，以致設想法律的權威是固有的，並不依賴於任何人類的緣由。他孜孜以求的就是使人的法律盡可能密切地與神的法律聯繫起來。他所以要這樣做，不僅是他有調和二者的意願，更因爲他認爲法律的適用範圍比調節人類關係的手段要廣泛得多。對他來說，人的法律是整個神聖統治體系的主要部份，而天國和塵世一切事物都由這個體系來統治。托馬斯把這一體系完全看作是上帝理性的產物，它調節著一切受造物之間的關係，無論是生物和非生物，還是動物和人類都不例外。因此，按照比較狹隘的人類感受，法律僅僅是宇宙現實的一個方面，這個方面的確

重要，但畢竟只是一個方面。看起來這一點對他是重要的，因此他在發展他的一般法律理論的時候，比對待他的政治理論的任何其他部份都更加小心謹慎。因此，他關於法律的劃分是他的哲學中最具特色的部份。但是這種劃分的效果，卻使關於合法權力的專門的法律或法制定義降到了一個次要問題的地位。一個不合法的統治者，儘管是一個侵犯人類權利和制度的人，但他從根本上來說並不是一個這樣的人，而只是一個反抗上帝藉以統治世界的整個神聖制度的人。

托馬斯對法律所作的四分法，只有一種是有關人類的。值得注意的是，他認為這樣的分法，使他就能夠找到一種適用於範圍如此廣泛的各種現象和如此多種多樣的現代思想的法律概念。這並非像人們所想像的，是因為他認為自然界是奇蹟般地由上帝的意志來統治，而是出於一種幾乎是相反的原因。這是因為，他認為人類社會及其制度乃是「宇宙秩序」（cosmic order）的一個典型的層次，在這一層次通行的是在其他層次表現為不同形式的同一些原則。無論在自然界還是在社會，專橫的意志都幾乎沒有什麼作用，因為這兩者都是由理性或目的而不是由暴力來統治。托馬斯確實不曾認為，神或人們的意志能夠透過命令為自然界或社會制定法律。他所劃分的四類法律，是理性的四種形式，它們表現在宇宙實在的四個層次之中，但始終還是一個理性。他賦予它們的名稱是：永恆之法（Eternal Law）、自然之法（Natural Law）、神授之法（Divine Law）和人類之法（Human Law）。

這四種法律的第一種，即永恆之法，實際上同上帝的理性是一回事。它是神聖智慧的永恆計畫，萬物就是根據它來安排的。這一法律本身超乎肉體本性之上，而且它的全部內容是人類所難以理解，雖然它並不因此而與人類的理性無關或相悖。人類在其有限本性允許的限度內，實際上分享了上帝的智慧和善。這些在他身上表現了出來，雖然他的本性所再現的只是神聖完滿的歪曲形象。第二種法律，即自然之法，大概可以描述為神聖理性在受造物中的一種體現。它在自然界為一切生物所牢固確立的這樣一種傾向中是顯而易見的，即尋善避惡，保護自己，並盡可能完善地過一種適合其天資的生活。就人類而言，正如亞里斯多德所教導的，這意味著希望過一種合理本性可以在其中得到實現的生活。作為這種合理本性的例子，托馬斯提到人類所固有的傾向，就是生活在

社會之中，保護他們的生命，生養和教育孩子，尋求眞理和發展聰明才智。自然之法確立了最大限度地發揮人類的這些傾向的一切。

托馬斯對於神授之法的探討饒有趣味，因爲在這裡他達到了可以稱之爲自然理性的境界，而且他所持的主張非常具有特色。就神授之法而言，他實質上是指啓示。實例可能是上帝賦予作爲選民的猶太人的特殊法律準則，也許是上帝透過聖經或教會而提出的有關基督敎道德或立法的特殊規定。神授之法是上帝恩賜的禮物，而不是自然理性的發現。托馬斯似乎並不想低估基督敎啓示的重要性，但必須注意的是，他竭力不使啓示和理性之間的裂縫過於擴大。啓示補充理性而絕不會摧毀它。托馬斯體系的結構是由理性和信仰所組成，但他從不懷疑它是一個完整的結構。他的體系甚至在政治方面的運用也相當有趣和重要。由於自然之法是理性獨立的產物，是所有人——不論基督徒還是異敎徒——所共有，因此一般說來，道德和政治並不爲基督敎所左右。公民服從的義務並沒有因此而被削弱，反而是加强了。根據這一義務，基督徒臣民拒絕對其異敎國王表示服從是沒有道理的。實際上，他是把異敎視爲最壞的罪惡之一，因爲它否定了救贖所依據的眞理，而敎會也可以正當的赦免一個背敎或異敎統治者的臣民。但是即使是敎會，也不應僅僅因爲一個統治者是異敎徒而罷黜他。托馬斯在這個問題上所採取的非常溫和而有理智的態度，大概反映了亞里斯多德的自然社會理論對他的影響。這與下一個世紀諸如埃吉狄烏斯·科羅納（Egidius Colonna）那樣的極端敎皇派所採取的態度是大相逕庭的，那些人受亞里斯多德的影響還此較小。

永恆之法、自然之法和神授之法都確立了行爲的準則，雖然這些準則有時適用於人類，但並非專用於人類或是特別從人類本性中得來。托馬斯把專門爲人類擬定的法律稱爲人類之法，又把這種法律分爲萬民法（ius gentium）和市民法（ius civile）。在一種意義上，他把這種法律視爲特殊的法律，因爲它只調節單一種類受造物的生活，因此它必須特別適用於這一種類的特有屬性。在另一種意義上，可以說人類之法並未提出任何新的原則。它只不過是把通行於整個世界的較高等級的原則應用於人類而已。任何法律都要確定一種準則，按照這一準則，某個種類的生物或者被鼓勵去做某事，或者被禁止去做某事。至於人類，由於

他們有理性而有別於任何其他生物，因此這個準則就由理性來確定，而由於人的理性意味著社會性，所以這個法律所確立的準則乃是出於普遍的利益，而不是爲了個人或一個特殊階級的利益。同樣是基於這個原因，居於法律背後的是普遍的權威，而不是個人的意志：它是全體人民爲了他們的共同利益而採取行動的產物，它的產生或者是透過立法，或者是透過創立慣例這樣一種不易被察覺的手段，或者說它是得到了受託管理社會的社會賢達的批准。最後，托馬斯認爲公開頒布乃是法律的基本性質。因此，他的圓滿定義是把法律描述爲「一種以公共利益爲目的的合於理性的法令，它是由管理社會的人所制定並頒布。」❻這樣，托馬斯就把古代的信仰變成了「眞正的法律」，並從一開始就爲之注入了基督教的傳統，使用了亞里斯多德的專門術語，同時又不使這些術語具體涉及城邦國家。這一傳統在任何基本的方面都沒有變化，但亞里斯多德的學說卻提供了一個比較系統性的表達方式。

雖然剛才提到的定義特別涉及人類之法，但托馬斯的論證也許較側重於人類之法是從自然之法派生出來的這一點。他認爲，爲人類法規和爲使法規有效而實行的强制進行辯護，始終存在於人類本性之中。權力僅僅把力量給予那些本來就合理和正確的東西。因此，總體來說，可以把人類之法稱爲自然之法的必然結果，對於自然之法，只需要使之明確和有效，以便應付人類生活中的緊急事件或是人類生活的特殊情況就行了，例如，謀殺是違背人性的，因爲它與和平、秩序不相容，但是自然之法並未提供關於謀殺的嚴格定義以區別於其他種類的殺人罪，而且也沒有提出特定處罰。換句話說就是，這種行爲是錯誤的，因爲它違背了社會行爲的一般原則。由於它是錯誤的，因此必須加以防止或懲罰。但是防止或懲罰最好的方法在一定程度上是個政策問題，而且會因時間、地點和情況而改變。無論何時何地，原則總是不變的，因爲人類的基本傾向始終如一。而人類潛在本性藉以發展的確切方式，卻可能因民族、時間之不同而變化無窮。因此，政府是一個變化模式的萬花筒。不過，在這一切的背後，只存在一個公理、一種法律和一種正義。生活只有一個目的，但手段卻有許許多多。

約翰・洛克（John Locke）在四百年後從事寫作的時候，仍然不能找到更有說服力的論據爲一個民族廢黜一位殘暴統治者的基本權利辯

護，這充份證明了有關法律和政府的這一道德觀念具有多麼持久和普及的影響。自然之法和人類之法潛在的道德關係是靜止不變的，這一點對洛克來說實質上與對托馬斯來說是一樣的。因為在這兩人看來，統治者在受理性和正義的約束方面與其臣民一模一樣，而且他對實證法的權力乃是出自於使之與自然之法保持一致的需要。法令與其說是意志的行為，不如說是基於時間和環境的調節。對人類之法進行字面解釋不公平的地方，准予豁免或寬恕乃是一種解決問題的方式，而統治者權力的涵義就在於他是公衆利益的捍衛者。因此，按照托馬斯的看法，他不會占有超過公衆需求的私有財產，雖然嚴格說來財產是一種人類制度而非自然之法。最重要的是，一個人對於另一個人的統治權，仍不可以剝奪被統治者自由的道德行為。任何人都不必服從一切，即使是奴隸，其靈魂也是自由的（這是亞里斯多德幾乎不可能理解的學說）。因此，反抗暴政不僅是一項權利而且是一項義務。

也許，托馬斯的基督教亞里斯多德主義解釋了這樣一個事實，即他在教會和世俗權威之間的爭論中採取的是極為溫和的立場。他的觀點可稱之為溫和教皇派的觀點。他確信，在某些情況下，教會廢黜一個統治者並解除其臣民對他的忠誠是合法的❼，而且，他理所當然地把宗教職權（sacerdotium）看作是比帝王職權（imperium）更高級的權力。❽但是，他仍然感到自己未擺脫吉拉修斯的（Gelasian）傳統。在他看來，教會表現為人類統一的最完美的化身，這一事實對俗人來說既不意味著世俗權力的削弱，也不意味著兩種權力之間的區別會嚴重含混不清。教會法學家企圖把教會在宗教上得到承認的優勢轉變為法律上至高無上的地位，這一已經顯而易見的傾向對托馬斯的影響很小，他可能是囿於他的亞里斯多德主義的局限，而未能發展那些較少受亞里斯多德影響的極端教皇派所使用的神學論據。另一方面，他當然完全沒有受到阿維羅伊主義（Averroist）或自然主義的亞里士多德主義的影響，這種主義在理性和啓示之間劃分了一條鮮明的界限❾，托馬斯則對挫敗它起了主要的作用。由帕都亞的馬西利奧（Marsilio of Padua）作過最好說明的這種分離，對創立純粹的世俗國家理論起了決定性的作用。托馬斯認為，這個一直在基督教傳統中流傳的有關基督教社會的概念是永恆的。爭論可以產生和消失，但它們不可能在那裡造成根本的變化。他的

哲學謀求爲人們相信的這種情況找到種種理由：構想一個有關上帝、自然和人的合理的系統，在其中，社會和公民權力各得其所。在這個意義上，托馬斯的哲學最成熟地表達了有關道德和宗教的信念，而中世紀的文明正是建立在這一信念之上。

但丁：理想化的帝國

　　按照教會的觀點，可以把托馬斯的哲學看作是對基督敎化歐洲理想的權威闡述。出於對照的目的，我們可以將詩人但丁（Dante）所提出的世界君主制理論與之進行比較，雖然這一比較稍稍破壞了年代順序。❶的確，但丁的書是爲帝國獨立進行辯護而反對敎皇的控制，所以，在爭論問題上，他是站在托馬斯和索爾玆伯里的約翰的對立面。然而，儘管在爭論中有不同意見，但就整體原則而言，卻存在著實質上的一致。這三個人都認爲歐洲是統一的基督敎社會，統治它的是兩種神授權力，這就是宗敎職權和帝王職權；這兩種職權被授與了中世紀的兩大機構，即敎會和帝國。這三個人都是以中世紀早期的宗敎和道德傳統的觀點來看待政治和社會問題，而且托馬斯和但丁一直是在這一傳統的支配之下，雖然他們採用了亞里斯多德的學說作爲表達其思想的最好的專業媒介。在這兩個人中，但丁的寫作雖然要晚一個半世紀，卻更爲這一傳統所束縛，因爲他所爲之辯護的帝國從未在想像的王國之外存在過。

　　實際上，但丁的政治哲學與下述兩件事相關聯：一是由於政治上的派別之爭，他被逐出了佛羅倫斯（Florence），再一個就是終其一生在義大利所發生的敎皇派和帝王派之間無盡無休的紛爭。在這種形勢下，他認爲，除非帝國在皇帝無所不包的權威下統一起來，否則看不到和平的希望。無論就出身而言還是就敎養而言，但丁都不是帝國事業的堅定支持者。他擁護帝王的思想純粹是對於世界和平的一種理想化。他對敎皇政權所持的對立態度，就是一再鼓舞義大利愛國者的振奮劑。他認爲敎皇政策是無盡無休的紛爭根源，而法國總是準備在一派或另一派的邀請下從事「斡旋」。但是，他在政治上並不是民族主義者，雖然他的作品對義大利本國語言的形成起了很大的作用。當民族主義的印記出現於

法國，即敎皇與美男子腓力國王發生爭論的時候，但丁卻倒回去嚮往那曾經毀滅了霍亨斯道芬（Hohenstaufen）王朝的業已過時的帝國政策。

他的論文的宗旨，跟亨利四世和格雷戈里七世（Gregory Ⅶ）時代開始與敎會論爭的一切帝國辯護者的宗旨一樣，它表明，皇帝的權力是直接來自於上帝，因此是獨立於敎會之外的。對於敎皇的宗敎權力他完全承認，但是如同帝國派一樣，他總是墨守吉拉修斯的理論，認爲這兩種權力只能統一於上帝，因此沒有人可凌駕於皇帝之上。但丁所展開的論證，其主要方針或許是透過重新研究羅馬法而提出來，這個理論就是：中世紀的帝國作爲羅馬帝國的繼續，乃是理應屬於羅馬的世界權威的繼承者。然而，他的這種論證方式與其說是法律上的不如說是神學上的。像托馬斯一樣，他是把他的世界共同體理論放在來自於亞里斯多德的諸原則的框架之內。

但丁在其論著的第一卷中，討論了「世俗君主制對於世界安寧是否必要」的問題。他把世俗君主制（temporal monarchy）定義爲全體俗人的政府。任何人類的聯合都是緣於一個目的而形成，透過運用大體上類似於亞里斯多德證明城邦國家高於家庭和村莊的論證方法，但丁在社會中爲世界帝國指定了一個最高的位置。既然人類的特殊性質是具有理性，那麼一個民族的目的或功能就是實現一種理性的生活，而實現這一點唯有在世界和平的情況下才有可能，這種世界和平是人類最幸福、最美好東西，並且是實現人類最終目的的必要手段。任何合作事業都需要指導，因此任何社會都必須有統治者。但丁用這種方法證明，整個民族在一個單一統治者的治下構成一個社會。他把這一統治者的統治對照於上帝對自然界的統治，由於後者是統一的，所以它是完美的，而前者要臻於完美，也必須使所有的人都處於單一權威的治理之下。最眞實者具有最大的統一性，而完全單一者才是最爲完美。再者，除非有一位完全擺脫了貪婪和偏執的最高法官能裁決國王和王公之間的爭執，否則在人類之中是不可能有和平的。同樣，除非在世界上有一種完全超然於暴政和壓迫之上的權力，否則也不可能有自由。這個論證，把理想化的傳統帝國與新的亞里士多德範疇的解釋奇妙地結合了起來。

但丁在其論著的第二卷中，更進一步接近了他的結論，這一卷回答

了「羅馬人民擔任帝國高官顯職是否合理」的問題。其主要論點是：上帝的旨意體現於歷史之中，而羅馬則透過其上升到最高權力地位的歷史，顯示了神意指引的標記。爲了證明這一點，但丁指出了保護羅馬這個國家不可思議的神意干預，並且還指出了羅馬人的高貴品格。羅馬人謀求帝政並非出於貪婪，而是爲了被征服者以及征服者的共同利益——

　　這一神聖、虔誠和有名望的民族，排除了總是與公共利益相矛盾的一切貪婪，而自由選擇了普遍和平，在人們看來，它是不顧自己的利益而關心全人類的共同安全。⑪

最後，上帝的意志體現於競爭和戰鬥之中。按照但丁的見解，羅馬帝國是建立世界帝國的第五次嘗試，而且唯有這次成功了。透過戰勝所有其他競爭者，並在實際上征服了它的對手，羅馬證明它是被上帝旨意命定來統治世界。但丁還透過從基督教本身的諸原則中推出相同結論來鞏固自己的論證。如果基督不是被合法的當局處以極刑，他就不會眞的爲了人類的罪惡而受「懲罰」，而且也不會爲人類贖罪了。所以，彼拉多（Pilate）的權力，同樣還有奧古斯都（Augustus）的權力，必定都是合法的和正當的。在這些論證中，還有一種奇怪的新舊結合——用基督教神學的論據爲非基督教的古代社會進行辯護的熱情。

　　最後一卷的爭論比較多，它意在說明，帝國的權威是直接來自於上帝，並試圖反駁教皇派的論證，後者堅持帝國的權威是間接由教皇而得到。在這裡，但丁表明他的宗旨是堅決反對教會法學家，反對把教皇教令作爲信仰基礎的傾向。他主張，唯有聖經對教會具有最高權威，其次是最重要的宗教會議的決議，而教皇的教令只不過是教會有權加以變更的傳統而已。在明確了這一立場的基礎上，但丁研究了聖經中據說是教會對於世俗統治者享有權力之根據的主要章節，以及世俗歷史的兩個重要的先例：君士坦丁的獻禮和帝國移交給查理曼（Charlemagne）一事。他認爲這兩件事中前者是不合法的，因爲皇帝沒有轉讓帝國的合法權力，遠在這一文件的歷史眞實性受到指責之前，這早就是法學家們的共同看法了。這一論證同樣也處置了第二個所謂的先例，因爲如果教皇不能合法地擁有帝國權力，他就不能把這種權力授與查理。最後，但丁於結束之處以一個總體論證表明，擁有世俗權力在原則上與教會的性質

是互相矛盾的，教會的王國並非現世的王國。

雖然在教皇、皇帝之爭中托馬斯和但丁是站在相對立的方面，但他們的基本信念卻是完全同一的。這兩位後來的思想家，雖然都接受了亞里斯多德的學說，但這並沒有使他們跟亞里斯多德學說復興之前的索爾茲伯里的約翰形成深刻分歧。因為這三個人都認為人類構成的是單一的社會，而單一社會的存在意味著要有單一的首腦。他們一致同意，人類本性的突出標誌是精神原則和肉體原則的結合，而每一原則都需要一個合適的權威。因此，對於世界的統治是由宗教權力和世俗權力共享，每一種權力都有其適當的管轄範圍，彼此之間劃上一條不太難查找的界限。這一世界範圍的單一社會，或者可稱之為共和國，或者可稱之為教會，這只不過是側重點不同而已。無論在教會還是在國家，權力最終都是合理的，因為它是世界道德或宗教統治的一個因素，而且同樣也是人類社會自足生活的一個因素。權力同時來自於上帝和人民。國王既是合法體系的首腦，又是受法律約束的。他的權力大於其臣民的權力，但卻小於整個社會的權力。他的權力是理性的聲音，而且他的强制性權力之所以必要，就是為了使合於理性的規則具有力量。居支配地位的社會概念是有機的共同體的社會概念，在這樣的社會裡，不同的階級都各有其作用，而法律則構成這一社會的組織原則。合法的支配力量，正是這一社會本身的安寧，這種安寧包括其成員的永久得救。在這一廣大無邊的倫理體系之中，包括所有的人，實際上也包括了一切生物。從頂端的上帝到他的最低微的造物，都在通向永恆生命的神聖戲劇中扮演他們各自的角色。

這種最高的綜合，是新亞里斯多德主義對教父時代以迄十三世紀的漫長基督教傳統作出的第一個反應。在托馬斯和但丁身上，亞里斯多德學說的這種思想刺激導致了這一傳統更加穩固的系統化，這其中的困難與其說是克服了不如說是隱蔽了。托馬斯的體系剛一完成，他的偉大結構就開始出現裂縫了。把亞里斯多德關於自足社會的概念應用於帝國，其困難顯然是無法克服的。這一點在但丁身上尤其顯而易見，而如果托馬斯較多地關心帝國的性質，那在他身上本來也會如此。把聲稱起源於超自然力量並主張神權統治的教會，納入像亞里斯多德哲學那樣具有深奧自然主義涵義的體系，其困難未必會小一點。在政治上，亞里斯多德

主義的根基是這樣的信念，即社會產生於人類的本能衝動，人類本性旣然如此，它就是不可能擺脫的，而這樣構成的人類社會則爲完善的人性提供所需要的一切。有別於肉體幸福的精神幸福，超脫於現世生活的靈魂歸宿，一個對來世擁有權力要求的機構，以及從超越理性的源泉中揭示出來的眞理，這一切與亞里斯多德哲學的特徵都是不和諧的，與他的社會見解同樣是格格不入。因爲他的政治理論的精髓是這樣一種假定，即國家是社會自然發展的結果，它所具有的道德價値證明了它的合理性，而無須任何明確的宗教認可。在托馬斯本人身上，亞里斯多德主義的這個面相說明了他在探討敎會干預世俗事務之權利時爲什麼態度極其溫和。在隨後的一個世紀裡，產生了奧肯的威廉和帕都亞的馬西利奧的著作，他們所受到的亞里斯多德的影響絕不亞於托馬斯，但是距離托馬斯試圖使之理性化的基督敎傳統和托馬斯試圖完成的哲學和天啓的綜合，卻相去甚遠。他們到那時爲止還沒有想到從正面攻擊敎會或啓示。宗敎衰退的第一個信號就是理性和信仰、宗敎事務和世俗事務的更爲嚴格的區分，隨之而來的則是一個漫長的限制和約束的過程，這一過程最終將把宗敎無害地禁閉在超感覺的世界和內心生活的範圍之內。

註　解

❶標準版本是由韋伯（C. C. J. Webb）所編輯，牛津，1909 年版。約翰・狄金森（John Dickinson）翻譯了若干部份，題目是「約翰・索爾茲伯的政治家之書」（The Statesman's Book of John Salisbury），紐約，1927 年版。狄金森還加了一篇出色的導論。

❷第 4 卷，第 1 章；狄金森譯本，第 3 頁。

❸第 4 卷，第 7 章；狄金森譯本，第 33～44 頁。

❹《神學大全》（Summa theologica），1a，2ae，pp.90～108。英譯本為英國道明會教區神父所譯，倫敦，1911～22 年。另外兩部作品在他死時還未完成：《論君主的統治》（De regimine principum），英譯本為傑拉德・菲蘭（Gerand P. Phelan）所譯，多倫多（Toronto），1935 年版。其中第 1 卷和第 2 卷，第 1～4 章是托馬斯撰寫的，其餘部同大概出自於盧卡的托勒密（Ptolemy of Lucea）之手；對亞里斯多德《政治學》的註釋，其中第 1、2、3 卷，第 1～6 章，是托馬斯所作，其餘部份大概是奧維爾尼（Auvergne）的彼得所作。可參閱格拉博曼（M. Grabman）的〈聖托馬斯・阿奎那的真正作品〉（Die echten Schriften des hl. Thomas von Aquin），載於伯姆克爾（C. Baeumker）的《中世紀哲學史論叢》（Beiträge zur Gesch d. Phil. d. Mittelalters），第 22 卷。

❺《論君主的統治》，1，6。

❻《神學大全》，1a，2ae，p.90，4。

❼《神學大全》，1a，2ae，p. 12，2。

❽《論君主的統治》，1，14。

❾馬丁・格拉博曼（Martin Grabmann）把托馬斯的基督教化的亞里斯多德主義與十六世紀關於「間接」教皇權力的理論結合了起來，把阿維羅伊主義的亞里斯多德主義與劃分教會和國家的理論結合了起來，並且把反亞里斯多德的或奧古斯丁的傳統和直接權力的理論結合了起來。參閱他的〈亞里斯多德哲學對有關教會與國家關係的中世紀理論的影響之研究〉（Studien über den Einfluss der aristotelischen Philosophie auf die mittelaacterlichen Theorien über das Verhältnis von Kirche und Staat），載於《巴伐利亞科學院會刊哲學——歷史部份》（Sitzungsberichte der Bayerischen Akademie der Wissenschaften, Philosophi-

sch—Historische Abtl.)，1934 年版，第 2 冊。

⑩《論君主專制政體》（ *De monacohia* ）大概寫於皇帝亨利出征義大利期間（ 1310
　～1313 年 ）。有幾個英譯本，最易理解的是赫伯特・施奈德（ Herbert W. Sc-
　hneider ）的譯本：《論世界政體》（ *On World-government* ）；或者可看《論君主
　專制政體》的第二修訂版，紐約，1957 年。

⑪《論君主專制政體》，第 2 卷，第 5 章。

參考書目

1. *The Mind of the Middle Ages, A. D.* 200～1500. By Frederick B. Artz. 3d ed rev. New York, 1958. Ch. 8.

2. "The Unity of Mediaeval Civilization." By Ernest Barker. In *Church, State, and Study.* London, 1930. Ch. 2. Reprinted as *Church, State, and Education.* Ann Arbor, Mich., 1957.

3. *Dante.* By Thomas G. Bergin. New York. 1965.

4. *A History of Mediaeval Political Theory in the West.* By R. W. Carlyle and A. J. Carlyle, 6 vols. London, 1903～1936. Vol. V (1928), Part I, chs. 4, 5 ; Vol. VI (1936), Part I, ch. 7.

5. *Aquinas:* By F. C. Copleston. Baltimore, 1955.

6. *Thomas Aquinas: Selected Political Writings.* Eng. trans. by J. G. Dawson. Introduction Maurice Cranston.

7. *Thomas Aquinas: Selected Political Writings.* Eng. trans. by J. G. Dawson. Introduction by A. Passerin d'Entreves. Oxford, 1948.

8. *Dante as a Political Thinker.* By A. Passerin d'Entrèves. Oxford, 1952.

9. *The Statesman's Book of John of Salisbury*, being the Fourth, Fifth, and Sixth Books, and Selections from the Seventh and Eighth of the *Policraticus.* Eng. trans. by John Dickinson. New York, 1927. Introduction.

10. *Dante.* By Francis Fergusson. New York, 1966.

11. *The Political Thought of Thomas.* By Thomas Gilby, Chicago, 1958.

12. *Dante the Philosopher.* By Étienne Gilson. Eng. trans. by David Moore. New York, 1949. Ch.3.

13. *Thomism: An Introduction.* By Paul Grenet. New York,1967.

14. *The Philosophy of St. Thomas Aquinas.* By Étienne Gilson. Eng. trans. by E. Bullough. Cambridge, 1924.

15. *Thomas Aquinas: His Personality and Thought.* By Martin Grabmann.

Eng. trans. by Virgil Michel. New York, 1928. Chs.11,12.

16. *The Social and Political Ideas of Some Great Mediaeval Thinkers*. Ed. by F. J. C. Hearnshaw. London, 1923. Chs. 3, 4, 5.

17. *Social Theories of the Middle Ages*, 1200~1500. By Bede Jarrett. London, 1926.

18. *Against the Tyrant: The Tradition and Theory of Tyrannicide*. By Oscar Jaszi and John D. Lewis. Glencoe,Ill., 1957. Part I.

19. *Thomism and Modern Thought*. By Harry R. Klocker. New York, 1962.

20. *The Evolution of Medieval Thought*. By David Knowles. Baltimore, 1962.

21. *Dante and the Legend of Rome*. By Nancy Lenkeith. London, 1952.

22. *Medieval Political Ideas*. By Ewart Lewis. 2 vols. New York, 1954. Chs. 1, 3, 4.

23. *Medieval Humanism in the Life and Writings of John of Salisbury*. By Hans Liebeschütz. London, 1950.

24. *The Growth of Political Thought in the West, from the Greeks to the End of the Midde Ages*. By C. H. Mcllwain. New York, 1932. Ch. 6.

25. *On the Goverance of Princes*. By Thomas Aquinas. Eng. trans. by G. B. Phelan. Rev. ed. Toronto, 1948. Introduction by I. T. Eschmann.

26. *Illustration of the History of Medieval Thought and Learning*. by R. L. Poole. 2d ed. rev. London, 1920. Ch. 8.

27. "Political Thought to c. 1300." by W. H. V. Reade. In the *Cambridge Medieval History,* Vol. VI (1929), ch. 18.

28. "The Political Theory of Dante." By W. H. V. Reade. In *Dante: De monarchia*. Oxford, 1916. Introduction.

29. *La doctrine politique de Saint Thomos d'Aquin*. By B. Rdand-Gosselin. Paris, 1928.

30. *The Social Teaching of the Christian Churches*. By Ernst Troeltsch. Eng. tras. by Olive Wyon. Zvols. New York, 1949. Ch.2.

31. *John of Salisbury*. By Clement C. J. Webb. London, 1932.

第十五章
美男子腓力和博尼菲斯八世

　　聖托馬斯和但丁囿於歐洲單一社會的傳統內是如此之深，以致未能察覺到這一傳統的基礎有多麼不可靠，而且沒有認識到勢將摧毀這一他們視爲永恆的體系的變革是如何地迫在眉睫。但丁沒有看到十四世紀帝國對歐洲政治遂行任何實質控制的主張是多麼空洞，也沒有看到濫觴的民族差異把帝國強要統治的人民分割裂得多麼徹底。無論但丁還是托馬斯，都沒有認識十三世紀有關民法和教會法的法學研究對吉拉修斯關於兩種權力的理論所產生的影響。在這裡，亞里斯多德是個差勁的嚮導，而政治討論中日益增長的法律主義，對哲學家和神學家的影響比對實幹者的影響要來得更晚。教會法學家已經創造出一種教皇統治論，這一理論把教會執行宗教戒律的權利轉變爲實行法律監督的要求。在十四世紀，這一要求還不可能像在十六世紀那樣遭遇一場對於教會法之合法性的徹底否定。最重要的是，對宗教權力和世俗權力進行更精確的分析，特別是更確切地劃定宗教權力的界限，如果教皇的管轄範圍是侷限於可以容忍的限度之內的話。這兩人最終則都未能充份認識到那危險的世俗主義，它可能潛伏在亞里斯多德的《政治學》之中，特別是隱藏在這樣一種理論裡，即公民社會本身是完善而自足的，它不需要任何超自然代理者的認可。所有這些分崩解體的傾向，在十四世紀和十五世紀都出現了。

　　這一過程發生於三波巨大的浪潮之中，這些浪潮構成了這一章以及下兩章的主題。首先是一二一九年～一三○三年發生的教皇和法蘭西王國之間的爭論，已在教會法中確立起來的教皇治國論（ papal imperialism ）在這一爭論中完成了它的理論。但在同時，它也遭到了法蘭西王國的民族凝聚力給它的決定性挫敗。而且，這種反對它的力量開始採取明確的形式和方向，這就是在宗教權力的周圍設置藩籬，以及力爭獨立

的政治社會作爲王國獨立的根據。第二次浪潮是二十五年後發生在約翰二十二世和巴伐利亞人劉易斯（Lewis the Bavarian）之間的爭論，在這一爭論中，反對敎皇統治權的主張具體化了。爲不妥協的方濟會修士說話的奧肯的威廉，運用了基督敎傳統本身的一切潛在的反對因素來對抗它，而帕都亞的馬西利奧（Marsilio of Padus）則把公民共同體（civil community）的自我完足發展成一種實際上的世俗主義（secularism）和埃拉斯圖斯主義（Erastianism）。在這個爭論的過程中，限制敎會權力並將之驅回純屬彼岸世界職能的進程直推進到了最遠之處，但敎會之作爲一種制度則未被觸及。第三次爭論是發生在敎會本身的爭論，在這一爭論中，對敎皇赦罪權的反抗採取了新的形式：它不再是宗敎權力和世俗權力之間的議論，而是首次出現了絕對主權者的臣民試圖把憲政制或代議制政府的種種限制，作爲一種改革的尺度而強加在敎皇身上。在敎會內部，議事會派（conciliar party）的這一努力肯定是要失敗的，但它開出了政治理論的主要方針。根據這些方針，在世俗統治者和他們的臣民之間，將會展開相似的爭論。

政論家

　　在博尼菲斯八世（Boniface Ⅷ）和美男子腓力（Philip the Fair）的爭論中，支持敎皇和支持國王的雙方所進行的辯論，就爭論點的精確性而言，比早先任何爭論的水平都要高得多。當然，所有過去的論據都再次出現了，並重新受到檢視。人們對聖經的那些相同的段落重加分析，對相同的歷史先例重行檢查，對諸如君士坦丁獻禮和帝國移交那樣的重大事件也作了重新的解釋。從表面上看來，好像什麼也沒有改變，但實際上政治理論已翻開了新的一頁。首先，敎皇治國論已得出了一個明確而有系統的結論，在其中，關於敎皇對一切形式的世俗權力具有最高主權的論證得到了精確的闡述。人們雖然沒有明確拋棄較陳舊的關於兩種權力的吉拉修斯理論，但對它的解釋或重新說明已完全不同於它原來的涵義。意味深長的是，對敎皇治國論所作的這種系統性陳述，恰恰與它作爲一種實際政策所遭到的慘敗暗自相符。博尼菲斯八世爲恢復一

個世紀之前英諾森三世（Innocent Ⅲ）成功地實行過的政策而作的努力，不僅證明這些政策不切實際，而且乃是以**巴比倫之囚**（Babylonish captivity）的恥辱而告終，這一結局使得教皇之權成為法蘭西君主政體的工具達四分之三個世紀。這一失敗表明，一種民族情感的力量已出現在歐洲的政治生活之中。而且，它還具有理論上的重要性。它產生了這樣的概念：王國是一個不依附於帝國（emperor）傳統的政治勢力。這時的爭論，已不再是兩種世界範圍的管轄權，即教皇統治權和皇帝統治權的爭論，而表現為作為一種獨立勢力的法王與作為另一種勢力的教皇之間的爭論。

這一爭論產生了大量論辯性的應時作品。❶這類作品，特別是在那些為捍衛腓力而寫的著作中，有一種跟先前教皇與皇帝之間的爭論完全不同的格調。如果說這些作者對神學上的論證較不感興趣，可能會使人不解，但可以肯定的是，他們之中的許多人確實對世俗事務更為關心。而說他們中間有許多人持有一種中產階級的觀點，則是並不過份的說法。國王的許多辯護者是法學家，他們是受過職業訓練的人，專門受雇於國王的宮廷或國王的議事會，隨時準備用羅馬法的資料來為世襲的君主制撐腰。很自然，他們的作品所發出的是政治現實主義的聲音，並表現出對行政管理問題的關心。政府與貿易、幣制、世俗教育、司法程序以及殖民地的關係，都納入了人們的考慮之中。在歐洲知識界的生活中，一種新的典型人物，即受過教育和專業訓練的俗人，確實都嶄露頭角了。中世紀早期所產生的任何政治著作，都不曾有這樣的批判性，或者說都不曾這樣不受權威的束縛。

在爭論中，擁護國王一方面的許多作品都具有這種典型的特徵，我們只要用一個例子就可以加以說明，而皮埃爾·杜波瓦（Pierre Dubois）這一有趣的人物或可堪中選。如果他嚴格說來算不上一位政治理論家的話，至少也可以說是中世紀最偉大的時事評論家之一。身為一個律師❷，他公然提出了一個更新宗教改革的計畫，雖然人們很難相信他會非常認真地對待他的計畫。他的計畫是：法國應當進占那由中世紀思想所指派給帝國的國際地位，因為此一地位已因帝國的式微而形成了真空狀態。這在實質上是提議建立一個歐洲聯盟來消弭戰爭，這個聯盟以法國為首，擁有一個代表會議和一個常設法庭，以便裁決聯盟內部各種

勢力之間的爭端。基於這一目的，他要求對教會進行一次激烈的變革，包括廢止教士獨身制度，把教會的審判權移交給國王的法庭，以及教皇交出自己的領地以換取年金。杜波瓦還建議重整教育，大規模世俗化地徹底提供婦女受教育的機會，並且全部課程要包括希臘語、希伯來語、阿拉伯語和各種現代語言，包括法學、醫學和科學，此外還應有哲學和神學。沒有比此更能標識出大學在歐洲的知識生活裡所占有的地位了。最後，他草擬了一個在法國內部徹底進行改革的計畫，包括重新組織軍隊，改進法庭工作以便使執法更爲迅速、便宜和公平，還包括幣制的標準化和促進貿易。這一計畫是宏大的，而且在整體上是空想的，但是作者已論述的一些部份，以及那些他熟悉的地方，就像他建議進行司法改革一樣，絕不是空談理論。

雙方相對的立場

腓力和博尼菲斯爭論的問題性質，跟雙方所提出的理論的發展有很大關係。一些最重要的問題，是由於腓力力圖透過向法國神職人員徵稅進行籌款而產生。而腓力的這一企圖遭到了一二九六年教皇訓諭《世俗的神職人員》（ *Clericis laicos* ）的反對，博尼菲斯在這一訓令中宣布這樣的稅收是非法的，並禁止教士在未得到教皇批准的情況下納稅。幾年之後，博尼菲斯不得不從這一立場後退，因爲他驚奇地發現，法國的教士甚至在下述問題上也和法國國王站在一起，這一問題用現代術語來說可稱之爲民族問題。就實際的政治而言，這一爭論是值得注意的，因爲過去教皇權力賴以建立的傳統策略業已失敗：它證明博尼菲斯已不可能透過在封建貴族中間煽動派系糾紛來對國王施加壓力。顯然地，一種新的政治凝聚力正在起作用。另一方面，徵收教會財產稅對君主制國家來說是個攸關生死的問題。如果博尼菲斯依其字面涵義實現了他那訓諭，那麼除非徵得教皇的默許，否則在歐洲任何君主政體也不可能存在。而如果神職人員所掌握的全部土地都被免除了封建地租，那甚至連封建君主制也都無法維持下去。再者，國王也將不可能推行使封建國王強大起來的唯一政策，即由國王的宮廷來處理事務，並且把行政管理交給依賴

於他們自己的官吏。腓力統治的傑出成就，就是組織了法國的大法庭
——巴黎大理院（Parlement of Paris）。

　　爭論之點涉及教會財產權的事實，使教皇的辯護者們不得不在教皇
權力的問題上採取遠比先前更進步的立場。有關任命權的爭奪，實際上
牽涉到教會在宗教事務上的獨立問題。但是，人們幾乎不可能再堅持這
種獨立有必要讓教士財產不受公民義務約束。於是，不可避免地要發生
這樣一個問題，即教皇爲了財產利益而提出的要求，是不是與基督教一
貫的教士清貧生活之聲言相矛盾？總之，這一爭論使得人們要在宗教事
務和世俗事務之間劃一條更加確切的界限有實際上的必要，而這就包括
對兩種權力的性質作更多的探究。財產本身肯定是屬於世俗事務，然而
教會沒有某種形式的財產卻無法運轉。如果這意味著教會權力將擴展到
任何可能達到宗教目的之手段的事物上去，那麼即使在世俗事務上，教
會也必然成爲最高的法庭了。另一方面，如果把教會處理宗教事務之職
能限制爲不需任何物資財力者，那麼，無論人們如何抽象地將尊嚴與價
值加在宗教事務身上，它也不成其爲一種權力了。因此，理論的出路可
以有兩個方向。教皇的理論不得不合乎邏輯地提出關於最高監督權和指
導權的要求，按照這一要求，教會及其法庭在不取代世俗政府的情況
下，將成爲任何在爭論中有價值的問題的最終判斷權力。王室派的理論
則不得不盡其可能地範圍和限制宗教權力，使之僅限於處理良心問題並
且須依靠世俗軍備來行使強制權力。

　　在法國的爭論中，雙方戰術上的位置剛好相反：處於守勢的是教會
權力而不是世俗權力。因此，不僅國王的權威受到審視，教皇權威本身
也同樣受到審視。教皇在教會中的權力範圍，容受被指控爲支持異端的
挑戰上，他對教會財產的控制，他在教義問題上的權威——簡言之，就
是有關教會統治和教皇在其中所起作用的全部問題——都受到了嚴格的
批評。這一問題的展開，乃是討論進程中的最重要者。在隨後的一個世
紀裡，教皇權力屈從於法蘭西的權勢，以及作爲直接後果的大分裂
（the Great Schism）醜聞，使得教會內部的統治問題成了歐洲政治討
論中最有趣和最重要的題材。這種討論不僅分析了宗教權力的性質，而
且最終使反對教皇作爲教會最高權威的觀點得以發展並廣泛傳播。它的
結果則在新教的改革中充份地體現了出來。再者，當各國都開始討論該

問題的時候，敎會內部與代議制權力形成對比的專制問題亦造成了重要的間接影響力。

雙方所撰寫的著作爲數龐大，僅僅略加提及乃是毫無裨益，而全數描述則不可能。看來，最好的法子就是概括地陳述敎皇派這一方和世俗權力的辯護者那一方所持的主張，並凸顯每個問題在論證中所呈現出更新穎的要素爲何。不過，爲了對問題的方式有比較明確的槪念，最好是從每一方挑選一位有代表性的作家做比較充份的探討。依此，對敎皇一方的選擇毫無疑問是：埃吉狄烏斯・科羅那（羅馬的吉勒斯）以「敎會的權力」（Power of Church）爲題而撰寫的著作，無論在任何時代大槪都是有關敎皇治理帝國論的最強有力陳述。國王一方的著作，就其結果而言，可能要屬巴黎的道明會敎士約翰的著作最有份量了。因此，在這一章，將首先陳述敎皇權力論，特別是埃吉狄烏斯所提出的問題。然後陳述反敎皇派的理論，而對巴黎的約翰（John of Paris）所提出的論證將進行範圍比較廣泛的說明。

敎皇的主張

博尼菲斯所試圖實現的反對法蘭西王國的立場和他所採取的政策，都來自十三世紀那些偉大的敎皇，特別是英諾森三世和英諾森四世先前所採取的方針，並來自於敎會法學家所加以發展了的敎皇權力論；在這些敎會法學家中，英諾森四世本人是相當重要的人物。❸這一理論與格雷戈里七世所持理論的區別，並不在於要求擁有更大的權力。關於敎皇職位的問題，要明確地陳述出比格雷戈里更莊嚴的見解只怕並非容易。這個區別基本上是在法律方面的。這是由於徹底探究敎皇與敎會屬下的關係，探究宗敎權力和世俗權力之間的關係所引起，它在於使有關敎皇權力的槪念更加精確。槪括地說，這是一種要求享有執行道德戒律的宗敎優先權的泛泛而籠統的主張，及一種有關管轄權和權力系統化理論之間的差別。托馬斯的著作表明，十三世紀研究政治哲學的學者大多沒有注意到這一進步的重要性。博尼菲斯與法蘭西的爭論表明，到這一世紀末，法學家和政論家已十分精確地認識了這一點。法學研究的復興——

包括對羅馬法的研究和對教會法的研究——使得始終是羅馬遺產之重要部份的法律主義的要素得以重生，並確認其爲政治思想中永不可缺的一部份。

最初由教會法學家提出並經英諾森三世那樣比較傑出的敎皇所行使的諸多強悍的權力，並沒有公然否定兩種權力之間的古老區別，甚至沒有否定這兩者的目的和做法不同。不過，它們清楚地暗示，敎皇統治權和帝王統治權所假定的獨立和分離，已處於經解釋而消除的進程之中。在與法國的爭論中，這一進程達到了頂點。關於帝國的選舉，英諾森三世在其著名的訓諭《敬畏》（ *Venerabilem*，1202 年 ）宣稱：他有權決定當選的候選人是否合適，並且有權審查有爭議或非正式的選舉。在與其他統治者的交往中，他謀求確立針對特殊問題或是針對特殊階級之人物的司法權。因此，他曾要求擁有批准或裁決統治者之間條約和協定的權力，他所依據的理論，就是教會對誓約有特殊的管轄權。實際上，這等於對戰爭與和平負有總的監護職責，並有迫使相互競爭之黨派服從仲裁的權利。他還要求享有對寡婦和未成年人的特殊監護權，享有鎮壓異端的權力，這包括沒收異端者的財產，解除他們的職務，並對在這些事務上未能執行教會權威的統治者進行懲戒。他還謀求確立一種全面的執法監督權，其中包括這樣一種特權，即當世俗法庭審判不公時，可以將案件交付他本人的法庭處置。顯然，在這種情況下，敎皇本人或是敎會法庭必然在司法管轄權上享有最終決定權。毫無疑問，英諾森的意圖在於使世俗政權可以保有它們的權力，並應在大多數情況下繼續行使其職權。他不主張用他的權力來替代世俗統治者的權力，甚至並不認爲世俗統治者是從他這裡得到權力的。但他認爲敎皇擁有一種總體的審查權，這種權力在必要時可以實際上擴展到任何種類的問題上去，敎會權力本身就是此必要情況的裁判官。

這一理論的要旨，就在於它要求敎皇之權無論在教會本身，還是在敎會與世俗權力的關係上都是獨一無二的權力，它高於並在實質上不同於任何其他權威所行使的權力。敎皇擁有「完整之權」（ plenitudo potestatis ），這個說法很難翻譯，除非用主權（ sovereignty ）這個詞。英諾森四世非常明確地陳述了這一理論。他認爲，敎皇的權力完全不屬於封建依賴型（ feudal dependence ），他斷言，干預或是取代一

個失職的國王，絕非因爲國王是敎皇的陪臣，而只是因爲敎皇擁有完整之權，「他所以擁有這一權力，是因爲他是基督的代理人。」這樣的權力乃是基督敎義的一種特殊產物：

耶穌基督本人讓彼得以及彼得的繼承人作自己的代理人，然後他把進入天國的鑰匙交給他們，並說，「牧養我的羊羣吧！」雖然在這世界上有許多官署和政府，但在必要時卻總是要向敎皇提出申訴。旣不論這是由於法律上之必要，因爲審判官拿不準他應當依法作出什麼決定；也不論它是否由於事實上之必要，因爲不存在更高的審判官，或是因爲下級審判官不能執行他們的判決，或是因爲他們不願爲其所當爲地那樣公正行事。❹

因此，敎皇獨自擁有的這種獨一無二的權力，從特殊意義上來說乃是一種「神權」（divine right），它是一種修正與監督之權，居於一種特殊的優勢地位，超越所有其他形式的權力，不論是敎會權力還是世俗權力。在這一意義上，所有的世俗權力和宗敎權力都屬於敎會，並且都被授與了敎皇。實質上，這一理論等於要求享有絕對統治權，這種「統治權」使得敎皇成爲整個法律體系的首腦。當然，他不是作爲總體的執行者，而是作爲最高法庭，並作爲合法權力的本源。

敎皇派作家在與法國的爭論中，有英諾森三世實際行使過的權力和英諾森四世及其他敎會法學家所闡述的敎皇權力論作爲依據。博尼菲斯本人一三〇二年在訓諭《一座聖堂》（Unam sanctam）中陳述了敎皇的主張，就所有曾被載入正式文件的敎皇治理帝國論而言，這一訓諭提出了最前進的意見。❺這一訓諭堅持了關於敎皇主張的兩項基本原則：第一，敎皇在敎會中至高無上，服從敎皇乃是得救的必備的信條；第二，兩把劍都屬於敎會。當然，這兩者之間的不同職能還是受承認的。世俗寶劍並非要由敎士來實際使用，而是「在敎士的指揮和允許下」由國王來使用。由於宗敎權力是更高的權力，而按照自然界的普遍規律，命令係要求較低者服從較高者，因此現世的權力乃由宗敎權力來確立和裁決，而宗敎權力只有由上帝來裁決。敎會的權力來自於這樣的事實，即敎皇是彼得的繼承者和基督的代理人。這一訓諭，只不過是槪括地把英諾森四世所詳細申明過的意見又完完全全地陳述了一番。

埃吉狄烏斯‧科羅納

　　如前所述，爲教皇治理帝國論所作最徹底的論證，可見於《論教會的權力》（*De ecclesiastica potestate*）一書，該書是埃吉狄烏斯‧科羅納於一三〇二年左右所撰寫。❻這部書自稱提出敎皇問題並不是以之爲一種法律上的論證，而是要從哲學的觀點上，把比較新的亞里斯多德主義與比較古老的奧古斯丁傳統統一起來，後者在基督敎敎理之下，必然會使國家成爲基督敎國家。實際上，埃吉狄烏斯在其較早的著作中表現了一種卡萊爾敎授（R. W. Carlyle and A. J. Carlyle）所謂「對於法學家的奇怪和有點可笑的輕蔑態度」❼，這種態度只能使他在理論上對法律主義的依賴更引人注目，而法律主義此時已成了敎皇主張的一個基本組成部份。這部書寫得極其囉嗦，並且有點缺乏條理，但其原則卻十分清楚。問題分爲三個主要方面提出來：關於敎皇統治權或"plenitudo potestatis"的總體論證；從這一原則出發的有關財產和政府的推論；以及對於反對意見，特別是對那些以敎皇敎令本身作爲根據的反對意見的答覆。

　　該書第一部份的論證與訓諭《一座聖堂》十分相似。甚至在措詞上也是如此。由於這部書大概寫作於前，因此博尼菲斯與其作者之間肯定有相當密切的關係。埃吉狄烏斯論證說，授與敎皇的宗敎權力是獨一無二和至高無上的。這種權力是該職務所固有，因此並不附屬於擔任這一職務者的個人才質。宗敎權力有力量建立世俗政權和對它進行裁判。一切較古老的論據，諸如君士坦丁獻禮、帝國移交、經文以及歷史的先例，在埃吉狄烏斯的著作中都同受重視，但它們並沒有構成其論證的核心。他的論證所依據的是宗敎事務固有的優越地位，而所依據的是這樣的論點，即按照自然法則，無論何處都是較高者統治和管理較低者。其理在於自然界秩序係以這樣的從屬關係爲基礎，而基督敎社會絕不能被設想爲比一般的自然界更缺乏秩序——

　　　　正如宇宙中肉體的實體是由精神的實體所統治一樣——由於作爲最高的肉體生物並控制著所有肉體的諸神本身，也是由作爲具有原動

力之天使的精神實體所統治——因此在基督徒中，所有世俗的領主和
現世的權力都應當由精神的和教會的權力特別是由教皇來統治和控
制，教皇居於峯頂，在宗教權力和教會之中享有最高的地位。❽

埃吉狄烏斯所提出的論證，看來是聖奧古斯丁與亞里斯多德的形式和內
容之學說的一種融合。

在論著的第二部份，作者特地把他的哲學應用到正在闡述的問題之
中，並陳述了他的基本結論。論證依賴於“dominium”（主權）這一概
念，這一概念包含對財產還有政治權力的所有和使用。在此，“domin-
ium”是一種手段，而作者訴諸亞里斯多德的權威以證明，手段的價值
與合法性取決於它所服務的目的，對財物的所有和對政治權力的占有，
只有當它們是爲人類目的服務時才是正當的，而人類目的的最高形式就
是精神上的目的。除非一個人使其權力和財產從屬於精神目的，否則這
樣的東西對他來說就是不正當的，因爲它們不是使其靈魂得救而是使之
毀滅。只有教會是得救的唯一之路，因此可以推定，一切的“domin-
ium”皆需教會之認可淨化方成其爲正當與合法。認爲一切“dominium”
的繼承僅需透過肉體上的傳宗接代就可證明其合理乃是一個錯誤，透過
教會得到精神上的重生才能使之得到更爲圓滿的證明。除非一個人臣屬
於上帝，否則就無所謂他對財產的合法所有或使用，就無所謂他對公民
權力的合法行使，而且，除非他臣屬於教會，否則他就不可能臣屬於上
帝——

　　因此，你應當承認，你擁有你的繼承物，你的一切財產以及你的
一切所有物，這並非來自和透過你的世俗的父親，並非因爲你是他的
兒子，而是來自於教會並透過教會而得到，因爲你是教會的兒子。❾

只有受洗並爲罪惡懺悔，才能使一個人有資格占有財物和權力，而
一個不信教的人是不能對這兩者提出任何正當要求的，因爲他的占有只
不過是一種襲奪。逐出教門使法律、契約、財產權以及婚姻失效，簡言
之，即使社會生活所依賴的全部法律行爲歸於無效。儘管使用了亞里斯
多德的專用語，但其結論卻是取自奧古斯丁論點❿的巧妙概述：一個正
義的國家必然是基督教國家。不過，他對這一論點的運用遠不如托馬斯
的如下觀點開明，即不信教絕不是行使政治權力的障礙。事實上，埃吉

狄烏斯對亞里斯多德學說的運用僅止於表面上，這只不過是一種以當時流行的學究方式提出來的論證，而沒有像托馬斯對世俗政府之道德要求所表現出的那種理解。實質上，他的書是對法學復興和亞里斯多德學說再現之前的神權政治傳統的復歸。

　　埃吉狄烏斯有關教皇絕對統治權的理論，與教令及其他文件之對兩種權力相互獨立的承認，本來是針鋒相對的，他的著作的其餘部份，主要就致力於透過解釋來消除這種對立。他聲稱，他無意否定這兩種權力有差別，或否定它們就一般而言應該照現狀繼續實施。世俗政權的權利並沒有被剝奪而是得到了肯定，因為教會絕不願意讓兩種權力混淆在一起。它並非替代世俗權力，而是因適當的理由和為維護宗教價值而進行干預。不過，他的這些聲稱還不如他大量開列的、足以證成教皇之干預為合法的特殊情況給人印象深刻。在任何情況下，只要世俗財物或權力的利用涉及該下地獄的大罪，宗教權力就可以進行干預。正如埃吉狄烏斯有點天真地指出，這一權力是「如此廣大和豐富，任何世俗情事無不包括在內」。再者，教會還有一種特殊的管轄權，即維持統治者之間的和平並確保條約的遵守，而且在統治者失職或是民法曖昧不清或不足為據的時候，它亦可以進行干預。這整張清單所措意者，與其說是對通常行使的權力，毋寧說是對種種特殊權力的列舉，但教皇顯然可以合法地隨意審理任何案件。毫無疑問，他不應當獨斷專行，他不應當「不受約束」，不過，人們必須相信他會以法律來約束自己。

　　埃吉狄烏斯在其著作的最後幾章裡，試圖更明確地解釋教皇所擁有的"plenitudo potestatis"意味著什麼。他把這種主權定義為獨立的或自發的權力，「當他在沒有外在協助的情況下，能夠做有外在協助的情況下所能做的任何事情時」，該行為者便是擁有這種主權。埃吉狄烏斯實際上只知道兩種這樣的力量，即上帝和教皇。按照上帝旨意，教皇在宗教事務上所享有至高無上的地位乃是絕對的。實質上，就其既不能被免職也不用對誰負責，並且對教會法律和自他以下的僧侶統治集團都擁有最高權力的意義上而言，他就是教會。因此，埃吉狄烏斯堅決主張教皇對任命主教享有全權，而且，儘管他有義務保持法律的形式他可以在不具任何例行選舉形式的情況下這樣做。我們將會看到，這一論證實質上是與十六世紀用以支持君權神授說的論證如出一轍。國王的神授權利只

是教皇授權利的翻版（mutatis mutandis）。不過，埃吉狄烏斯認爲
"plenitudo potestatis"乃是敎皇權力特有的屬性。當他寫作的時候，這
一論證本來是不可能應用於世俗統治者的，因爲他們絕非聖彼得的繼承
者。但是，只要其目的是捍衛王權之獨立於敎會的干涉（這始終是王權
派論證的一個重要部份），那麼，對於世俗權力的要求就不得不與敎皇
對此的要求同步前進。正如約翰‧內維爾‧菲吉斯（John Neville Fi-
ggis）所堅持的，神授之君權乃是爲使世俗體制擺脫神學，而對神學加
以可理解的異常運用。不過，當政治爭論發生於國王與其臣民之間時，
它又成了王權派手中現成的工具。

羅馬法和王權

　　在埃吉狄烏斯所提出的體系中，敎皇治理帝國論到達了最完滿的形
態。治理帝國論這個詞經過深思熟慮後是可以使用的。因爲這一理論雖
然依賴於敎會執行宗敎戒律的權力要求，但其得到發展的形式亦有賴於
羅馬法中所確定的皇帝的地位。霍布斯（Hobbes）曾惡意地把敎皇權
力描述爲「帶著王冠坐在羅馬帝國墳墓上的已滅亡的羅馬帝國鬼魂」，
這是有道理的。敎皇的主權作爲"dominium"的唯一合法根據，無論在
什麼地方都成了公私權利的仲裁者。吉拉修斯關於兩種獨立權力的學
說，不過變成了一個習慣上必須尊重的傳統，實際上卻已無多大意義或
完全沒有意義。假定宗敎當局被賦予了合法權力，那麼，從格雷戈里七
世使之運轉起來的力量的發展來看，是不可能得出任何其他結論的。另
一種可選用的方法就是否認宗敎力量需要或者能夠擁有一種合法的結
構。宗敎事務必須盡可能地被限定道德和宗敎敎誨的職責，從而最終使
公民政府方面完全成爲一個世俗機構。這一進程的開始也可以追溯到十
四世紀初在法國的爭論。

　　羅馬法及其合法權力集於皇帝的概念，就其作爲論據所具有的重要
性而言，不論對於法蘭西國王還是敎皇來說都是一樣的。在十三世紀，
出現了就中世紀早期傳統而言是全新的概念，即法律取決於君王的頒
布，而這幾乎肯定是起因於對羅馬法的研究。⑪法學家們的理論自然是

《學說滙纂》（ *Digest* ）的理論：皇帝的意志具有法律的力量，雖然他的這種權力來自於授予他權力的人民法令。在十三世紀，法學家們對於這一法令是否剝奪了人民制定法律的權力有不同意見。一些人持肯定看法，另一些人則認為羅馬人民仍保有殘存的權力。然而，不管怎麼說，如下的概念植入了某些法理學家的心中，這就是法律需要頒布並且要表達第一行政長官的意志，而這也在一直將法律視為一個民族習慣的狀態裡注入了一種新的要素。此外，它還使得法律出自於人民的政府和法律出自於國王的政府，粗略地說也就是使得法制政府和專制政府之間有了區別。

　　然而，就十三世紀的帝國而言，羅馬法所歸之於皇帝的權力卻是不合時宜的，這一法律的字面意義並不適用於國王和其他實際上是獨立的權力。人們需要經過一個漫長的解釋過程，以便把法律和它在字面上涉及皇帝的部份分離開來，使任何事實上獨立的統治者能夠在法律意義上扮演「元首」（ princep ）的角色。⓬這一步驟，無論對於構成具有帝國統治權特徵的獨立政治權力的概念而言，還是對於構成本質上主要是世俗的和法律的權力概念而言，都是必不可少的。後一種觀念的形成需要漫長的過程，它是在近代國家而不是在中世紀國家的歷史發展中完成。但是，十四世紀初法王和教皇的爭論，對法國君主制國家民族主權的確立有著決定性的作用。在堅持法蘭西同時獨立於教皇政權和帝國的問題上，甚至法國的教士也站到了國王一邊。大約出現於十四世紀中葉的法律上的慣用語是：國王在其王國中擁有的權力等同於皇帝在其帝國中所擁有的權力（ Rexin rhgno suoest imperator regni sui ）⓭。腓力要其兒子宣誓，他們絕不承認在上帝之下有一個地位比他們更高的人。

　　如果把王權派的著作當作一個整體來看，那麼法學研究對於論證的影響就顯而易見。過去一直是含糊的區別，此時正變得更為明確。特別在宗教事務和世俗事務之間的根本區別上更是如此，法學家是把這一區別當作從根本上確定兩種管轄權力的界限問題而加以解決。某些類型的案件可劃歸教會法庭，而有一些案件則完全歸世俗法庭管，還有一些案件則是兩方都與之有利害關係。澄清這一法律問題，也有助於更明確地區分像是國王可以行使強制性權力這樣的法律問題和屬於教會教誨的道德問題。總體的趨勢來看，在王權派法學家這一方，是把宗教權威定義

為道德或宗教教誨，從而也就剝奪了它的强制性力量，除非這一力量是由世俗權力一方加以運用。換言之，這一傾向是沿著幾十年後在馬西利奧的結論中達到頂點的方向而向前發展。這一結論認為宗教權力只不過是教誨的權利，這種關於宗教權力的更具限定性的概念，對於抵制教會內部有關教皇專制主義的主張有著重要意義，因為所有的神職人員，至少是所有的主教，在執行純粹宗教職責方面，可以被視為是完全平等的。這樣，教階就可以被認為僅僅是一種方便的行政安排了。關於財產的重要性，在爭論中也趨向於相似的結局。從教會執行宗教職責的觀點來看，對財產的控制不過是一種手段，而且隨著宗教事務和世俗事務之間區別的明確化，對於這種甚至是奉獻於教會目的之財產的控制，其將落入國王的職責之內亦屬自然。與此同時，對於財產的這種分析，也有助於釐清一種控制或課徵財產稅的公共權利與私有權之間的區別。

巴黎的約翰

　　為國王進行辯護的眾多著作當中，大概沒有比巴黎的約翰於一三〇二～一三〇三年所寫的《論國王與教皇的權力》（ *De potestate regia et papali* ）❶更具特色或者說更具歷史重要性了。這部書之所以比較重要，是因為作者既是一位道明會修士，同時又是一個法國人。約翰幾乎可以說沒有要去提出一套有系統的政治哲學，他的書在細節方面比在整體結構方面更引人注意。儘管陳述稍嫌籠統，但他肯定是將五、六年前的種種事件銘記在心而成書的。而且，他和聖托馬斯都從中受益的亞里斯多德主義，乃是決定他觀點的一個重要因素，並使他與埃吉狄烏斯的假亞里斯多德主義劃清了界限。首先，約翰像一個法學家那樣，感到無需專門把特殊優勢地位與帝國連在一起。他在開頭幾章中論證說，教會需要有普遍性，而政治權力則不需要。公民社會是依照自然之本性而產生的，人們的傾向和興趣則有多種多樣。天然的政治區域劃分形成了行省或王國，而這些並沒有必要服從於單一的首腦。他有時的確把有點朦朧的普遍權力歸之於皇帝，但在堅持法蘭西獨立上，卻從不含糊。他從亞里斯多德那裡所瞭解到的自足的社會，在他看來就是王國，他還認

為，對於像這樣的自治單位，實際上存在多少便承認這些並沒有任何困難。在該書的第二部份，也許是最重要的部份，約翰的亞里斯多德主義使他能夠駁倒埃吉狄烏斯所謂，世俗權力需要得到教會認可以便成為合法權力的觀點。世俗權力在時間上比真正的教士職位更古老，因而並非從它派生出來。再者，認為世俗權力只有處於原始狀態才是有形的，也是錯誤的看法。他像托馬斯所做的那樣，從亞里斯多德那裡接收了這樣一個觀點，即公民政府本身對於實現幸福生活來說是必不可少的，因此，即便撇開基督教的批准不提，依據它在道德上的利益就能證明它是合理的。所以，論證宗教事務在一切方面都高於世俗事務，乃是對於亞里斯多德理論中較高者控制較低者規則的誤用。當然，他並不認為這就否定了宗教權力所具有的較大的固有價值。但是，他運用世俗統治的本性來支持對世俗事務獨立性所進行的傳統辯護。

正如約翰在序言中所指出的，他的寫作特別要解決教會財產的問題，並以在兩個對立的錯誤之間標出一條中間路線為宗旨。他說，有些人斷言教士根本不應當擁有財產，他稱之為沃爾多派（Waldensian），還有一些人論證說教士的宗教權力使他們能間接控制一切財產和一切世俗權力。他認為後者的錯誤與希律（Herod）的錯誤相同，希律認為基督王國是現世的王國。不過，他的論證顯然是針對像埃吉狄烏斯那種教皇治理帝國論的極端擁護者。約翰寫書是要反對第二個錯誤，他的中間主張由這樣的論證構成，即教士擁有財產所為從事宗教工作的手段是合法的，但是，法律上管理財產乃是世俗政權份內的事。如果有人認為，由於財產對於宗教目的是必要的，因此宗教權力就應伸手間接控制一切財產，那就大錯特錯了。結合這個觀點，約翰還提出了幾點有趣而重要的補充：第一，他否認教會財產的所有權屬於教皇。它不屬於任何個人而屬於作為一個法人團體的社會共同體，而教皇只是以執行者的身分（dispensator）對它進行管理。人們可以主張，教皇要對教會財產的濫用負責；第二，關於世俗統治者，他把就俗人而言屬於個人的所有權和作為公民社會首腦的統治者對於財產運用所進行的行政調節或社會調節明確地區分開來。國王應尊重私有財產權，只有在社會需要指導的時候才進行調節。

約翰以澄清問題的同樣態度，探討了宗教事務與世俗事務的區別。

正像早些時候反對格雷戈里而爲帝國所作的辯護一樣，論證仍然要依賴
於兩種權力的分離，而每一種權力都直接來自於上帝。但是，約翰有系
統地完成了整個論證。他對四十二條認爲世俗權力應隸屬於宗敎權力的
理由加以判別，並一一加以駁斥。更重要的是，他分析了敎士所固有的
宗敎權力，並探究了這種權力對於世俗財物和世俗權力意味著什麼樣的
控制（如果存在這樣的控制的話）。他發現，授聖職和管理聖禮的權
利，以及佈道和說敎的權利，都是純粹的宗敎事務，不需要任何物質手
段。神職人員審判和懲罰做壞事的權利，乃是混亂的主要根源。在這
裡，他發現宗敎權力只能做到革出敎門，而這樣做本來就不會造成任何
現實上的後果。強制（coercion）則屬於世俗權力；革出敎門，如果施
加於一個異敎統治者，可能導致他的人民拒絕服從他，但這只是附帶發
生的事情，並不意味著敎會當局有權利對統治者實行強制。約翰指出，
世俗政權反對敎會濫權也會帶來使敎皇就範的附帶效果。在法律上，敎
皇廢黜國王的權利絕不比國王廢黜敎皇的權利更大。雙方都可以抗議，
而且抗議都同樣有份量，兩者都可以被合法地廢黜，但只能經由選舉他
們的、其組成係具有正當性的權力機關爲之。宗敎當局所提到的其餘兩
種權力——管理敎士權和對宗敎事務所需之財產的所有權——並不意味
著對於世俗當局有任何權力。對於敎會的宗敎權力所作的這種精確分
析，實際上也就是限制，竟然出自於一位敎會人員，這是非常令人震驚
的。

　　約翰爲兩種權力關係的總體論證，還補充了有關敎皇和法王之間關
係的探討。他的這一部份論證主要是歷史性的，而且由於它抨擊了君士
坦丁獻禮，也就將法國對帝國的關係扯了進來。他的目的在指出，不論
敎皇權與帝國間的關係爲何，都沒有理由讓法王臣屬於敎皇，而由於他
似乎竭力設法抹煞獻禮的意義，結論反而有些複雜了。首先他以歷史爲
根據指出，無論如何它僅僅適合於義大利的某些地方。然後他抨擊了這
件事在法律上的有效性，理由是皇帝不可能合法地轉讓帝國的一部份。
接著，他論辯道，即使不考慮這幾點，它對法國也是不適用的，因爲法
蘭克人從來不曾隸屬於帝國。最後，即使他們曾經作過帝國的臣民，他
們也早就根據傳統權利完全獲得獨立了。約翰對帝國的探討與但丁對它
的理想化的幻想恰好大相逕庭，以致它們之間幾乎形成了一種再鮮明不

過的對照。約翰說，帝國始終充滿了混亂和腐敗；它的權力是從先前的民族那裡篡奪而來。因此，為什麼後來的民族不應當反對它而實現獨立的要求呢？至少在法國人看來，帝國已不再具有神話般的魅力了。❶

　　約翰著作的最後幾章，從另外一個角度論及教皇的權力。他雖然沒有使用明白的話語，但含蓄地完全否定了教皇在教會內有資格享有獨一無二的權力，即"plenitudo potestatis"。他認為教皇的最高權力主要在於處理行政組織事務，因為在宗教權力機構裡，所有主教都是平等的。的確，教皇的職位是獨一無二的，而且是來自於上帝，但是，選擇出一位聖職人員卻需要人類的合作。這裡是埃吉狄烏斯論證的最脆弱之處，因為從表面上看來，在教皇選舉的時期裡，教皇的權力必須被暫時擱置起來，而如果教皇的這一權力是能被授予的，那麼，似乎就沒有充份的理由認為他不可以也經由同樣的法律程序被剝奪其權。約翰因而論道，教皇可以因其不可挽回的失職行為而辭職，也可以因此而被罷免。順著他在探討教產問題時所標舉出來的理路，他認為宗教權力乃限定著於教會作為法人的範圍內。他對宗教大會（General Council）可以廢黜一位教皇深信不疑，並以之為自己的意見地表示，樞機主教團就可以依法執行這一任務。顯而易見，他認為樞機主教團與教皇的關係有如封建的貴族會議對國王的關係——

　　　　如果在一位教皇之下，代表們是從每一個省所選出來，從而使得所有人在教會政府中都有一席之地，那麼可以肯定，對教會來說，這將是再好不過的政府了。❶

因此，他為反抗教皇所作的種種辯護，依據的是許多中世紀作家在為反抗國王進行辯護時所運用的一些通則。實際上，不可能有什麼反對教皇的法律程序，但是，如果教皇引起了反叛，並且不能被說服而制止反叛時——

　　　　我認為在這種情況下，應當鼓勵教會反對教皇，君王可以在一定的限度內以自己的武力抵制教皇武力的暴行，而且在這樣做的時候，他並非是在反對教皇，而是反對他的敵人和社會的敵人。❶

這些段落說明，教皇對統治權的要求是多麼不得人心，甚至對神職人員

來說也是如此。它們十分清楚地表明，在大分裂中所出現的使教廷按照中世紀代議制方針完成實政化的努力，是肯定要失敗的。

除了順便提及外，約翰幾乎沒有談到世俗國家的組織。大致上也很清楚，他所憧憬的是以中世紀立憲君主國爲形式的政府。因此，他否認是教皇廢除了麥洛溫王朝並以丕平（Pippin）取而代之；丕平是「透過貴族選舉」產生的。在所有的世俗事務中，牽制和懲戒國王的是貴族。在這裡，約翰透過把立憲君主制等同於民主制與貴族制的混合政體，而再一次求助於亞里斯多德。當然，事實上約翰寫作之時，中世紀的立憲制度正到處形成。第一次**三級會議**（States General）於一三〇二年在法國召開，而在十三世紀的英國、義大利、德國和西班牙，也都召集了由王國各等級組成類似的代議團體。因此，約翰所提出的政治觀點具有他那個時代的特色，而在這一點上它們遠比埃吉狄烏斯或某些民法學家所表現的專制主義傾向，更具有時代的代表性。

巴黎的約翰所寫的作品，雖然沒有提出系統性的政治理論，但無論對他那個時代還是對於後世來說都具有很大的意義。作爲一個法國人同時又作爲一個敎士，他爲了法蘭西君主制國家的獨立而在歷史和法律兩個方面都作出了強有力的論辯。他明確劃分了財產所有權（無論是敎會的還是世俗個人的）和國王對它的政治控制或敎會透過敎皇對它的行政管理之間的區別。他重申了有關宗敎權力和世俗權力相互獨立的論證，並補充了對宗敎權力之性質及其目的的透徹分析。從整體來看，這一分析傾向於這樣一種觀點，即宗敎權力完全不是一種合法的權力。它並不需要強制力，即便需要，那也能只求助於世俗的權力。他著重強調了宗敎事務的道德和宗敎特徵。實質上，他的論證是用法律抗議宗敎的侵犯，抗議以皇帝的法律地位爲模式授予敎皇以統治的權力。最後，如同反對敎皇的專制主義一樣，他提出用代議制來適當調節君主制。無論如何，這些論證在日後的政治討論中發揮了重要的作用。比較埃吉狄烏斯的論證，約翰的主張即使是放在毋庸置疑的正統思想範圍裡來看，也是使亞里斯多德早已存在的影響世俗化和合理化的突出典型。

博尼菲斯和腓力之間的爭論，對政治理論的發展十分重要。此一爭論產生了對獨一無二的統治權的明確要求，這一種權力屬於敎皇，直接行使於敎會內部，並且間接地行使於敎皇和世俗統治者之間。而且，此

這一要求的辯護是建立在神授權利的原則上。此一要求——法律主義的神學分支——的出現，是各方對之發動一致攻擊的信號。即使是在法國的爭論中，這種抨擊也是沿著兩個主要方向展開：一方面，對教皇統治權的反對是基於這樣的假設，即它是反映了教士的主張，特別是要求教會權力的主張，因而人們對它的答覆就是把教會權力圈定在真正屬於道德和宗教的活動之內；另一方面，對教皇統治權本身的反對理由是基於這樣的立場，即無論它存在於何處，它在本質上都是暴虐的，因此需要加以調節，並用代表制和同意制加以限制。這兩個反對論調中的第一項，也就是將其限定於精神權力之內並使之脫離世俗權力，得到了奧肯的威廉的進一步發揮，並透過帕都亞的馬西利奧而幾乎達到了邏輯上的完美境界。這種認為代表制乃是一切完善政府的固有部份的主張，在教廷宗教會議理論中首次得到了詳盡的闡述。

註 解

❶相當於《辯論札記》的文集是沒有的，但是邵爾茨（R. Scholz）在《美男子腓力和博尼菲斯八世時期的政論》（*Die Publizistik zur Zeit Philipps des Schönen und Bonifaz' Ⅷ*, Stuttgart, 1903）中對所有這些作品作了分析。這是有關這一問題的權威性著作。卡萊爾在前引書第 5 卷（倫敦，1928 年版）第二部份第 8～10 章中，對其中許多作品作了概述。

❷他寫了許多小冊子，其中最著名的是他的《聖地的光復》（*De recuperatione terre sancte*），約 1306 年；勃蘭特（W. I. Brandt）有英譯本（紐約，1956 年版）。只有寫給英王的第一部份出版了，但這書肯定是為美男子腓力寫的，而且第二部份包括一個宏大的計畫，目的是把法國的實際影響擴大到整個歐洲和近東。參閱邵爾茨的前引書，第 375 頁及以後數頁。

❸卡萊爾對這些人作過詳盡的論述，見前引書第 5 卷（1928 年版）：有關英諾森三世，參閱第二部份第 1 章和第 2 章；有關英諾森四世，參閱第二部份第 5 章；還可參閱第 2 卷第二部份。

❹卡萊爾所引，前引書，第 5 卷，第 323 頁，註 1。

❺博尼菲斯的著作發表在《博尼菲斯八世文件滙編》（*Les registres de Boniface Ⅷ*, Bibliothèque des Écoles Françaises d'Athènes et de Rome, 2e série）。《世俗的神職人員》（*Clericis laicos*）和《一座聖堂》（*Unam sanctum*）的英譯本見亨德森（E. F. Henderson）的《中世紀歷史文件選》（*Select Historical Documents of the Middle Ages*, 1892），第 432 頁及以後數頁。

❻此書直到 1908 年才有，波菲托（G. Boffito）和奧克西利亞（G. U. Oxilia）編訂，佛羅倫斯（Florence）出版的印本。現已有邵爾茨編訂的一個更好的本子：*Aegidius Romanus, De ecclesiastica potestate*（Weimar, 1929 年版）。埃吉狄烏斯還寫了一本論述政治的通俗課本《論統治原理》（*De regimine principum*），這是他 1285 年作為其家庭教師而寫給美男子腓力的。在近代初期，此書曾多次印行。一個題為 *Li Livres du gouvernement des rois* 的古老法文譯本，是摩利奈爾（S. P. Molenaer）所編訂（紐約，1899 年版）。

❼卡萊爾前引書，第 5 卷，第 71 頁。

❽邵爾茨編訂本，1, 5；第 17 頁。

❾同上書，11, 7；第 75 頁。

❿《上帝之城》（ *City of God* ），19, 21。

⓫卡萊爾前引書，第 5 卷，第一部份，第 6 章。

⓬塞瑟爾‧悉尼‧沃爾夫（Cecil N. Sidney Woolf）討論了這一歷史進程，見其著作《撒索菲爾拉托的巴特路斯》（ *Bartolus of Sassoferrato*, Cambridge, 1913 ），特別是第 13 章。

⓭有關這句名言的來源，見沃爾夫前引書，第 370 頁及以後數頁。

⓮該文刊於哥爾達斯特（M. Goldast）的《神聖羅馬帝國》（ *Monarchia sancti Romani imperii*; Hanover and Frankfort, 1612～14）第 2 章第 108 頁和沙爾德（S. Schard）的《論帝國的轄區、權力與優勢和教會的權力》（ *De jurisdictione, autoritate, et praeeminentia imperiali, ac potestate ecclesiastica*; Basal, 1566）第 142 頁。在萊克勒爾克（Jean Leclercq）的《巴黎的讓和十三世紀的教會學》（ *Jean de Paris et l'eccl'esiologie du XIII siècle*; Paris, 1942）的附錄中有一個經過改定的本子。

⓯參照沃爾夫對霍亨斯道芬王朝（Hohenstanfen）垮台之後關於重建帝國計畫的討論，見前引書，第 209 頁及以後數頁。

⓰第 20 章；沙爾德（1566），第 202b 頁。

⓱第 23 章；同上書，第 215a 頁。

參考書目

1. *Boniface Ⅷ* By T. S. R. Boase. London, 1933.

2. *Innocent Ⅲ.* By L. Elliott Bins. London, 1931.

3. *A History of Mediaeval Political Theory in the West.* By R. W. Carlyle and A. J. Carlyle. 6 vols. London, 1903~1936. Vol.V (1928), part Ⅱ, chs. 1~2, 8~10.

4. *Philippe le Bel et le Saint-Siège de* 1258 *à* 1304 By G. A. L. Digard. 2 vols. Paris, 1936.

5. *Church and State through the Centuries: A Collection of Historic Documents with Commentaries.* Trans. and ed. by Sidney Z. Ehler and John B. Morrall, London, 1954. Ch. 3.

6. *Argument from Roman Law in Political Thought,* 1200 ~ 1600. By Myron P. Gilmore. Cambridge, Mass., 1941.

7. *Social and Political Ideas of Some Great Mediaeval Thinkers.* Ed. by F. J. C. Hearmshaw. London, 1923. Ch. 6.

8. "*Innocent Ⅲ*" By E. F. Jacob. In the *Cambridge Medieval History,*Vol. Ⅵ(1929), ch. 1.

9. "France: The Last Capetians." By Hilda Johnstone. In the *Cambridge Medieval History,* vol.Ⅶ (1932), ch. 11.

10. *Medieval Political Ideas.* By Ewart Lewis. 2 vols. New York, 1954. Ch. 8.

11. "The Theory of Public Law and State in the Thirteenth Century." By Gaines Post. In *Seminar,*Vol. Ⅵ(1948), pp. 42~49.

12. "Pope Boniface Ⅷ" By F. M. Powicke. In *The Christian Life in the Middle Ages.* Oxford, 1935. Ch. 3.

13. *Die Publizistik zur Zeit Philipps des Schönen and Bonifaź VIII: Ein Beitrag zur Geschichte der politischen Anschauungen des Mittelalters.* By Richard Scholz. Stuttgart, 1903.

14. "The Canonists and the Mediaeval State." By Brian Tierney. In the *Review of Politics*, vol. XV (1953), pp. 378~388.

15. *Medieval Papalism: The Political Theories of the Medieval Canonists.* By Walter Ullman. London, 1949.

16. *Bartolus of Sassoferrato: His Position in the History of Medieval Political Thought.* By Cecil N. Sidney Woolf. Cambridge, 1913.

第十六章
帕都亞的馬西利奧和
奧肯的威廉

　　由於博尼菲斯自以爲是的要求在法國遭到挫敗，特別是由於敎皇在
法蘭西王權影響之下滯留亞維農（Avignon）七十五年，從而使得已經
在巴黎的約翰的批判中表現出對敎皇主權論的敵意更加強化了。如果說
世俗統治者連羅馬敎會的臣民都不想做，那他們就更不願做奧肯的威廉
所戲稱爲亞維農敎會的臣民了。「巴比倫之囚」大大激怒了那些不屬法
國國民的人。甚至在《神曲》（*Divine Comedy*）中，但丁亦向法國敎
皇，向那些「身著牧人裝束的貪婪豺狼」表示敬意，而皮特拉克
（Petrach）則用他的臭罵對他們的人格作遠超過其所應得的汙蔑。即
使完全不提彼得的敎廷理論所包含的敎士干涉世俗事務的意味，這個理
論也令許多忠誠的天主敎徒深惡痛絕，因爲它褻瀆了他們對敎會內部宗
敎自由的信念。最後，敎會的財產問題早在十四世紀就把敎皇捲入，而
與方濟會裡有影響力的一部份人就敎士淸貧問題展開激烈的論爭。❶因
此，是所有這些事實共同促使有關宗敎權力的性質問題，尤其是它和敎
皇專制主義的關係，成爲政治理論的主要課題。

　　敎皇和世俗統治者第二次爭論的直接原因，是約翰二十二世試圖從
亞維農介入一次有爭議的帝國選擧。從一三二三年開始的這段爭吵，中
間歷經了約翰二十二世和克里門特六世（Clement VI）等敎皇，直至
一三四七年巴伐利亞人劉易斯（Lewis）之死才告結束。這場爭論產生
了另外一大批應時作品❷，和兩位在政治哲學史上恆占重要地位的人物
──帕都亞的馬西利奧和奧肯的威廉。爭論的結果則是對敎廷爲確立自
己爲國際仲裁力量而做的努力再次挫敗。一三三八年，選帝侯們第一次

以法人身分而不是以純粹選舉人的身分，在《朗斯宣言》（ *Declaration of Rense* ）中宣稱選舉不需要教皇的批准，從而在憲法中體現了自亨利四世以來皇帝們主張獨立的要求。一三五六年批准了帝國選舉程序的《黃金詔書》，刪去了一切涉及教皇批准的內容，而英諾森六世對此別無選擇，只好勉強認可。這樣，英諾森三世在其訓諭《敬畏》中所宣布享有的權力，終於喪失了。導致這一結局的政治力量，實質上是和博尼菲斯與法王爭論中打敗他的那些力量是相似的。方興未艾的日耳曼民族情感，使得教皇在皇帝的心懷貳志陪臣中找不到支持。在日耳曼，教皇對於法王的依賴甚至對其捍衛者來說也是一杯苦酒，希望對教會進行改革的絕非只限於擁護皇帝的那一派。

然而，從總體來看，這一爭論中的民族色彩不如早些時候在法國的爭論中那樣明顯。雖然有關日耳曼國家憲法的系統著作在這一時期裡間或出現❸，但通常最引人注意的論點卻並未出現，因為這些著作不曾涉及與帝國沒有隸屬關係的王國的法律地位。為皇帝事業而工作的這兩位最重要的作家，一位是義大利人，另一位是英國人，他們原本分別在帕都亞大學和牛津大學接受教育，他們之中誰也不曾真正關心過日耳曼或帝國的傳統。對這些作家來說，公開爭論的問題——可藉著確立選帝侯的獨立地位而加以解決——幾乎同樣是次要的事情。他們關於政治權力原則的論證，無論如何並不是專門應用於日耳曼，而是更適用於教廷和彼得的教皇權力論。早已在巴黎的約翰著作中成為爭論焦點的教皇統治問題和教會改革問題，半個世紀之後才又成為首要的問題。

約翰二十二世和巴伐利亞人劉易斯之間的爭論，永久地改變了政治討論的中心。在這個爭論過程中，要不是因為這個問題在和其他爭端相連結時，可能會升高為民族政治事件，世俗事務獨立於宗教權力的問題早就解決了，而且，與代議制君主制或立憲君主制形成對照的專制君主制問題也一定要被提出來。這一問題被轉移到君主與其所統治的法人團體的關係上去了。確實，這一爭論在當時只涉及教皇和臣屬於被宣布為宗教權力特殊屬性的最高權力之下的臣民，而且，作為一次實際運動，使教會法制化的企圖也確實失敗了。但是，就政治權力的理論而言，這一失敗並不如討論的中心議題發生變化的事實那樣重要。再者，通過制憲手段改革教會的失敗，在歷史上也和十六世紀對教會的革命性抨擊有

關係。

　　由於辯論導致了這樣結局，因此教皇派的作品可以略而不談。它們所論述的大多是教皇批准或撤廢帝國選舉的同樣問題，因此他們打的乃是一場已經失敗的仗。爲了捍衛教皇在教會中的專制權力，除了像埃吉狄烏斯・科羅納那樣的作家所已經提出的東西以外，也沒有更多的內容可談了。因此，這一章將僅限於論述兩位偉大的作家，這就是爲劉易斯進行辯護的帕都亞的馬西利奧和奧肯的威廉。馬西利奧的理論是中世紀政治思想中最值得注意的創見之一，它首次指明，對亞里斯多德的學說完全做自然主義的解釋，在邏輯上可能導致破壞性的後果。這一理論達到了高度的邏輯一致性，並且包含了只有在很久之後才充份取得其重要性的許多因素，可是對於一三二四年的局勢而言，它卻經常被視爲空論。奧肯的威廉的理論則系統性較差，大概對他來說政治問題畢竟是枝節問題，但他的理論總的說來遠比馬西利奧的理論更切近當時的實際情形。因此，他的理論對於指導其後十四世紀和十五世紀政治學說的發展方向，可能具有更大的影響。

馬西利奧：阿維羅伊主義的亞里斯多德主義

　　馬西利奧的著作《和平的保衛者》（ *Defensor pacis* ）❹，是寫給巴伐利亞人劉易斯的。此書出版之後，他在日耳曼就受到了保護。他晚年的大部分時間都生活在日耳曼，但無論是日耳曼還是帝國，都和該書的理論沒有任何特殊的關係。實際上，馬氏動筆撰寫這本書可能早在劉易斯和教皇開始爭論之前，而且，即使那場爭論沒有發生，它大概也不會有多少不同。普勒維代—奧爾頓先生（ **Mr. Previté-Orton** ）指出，馬西利奧關於世俗政府的理論是直接以義大利城邦國家的實踐和概念爲根據，他對實際問題的討論，常常涉及到該類政府形式的問題。作爲一個愛國的義大利人，他對教廷的敵意並不會像但丁那樣要從日耳曼著手。才能得到更多的刺激，而作爲一位帕都亞的公民，他對帝國的友情也不能超越他所屬城市的利益對他的支配。他對作爲義大利不能統一的原因之一的教廷的痛恨，啓發了兩個世紀之後馬基維利的情感❺。他並不是

爲了替帝國辯護而寫作，而是要摧毀在英諾森三世的實踐中得到發展的
教皇治理帝國論的整個體系和有關教會法的理論。他的目標，是以最激
烈的方式規定和限制宗教權力直接或間接控制世俗政府活動的權利，爲
了這個目的，他在置教會於國家權力之下的問題上，比中世紀任何其他
作家走得都遠。因此，馬西利奧可以恰如其分的描述爲第一位伊拉斯圖
斯主義者（Erastian）。

　　這一理論的哲學基礎來自於亞里斯多德的學說。馬西利奧在引言中
顯然認爲他的著作是亞氏《政治學》中討論革命和公民衝突原因的那一部
份的補充。他說，這是因爲有一個亞里斯多德當然不知道的緣由，即敎
皇要求享有對於統治者的最高權力，特別是近來的那些敎皇的要求，使
得整個歐洲特別是義大利充滿了爭鬥。馬西利奧正是針對這種混亂的原
因尋求解決的辦法。亞里斯多德的原則中，他最爲謹守的就是能夠滿足
物質需求和道德需求的自足共同體的原則。不過，他從這一原則中所得
出的，卻是一個根本不同於任何其他中世紀亞里斯多德主義者所得到的
結論，這一點似乎可能與拉丁化的阿維羅伊主義（Latin Averroism）
有關，儘管人們到目前爲止還不知道早期的阿維羅伊主義者中是否有人
早已預見到了《和平的保衛者》中的結論。❻

　　拉丁化的阿維羅伊主義的根本特徵，是它的徹底的自然主義和理性
主義。誠然，它承認基督教啓示的絕對眞理，但它卻把這種啓示與哲學
完全分開，而且它有別於聖托馬斯，認爲哲學的合理結論與信仰的眞理
有可能大相逕庭。因此，它是雙重眞理說的肇始者。在《和平的保衛者》
中理性和啓示的分離，即「我們相信啓示純粹是出於信仰而非出於理
性」❼，與這一傾向非常吻合。在倫理學方面，阿維羅伊主義者也傾向
於一種非常不合乎教會傳統的現世主義，他們堅持──亦如《和平的保
衛者》一樣──「並非所有這個世界上的哲學家都能透過論證證明永生
不朽」❽，神學對於理性知識毫無貢獻，幸福是得自於現世的生活而無
須上帝的幫助，按照亞里斯多德的《倫理學》過著合乎道德的生活就足以
得救❾。因此，從理性的觀點來看，馬西利奧謹愼地指出這正是他所關
心的，人類社會在最完全的意義上可以說是自足的。宗教除了它的眞理
之外，還有社會後果，因此應當由社會來調節，它對來世不管有什麼影
響都可以留待未來。從馬西利奧所持的自然主義式的亞里斯多德主義來

看，宗教利益也就是來世利益，它們在邏輯上與現實並不相干。另一方面，對現世生活有影響的道德或宗教關係，毫無例外地都是在人類社會的控制範圍內。

國　家

《和平的保衞者》分爲兩個主要的部份：第一部份陳述了亞里斯多德的原則，雖然很難說它對政治哲學的各個層面都進行了完全而有系統的討論。撰寫這一部份的意圖，是要爲第二部份奠定基礎；而在第二部份，馬西利奧針對教會、教士職責、他們與國家政權的關係以及出於對這些事務的誤解而發生的弊端，得出了他自己的結論。此外還有一個簡短的第三部份，是從前兩部份所發揮的理論中引出了四十二個命題或結論。

馬西利奧遵循亞里斯多德的學說，把國家定義爲一種「有生命的存在」（living being），其各個組成部份執行著對其生存來說是必不可少的種種職能。它的「健康」或者說和平，在於它每一部份都有秩序的運轉，而當其中一個部份運轉不良或是干預了另一部份的運轉時，衝突就發生了。他還因襲了城市是衍生自家庭的看法，認爲城市是一個「完善的社會」，或者是一個能夠爲幸福生活提供一切所需的社會。但是「幸福生活」一詞有雙重含意：它可以意味著今生的幸福，也可以意味著來世的幸福。前者是根據理性而對哲學進行眞正的研究，對後者的理解則有賴於啓示並僅僅來自於信仰。理性表明人們需要世俗政府乃是要以之爲求得和平與秩序的手段，但是人們也需要宗教，宗教在今生有其用途，而且也是來世得救的手段。接著，馬西利奧繼續依照亞里斯多德的看法，列舉了共同構成一個社會的種種階級或部份。其中有農夫和工匠，他們的存在僅在於提供物資產品和政府所需的歲入，還有士兵、官吏和教士，他們才在嚴格意義上構成了國家。最後這個階級，即全體教士，招惹了特別的麻煩，它在社會中的地位尤其因不同的觀點而有變化，因爲宗教具有雙重目的，而理性則無法把握來世的目的。儘管如此，無論基督徒還是異教徒，所有人都認爲必須要有一個專門獻身於禮

拜儀式的等級。基督教教士和其他僧侶的區別顯而易見，即作爲一個信仰問題，基督教是正確的，而其他宗教則否，然而從哲學的觀點來看，這種超理性的眞理幾乎起不了什麼作用。於是，馬西利奧得出了有關基督教教士職能的這樣一個定義——

> 教士的職能就在於瞭解和教導這樣一些事情，按照聖經，這些事情是必須相信、必須去做或者必須避免的，以便得到永久的拯救並逃脫災難。⑩

馬西利奧對亞里斯多德的追隨之緊，幾乎是無法否認的，然而，他所得出的結論卻與中世紀任何其他亞里斯多德主義者所得結論都迥然不同。就亞里斯多德而言，他是利用希臘哲學中所內含的自然主義，並且像他所打算的那樣，是透過將主張超自然力量認可的宗教置於突出地位以充實他的《政治學》。與中世紀任何其他亞里斯多德主義者相比較，馬西利奧把基督教封爲本質上是超自然的，並且超越理性討論的範圍。相形於聖托馬斯調和理性和信仰的傾向，兩者對照眞是再鮮明不過了，而且，馬西利奧也遠遠超出了巴黎的約翰限制宗教權力和職責的意向。馬西利奧的結論所具有的實際重要性，幾乎怎樣估計也不過份。作爲永久得救手段的信仰無論應得怎樣的崇敬，從世俗觀點來看絕對是風馬牛不相及。作爲非理性的信仰，並不能以之爲理性手段和目的而加以考慮，這就等於說，世俗問題必須由其自身之依理特質來決定利害而與信仰無涉。

出於政治目的，馬西利奧結論的要點是：在一切世俗關係中，教士僅僅是與一切其他等級併存在社會中的一個等級。他從理性的觀點出發，顯然認爲基督教教士與任何其他僧侶完全一樣，因爲它所傳授的眞理是超乎理性的，並且僅僅適用於來世。因此，在所有世俗事務中，國家對教士的管理在原則上與管理農業或貿易完全相同。用現代術語來說，宗教乃是一種社會現象，它使用了物質媒介並產生社會後果。在這些方面，它如同其他人類利益一樣，在需要時得服從於社會的調節。至於它的眞理，就其自稱是眞理的意義上而言，則是有理性的人所無法爭議的問題。對理性和信仰這種分離，是宗教懷疑主義的直系祖先，而其後果則接近於既反基督教又反宗教的現世主義。當然，對於教會聲言爲

之服務和基督徒認為是人類最終利益的精神利益，它並沒有從正面加以抨擊。如果有人願意，他可以說，這些事情過於神聖，以致於理性無法觸及。但是，在極端的神聖和平凡間，實際上並沒有什麼區別。教會在它影響世俗事務的每一個方面，都是世俗國家的一部份。

法律和立法者

　　馬西利奧接著把宗教事務和世俗事務之間的根本差別，推演到他的法律定義上去。在《和平的保衛者》中，他對四種法律進行了區分，不過重點在於神的法律和人的法律的雙重差別。在後來所寫的《小辯護書》（ *Defensor minor* ）中，他提出的論據更加尖銳，不過意思是相同的。法律可劃分為兩類：一類是神的法律，一類是人的法律：

　　　　神的法律直接來自於上帝的命令而無須人類評議，它規定的是人類在現世應主動去做或不應去做的行為，目的僅僅在於使人類得到最好的結果，亦即人類在來世所應具有的某些條件。⑪

　　　　人類的法律是全體公民或其中主要一部份人的命令，它直接來自於獲得授權而制訂法律的那些人的深思熟慮，它規定的是人類在現世應主動去做或不應去做的行為，目的在於使人類得到最好的結果，或現世要求於人們的某些條件。我的意思是，在現世違反這一命令，就要對違反者處以刑罰或懲罰。⑫

　　在這些定義中，兩類法律的區別在於它們所帶來的懲罰不同。神的法律是由於上帝將在來世給予報償或懲罰而得到認可。由此可以得出這樣的結論，即違反神的法律並不會受到現世的懲罰，而只存在死後的懲罰。因此，人類的法律並非來自於神的法律，而是與之分庭抗禮。任何涉及現世懲罰的規則都在事實上屬於人類的法律，並且因人類的批准而享有權威。對於日後的論證來說，這是極為重要的一點，因為從這點出發導致了這樣的結論，即教士的精神說教完全不是一種權力，因為它在現世沒有強制力量，當然，除非人間立法者給予了教士這種權力。馬西利奧的法律定義之所以別具匠心，還因為這些定義重視命令和認可的種

種因素，重視立法者的意志和他貫徹其意志的權力。的確，他注意到法律一詞的使用意味著一種合於理性或是固有正義的準則，但他也清楚地認識到，法律至少在其法學的意義上，乃是源自一個受到委任的權威部門，並將對違法行為執行懲處。馬西利奧對法律的探討與托馬斯形成了最鮮明的對照，托馬斯認為神的法律和人的法律是同一回事，並且強調人的法律理所當然是來自於自然之法。

　　既然法律意味著有一個立法者，馬西利奧接著探究了誰是人類的立法者。這個答案將他引入了他的政治理論的核心——

　　　　立法者，或者說法律的第一個真正有效的起因，是人民或全體公民，或者說是其中主要的一部份人，他們在全體會議上根據自己的選擇或意志，以正式的措詞發布命令並作出決定，規定人作為公民，哪些事情是可以做或不能做的，如果違犯則處以刑罰或世俗的懲罰。❸

人類的法律產生於一個民族為確立管理其成員的準則而採取的共同行動，或者反過來說，國家乃是服從於一套既定法律的人的集合體❹。無論是用法律為國家定義，還是用國家為法律定義，其結果都是一樣的，因為這兩者都意味著一種有資格控制其成員行為的法人團體。合法權力的來源始終是人民或人民中主要的一部份人，即使是在特殊情況下，也就是透過人民授權的委員會（或者，在帝國的情況下是透過皇帝）的活動而產生，情況也是如此。毋庸置疑，馬西利奧首先想到的是城邦國家的政府，儘管他顯然認為他的定義應用於任何國家都毫無困難。

　　在上述定義中，有兩個說法需要解釋。「立法者」一詞有一種不實的現代涵義，而這種涵義對馬西利奧來說則幾乎不存在，他的意思僅指全體人民要在如下的意義上制訂其法律，即把一切權力理解為人民的法令，並且都以人民的名義來行使。於是，他明確地規定由一個委員會來行使派生的權力。這一觀念在城邦國家是眾所周知的，因為當時人們簡單地稱呼陪審團為「雅典人」，而且這樣的概念也被引申來解釋羅馬皇帝的立法權。這一概念比起中世紀的假想來說也沒有多大區別，根據這種假定，人們認為整個王國都是在國會中協商出來的。馬西利奧大概認為一個民族的立法應包括風俗習慣，因為在別的地方他就把習慣確定為法律的一部份。另外，一個可能會引起誤解的提法是公民的<u>主要部份</u>

（ pars valentior ），立法者則據此作出決定。這顯然不像某些注釋者
所想像的那樣是指數量上占的優勢。因為馬西利奧以這樣的措詞擴展了
他的定義：「我所說的主要的部份，是同時考量了他們在社會中的數量
和質量之後而言。」⑮他的意思實際上是指最有勢力的部份，並非認為
人人都有一份。權貴自然要比平民百姓更有權力，儘管嚴格而言數量也
有某種意義。實質上，這一思想既是亞里斯多德的、也是中世紀的思
想。

　　馬西利奧認為，政府中的行政和司法部份（principatus or pars prin-
cipans ）應由公民羣體（ body of citizen; legislator ）建立或選出。選
舉方式遵循的是各個國家的風俗習慣，但在任何情況下行政權力都是來
自於全體公民的立法活動。所以從根本上來說，這一權力應當按照法律
來行使，它的職責和權限應當由人民來決定。行政部門的義務就在於使
國家的每一部份都能為了整體利益而發揮其相應的職能，如果做不到這
一點，那麼選舉的同一個權力機構，即人民，就可以將其撤換。比起世
襲君主制，馬西利奧更偏愛實行選舉制的君主制，這一主張相當明白，
但即使在這裡，他想到的仍是城邦國家而不是帝國，他在談到帝國的時
候口吻是相當輕蔑的。但是最重要的是，不論行政部門如何組織，它必
須是統一的和最高的，以使它的權力能夠高於任何宗派的權力，特別是
能作為一個整體以求實施法律。對於作為有組織的整體的國家而言，這
樣的統一是絕對必要的，否則就肯定會導致紛爭和混亂。馬西利奧理論
的這一部份，與中世紀的政府普遍缺乏統一的狀況有關，而且可能特別
跟由於世俗法庭和教會法庭的雙重管轄而產生的困難有關。國家的統一
之於他在書中第二部份探討宗教權力，是個必不可少的前提。

　　這樣，馬西利奧有關自然的或自足的政治共同體的輪廓就勾劃出來
了。這是一個完全由階級構成的有機整體，裡面包含了為了自身能夠繼
續存在下去和為了其公民在世俗意義上的幸福生活而需要的一切，包括
物質上的和道德上的一切。它的立法權是屬於這種團體的權利，即為了
整體的幸福而調節著自身的各個部份。它的行政當局則是這個團體實施
任何國家統一所需之事的代理人，正是由於這種統一性，所以絕沒有權
限糾紛或權力分散的餘地。從世俗觀點來看，這個共同體是絕對自足和
絕對全能的。就文明在人世間的意義或結果而言，它是它自身的生活和

它自身的文明的保衞者。如果說它的公民享有「精神上」的幸福，那是屬於另一個世界和另一種生活的，實際上，這種幸福不但超脫於國家生活之外，而且國家也無力對之施加影響。依據這種關於人類社會及其政府的概念，馬西利奧轉向了其著作的眞正目的，即研究他認爲被教會所誤解的精神生活。爲此，他建議制止宗教當局對自足共同體事務的侵犯，並且揭露公民紛爭和混亂的最重要原因，而這些都是過去的哲學大師所不瞭解的。

教會和敎士

這個整體的共同體中每一位官員只有在人民直接或間接的委任下才享有其權力，因此，敎士本身無論如何都沒有强制性的權力。如果他們被允許行使這種權力——當馬西利奧寫作之時，教會法調整了許多重要的關係——那他們便是以公民權力的代表來行事。敎士本身作爲純粹只是執行宗敎任務的一個等級，像任何其他等級一樣，要服從於管理，並且和俗人一樣，違犯了人類法律就要服從公民法庭的裁處。嚴格地說，在人類法律的涵義之內，根本不存在諸如精神犯罪那樣的東西。這樣的罪行唯有由上帝在來世進行審判，而且這種懲罰乃是死後的事情。如果精神犯罪招致了現世的懲罰，而且他們當然可以依照人類法規來行事，他們就犯下了違反人類法律的罪行。因此，如果異端在現世受到懲處，那它就是一種世俗的罪行。對異端的精神懲罰是詛咒，但這是敎士或任何人類法官能力都不能及的事。同樣，馬西利奧堅持革出教門完全是世俗權力的事情。總之，他的理論徹底否定了敎會法所具有的獨特管轄範圍。只要它眞的是一部神的法律，那它的懲罰就是來世的事情。只要它實施現世的懲罰，那它就是人類法律的一部份，並因而屬於世俗共同體的權力範圍之內。馬西利奧把敎士必須履行的職責比照爲醫生的建議。除了舉行宗敎儀式之外，敎士僅僅能提出勸告和進行說教。他們可以警告惡人，並指出罪惡的未來後果，但他們不能强迫人們去懺悔。就馬西利奧對精神和宗敎事務與法律事務所作的區分而言，在中世紀沒有任何其他作家比他更深入。

　　在消滅教會的世俗產業方面，馬西利奧同樣不餘遺力。他認為教會幾乎完全不能擁有財產。教會的財產在本質上是共同體為支持公共禮拜而提供的授與物或財務補助。因此，由比埃爾・杜波瓦（Pierre Dubois）提出並經過教皇和法王達成協議而完成的方案，乃是馬西利奧從他的自足共同體理論中推導出來的。當然，從馬西利奧的觀點來看，教士顯然無權徵收什一稅，或者沒有任何免稅權，除非他得了社會的批准。教會的職務如同教會的財產一樣，是世俗官員所贈予。他還主張，只要教士接受了有俸聖職，人們就能合法地強制他們履行宗教職務，而且上至教皇的一切教會官員，都可以用非宗教手段加以廢黜。人們把劉易斯在一三二七～一三三〇年出征羅馬期間對教會的錯誤判斷和注定要失敗的進攻，包括他利用羅馬群眾的選票以確保選出一位偽教皇的努力，歸因於馬西利奧的勸告，並且把這一事件視為實踐《和平的保衛者》不切實際的嘗試，實際上不無道理。認為馬西利奧的政治哲學是對宗教自由的辯護，這種看法卻完全錯誤。宗教改革時期的各國暴君，儘管無法無天，也很少有人能達到馬西利奧的理論所認可的合理限度。這一理論的結論，就在於把宗教完全納入世俗權力的組織體系之內。

　　然而，認為馬西利奧是打算把教會作為一個純粹的國家分支來對待，也並非完全正確，因為這將意味著有多少國家就要有多少教會。在一三二四年，即使是一個國家的教會，對馬西利奧這樣的懷疑論者來說，似乎也是一種陌生的怪物，更不用說每一個獨立的城市都有一個教會了。他的理論完全是對於教會階制，特別是對於教皇無上權力的徹底攻擊。不過他也承認，為了宗教目的和解決宗教上的問題，教會需要某種有別於世俗共同體的組織。這一問題引起了實踐上和理論上的某些問題，因為一個世界性的教會是難以與自足的社會共同體協調一致的，按照馬西利奧的設想，這種社會共同體的典型就是城邦國家。教會如果沒有獨立的教階制度，且其宗教審判完全依賴於不同性質的世俗權力來執行，那就難以想像教會怎麼能組織起來。馬西利奧如同許多後來的新教徒一樣，實際上是處於這樣一種地位，即應當把一切宗教問題交由個人去判斷，並把教會視為一個純粹是自願的組織。然而，他在十四世紀沒有得出新教徒在十六世紀都拒絕得出的結論，也是不足為奇的。在他所生活的時代，即使就教會的宗教大會而言，也只有心懷不滿的人才想要

糾正因教階制度所造成的弊端。

從馬西利奧的觀點來看，教階制顯然起因於人類，而且它的權力也源自人類法律。作為對人世間的等級和權力的一種安排，它完全是在世俗控制的範圍內被制訂出來。因此，教階制乃至教士的職位，並非就是教會。教會乃是由包括俗人和神職人員在內的全體基督教信徒所構成。這樣，在某種意義上，馬西利奧繼續了同一社會中有雙重組織的基督教傳統，儘管他抹煞了教會的強制性權力。馬西利奧指出，甚至俗人也是教士（viri ecclesiastici），這種措詞使人想起了馬丁・路德（Martin Luther）的說法：「基督徒之教士」。但是，既然教士之中的一切等級差別都是人類所制訂，那麼所有教士就其宗教性質而言則是平等的。無論主教還是教皇，都不具備普通教士所沒有的宗教品質。授權他們舉行宗教儀式的「教士身分」，完全是一種神秘的標記，它直接來自於上帝或基督，而絕非來自於人間，因此並不具有人世間的權力或教會的等級。這樣，馬西利奧就概括了巴黎的約翰早已使用過的一種論據，以證明教皇在宗教事務上與其他主教是處於平等的地位，從而消除了宗教事務中一切涉及教會等級的東西。而在教會組織中消除教皇的統治權，當然就更不在話下了。他絕不承認教皇有權作為彼得的繼承者，或彼得比其他使徒有任何卓越之處。在其歷史分析中，有一個非常值得注意的地方，就是他否認有任何可靠的證據證明彼得到過羅馬，當然也就更談不上他是什麼主教了。他認為，羅馬的教會之所以地位優越，僅因為它是處於帝國的首都。

由於全盤否定僧侶統治集團和人民的宗教權力，因此非常自然地就會產生低估宗教聖職的看法，並且傾向於把宗教視為只要有內心體驗就足夠了！然而，就馬西利奧這方面來講，這是否與他的堅定信念相一致，或者說這是否僅僅代表了理性主義者儘可能狹窄地限定宗教的傾向，就很難說了。在探討懺悔、苦行、免罪、赦免和革出教門時，他強調了這樣的觀點，即只有因過失而懺悔和為上帝所寬恕是主要的因素。沒有這些要素，儀式就沒有力量，而如果有罪者與上帝和解，那麼不舉行儀式，赦免也是完滿的。同樣，他一如兩個同時代人——但丁和奧肯的威廉，以及晚於他時代的路德一樣，對教會法表現了多少相同的敵意。他認為，聖經或者更嚴格地說是新約，乃是啟示的唯一源泉，因此

是神的法律的唯一本文。教皇的訓諭或者根本不是法律，或者即使得到社會認可，也只是人類法律的一部份。因此，唯有包含在《聖經》之中，或者說由聖經明白暗示的信念，才是得救所必不可少的。這些對後來的新教信仰極有啓發的見解，表明中世紀的宗教改革在它之前的兩個世紀中已經有了多麼充份的準備。

宗教大會

　　因此，對馬西利奧來說，尚存在著一個基督教信仰的核心，對於這個核心，教會必須能進行權威性的說明，他的理論也必須爲之提供一個具有人類特點的制度。爲此，他像十四、十五世紀對教階制缺點深信不疑的其他人一樣，選擇了**宗教大會**（General Council），他認爲宗教大會是裁決這種爭論的教會機構。他不願意讓教皇和僧侶統治集團這些僅僅是作爲代理人的人來裁決有爭議的信仰條款。但對於作爲法人團體的教會本身，或者更嚴格地說是對於宗教大會，他倒願意就某種神秘的一貫正確性作出讓步——如果認眞地對待他的這一部份理論，必須承認它未免有點天眞——這一理性和信仰的接觸點，是他的體系中占主導地位的理性主義所容許的。他認爲，在宗教大會中，神的啓示將和理性攜手爲聖經中所包含神的法律提供一個權威性範本，並爲在這些問題上可能發生的合理意見分歧提供一個令人滿意的回答。在這一點上，奧肯的威廉比馬西利奧更加精明，因爲威廉認爲在信仰的問題上，絕不能指望自身就是人類機構的宗教會議會比教皇更不易犯錯。

　　因此，馬西利奧關於教會的理論只是其體系的一點補綴品。他把他政治理論中的一個原理運用到教會上，即假定全體基督教信徒如同國家中的全體公民一樣，是一個「統合體」（universitas），而宗教大會如同政治執行部門一樣，是它的代表。難題在於這種運用要求公民作爲兩個統合體的成員出現，旣作爲他們各自國家的成員，又作爲世界性教會的成員，然而在他的社會理論中，確實沒有關於這種雙重公民身分的任何說明。這種情況對於下述事實來說乃是一種遷就，即馬西利奧的理論比之他不得不加以運用且占主導地位的社會見解，具有更完全的世俗性

質。就組織問題而言，他認爲教會和國家之間的重要區別，就在於宗教會議是一個代表機構。他建議基督敎界的一切主要的「地域區劃」（provinciae）都應當按照其統治者的命令和基督徒人口的數量和地位的比例選出代表。這些代表應當包括神職人員和俗人，並且應當是有良好生活和通曉神聖法律的人。他們要按照統治者的命令在合適的地方開會，根據聖經裁決任何可能在基督徒中有關信仰或宗教慣例的含糊問題所引起的爭論。他們的裁決對一切人都有約束力，特別是對於敎士更是如此。但是，馬西利奧的宗教大會，也許正如他自己所設想，確實是依賴於世俗政府的，因爲這種會議的召開要透過協作，而它的決定如果需要強制實施，也要依賴國家提供強制力量。宗敎大會的權力如同以它作爲機構的全體基督教信徒的統合體一樣，是含糊不清的。實際上，馬西利奧關於歐洲社會的見解並沒有替像敎會那樣的國際組織提供實在的基礎。在就這一方面爲宗敎大會提供理論時，他還提出了種種理由以說明試行這一理論時人們何以證明它僅僅是不實用的紙上憲法。他認爲，這是因爲存在著使之無力實現統一的民族嫉妒心理和政治分立主義。他的理論，作爲對於僧侶統治集團的宗教權力的破壞性攻擊，是有成效的，但作爲恢復中世紀基督教共同國的統一手段，卻沒有作用。

　　像馬西利奧那樣想要削減宗敎自由的理論家，在任何時代都寥寥無幾，而在中世紀則再沒有第二個了。而正是這種宗教自由，構成了基督敎所提出的具有持久重要性的要求。直到十七世紀有了各種埃拉斯圖理論，例如像霍布斯（Hobbes）那樣的理論，才有了完全一致的努力，以便把宗教降低爲一種無效的私人信仰，使它的公開活動完全納入世俗政府的控制之中。在本質上，馬西利奧的政治哲學是城邦國家論的再現，這種理論適合於調節城邦文化的各個分支。在這一方面，它代表了中世紀哲學所產生的自然主義和亞里斯多德主義的最完全的形式，並且預示著義大利文藝復興中異教的復活，這在兩個世紀後馬基維利的著作中得到了充份的發展。毫無疑問，馬西利奧的理論從整體來看有點像是折衷後的產物。他的公民仍然是作爲兩個統合體的成員出現，即國家的成員和教會的成員。然而，後者完全失去了權力，雖然還保留了這樣的觀念，即應當維持共同的信仰和普遍適用的教會戒律。因此，馬西利奧的國家並不是一個負有完全不干涉宗教信仰義務的分離的世俗機構，因

為他的教會肯定也不是一個無須強制力量的完全自願的聯盟。他的自足的人類社會處於不得不作為超自然的教會代理人的危險境地。經驗表明，這種狀況是不可能存在的。教皇專制主義作為一種想像中的宗教要求，是可以被剷除的，但只有在世俗政府要給臣民以遠比馬西利奧所期待的要多得多的宗教自由下，才可能辦得到。

威廉：教會的自由

　　十四世紀反對教皇統治權鬥爭的本質，在馬西利奧的同時代人之中，奧肯的威廉（Willian of Occan）❻的著作中要比在《和平的保衛者》（Defensor pacis）中表現得更為明顯。威廉的理論沒有馬西利奧的理論那麼完整和前後一致，儘管他透過大量的論爭作品而得以傳播，但卻更難於瞭解。威廉的首要目標從來不是政治哲學，因為他首先是一位辯證家和神學家。但是，也許因為他並不打算提出一套有系統的國家學說，所以他的觀點少有馬西利奧偶而所表現的那種教條主義。對教皇治理帝國論而言，他大概比馬西利奧更典型地代表了一大批基督徒在言論上的反動，這種治國論正像他所認為的那樣，為教會和歐洲都帶來了極為不幸的結局。威廉特別為方濟會中一部份所謂的「聖徒」提出了辯護，這些人堅持教士要清貧，並且曾經被約翰二十二世的革出教門。這樣，他就成了出現在以後幾個世紀的政治著作中的這樣一類人物的代言人：這些人自信他們是因為有良心而受到迫害的少數，他們是以自由的名義進行呼籲，以便啟迪公眾輿論，反抗既定的威權。因此，他的問題實質上涉及了臣民反抗其統治者的權利，涉及在信仰問題上對教皇統治權的限制，以及少數人反抗強制的權利。威廉認為，教皇統治權按照基督教的觀點來看乃是一種異端，而按照政策的觀點來看則是一種災難性的新發明，它使歐洲充斥著不和，破壞了基督教的自由，並導致了對世俗統治者權利的侵犯。不過，這最後一點並非是最重要的。他的首要目的是堅持全體基督教信徒的獨立，以反對持有異端的教皇的狂想。爭論存在於世界性的、羅馬教皇的教會和「亞維農教會」（Church of Avignon）之間。

就此而論，威廉的一般哲學主張並非沒有重大意義。托馬斯把理性和信仰，把科學、哲學和神學緊密結合在一起的結構之所以瓦解，首先不應歸咎於解放理性的努力，而應歸咎於解放信仰的努力。即使是在托馬斯的有生之年，他的野心勃勃的綜合計畫也未能贏得許多當時的贊同，其中為首的就是方濟會大哲學家鄧斯·司各脫。威廉繼續了司各脫所開創的傳統。與托馬斯相比，這兩人都大大突出了理性和信仰的尖銳區別。這種對照取決於這樣的事實，即他們認為神學的對象主要是超自然的事物，這些事物對信仰來說只有透過啓示來瞭解，因而主要是應用於道德方面。在此同時，他們把哲學更明確地定義為理論上的眞理，認為這種眞理是在不假外求的自然理性支配之下。這一傾向類似於在拉丁化的阿維羅伊主義中達於頂峯的那種傾向（前面已經提到，這種阿維羅伊主義影響了馬西利奧的亞里斯多德主義），然而，奧肯主義者卻寧可在有些岌岌不保的情況下留在正統觀念的範圍之內。雖然他們認為像上帝和不朽那樣的重要教義是不能證明的，但他們至少在未達到阿維羅伊主義關於雙重眞理的信條之前就止步了。儘管如此，其總的效果還是破壞了托馬斯的體系：理性透過為信仰剖析那龐大而虛幻不可知的王國而獲得了它的自由。與理性和信仰的這一分離密切相連的，是理性和意志在心理學和神學上更加明確的區分。威廉把人和上帝的意志都看作是不為任何原因所決定的一種力量和自發的行為能力，因而他把善惡之間的道德差別歸因於上帝的意旨。對於法律學說而言，這一點的含意是重要的，因為這似乎把法律與立法部門的法令等同起來了，但是還存在著一個問題，即威廉在多大程度上把他的形而上學引伸到了他的法學理論之中。⓱

儘管威廉的哲學總的來說具有破壞傾向，但他的政治學說的意旨在本質上卻是保守的。在他努力為基督教的自由進行辯護而反對教皇的時候，他是在當時人們十分熟悉的思想範圍之內活動。他反對教皇專制主義，認為這是異想天開和異端；他還認為他為反對這種主義而提出來的觀點不僅是眞理，而且可為人們所普遍接受。威廉的論證是建立在宗教權力和世俗權力之區分和相互獨立的古老學說上，而且是以這樣的假定為基礎，即如果每一種權力都有廣泛而不明確的自由，以糾正對方的錯誤，則獨立就是行得通的。兩種權力之間相互支持和禮讓，以使每一方

都在神的和自然的法律所確定的範圍之內活動，這在他看來仍然是可行的。他寫作時所處的環境，使得他爲象徵性地抑制他認爲是敎皇權力的專斷行使而爭辯。不過，他並非眞正反對廣泛可自由採取行動的權力，即使這種權力在敎皇手裡，只要行使權力者是一位他能夠承認的眞正敎皇就行了。換言之，他對兩種管轄權的法律定義並無多大的興趣。對他來說，根本的問題與其說是法學問題不如說是神學問題。

在他就帝國問題所作的探討之中，可以看到類似含糊不淸的情形。在任何意義上，他當然都不承認皇帝之權來自於敎皇，不承認加冕儀式爲他增加了合法的權威，並且不承認選舉必須要有敎皇的批准。換言之，他認爲皇帝之權來自於選舉本身，**選侯國**（College of Elector）乃是站在「人民」的立場並且爲人民講話。在這個一般的意義上，他認爲帝國的權力——實際上是一般的王權——來自於臣民法人團體的同意，而這種同意則透過他們的權貴表達出來。由於威廉一直與敎皇進行論戰，所以他認爲皇帝應有極大的干預權力以便改革敎會，但他顯然認爲這些權力是例外的權力，並且是用於緊急情況，他相信當時就是這樣的一種情況。在總體上，他堅持兩種權力的傳統區分，對依然如故的定義問題完全聽任之。同樣，對於皇帝和法英兩國民族王國之間的關係，他實際上沒有講出任何明確的東西。他含含糊糊地承認皇帝優越於其他國王，但是做爲一個英國人，他對日耳曼肯定沒有任何情感。他的作品缺乏民族情感的迹象，而這種情感在法國人爲捍衛美男子腓力而寫的大量著作中是顯而易見的。他的作品也缺乏對於城邦國家的熱情，而在馬西利奧的著作中常常可以感受到這樣的熱情。在這一方面，威廉還是明確地站在較古老的中世紀傳統之中。

他的政治觀念的基礎，是對於專橫權力的厭惡，或者說是對於在公認的法律範圍外實施暴力的厭惡，這種厭惡幾乎普遍存在於中世紀，並且極爲根深柢固。在這方面，他的原則實質上與聖托馬斯的原則相同。威廉和托馬斯一樣，認爲整套法律體系包括上帝所啓示的意旨和自然的理性原則，包括自然要求平等的指令和文明國家的共同慣例，並且包括特殊民族的風俗和實證法。所有這些共同構成一個單一的體系，但其細節則是靈活的，可以根據時間和環境的改變而改變，不過它的基本原則是不能違反的。單一民族的法律都是在這個巨大的體系之內，它絕不能

正當地確立一項與自然法律相矛盾的規定，雖然它可以依照理性和公平的精神在新的情況出現時爲之作好準備。因此，法律是爲每一種偶發的情況作潛在的準備，而所有對權威的行使，其正當性都必須獲得公衆利益的證明，必須證明它與自然的正義和完美的道德相和諧一致。不經過這種認可，權力就是專斷的，而政府用聖奧古斯丁的有力說法則成了「大規模的攔路搶劫」。這體現了全部中世紀政府思想特徵的見解，正是威廉對教皇行爲持反對態度的基礎。約翰已經超越了他的權力，他無視聖經而樹立自己的教義，並且到處侵犯世俗統治者和基督教徒的永恆權力。⑱自稱是「上帝僕人的僕人」的教皇，已變成了一個純粹的暴君。

宗教大會理論

　　威廉是相信法律全能的，這幾乎可說是十四世紀的一個普遍信念。他之所以具有重要地位，主要是因爲他決心反對他所認爲存在於教會之中的暴政，是因爲他率先主張基督教的活動自由，另外還因爲他想要爲教會提供一個能裁決基督教信仰和慣例間的爭論而又較不專斷的政府。在這裡，他更關注的還是教義問題而不是統治形式問題。本質上，他的主張是捍衛對基督教界的學術批評和開明的判斷，以反對既有當局的法令。他遇到一個進退兩難的困境是：教皇自稱一貫正確，而且人們也普遍認爲如此，但以他的判斷，教皇卻是異教徒。因此，教皇的判斷並非始終正確。如同十四世紀大多數對教會的宗教感到不滿的人一樣，他看不到任何其他更實際的權宜辦法，於是便提出宗教大會來抑制僧侶統治集團的權力，而且似乎還要使之法制化。隨著一三七八年「大分裂」的開始，這成了教會政治鬥爭中的一個大爭端，威廉的理論如同巴黎的約翰和馬西利奧的理論一樣，爲這個大爭論舖平了道路。不過威廉的態度過於激烈，以致他認爲任何實用的權宜辦法都不能解決邏輯上的難題。他也並不準備承認議事會比教皇更一貫正確，因爲即使是議事會也可能犯錯，雖然就它代表整個基督教界的智慧而言，可能所犯的錯誤會少一點。威廉實際上是提出了一個更大的問題：人類怎樣才能確信他們已獲

得了絕對眞理？

　　然而在這一點上，他確實是自信無疑的。如同一切經院哲學家一樣，他暗自相信理性，並且始終認爲基督教的信仰可以透過其固有的權威來確立它的合法性。他認爲對於教義的爭論點的最終裁決，決定於活生生的教會本體，這一本體持續地存在於教會的整個歷史之中，乃是神意啓示的感受者。能夠從中瞭解啓示的唯一源泉就是聖經，與此相比較，教皇的訓諭乃至宗教會議的決定只不過具有次等價值。如同早期所有的新教徒一樣，他無條件地認爲，可靠的學識和認眞的研究可以揭示出使所有善意的人們都中意的宗教眞理。探究不僅是一種權利，而且是一種義務；能作出決定的是有智慧的人，而不是任何既定的政權。當然，威廉絕不懷疑字面上的信仰自由，因爲他認爲，透過正當的研究，人們必須相信的東西會顯現出來。但是，必須有研究的自由，這在實質上也就是判斷的自由。所以對他來說，當時最重大的政治問題就是約束教皇的專制主義。只有神職人員和俗人聯合起來，爲教皇的權力設置公正的界限，才能恢復教皇和基督教界之間的和平。基於這一目的，他所能看到的最好的變通辦法，就是以代表基督教學識和信仰之健全主體的宗教大會爲手段，建立教會統治的法制化形式。

　　威廉建議這個會議要有廣泛的代表性。他明確指出，在包括神職人員的範圍內還必須包括俗人，而且他甚至不排除婦女。代表的基礎應當是衆多的社團，諸如教區修道院或大教堂教士會，這些組織都具有教會成員資格。威廉的確沒有想到基督徒個人應有代表，諸如許許多多的分立個人，或者從地域來講，沒有想到找人代表各個不同地區的居民。他指出，一個「社團」（community）可以做爲一個整體來活動，也可以透過它所推選的代表來活動。因此，他所建議的是一個可以稱之爲間接代表制的粗略計畫：某一個適當地區的宗教團體，諸如一個主教管區或王國，應當選舉若干代表進入省的宗教會議，省宗教會議再選舉代表進入宗教大會。與現代選舉機制相比，這個計畫似乎並無組織，但只要這些有選舉權的團體有十分完善的區畫和很好的團結，這個計畫大概行得通。事實上，威廉利用了當時教會和國家中的經驗。中世紀的國會，本質上代表的是王國中的地方自治體，諸如城鎮和郡，這些城鎮不是作爲地域區畫而是作爲法人團體。不過，威廉的宗教大會計畫可能更直接地

依賴於兩大托鉢修會的行政管理區畫。道明會的修道院是按省組織而成，到十三世紀中葉已經有了一個相當發達的選舉系統，以選舉出席各種會議的代表。威廉本人所隸屬的方濟會，也採用了相似的體制，而且在十三世紀的進程中，各種各樣的修道會都採用了這樣的代表制體制。⓳因此，宗教會議方案乃是一項把早已廣泛採用的方法普遍推廣於教會的計畫，這項計畫與這樣一種流行觀念非常吻合，即法人團體可以作為一個單位而行動和發言。不幸的是，當這一計畫應用於整個教會的時候，還存在著種種使之不能成功的特殊障礙，儘管對教會改革者來說，這一方案是可以採用的非常普通的方法。

奧肯的威廉的政治哲學，無論對它所觀察到的還是沒有觀察到的東西來說，都具有十四世紀中葉政治思想狀況所獨有的特徵。它仍然侷限有關帝王統治權和教皇統治權之間關係的陳舊討論之中，儘管任何主張由教皇對世俗王國實行全面控制的提議都早已成了陳詞濫調。不過，這畢竟使得君主與其臣民的關係，以及臣民基於良心和捍衛他們所認為的基督教真理而進行反抗的權利，成了政治討論的中心。這一爭論理所當然地首先應在教會內引起注意。因為教皇的無限權力是中世紀第一次就絕對的、不能廢除的和最高的權力所提出的明確聲言。這一理論本身與中世紀的信念和實踐都大相逕庭，在與崇尚精神的方濟會修士的爭論中，它遭到了古代傳統和當時信仰的對抗。隨之而來的大分裂，在教會中引起了第一次大爭論，爭論的一方堅持其對統治權的要求，而另一方則堅持立憲代表制的統治原則。

註　解

❶ 遵循著他們所信的聖弗朗西斯（St. Francis）的原則，修會相當多的修士認爲，放棄最低維生所需之外的財產，對於適當地執行宗教職務是必不可少的。約翰二十二世宣布這一主張爲異端，罷黜了該會的會長並將其逐出教門，還修訂了該會的章程。這場爭論中的主要人物——塞瑟那的米歇爾（Michael of Cesena），貝爾伽莫的波那格拉提亞（Bonagratia of Bergamo）和奧肯的威廉都成了皇帝的支持者。

❷ 邵爾茨（R. Scholz）提出了一個包括六十個標題的目錄，見《巴伐利亞人—路德維希時期（1327～1352）未知的宗教政治爭論作品》（*Unbekannte Kirchenpolitischen Streitschriften aus der Zeit Ludwigs des Bayern, 1327～1354*），載 *Bibliothek des Kgl. preussischen historischen Instituts in Rom*，第 10 卷，1914 年版，第 576 頁，以及後數頁。

❸ 參閱麥克爾溫前引書，第 228 頁及以後數頁暨有關的參考材料。

❹ 該書完成於 1324 年，它有兩個現代版本，一個是普勃維代-奧頓（C. W. Previté-Orton）編輯的 *Cambridge*（1928），另一個是理查德·邵爾茨編輯的 *Hannover*（1933）。阿蘭·格沃斯（Alan Gewirth）譯有英譯本 *Marsilius of Padua, the Defender of the Peace.*（New York, 1956）。大約在 1342 年，馬西利奧寫了一本名爲《小辯護書》（*Defensr minor*）的小書，勃蘭普頓（C. K. Brampton）最早對之進行了編訂（*Birmingham*, 1922）。教皇對《和平的保衛者》的譴責曾點到了詹頓的約翰（John of Jandun）的名，說他是馬西利奧的合作者；他是巴黎的教授，曾以阿維羅伊主義的觀點寫過幾篇有關亞里斯多德的評論。人們曾做過許多努力以便把約翰所寫的部分區分出來，但是新近的這兩位編者（雖然不否認這兩個人的合作），卻堅決認爲作者僅爲一人，這既有文字風格上的原因，也因爲該書有非常嚴謹的結構。

❺ 參閱，例如《和平的保衛者》，I, i, 2 和 3。

❻ 由於詹頓的約翰是十四世紀前二十五年阿維羅伊傳統在巴黎的主要代表人物，因此一直存在著這樣一種傾向，即把具有這種語氣的段落，乃至書中直接探討亞里斯多德的部份都追溯到了他身上。但是，正如邵爾茨所指出，沒有理由認爲馬西利奧不是一個與約翰一樣的阿維羅伊主義者。除了巴黎以外，帕都亞是阿維羅伊

主義學說的一個主要中心，而馬西利奧肯定曾就學於他。可參閱邵爾茨的編訂本第 liii 頁。關於拉丁化的阿維羅伊主義的權威著作，是芒多奈（P. Mandonnet）的《布拉當的西格爾》（*Siger de Bradant*），兩卷本，第二版（Louvain, 1911）。西格爾肯定講授過《政治學》，因為比埃爾‧杜波瓦聽過他的講課（*De recuperatione terre Sancte*, sect. 132），但是沒有任何阿維羅伊主義者關於此書的評論為人所知。馬丁‧格拉布曼（Martin Grabmann）強調了阿維羅伊主義與否定教皇世俗權力的聯繫，見《亞里斯多德哲學對有關教會和國家關係的中世紀理論的影響之研究》（出處見第十四章註**❾**——譯者註）。

❼I，ix，2。

❽I，iv，3。

❾參閱馬丁‧格拉布曼的〈十三世紀拉丁化的阿維羅伊主義及其對於基督教世界觀的態度〉（Der Lateinische Averroismus des 13 Jahrhunderts und seine Stellung zur christlichen Weltanschauung），載於《巴伐利亞科學院會利，哲學——歷史部份》，1931 年，第二冊。

❿《小辯護書》，i，8。

⓫《小辯護書》，i，2。

⓬同上，i，4。

⓭《和平的保衛者》，l, xii, 3。

⓮《小辯護書》，xii, 1。

⓯在較早的印本中「和質量」這幾個字被略去了。有關該段這兩個說法的意思，可參閱麥克爾溫前引書第 300 頁以及後數頁。

⓰奧肯的威廉的著作沒有彙編成冊，但他的政治著作正陸續出版，《奧肯政治論文集》（*Guillelmi de Ockham opera politica*）塞克斯（J. G. Sikes）編，第 1 卷（1940 年），第 3 卷（1956 年）。他的幾篇先前未發表過的論文已連同理查德‧邵爾茨的分析一併印出，見《巴伐利亞人路德維希時期（1327～1354）未知的宗教政治爭論作品》，第 9 卷（1911 年），第 10 卷（1914 年）。其中第一部，《論皇帝和主教的權力》（*De imperatorum et pontificum potestate*），也是由勃蘭普頓（C. Kenneth Brampton）編訂的（Oxford, 1926）；1930 年再版。該書的兩個版本都缺少最後一章，這一章單獨發表於《法國歷史文庫》（*Archivum Franciscanum Historicum*），第 17 年度，第 1 冊，第 72 頁。其中的第一篇論文〈教皇權力簡論〉（Breviloquium de potestate papae），缺最後一部份，

由鮑德里（L. Baudry）編入了《中世紀哲學研究》（*Études de philosophie médiévale*），第24卷，1937年。對威廉的論爭作品收集最多的是美爾希奧爾·格爾達斯（Melchior Goldast）的《神聖羅馬帝國》（*Monarchia Sancti Imperii Romani*）第3卷（Hanau and Frankfort, 1600～14）；該書1621年和1688年再版。

❶ 參閱吉爾克（Gierke）的《中世紀的政治學說》（*Political Theoris of Middle Age*），梅特莫譯，第172頁，註256。謝帕德（M. A. Shepard）的〈奧肯的威廉和更高的法律〉（Willim of Occam and the Higher Law）與吉爾克的意見相左，見《美國政治科學評論》（*American Political Science Review*），第26卷，1932年，第1009頁。

❶ 參閱謝帕德對威廉的更高法律論的說明，上述引證見《美國政治科學評論》第26卷，第1005頁及以後數頁。我看不出在法律的神聖性方面威廉為他那個時代流行的信念增添了什麼實質性的東西。

❶ 厄內斯特·巴克：《道明會和主教區會議》（*The Dominican Order and Convocation*），1913年，第一部份。關於代表制機構的發表，參閱 C. H. Mcllwain 的〈中世紀的等級〉（Medieval Evtates），見《劍橋中世紀史》，第7卷（1932年），第23章。

參考書目

1. *The Dominican Order and Convocation: A Study of the Growth of Representation in the Church during the Thirteenth Century.* By Ernest Barker.Oxford, 1913.

2. "Pivotal Concepts in the Political Philosophy of William of Ockham." By C. C. Bayley. In the *Journal of the History of Ideas,*Vol. X (1949), pp. 199~218.

3. "Marsiglio of Padua. Part I. Life." By C. Kenneth Brampton. In the *Eng. Hist. Rev.,* Vol. XXXV II (1922), p. 501.

4. *The De imperatorum et pontificum potestate of William of Ockham.* Ed. by C. Kenneth Bramptom. Oxford, 1927. Introduction.

5. *A History of Mediaeval Political Theory in the West.* By R. W. Carlyle and A. J. Carlyle. 6 vols. London, 1903~1936. Vol. VI, part. I.

6. *The Medieval Contribution to Political Thought: Thomas Aquinas, Marsilius of Padua, Richard Hooker.* By Alexander Passerin d'Entrèves. Oxford, 1939, chs. 3, 4.

7. *Marsillius of Padua, the Defender of Peace.* By Alan Gewirth. 2 vols. New York, 1951~1956.

8. *Reason and Revelation in the Middle Ages.* By Étienne Gilson. New York, 1938.

9. *The Social and Political Ideas of Some Great Mediaeval Thinkers. Ed. by* F. J. C. Hearnshaw. London, 1923. Ch. 7.

10. "Ockham as a Political Thinker." By E. F. Jacob. In *Essays in the Conciliar Epoch.* Manchester, 1943.

11. *La naissance de lèsprit laäque au déclin du moyen âge.* By Georges de Lagarde. 6 vols. Vienna and Paris, 1934~1946. Vol. II, Marsile de Padoue; ou, Le premier théoricien de l'état laïque; Vols. IV ~ VI, L'individualisme ockhamiste.

12. *Medieval Political Ideas.* By Ewart Lewis. 2 vols. New York, 1954. Ch. 8.

13. "Ockham's Political Philosophy." By J. B. Morrall. In *Franciscan Studies*, Vol. Ⅸ (1949), pp. 335~369.

14. *Illustrations of the History of Medieval Thought and Learning.* By R. L. Poole. 2d ed. rev. London, 1920. Ch.9.

15. *Marsilius of Padua.* By C. W. Previté-Orton. British Academy Annual Italian Lecture, 1935. Oxford, 1936.

16. "Marsiglio of Padua. Part Ⅱ. Doctrine." By C. W. Previté-Orton. In the *Eng. Hist. Rev.*, Vol. XXXⅧ (1923), p.1.

17. "Marsiglio of Padua and Dante Alighieri," in Beryl Smalley (ed.) , *Trends in Medieval Political Thought.* By Marjorie Reeves. Oxford, 1965.

18. *Unbekannte kirchenpolitische Streitschrifen aus der Zeit Ludwigs des Bayern* (1327~1354). By Richard Scholz. 2 vols. Rome, 1911~1914.

19. "Willian of Occam and the Higher Law." By Max A. Shepard. In the *Am. Vol. Scci Rev.*, Vol. XXⅥ (1932), p. 1005 ; Vol. XXⅦ (1933), p. 24.

20. "The Infuence of Marsilius of Padua on Fifteenth-Century Conciliarism," *Journal of the History of Ideas*, July-September, 1962. By Paul Sigmund.

21. "Ockham, the Conciliar Theory, and the Canonists." By Brian Tierncy. In the *Journal of the History of Ideas*, Vol. XV (1954), pp. 40~70.

22. *Medieval Papalism: The Political Theories of the Medieval Canonists.* By Walter Ullmann. London, 1949.

23. "Germany: Lewis the Bavarian." By W. T. Waugh. In the *Cambridge Medieval History*, Vol. Ⅶ (1932), ch.4.

第十七章
教會管理的宗教會議理論

在奧肯的威廉之作品問世後的一個世紀裡，有關教會內教皇專制權力的爭論傳遍了歐洲，以致它成了一場廣泛流行於民間的討論。教皇在教會內的專制權力，絕不僅僅是侵害其教會臣民的抽象權力的學術問題。它意味著綳緊整個統治程序，這包括：教皇對授與俸聖職的控制，把教會案件移交教皇法庭，把巨額錢款轉爲教皇收入和有步驟地實施令人憤慨的教皇稅收方式。於是，教庭的奢侈和教皇統治的見利忘義就成了人們進行尖刻批評的根據，這種情況一直持續到了宗教改革時期。從一三七八年持續到一四一七年的**大分裂**（Great Schism），使情況更糟糕了。無論在歐洲何處，它對公衆思想的影響都是無法低估的。兩個乃至三個互相競爭的教皇，常常只是王朝和民族野心的附庸，他們運用一切神學的誹謗技巧和政治狡辯互相攻訐，這種景況必然會大大破壞教皇職位過去所一直享有的尊寵。再者，整個教會組織腐敗墮落，弊端叢生，這在一定程度上是大分裂本身所造成，而這一分裂也使教士普遍名譽掃地。喬叟（Chaucer）作品中售賣天主教赦罪符的人和傳喚人，在十四世紀文人眼中的形象，這就是教會中聲名狼籍的食客寫照。

教會的改革

當時所存在的是一個管理問題——當然是在教會裡而不是在國家裡——這個問題在整個歐洲不可避免地受到各個階級和各種文化程度的人的討論。「教會首腦和成員的改革」，成了一個普遍的問題。把有關這一問題的討論，稱爲第一次偉大的民衆政治教育運動，是不無道理的。

英格蘭的威克利夫（Wycliffe, 約 1320～1384 年）和波西米亞（Boh-
emia）的約翰‧胡斯（John Hus, 約 1373～1415 年），吸引了眾多的
追隨者，他們的說教絕非僅限於針對那些能夠閱讀他們那些晦澀的經院
哲學著作的讀者。巴伐利亞人劉易斯時期的論戰作品中的思想，直接傳
給了威克利夫，並且透過他又傳給了胡斯。一三七七年的教皇訓諭譴責
了威克利夫的結論，認爲他的見解來自於「該受詛的」馬西利奧，而他
本人亦承認受到了奧肯的威廉和神聖的方濟會的影響。民族問題，特別
是英格蘭或波西米亞的民族問題，打亂了這兩位改革者的意圖，但隱藏
民族問題背後的一些問題則是共同的，諸如教會財產的所有權與徵稅問
題，以及教皇橫徵暴斂的問題。就這兩位改革者而言，他們思想的主旨
是反對繁文縟節、反對僧侶統治集團壟斷宗教權力，並且反對教皇的專
制權力。威克利夫和胡斯沒有提出任何明確的教會管理學說，他們兩人
都把教會和全體基督徒（包括俗人和神職人員）等量齊觀。他們認爲，
接受神聖法律和宗教權力的是教會，而不是僧侶統治集團。賦予宗教儀
式以全部意義的是這一社團表現在信仰和良好工作中的精神契約和信徒
與上帝的直接聯繫，而不是繁瑣的儀禮或聖禮。「王冠和教士服並不能
造就教士……造就教士的是基督給予的權力。」教會作爲一個完善的社
團，必須擁有它自身革新所必不可少的權力，因此，由俗人來改革神職
人員的弊端，並無任何不當。

這樣，教會在宗教事務上的獨立和自足，就成了反對教權主義的根
據。依照一個更加離奇的悖論，它甚至變成了加強世俗權力的根據。這
一結果的構成並不複雜：改革者發現，即使是爲了改革的利益，他也要
依靠王權的支持以壓迫教皇和僧侶統治集團。於是，馬丁‧路德就投入
了日耳曼王公們的懷抱，而國王的神聖權利幾乎變成了路德派和英國國
教派的正式哲學。甚至在十四世紀，威克利夫還是不得不照此辦理，雖
然一個多世紀以來人們一直把改革的希望寄託於教會內部的宗教大會。
他論證說❶，國王是上帝的代理人，違抗他即是邪惡，甚至主教的權力
也來自於他，而且，就現世而言，王權比教士享有更大的尊嚴，因爲宗
教權力既不需要塵世的權力也不需要財產。因此，國王糾正教會管理中
的弊端既是權利又是義務。這種說法可使人即刻想起《約克論集》
（*York Tracts*），並聯想到最終使國王成爲國家教會的世俗首腦的論

點。從長遠來看，使宗教精神化的政治受益者乃是世俗權力本身，而把教會從僧侶統治集團手中解放出來的第一個結果，就是把它更完全地置於國王的權力之下。

　　威克利夫和胡斯所領導的改革運動，其功效就在於使教皇權力問題和有關這一問題的無數分支全都移向了人民的論壇。就這一點而言，提及下述情況並非是文不對題，即在高雅體面的政治哲學水平線之下，出現了一種無產階級的平等學說，它與宗教問題有關，但在抨擊社會和經濟差別方面卻又遠遠超出了宗教問題。這種思想出現於十四世紀的農民暴動之中，像一三五一年的法國，一三八一年的英國。這些暴動作為殘酷的經濟壓迫和不公正的稅收與勞動立法的產物，常常具有階級利益對立的模糊意識：

> 當亞當掘土而夏娃紡織的時候，
> 誰又是紳士呢？

甚至在更早的時候，那位續作《玫瑰傳奇》（ *Romance of the Rose* ）的道德主義者就斷言：

> 一切人都是赤裸的和虛弱的，
> 無論貴人還是農民，大人物還是小人物，
> 在整個世界，人性都是平等的，
> 對此無可置疑。❷

但是，在民眾中，這樣的思想往往具有宗教的色彩，它們是頭腦簡單的人們的思想，這些人以樸素的情感相信基督教有關兄弟關係和平等的思想。那些比較隱蔽的異端教派，英國的**威克利夫派教徒**和波西米亞的胡斯信徒中的極端份子，正是活躍於這種下層階級之中。在波西米亞教派中，人們特別發現這樣一種思想，即福音的法律（Law of the Gospel）乃是一種共產主義，根據這種主義，基督徒是自由而平等的生活在一起，其中不存在人類法律和制度所強加的地位和特權差別。由於確信威克利夫和胡斯的思想中包含這些極端，所以許多真誠希望對教會進行改革的人們對他們的見解提出了譴責。這種有關社會平等的模糊想法，在十四世紀固然沒有任何實際意義，但它們表明，這種改革運動如

何正在成爲——而在先前卻一直沒有成爲——很少瞭解「經院哲學」的人們中間的羣衆運動。

自足的社會

在「君士坦丁宗教會議」（Councils of Constance, 1414～1418）和「巴塞爾宗教會議」（Counclis of Basel, 1431～1449）上主張以宗教大會對宗教管理體制進行改革的一派，根本不同情民衆的騷動，甚至對於比威克利夫和胡斯爲代表的形式更加溫和的運動也是如此。這一派的領導人在君士坦丁亦屬於最積極譴責胡斯者的行列。宗教大會的理論，主要是由與巴黎大學有關的一幫學者❸所創立，這些人非常熟悉諸如巴黎的約翰和奧肯的威廉等先人的學術著作。作爲一場普遍的運動，它的不足因下述情況而得到證實，即一旦君士坦丁會議成功地消除了分裂的醜聞，這個運動就迅即平靜了。基督敎界的普通情感，都認爲敎會需要恢復統一，但卻沒有同樣的決心透過廢止敎皇的最高權力以改革敎會管理的整個原則。確實，這樣做是完全不可能的，因爲基督敎界事實上已不再是一個能在全歐規模上建立起代表制體系的有效組織了。君士坦丁和巴塞爾的宗敎會議，爲擬定一個實行法制管理的可行性計畫而作的努力完全失敗了，而且，從現實政治觀點來看，至少在事件發生之後，這一運動似乎仍有點書生氣。宗敎大會派可以透過決議，但他們不能實施管理。在彌合分裂之後，透過宗敎大會改革敎會的方案絕對不可能插足實際政治領域，儘管直至十六、十七世紀人們還在談論此事。宗敎會議運動在政治思想上的重要性在於這樣的事實，即它是以法制主義反對專制主義的第一次偉大的討論，它準備並傳播了在以後的鬥爭中所運用的那些思想。

宗敎大會派所提出的原則，早已爲敎皇政權的反對者——從巴黎的約翰到奧肯的威廉——陳述得清清楚楚了。敎會作爲一個完全自足的社團，必擁有能確保它的延續、有秩序的統治和發生弊端時能予以消除所必需的權力。因此，它所擁有的宗敎權力屬於敎會本身，屬於法人團體的全體信徒，而神職人員包括敎皇，只不過是這個團體進行活動時所借

助的牧師或機構——

　　　　因此，當人們說教皇擁有統治權的時候，不能把它理解為教皇本人的權力，而應想到他是處在這個整體之中，所以權力也是處在作為基礎的這一整體之中，而教皇只是作為這個整體的首席牧師在執行這一權力。❹

　　在這一見解中，結合了幾個思想。其中最明確的一點，至少在札巴列拉（Zabarella）的作品裡，就是對這一團體所作的法律類推，即這一團體是透過它授權的代理人以進行活動，而它本身則提供它的代理人所執行的權力。這一整體正是經由它的機構來發表言論和進行活動。當然，它也間接地涉及到亞里斯多德的自足社會理論，這種自足社會能滿足它的一切生活所需，而它的幸福則證明以它的名義所做的一切都是合理的。但是，也許比這兩者之中任何一項都更重要的，是一種早在十五世紀就已根深柢固的古老信念，這就是一個民族或一個社會擁有制定它自身的法律並確定它自身的統治者的固有權力，而合法的統治之所以有別於暴政，就在於它得到了社會的認同或承認。宗教大會或其他代表制機構的權力，取決於事實上它是站在社會的立場上和為社會而講話，它要能證明一項規則確實得到了賦予它約束力量的那種同意。最初，這曾經是審訊或陪審的指導思想：由有管轄權的代表宣布什麼是有確鑿根據的慣例。與現代立法思想不同，它是向後看而不是向前看，有約束力的是社會的習慣而不是意志。

和諧與同意

　　庫撒的尼古拉（Nicholas of Cusa）於一四三三年向巴塞爾宗教會議提出的《論天主教的和諧》（De concordantia catholica）中，非常盡力地為宗教大會進行了辯護。這一作品的基調是和諧而不是權力，對於最終的權力是屬於教皇還是屬於宗教議的問題，他不置可否。宗教會議的優越性在於這樣的事實，即它比任何個人都更好地代表了整個教會的同意或贊成。尼古拉顯然是憑藉教會法學家的權威進行論證，他認為

社會的批准或承認是法律的基本要素。這種批准是通過慣例或習俗
（approbatio per usum）來表現的，而代表整體的宗教大會的聲明，
正是在這一點上比個人更有權威性。教皇的訓諭之所以常常得不到法律
的約束力，就是因爲它們沒有得到「承認」，同樣，一項棄置不用的法
律亦將失去其約束力。甚至要使一項規則在地方具有約束力，也必需得
到一個「省」（province）的批准，因爲「一切法律都應當適合於全體
國民，適合於地點和時間」。❺因此，在這個一般的意義上，一切統治
都取決於同意：

> 因此，既然人們生來就是自由的，那麼據以制止臣民做壞事和限
> 定臣民的自由僅在於行善以免受罰的任何權力，就只能來自於和諧與
> 臣民的同意，而不論統治者所行使的這種權力是屬於成文法還是屬於
> 使用中的法律。這是因爲，如果人們生來都同等強壯，享有同等自
> 由，那麼一個人對於其他衆人的正當而穩定的權力，亦即統治者要擁
> 有與等天然權力，就只有經過他人的選擇和同意才能確立，正如法律
> 也是經過同意才確立的一樣。❻

因此，國王是由「人類社會的一般公約」（general pact of human
society）來節制的，因爲國王的存在所依靠的正是這種公約。這種思
想顯然與前面章節中所引用的布萊克頓（Bracton）的思想相同，布萊
克頓認爲國王應當服從法律，因爲是法律造就了國王。

　　引自尼古拉的這段引文，在字句上與十六到十八世紀的革命論證如
出一轍，這一點非常明顯。然而，除非加以適當的限定，否則多少也會
使人誤解。尼古拉所提出的有關自然法和臣民權利的見解，是後來的革
命理論的直接的鼻祖，這一點應無可置疑。這些思想長久以來就是歐洲
社會傳統的一部份。重要的是，宗教會議派連同早些時候反對教皇的爭
論者們，正是以這些思想來對抗既成權威，以習俗本身爲他們樂於相信
的古代自由進行辯護，以反對他們認爲是專斷的權力。這一要素或多或
少地保存於後來的革命論點裡，這從十七世紀的激進派隨意把人的自然
權力混同於英國人的傳統權利的方式中就可以看出來。但是，在尼古拉
的論證和革命時代的論證之間，至少還存在著根本的不同。就同意而
言，後一種論證的意思是指，或者說傾向於，應得到一體行動中的所有

個人的承認。在十五世紀，幾乎還不可能有這樣的涵義，因為私人良心和內心信仰的權利還不具有打破統一之後所具有的那種力量。而傳統的社會和經濟制度的瓦解，也沒有造就出那種被認為是僅僅憑藉內在動力而行動的「沒有主人的人」。對於尼古拉而言，重點完全在於社會的天然的自由之上，這個社會因其自身的本能同意而產生出對其成員有約束力的慣例，這樣就半自覺地制訂了法律，並透過其固有權貴的聲音而表示了它自己的同意。

因此，宗教會議理論的實質就是：教會的全體，即信徒的集會，是其自身法律的源泉，而教皇和僧侶統治集團則是它的喉舌或僕人。它的存在所依據的是神和自然的法律，它的統治者要服從於自然的法律，還要服從於教會自身組織的法律。他們應當被約束在這一法律的範圍之內，而且應當受到教會本身的其他組織的牽制和限制，這些都是理所當然的。教皇應將其訓諭提交代表機構審議和批准，以便能為教會所「接受」。如果他不這樣做，特別是如果他試圖強奪超出與其服務相應的權力，那麼人們就可以名正言順地廢黜他。廢黜的確切理由依然含糊籠統，最強有力的藉口就是異端，這是宗教會議派最有可能試圖加之於頑固的教皇身上的理由。然而，某些作家認為，犯有其他的罪行也就足夠了。儘管有一些人追隨巴黎的約翰，認為樞機主教團也完全有權這樣做，大家的一致看法是，宗教大會能夠廢黜教皇。支配宗教會議派思想的統治模式，是中世紀的立憲君主制及其等級會議，或者更確切地說，是修道會的組織形式，在這種組織裡，較小的團體是透過派代表出席代表整個教會的宗教會議而結合在一起。如果宗教會議派的理論能變為一種可行的統治形式，那它要麼將創立宗教大會以作為正規的執行機構，要麼將把樞機主教團轉變為某種類似於中世紀議會的東西。事實上，這兩項計畫沒有一項是可行的。

在事情過去之後再來看這樣的爭論，人們可以輕而易舉地指出，爭論之點就在於最終的決定權是屬於教皇還是屬於宗教會議，但是，這樣看待問題並不是出於歷史的眼光，因為爭論之點只是在爭論進程中才逐漸呈現出來。就宗教會議的論爭而言，它從未明確地涉及這個問題，正如後來英格蘭的國王與議會發生相類似爭論時的情況一樣。應當記住，每一個參加這類爭論的人都懷有這樣的假定，即他們是在處理當前的緊

急情況，消除這種情況無須從根本上改變現存的統治形式。至於宗教會議的運動，它之所以具有民衆的力量，就是因爲消除分裂醜聞的需要得到了公認，而當這一點完成之後，它也就沉寂了。由於它的失敗，除了肯定教皇的統治權之外，別無其他的收穫。爲什麼教皇權力和宗教會議權力之間的爭論之點沒有被明確地提出來呢？以現代的觀點來看，其原因就在於最終的權力旣不屬於前者也不屬於後者，或者說事實上不屬於任何教會統治機構。宗教會議論的基本原則，如同中世紀的君主制原則一樣，認爲教會、社會或人民都是自治的，其權力乃屬於整體。但是，這一整體顯然不是政治實體，它只能透過它的某一個或更多的機構來表達意見。再者，宗教會議論反對這樣的思想，即必須選擇一個擁有最終發言權的機構。正因爲最終的權力屬於整個教會，所以它的每一機構——教皇、宗教會議或主教團——都不具有最終的決定權。它們作爲整個教會的創造物，在某種意義上是並列的，或者即使它們嚴格說來不是並列的，那每一機構至少也都享有執行其本身職能的非被委派的權利。無論如何，一方的權力絕不是由另一方所委派。儘管所有各方的權力都來自於整個社會，但相互比較而言，各方都有其固有的權力。因此，管理完全是一項合作的事業，是和諧或尼古拉所說的"concordantia"（協作），而不是最高統治者的權力委派。

　　然而，顯而易見，全部的麻煩就在於教會統治機構之中的和諧已不復存在。結果，宗教會議派所面對的乃是一個按照現行法律幾乎不可能解決的困難。在緊急情況下，宗教會議對於確定整個教會的「共識」（consensus）大槪是一個比教皇更好的機構。但是沒有教皇的合作，宗教會議幾乎不可能合法地存在，並且肯定無法發揮其職能。但如果存在著兩三個教皇，那問題也依然無法解決。經常用於爲宗教會議辯護的論點是，在必要情況下一切法律都可以逾越，在危急時則皇帝也可以召開宗教會議，以確保選出一位合乎教規的教皇。這一論點從邏輯上來說是遁詞，而在實際上則是一種權宜之計。宗教會議派唯一可行的出路，就是把教皇貶低到執行者的地位上，而把自己確立爲教皇權力的來源，但是這種解決辦法同樣也會逾越法律。這樣做的結果會徹底改變下述觀念，即管理乃是自治社會各機構的合作。所有這些情況令人驚異地預示了英國議會後來在與查理一世（Charles I）進行鬥爭時所處的地位。

在這裡，國王和議會所固有的權力最初也是一個得到公認的命題。雖然議會本身享有被諮詢的固有權利，但它只有在國王召集時才能存在，而且只有得到國王的批准才能立法。國王和議會在王國中共同構成了庫撒的尼古拉所說的"concordantia"（協作）。當然，議會最後堅持要有凌駕於王權之上的權力，這就破壞了最初的和諧概念，這與專制的王權所要做的事情幾乎完全一樣。

宗教會議的權力

　　一般說來，宗教會議派的目的就是要把宗教會議確立為教會統治的主要組成部份，以糾正弊端並抑制他們認為是專制的教皇權力。他們的具體意圖，是補救和防止諸如大分裂那樣的不幸事件，這種事件正是由於教皇權力不受限制而引起。也可能有幾個極端份子確實接受了這樣的思想，即讓教皇權力完全變為宗教會議的派生權力，但他們照例認為教會的權力是由教皇和宗教會議所共享，他們並不想為了既定目的而真的去摧毀教皇職位所固有的君主式權力。總之，他們與封建法學家的立場是完全相同的。嚴格說來，一紙文書並不能有損於教皇，在非常的情況下，他是可以被召到宗教會議面前，而如果他不這樣做，就會為頑抗而受到譴責。因教皇的侵奪行為而帶來的弊端可以由宗教會議來糾正，正如布萊克頓所指出的，王國的"baronagium"（一種貴族代表機構）可以對國王進行責問。宗教會議作為整個教會中最真實的代表，在所有管理機構中居於第一位。但是宗教會議的職責主要是進行調節，它幾乎不可能有這樣的打算，即取代其他機構或把它們降低為自己的代理者。這一計畫乃是一種受到貴族政治調節的君主制，在這種制度下，被認為屬於整個教會的權力，是由它的代表或機構所共同分享。每一機構都有權利和義務以使其他機構各得其所，而所有的機構都必須服從整個教會的基本法。

　　君士坦丁和巴塞爾兩次宗教會議所批准的措施說明了這一理論。早在君士坦丁宗教會議的進程之中，它就以一項著名的法令闡述了這一原則：

> 這一合法集合於聖靈前的會議，構成了代表天主教教會的宗教大
> 會，它的權力直接來自於基督，任何人，不論其地位和職務如何，即
> 使是教皇，在事關信仰的問題上，爲了消除分裂並改革教會的首腦和
> 成員，也必須服從之。❼

這一法令於一四三二年在巴塞爾宗教會議上再次得到批准，這一行動較
前要激進得多，因爲當時只有一個教皇，人們一般認爲他是合乎教會法
規的。巴塞爾宗教會議還進一步宣布這一原則是信仰的信條，認爲誰否
認這一原則就是異端。這兩次宗教會議如同以後的長期國會一樣，規定
未經宗教會議的同意是不得予以解散的。巴塞爾宗教會議傳喚尤吉尼鳥
斯四世（Eugenius Ⅳ）到會，在傳喚無效的情況下宣布他違抗命令並
最終將其廢黜，儘管這並沒有什麼實際效果。這兩次宗教會議都試圖確
保以後定期召開這樣的會議。巴塞爾會議試圖在整個教會中恢復主教管
區和省的宗教會議，以便用這種方式控制教皇選舉，保證教皇服從宗教
會議的法令。此外，人們還試圖把樞機主教團置於一個更能代表教會和
更獨立於教皇的地位，這也許是出於這樣的打算，即使它能夠成爲介於
教皇和宗教大會之間的第三種或貴族制式的教會統治因素，或者使它成
爲一個常設委員會以永久抑制教皇的君主式權力。對此的主導性理念，
很明顯是一種「混合憲法」（mixed constitution）的概念。

既然我們已經引證了庫撒的尼古拉來說明這一相當有力的信條，即
統治必須得到同意，那麼，也許就應當簡略地談談他的全部理論，以便
說明宗教會議派的理論雖然反對教皇的專制權力，但無意用宗教會議的
最高權力取而代之。實際上，尼古拉是在大分裂取得和解之後方始寫
作，而且在巴塞爾會議之後不久，他就離開了宗教會議派，並且成了最
重要的教會發言人。他試圖作爲一位專制教皇的僕人以鼓動宗教改革。
或許更確切地說，他是一位外交家而不是一位政治理論家，但至少在一
四三三年，在完整闡述宗教會議理論方面他是占有優勢地位。如果《論
天主教的和諧》被斷定爲有關合法的協調權力的理論，那麼它在邏輯上
的困難則是引人注目的。作者一方面主張宗教會議必須由教皇召集，以
便使之具有全基督教的性質，但另一方面又認爲，宗教大會一旦召開，
就可以根據充份的理由廢黜召集會議的教皇。他同時把教皇權力視爲執

行的權力和來自於基督教與聖彼得的權力。教皇代表教會的統一,但宗教會議可以更好地代表這種統一。教皇的同意對於召開宗教會議來說是必不可少的,但宗教會議卻又高於教皇。教皇是教會的一個成員,並服從於教會的法律,他的當選足以推定他對教會是有用的,而如果他不能盡職,則神職人員就無須再服從他。但是嚴格地說來,卻又沒有任何合法的程序可加諸其身。引證這些矛盾的事實目的並不是要說明尼古拉在邏輯上的混亂,而是要說明這樣的事實,即把他的"Concordantia"視為有關最高權威所授之權的理論,乃是一個時代的錯誤。他的理論是:教會本身是一個統一體,而且唯有它是至高無上和一貫正確的,但無論教皇還是宗教會議都不是這種一貫正確的唯一代言人。他有充份的理由不信任這兩者,不過他確實相信改革,並且期望著一種代表制度,他認為透過使僧侶統治集團更緊密地與教會的各個部份聯繫起來,將逐步趨向於這一方向。但是按照他的看法,這一問題乃是合作的問題而不是法律上的從屬問題。

宗教會議理論的重要性

宗教會議運動(conciliar movement)既沒有革新教會,也沒有改變它的統治形式。宗教會議本身成了各民族猜忌心理的犧牲品,因此它幾乎沒有能力去抨擊構成教會保護人龐大的既得利益集團。每一個人都相信改革,但更願意它開始於別的什麼地方,結果使改革不得不拖延下來,直到亨利八世那樣統治者的出現,他的改革才把教會的大部份不定期收入都改革掉。宗教會議派在為教會描述代表制的統治形式時,設想的都是做不到的事情。他們沒有認識到,即使是封建立憲君主制,所依賴的也是政治上的內聚力,在像法國和英國那樣的王國裡,這種內聚力為等級會議提供了可以代表的某種東西。無論如何,十五世紀的教會並沒有這類團結。雖然當時在一定程度上的確存在著信仰上的一致,並存在道德和宗教理想上的某種一致,但是並不存在那種能抗衡地方或民族利益分歧,並能使宗教會議成為統治的職能機構的政治團結意識。然而,即便如此,宗教會議派的理論在教會中所遭遇的命運,與中世紀議

會派在日益上升的王權之前所遭遇的命運，也沒有多大的不同。在十六世紀，各處的中世紀立憲機構都落入了君主專制制度的控制之下。跟教會不同，在國家裡，民族團結提供了一種凝聚的力量，這種力量使得代表制機構有可能在長時期中得以復活，儘管中世紀的憲政主義只在英國保持了連續性。

當教會中出現確立教皇最高權力的倒退活動時，巴塞爾宗教會議尚未解體。教皇的這種權力，在無爭議的情況下，一直持續到了宗教改革時期（而在羅馬教會，實際上直至今日也無異議）。這種看法又回到了英諾森三世時期的教會法所提出的教皇權力論上，此時，由於取而代之的明確努力遭到了失敗，這一理論也就被擱置和限定了。雖然出於論爭的意圖，宗教會議論也曾偶爾再現於不會受到公開抨擊的正統作家的作品之中，但作為一次宗教改革運動和對教會法律的一次修正，這種理論已毫無生氣了。這次倒退的領導人是托克馬達的約翰（John of Torquemada），雖然他仍然認為世俗統治者的權力是受法律的限制，但約翰‧涅維爾‧費吉斯（John Neville Figgis）還是稱他是「君權神授論的第一位現代倡導者」。❽按照現今天主教教皇權力論，教皇是不容置疑的最高統治者。人們認為他的權力只受神聖法律和自然法律的制約，沒有他，宗教會議就不能存在，宗教會議的法令需經他批准，他有權修改宗教會議所通過的法令。❾由於教皇在十五世紀就把自己確立為第一位專制君主，因此教皇專制理論也成了君主專制理論的原型。為教皇神授權利進行辯護的主要論據是：把統治社會的最高權力授與社會本身而不授與其首腦是不可能的。

因此，就實際後果而言，宗教會議理論並無足輕重，但是，它畢竟是有意義的。教會中的這一論爭，第一次勾劃出了專制統治和憲政統治之間的爭論之點，而且傳播了基本上是與專制主義相抗衡的政治哲學。無論是國王的神授權力還是社會的最高權力，都轉到了世俗統治方面。這種轉移是容易的，而且在十五世紀比起今天就更容易。教會和世俗政府之間的區別，仍被看作是同一社會的兩個組織之間的區別，而不是兩個社會之間的區別。因此，無論是關於教會權力性質的論證，還是關於國家權力性質的論證，都必須回到社會本身的基本性質上來。宗教會議派的論證完全依賴於這樣的前提，即任何完美的社會必然有其自治的能

力，而且它的同意對任何種類的合法權力來說都是至關重要的。當敎會和國家被視爲兩個社會的時候，這一論證無論用於二者之中的哪一方都可以。按照上帝的旨意，世俗權力和宗敎權力同樣都必須寓於人民或社會之中，而且這一信念本身與公認的一切權力屬於上帝的信念也並不矛盾。但是，當神授權力論明確地變爲王權至高無上論的時候，權力最終屬於人民的理論就成爲對抗這一理論的常見方式了。敎會內部的宗敎會議之爭，是這兩種理論以這種方式進行論爭的第一次，而當爭論成爲國王及其臣民之間的爭論時，它亦是以這樣的方式繼續下去。

　　十五世紀的宗敎會議理論，如同代表制或立憲制政府的理論一樣，在過去和現在之間處於奇妙的平衡狀態。它部份地來自於自然之法永遠有效的古老信念，部份地來自於這樣的見解，即任何社會都由必不可少的服務和利害在相互依賴的條件下組合而成。所以，這種理論認爲，政治乃是權力之間的一種互換、互讓和平衡，這些權力就其自身的本質而言是無法取消的。因此，政府的統一乃是社會統一的反映。如果君主一詞非常適當地加以運用，那麼它應是整個社會的君主，而不是社會之中任何政治機構的君主，然而古代的共和國（res publica, commonwealth）一詞，卻具有更多的說明性。因此，宗敎會議派反對敎皇的這個理論，即權力必然會在某個地方作爲一種危險的破壞性新發明而陷於危機，他們提出了諸權力和諧的理想來與之對抗，也就是讓諸權力透過自由的和相互的同意而合作。就某種意義而言，這種在理論上與實踐上都具有典型中世紀特點的憲政理想，在國家中是打了場敗仗，因爲導致集權化的那種力量已普遍增強了。經由同意而進行統治的理想，不得不與政治組織日趨強硬的傾向盡可能地和解，在這種政治組織中，各個部份因其權力來自於一個首腦而相互發生聯繫。不過，集中化的權力最終仍不得不與被統治者的同意取得和解。從十五世紀的宗敎會議理論到十七、十八世紀的自由主義和立憲主義運動，存在著一條直接發展的思想路線。貫穿這一發展並且把它與中世紀聯繫起來的，是這樣的信念：合法的權力是一種道德力量，而專制主義則不是，並且社會本身就包含著一種道德批判的力量，即使是合法地構成的權力，也理應服從於這種力量。

註 解

❶《論抑制王權》（*De officio regis*, 1378～1379），波拉德（A. W. Pollard）和查爾斯·塞勒（Charles Sayle）編，倫敦，1887 年版。

❷第 19411～14 行，埃利斯（F. S. E. Ellis）譯。

❸宗教會議中包括了一批可觀的作家，其中主要有蘭根斯坦（Langenstein）的亨利、格爾豪森（Gelnhausen）的康拉德（Conrad）、弗蘭西斯科·扎巴列拉（Francisco Zabarella）、彼得·戴利（Peter dAilly）和庫撒的尼古拉。奧托·吉爾克（Otto Gierke）在《中世紀的政治理論說》（*Political Theories of the Middle Age*）中列舉了這些人關於這個問題的作品。梅特蘭（F. W. Maitland）譯，見第 LXX 頁以下。最值得注意的文集是格爾森（Gerson）的著作，1706 年出版於安特衛普（Antwerp），共五卷。該書包括了蘭根斯坦的亨利、彼得·戴利和其他人的短論，以及格爾森的作品。沙爾德的《論帝國的轄區、權力與優勢和教會的權力》中刊載了扎巴列拉的短論和尼古拉的《論天主教的和諧》（*De concordantia cactholica*）。在海德堡（Heidelberg）科學院贊助之下出版的尼古拉著作的新版本，包括了這一著作第一卷的一個經過考訂的版本；第 14 卷（1939）。

❹扎巴列拉的；《論教會的分裂》（*De schismate*），見沙爾德前引書，1566 年版，第 1703a 頁。

❺Ⅱ,Ⅹ～Ⅺ。

❻Ⅱ,ⅩⅣ。

❼曼希（Mansi）：《會議文集》（*Conciliorum coll*），第 27 卷，第 585 行。

❽《從格爾森到格勞秀斯》（*From Gerson to Grotius*），1907 年版，第 234 頁，註15。

❾帕斯特（L. Pastor）：《教皇史》（*History of Popes*），安特羅布斯（F. I. Antrobus）編，第一卷，1906 年版，第 179 頁以下。

參考書目

1. *Nicholas of Cusa.* By Henry Bett. London, 1932.
2. *A History of Mediaeval Political Theory in the West* . By R. W. Carlyle and A. J. Carlyle. 6 vols. London, 1903～1936. Vol. Ⅵ (1906), Part Ⅱ, chs. 1, 3.
3. *Church and State Throught the Centuries: A Collection of Historic Documents with Commentaries.* Trans. and ed. by Sidney Z. Ehler and John B. Morrall. London, 1954. Ch. 4.
4. *Studies of Political Thought from Gerson to Grotius,* 1414～1625. By John Neville Figgis. 2d ed. Cambridge, 1923. Ch. 2.
5. *The Decline of the Medieval Church.* By Alexander C. Flick. 2 vols. London, 1930. Chs. 11～19.
6. *The Social and Political Ideas of Some Great Thinkers of the Renaissance and the Reformation.* Ed by F. J. C. Hearnshaw. London, 1925. Ch. 2.
7. *Essays in the Conciliar Epoch.* By E. F. Jacob. 2d ed. enlarged. Manchaster, 1953.
8. *Medieval Political Ideas.* By Ewart Lewis. 2vols. New York, 1954. Ch. 6.
9. *John Wycliffe and the Beginnings of English Nonconformity.* By K. B. MoFarlane. London, 1952.
10. "Medieval Estates. " By C. H. Mcllwain. In the *Cambridge Medieval History,* Vol. Ⅶ(1932), ch. 23.
11. "Wyclif. " By Bernard L. Manning. In the *Cambridge Medieval History,* Vol. Ⅶ (1932), ch 16.
12. "The Popes of Avignon and the Great Schism." By Guillaume Mollat. In the *Cambridge Medieval History,* Vol. Ⅶ (1932), ch 10.
13. *The History of the Popes, from the Close of the Middle Ages.* By Lud-

wig Pastor. Ed. by F. I. Antrobus. 16 vols. London, 1899~1928. Vol.
Ⅰ, Bks. 1, 2.

14. *Nicholas of Cusa and Medieval Political Thought.* By Paul Sigmund.
Cambrige, Mass., 1963.

15. *Foundations of the Conciliar Theory: The Contribution of the Medie-
val Canonists from Gratian to the Great Schism.* By Brian Tierney.
Cambidge, 1955

16. *The Social Teaching of the Churches.* By Ernest Troeltsch. Eng. trans.
by Olive Wyon. 2 vols. New York, 1949. Ch. 2, Sect. 9.

17. *The Origins of the Great Schism.* By Walter Ullman. London, 1948.
Ch. 10 and Appendix.

18. *La Crise religieuse du XVᵉ siècle: Le pape et le concile* (1418~1450).
By Noël Valois. 2 vols. Paris, 1909.

19. *Le cardinal Nicholes de Cues* (1401~1464), *l'action, la pensée.* By E.
Vansteenberghe. Paris, 1920.

第三部

關於民族國家的學說

第十八章
馬基維利

　　宗教會議派把中世紀立憲主義的原則和實踐帶進教會所遭致的失敗，比代議制機構在國家中的衰退要早一、兩代人的時間。教皇專制主義在十五世紀中葉的復活，從教廷一個多世紀以來所遭受的打擊來看，其速度是驚人的。與這種復活相對應，王權幾乎在整個西歐都獲得了巨大的發展。在所有的王國裡，王權的發展都由於削弱了與之競爭的機構無論貴族、議會、自由城市還是僧侶，並且中世紀的代議制度幾乎在任何地方都無可挽回地失去了它的光彩。只有在英國，實行專制統治時間相對較短的都鐸王朝（Tudor），還允許議會的歷史繼續維持下去。政府和有關政府的觀念，都發生了巨大的變化。在很大程度上，一直由封建主和社團分掌的政治權力，迅速地集中到了國王手裡。國王在當時是日益發展的民族統一事業的主要受益者。以往，只有少數受羅馬帝國法影響的法理學家和極端的教皇派份子，才認為主權者是一切政治權力的本源（教皇派極端份子就把這一概念應用於教皇神聖權利的理論之中），但是到十六世紀，這一概念已成為政治思想的普遍形式了。

　　政治的思想和實踐上的這些變化，反映了整個歐洲社會結構的改變。此一社會結構的變遷雖然有許多地區性的差異，但總體來說相當類似。多年來一直在發展著的經濟變革，到了十五世紀末產生了一種累積效應，使中世紀的社會結構發生了革命性的改造。這些離開了世界教會和世界帝國理論的結構，所依賴的正是這樣的事實，即中世紀的社會就其有效的經濟和政治組織而言，幾乎完全是地方性的。這是交通工具的侷限性所帶來的必然結果。就一個遼闊的政治版圖而言，除非實行讓地方享有廣泛獨立性的聯邦制，否則無法統治。貿易也是以地方性為主，若有超越地方的貿易也只限於特定的商品，這些商品只能沿著固定的路

線運往被獨占的港口和市場。此種貿易往往被生產者的行會所控制，它們是城市的機構，而中世紀貿易組織的單位就是城市。在十四世紀，無論是行動自由還是貨幣的使用，都還極不普遍。

交通狀況的任何重大改善，與這種地方性的貿易壟斷和貿易控制的繼續存在都是不相容的。經濟利益從固定的商業路線和壟斷的市場轉向了自由貿易的一邊，商人冒險家取得了最大的利潤，這些人準備取利於任何市場，他們有投資於事業的資本，並且能經營任何可提供厚利的商品。這樣的商人一旦掌握了市場，亦將對生產實行越來越大的控制，而且他完全超出了行會和城市的權力範圍。就貿易控制而言，商品數量的標準化或是僱傭的價格和條件的管制，這時都不得不由比中世紀的市政當局規模更大的政府來實行。歐洲的一切王國政府所做的正是這種事情。再者，就保護和促進擴大了的貿易而言，它亦成了一項完全超出地方政府權力的事情。到了十六世紀，所有的王國政府都有意識地採取了一種開發國家資源、鼓勵國內外貿易和增強國力的政策。

這些經濟變革具有深刻的社會和政治意義。自羅馬帝國以來，歐洲社會第一次有了這樣一個不可忽視的階級，他們既有錢又有企業。由於顯而易見的原因，這一階級成了貴族的天敵，也成了由貴族所造成的分裂和混亂的剋星。他們的利益是與在國內和國外都「強而有力」的政府站在同一邊，因此他們自然而然地與國王結為政治聯盟。在當時，他們樂於看到王權藉著打破包圍中世紀君主國的種種限制而壯大起來，但他們還沒有控制議會使之足以對抗貴族影響的奢望。所以，他們願意讓代表制機構隸屬於「君主政體」（monarchy）。他們高興見到貴族再也不能供養一幫無法無天的食客，這些食客恐嚇法庭和執法官並加入強盜的行列。無論從什麼觀點來看，資產階級都認為把軍權和司法權盡可能地集中於國王之手是對自己有利的。總之，有秩序和有效能的政府可以帶來相當可觀的益處。當然，國王的權力會變得專斷而又暴虐，但是，比起封建貴族的統治，國王的統治還是更好一些。

近代專制主義

　　因此，到了十六世紀初，專制君主制有的已經成為或者正迅速成為西歐占主導地位的統治形式。中世紀的社會組織之所以到處分崩瓦解，是因為專制君主制係由鐵和血所造就出來，它在很大程度上是建立在赤裸裸的暴力基礎之上。它的巨大破壞性只是由於有這樣的事實才被掩飾起來，即人們在事件之後更傾向於誇耀它所建立的民族君主國家，而不會為它所摧毀的中世紀組織憂傷。專制君主制推翻了中世紀文明所賴以生存的封建立憲制度和自由的城邦國家，正如後來的民族主義又推翻了專制君主制所造就的王朝正統一樣。教會作為中世紀最有特色的組織，當然也成了它的犧牲品，或者就成了它所依靠的社會力量的犧牲品。由於軟弱和富有──這在鐵血時代是一種致命的結合──修道院受到了信奉新教和天主教的君主國的同樣掠奪，掠奪的財富轉而提供給新生的中產階級，因為這些人正是君主制國家的主要支柱。各個地方的教會統治者越來越屈從於國王的控制，最後終使教會的合法權威消失殆盡。教皇統治權已不復存在，而教會則要麼變成了自願的聯盟，要麼成了國家政府的夥伴，這對基督教思想來說，簡直是破天荒了。

　　如同封建立憲君主制一樣，專制君主制的發展幾乎遍及了整個西歐。在西班牙，斐迪南（Ferdinand）和伊薩貝拉（Isabella）的聯姻使得阿拉岡（Aragon）和卡斯提（Castile）合而為一，從而形成了專制君主政體，使得這個國家在十六世紀的大部份時間裡一直是歐洲最強大的國家。在英國，玫瑰戰爭的結束和亨利七世（1485～1509）的統治，開始了都鐸王朝的專制主義時期，這一時期包括亨利八世的整個在位時期和伊麗莎白（Elizabeth）的大部份統治時期。雖然亨利七世王位的取得要歸因於他與貴族的聯合──他本來幾乎沒有繼承資格可言──但他執行的政策一般說來卻是切合那個時代的。沒有中產階級的支持，他就無法獲得成功，他不得不全力鎮壓那些無法無天的貴族追隨者，因為這些人威脅了王權，也威脅了中產階級。他建立了秩序，從而促進了貿易，他也鼓勵海上冒險。他的王權完全凌駕下院（House of Commons）之上，因為在這個機構裡，貴族對於選舉的影響還是過於強大，以致頗有危險。事實上，當時仍有一個的明顯例外，這就是日耳曼。在這裡，軟弱的帝國一方面允許無政府主義，另一方面卻又阻礙民族情感的滋長，而這種民族情感本來一直是巴伐利亞人劉易斯與教皇進行論爭的主要支柱。然而，即使在日耳曼，這種大趨勢也不可阻擋，而只是被延緩而已，因為普魯士和奧地利的君主權力的上升，與早些時候發生於西班牙、英國和法國的變革並沒有什麼不同。

　　無論如何，是法國提供了發展高度君主集權的最典型的例子。❶論述美男子腓力（Philip the Fair）時已經提到的法國國家統一的早期成果，在百年戰爭期間已大部份付諸流水了。儘管這一時期的內外戰爭損害了君主制國家，但它對於曾危及王權的所有其他中世紀機構——自治的、封建的和代表制的機構——亦給予了致命的打擊。在十五世紀下半葉，由於王權迅速得到鞏固，法國成了歐洲最統一、最團結與最和諧的國家。一四三九年的法令把國家的全部軍權都集中到了國王的手裡，並透過授權他征收國稅來支持他的權威而使他的權威行之有效。這一措施取得了驚人的成效。這一成功非常清楚地說明了為什麼新興的民族國家願意支持君主專制制度。沒有幾年功夫，一支訓練有素、裝備精良的軍隊就建立了起來，並把英國人從國家中趕了出去。在十五世紀結束之前，幾個強大的封建領主——勃艮第（Burgundy）、布利塔尼（Brittany）和昂儒（Anjou）——都不得不俯首稱臣。與此同時，莊園永遠失去了對稅收的控制，因而也就失去了左右國王的力量，而國王還掌握了對法國教會的控制權。從十六世紀初年一直到大革命時期，國王幾乎成了國家唯一的代言人。

　　席捲整個歐洲的這樣一些大突變，理所當然地會在政治理論方面引起同樣的變革。在十六世紀初期，這一變革集中體現在一位執拗而近乎矛盾的人物——馬基維利（Machiavelli）的身上。在他那個時代，再沒有第二個人能如此清楚地意識到整個歐洲的政治演變方向。他也比任何人都更明確地承認了赤裸裸的暴力在這一進程中的作用，在這一時期，他比任何人都欣賞處於初始階段的民族統一意識，而這種暴力正是隱約建立在此一意識之上。他比任何人都更清楚地意識到長期習以為常的忠誠和虔敬的式微會伴隨著道德上和政治上的腐敗，並且他還懷有也

許比任何人更强烈的懷舊情感，思念像古羅馬在他心目中所代表的那種
較健康的生活。確實，馬基維利比任何人更了解義大利。但是，雖然他
在**新教改革**（Protestant Reformation）前夕從事寫作，卻幾乎不瞭解
宗教在下兩個世紀的政治生活中所引的作用。當他受到義大利異教復興
影響的時候，出於他所受的訓練和他的氣質，使他無法領會歐洲政治從
中世紀繼承下來的法制和道德理想。他的政治眼光是清晰和開闊的，但
從特殊意義上說，他仍然是一個十六世紀前二十五年的義大利人。如果
他的寫作是在另外的時空進行，則他的政治見解勢必會大為不同。

義大利和教皇

　　在義大利，一種新興的商業和工業制度的力量對較陳舊的機構起了
特別的破壞作用。但是，由於政治局勢的內在原因，建設性的力量亦受
到了特別的抵消和阻礙。曾經挫敗霍亨斯道芬（Hohenstaufen）王朝
中帝國計畫的義大利北方自由城市，在政治上和經濟上都已落後於時代
的潮流。它們不能應付當時的形勢需要，實行權力集中，組織公民軍
隊，並執行更廣泛、更活躍的外交政策。在馬基維利從事寫作的時候，
義大利分為五個較大的國家：南方的那不勒斯（Naples）王國，西北
部的米蘭（Milan）公國，東北部的威尼斯（Venice）貴族共和國、佛
羅倫斯（Florence）共和國和位於中心的教皇國。一五一二年，佛羅倫
斯共和國的陷落——馬基維利正是在這一無所事事的時期撰寫其政治著
作——說明了不能應付當時政治暴力的政府將會遭遇到什麼樣的命運。
教皇國在經歷了大分裂所帶來的衰敗之後，其重建也體現了這種集中的
趨勢。馬基維利時期的教皇，儘管往往是惡棍和荒淫無恥之徒，但卻成
功地使他們的國家成為義大利最鞏固和最持久的國家。也許歐洲政治生
活中最重要的變革，就是教皇成了義大利諸統治者中的一員。教皇過去
懷有充當基督教世界一切爭端之仲裁者的野心，現在已降低為比較現實
和比較世俗化的要求，即保持對義大利中部的統治。
　　然而，儘管統一已經開始，但卻無法完成，正如馬基維利所看到
的，這種情況使義大利的政治發展處於一種被抑制的狀態。在義大利，

似乎沒有一種力量足以統一整個半島。義大利忍受著暴政帶來的一切屈
辱和壓迫，卻只得到少許的報償。暴君之間的分裂，使這一塊土地成了
法國人、西班牙人和日耳曼人的戰利品。像當時大多數義大利人一樣，
馬基維利認爲教會應對這一事態負有特別的責任。教皇本人雖然無力統
一義大利，但卻足以阻止任何其他統治者這樣做，而且他的國際聯繫還
使他成了推行一項招引外國干涉的罪惡政策的帶頭者。這就是馬基維利
爲什麼如此頻繁地以尖刻的嘲諷抨擊教會的原因——

> 因此，我們義大利人之所以變得不信宗敎和道德，應歸罪於羅馬
> 敎會及其神職人員，然而，我們還欠她一份更大的情義，一份行將導
> 致我們滅亡的情義，這就是敎會一向堅持並且現在仍然堅持使我們國
> 家的分裂。毫無疑問。除非一個國家完全服從於一個政府，不管是共
> 和制還是君主制，就像在法國和西班牙那樣，否則這個國家是絕不會
> 獲得統一和幸福的。而義大利之所以不能如此，不能由單一的共和國
> 或君主來統治，惟一的原因就在於敎會。……由於敎會沒有足夠的力
> 量統治全義大利，也不讓其他勢力這樣做，因此，義大利之所以始終
> 不能在一個首腦之下實現統一，之所以一直處於眾多的王公貴族的分
> 治之下，原因就在於敎會。這種局面導致義大利衝突頻仍，國勢積
> 弱，不論誰都要來欺凌她。❷

　　義大利的社會和政治生活，特別反映了制度衰敗的狀況，馬基維利
的看法是如此，大多數歷史學家的看法也是如此。義大利的社會具有卓
越的智慧和藝術創造力，它比歐洲任何地方更不受權威的約束。它本來
是準備以理性和經驗主義的冷靜態度來面對這個世界，然而卻成了極端
的政治腐敗和道德淪喪的犧牲品。陳舊的城市機構已毫無生氣，在但丁
時代尙能喚起貴族熱情的中世紀概念，諸如敎會和帝國，甚至已爲人們
所淡忘，殘忍行爲和謀殺，已成了政府的正常職能；眞誠和老實已成了
孩子氣的自責，甚至明之士幾乎都不願再掛在嘴上；暴力和權術是成功
的關鍵；放蕩墮落和淫逸腐化是如此的普遍，甚至毋須贅言；赤裸裸的
和不加掩飾的自私自利，需要的只是成功，以便證明它行之有理。這一
時期確切地說乃是「壞蛋和冒險家」（bastard and adventurer）的時
代，這個社會之所以被創造出來，好像就是爲了說明亞里斯多德的這一

格言：「人，當他離開了法律和正義的時候，就成了最卑劣的野獸。」因此，在某種特定的意義上，馬基維利乃是論證社會是沒有主人之人（masterless man）的社會的政治理論家。在這樣的社會裡，每個個人都獨立自存，除了他自身的那些利己主義的動機和利益之外，其他一切都不存在。在這裡，他描述了一切現代社會的一個側面，不過他是以誇張的方式來描述，這種描述與十六世紀的義大利頗為吻合。

馬基維利所關心的問題

馬基維利最重要的政治著作是《君王論》（ *Prince* ）和《論泰特斯・利維斯的前十卷書》（ *Discourse on the First Ten Books of Titus Livius* ），這兩部著作都於一五一三年提筆撰寫，大體上也在同年完成。在這兩部著作中，有關政府的論述迥然不同。一些追隨盧梭的作家認為，這兩部著作彼此並不一致。實際上，如果特別考慮到《君王論》的寫作環境，則事實並非如此，但遺憾的是，絕大多數讀者正是透過這部著作來了解馬基維利。這兩部著作論述的是同一問題的不同層面，這個問題就是：國家興衰的原因和政治家使之永存的手段。《君王論》論述了君主制或專制政體，而《論述》（《論泰特斯・利維斯的前十卷書》的簡稱，下同）則主要論述羅馬共和國的擴張。這與馬基維利在《君王論》一開始對國家所作的雙重分類是一致的。《君王論》是作者出於特殊目的而對自己觀點的彙集，並且確實是想藉以謀求梅迪奇（Medici）家族的任用，但是，書中所提出的見解本身與他求用之心並沒有關係。正如維拉里（Villari）所說，任何熟悉《論述》並了解作者特殊目的的人，都差不多能預見到《君王論》中所論及的一切。這兩本書都同樣體現了馬基維利那些格外引人注目的特點，例如，他對使用不道德手段達到政治目的滿不在乎，並認為政府主要是依賴於暴力和權術。《君王論》中沒有提及的，就是他對那種以羅馬共和國為典型形態而深得民心政府的真誠熱情，可是他認為在他寫作之時，這種政府對於義大利來說是不現實的。

馬基維利的政治作品，與其說屬於政治理論，不如說將其歸之於外交文獻類。當時的義大利作家撰寫了一大批有關外交的作品。在馬基維

利時代，義大利各國之間縱橫捭闔的外交活動空前激烈。統治者之間反反覆覆的談判，對這些冒險者來說至關重要，因爲這些人確信，他們的成功既取決於熟練的投機，也取決於非凡的實力。有關外交的著作以及馬基維利的著作，具有特殊的長處和短處。這類著作對政治局勢中的有利和不利因素有最敏銳的洞察，能最明確、最冷靜地判斷對手的才略和性格，能最客觀地評估政策的侷限，能提供預測事件的邏輯發展和行動結果的可靠常識。正是由於馬基維利的著作具有這些無與倫比的優質，致使他直到今天仍然是外交家們所青睞的作家。然而，有關外交的著作很可能出於權術的緣故而誇大了權術的重要性，從而把權術爲之服務的目的降至最次要的地位。如此，很自然就會肯定政治活動本身就是目的。

這就是馬基維利最引人注目的特點。他所論述的問題，不外乎統治技巧、強國之術、擴張力量之策和導致衰亡之誤。政治和軍事措施簡直是他關心的唯一主題，而他也幾乎把這些政策與宗教、道德和社會考慮完全分離開了，除非它們影響到政治措施。政治活動的目的是保持和發展政治權力本身，而他據以判斷政治活動的標準，就在於能否成功地達到這一目的。一項政策是否殘忍、不講信義或不合法律，在大多數情況下他並不在乎，儘管他十分清楚這些特質對於促使政治成功將會引起反作用。他經常談論，爲達到統治者的目標而熟練地運用不道德手段的好處，或許正是這一點敗壞了他的名聲。不過，從總體上來說，他並非道德敗壞，而是不理會道德。他把政治從其它種種考慮中直率地抽離出來，並且把它當成唯一目的進行論述。

道德上的冷漠

在亞里斯多德的《政治學》中某些部份，也許可以找到十分類似於馬基維利把政治措施與道德相分離的內容。亞里斯多德在這些地方探討如何維護國家的時候，並不涉及國家形式的好壞。然而，絕不能因此就斷定馬基維利效法了這些段落。雖然在他的世俗主義和兩個世紀之前造就出《和平的保衞者》的自然主義式亞里斯多德主義之間可能存在著某種聯

繫，但他的意識裡並不想遵循任何人。馬基維利和馬西利奧除了都痛恨
造成義大利分裂的教皇統治之外，他們實質上還有相似的政治功利恩
怨，即宗教應以政治功效作爲其世俗的結果。❸不過，馬基維利的世俗
主義遠遠勝過了馬西利奧，並且完全超脫了雙重眞理的詭辯。馬西利奧
在爲理性的自治進行辯護時，是把基督教的道德來世化，而馬基維利之
所以譴責它們，就是因爲它們是來世的。他認爲，基督教的美德造成卑
屈馴服的奴隸性格，在這一方面，基督教甚至比不上古代社會的強調剛
健精神——

> 我們的宗教認爲最大的幸福就在於謙恭、低三下四和蔑視世俗事
> 物，而其他宗教正好相反，認爲至高無上的善存在於崇高的靈魂、強
> 壯的身體以及其他種種令人生畏的品質之中。……在我看來，這些原
> 則使人軟弱，並使人們更容易成爲惡人的犧牲品，這些惡人看到一大
> 羣人爲了能進天堂，寧願忍受傷害而不進行報復，就能夠更牢固地控
> 制他們。❹

　　這段話表明，馬基維利對廣大民衆中的道德和宗教對於社會和政治
生活的影響，並非無動於衷。他贊同統治者爲達目的使用不道德的手
段，但他從未懷疑這一點，即一個道德腐敗的民族絕不會有良好的統
治。他所欽佩的不外是古羅馬人和當時瑞士人的公民道德，他認爲這些
道德淵源於家庭的純潔和私人生活的獨立，淵源於堅毅、生活方式的簡
樸以及履行公共職責的忠誠和可靠。但這並不意味統治者必須信仰其臣
民的宗教或按照他們的美德行事。馬基維利對政治生活中不可估量的力
量絕非視而不見，但在他看來，不可估量的事物只不過是暴力而已。一
支軍隊既靠士氣也靠槍炮，明智的統治者懂得這兩者都應具有最佳品
質。馬基維利提出了一個雙重道德標準的極端例子，這兩個標準一個適
用於統治者，另一個適用於普通公民。第一個標準是以能否成功地保持
和擴大其權力來衡量；第二個標準是視他的行爲給予社會集團什麼樣的
力量。由於統治者是超脫於集團之外，或者至少是與社會集團保持一種
特殊關係，因此他乃是高居於社會集團所必須遵守的道德之上。
　　人們有時認爲，馬基維利對於道德的淡漠，是持科學的超脫態度的
例證。❺但是，這種解釋看來未免牽強附會。馬基維利並不是超然的，

他只不過僅對政治權力這一單一目標有興趣，而對其他一概漠不關心罷了！對於那些使國家日趨衰弱的統治者，他總是毫不猶豫地作出毫不留情的評價。再者，儘管他的判斷是根據經驗，是透過觀察他本人所了解的統治者或是透過研究歷史事例作出，但他的方法卻並不科學。他的經驗主義靠的是常識或敏銳的實際洞察力，並不是交付檢驗理論或普遍原則支配的經驗歸納法。有人認為馬基維利遵循的是一種「歷史」的方法，因為他所引證的往往是過去的例子。這同樣是錯誤的。正如他運用他自己的觀察一樣，他運用歷史不過是要說明或證明他在完全不涉及歷史的情況下所作出的結論。在某種意義上，他所持的完全是非歷史取向（unhistory）的態度。他直言不諱地斷言，人類的本性無論在何時何地都是一樣的。正是基於這個原因，他隨意採用所找到的例證。就他所使用的方法，如果勉強說有的話，可說是以常識為指導進行敏銳的觀察。珍妮特（Janet）曾極為生動地描述了他的成就，說他把政治變成了家常話。

馬基維利的政治理論，並不是以系統的方式，而是以評論特殊情況的方式來發揮。然而，在這些評論的背後或內含於這些評論之中，往往存在著某種前後一致的觀點，這種觀點是有可能發展成為一種政治理論，而且在他之後也確實有了這樣的發展。馬基維利對哲學不大關心，除了歸納對政治家有用的格言外，對其他的東西他都興味索然。他有時只是陳述他的原則，並且常常認為這些原則是理所當然。實際上，他從來不對這些原則作任何的證明。把他那些分散的通則集中起來將是有用的，因為後來的一些思想家確實用從他那裡得來的提示創立了一種系統性的理論，雖然這會造成遠比他的作品所能保證的還統一的印象。

普遍的利己主義

馬基維利有關政治策略的一切論述，幾乎都是以這樣的假定作為根據，即人性在本質上是自私的，而政治家不得不依靠的有效動機正是「利己主義」（egoism）的動機，諸如民眾對於安全的要求和統治者對於權力的要求。政府實際上是建立在軟弱無能的個人之上，這些個人

除非得到國家權力的幫助，否則就不能保護自己免於受他人的侵犯。再者，人性還極富於侵略性並貪得無厭，他們所追求的就是保住他們所有的東西並獲取更多的東西。人類不論對於權力還是對於所有物的慾望都是無止境的，而權力和物質卻總是有其自然匱乏的限度。因此，人始終是處於鬥爭和競爭之中。如果不能用法律背後的力量對這些鬥爭加以限制，那就會導致公開的無政府狀態的危險，而統治者權力的建立，正是爲了解決這種無政府主義的燃眉之急，並且是基於這樣的事實，即只有當政府強大時安全才有保證。馬基維利始終認爲這一有關政府的概念乃是理所當然、不言而喻，雖然他從未把它發展成爲一種有關行爲的心理學理論，但他經常指出，人從總體上來說是惡的，明智的統治者應據此制訂政策。他特別堅持這一點，即成功的政府必須以保障財產和人身安全爲最重要的目標，因爲這是人類本性最普遍的要求。所以，他尖刻地嘲諷說，與財產的被沒收比起來，一個人更願意寬恕自己父親的被謀殺。精明的統治者可能殺人，但他不會去掠奪。當馬基維利的這些見解因得到有系統的心理學解釋和證明而臻於完美之時，它也就變成了霍布斯的政治哲學了。

無論如何，馬基維利是不大關心作爲一般人類動機的惡或利己主義，他更關注的是這種惡或利己主義在義大利的泛濫，這種氾濫已成了社會衰退的徵兆。在他看來，義大利是社會腐敗的典型，並不像君主制在法國和西班牙那樣帶來了某種程度的政治清明——

　　事實上，在當今我們所看到的這些十分腐敗的國家裡，尤其是在義大利，要想尋找任何善的東西都是枉費心機。法國和西班牙也有其腐敗的一面，如果我們在這些國家看不到像在義大利每日可見的那樣多的混亂和麻煩，與其歸因於這些國家人民的善良，不如說是由於這樣的事實，即它們各有一位能使之保持統一的國王……。❻

因此，義大利的問題就是要在腐敗的社會之上建立一個國家，而且馬基維利確信，在這樣的情況下，除非建立專制君主制，否則就不可能實行有效的統治。這就解釋了他爲什麼一方面是羅馬共和國的敬仰者，同時又是專制制度的鼓吹者的原因。馬基維利所說的腐敗，一般是指私人品德的腐化，指公民的誠實和奉獻的喪失，這已使得民衆政府變成不可

能。這種腐敗包括了各種各樣的胡作非爲和騷亂暴動，包括財富和權力
的懸殊不平等，對和平和公正的破壞，無法無天的野心的膨脹、傾軋、
目無法紀、狡猾陰險和輕視宗教。他認爲，在整個瑞士和日耳曼的某些
地區仍有可能實行共和制的統治方式，因爲那些地區還保存著充滿活力
的公民生活，但在義大利則行不通。在必要的美德已經敗壞的情況下，
已不可能使之恢復，而且也不可能在沒有這種美德的情況下進行有秩序
的統治，除非是藉助於專制的力量。

　　然而，除了道德敗壞之外，人類生來就有的侵略性也使得鬥爭和競
爭在任何社會都成爲正常的現象。一方面，這解釋了爲什麼失敗緊隨著
政府所採取的每一個步驟：「人們總是犯下不知道何時限制自己欲望的
錯誤。」但另一方面，它也說明，一個健康社會的穩定取決於對立利益
的均衡。馬基維利認爲，羅馬強大的秘密就在於貴族與平民的對抗。從
這種對抗中，發展出支持偉大羅馬的獨立和剛毅的性格。在享有巨大合
法權威的明智統治者的指引之下，也可以造成動亂的這種陽剛之氣，大
概是解釋羅馬人何以是個好鬥的征戰民族的主要原因。因此，馬基維利
重申了混合式或平衡式政體的古老理論。他在《論述》的開頭部份幾乎是
逐字逐句地複述了波里比厄斯（Polybius）在《歷史》第六卷中所闡述的
政體循環理論，衆所週知，這樣做是不太適宜的。不過，他所想到的均
衡，並不是指政治均衡，而是指社會或經濟均衡──在強有力的君主控
制下各敵對利益的均衡。在這一方面，馬基維利哲學的系統性闡述亦需
要以布丹（Bodin）和霍布斯的君權概念作爲補充。

全能的立法者

　　馬基維利不斷闡述的第二個普遍原則，是立法者應在社會中享有至
高無上的重要地位。一個成功的國家只能由一個人來締造，而他所創立
的法律和政府決定著他的人民的民族特徵。道德和公民情操都是從法律
中所產生，而當一個社會走向腐敗之後，它將無法對自身進行改革，而
只能將它置於一名立法者的控制之下，這位立法者將能夠使之復歸到它
的締造者所確立的健全原則上──

　　不過，一般說來，我們必須接受這樣一點，即除非是經由一個人來行事，否則就不能或幾乎不能建立一個共和國或君主國，或者說就不能或幾乎不能對其陳舊的制度進行徹底的變革，甚至有一點也是必不可少的，即應當由設想這一體制的人獨自一人將其付諸實施。❼

馬基維利所思考的不僅僅是——或者說主要不是政治組織，而是——一個民族的整個道德架構和社會架構。他認為這些出自法律，並且來自立法者的智慧和遠見。只要一位政治家精通策略法則，實際上他的所做所為沒有任何限制。他可以打碎舊的國家並建立新的國家，改變統治形式，遷移居民，並在其臣民性格中確立新的美德。他指出，如果一位統治者缺少士兵，那他除了怪自己之外不能責怪任何人，因為他本來應該採取措施以糾正其臣民怯懦的心理和柔弱的習氣。立法者不僅是國家的建築師，而且也是道德、宗教和經濟制度等社會內在的建築師。

　　關於「一位統治者和一個國家能夠做什麼？」的這種誇張見解，有幾個來由，有部份是因它只不過是有關立法者的古代神話的重現，這種神話，馬基維利是在諸如西塞羅或波里比厄斯那樣一些作家的著作中找著；有部份是因，它反映了馬基維利對處於十六世紀義大利腐敗環境之中的統治者所面臨問題的看法。一位具有真正政治天才的成功的統治者，必須創建一支足夠強大的軍事力量，以平復小城市和公國的混亂，並造就出新的公共精神和公民忠誠。他那個時代的一切情況，都促使他把一位專制的統治者視為一個國家的命運主宰。不過，除了這些歷史情況之外，他自己的政治哲學的邏輯，也推動他的思維向這個方向發展。因為如果人生來就是自私的，那麼就只有國家和維護法律的暴力是凝聚社會的唯一力量；道德上的義務，最終還是要由法律和政府來決定。在這一方面，對馬基維利所提出的東西，進行了系統性的闡述的人，也是霍布斯。

　　從這一點出發，就比較容易理解衡量政治家與普通公民的雙重行為標準，這種雙重標準構成了所謂的「馬基維利主義」（Machiavellism）的主要涵義。如果道德是法律所制定的，那麼統治者作為國家的締造者，就不僅身居於法律之外，而且也身居於道德之外。判斷統治者的行為也就只有一個標準，即只能看他擴大和保持其國力的政治手段是

否成功。馬基維利如此坦率地接受這一結論，並把它納入對統治者的勸告之中，這是他的《君王論》聲名狼籍的主要原因，雖然《論述》的名聲也未見得更好。他公開主張使用虐待、出賣、謀殺以及任何其他手段，只要這些手段能夠非常聰明而隱蔽地達到它們的目的——

> 當他的行爲遭到譴責的時候，行爲的結果可能會使他得到諒解，只要結果是好的，就像羅穆盧斯（Romulus）一案（他謀殺了他的親兄弟）一樣，往往就使他免受非難。因爲遭受譴責的是出於破壞目的而實施暴行的人，並不是出於行善目的而實施暴行的人。❽

> 由於人們的生活方式與他們應該採取的生活方式是如此的不同，以致當一個人偏離他本來應該遵循的方式時，就會發現自己是在走向毀滅而不是走向安全。……因此，一位君主要想維持自己的地位，必須學會使自己不能總是善良爲懷，而應視情況而定，或者行善或者不行善……他也不必爲這樣的缺德行爲遭受譴責而憂心忡忡，不採取這些手段也許就很難保住他的國家。因爲，全面地來考慮就會發現，有些事情看起來好像是美德，但如果你遵循去做，就會導致你的毀滅；而另外一些顯然是罪惡的事情，如果你遵循了，卻會使你得到安全和幸福。❾

馬基維利心目中的君主，乃是機敏與自制的完美化身，他既得利於他的美德，也得利於他的惡行。這樣的君主，只不過是十六世紀義大利暴君的一個理想化形象而已。如果誇張地說，他正是那種被暴君時代拋到政治生活前沿之人的眞實寫照。雖然最極端的事例發生於義大利，但西班牙的斐迪南、法國的路易十一和英國的亨利八世亦屬同一類型。毫無疑問，馬基維利在氣質上是推崇那種雖然不擇手段、但卻有智謀的統治者，而且他對政治上的折衷措施抱著極不信任的態度。他理所當然地認爲，採取折衷措施往往不是出於顧慮而是出於軟弱。他對這類統治者的推崇，有時竟導致他作出了極其膚淺的判斷，例如，當他把醜惡至極的塞扎爾·博基亞（Cesare Borgia）作爲明君典範的時候，竟把他的政治失敗僅僅歸因於不可避免的突發事件。

馬基維利從未像後來的霍布斯所做的那樣，把「全能立法者」的信念確立爲關於政治專制主義的普遍性理論。他對智謀型暴君的推崇，以

及對自由與自治之人民的推崇，都左右著他的判斷，不過，這兩種推崇
並不一致。他隨隨便便地把這兩者拼湊在一起，分別作爲立國的理論和
立國之後治國的理論。用現代的術語可以這樣說，即他對於革命有一套
理論，而對於統治則有另一套理論。因此，他只是在兩種有點特殊的情
況下才主張實行專制主義，這就是在創造一個國家的時候和變革一個腐
敗國家的時候。而國家一旦建成，則只有在人民參政，和君主依法處理
國家日常事務，並充份尊重其臣民的財產和權利的情況下，國家才能長
治久安。專制暴力是一副政治上的猛藥，對腐敗的國家和一切國家所遇
到的特殊意外事件都必不可少，但它畢竟是一劑毒藥，使用時必須極爲
謹愼。

共和主義和國家主義

在馬基維利關於專制君主制的論述中，絲毫也沒有表現出對於羅馬
共和國的自由和自治的明顯熱忱。維護國家和建立國家是不同的，維護
國家依賴於它卓越的法律，因爲這是其公民一切美德的來源。即使是在
君主制國家，建立穩定統治的首要條件同樣在於接受法治。因此，馬基
維利堅持認爲：爲了防止非法暴力行爲的出現，必須用法律手段對付濫
用職權的官吏。他指出，統治者的無法無天在政治上是危險的，實行煩
擾的政策則是愚蠢的。精明的統治者尤其不要占有其臣民的財產和妻
女，因爲這最容易激起人民的反抗。他贊成在一切可能的情況下實行文
雅的統治——這就是棉裡藏針。他明確指出，凡參政者多的地方，統治
就比較穩定。他更贊成以選舉而不是以繼承作爲挑選統治者的方式。他
主張，爲了國家的幸福應有提出方案的普遍自由和辯論自由，以便在任
何問題做出決定之前都能先聽取兩方面的意見。他認爲，人民必須是獨
立的和強有力的，因爲如果不給予他們反抗的手段，就絕不能使他們具
有好戰性。最後，與君主的品德和判斷力比起來，他對未腐化的人民美
德和判斷力給予了很高的評價。他認爲，儘管人民對於錯綜複雜的政策
並非很有遠見，但對於他們所瞭解的事情，諸如評價一位行政官員的聲
望，其判斷卻比君主更敏銳、更可靠。不管馬基維利的政治判斷如何玩

世不恭，他對自由的和法律的、統治的尊重，確是明瞭無誤。像哈林頓
（Harrington）那樣的立憲主義者之所以會讚賞他，原因就在於此。

　　馬基維利所贊同的主張是，在可能的地方建立民衆政府，在必要的
地方建立君主專制。與此密切相聯，他對貴族政治和貴族階層則極其蔑
視。他比當時任何思想家都更清楚地覺察到，貴族階層的利益與君主、
中產階級的利益都不相容，要建立有秩序的統治就必須鎮壓或消滅之。
這種「紳士們」依靠他們財產的收入過著悠閒的生活，卻不爲社會提供
任何有用的服務，「在任何地方都是文明政府的敵人」——

　　　　建立任何類型的秩序，都只能有一種辦法，這就是建立君主制的
　　政府；因爲在人民主體已完全腐敗的情況下，法律是無力加以約束
　　的，因此必須建立某種高高在上的政權，這一政權憑藉君主之手，依
　　靠完全而絕對的權力，就可以限制權貴極大的野心和腐化墜落。❿

馬基維利對塞扎爾・博基亞的推崇，只有一個事實似乎還有道理，即塞
扎爾儘管惡貫滿盈，但他取代了強盜式的封建貴族以後，在羅馬哥那
（Romagna）建立了更好的統治。馬基維利爲他心目中的君主確立的
是一項以毒攻毒的任務，不過，在君主的惡行中至少還有宏大的目標和
廣博的政治見解，而君主的對手卻只有惡行而沒有這些東西。

　　馬基維利對貴族的厭惡與他對傭兵的憎恨可說是互爲表裡。在這
裡，他注意到了造成義大利無法無天的最重要原因之一，那就是受僱傭
的流氓團伙。對這些人來說，誰給錢多，他們就準備爲誰賣命，他們對
誰都無忠誠可言，因此，這些人對他們的僱主常常比對他們的敵人更加
危險。這些職業軍人幾乎完全取代了自由城市原有的公民士兵，他們有
本事在義大利製造恐怖，但卻不是組織得更嚴密且更加忠誠的法國軍隊
的對手。馬基維利清楚地感受到，法國從其軍隊國家化中所得到益處，
因此，他不遺餘力地鼓吹訓練和武裝一支公民軍隊是國家的當務之急。
他從親身觀察中瞭解到，傭兵和外國援軍對於不得不依賴於它們的統治
者來說，同樣是毀滅性因素。他們會耗盡他的財富，在危難之時幾乎肯
定會導致他的失敗，因此，統治者首先應關注的就是戰爭藝術問題，這
是他全部冒險事業能否成功的條件。首先，他必須設法建立一支由他自
己的公民所組織的強大軍隊，這支軍隊裝備精良，紀律嚴整，並由於効

忠國家而依附於他的門下。馬基維利主張，所有十七歲到四十歲的強壯公民都應接受軍事訓練。憑藉這支軍隊，統治者可以維持他的政權，並擴張國家的疆界，倘若沒有這支軍隊，他就會成爲內部傾軋和鄰國君主覬覦的犧牲品。

有一種情感促使馬基維利相信公民軍隊而痛恨貴族，並淡化了他政治觀點的玩世不恭色彩。這種情感就是愛國主義和要求實現義大利的統一，並使之能在面臨內爭與外患時不致毀滅的願望。他十分坦率地提出，一個人對國家的義務高於一切其他義務和一切顧慮——

> 由於國家的安危取決於果斷和剛毅，所以正義還是非正義，人道還是殘忍，光榮還是羞恥都應置之度外。然而，在把其他一切都撇在一邊的時候，唯有一個問題是應該考慮的，即實行什麼方針才能保全國家的生存和自由？**⓫**

就是這種情感使得他把專制而殘酷的權力加以理想化，他在《君王論》最後一章的結論中斬釘截鐵地表現了這種情感。馬基維利希望在義大利的獨裁者中，也許在梅迪奇家族中，能出現這樣一位君主，他能夠目矚義大利的統一，並有足夠的勇氣使之成爲現實——

> 假如……這些是必要的，即爲了顯示摩西的美德，以色列人民就應當在埃及從事勞役；爲了展露居魯士（Cyrus）的偉大和勇氣，波斯人就應當受米底斯人（Medes）的壓迫；爲了說明提秀斯（Theseus）的傑出，雅典人就應當流離失所；那麼，今天爲了證明具有突出精神力量的義大利人的美德，就應當使今天義大利的境況比猶太人更加屈辱，比波斯人更爲苦難，比雅典人更加離散，沒有首領，沒有秩序，飽嘗其敵人的征服、劫掠、宰割和蹂躪，並遭受一切可能的破壞。**⓬**

然而，儘管盼望義大利實現和平與統一是馬基維利眞正的思想動機，但這對他來說只是一種情感而不是一項明確的計畫。他透過觀察法國和西班牙所獲得的國家統一，確立了這樣的信念，即統一必須在專制君主領導之下實現，除此之外，他對義大利的統一並沒有提出任何可稱之爲政策的東西。他認爲義大利的統一是相當遙遠的希望，不統一，國

家是絕不會繁榮幸福的，但他實際上從未設想過全國規模的政體。喚起他最大熱情的政體，就是諸如羅馬那樣擴張中的城邦，這樣的城邦毫無疑問應當遵循有遠見的政策，吸引並保持其同盟者的支持，但是這樣的城邦在馬基維利的概念中，從未上昇到確立全國性公民身分的高度。因此，儘管《君王論》的最後一章是出自肺腑之言，但它卻碰巧是一個例外，並不是他通常向君主們進言時所提出的那種卑劣的建議。

灼見與缺憾

馬基維利的性格和他的哲學的真實意義，一直是近代史上一個不解之謎。人們把他描述爲一個十足玩世不恭的人、一個充滿激情的愛國之士、一個強烈的國家主義者、一個政治陰謀家、一個篤信民主主義者和一個吹捧暴君的無恥之徒。這些描述儘管彼此矛盾，但其中的每一描述大概都有合理的因素。然而，無論就馬基維利本人而言，還是就其思想而言，這些描述中的任何一項都是極其片面的。他的思想是真正的經驗主義的思想，這些思想是經過廣泛的政治觀察和博覽政治史的結果。他從未試圖把他的全部觀察納入任何總體體系。同樣，他的性格也必定十分複雜。誠然，他的著作表明他在興趣上的專注的確令人驚訝！除了政治、治國之術和戰爭藝術之外，他不寫別的也不想別的。對於更深一層的社會問題，諸如經濟問題或宗教問題，除非它們與政治有關，否則他絕無興趣。也許由於他太注重實際，以致他的哲學沒有深度，但就純粹的政治學而言，他在同儕中視野最爲廣闊，而且對歐洲發展的總趨勢具最敏銳的灼見——

> 他所生活的時代，歐洲古老的政治秩序正在分崩瓦解，國家和社會中所出現的新問題使人目不暇接，他力圖解釋各種事件的邏輯意義，預料不可避免的種種結局，找出並闡述種種規則，這些今後注定要支配政治行爲的規則，當時正在民族國家的生活（national life）新形成條件之中生成。⓭

馬基維利爲現代政治學中的國家（state）所確立的涵義，超過任

何其他思想家。甚至這個詞本身，作爲最高政治實體的名稱，似乎主要也是由於他的著作才風行於現代語言之中。國家作爲有組織的力量，在它自己的領土之內享有至高無上的地位，並且在與其他國家的交往中推行一種有意識的擴張政策，它不僅成爲典型的現代政治組織，而且成爲現代社會中日益發展的最強大組織。越來越多的權利和義務落到了國家的頭上，它須調節和控制所有的其他社會組織，並須根據國家本身的利益制定方針來指導這些組織。這就是現代政治生活中國家所一直發揮的作用。這清楚地表明，馬基維利把握住了政治發展的方向。

　　馬基維利的天資，在論述專制君主和繼之而來的民族國家的治國之術方面放射出了奪目的光彩，但是，他所揭示出來的東西是否與它掩蓋的東西一樣多就很難說了。把政治活動的成敗主要歸因於政治家的機敏或愚蠢，這樣的哲學肯定是太膚淺了。馬基維利認爲，社會中的道德、宗教和經濟因素，聰明的政治家可以轉化爲有利於國家或者基於國家利益政治家可以製造的因素。這不僅顚倒了正常的價值順序，而且也顚倒了因果效應的正常順序。總之，可以肯定，除了在少數幻想破滅的義大利人之中，馬基維利的思想完全不能體現十六世紀初期的歐洲思想狀況。馬丁・路德把他的論文釘在維登堡（Wittenberg）教堂門上一事，就發生於馬基維利撰寫他那兩部書的十年之內。是新教徒的宗教改革運動的影響，使得政治活動和政治思想與宗教和宗教信仰分歧之間建立了比中世紀大多數年代更爲密切的聯繫。馬基維利對宗教眞諦的漠視，最終變成了近代思想的共同特徵，但在他那個時代乃至以後的兩個世紀裡，顯然是不能這樣對待宗教的。從這個意義來說，他的哲學具有狹隘的地方性和短促的時間性。如果他的寫作是在義大利以外的任何別的國家，或者是在宗教改革開始以後的義大利，或者甚而是在羅馬教會的反改革運動開始之後，那就不可能想像他還會像以往那樣對待宗教了。

註 解

❶參閱斯坦利・李斯（Stanley Leathes）的〈法國〉（France），載於《劍橋現代史》
（*Cambridge Modern History*）第 1 卷，1903 年版。及亞當斯（G. B. Adams）《中世紀文明》（*Civilization during the Middle Ages*），1914 年版，第
13 章。

❷《論泰特斯・利維斯的前十卷書》，I，12；見德特莫爾德（C. E. Detmold）的譯
本：《尼古拉・馬基維利的歷史、政治和外交作品》（*The Historical, Political,
and Diplomatic Writings of Niccola Machiavelli*），第 4 卷，波士頓和紐約，
1891 年版。

❸波萊維丹-奧頓（Previté-Orton）在他的筆記中注意到了幾處重要的相似之點，
見他的《保衛者》（*Defensor*）的版本，參閱索引 B，馬基維利條。可對照 II, XX
VI, 20 有關義大利的段落和《君王論》第 26 章。

❹《論述》（*Discourse*），II，2。

❺弗雷德里克・波洛克爵士（Frederick Pollock）：《政治科學史》（*History of the
Science of Politis*），1911 年版，第 43 頁。

❻《論述》，I，55。

❼《論述》，I，9。

❽同上。

❾《君王篇》，第 15 章。

❿《論述》，I，55。

⓫《論述》，III，41。

⓬《君王篇》，第 26 章。

⓭伯德（L. A. Burd），《劍橋現代史》（*Cambridge Modern History*），第 1 卷，
1903 年版，第 200 頁。

參考書目

1. *A History of Political Thought in the Sixteenth Century.* By J. W. Aallen. 3d ed. London, 1951 .Part IV, ch. 2 .

2. *Il principe.* Ed. by L. A. Burd. Oxford, 1891. (Introduction by Lord Acton; reprinted in the *History of Freedom and Other Essays.* London, 1907.)

3. "Florence(Ⅱ): Machiavelli." By L. A. Burd. In the *Cambridge Modern History.* Vol. I (1903), ch. 6.

4. *The Statecraft of Machiavelli.* By H. Butterfield. New York, 1956.

5. *The Myth of the State.* By Ernst Cassirer. New Haven, Conn., 1946. Chs. 10~11.

6. "Economic Change." By William Cunningham. In the *Cambridge Modern History*, Vol. Ⅰ (1903), ch. 15.

7. "Machiavelli's Political Philosophy." By C. R. Fay. In *Youth and Power.* London, 1931.

8. *Studies of Political Thought from Gerson to Grotius*, 1414~1625. By John Neville Figgis. 2d ed. Cambridge, 1923. Ch. 3.

9. *Machiavelli's Prince and Its Forerunners: The Prince as a Typical Book de regimine principum.* By Allan H. Gilbert. Durham, N. C., 1938.

10. *The Social and Political Ideas of Some Great Thinkers of the Renaissance and the Reformation.* Ed. by F. J. C. Hearnshaw. London, 1925. Ch. 4.

11. *Histoire de la science politique.* By P. Janet. 2 vols. 4th ed. Paris, 1913. Vol. Ⅰ, pp. 491~602.

12. "Machiavelli and the Present Time." By H. J. Laski. In *The Dangers of Obedience and Other Essays.* New York, 1930.

13. *Machiavelli.* The Romanes Lecture, 1897. By John Morley. London,

1897.

14. *Machiavelli and His Times.* By D. Erskine Muir. London, 1936.

15. *Machiavelli.* By Giuseppe Prezzolini. New York, 1967.

16. *Machiavelli: The Man, His Work, and His Times.* By Jeffrey Pulver. London, 1937.

17. *The Life of Niccolo Machiavelli.* By Roberto Ridolphi. Chicago, 1963.

18. *Machiavelli.* By Luigi Russo. Bari, 1966.

19. *Thoughts on Machiavelli.* By Leo Strauss. Glencoe, Ill., 1958.

20. *The Life and Times of Niccolo Machiavelli.* By P. Villari. Eng. trans. by Linda Villari. 2 vols. Rev. ed. London, 1892.

21. *Machiavelli.* By J. H. Whitfield. Oxford, 1947.

22. "Machiavelli's Concept of Virtu Reconsidered," *Political Studies*, June, 1967. By Neal Wood.

第十九章
早期的新教改革者

　　基督新教改革運動（Protestant Reformation），把政治理論與宗教信仰上的分歧以及神學教條上的問題融合在一起，其結合之緊密即使在中世紀也未曾有過。不過，關於這種關係，卻無法用簡單的程式加以表述。在任何地方，人們都是用神學的論點為政治理論辯護，並且都是以宗教真理的名義組織政治聯盟。然而，天主教（即基督舊教）也罷，新教也罷，並沒有哪個宗教派別真的把它的政治信仰與它所信奉的神學聯繫在一起。這個原因顯而易見，天主教和新教以及新教各派都一樣，利用的是相同的基督教傳統和相同的歐洲政治經驗。所有教派的學者都具有相同的思想淵源，這一豐富多彩的思想主體可以一直追溯到十一世紀，它所體現的是使人緬懷往古的傳統。這種政治傳統的任何部份與任何特殊神學體系的邏輯依賴關係都是鬆散的，就如同中世紀一直存在的情況一樣。新教徒可以根據他們的目的和環境從中進行選擇，就像天主教徒通常所做的那樣。因此，宗教改革運動並沒有產生任何新教的政治理論，在這點上它並未取得比中古的天主教更多的成就，它甚至沒有產生出緊密依賴於新教神學的英國國教理論、長老會理論或路德派理論。假使有時間並且與政府有穩定的聯繫，那麼任何團體都能挑選出或多或少前後一致的政治理論，而這些政治理論也適合於它的處境，並且完全符合其成員的信仰特點（儘管總有個別例外）。但是，政治信念上的相似，並非取決於神學，而是取決於環境，政治上的不同與其說來自於神學上的差別，不如說是因為各教派發現自己所處的地位不同。因此，一個英國國教徒、一個路德派教徒和一個法國天主教徒對國王神授權力問題的看法要比對神學問題的意見更加一致，而且他們還會一致地把新教的加爾文派教徒和天主教的耶穌會教士視為公敵。政治理論上的分類與

宗敎派別的分類是從來不一致的，儘管宗敎團體確實建立過典型的理論
體系。

　　因中世紀神職人員干預政治或世俗人員干預宗敎而一直存在的那些
難題，絕不會僅僅因爲新敎徒與羅馬敎會斷絕關係就迎刃而解。分裂改
變了這些難題的形式，但同時也加劇了這些困難，因爲當時的宗敎比以
往任何時候都更依賴於政治，並更深地捲入了政治。再者，宗敎和國家
的關係也隨著每一個國家的政治和宗敎形勢的變化而變化。流行的敎會
概念和宗敎概念的改變，遠比已得到證明的那些事實的改變要慢，而所
得到的結果則從未達到所期望達到的程度。這樣，敎會的團結一致就永
遠地被打破了，日益增多的敎會取代了獨一無二的敎會，然而，即使是
不受束縛的新敎徒，也只是在一個世紀之前才考慮到這一事實。敎會做
爲天啓眞理的唯一護衞者的看法依然存在著，但新敎徒以聖經的「無
謬」（infallibility）取代僧侶統治集團的權威事實，使他們同樣成爲權
威主義者。每一個人都抱著現在看來是不可思議的天眞態度，認爲只要
去除其對立派的愚昧，或者更經常地去除他們的邪惡，就有可能或者肯
定能就宗敎眞理達成一致意見。除了極少數作家之外，沒有什麼人想到
「宗敎寬容」（religious toleration）問題。神職人員一般認爲眞正的
敎義應當靠公共權力來維持，而政治家們則認爲宗敎的統一是維持公共
秩序中不可或缺條件。凡是羅馬敎會的統治被打破的地方，維持信仰就
成了市政當局的職責，因爲再沒有別的機構能做這件事了。結果，決定
什麼是眞正敎義的權力就大部份落到世俗統治者的手裡了。如果政府是
踏踏實實地進行嘗試，那它就該擔負起決定什麼是宗敎眞理的不可能完
成任務；而如果它不能踏踏實實地做，那政治家們就可以大肆混水摸魚
了。

消極服從和反抗的權利

　　因此，從總體上來看，宗敎改革運動連同引發的敎派論爭，加快了
早已蠢蠢欲動的擴大和鞏固王權的趨勢。敎會透過宗敎大會改革自身所
遭遇的失敗，說明除非得到世俗統治者的支持，甚至須得到暴力的支

持，否則改革就不可能成功。馬丁·路德早就發現，在日耳曼要進行成功的改革，必須得到王公們的幫助。在英國，宗教改革則由已掌握了近乎絕對權力的亨利八世完成，而且它的直接後果是進一步加強了王權。一般說來，在歐洲，隨著爭論的擴展，國王成了國家統一的集結之點。這在十六世紀下半葉的法國尤爲明顯。可以說任何地方的宗教派別，凡取得成功者，碰巧都是和強有力的國內政策聯姻，這是毫不誇張的。在英國和日耳曼北部，新教徒都擁護王公。在法國和西班牙，新教徒與貴族、行省或城市的爭取獨立運動結合了起來，結果使得兩國的國教仍保有天主教。這樣，無論誰失敗，國王都是勝利者。與宗教改革運動沒有淵源關係，並且和任何宗教信仰形式都沒有更多天然聯繫的專制君主國家，首先成了這一運動的主要政治受益者。

由於更多強而有力的改革團體繼續感到它們必須在兩條戰線上作戰，從而增強了這種效果。自然，它們不得不和教皇鬥爭，爲了這個目的，他們運用了自奧肯的威廉以來在兩百年間已成爲共同資產的那些原則和論據。不過，占主導地位的新教改革者，甚至比天主教更強烈地感到必須與新教的「極端份子」組成的更隱匿，和更激進的宗教和社會改革運動劃清界限。若干世紀以來，這一類運動毫無疑問地一直在暗中醞釀著，一旦穩定的局面被動搖，它就會立刻暴露出來。十六世紀的新興資產階級對「再浸禮教派」（Anabaptism）和農民暴動的恐懼和憎恨，比對日後類似無產階級騷亂的恐懼和憎恨更爲強烈、更爲敏感。受到路德和喀爾文祝福的再浸禮教派和農民暴動，受到了殘酷的鎮壓。君主制國家受到新興中產階級的支持並非無緣無故，而宗教改革者之所以會投入王公的懷抱也是出於同樣的原因。這樣，宗教改革運動就和早已存在的經濟力量攜手造了王室政府，在國內賦予它絕對的權力，在國外則聽任其爲所欲爲，這便是歐洲國家的典型型態。

然而，新教同時還導致了另外一個結果，從長遠來看，這一結果趨向於相反的作用。在北歐的大部份地方，它產生了相對強大的宗教少數派，這些團體爲數太多以致無法進行壓制，因爲鎮壓就要危及公共秩序，而且它們像當權黨派一樣，決心爲了自己的信仰而獲取合法地位。顯而易見，每一個這樣的團體都是潛在的混亂根源，而每一個宗教的差異同時都是一個政治問題。宗教寬容政策只有緩慢地並且是在別無選擇

的壓力下才會出現，正如人們所看到的，對於信奉不同宗敎的人民來
說，是可能有共同的政治忠誠。與此同時，宗敎和政治的融合完成了。
支持統治者變成了宗敎信仰的第一信條，而捍衞宗敎敎義被認爲是——
而且事實上往往也是——對一位持不同信仰的統治者的攻擊。宗敎改革
的奮鬥目標，至少對持不同政見並主張政敎分離的團體來說，不僅意味
擁有對當權政府持有異議的權利，而且包括持不同政見者爲了他們虔誠
信仰的眞正宗敎而進行反抗的權利。在十四世紀和十五世紀，改革者聲
稱有權利反抗一位堅持異端的敎皇。而到十六世紀，他們不得不提出有
權利反抗一位持異端的國王，因爲現在是國王而不是敎皇「正在踐踏敎
會」。這個爭論的問題仍然屬於宗敎改革問題，但這個問題的政治性不
低於其宗敎性。

於是，政治哲學中最有爭議的一點，就變成了這樣一個問題：臣民
是否有權利反抗他們的統治者——當然要有正當的理由，這通常與維護
正統的基督敎敎義有關——或者說他們是否負有「消極服從」（pas-
sive obedience）的義務，以致在任何情況下反抗都是錯誤的。後者實
際上變成了現代化的君權神授論，因爲提出對君主制以外的任何統治形
式消極服從，都是毫無意義的空談。另一方面，爲反抗的權利進行辯護
的最好的假說，是國王之權來自於人民，所以人民有充份的理由對之進
行質詢。於是，這兩類理論最終在十六世紀流行起來，並被視爲互相對
立的理論。從它們遺留下來的影響來看，情況也確實是如此。兩者在當
時都是神學的理論，儘管事實可以證明，把民權論與神學相分離要比把
神權論與神學相分離容易得多。

顯然，這兩種理論本身並不是什麼新東西，儘管就它們的用法而
言，或多或少有點新鮮。認爲公民服從（civic obedience）是上帝叮囑
的基督敎美德，這種信念早在聖保羅時代就有了。任何基督徒也不曾懷
疑過，在某種意義上權力都是來自於上帝，而且在這一信念中還意味著
不否定這樣的觀點，即在某種意義上權力亦來自於人民。一位追隨大格
雷戈里的應時作家，是能夠提出接近於這種消極服從敎義的見解的，就
像在十六、十七世紀所發生的情況那樣，儘管這在當時並不是普遍的信
念。另一方面，政治權力來自於人民的一般理論，在當時亦不曾在任何
特殊的意義上爲反抗的權利進行過辯護。這兩種理論的專門化，即把一

種理論確立爲君主制理論而把另一種確立爲反君主制理論，是在十六世紀的進程中產生。

馬丁・路德

　　觀察最初的宗教改革家，可以注意到這樣的有趣之點，即路德（Luther）和喀爾文（Calvin）在關於基本道德的爭論中，所持立場實質上是一致的。這就是說，他們都認爲在任何情況下反抗統治者都是不道德的。鑑於路德派和喀爾文派在後來的歷史發展中所形成的對比，這一事實的確令人驚訝。在蘇格蘭和法國，主要是由於喀爾文主義者，才使這一理論——即政治反抗作爲宗教改革的一種手段是正當的——得以發展和傳播。在蘇格蘭，約翰・諾克斯（John Knox）領導了一場宗教改革運動，隨著改革而來的是民衆指向頑固信守天主教的王黨的暴力鬥爭。對於喀爾文本人教導的這一重大悖離，諾克斯負有首要責任。法國的加爾文主義者發現，自己所處的環境亦有助於達到相似的目標。另一方面，日耳曼北部的事態則傾向於使消極服從成爲路德派教義的一個永恆的組成部份。

　　這一結果含有某種歷史嘲弄的味道。就氣質而言，路德應該遠比喀爾文更同情個人自由的事業。從傾向上來說，他厭惡在信仰上實行強制，而且事實上這是唯一與他的宗教體驗觀念相一致的觀點——

　　　　異端從來不能依靠暴力來消除。爲此，需要另外一種工具，需要爭吵和衝突而不是刀劍。在這裡，必須用上帝的言詞進行鬥爭。如果這樣做無濟於事，那麼世俗權力也絕對解決不了問題，儘管它會讓世界血流成河。❶

對路德來說，宗教的實質就是內心的體驗，它基本上是秘密和不可言傳的，而它的外在形式以及教士的服務，對於達到這一目的只不過是一種幫助或阻礙。他提出的教義正確性要由信仰和「基督教信徒的教士身分」來證明，其意義就在於此。顯然，按照這樣的理解，暴力完全不是扶植宗教的合適手段。

影響路德關於教會和國家觀念的那些思想前因，自十四世紀以來就一直在流行。他對羅馬教會的指責——羅馬教廷的奢侈和邪惡生活，把德意志教會的收入搜刮到羅馬，在德意志教會中大力提拔外國高級教士，教廷司法制度的腐敗和出售贖罪券等——涉及的都是古老的宿怨。他反對教皇和僧侶統治集團的論證基礎，恰恰是那個因宗教會議之爭而流行的原則，即教會乃是「塵世間所有基督信徒的集會」（the assembly of believers in Christ upon earth.）。他對教士的特權和豁免權的攻擊，遵循的是這個較早反對教皇的論點：等級差別僅僅是爲了管理上的方便，各個等級的人，無論是俗人還是教士，都負有對社會有用的天職。因此，認爲教士不應像俗人一樣對世俗事情負責是毫無道理的：

　　　宗教的法律對教士的自由、生命和財產的估價是如此之高，以致俗人好像是心靈並非那麼高尚的基督徒，或者不是教會中的平等成員。這種法律確實已經過時了。❷

　　儘管路德在氣質上厭惡宗教的強迫，並且知道如何召集正派的教士反對教會法規和僧侶制度，但他無法想像宗教能夠完全不要教會戒律和權威。雖然不情願，但他還是明確地得出了這樣的結論：異端必須鎮壓，對異教的宣傳必須制止。不管他傾向如何，這一結論直接導向強制，而且既然教會本身不能糾正缺點，那麼純潔教會的希望就只能寄託於世俗統治者——

　　　但是，如果國王、王公、貴族、城市和社會本身開始打開一條改革之路，那麼感到害怕的主教和教士就有理由跟上來，因爲這是最好的也是唯一的補救辦法。❸

確實，路德仍然堅持這一古老的托詞，即這是臨時的應急措施。他指出，國王和王公是「必要時的主教」（bishop by necessity）。但是，他與羅馬破裂的實際結局，卻使世俗政府成了改革的代理人和決定改革方向的有效仲裁者。當然，沒有比使政府成爲異端審判者更遠離他的意願了，不過事實上政府實施強制權力亦有明確的界限。因此，路德最終幫助確立的是一種國教，是某種他必然要視之爲宗教怪物的東西。

　　改革的成功如此依賴於王公，不可避免地會產生這樣的結論，即他

會堅持認為臣民對他們的統治者負有消極服從的義務。儘管他本人有獨立的判斷並且真誠地熱愛宗教自由，但就其政治信念而言，接受這樣的觀點可能並不會給他帶來損害。實際上，除了一些他不得不注意的事件之外，他對政治幾乎沒有什麼興趣。從氣質上來講，他對國家當局非常尊重，但他總是旗幟鮮明地反對騷亂和暴動所帶來的政治壓迫。路德對任何人都平等看待——他曾經說過，統治者「一般說來是世界上最大的笨蛋和最壞的無賴」——但他對官職本身是非常尊重的，而對廣大民眾則無論如何都不信任——

> 這一世界的王公是諸神，而普通民眾則是撒旦，上帝有時是透過普通民眾來做祂在某些時候直接透過撒旦來做的事，這就是製造反叛以作為對人民犯罪的懲罰。
>
> 我寧願忍受王公做錯事，也不願看到民眾做好事。❹

正如人們所預料的，他對消極服從義務的強調，已到了登峰造極的地步——

> 對任何身為基督徒的人來說，把自己置於反對政府的地位，無論行為正當與否，都是絕對不適當的。
>
> 服從並服侍所有居於我們之上的統治者，是再好不過的工作。因此，比較謀殺、不貞、偷盜、不誠實以及這些行為所能包括的一切，不服從乃是最大的罪惡。❺

誠然，路德在這一方面如同在其他方面一樣，並不是完全言行一致，他的政治觀點過於為環境所左右，消極服從也並非沒有難題。他所依靠的那些王公，至少從法律上來說是皇帝的臣民。在萬不得已的情況下，他不得不承認，一旦皇帝超越其帝國職權，就可以對之進行反抗。很顯然地，這與消極服從的一般原則並不一致。不過，皇帝對於王公的實際權力是非常虛幻的，因此這種不一致幾乎沒有什麼實際意義。路德的權威性影響，非常確定地表現在這一理論上的，即反對國家當局在任何情況下都屬道德上的錯誤。

從整體上來看，路德教的結局與路德的本意仍大相逕庭。路德至少比喀爾文更傾向於宗教自由，他所組織且受政治力量支配的路德派國教

會，幾乎可以說是國家的分支。世界性教會的瓦解，對修道機構和教會團體的鎮壓，以及教會法規的廢除，消除了自中世紀以來一直存在且對世俗權力的最大牽制。路德對於純靈性的宗教體驗的強調，反覆灌輸應對世俗權力採取無為和默認的態度。宗教或許在精神上是有所獲的，而國家則肯定在權力上有所得。路德派教會的順從謙恭，再加上某種神祕主義的模樣，同在喀爾文派教會中得到發展的宗教類型形成了鮮明的對照。在喀爾文派教會中，世俗的行為乃至世俗的成功都成了基督教徒職責的體現。

喀爾文教和教會的權力

在荷蘭、蘇格蘭和美洲殖民地的喀爾文派教會是使反抗的正當性得以傳遍西歐的主要媒介。差異並非取決於喀爾文本人的初衷，事實上，他像路德一樣，極為相信消極服從的義務，而且他在性格上是比日耳曼的改革者更接近法律主義者和權威主義者。喀爾文神學的任何內容，對這種差異的決定作用都是間接的，而且這種差異在不同的情況下可能會有完全不同的歷史。決定性的事實是，特別在法國和蘇格蘭，喀爾文教派一直處於與政府對立的地位，對於這樣的政府，它實際上不可能使其改變信仰或奪取其權力。正是基於這個首要原因，喀爾文關於反抗即邪惡的強硬聲明，在其追隨者的默認下名存實亡了，取而代之的恰好是具有相反效果的教義——這在日內瓦是相當自然的，在法國只要還存在任何改革成功的希望。約翰·諾克斯在這方面所採取的最初步驟，就是利用喀爾文教義的某些次要特點，然而僅就這些特點本身而言，絕不會導致這樣的立場轉變。

喀爾文教派的最初形式，一方面包括了對反抗的譴責，另一方面則完全沒有自由主義、立憲主義或代表制原則諸傾向。在它能夠自由存在的地方，它就發展成了一種獨特的神權政治，一種靠教士和貴族的聯盟來維持的寡頭統治，這種統治排斥了廣大的民眾。總之，這種統治是不容異己的、暴虐的和反動的。這就是喀爾文本人在日內瓦的統治和美洲麻薩諸塞殖民地的清教徒統治所具有的性質。誠然，喀爾文在原則上是

反對政教合一。正是基於這一立場，他與蘇黎世的茨溫利（Zwingli）的改革運動斷絕了關係，而且一般來說，喀爾文教派繼續反對這種由於承認國王是國教會首領而形成的結合，在英國他們就是如此。不過，所以這樣做的原因，並非是要求國家擺脫教士的影響，而是恰恰相反。教會必須自由地確立它自己的教義和道德標準，並且必須擁有世俗權力的全力支持，以便對違抗者實施戒律。在日內瓦，革除教籍就剝奪了一個公民擔任公職的權利，而在麻薩諸塞殖民地，公民權則僅限於教會成員。在這一方面，喀爾文的教會理論比民族主義的天主教徒更具有中世紀極端教會主義的精神。國教會成員之所以把喀爾文教派和耶穌會看作同一回事，原因就在這裡。這兩者都主張精神（宗教）權威的優位和獨立性，並主張運用世俗權力對正統性和道德戒律的裁決施加影響。在實踐中，喀爾文派政府在任何可能的地方都把基督教傳統的兩把劍置於教會，把對世俗權力的指導權不是交與世俗統治者而是交與教士。其結果，很可能是一種無法忍受的聖徒統治：在全面監視的前提上，對純粹的私事進行十分細密的控制，這種控制在維護國家秩序、控制私人道德方面，與保持純潔的教義和禮拜方面，僅有某種模模糊糊的區別。

喀爾文派神學的特殊教條——神的選擇和預先注定——與這些實際後果不無關係。認為人的得救不是由於他們自己的言行，而是由於上帝的大方的恩賜，這種信念從表面上來看似乎會使人們失去努力的信心，但事實上它卻成了反效果。喀爾文教派幾乎一點也沒有體現所謂路德的宗教體驗觀念特徵之下的神秘主義和清靜無為的跡象。喀爾文派的道德，實質上是一種行動的道德。的確，為了採取冷酷無情的行動——鍛鍊意志，並且如有必要，使心腸變得冷酷——還有什麼動機比全心全意地相信人乃是上帝意志所挑選的工具更好呢！喀爾文派的宿命論，與現代的一般因果關係概念毫無相通之處，它毋寧說是對一種準軍事紀律的宇宙系統的信仰。這樣，喀爾文就用盡了羅馬法的詞彙來描述上帝對於宇宙和人的統治。他的道德所教誨的不是對於同伴的愛，而是自制、紀律和對生存鬥爭中的同志的尊重，這些東西確實都成了清教徒至高無上的美德。正是這種道德，使得喀爾文派教會成了清教徒中特別驍勇善戰的部份。這一有關神選的教條，對於這個秉性獨裁的道德改革者來說，是稱心合意的，因為他要和人類中不能在精神上再生的人們進行鬥爭。

有關預先注定的教條，乃是聖徒進行統治的訓令。喀爾文沒有路德
那種神祕主義的宗教體驗傾向。對路德來說，世俗機構僅僅具有塵世的
意義，而喀爾文則賦予了它比較高的價值。然而，這並不意味著世俗機
構獨立於教會，而是恰恰相反，它們乃是「救贖的外在手段」（ext-
ernal means of salvation）。因此，政府的首要職責就是維護禮拜上帝
的純潔性，並且根除盲目崇拜、藝瀆聖物、咒罵神明和異端邪說。在這
一點喀爾文在列舉世俗權力存在的目的時，所強調的重點相當富有啓發
性——

　　　　只要我們生活在人們當中，世俗統治的目的就是鼓勵和支持對於
　　上帝的外在崇拜，捍衛純潔的教義和教會的立場，使我們的生活順應
　　人類社會，使我們的行為符合社會正義，使我們相互之間和諧一致，
　　並且保持共同的和平與穩定。❻

不錯，喀爾文反覆陳述了這個古代的基督教觀點，即真正的信仰不能加
之以強制手段，但實際上他對國家強迫信奉國教的職責卻未加任何限
制。

　　因此，喀爾文主義的根本目標是在道德上進行監督和在教義上執行
戒律，它所賦予教士的權力和影響力是值得注意的。這個事實之所以更
令人震驚，一方面是因為它比其他的新教團體更反對形式主義，同時也
因為喀爾文派的教會管理方式包括由世俗長老組成的代表會議，這種代
表會議提供了監督的有效手段。喀爾文教派並不打算把民主制度引入教
會，也並不打算抑制教士的影響，即便是在喀爾文教的早期形式中，也
沒有這樣的意圖。在理論上，教會的權力應該屬於整個基督教社團，而
在日內瓦，這一權力是由一個協議會行使，這一協議會由教士和十二位
名義上由城鎮議事會挑選的世俗長老組成。事實上，教士的權力在實踐
中並沒有受限制，而且這一制度只有在協議會能行使屬於整個教會權力
的含糊意義上才具有代議制性質。長老們最初並不像後來在長老會採納
選舉計畫時最後產生的那種意義明確的會議代表，而且在教會會議中，
也沒有像後來在公理會團體中所出現的那種教會會議的自治。

　　然而，蘇格蘭的喀爾文教確確實實包含了某種具有政治意義的代表
制原則。蘇格蘭教會的全體會議，以及它的長老會和省宗教會議，一般

都遠比蘇格蘭的國會更能代表國家，因爲後者的構成仍然是封建的。蘇格蘭的改革運動，實質上是一場民衆運動和民族運動，其矛頭指向天主教宮廷和與法國緊密結盟的貴族，但這並不是因爲喀爾文教派在其初形式就具有代表人民權利或代表制。從政治上來講，它不具有這種普遍性的涵義。在教會政治中，世俗長老之所以最終確立了這樣的地位，完全是由於環境所造成。

就喀爾文教派所具有的任何脫離王權的傾向而言，與其說是起因於積極特質，不如說是起因於消極特質。喀爾文教派並未皈依這樣一種教會管理形式，即把它自身委託給由國王擔任世俗首領的國教會，這大概是眞實的——十六世紀後期情況則更可肯定地這是眞實的。根本的原因是業已提到的事實，即喀爾文教堅持希爾德布蘭德原則（Hildebrandine principle）原則——宗教權力高於世俗權力，因此傾向於使教士保持對國教會世俗首領的獨立地位。在這一方面，喀爾文教派和天主教的差別在於前者要使教會普遍化，使之旣包括神職人員也包括俗人，而且要以自治取代宗教權力集於主教一身的作法。在國教會中，從羅馬教會中分離出來的主教，變成了在教會中實施王室統治的最合適的代理人。因此，**主教制主義**（episcopalianism）就自然而然地成了國教會所採用的管理形式。詹姆士王（King James）之所以會說出這樣意味深長的警句：「沒有主教，就沒有國王」，其道理就在於此。這一警句正是建立在喀爾文派長老會的長期經驗基礎上。因此，從這個意義上來說，喀爾文教派注定要成爲反對黨的教會統治形式。它並不具有內在的羣衆性，而且肯定也不打算反對君主制，但在君主制國家始終有更合適的教會統治形式可供選擇的前提上，它又是非王權的。

喀爾文和消極服從

在喀爾文具體的政治觀點中，至少就他所處的時代和國家而言，最重要的是他那強烈的和總體來說是前後一致的消極服從義務主張。在這一方面，他與路德非常一致。他指出，旣然世俗權力是救贖的外在手段，那麼行政長官的身分就是最高貴的，他是上帝的代理人，反對他就

是反對上帝。不具備統治職責的平民百姓，辯論什麼是國家的最好狀況，只是枉費心機。如果有什麼事情需要糾正，讓他向他的上司說明就行了，不要讓他插手這樣的工作。沒有他的上司的命令，就什麼也不能讓他去做。壞的統治者乃是對於民眾所犯罪惡的一種天譴，其臣民對他應像對好的統治者一樣無條件地服從，因為服從不是對於個人而是對於職務，而職務具有神聖不可侵犯的尊嚴。誠然，喀爾文事實上像十六世紀所有倡導君權神授的人一樣，也極力強調統治者對其臣民所承擔的義務，上帝的永恆法律對國王和臣民都具有約束力。邪惡的統治者所犯的乃是煽動反對上帝罪，像後來的洛克（Locke）一樣，他認為民法僅僅確定了對於固有錯誤的懲罰，對怠忽職守的行政官員的懲罰權乃是屬於上帝而不是屬於他的臣民。鑑於喀爾文本人在日內瓦所擁有的權力，並且由於他希望喀爾文派新教能成為法國國王的宗教，因此他採取這樣的立場可說是理所當然。

喀爾文的政治理論中的確帶有政治反抗的一面，這在他自己的著作中僅占些微的份量，而他的某些追隨者大大發揮了這一方面。喀爾文指出，在有些政體中，某些「低級行政官員」被賦予了一種職責，以便反抗國家元首所推行的暴政，並保護人民反對他的權利。❼很清楚，他在這裡所想到的是像古羅馬的護民官那樣的官員。如果一個政體確實包含了這樣的低級行政官員，那麼這種反抗權利本身也是來自於上帝的，它絕不是一種人民進行反抗的普遍權利。最高的權力是一種共掌的權力，其中的權力分享者有責任阻止其他分享者的侵犯。這一有關低級行政官員的理論，在某些喀爾文主義者心中的重要性，與喀爾文給予它的地位並不相稱。一旦消極服從的教條被丟棄，就像最初在蘇格蘭，隨後在法國所發生的那樣，反抗的權利不但被授與了平民百姓，而且被授與了低級行政官員或人民的「天生的領袖」。這種理論構成了削弱貴族人民固有的天賦權利的一般理論。然而，喀爾文本人並沒有關於人民權利的理論。統治者之所以能合法地進行統治，靠的是上帝力量而不是人民的力量，他的權力受上帝之法的限制，並不受人民權利的限制，如果在某一特殊政體中存在著一種反對主要行政長官的權利，那這種權利也並非來自於人民而是來自於上帝。

喀爾文本人的政治信念，與其說是相信君主政治，不如說是相信貴

族政治。不過這一點並無重要意義。在他的體系中，只有一個國王，這就是上帝本人。他認爲，選擇一個人或一個家族去掌管政治權力，是對神聖王權的「大不敬」（lese majesté）。在人文主義研究的基礎上，這一觀點可能由於在智識上偏愛古代的貴族共和制而得到了增強。這種偏愛在《基本原理》（Institutes）書中清楚可見。他重述了波里厄斯關於混合式政體的古老論點。他對世襲君主制的批評使人聯想到西塞羅，而他對民主政治的嚴厲責難則與柏拉圖如出一轍。他對再浸禮教派教徒的描述所表現出來的輕蔑是無以復加的，「這些人的生活亂七八糟，就像稻草裡的老鼠一樣。」喀爾文本人在政治觀點和社會觀點上的偏見，顯然是一種貴族式的偏見，而且一般說來，這也就是喀爾文教派的偏見，只有經過某些左派教派改造的觀點除外。

　　就其主要方面而言，喀爾文的政治理論結構有點不太穩定，這並不是因爲它不合邏輯，而是因爲它很容易成爲環境的犧牲品。一方面，它強調一切反抗當局的行爲都是邪惡的，但另一方面，它的基本原則卻是教會有權宣布純粹的教義，有權在世俗權力的支持下行使普遍的監督權。因此，當一個喀爾文派教會處於統治者拒絕承認其教義的眞理性，並且拒絕實施其戒律的國家裡，它實際上不可避免地會撇開服從的義務而主張反抗的權利。至少，在幾乎沒有什麼機會使政府皈依，而又得到了反抗良機的地方，這樣的結局是可以預料到。十六世紀後期，喀爾文主義者在蘇格蘭和法國發現自己所面臨的就是這樣的形勢。

約翰·諾克斯

　　首先轉變立場的是約翰·諾克斯，這倒不是因爲他有任何特別的創見，而是由於蘇格蘭新教徒所處的形勢所決定。一五五八年諾克斯發現，他雖然流亡在外，並且處於被蘇格蘭天主教僧侶集團判處死刑的境地，但仍然是勢力強大的新教追隨者的領袖。國王由於與法國結盟，成了不可能改變的天主教徒，這樣，他就只有寄望於反抗政策了。事實上，他利用這種方法，僅僅在兩年之後就完成了蘇格蘭的宗教改革。正是在這種形勢下，他針對蘇格蘭的貴族、各階級人士和平民百姓寫出了

他的《呼籲》（*Appellation*）。他宣稱，每個人在他的崗位上都有責任務必使眞正的宗教得以宣講，並使剝奪人民「精神糧食，我指的是上帝的活生生的言辭」的人被判處死刑。

在本質上，諾克斯並沒有離開喀爾文的原則。他認爲，喀爾文關於基督教教義的說法，和教會對一切不太願意接受戒律的人執行制裁的職責，都是無可置疑的眞理。每一個基督徒，都有義務使這種教義和這種戒律擁有它們眞理所賦予它們的重要地位。至此，諾克斯不過是重複了喀爾文的觀點而已。然而，在蘇格蘭存在著一位受天主教支配的信奉天主教的女王，她不僅拒絕眞正的信仰，而且積極支持偶像崇拜（也就是支持天主教的主張）。那麼，一個眞正的信徒應當做什麼？諾克斯大膽斷言，他們有義務糾正和制止國王的一切有悖上帝之言辭、榮譽和光榮的行爲。這樣，他就摒棄了喀爾文關於消極服從的教義——

> 雖然現在所有人都唱著一個共同的調子，我們必須服從我們的國王，不管他們是好是壞，因爲上帝是這樣命令的。但是，報復將是可怕的，它將降臨到褻瀆上帝聖名和法令的人的頭上。説上帝已命令他們必須服從不虔誠的國王，簡直和説上帝透過他的告誡成了一切罪過的製造者和維護者一樣，是對於上帝的褻瀆。

> 對於諸如偶像崇拜、褻瀆以及其他觸及上帝尊嚴的罪行的懲罰，不僅適用於國王和主要統治者，而且也適用於全體人民及其每一個成員。根據每個人的天職並根據可能性和時機，在明白瞭解大不敬的情況下，上帝定要報復損害其光榮的行爲。❽

在諾克斯的某些陳述背後，看來存在著這樣一個假定，即國王的權力來自於選舉，所以行使權力對人民負責，❾但這一點非常模糊而且未加發揮。諾克斯的主要之點在於：第一，他摒棄了喀爾文關於反抗總是錯誤的這樣一種信念；第二，他把反抗作爲支持宗教改革的職責的重要組成部份而爲之進行辯護。他的立場是基於宗教職責而不是人民的權利，但是他把喀爾文派教會的強大的一翼置於王權的對立面，並大膽地證明了運用反抗手段的合理性。下一步的發展則出現在法國，宗教戰爭在那裡爆發後，再一次把喀爾文教派置於天主教王國的對立面。在法國，王權來自於人民並要對人民負責的理論所得到的發展，比之諾克斯

給與它的發展更加充份，儘管它所涉及的仍然是十分明確的宗教問題。因此，在諸如《索還反對暴君之權》（*Vindiciae contra tyrannos*）那樣的作品裡，可以看到諾克斯的革命或反君主制的喀爾文主義更充份的發展。

註　解

❶〈論世俗權力〉（On Secular Authority），1523 年，見《作品》（*Werke*），魏瑪（Weimar）編，第 11 卷，第 268 頁。

❷〈致德意志國家的貴族〉（To the Nobility of the German Nation），1520 年，華斯（Wace）和布赫海姆（Buchheim）譯，見《作品》，第 6 卷，第 410 頁。

❸〈論優秀著作〉（On Good Works），1520 年，蘭姆勃特（W. A. Lambert）譯，見《作品》，第 6 卷，第 258 頁。

❹受史密斯所引，《宗教改革的時代》（*The Age of the Reformation*），1920年，，第 594～595 頁。

❺〈論優秀著作〉，見《作品》第 6 卷，第 250 頁

❻《基本原理》（*Institutes*），Ⅳ, XX, 2。

❼《基本原理》，Ⅳ, XX, 31。

❽〈呼籲〉（Appevation），見《作品》（*Works*），蘭格（Laing）編，第 4 卷，第 496，501 頁。奇怪的是，這一作品竟寫於日內瓦。同年，克里斯托夫·古德曼（Christopher Goodman）在《應該怎樣服從更高的權力》（*How Superior Power, Ought to be Obeyed*）中發表了與諾克斯相似的觀點。這兩個人顯然進行了合作。參閱艾倫的《十六世紀的政治思想》（*Political Thought in the Sixteenth Century*），1928 年版，第 110 頁。

參考書目

1. *A History of Political in the Sixteenth Century.* By J. W. Allen. 3d ed. London, 1951. Part I.

2. *La pensée politique de Calvin.* By M. E. Chenevière. Geneva, 1937.

3. "Calvin and the Reformed Church." By A. M. Fairbairn. In the *Cambridge Modern History*,Vol. II(1903), ch.11.

4. *Luther and the Reformation.* By V. H. H. Green. New York, 1964.

5. *The Social and Political Ideas of Some Great Thinkers of the Renaissance and the Reformation.* Ed. by F. J. C. Hearnshaz London, 1925. Chs. 7,8.

6. *John Ponet* (1516? ~ 1556): *Advocate of Limited Monarchy.* By Winthrop S. Hudson. Chicago, 1942.

7. *Calvinism and the Political Ordr.* Edited by George L. Hunt. Philadelphia, 1965.

8. "Luther." By T. M. Lindsay. In the *Cambridge Modern History*, Vol. II (1903), ch. 4.

9. *Calvin and the Reformation.* By James Mackinnon. London, 1936.

10. "The Anglican Settlement and the Scottish Reformation." By F. W. Maitland. In the *Cambridge Modern History*, Vol. II (1903), ch. 16.

11. *The History and Character of Calvinism.* By J. T. McNeill. New York, 1954.

12. *Church and State in Luther and Calvin.* By William A. Mueller. Nashville, Tenn., 1954.

13. *The Political Consequences of the Reformation: Studies in Sixteenth-century Political Thought*, By Robeart H. Murray, London, 1926.

14. *The Reformation.* By Robert H. Murrey. London, 1926.

15. *The Reformation.* By Chadwick Owen. Baltimore, 1964.

16. *Luther: His Life and Work.* By Gerhard Ritter. New York, 1963.

17. *The Life and Letters of Martin Luther.* By Preserved Smith. 2d ed. Boston, 1914.

18. *The Age of the Reformanion.* By Preserved Smith. New York, 1920.

19. *Religion and the Rise of Capitalism.* By R. H. Tawney. New York, 1926.

20. *The Social Teaching of the Christian Churches.* By Ernst Troeltsch. Eng. trans. by Olive Wyon. 2 vols. New York, 1949. Ch.3.

21. *The Political Theories of Martin Luther.* By L. H. Waring. New York, 1910.

22. *The Protèstant Ethic and the Spirit of Capitalism.* By Max Weber. Eng. trans. by Talcott Parsons. London, 1930.

23. "Politics and Religion: Luther's Simplistic Imperative." By Sheldon S. Wolin. In the *Am. Pol. Sci.* Vol. L (1956), p.24.

第二十章
保王派和反保王派理論

　　一五六四年喀爾文去世時，宗教戰爭（religious war）的戰線已經拉開了。正如路德所指出的，這一戰爭就是要「讓世界血流成河」。在日耳曼，領土的分割造成了王公之間的鬥爭，結果使得宗教自由的赤怕並未受到抑制。在尼德蘭（Netherlands, 包括今之荷蘭、地利時），宗教戰爭採取了反抗外國統治者的起義形式。在十六世紀的英國和西班牙，至高無上的王權阻止了內戰的爆發。但在法國和蘇格蘭，黨派鬥爭的興起卻威脅到了國家的穩定。因此，在一五六二至一五九八之間，法國至少發生了八次國內戰爭。像聖巴托羅繆（St. Bartholomew）大屠殺和雙方都濫用暗殺手段的暴行，使得這些戰爭格外引人注目。這些戰爭不但打斷了有秩序的統治，而且也危及了文明本身。因此在十六世紀，政治哲學中最重要的一章是在法國寫下的。在這裡出現了一些主要的對立思想，這些思想直到下一世紀才在英國內戰中得到詳盡的闡述。為反抗權利進行辯護的人民權利論和為國家統一提供保障的君權神授論，這些現代政治理論都在法國揭開其歷史篇章的序幕。

法國的宗教戰爭

　　儘管存在著重要的差異，但就最一般方面而言，法國和英國的政治發展途徑是相似的。在這兩個國家，正是新興的君主制政體首先形成一個國家統一的機關，並且成為現代而中央集權政府的源頭。在英國，實現君主制似乎比較容易，因為英國省、市的獨立傳統在總體上要比法國軟弱。在法國，王權只有在經歷了一段時期的內戰之後才占據了主導地

位。另一方面，法國也沒有英國那樣的議會傳統。雖然英國議會因都鐸
王朝推行專制主義而暫時失去光彩，但最終卻占了上風，並作為國家的
政府而確立了自己的地位。在法國，各省擁有不同的特權，這就不可能
形成一種全國規模的國會組織。在這兩個國家，實現統一的不同方法啓
發了各種不同特色的政治思想。在英國，由於王權在十六世紀沒有受到
嚴重的威脅，因此君主專制理論或國王享有全權的理論並沒有得到發
展；而在法國，這一理論卻最終在十六世紀末取得了優勢。當十七世紀
反王權力量在英國得到發展的時候，在法國卻不可能出現國王與議會之
間的這種形式的爭論。另一方面，反對王權專制主義的勢力之所以在法
國遭到失敗，主要是因為它與中世紀式的地方分立主義結成了同盟，而
後者與中央集權的國家政府是不相容的。

在法國，宗教差別實際上處處都與政治和經濟力量不可分割地交織
在一起。被馬基維利讚美為最好的王權統治形式的法國君主集權制度，
到十六世紀中葉已是弊端叢生了，以致一度使王室面臨喪失上層中產階
級支持的危險，而這種支持正是王權的真正依託。橫徵暴斂、壓制正義
和國王行政部門的貪污受賄，使得某些可稱之為反動浪潮的情緒變成了
可能。各省的特權、貴族的特權、不同程度的自治城市的特權以及廣泛
的中世紀機構的特權，都存在著削弱比較明確的中央集權制王室政府的
現代制度的危機，這些問題本不是專門的新教問題或天主教問題。不過
胡格諾派教徒（Huguenots）一般都站在地方特權的一邊反對國王，這
是他們的重大弱點。儘管國王們都有個人弱點，但內戰卻使王權得到了
增強而不是削弱，這一事實也表明了政治發展的永久性趨勢。最終的結
果乃是王權打敗了反動勢力和革命勢力，而到十六世紀結束之時，國王
已有遵循流行的王權專制主義理論實行有效的中央集權趨勢。在宗教方
面，這種情況意味著所謂的國定天主教的勝利，他們既反對耶穌會所捍
衛的教皇至上主義主張，也反對喀爾文教派所代表的地方分立主義勢
力。

因此，在內戰爆發之後，法國論爭的政治文獻就分成了兩大類：一
方面，有各種作品為國王職位的神聖性辯護，到十六世紀末，這一趨勢
已具體化為君權神授理論，主張國王對其王位擁有不可取消的權利，這
種權利直接來自於上帝，並且是透過合法的繼承而降臨其身。這一理論

的重要性在於它推論出的實際結果：第一、儘管敎義存在種種差異，但臣民對其君主卻都有消極服從的義務；第二，國王不可能被如同敎皇那樣的外部權力所廢黜；另一方面，還存在著各種各樣最終被稱爲**反王權派**（anti-royalist）的理論❶，這些理論認爲王權在某種程度上是來自於「人民」或社團，並且捍衛在某些條件下反對王權的權利。首先發展這些反王權派理論的是胡格諾派作家，但事實上這些理論並不具有特定的新敎色彩。所有的文獻基本上都帶有爭論性，而且各個派別的態度均朝三暮四，其立場往往隨著環境的改變而改變。❷

　　旣然人們最初完整地表述君權神授論是爲了回答反抗有理論，那麼就應該先陳述反抗有理論。最有趣味的作品是法國新敎徒的那些作品。這些作品大多在一五七二年聖巴托羅繆大屠殺之後出現。不過，在這裡也可提一提少數法國以外的新敎徒作家所寫具有同等重要性的作品。耶穌會會士的作品絕大多數不屬於法國的作品，這些作品在不同程度上都以耶穌會會士專門爲敎皇的間接權力所作的論證爲依據。然而，我們可以方便地把所有這些作品組合在一起。最後，我們將把君權神授理論作爲這一討論的結論加以陳述，至少就法國的情況加以討論。

新敎徒對專制主義的抨擊

　　胡格諾派作家發展出兩種主要的論證方法，這些方法體現了與專制王權的對立，並且後來在英國再次出現：首先，有一種立憲主義的論證，這種論證主要根據歷史事實提出來。這一反對新近王室專制主義傾向的論證又再次重申中世紀的作法。在某種程度上，它確實是依賴於事實，因爲它可以輕而易舉地證明，專制君主制是一種新事物。然而，不幸的是，中世紀的政體從來不是立憲制政體，而且在任何意義上都不適合於十六世紀。因此，歷史性的論證很可能毫無意義或僅僅貌似有理，它們只能將對手置於爲篡權奪位進行辯護這種不受歡迎的地位，而不能解決任何問題；其次，王權的反對者可以轉向政治權力的哲學基礎，以求說明這樣一點，即專制君主制與作爲一切政體之基礎的一般權利法則相矛盾。然而，這兩種論證方法並非毫無關係，因爲這兩者都來自於中

世紀。有關自然法的信念仍是淵源於受到普遍承認之傳統的一部份。這一傳統已經由一切政治思想的渠道傳到了十六世紀，而且，由於新興君主制國家的無法無天，這一傳統就變得更加重要了。歷史性的論證默認了這一點，即遠古的慣例已爲自然權利所認可。

當然，立憲主義理論並非專屬胡格諾教派。法國國王的權力長期以來一直就是爭論的主題，而且經常有人主張，這些權力要受自然法或習慣特權的限制。在內戰爆發之前，類似於現代統治權理論——授與國王制定法律的普遍權力——幾乎是不存在的。這一理論使得有秩序的中央集權政府飽受威脅，而這種威脅正是來自於內戰。特別是經常有人主張，國王的權力應受王國司法機關限制——大理院（ Parlements ）被認爲擁有拒絕登記或執行敕令的權利——或者說應受國會（ States General ）不甚明確的權利限制，這一機關作爲整個王國的代表，在立法和稅收問題上應該受到諮詢。這兩者之中的前者，在實踐中對王權的制約更大。古代或地方的特權對王權所施加的限制，一般都得到承認。

在法制理論方面，胡格諾派作家中最知名者乃是弗朗西斯‧豪特曼（ Francis Hotman ），他的著作《佛朗哥－加利亞》（ Franco-Gallia ）發表於一五七三年。這一作品是前一年的聖巴托羅繆大屠殺所激發出來的一大批小冊子中的一部。這本書大體上是一部法國憲政史，意在證明王國從來不曾有過專制君主制。豪特曼甚至認爲，世襲繼承亦是新近才產生的習慣，它完全依賴於人民的默認。更特別的是，他認爲國王是選舉出來的，其權力受代表整個王國的議會所限制。爲了支持這一論點，他提出了一系列眞實性大爲可疑的先例。他的論證，依據的是中世紀的立憲主義原則，即政治機關的權利來自於社會本身所固有的那些極老的慣例。在這一意義上，透過這樣的慣例所表達的人民的同意，乃是政治權力的合法基礎，而國王的權力正是從他作爲社會代理人所據有的合法地位那裡得來。不過，豪特曼的這一過份自信的總論點，認爲國王的權力在法國一直都與議會分享，並不是眞實的歷史寫照，在議會尚不能發展成爲國民會議的情況下，它根本毫無實際價値。無論是胡格諾教派還是任何其他派別，都是眞的想把他們的命運與議會連在一起。

這一理論的哲學形式更加有趣和重要，它從一般的原則中推論出了對於王權的限制。在聖巴托羅繆大屠殺過後的年代裡，法國的新教徒們

寫出了許多類似的作品，這些著作都堅持這樣的觀點，即國王乃是人類
社會為了服務於這個社會的目的而設立，因此他們的權力受限制。這一
觀點對於法國喀爾文教派的影響，可以從這些小冊子中的另一本裡看出
來，它雖然沒有署名，但很可能是喀爾文的朋友、傳記作家泰奧多爾·
貝扎（Theodore Beza）所作，他當時是喀爾文的繼承人，在日內瓦任
政府首腦。❸貝扎由於受環境所苦，結果像諾克斯一樣，不但推翻了喀
爾文的教導，而且也推翻了他自己先前所贊成的消極服從的信念。他雖
然有點勉强，但卻十分清楚地提出低級行政官員有權反抗一個暴君，尤
其是在捍衞真正宗教的時候，儘管他並不認為普通公民有這種權利。不
管怎麼說，在這些種類繁多的全部著作中，最著名的要算一五七九年發
表的《索還反抗暴君之權》（ _Vindiciae contra tyrannos_ ）（ 以下簡稱《索
還》）❹，這部著作使得前幾年所提出的論證系統化了。它為革命文獻
蹄造了一個新的里程碑。在英國及其他地方，當國王與人民的對抗形成
危機時，這本著作一版再版。因此，我們必須仔細研究這部書，一方面
看看它在當時的法國代表著什麼，同時也是為了瞭解它同後來的人民權
利學說接近到了什麼程度。

《索還反抗暴君之權》

《索還》分為四個部份，每一部份都意在回答一個當時政治上的基本
問題：第一，如果王公的命令違反了上帝之法，臣民還有義務服從他們
嗎？第二，反抗一位取消上帝之法或是蹂躪教會的王公是合法的嗎？如
果王公確是如此，又應反抗誰？用什麼手段？反抗到什麼程度？第三，
對於一位壓迫或毀滅國家的王公，可以合法地反抗到何種程度？要反抗
誰，用什麼手段，可以用什麼權利進行這種反抗？第四，鄰邦王公可以
合法地幫助另一些王公的臣民嗎？或者說，當這些臣民為了真正的宗教
而身罹苦難或受到公開的暴政壓迫的時候，這些王公有義務伸出援助之
手嗎？

單單列舉這些問題，就足以表明作者的主要興趣了。他並不是為了
關心政治而關心政治，而是關心政治與宗教的關係。他只是在第三部份

探討了一般的國家理論，但即使在這一部份，也不能說政治就占據了顯要地位。全書仔細分析了這樣一種情況，即王公信奉一種宗教而他的衆多臣民卻信奉另一種宗教。而且，作者甚至從未想到這一現在看來是顯而易見的解決辦法，即對待不同的宗教信仰不應與任何政治義務聯繫起來。他認爲，統治者必須支持純潔的教義。但是，他的論證內容卻並不仰仗喀爾文。法國的胡格諾派教徒當時還看不到像日內瓦政府那樣的神權政體，而且他們也不需要這樣的政體。《索還》的政治哲學，實際上回到了反教皇作家的論證上面，正如奧肯的威廉或宗教會議派反對持異端的教皇一樣。統治者乃是社會的僕人，社會能夠做它本身的生活所需要的一切。

《索還》的理論的主要輪廓，採取的是一種雙重協議或契約的形式。在第一種契約中，上帝是一方，國王和人民爲另一方。根據這一契約，社會變成了教會，變成了上帝的選民，並有義務提供眞正的和可接受的崇拜。這種與上帝的聖約關係和喀爾文教的修正形式非常接近，就像諾克斯所陳述的那樣。在第二種契約中，人民是一方而國王是另一方。這是一種特別的政治契約，按照這種契約，一個民族成爲了一個國家，國王正是在這一協定的約束之下進行適當和公正的統治，而只要他這樣做，人民就服從他。這一雙重協定之所以必不可少，是因爲作者始終認爲宗教義務是造反的最重要的理由。他的主要目的是要證明，對持異端的國王實行强制是正義的。從純粹的政治觀點來看——當然，只有在宗教問題脫離政治問題時才能這樣看——與上帝的聖約乃是理論上的障礙。如果排斥這一契約，那麼就只剩下國王與社會之間的政治契約了，這一契約確立這樣的原則，即政府是爲了社會的利益才存在，因此政治服從是有限的和有條件的。而略去上述契約，就需要一定程度的政治理性主義（political rationalism），但《索還》的作者卻不具備這樣的東西。

另一方面，《索還》中的契約理論也不同於後來的契約論。作者認爲，王權來自於上帝的理論和王權來自於與人民所訂契約的理論毫無區別。換言之，神權論還沒有與消極服從的信念結合在一起，因此，當一位作者強調國王對上帝負責的時候，人們就會認爲他在暗示國王並不對其臣民負責。因此，《索還》的作者會毫不猶豫地指出王權來自於上帝。

國王職位的神授權利與特定的國王根據協議而得自於人民的權利是相併立的。同樣，服從國王的合法指揮的義務，既是一種宗教義務，同時也是一種在契約指導下產生的義務。因此，《索還》絕不是一種把政府完全置於世俗原則下的嘗試，它像神權理論一樣，是徹頭徹尾屬於神學的範圍。

論證所遵循的方法，是法律主義和聖經權威的奇怪混合物。對民法所認可的契約形式的探討，似乎是把它作為自然秩序的一部份，因而認為它具有普遍的效力。上帝為了得到他所喜歡的崇拜形式，採取了債權人為收回債款而使用的方法。在這兩個契約的第一個契約中，國王和人民是同受約束的，人民好像已變成了國王的保證人。因此，如果國王違約，人民將對崇拜的純潔性負責。在聖經權威方面，作者採用了聖約的類比方式（按照這一聖約，猶太人被認為是上帝的選民❺）而主張：耶穌紀元（即公元或西元）以後，所有信奉基督教的人民代將替猶太人，因而成為「選民」，說得更確切些，他們對正當的崇拜和真正的教義負有義務。反覆被使用的另一種論證形式，則與領主與附庸之間的封建關係相類似。在這種契約中，第一種契約認為王權是上帝委任的，第二種契約認為王權是人民委任的。權力的委任是為了達到某些目的，而保有這一權力正是以實現這些目的為條件。因此，上帝和人民都是上司，國王有義務為他們服務，而他們對國王承擔的義務則是有限制的和有條件的——

　　因此，所有國王都是王中之王（上帝）的陪臣，並授予王室的權威標誌——寶劍——代表其職務，憑藉這把劍，他們維護上帝之法，捍衛善並懲罰惡。正如我們通常所看到的那樣，一個握有主權的領主，透過賦予其陪臣一把寶劍，給他們一個盾牌和一面旗幟，從而使他們擁有他們的采邑，條件是，一旦時機到來，他們須用這些武器為他們的領主戰鬥。❻

像這樣的段落不勝枚舉，而且令人印象深刻。在這些段落裡，《索還》與豪特曼以及其他一些人的歷史性論證可說不謀而合。它們表明，國王有限主權論是建立在中世紀流行的思想模式上，它實際上是對較古老的政治概念的一種反動，而且也是反對更典型的近代專制主義者的觀點。

　　透過敍述《索還》所遵循的主要論證方法，可以很容易地看出作者所持的這一立場，即對王權可以合法地進行反抗。每一個基督徒都必須贊同，一旦國王所命令之事違反了上帝之法，那麼他的義務就是服從上帝而不再是服從國王。進一步說，既然王權來自於支持眞正崇拜的聖約，那麼他一旦違反上帝之法或是破壞教會，反抗他顯然就是合法行爲。實際上，這種反抗並非僅僅是合法行爲，而且還是一種積極的義務。人民和國王共同對保持教義和崇拜的純潔性負有責任，如果國王不履行職責，則全部職責就落到了人民的身上，如果人民不反抗他，人民就要受到罪有應得的全部懲罰。

　　國王與人民之間的第二種契約，證明了在世俗統治中反抗暴政的合理性。雖然國王是上帝所確立的，但在這件事情上，上帝卻是透過人民而行事。在這裡，《索還》再一次認爲民法中的一切契約形式都是理所當然的。人民所提出的條件國王必須履行。所以，人民的服從僅僅是有條件的義務，也就是說，只有在公正和合法政府的保護之下才有這種義務。然而，國王則必須無條件地履行他的職務所賦予他的義務，如果他不這樣做，那麼契約也就無效了。因此，統治者的權力乃是來自人民的委託，只有得到人民的同意，才能繼續擁有這種權力。雖然世襲繼承的習慣已經形成，但實際上所有的國王都是選出來的，因爲這種根據傳統而得到的權力，與人民權利並不相違背。如果從上下文中把這一論點抽離出來，那麼它在這裡與後來出現在洛克著作和美洲殖民地、法國流行的革命理論中的契約論是十分相似的。不過，《索還》的上下文中，占主導地位的還是宗教鬥爭。

　　《索還》的作者如同後來的契約理論家一樣，在契約形式的背後極欲伸張的是功利主義的論點。他主張，王權顯然是由人民批准的，因爲人民認爲國王的職務值得他們爲之付出代價。因此，必須做這樣的假定，即政府的存在是爲了促進臣民的利益，因爲後者除非是發瘋了，否則絕不會在他們的生命和財產得不到保護的利益下承擔服從的義務——

　　　　首先，所有人都同意，人們的天性是熱愛自由而憎恨勞役，生來就寧願指揮而不願服從，不願意接受他人的統治，不願意放棄天賦特權而服從別人的命令，除非是爲了某些他們所期望的特殊和巨大的利益……我們不可能想像，國王被挑選出來就是爲了把其臣民辛勤勞動

的產品占爲己用，因爲每一個人都喜愛和珍惜自己的東西。❼

然而，《索還》的主要論證並不是功利主義式的。限制國王權力的主要根據是他必須服從法律，不但要服從自然之法，而且要服從國家之法；是他依賴於法律，而不是法律依賴於他。作者對法律表現出了一如中世紀式的尊重，他重述了自斯多噶派以來所累積一切讚美法律的老生常談——

> 法律本身就是理性和智慧，它無混亂之憂，不爲人的脾氣、野心、仇恨或承諾所左右……爲了達到我們的目的，法律是一種明智的心力，或者寧可說就是許多默契的障礙：心力作爲一切智能的保證（如果我能夠這樣稱呼它的話），乃是神性的一部份，既然他服從法律，似乎就會服從上帝，並且接受上帝對於爭端的仲裁。❽

法律出自於人民而不是國王，因此只有得到人民代表的同意，才能對之進行更改。國王只有在法律許可的情況下，才能處置其臣民的生命和財產，他的每一個行爲都要對法律負責。

契約論必不可少的內容是：人民可以讓統治者爲其統治的正義和合理性作出說明。這樣，變成暴君的統治者就會失去執掌權力的資格。不過，還有待說明的是，「應由誰來行使這一權利？」在這裡，作者又回到了古代對於暴君與合法國王的區別上來，即一位篡權奪位並且無資格作國王的暴君和一位已變得暴虐的合法國王之間的區別。一個普通公民，可以反抗或殺死前者。對於第二類國王，反抗之權則僅僅屬於法人團體的人民，並不屬於由個人組成的「烏合之衆」。就個人而言，《索還》對消極服從的強調與喀加爾文如出一轍。如果全體人民集體進行反抗，他們必須透過他們的領袖行事，即聽從各自所在地區的低級行政官員、貴族、各個等級或地方和市的官員的領導。只有行政官員或是與其地位而成爲社會天然保護人的人，才能反抗國王。

與反抗權利有關的這一層面，相當明確地說明了《索還》的真實宗旨。它絕不是主張每一個個人生來都有民衆的權利。衍生出這一論點的胡格諾教派，並不支持民衆權利。它所支持的毋寧是城鎮、行省或等級的權利（或古代的特權），並且反對王權削平這些權利。《索還》所體現的是貴族政治精神，而不是民主政治精神。它所說的權利是法人團體的

權利，而不是個人的權利；它的代議制理論所設想的是團體的代表制，而不是眾人的代表制；它所闡述的——也許能夠闡述——可以合理進行反抗的情況，並不是十分清楚。不過，這一理論確實內含了這樣的觀點，即一個國家是由相互制衡的幾個部份或等級組成，並且是由相互之間的協議而不是由一個政治上的國王來統治。在這一方面，《索還》很容易引導出某種類似於聯邦政府概念的東西。這樣一種把國家描繪成較小的法人團體之聯邦的理論，實際上幾年之後就由尼德蘭的阿爾圖秀斯（Althusius）作了系統的說明。在那裡，政府形式已更適合於這樣的觀點。

　　從整體上來看，《索還》的政治理論是一種奇特的混合物。考慮到契約理論在以後的發展方向，我們對這本書自然特別強調了契約因素，但也因此犧牲了歷史的精確性。它重述了這樣一個陳舊的概念：政治權力是為了社會的良好道德而存在，行使這種權力要負責任，並且要服從於自然的權利和正義。這些思想是現代歐洲從中世紀繼承下來的共同遺產，它使得契約理論明確地效忠於反抗權。但是，總體說來，這部書與現代盛行的政府趨向的關聯，仍少於與它所反對的專制主義。首先，《索還》完全不是一種關於世俗政治的理論，它起源於宗教鬥爭，並且是一篇宗教少數派的宣言。這些都是再清楚不過的。作者根本沒有這樣的國家概念，即國家可以不必為宗教真理和禮拜的純潔性擔負責任。特別是，它為反抗權利所作的辯護，完全不是有關民眾政府和人的權利的論證。在其中，根本就沒有提及個別人的權利。實際上，它是帶著貴族政治偏見乃至於封建主義的偏見。因此，在精神上，它與後來注入到契約論之中的自由和平等的學說，其實是風馬牛不相及。

其他新教徒對專制主義的抨擊

　　在法國以外的其他國家，亦出現了或多或少受法國思想影響的新教作家的作品。這些作品所提出來的理論，與《索還》中的理論非常相似。在《索還》出版的同一年，蘇格蘭詩人兼學者喬治・布坎南（George Buchanan）發表了他的著作《論蘇格蘭的合理獨裁》（*De jure regni apud Scotos*）。這部作品作爲一份革命文件，在聲名上與上述法國著作不分高低，而且在文學上還超過了它。布坎南一生的大部份時間在法國度過，把他列入法國思想家之林並不爲過，儘管他與胡格諾教派並無特別的交往。他的個人興趣使他成了一位「人文主義者」（humanist）而不是「教派主義者」，因此，他的著作不像《索還》那樣受到神學動機的支配。他略去了特別的雙重契約，並且使他的理論更明確地適用於世俗政治。權力來自於社會，因此必須按照社會的法律來行使；義務必須是有條件的，而且視國王對其職責的履行而定。布坎南相當清楚地闡述了古代斯多噶派這一觀點：政府起源於人的社會性，因此是自然的。在這方面，他也傾向於把政治對神學的依賴降到最低限度。當然，反抗的權利是他的主要論點，在這裡，他的論證實質上同《索還》的論證相似，只是他更直言不諱地爲誅戮暴君辯護，並且以透過號召更多人民而採取行動這樣一個模糊的概念，來代替人民依賴下級行政官員的天然領導的觀點。在這一方面，他受胡格諾派封建因素的約束較少。令人奇怪的是，布坎南的書竟是爲教育他的王室弟子、未來的英王詹姆士一世而寫。詹姆士之所以全心全意地信奉英國國教，則是由於他年輕時清楚地領悟了長老會派的理論與實踐方法。

在尼德蘭，人們也用同一類型的政治哲學證明反抗暴政的合理性。在這個國家，這種哲學得到了最公開而普遍的運用，以致後來在阿爾圖秀斯（Althusius）和格勞秀斯（Grotius）的著作中得到了系統的發展，而不再僅僅是爭論的武器。一五八一年，議會在「放棄法案」（Act of Abjuration）❾中宣布他們放棄對腓力二世（Philip Ⅱ）的忠誠——

> 所有人都知道，王公是受上帝之命來撫育其臣民，甚至就像牧人保護他的羊一樣。因此，當王公不能作爲保護者履行其義務時，當他壓迫他的臣民，踐踏他們悠久的自由，甚至把他們當成奴隸般的對待時，人們就會認爲他已不是一個王公而是一個暴君了。在這種情況下，國家的各個等級就可以合理合法地廢黜他而另外挑選一位王公。

這一法案並不是一篇哲學論文，但是分析表明，它考慮到了出現在所有反王權派論證中的兩個相同點，即自然法和爲古代自由的辯護。它表明

下述觀念在人民的意識中是多麼根深柢固，即政治權力應當依靠社會中所固有的道德力量，並且應當服務於社會。正如幾十年後的「五月花公約」（Mayflower Pact）（一六二〇年）所表明的，人們總是毫不猶豫地從公衆同意或契約的觀點出發來考慮公民社會。

耶穌會士和教皇的間接權力

　　當前述這類反王權的政治哲學——把王權的根源追溯到人民的同意並且捍衞反抗的權利——在喀爾文派新教徒不斷發展時，天主教作家特別是耶穌會士也提出了一種類似的理論。這種哲學背後的動機頗爲混雜，就像喀爾文派的動機一樣。當然，天主教徒受到的是同樣的法制傳統的影響，也正是這種影響使得新教徒起而捍衞代議制政府而反對專制主義。在這一方面，宗教上的差異或耶穌會的特殊目的都已無關緊要。另一方面，耶穌會士支持上述反王權派觀點則有其特殊原因，像喀爾文教派一樣，他們反對過於強大的全國性君主政權。然而，與喀爾文教派不同的是，他們在道德和宗教問題上，卻利用他們的理論來支持陳舊的教皇至上論的修正形式。這一目的是耶穌會所特有，天主教徒則絕無這樣的目的，他們對國家和王朝利益的反應顯得更爲敏感。

　　因此，特別就耶穌會的反王權理論而言，正如喀爾文教派的理論一樣，完全是十六世紀宗教差異的直接結果。它來自於修道會在羅馬教會著名的「反改革運動」中所扮演的角色，這一運動在兩代人的時間裡糾正了造成新教徒叛教的某些最惡劣的弊端，給教義下了許多更加明確的定義，使羅馬教廷的統治者有了新的風貌，並且爲改革後的教廷創立了更嚴厲的戒律以約束低級教士。這次反改革運動的成功是令人驚異的，它不僅徹底制止了新教的傳播，而且給人們帶來了希望或恐懼，這就是教會還能夠贏回它所失去的地盤最大要因素。在這一富有戰鬥性的競爭中，沒有比耶穌會這一理想的傳教組織更爲強大的單一力量了。一五三四年建立的耶穌會，受到了最嚴格的服從和自我犧牲誓言的約束。在十六世紀，它不但吸收了熱心的人和具有行政權力的人，而且也吸收了羅馬教會中一些最有頭腦的人。耶穌會的學校和學者在歐洲都屬於最優秀

者之列，它的敵人面對它時所感到的極大恐懼，證明了它的能力。雖然它的政治哲學明顯地受到了宣傳動機的影響，但是它所陳述的反王權理論比起新敎徒對於同樣主張的陳述，一般說來是處於更高的智力水平之上。

耶穌會士的特別目的，是按照聖托馬斯所提出的方針，根據十六世紀占主導地位的政治情況重新制定關於敎皇統治權的溫和理論。有關皇帝作爲基督敎界世俗首腦的概念，在十四世紀幾乎杳然無踪，至此人們早已把它忘懷。歐洲在情感上和事實上都已成了一批民族國家，他們在世俗事務上實行著有效的自治，但在某種意義上仍然信奉基督宗敎，儘管他們已不再效忠於單一的敎會了。耶穌會士夢寐以求的就是召回反叛者，並且透過承認世俗事務獨立的事實，以拯救敎皇在基督敎國家社會中的某種精神領導地位。事實證明，後者純屬幻想。民族主義的天主敎徒對耶穌會士的憎惡之所以不亞於新敎徒，主要原因就在於此。

羅伯特・貝拉邁（Robert Bellarmine）爲耶穌會的敎皇理論提出了明確的形式。❿他是十六世紀天主敎辯論者中最富有成效的一位。在勉強承認敎皇對於世俗事務沒有權威的情況下，貝拉邁爭辯說，敎皇是敎會的精神首腦，而且他本人在完全出於宗敎目的的情況下，對於世俗事務也該擁有間接權力。世俗統治者的權力，旣不像王權派所斷言的那樣直接來自於上帝，也不像極端敎皇派所主張的那樣來自於敎皇。這種權力來自於社會本身，爲的是它自身的世俗目的。國王的權力在類別和來源上都是世俗的，唯有人類統治者中的敎皇才享有直接來自於上帝的權力。因此，世俗政府不應當强求其臣民絕對服從，但宗敎權威爲了宗敎目的卻享有指導和支配世俗事務的權利。於是就演變成這樣的情況，即敎皇可以正當地廢黜一位世襲的統治者，並且可以解除他的臣民對他的效忠。除了更强調王權的世俗來源之外，貝拉邁關於敎皇和國家的理論，實質上與聖托馬斯的理論沒有什麼區別。除了提到敎皇之外，這一理論實質上與喀爾文敎派的理論也沒有什麼區別。這兩者都主張敎會獨立地決定敎義，都不承認王室在國敎會中擁有最高的地位，或者說不承認世襲國王不可廢除的神聖權利。這就解釋了爲什麼王權派文獻將耶穌會和喀爾文敎派相提並論的原因。詹姆士一世的名言──「耶穌會士只不過是淸敎徒敎皇派而已」──是典型的描述，而且名符其實。

　　耶穌會和喀爾文教派對教會和國家理論所做的貢獻，不啻爲一種歷史的諷刺。他們只要一想起這點，就會感到厭惡。在十六世紀，所有爭論者都以令人驚訝的簡單想法，認爲他自己的神學對所有人來說都是明白無誤和有益的。簡直沒有人正視這樣一種可能性，即沒有任何一種宗教制度能得到普遍的承認。當人們清楚地看到了這一事實，並且了解如果不冒最大的政治風險就不能鎮壓任何一個重要的宗教集團之時，則政府除了從神學的爭論中完全退出來，並聽任各個教會向樂於接受其教義的人傳教之外，已別無選擇了。雖然國教會事實上已使整個國家的人都成了它的成員，但基督教的全部傳統卻反對使一位政府官員公然成爲宗教眞理的仲裁者。所以，教會必須獨立的要求已經不可避免，但取得這種獨立必須以教會和國家成爲兩個獨特的社會作爲代價，而這恰恰是耶穌會和喀爾文教派所料想不到的。耶穌會的理論與這個可憎的結論特別近似。這一理論——國家是一個國民社會，它的起源和目的純粹是世俗的，而教會則是世界性的，它淵源於神意——意味著教會是一個社會實體，而國家則是另一個社會實體，兩個社會實體的成員身分互不相干。因此，這一結果與耶穌會和喀爾文教派所期望復活的中世紀主義，可說是大相逕庭。

　　因此，儘管存在著神學上的差別，但法國或蘇格蘭的喀爾文教派的政治理論與耶穌會的那些理論確有某些相似之處，而且並非純屬天外飛來一筆。這兩者所處的形勢使得他們必然提出這樣的主張：政治義務不是絕對的，人們擁有反叛持異端統治者的權利。這兩派所依賴的是共同的中世紀的思想遺產，並且都提出論證，認爲，社會本身造就它自己的官吏，並且能夠爲了它自身的利益而管理他們。因此，兩派都主張，政治權力是人民所固有，是通過契約而出自於人民，而且，如果國王變成暴君，則這種權力亦可以收回。耶穌會作家顯然並不是這一理論的首創者，但他們對於所論證的原則的陳述，一般說來要比喀爾文教派更加清楚。

耶穌會士和反抗的權利

　　早期的耶穌會作家主要都是西班牙人，他們的理論所受到的影響主要來自於他們的國家，而不是剛才所提到的耶穌會的特殊目的。這一點對於胡安・德・馬里亞納（Juan de Marina）來說尤其是如此。❶他的理論基本上受關於憲政的考慮所左右。像豪特曼（Hotman）一樣，他賞識中世紀的制度，特別是那些由阿拉岡國會（Estates of Aragon）所體現的制度。他認為國會是國家法律的監護者，國王應完全服從於它。國王的權力來自於與人民訂立的契約，而人民的權力則由國會行使，他們保有變更法律的權力。所以，國王可以因違反基本法而被罷免。馬里亞納的這一憲政理論是基於這樣一種說明，即在政府出現之前，文明社會是源於一種自然的狀態，在這種狀態下，人們過的是動物般的生活，既沒有文明生活中的種種美德，也沒有文明生活中的種種罪惡。如同後來的盧梭一樣，他認為私有財產的起源乃是走向法律和政府的決定性一步。馬里亞納理論的最重要特點，就在於他把政府的起源和發展看作是一個自然的過程，是人類需求推動的結果。正是基於這一立場，他提出了如下的論點，即一個社會要始終能夠控制或廢黜它的需求所造就出來的統治者。他遠比《索還反抗暴君之權》的作者更接近於有關文明社會及其功能的非神學觀點。

　　由於他坦率承認誅戮暴君是解決政治壓迫的辦法，所以他的著作一直聲名大噪，或許說是聲名狼籍更為貼切。事實上，他和當時的其他作家在原則上並無多大差別。普通公民誅殺一個篡權者的權利，已得到了非常廣泛的承認，布坎南早就為殺死壓迫者提出了辯護，即使這個壓迫者的頭銜仍是合法的。馬里亞納之所以負有更大的惡名，大概是因為他公開為謀殺法王亨利三世辯護，這一行為使得他的著作被巴黎的議會付之一炬。馬里亞納幾乎沒有強調教皇的宗教權力，在這一方面，他顯然不是一個典型的耶穌會士。

　　耶穌會政治理論的最重要的代表，是西班牙好賣弄學問的哲學家兼法理學家弗朗西斯科・蘇亞雷斯（Francisco Suarez）。❷他的政治學

是附隨於法理學的哲學體系，而這一哲學體系又僅僅是效法聖托馬斯的整個哲學結構的一部份。像貝拉邁一樣，蘇亞雷斯認爲，教皇是基督教民族大家庭的精神領袖，因而是實現人類道德統一的發言人。教會是一個世界性的和神聖的組織；國家則是一國的和特殊的組織。基於這一觀點，他爲教皇出於宗教目的而調節世俗統治者的間接權力進行了辯護。具體地說，國家是一個人類組織，它取決於人類的需求，淵源於家族首腦們的自願聯合。根據這種自願的行爲，每一方都有義務去做總體利益所要求的任何事情，而這樣形成的公民社會即擁有一種天然和必要的權力，以便爲了總體利益而管理它的成員，並去做它的生存和需求所要求的任何事情。於是它就確立了這樣的原則：社會統治者自身及其成員的權力是一個社會集團所固有的屬性，除非世界上的一切事物都依賴於上帝的意志，否則它就根本不取決於上帝的意志，而純粹是一種自然的現象，屬於物質世界，並且與人類的社會需求有關。撇開教皇的間接權力不談，蘇亞雷斯有關社會的觀點絕不是一種神學觀點。從政治權力是社會固有屬性這一觀點出發，他得出了這樣一個可以預料到的結論：任何形式的政治義務都不是絕對的，在某種意義上，政治安排乃是表面文章。一個國家可以受治於一位國王或某種其他的統治形式，政府的權力是可多可少的。在任何情況下，政治權力都來自於社會；它的存在是爲了社會的福利；而且當它不稱職的時候是可以變革的。毫無礙問，這一理論是意在抬高教皇的神授權力，以便使之凌駕於僅僅享有世俗權力和人類權力的國王之上，然而，其效果實際上卻使政治與神學更徹底地分離開了。

蘇亞雷斯的政治理論是附隨於他的法理學。他的目的是提出一種百科全書式的、包羅萬象的法律哲學，而且，正如在他的著作中所常見的那樣，他對中世紀法律哲學的各個方面都進行了概括和分類。蘇亞雷斯和有時被稱爲西班牙法理學派的其他成員，整理匯編了中世紀的法律哲學，從而使之傳到了十七世紀。特別是這些法理學家對自然法的全部學說所作的系統闡述，貢獻可說非同小可，因爲在十七世紀，這似乎是研究政治理論問題的唯一科學途徑。雨果·格勞秀斯（Hugo Grotius）在這個問題上的影響也許頗具決定性，但是支持格勞秀斯觀點的卻是西班牙人所提出有系統的法理學。確實，在蘇亞雷斯的著作中，包含了許

多格勞秀斯所遵循的結論。如果在自然和人的本性之中存在著某些特質，這些特質不可避免地會造成某些正確的行爲方式和另一些錯誤的行爲方式，那麼善惡之別就不是出於上帝或人的專斷意志，而是一種理性的差別。人類關係的性質和人類行爲的自然結果構成一個判斷的標準，實證法的種種準則和慣例必須屈屬於這一判斷標準。任何人類的立法者——正如格勞秀斯後來所指出的，哪怕是上帝本人——都不可能使錯誤變成正確，就像蘇亞雷斯所論證的，即使是敎皇也不能改變自然法。在法律的特有條款的背後，存在著具有普遍效力的理性條款。由此可以得出這樣的結論，即國家像個人一樣，要服從於自然法，服從這項包括國家內部的法律準則和國與國之間的法律規章的原則。即使在蘇亞雷斯的著作中，也可以看到這樣一個體系的模樣，其中自然法變成了憲法和國際法的基礎。

國王的神聖權利

政治權力屬於人民，持有正當的理由就可以反抗統治者，這一有爭議的理論孕育了它自己的答案，並且自然會以修正已長期存在的世俗權威神聖性的信念爲形式。在十六世紀，這樣的修正也自然要指向「國王的神聖權利」（divine right of king）。這一理論如同它的敵對理論一樣，有賴於敎派之間爭奪權力的鬥爭。正如爲反抗的權利所作的辯護自然是出於把政府視爲異端而加以反對的那一派一樣，爲國王的不可取消之權進行辯護的那些人正是站在國家機構一邊，並且反對這一咄咄逼人的反對派。最初，爭論的只是專制主義反對立憲主義這一次要問題，根本不是獨裁政治反對民主政治的問題。神聖權利是對秩序和政治穩定的一種辯護，以便反對這樣一種廣泛的觀念，即認爲這會擴大宗敎內戰所內含的危機。至關重大的實際問題在於：統治者所持的異端邪說是不是公民違抗他的一個正當理由。

國王神聖權利論的現代形式，是稍晚於有限王權論的一個發展，而且也是對它們的一個回應。在內戰的混亂之中，這一理論使自己具體化了，並且與法國王權的實際擴充遙相呼應。這一趨勢出現於該世紀末，

使王權比戰爭開始之時更強大了。此時，它正準備開始中央集權的最後過程（這一過程結束於路易十四專制王朝的確立）。這是唯一有助於保持法國有效的全國性政府的解決辦法。隨著戰爭的持續，有一點變得更加清楚了，即雖然新教徒和天主教徒之間的對抗能夠輕而易舉地摧毀法國政府和法國的文明，但無論哪一方都不能取得徹底的勝利。把國王確立為國家的首腦，確立為一切派別的效忠對象，是唯一可行的辦法，儘管這些派別的人仍然是新教徒或天主教徒。讓‧布丹（Jean Bodin）的主權論在更高的哲學水平上闡述了這一運動中所包含的政治原則，但是有關神授權力的學說卻是實質上相類似學說的一種通俗說法。對國家來說，國內的分裂和對外的軟弱代表的是一種反動，人們感到在胡格諾派的地方主義和教皇至上主義者的天主教信徒中就包含著這樣的傾向。

神聖權利論，正如與其分庭抗禮的人民權利論一樣，是一種非常古老而且得到廣泛承認的思想變形，這就是：權力具有宗教的起源和認可。自從聖保羅撰寫《羅馬人書》（Romans）第十三章以來，沒有任何基督徒曾懷疑過這是一點。但是，既然從字面上來講一切權力都來自於上帝，那麼對國王來說如同對任何其他統治者一樣，也就沒有必要再適用神聖法律了。再者‧雖然權力本身是神聖的，但是在適當的情況下，反抗權力的非法運用，可能仍然是正確的。基於這些原因，在十六世紀結束之前，人們並未感到權力來自上帝論和權力來自人民論之間有什麼矛盾。造成這兩種觀點互不相容的是：第一，人民權利的發展，意味著一種特別的反抗權利；第二，神聖權力的相反發展，意味著臣民對其統治者負有消極服從的義務。這樣，諸如國王是上帝的牧師那樣一些幾乎已經毫無意義的古代格言，又得到了新的涵義：即使是出於宗教原因，反叛亦是褻瀆神靈。透過賦予國王一種特殊的神聖性，使得路德和加爾文所宣揚的消極服從義務又進一步強化了。

這種新的君權神授形式，實質上是一種流行的觀點。它從未接受而且也不會接受正式的哲學表達。但是，如果政治理論的重要性多少取決於它所掌握的人數，那麼這一理論與任何曾存在過的政治觀念相比較都是有利的，因為帶有宗教狂熱的一切社會階層的人和所有形式的神學信念都遵奉它。有關它的標準論證都是聖經中那些熟悉的章節，諸如《羅馬人書》第十三章，這些章節自遠古以來就一直為作家所引用。在十六

世紀，派系偏見中所固有的分裂和不穩定的危險，喀爾文教派和耶穌會對世俗政府的僥倖控制，以及新興國家獨立與統一的意識，爲這些古老的論證賦予了新的力量。因此，總的來說，這一理論主要是用來作爲愛國情感的焦點，並且作爲在宗教上對公民義務的一種合理解釋。在理性結構方面，它是極其薄弱的。然而，它的一些比較能幹的支持者對於反對派關於政治權力屬於人民的理論，確實提出了積極的、有時是不無成效的批評。❸

神聖權利論在邏輯上的困難，並不在於它是神學理論——它所反對的理論幾乎也是神學理論——而在於人們認爲王權所具有的特定合法性並不能予以分析或理性的辯護。加在國王身上的神權，在本質上是神奇的，必須透過信仰而不是透過理性來接受。正如詹姆士一世所說，國王的職務乃是一個「神秘」（mystery），這既不是法學家也不是哲學家所能探究。所以，當引證聖經原文不再是一種規範的政治論證方法時，這種理論就幾乎無法存在了。在這一方面，它與政治契約論不同，後者儘管在早期亦採取神學形式，但卻能以任何理性主義者都可接受的方式加以表述，所以能夠爲哲學提供分析政治義務的機會。

從自然過程的觀點闡述王權的合法性，就這一點而言，它意味著王權是世襲的，其推測大概是基於這樣的理由，即上帝的選擇就表現在出生這一事實上。然而，從這一點出發，論證往往變成了一種精心推敲但並非很令人信服的類比，如把政治權力與父親的「天生」權威相類比，或把對國王的尊重與孩子對其雙親的尊重相類比。這種類比顯然容易遭受嘲笑，比如約翰・洛克就這樣對待它。儘管這樣的類比古已有之，但對於不準備相信任何別的理由的人來說，它從來就沒有說服力。除了類比之外，這種對王權合法性的論證簡直是把長子繼承制的封建規則確立爲一般的自然法則了。但是，不管出生和繼承是多麼自然的事情，這一論證仍很容易遭致下述觀點的反對，即對國土和權力的繼承乃是一種因國而異的法律準則。在法國，薩利克法（Salic Law）不准女性嗣位，而在英國，女性嗣位卻是合法的。於是，這一論證就處於一種奇特的境地，它意味著上帝是根據各個國家的法制慣例而改變授予神聖統治權利的方式。

這樣一種道德信條——即使統治者持有異端，反叛也絕非正當——

是現代化了的神聖權利論的正常組成部份。然而，對於這兩個一直被認
爲是獨立的主張來說，它並未提供任何邏輯上的聯繫。人們能夠並且常
常是基於功利主義的緣由而爲消極服從辯護，但這種功利主義的緣由與
神聖權利卻毫無關係。對於混亂危險且不尋常的强烈感覺，大概就是使
服從義務顯得至高無上的關鍵因素。再者，一些像威廉・巴克利（Wi-
lliam Barclay）那樣爲國王神聖權利辯護的作家可能承認，國王所犯下
的特別罪過，如陰謀顛覆國家，是可以按照退位來處理。但這只能視爲
一種十分例外的可能性。總之，神聖權利最終意味著臣民的服從義務是
絕對的，也許僅在某種完全異常的情況下除外。

　　消極服從的義務並不意味國王可以完全不負責任並且可以隨心所
欲。人們通常認爲，國王的地位高於其他人，因此他所負的責任更大。
人們肯定，國王始終是受上帝之法和自然之法所約束，並且都斷言，他
有尊重國家法律的一般義務。但是，這一義務是針對上帝而言，而且國
王並不接受人類的審判，不管這一審判是在法律程序之內還是在法律程
序之外。一個惡劣的國王將受到上帝的審判，但絕不會受到他的臣民的
審判，亦不會受到諸多等級會議或法庭那樣的人類執法機構的審判。法
律歸根結柢存在於「國王的胸中」（"in the breast of the king"）。無
論在何處，只要國王和代議制機構之間展開立憲鬥爭，這一問題都注定
要成爲神聖權利論和人民或議會權利論之間所爭論的首要政治問題。

詹姆士一世

　　雖然神聖權利論的現代化說法產生於法國，但大約在同一時間，它
在蘇格蘭也出現了。在這裡，闡述這一理論的不是別人，正是國王本
人。他就是後來的英王詹姆士一世，他的著作《自由君主制國家的眞正
法律》（*Trew Law of Free Monarchies*）發表於一五九八年。❹這一著
作反映了詹姆士家族和他本人青年時期與蘇格蘭喀爾文教派交往的不愉
快經歷，同時也反映了他對法國宗教戰爭中所產生的論戰著作的理解。
他所說的「自由的君主制國家」，指的是不受外國王公和王國內的教派
或封建領土脅迫的王室政府。斯圖亞特（Stuart）王室和强橫的蘇格蘭

貴族長期鬥爭，以及長老會教友新近使詹姆士和他母親所蒙受的羞辱，充份解釋了他為什麼著重這一見解的原因。他曾說過，蘇格蘭長老會「除了上帝和魔鬼之外還贊同君主制」。自由的君主制所必不可少的一點是，它應擁有至高無上的合法權力，以便統治它的全部臣民。

因此，詹姆士寫道，國王「正在塵世顯示上帝的形象」（breathing images of God upon earth.）——

> 君主制國家是塵世間的最高事物，因為國王不但是上帝在塵世間的代理人，坐在上帝的王位上，甚至上帝本人也稱他們為諸神。❸

他就像父親之於孩子，或者像是頭顱之於身體。沒有他也就沒有文明社會，因為人民只是「沒有領袖的烏合之衆」，不能制定法律，法律是出自於國王之手，因為國王乃是神意為其人民確立的立法者。因此，唯一的選擇是服從於國王抑或陷於完全的無政府狀態。詹姆士在把他的理論應用於蘇格蘭時斷言，先有國王，然後才有人類的各個等級，才有議會的召開和法律的制定，甚至國土之內的財產，也只有在國王授予之後才存在——

> 於是，就可以得出這樣的必然性：國王乃是法律的作者和制定者，而不是法律反為國王的設立者。❻

支持這一斷言的是極為含糊的歷史。它的意思似乎是：國王的權力最初所依靠的是「征服的權利」（right of conquest）。

國王的權利一經確立，就要透過繼承的方式傳給他的後嗣。廢除合法的繼承人總是不合法的。既然詹姆士要求得到蘇格蘭的王位，其後又要求得到英格蘭的王位，是嚴格遵循世襲制行事的，那麼他抱定這一原則不放就很自然了。這一原則只不過表明，封建法律中繼承人的權利是不可轉讓和不可剝奪的。因此，君主制在法律上的根本特點就是合法性，就像合法地繼承先前合法的君主制國家所表明的那樣。這一點成了斯圖亞特家族在英國內戰中所持的獨特立場。任何功利的考慮都不能把有效的世襲權利撇在一邊，甚至一場成功的革命也不能使之失效，沒有任何傳統法律反對合法的繼承人。簡言之，國王的特質乃是一種超自然的標記，是不能解釋和討論的。在一六一六年，詹姆士在星院（Star

Chamber）指責他的法官說：

> 　　辯論涉及到國王權力的神秘是非法的，因爲這是對王公弱點的猛
> 烈攻擊，並將奪走屬於那些位居上帝寶座之人的神秘崇敬。⓱

詹姆士一向承認他負有最高的責任，但不是對其臣民而是對於上帝。他
承認，在一切日常事務上，國王應當同樣尊重他要求他的臣民尊重的國
家法律，不過，這是一種自願的服從，不能加以強制。

　　神聖權利論在英國都鐸（Tudor）王朝時期幾乎沒有得到預期的發
展，也許最能說明這一作爲維護國家穩定、反對分裂威脅的理論的眞實
性質。儘管喀爾文教派和英國國教徒對於王室統治國家教會是否正當意
見分歧，但在伊麗莎白（Elizabeth）去世之前，這種分歧並沒有給王
國的內部和平與秩序造成任何嚴重威脅。在十六世紀，英國的喀爾文教
派並沒有採用具有法國和蘇格蘭喀爾文教派特色的反王權哲學。另一方
面，英國國教徒對於用王權不可取消的信條來支持消極服從，也還沒有
任何特別的動機。法國內戰的可怕事例，從嚴肅的功利主義方面爲捍衛
消極服從提供了充份的理由。但都鐸國王的穩定現狀和無可爭議的權
力，使得神聖權利論變得沒有必要了。到十七世紀時，形勢發生了變
化，內戰的爆發既需要以人民權利爲理由爲反抗進行辯護，又需要對這
一立場加以駁斥。於是，君權神授就成了宗教辯護師們爲斯圖亞特王朝
辯護的共同主張。然而，法國和英國的情況根本不同，因爲在英國，至
少習慣法法官或議會是像國王一樣代表著民族情感。問題不在於堅持國
家統一、反對分裂，而在於應由什麼樣的立憲機構來代表國家的統一。
用特別的神意把英國國王籠罩起來，是毫無道理的，而且事實上神聖權
利論在英國政治理論中確是無足輕重。

註　解

❶ "monarchomach" 一詞顯然是威廉·巴克利（William Barclay）在他的著作《論專政與王權》（*De regno et regali potestate*）（1600 年）中所新創，用以描述為反抗之權辯護的作家。它並不意味著反對君主制本身。

❷ 瓦洛斯（Valois）方針的失敗，使得這一點顯而易見，即納瓦爾（Navarre）的新教徒亨利有可能登上王位，這時，一批天主教反王權派作家就採納了先前為新教徒所使用的論據。主要的著作有：布歇（Boucher）的《論廢黜亨利三世的正當性》（*De justa Henrici III abdicatione*），1589 年；《論基督教共和國對持異端政權實施統治的正當性》（*De justa reipublicae Christianae in reges impios et haereticos authoritate*），1592 年，作者所用筆名是羅薩厄斯（Rossaeus），大概就是威廉·雷納爾茲（William Rainolds）。

❸《論官員對下屬的權利》（*De jure magistratuum in subditos*），法譯本的標題是 "*Du droit des magistrats sur les sujets*"；大約出版於 1574 年。艾肯（A. Elkan）探討了作者的身分，見《巴托羅繆之夜的新聞學》（*Die Publizistik der Batholomäusnacht*），1905 年，第 46 頁及以後數頁。

❹ 此書 1581 年出版了法文版，1648 年出版了英譯本，以後一版再版。1924 年此書重印，附有拉斯基（H. J. Laski）的導言，書名叫《為反對暴君的自由辯護》（*A Defence of Liberty against Tyrants*）。該書出版時所署的筆名是斯蒂芬·朱尼厄斯·布魯圖斯（Stephen Junius Brutus）。原作者是誰，自十六世紀以來就一直在爭論。由於貝爾（Bayle）的《字典》（*Dictionary*）中的一篇文章，這本書的作者先前被認定為休伯特·蘭格特（Hubert Languet），但自從馬克思·勞森（Max Lossen）的論文在 1887 年巴伐利亞皇家科學院學報上發表，人們就通常把它歸於菲利普·杜·波萊西斯-莫內（Philippe du Plessis-Mornay）的名下了。厄內斯特·巴克（Ernest Barker）新近在〈《索還反抗暴君之權》的原作者〉中再一次提出了蘭格特，見《劍橋歷史雜誌》（*Cambridge Historical Journal*）第 3 卷，1930 年版，第 164 頁及以後數頁。而阿倫（J. W. Allen）在其著作《十六世紀政治思想史》（*History of Political Thought in the Sixteenth Century*）（1928 年）中對兩者都提出了疑問，見第 319 頁，註 2。有關各類法文著作的論述，見阿倫前引書，第 312 頁及以後數頁。

❺《列王記下》(*Il. Kings*)第 11 章，17; 第23 章，3;《歷代志下》(*Il. Chronicles*)，第 23 章，16。

❻拉斯基編，第 70 頁及次頁。

❼同上，第 139 頁及次頁。

❽同上，第 145 頁及次頁。

❾在莫特利(Motley)的《荷蘭共和國的興起》(*Rise of the Dutch Republic*)中有所分析，見第 6 部份，第 4 章。

❿見他 1581 年的論辯：《論最高的大主教》(*De summo pontifice*)。1610 年《論最高大主教的權力》(*De potestate summi pontifice*)中，他又作了詳盡闡述。

⓫《論國王和王國的制度》(*De rege et regis institutione*)1599 年。

⓬《論法與作爲立法者的神》(*Tractatus de legibus ac deo legiseatore*)，1612 年。

⓭對神聖權利論作出最詳盡闡述的是威廉·巴克利，他是一個長住法國的蘇格蘭人，他的著作是《論王國與王權》(*De regno et regali potestate*)，1600 年出版。

⓮《詹姆士一世的政治著作》(*The Political Works of James* I)，麥克爾温(C. N. Mcllwain)作序，坎布里奇(Cambridge)，馬薩諸塞，1918 年版。

⓯同上，第 307 頁。

⓰同上，第 62 頁。

⓱同上，第 333 頁。

參考書目

1. *A History of political Thought in the Sixteenth Century.* By J. W. Allen. 3d. ed. London, 1951. Part Ⅲ.

2. *The French Wars of Religion: Their Political Aspects.* By E. Armstrong. 2d ed. London,1904.

3. "God and the Secular Power." By Summerfield Baldwin. In *Essays in History and Political Theory in Honor of Charles Howard Mcllwain.* Cambridge, Mass., 1936.

4. "A Huguenot Theory of Politics: The Vidiciae contra tyrannos." By Ernest Barker. In *Church, State, and Study.* London,1930. Reprinted as *Church,State,and Education* Ann Arboy, Mich., 1957.

5. *Political Liberty :A History of the Conception in the Middle Ages and Modern Times.* By A. J. Carlyle. Oxford, 1941.

6. *The Political Theory of the Huguenots of the Dispersion, with Special Reference to the Thought and Influence of Pierre Jurieu.* By Guy Howard Dodge. New York, 1947.

7. *Studies of political Thought from Gerson to Grotius,* 1414～1625. By John Neville Figgis. 2d ed. Cambridge, 1923. Chs.5～6.

8. "Political Thought in the Sixteenth Century." By John Neville Figgis. In the *Cambridge Modern History,* Vol. Ⅲ (1904), Ch. 22.

9. *The Divine Right of Kings.* By John Neville Figgis. 2d ed. Cambridge, 1914.

10. *Natural Law and the Theory of Society,* 1500～1800. By Otto Gierke. Eng. trans. by Ernest Barker. 2 vols. Cambridge, 1934 (From *Das deutsche Genossenschaftsrecht,* Vol. Ⅳ.) Ch. 1.

11. *The Scial Contract.* By J. W. Gough. 2d ed. Oxford, 1957. Chs. 5～6.

12. *The Social and Political Ideas of Some Great Thinkers of the Sixteenth and Seventeenth Centuries.* Ed. by F. J. C. Hearnshaw. Lon-

don, 1926. Chs. 1, 4, 5.

13. *Against the Tyrant: The Tradition and Theory of Tyrannicide.* By Oscar Jászi ad John D. Lewis. Glencoe, Ⅲ, 1957. Ch. 6.

14. *The Political Works of James I.* Ed. by C. H. Mcllwain. Cambridge, Mass., 1918. Introduction.

15. *L'essor de la philosophie politique au XVIᵉ siècle.* By Pierre Mesnard. Paris, 1951.

16. "The Reformation in Frace." By A. A. Tilley. In the *Cambridge Modern History*, Vol. Ⅱ (1903), ch. 9.

17. *Studies in the French Renaissance.* By Arthur A. Tilley Cambridge, 1922. Ch. 11.

18. *Les théories sur le pouvoir royal en France pendant les guerres de religion.* By Georges Weill. Paris, 1891.

19. *King James Ⅵ and I.* By D. Harris Willson. London, 1956.

第二十一章
布　丹

　　十六世紀最後二十五年出版於法國的大多數政治學作品，都是些辯論性的小冊子。這些小冊子旣不超脫，也無哲學上的創見。然而，有一本書的壽命卻較長，這就是讓・布丹（Jean Bodin）於一五七六年發表的《國家論》六卷（*Six livres de la république*）❶。這本書也是在內戰中應運而生，作者撰寫它的公開目的，就是加強國王的地位。但是，布丹異乎尋常地超然於敎派之外，並且爲創建一個政治思想的哲學體系而奮鬥。不論他的思想多麼混亂，這種努力至少使他的書超脫了辯論性文獻的行列。在《國家論》中，布丹就現代政治學爲自己確定的雄心勃勃的任務，絕不亞於亞里斯多德之於古代的政治學。儘管無法對這兩者進行認眞的比較，但這本書在當時是贏得了很高的聲望，所有的學者在政治思想史上都賦予它一個重要的位置。它的重要意義並不在於它爲恢復亞里斯多德體系而作的努力，而在於它把神聖權利論從神學籠罩的有關主權的思想解放了出來。這樣，它就引發了對於主權的分析，並走向了它的法制學說的內涵。

宗敎信仰自由

　　《國家論》可以說是一部維護政治活動、反對黨派活動之作。它發表之時，聖巴托羅繆大屠殺僅僅才過去四年。它成了一批已經發展起來的溫和思想家的主要智力產品。這些思想家以「政治家」（politique）著稱，他們認爲王權是和平與秩序的中堅，同時力求把國王擡高到一切敎派和政黨之上，以作爲國家統一的核心。他們多少代表了傾向於過去強

有力統治的一翼，這一派往往出現於混亂之時，但他們的觀點在十六世紀的意義卻比這一點更爲重要。他們屬於最先考慮到在一個國家裡容忍幾種宗教之可能性的那些人。儘管他們大多數人是天主教徒，但他們首先是國家主義者。在他們的政治思想中，他們準備正視當時最確定的政治事實，即基督教世界的分裂已成定局，任何一個教派都不能說服或強迫其他的教派。因此，他們所提出的政策是：從破敗中拯救還可以拯救的東西，允許無藥可醫的宗教分歧存在，以及即使失去宗教統一也要把法國國民統一起來。這就是梅迪奇家族之卡特琳（Catherine）的掌璽大臣奧皮塔爾（L'Hôpital）在內戰開始所採取的政策，並且也是亨利四世統治下通常用來解決問題的一般政策。這種政策儘管明智，但對十六世紀的大多數人來說，卻有悖宗教常理。這些「政治家」的一個論敵對他們作了這樣的描述：「他們是一些寧願王國或他們自己的家庭安寧，而不願他們的靈魂得救的人；他們寧願不要上帝而保持王國的和平，也不願在有上帝的情況下進行戰爭。」這種嘲諷有一定的道理。確實，這些「政治家」是把宗教自由奉爲一項政策而不是一個道德原則。他們從不否認國家擁有迫害宗教的權利，或者從來不曾質疑過單一宗教的好處。但他們認爲宗教迫害實際上具有毀滅性，並且基於這一功利主義的理由而加以譴責。一般說來，布丹與這一集團有關，他想透過這本書支持他們的宗教寬容政策，並且也爲針對許多發生於這個煩人時代的實際問題而推行的開明政策提供一個理性基礎。然而，他絕不是一個機會主義者。他的《國家論》的宗旨是提供種種有關秩序和統一的原則，而這些原則是任何秩序井然有序的國家都必須依據的。

布丹的政治哲學如同十六世紀的一切政治思想一樣，亦是新舊政治哲學的奇特結合。他已不再是中世紀作家，但他也未成爲現代作家。他的職業是律師，由於倡導對法律進行歷史比較研究以取代對於羅馬法本文的專門研究，而遭致了律師同行的敵視。他堅持認爲，法律和政治不僅需要根據歷史來研究，而且需要根據人們所處的自然環境，根據氣候、地形和種族進行研究。然而，與這種非常具有現代意味的見解混雜在一起的，卻是這樣一種堅定的信念，即環境包括了星象的影響，而且透過研究星象學可以瞭解它與國家歷史的關係。布丹直率地主張宗教寬容與開明政治，但他同時也是一本巫術手冊的作者，這本書意在作爲行

政官員偵察和檢驗巫師所用。在分析歷史根源時，他總是有鑑定力，並且也不輕信，但他卻隨時準備接受任何有關把自己出賣給魔鬼的人的凶惡計畫的民間故事。他倡導了以國家的物質和經濟福利為目標的政策，並且是第一本被稱為現代經濟學著作的作者，但他卻仍然可以讓自然界住滿精靈和惡魔，使人們的生活處處依賴於這些精靈和惡魔的行動。他是一切教派的評論家，其意見是如此不偏不倚，以致沒有人知道他是新教徒還是天主教徒，乃至有人懷疑他是一個猶太人或是一個不信教者，但他無論在氣質上還是在信念上對宗教卻深信不疑。❷布丹的思想乃是宗教迷信、理性主義、神秘主義、功利主義和好古癖的大雜燴。

　　他的政治哲學也存在著類似的混亂。看來很清楚，他確信自己正遵循一種新的方法，這一方法的奧秘就在於把哲學和歷史結合起來。他說：「如果哲學不能從歷史那裡得到生氣，它就會在自己的格言中因言之無物而死亡。」他批評馬基維利忽略哲學，並把這一點歸咎於他的作品的不道德傾向。另一方面，布丹也無法容忍像他在湯瑪‧摩爾爵士（Sir Thomas More）和柏拉圖著作中所發現的那種烏托邦政策。他的理想是一種受普遍原則框架約束的經驗主義課題，他賦予事實以團結和理性的意義。他的這一政治哲學概念是經亞里斯多德那裡得來，而且必須承認，布丹所設想的這一任務，比他同時代任何其他作家所設想的都寬廣。遺憾的是，他的成就與他的設想並不相稱。他根本就沒有一個構思清晰的體系來安排他的歷史材料。雖然就《國家論》的各部份而言，他能夠做到清晰明確和使人信服，但從總體來說，這部書以及他的其他著作確實都雜亂無章、重複又不連貫。再者，他把從驚人學識中引出的對於法律和制度的歷史事例、統計材料、引文和說明，一古腦地灌輸給了他的讀者。在他死後的一個世紀裡，他的著作之所以受到忽視，主要原因就在於它們的雜亂和冗長令人難以容忍。布丹實際上是毫無文字能力的人，並且他的系統化能力毋寧說是一種形式定義的機敏，而算不上哲學建構上的真正能力；儘管他對於制度的歷史和作用確有洞見，但他只是一個好古主義者而不是一個哲學歷史學家。

國家和家庭

　　《國家論》中那樣的結構，是從亞里斯多德那裡借用而來，儘管沒完沒了的離題討論模糊了整個輪廓。布丹首先考慮的是國家的目的，然後考慮的是家庭以及婚姻、父子關係、私有財產和奴隸制，他把這一切視爲家庭目的方面。然而，作品一開篇就暴露出了他在建構一個系統化的政治哲學方面的弱點。關於國家的目的，他沒有清楚的理論。他把國家界定爲：「若干家庭及其共同財產構成的擁有最高權力的合法政府。」他說「合法」一詞表示正義，或者是指遵循自然之法，從而把國家同諸如強盜幫夥那樣的非法聯盟區別開來。然而，就最高權力應爲其臣民謀求的目標而言，布丹卻是非常的模糊。他明白，亞里斯多德在這裡並不是一個安全的引路人，城邦國所謀求的目標在現代王國是不可能實現的。所以他說，公民的幸福和美德並不是切實可行的目的。而且，他也不願意國家僅侷限於追求諸如和平與財產安全之類的物質利益和功利利益。國家既有靈魂也有軀體，雖然軀體的需求具有更直接的緊迫性，但靈魂卻居於更高的地位。事實上，布丹從未對國家的這些較高目的作出清楚的說明。結果他的體系存有嚴重的缺陷，因爲他始終不能成功地對公民服從主權國家的義務作出確切的解釋。

　　布丹的家庭理論是他著作中的一個獨特的部份，但這一理論也很難同主權論聯繫起來。家庭——由父親、母親、孩子、僕人和共同財產構成——他認爲是一個自然的集體，一切其他的社會都是由此而產生。遵循羅馬人的觀念——國家的管轄權不得跨過家庭的門檻，他一本正經地建議恢復**家長**（ pater familias ）對於家屬的最極端的權力，這包括對於人身、財產乃至其子女生命的完全控制。同時，作爲對這一點的補充，他亦對占有和使用奴隸的權利進行了出色的駁斥。家庭構成一個自然的單元，它擁有私有權；國家和一切其他的社會共同體都是由它所構成。他把國家定義爲諸家庭的政府，當一位家長步出家庭並與其他家庭的首腦共同行動時，他就成爲了公民。當許多家庭聯合體——村莊、城市和各種各樣的團體——起來共同悍衛和追逐相互利益，並且在一個最

高權力之下團結起來的時候，國家就形成了。布丹通常把這最後結合的實際形成歸因於暴力，儘管他肯定認為統治權或合法的統治單憑其威力並不能證明其合理性。

就國家的這一由來而言，布丹的動機比他的邏輯更易於瞭解。他的引文在很大程度上是清教徒式的吹毛求疵，而他所說的父親的權力，意味著一種純化社會的手法。然而，比這更重要的是他想建立一個保護私有財產的堅固堡壘。柏拉圖和摩爾學說中的共產主義，以及再浸禮教派設想的實踐中的共產主義，都成了他一再批評的對象，他認為財產乃是家庭的屬性，而家庭則屬於私有的範圍，只有國家才具有公共的或共有的地位。因此，他的目的就是把這兩者截然分開。他認為統治權在實質上並不同於所有權。王公絕不是公有財產的所有者，他不能轉讓這種財產。財產是屬於家庭的，而統治權則屬於王公及其行政官員。隨著這一理論的發展，家庭所固有的財產權甚至對於君主的權力也施加了明確的限制。遺憾的是，要澄清這一理論，卻看不出家庭這一不可侵犯的權利是以什麼為基礎。布丹關於父權的論證主要是權威主義的，是由聖經和羅馬法的引文所組成。其他部份他只不過是追隨亞里斯多德而已，像論證男人是理性的化身，相較之下婦女顯得更易動感情，而孩子則是不成熟的。當然，他認為財產權是植根於自然法之中。大概可以毫不誇張地這樣說，布丹是把財產權完全視為了一種自然的權利。除了認為這種權利屬於家庭而不是個人這一點之外，他的觀點多少有點洛克的風味。然而，把家庭的不可轉讓權利與國家的絕對權力結合起來，就導致了無法克服的邏輯困難。

如果布丹的目的真在於明確區別君主的政治權力和家長的私人權利及權力，那他就應當仔細研究從那些沒有最高權力的自發家庭羣體過渡至具有最高權力的國家。事實上，他根本沒有關於這一過渡的明確理論，正如他對於國家應當達到什麼目的沒有明確理論一樣。他把家庭和諸如村莊或城市那樣由家庭組成羣體的出現，歸因於自然的需求和人的欲望——性的衝動、養育後代、防禦和天生的社交心理。他通常認為國家的起源乃是征服的結果，然而他絲毫也不相信武力可以自我證明其合理性，或者它在國家建立之後構成為國家的主要屬性。占優勢的力量可以造就一個強盜團夥，但不能造就一個國家。除了家庭和其他羣體所提

供的那些自然需求之外，導致國家產生的自然需求是什麼，或爲什麼公
民應當服從他的君主，或者確切地說使家庭構成羣體過渡到眞正國家的
變革性質是什麼，對這些問題他都含糊其詞。非常清楚的論點只有這兩
個：除非最高權力得到承認，否則一個秩序井然的國家不可能存在，因
爲構成國家的單元乃是家庭。這是他的理論結構的一個主要缺點，爲他
的主權理論只不過是對某種時而出現的事物的定義，但他卻不作任何解
釋。他排除了上帝的指令，這種指令曾被神聖權利論拿來爲國王權力提
供基礎，但是，他也沒有用自然的解釋來塡補這個空白。

主　權

　　一般認爲，布丹關於主權原則的陳述，是他的政治哲學中最重要的
部份。他認爲，最高權力的出現是區份國家和一切其他由家庭組成的羣
體的標誌。因此，他首先把公民身分定義爲對主權的服從。將有關國家
的概念僅僅限定爲主權者和臣民，這在邏輯上就把社會的、道德的和宗
敎的關係排斥於政治理論之外了。正如布丹所說，除了服從於共同的主
權者之外，在公民之間存在有數不淸的其他關係，但正是這種服從使得
他們成爲了公民。他們可以有共同的語言和宗敎，也可以沒有共同的語
言和宗敎。他們之中各種各樣的集團，可以有主權者默許的特別法律或
地方習俗。城市的市民可以擁有得到認可的特權或豁免權，而法人團體
爲了某些目的也可以得到批准以制定和實施它自己的規則。這種具有同
一的法律、語言、宗敎和習俗的羣體，布丹稱之爲「城市」（cité）。
這一術語表明了一種社會的聯盟，而不是正式的政治同盟，至少在這一
意義上它與民族的概念大體相當。"cité"並不是「國家」（républ-
ique），後者只有在公民服從於同一主權者統治的地方才存在。這一概
念與布丹那時代的政治問題的聯繫顯而易見。他以「政治家」的方式強
調說，即使不同的宗敎與地方的、習俗上的和階級的豁免權分裂了這個
政治社會，政治上的統合仍可以是自足的。政治社會的基本因素，就是
共同主權的出現。

　　布丹的下一步驟是把主權定義爲「不受法律約束的、凌駕於公民和

臣民之上的最高權力」，並且分析最高權力的概念。首先，主權是永恆的，它與侷限於特定時期所轉讓的權力不同。它是非委派的權力，亦可以說是不受限制或無條件地委派的權力。它是不能轉讓的，而且不受法令的支配。它之所以不受法律支配，是因為主權者乃是法律的源泉。主權者不能束縛他自己或他的繼承者，而且人們也不能依法律使他對他的臣民負責，儘管布丹毫不懷疑主權者要對上帝負責，並且要服從於自然法。國家之法僅僅是主權者的命令，因此，對命令權施加的任何限制都必定要超越法律。主權的首要屬性就是為公民整體和它的各個部份制定法律的權力，這種權力不需要經上級、同級或下級的同意。其他的屬性——宣戰媾和、委任行政官員、作為終審法庭、准予豁免、鑄造錢幣以及徵稅等權力——乃是主權者的地位作為國家首腦的結果。正如布丹解釋的那樣，這還意味著主權者對於習慣法的支配，他對習慣法的批准就是准許它存在。布丹認為，法令能夠改變習慣，但習慣不能改變法令。

布丹非常明確地把一個統一的合法領導權作為一個真正國家的標誌，他把這一原則運用到了古代政體形式的理論之中。在他看來，任何免於無政府狀態所苦的政體，任何「秩序井然的國家」，在其中某處必然有這樣不可分割的權威根源。因此，不同的政體只是在這一權力寓於何處的問題上有所區別。儘管存在種種政府形式，但並不存在種種國家形式。在君主制國家，主權屬於國王，因此等級會議的職能僅限於諮詢。布丹認為，在法國和英格蘭就屬於這種情況。君主們可以很便利地與他們的顧問進行協商，但這種協商不帶強制性，君主們在法律上仍不受這種諮詢的約束。如果一個所謂的國王為等級會議的決議所約束，那麼主權實際上便屬於議會，而政體則是貴族政體了。按照布丹的說法，他那個時代的帝國就是這種情況。還有，如果最終的決定權和複審權屬於某種類型的公眾團體，那麼政體也就是民主政體了。總之，根本不存在諸如混合制國家那樣的東西。要麼是不存在不可分割的最高權力，在這種情況下也就不存在所謂秩序井然的國家；要麼這種權力就存在於某一處，不論它屬於國王、議會還是下層民眾都一樣。布丹對於統治形式的探討，意味著把國家和政府截然分開。國家已寓於最高權力的所有之中，而政府則是執行這一權力的工具。一位君主可以廣泛地授權，這樣他的統治就得人心，而民主政體亦可能實行專制的統治。

　　布丹還把他的主權理論應用於國家的附屬部份來討論。在一個君主制國家，議會的職能必須僅具諮詢性。與此相似，行政官員所執行的權力乃是由君主所授與。此外，存在於國家之內的一切法人團體——宗教團體、自治市以及商業公司——其權力和特權也取決於君主的意志。布丹認爲，在他那個時代存在一大批這樣的團體，而且這些團體擁有相當大的自我管理的權力，都是理所當然的事情。他甚至贊同這樣一種實際上的分權政策。他所極力主張的是，一切法人團體只有得到君主的批准才能存在，它們的一切權力都來自於君主的同意。因爲就習慣法而言，可推定法人團體的權力來自於國家，雖然它們是以古代的慣例而不是以特許狀或法令爲根據。《國家論》的首要目標，是要把法王作爲整個政治組織的首腦，儘管布丹並不想如法國大革命一樣徹底消滅古老的團體。他的目的是爲君主制統治的種種權利確定一個立足點，以反對一切封建殘餘。意味深長的是，他只是把等級會議作爲君主批准的法人團體之一加以探討，從而把它置於與貿易公司和敎會團體並列的地位。

對主權的限制

　　前面所闡述的布丹的最高權力理論，涉及的只是他的部份論證，這些論證都較直接了當和易於理解。但是，就整體而言，他的論證絕非那麼簡單，而是包括一些嚴重的混亂。這些混亂有必要予以說明，以便把握其全貌。一般來說，布丹認爲主權意味著一種解釋和執行法律的權利，這種權利是永恆的，是不受人性限制和無條件的。他認爲，這種權利的存在對任何秩序井然的國家都不可缺少，它構成了發達的政治團體和比較原始的羣體之間的特有區別。但是，他視爲合理的這種最高權力的行使，絕不會像他的定義所表明的那樣不受限制，於是就產生了一系列的限制，這些限制從這個已完成的理論中引出了諸多的混亂。

　　首先，布丹從不懷疑主權受制於上帝之法和自然法。雖然他把法律定義爲純粹的主權者意志的體現，但他從不認爲主權者單靠法令就可以確立權利。他和所有同時代的人一樣，認爲自然法高於人類法，它規定了某些不可變更的權利標準，正是遵守自然法這一點，使得眞正的國家

同單純的有效暴力區分開了。當然，對於主權者違反自然法，是沒有辦法使之在法律上負責任。但是，自然法確實對他的實際能力施加了某些限制。特別是它要求遵守協定並尊重私有財產。主權者的協定可能包括他對他的臣民或對其他主權者所承擔的義務，而且在這種情況下，布丹毫不懷疑他是受約束的。對布丹來說，完全把主權者的這些義務保持在道德水平上而脫離法律義務和政治義務，即使不是不可能，也是十分困難的，例如，如果主權者所下的某種命令與自然法相牴觸，一個行政官員的職責是什麼？布丹毫不懷疑的認為，可能出現一種罪惡昭彰的情況，因此就不應該服從這個主權者。雖然他竭力想把這種情況降到最低限度，但是混亂卻依然如故。法律既是主權者的意志，又是永恆正義的體現，而這兩者却很可能相互衝突。

布丹的主權理論的第二個混亂之點，來自於他對於法國憲法的忠誠。作為一位律師和一位道德家，他出於本性地完全傾向於立憲政府，並尊重王國的古代習俗和慣例。他與當時流行的法律觀點相一致，承認有些事情法國國王按照法律是不能做的。特別是他不能變更王位的繼承，不能轉讓國家領土的任何部份，然而，他却相信法國國王是完全意義上的主權者，是實際主權者的傑出榜樣。他承認存在一種與主權本身的行使有著必然聯繫的特別法律，這種法律即使主權者也不能加以改變。他稱這些法律為國家的基本法（Lex imperii），並明確暗示，如果違反了它們，主權本身就將喪失。這裡的混亂顯而易見，主權者一方面是法律的來源，另一方面却又要服從某些既不是他制定、他又不能加以改變的固有法律。

事實上，布丹有兩個根據環境而不是根據邏輯統一起來的目的。他所謀求的是增強和鞏固王權，因為在當時的情況下這是必要的，然而他同時也是一個篤信立憲主義者，一心想拯救王國的古老制度並使之永久化。這一王國無論基於邏輯原因還是基於歷史原因，都不能與國王相等同。支持最高權位法的思想是，國王除非作為王國的一個要素，否則他就既不能存在也沒有權力；支持主權定義的思想是，國王是王國的主要立法者和執行者。這兩個命題並非互不相容，但是，當兩者在主權概念中鬆散地結合在一起的時候，就為無窮無盡的混亂留下了餘地。要建立眞正的系統理論，布丹就必須決定這兩者之中哪一個更根本。因為如果

主權在本質上意味著王公的地位至高無上，那麼政治共同體就只能藉助於王公與其臣民之間的關係才能存在，而且王國本身也不可能擁有王公無法改變的法律。實質上，這就是多少源於布丹，而後由霍布斯所發展的思想路線。另一方面，如果國家是一個擁有自己的法律和憲法的政治共同體，那麼主權者就不可能等同於王公了。

毫無疑問，布丹在這一點上的混亂，應部份歸咎於他的直接目的：他幾乎不可能藉著灌輸對一個抽象的法學概念效忠爲革命作鬥爭。因此，一位看得見和摸得著的國王，也就是上帝在塵世的代理人，就完全是更有吸引力的觀念了，至少在民族情感還不能使國家穩固到無需國王的程度之前是如此。另一方面，一個看得見的國王卻不容易插進法學概念的體系之中。無論如何，在某種程度上，這一混亂深深涉及了布丹所試圖遵循的政治哲學方法。這種方法企圖把歷史和哲學結合起來，把實際進展和邏輯分析結合起來。從歷史觀點來看，人們幾乎必然把法國王國這個政治共同體視爲單一的社會實體，是經過無限漫長的一系列漸變而自我如一地延續下來的社會實體。而從分析的觀點來看，人們幾乎同樣地必然會在歷史的長河中截取一個剖面，並考慮法律構成的各個部份之間的形式關係。任何一種分析都不會適合於所有的歷史階段，因此歷史會違反任何形式分析準則。布丹所做的事情，其困難大概已達到不能實現的程度了。他關於最高權位法的種種混亂，構成了在法理學上分析方法和歷史方法之間長期爭論的一個起點。

在布丹的主權理論中還有第三個混亂之點，這一點比前面已提過的那兩點更加嚴重。這一點涉及了他關於私有財產神聖不可侵犯且非常強烈的信念。這一權利是受自然法的保障，但對布丹來說，它絕不僅僅是對主權者權力的一種正式限制。財產是如此神聖，以致主權者未經所有者的同意便不能碰它。因此他斷言，徵稅須得到各等級的同意。然而，布丹把稅收與其他的立法分離開來，並沒有任何理由能證明其合理性。何況，他曾以最明確的方式表明，等級會議在立法中除了以顧問資格行事之外，並不能做任何別的事情的。事實上，等級會議的存在有賴於立法者將有限的權力委託給從屬的團體。

既然是這樣，混亂就等於矛盾。它來自於前面提到的他那有缺陷的理論構成。他認爲，財產權是家庭所不可取消的屬性，而且家庭是國家

賴以構成的獨立存在的單位。然而，一個秩序井然的國家需要一位權力不受限制的主權者。這樣，布丹的國家就包含著兩個絕對物：家庭的不可取消的權利和主權者的不受限制的立法權利。這兩者在他心目中，財產權可說更爲根本，至少在下述意義上是如此，即這種權利構成了長期有效的信念，他認爲這種信念幾乎無須加以論證。主權者的不受限制的權力，起源於宗教戰爭所產生的危險，這一起源就比較偶然。❸如果布丹曾認眞地試圖向自己證明這兩種主張的不一致是有道理的，那他大概會遵循他在探討最高權位法時所用過的相似思路。財產權對家庭來說是必不可少的，而家庭對國家來說亦是必不可少的；但徵稅的權力乃是一種摧毀性的權力；而且國家不應該擁有摧毀它自己成員的權力。總之，他十分明確地主張，稅收需要得到同意，並且像最高權位法一樣把這種同意作爲對主權者的一種固有的限制。在家庭論應當結合於國家論這一點上，他的思想在邏輯上可謂一分爲二了。

秩序井然的國家

《國家論》的其餘部份探討了一大堆問題，但對理論要點卻並無補益。它詳盡地研究了革命的原因和阻止的辦法，但這只不過是步上亞里斯多德的後塵。布丹按照他的一般理論，把革命定義爲主權的更替。他認爲，不論法律發生多麼大的變化，只要主權原封未動，就不能說發生了革命。他列舉了許多重要程度不等的革命原因。一般說來，書的這一部份雖有許多有見地的評述，但卻極少條理性。他關於預見革命的探討，乃是爲此目的而運用占星術的一次奇特的胡扯，倒是對於防止革命的手段的分析使他涉及了行政管理的各個部門，並使他表現了眞正豐富的政治敏感性和智慧。總而言之，書的這一部份是「政治家」政策的展示。他認爲國王不應該和任何宗派結盟，而應該遵循一種調和的政策，運用鎮壓手段要小心謹愼，而且只有在成功把握很大的情況下才可使用。這一論證的最重要的方面，是他爲宗教容忍所作的堅定辯護，然而在這裡他只是把他作爲一項政策而不是一項原則來對待。後來，他在題爲《七日談》（*Heptaplomeres*）的非凡對話中，對這個問題作了更具哲

學意味的探討。由於顯而易見的原因，這一著作在十六世紀是不可能出版的❹。

有關革命的研究，引出了自然環境對民族特性的關係這樣一個更加一般的問題。在這一點上，他也是從亞里斯多德的學說出發，只是他對整個問題的闡述非常詳盡。他認為，北方民族身材高大，體格强壯，但動作和思維遲緩。南方人體形纖細，舉止活潑，而且更富於智慧和創造性。從政治目的來考慮，把這兩種特質結合起來的中間地帶則比較優越，正如事實所表明的那樣，偉大的國家以及政治科學都起源於這一地帶。布丹著作的這一部份構成了他的整個政治哲學的一個主要部份，並可使人聯想到後來孟德斯鳩對這一問題的思索。不過，他並不想使這一理論與他的主權理論有任何建繫。然而，這一理論在布丹體系中的出現，使得他同當時撰寫大多數政治理論著作的神學辯論家之間形成了天壤之別。

在上述節外生枝的話題之後，布丹又轉而考慮主權者信守條約和同盟義務的問題。在這裡，他哀嘆一種日益增長的信念，即王公們不受那些對自己不利的諾言所約束。他的這一論證是針對馬基維利而發。它表明了一種日益增長的意識，即需要在國際交往中對專制君主加以限制。這種需求終於在五十年後導致格勞秀斯作出了制定一部國際法的努力。最後，布丹詳盡考慮了國家的財政政策，它的歲入來源以及各種各樣可取的稅收形式。他附帶也詳細論證了羅馬檢查制度的恢復，這在部份上是作為獲取有關國家財源的準確信息的一種手段，但主要是作為純化道德的方法。

《國家論》的最後一章，在某種程度上可以視為全書的核心。布丹比較了三種國家形式，以便說明君主制的優越性。在這裡，他顯然認為，法國模式的君主制國家，或他所認定的法國式國家，乃是秩序井然的國家的唯一形式。實際上，他的這一思想貫穿於全書。他試圖證明，繼承權乃至於薩利克法，不單單是在習慣中確立，而且也是根據理性所確立。儘管他先前承認主權可以屬於貴族階層或屬於人民，但他相信，這實際上會導致無政府狀態，並會使統治者及其臣民同歸於盡。唯一真正「秩序井然的國家」是這樣的國家：在其中主權是完整統一的，因為它屬於單一的個人。可能實現的國家和秩序井然的國家之間的區別，貫穿

於布丹的著作。然而，它亦成了含糊不清的根源，因爲它並沒有持續不變地被堅持下來。主權是不是國家意欲具備，而實際上往往缺乏的特質，或者說它是不是每個國家都必須具備的特質，布丹從來就不是十分明確。一般說來，他更樂於爲這樣的理論辯護，好像它是一種普遍的邏輯上的需要，但是他確實相信，許多國家或者說大多數國家還沒有達到秩序井然的君主制國家的水平，而只有在這種秩序井然的君主制國家裡，完整統一的主權才有可能存在。混淆必然（necessary）和可欲（desirable）兩者是一個錯誤，把哲學和歷史結合起來的計畫特別容易犯這樣的錯誤。如同後來許多具有相同目標的哲學一樣，布丹所陳述的實際上只是一個打著空講永恆眞理旗號的改革方案。

　　儘管在布丹的思想中有許多混亂之處，但他的政治哲學著作絕不容忽視。與十六世紀下半葉的任何其他著作相比，他的著作傳播廣泛，被付諸實施的情況給人深刻印象。《國家論》的疏忽之處主要在於它的方法，而不在於它的內容，結果許多次要的書倒比它流傳的更久。同時布丹的體系並不是第一流的哲學體系。他的體系的兩個方面——立憲主義和中央集權——並沒有眞正結合到一起。他的結構所處處依據的自然法，他認爲是一種傳統，卻從來不曾進行分析或者牢固地以之作爲基礎。儘管布丹對於主權的陳述在十六世紀是最清楚的，但它只是飄浮在空中，只是漂亮的定義而不是解釋。秩序井然之國家的目的，臣民服從義務的性質，國家和構成國家的家庭之間的關係，這一切都需要作進一步的分析。然而，由於這種含混不清，出現了兩個在布丹以後一百年間占據了政治哲學界大部份注意力的問題。一個問題是按照權力來闡述的主權理論——把國家定義爲政治上的上下級關係，把法律定義爲命令。這一概念得到了霍布斯的系統化發展。另一個問題是古代自然法理論的現代化和世俗化，以便在可能的情況下爲政治權力找到一種倫理的而不僅僅是威權主義的基礎。這一修正主要是由格勞秀斯和洛克來完成。由於這一工作做得非常成功，以致根據十七世紀和十八世紀的估計，自然法已成了政治理論的有效的科學形式。

註 解

❶布丹於 1586 年出版了拉丁文的增補本。1606 年有理查德・諾爾斯（Richard
Knolles）的英譯本。

❷布丹的哲學著作正在編輯之中，皮埃爾・梅斯納德（Pierre Mesnard）的法譯本
第一卷，1951 年出版於巴黎。新近的英譯本有：《理解歷史的捷徑》（ *Method
for the Easy Comprehension of History* ），比阿特麗斯・雷諾茲（Beatrice
Reynolds）譯，紐約，1945 年版；《讓・布丹對梅爾斯特羅伊悖論的答覆》（ *The
Respond of Jean Bodin to the Paradoxes of Malestroit* ），摩爾（G. A.
Moore）譯，華盛頓，1947 年版；《國家論》六卷（ *Six Books of the Common-
wealth* ），圖利（M. J. Tooley）摘譯，紐約，1955 年版。

❸蕭維雷（R. Chauviré）在其著作《讓・布丹》中認為，布丹 1566 年所寫的《方法》
（ *Methodus* ）和 1576 年所寫的《國家論》有重大的區別。前者專門論述的是對王
權的限制，而後者則主張取消王權；作者認為這種區別是由於這十年間的環境變
化所致。

❹參閱喬治薩拜因的〈讓・布丹的七日談集〉（ The Colloquium Heptaplomeres of
Jean Bodin ），收入《迫害與自由》（ *Persecution and Liberty* ），紐約，1931 年
版。

參考書目

1. *Political Thought in the Sixteenth Century.* By J. W. Allen. 3d ed. London, 1951. Part Ⅲ Ch. 8.

2. *Jean Bodin, auteur de la "République."* By Roger Chauviré. 1914.

3. *Constitutional Thought in Sixteenth-century France: A Study in the Evolution of Ideas.* By William F. Church. Cambridge, Mass., 1941.

4. *Jean Bodin and the Sixteenth-Century Revolution in the Methodology of Law and History.* By Julian H. Franklin. New York, 1963.

5. *Argument from Roman Law in Political Thought,* 1200～1600. By M. P. Gilmore. Cambridge, Mass., 1941. Ch. 3.

6. *Order, Empiricism and Politics: Two Traditions of English Political Thought,* 1500～1700. By W. H. Greenleaf. New York, 1964. Ch.7.

7. *The Social and Political Ideas of Some Great Thinkers of the Sixteenth and Seventeenth Centuries.* Ed. by F. J. C. Hearnshaw. London, 1926. Ch. 2.

8. *The Growth of Political Thought in the West, from the Greeks to the End of the Middle Ages.* By C. H. Mcllwain. New York, 1932. Ch. 7.

9. *Method for the Easy Comprehension of History.* By John Bodin. Eng. trans. By Beatrice Reynolds. New York, 1945.

10. "Sovereignty at the Crossroads: A Study of Bodin." By Max A. Shepard. In the *Pol. Sci. Quar,* Vol. XLV(1930), p. 580.

11. *Six Books of the Commonwealth.* By Jean Bodin. Abridged and trans. by M. J. Tooley. New York, 1955. Introduction.

第二十二章
現代化的自然法理論

　　十七世紀的前幾十年，開始了一個把政治哲學從神學的結合中解放出來的漸進過程，而這種與神學相結合的狀態，曾經是自紀元以來的早期歷史的特徵。在十七世紀，由於宗教論戰逐漸隱退，由於政治理論所探討的問題逐漸趨向世俗化，遂使這種解放成為可能。學術興趣的世俗化，也進一步推動了這個過程，這種世俗化是學術復古和遍及北歐對希臘、羅馬的仰慕所固有的趨向。在馬基維利一代的義大利學者中，這種傾向早已非常引人注目了。斯多噶主義、柏拉圖主義以及對亞里斯多德學說的現代化理解，產生了某種程度的自然主義和理性主義，這是十四世紀有關亞里斯多德的研究所無法想像的。最後，在數學和物理學方面的劃時代進步，也朝著同一方面產生了間接的影響，人們普遍開始把社會現象、特別是政治關係作為自然現象加以考慮，並且開始透過觀察、特別是透過邏輯份析和推理進行研究。在這種研究中，天啓或任何其他的超自然因素都無足輕重了。

　　這種使政治和社會理論脫離神學的傾向，在後期耶穌會作家的作品中已初露端倪，儘管他們的部份目的是支持教皇對於世俗政府的間接權力。他們的論證所強調的是，政府的世俗根源和人間根源，以便在各類權力中賦予教皇的神聖權力以獨一無二的地位。這樣，蘇亞雷斯（Sua-rez）的政治理論和法學——儘管部份是學術性的哲學——就能夠脫離神學而又不致遭受過份的刪改之苦了。在十七世紀早期的喀爾文派作家中，其興趣也發生了同樣的世俗化，儘管喀爾文主義可能會妨礙這一過程而不是促進這一過程。就喀爾文派的原意而言，宿命論是把一切道德問題和社會問題都繫於上帝的慷慨恩典，並且把每一自然現象都視為塵世間個人自發管理中所發生的偶然事件。不管喀爾文教派的神學同與教

徒中產階級的道德有什麼樣的密切關係，它對道德現象根本就未做過任何理性的解釋，而是與之相反。另一方面，從新教體系中删除教會法規，就需要對中世紀作出比耶穌會士所要求的更徹底的決裂。蘇亞雷斯可以提出某種具有現代形式的中世紀法學，而喀爾文主義的嚴格約束一旦放鬆，喀爾文教派可以比較容易地恢復紀元前的自然法概念了。就政治理論而言，喀爾文派神學在歷史上的決定性事件是阿明尼烏（Arminius）和荷蘭抗議派（Remonstrants）所挑起的論戰，這場論戰把雨果·格勞秀斯（Hugo Grotius）從喀爾文主義的嚴密束縛中解放出來，並且使他堅定了對伊拉斯謨斯（Erasmus）的人道主義傳統的信仰。❶

阿爾圖秀斯

　　不管怎麼說，即使在格勞秀斯之前，某些與喀爾文教派有密切關係的作家，對自然法與神學的關係已經興趣索然了。對約翰尼斯·阿爾圖秀斯（Johannes Althusius）來說，這一點格外明顯。他繼續闡述了法國喀爾文教派的反王權理論。❷他的政治學著作絕不是論戰性的小册子，而是如書名所表示的那樣，是系統論述包括國家在內的所有型式的人類聯合體的論著。像格勞秀斯一樣，阿爾圖秀斯反對布丹把法學和政治學混爲一談，因此堅持主張把二者分開。然而，他的這種分離作法使得他的政治學理論受到了某種不幸的影響。雖然他的觀點依賴於自然法的概念，但他從未遵循自然法的概念來徹底修正他的那些原則。他像其他喀爾文教派的作家一樣，把自然法等同於「十誡」（Decalogue）第二誡❸，但這樣一來，他對他自己的思想就不大公平了，因爲事實上他的社會理論在任何基本方面都依賴這一隱含的宗教權威。正如吉爾克（Gierke）所說，實際上阿爾圖秀斯的思想是清晰的，但並不深刻，他專心致力的是形式上的定義而不是對原則進行哲學分析。❹

　　在這些限制之內，他創立了一種既有趣又重要的政治理論，因爲在邏輯上它所依賴的是有關契約的單一思想，並且在實質上絲毫不藉助於宗教的權威。因此，只要契約可稱爲自然關係，這一理論實際上就是一

種自然主義的理論。阿爾圖秀斯的契約觀念，與斯多噶派理論所表現出的固有社會性傾向非常相似，而這種社會性傾向在格勞秀斯的哲學中甚至起了更明確的作用。重要之點在於，阿爾圖秀斯把這提高到能夠充份解釋人類社會集團的水平，這樣他就沒有任何東西需要訴諸神學的標準來說明了。於是，產生了一種更接近於亞里斯多德的實際精神，而不是經院哲學家比較表面化的亞里斯多德理論的理論。他差不多是說出了這樣的意思，人們結成種種集團僅是一個自然的事實，正如任何別的事物一樣，乃是人性的內在組成部份，因此社會並不像霍布斯所說的那樣是一個「刻意造作的團體」（artificial body），需要用外部的原因來解釋。契約觀念並不十分適合表達這一思想，但卻非常符合個人主義，而個人主義則是一切自然法理論的標誌，特別是在霍布斯的著作問世之後。

契約以兩種方式出現於阿爾圖秀斯的理論之中：一是在解釋統治者與人民的關係時起一種比較特殊的政治作用；一是在解釋任何集團的存在時起一種一般的社會學上的作用。前者相當於政治契約，後者相當於廣義的社會契約。在後一種情況下，默認是任何聯合或 "consociatir" 的基礎。"consociatio" 一詞相當於亞里斯多德所使用的共同體（community）。根據這種默認，個人都成了「住在一起的居民」（symbiotici），是這個聯合體所創造和認可的財物、服務或法律的共享者。因此，任何聯合體都有它的雙重「法律」，它一方面規定存在於其成員之間的共同體的性質，另一方面則確立並限定一個權威來管理這個共同體的公眾事務。阿爾圖秀斯提出了詳盡的聯合體的兩分法，但大致上，可以說他分出了五個主要的類別，每一個更複雜的類別都是前面比較簡單的類別的結合體：家庭、自願結合的團體（collegium）、地方村鎮、行省和國家。在一些更先進的集團中，締約的各方是基層的社團而不是個人，而且在各種情況下，這種新的集團所執掌管理的只是那些對其目的來說是必不可少的行為，而聽任那些比較原始的集團去管理其餘的事情。因此就有了一系列的社會契約，根據這些契約，各種各樣的社會集團，有些是政治性的，有些是非政治性的，就應運而生了，這就是阿爾圖秀斯的國家理論的基礎。

國家是這個系列中的一環。它是由各個省或地方村鎮所聯合而成，

與任何其他的集團相比較，它的特殊性就在於擁有最高權力（majest-as）。在這個問題上，布丹對於阿爾圖秀斯的影響和阿爾圖秀斯旨在避免布丹的某些理論混亂的意圖都顯而易見。阿爾圖秀斯理論的最重要的方面，是他認爲主權必須屬於作爲法人團體的人民。人民之所以不能放棄主權，是因爲主權乃是那個特種社團的特徵。因此，主權絕不能轉讓和交由一個統治階級或家族所有。權力是根據國家的法律而授與國家的行政官員。這就構成了阿爾圖秀斯的兩種契約中的第二種，也就是法人團體爲實現其目的而據以授權給它的行政官員的協議。由此可以得出這樣的結論，即掌權者如果因任何理由而喪失了這種權力，那麼這種權力就應當歸還給人民。這一理論在當時是對於人民主權的最淸楚的闡述。它避免了布丹理論中的困難。這一困難的產生，是由於布丹混淆了主權者和君主，導致他一方面把主權描述爲不受限制，同時卻又說它不能改變歷史性的憲法的某些條款。阿爾圖秀斯的闡述比後來格勞秀斯關於主權的解釋也更明確，因爲它並沒有把公共權力與土地所有者固有的世襲權力混淆在一起。

　　阿爾圖秀斯爲反抗暴政的權利所作的辯護，是對早期喀爾文派理論亦步亦趨的模仿。他認爲這種權利不屬於個人，而必須由名爲「埃發」（ephors）的一批特別的行政官員來執行，他們是被任命的社團權利的監護人。這些「埃發」與喀爾文的低級行政官員和《索還反抗暴君之權》都是一致的。不過，阿爾圖秀斯的理論有更好的基礎，因爲他的國家的整體結構是聯邦制。組成國家的契約各方並不是個人而是社團，這些社團雖然不是主權者，但它們卻擁有一切法人團體所擁有的實現其自身目標的固有權力。前一章業已指出，在《索還反抗暴君之權》中已出現了近似於聯邦主義（federalism）的思想，但這一思想在法國當時的環境，除了主張恢復封建特權和豁免權之外，幾乎不可能提出任何別的東西。而在尼德蘭，情況則大不相同，在那裡中央政府眞正是建立在地區聯盟的基礎之上，這些地區具有不同的宗教、語言和民族情感。阿爾圖秀斯關於國家的描述是一個共同體，若干城市和州在其中受到共同法律的約束，對照把國家設想爲最高統治者治下的個人聯合的理論，他的這種描述提出了限制主要行政長官之權力的更好原則。遺憾的是，這一理論在英國和法國幾乎沒有得到運用，在那裡所盛行的主要是十六世紀和十七

世紀的政治思想。這個事實也許是阿爾圖秀斯的著作爲什麼湮沒無聞的原因之一。

阿爾圖秀斯的政治理論，就其本身而言，是非常清楚和嚴謹的。他把全部的政治和社會關係歸結爲一個原則，即同意或契約的原則。不論是明確表達還是心照不宣，契約都是用來說明社會自身，或者毋寧說是用以解釋全部的社會系列，而國家則是其中之一。它爲任何集團所固有的權力要素提供了邏輯基礎，這種要素就國家而言，則具體體現爲這個集團本身的最高公共權力。它還爲合法限制行政官員和反抗濫用行政權力的權利提出有道理的根據。這一理論的卓越之處就在於它的明確性。實質上，阿爾圖秀斯與任何宗教認可權力的理論都毫無關係了，因爲他認爲社團乃是自足的，至少在每一社團意欲達到的目所限定的範圍內是如此。對於同意（consent）這個原則本身，對於他爲每一社團確立權利時所依賴的契約義務，他根本沒有提出任何哲學基礎。毫無疑問，他是把契約的尊嚴視爲一個自然法原則，而且也滿足於把自然法的有效性歸於「十誡」。誠然，他並沒有利用這一關係，沒有它，他的理論照樣強而有力。然而，在關鍵之處，他的思想除了依靠聖經的權威之外，沒有任何其他的根據。部份原因是由於他本身的思想有淺薄的一面，但還有部份原因可能是由於事實上他並沒有完全擺脫喀爾文主義。他的自然觀基本上還是繫在超自然的宿命原則之上。採取最終步驟將自然法從宗教權威的羈絆中徹底解脫出來的並不是阿爾圖秀斯，而是更具哲學頭腦的格勞秀斯。❺

格勞秀斯：自然法

無論如何必須承認，格勞秀斯對於主權和國家的具體論述，不如阿爾圖秀斯清義。這個論題對他來說只有附帶的意義，而且這個論題與國際關係的聯繫，使得統治者的憲法權力比主權本身的理論原則更爲重要。由於格勞秀斯忠實於實證法的字面意義，結果他在思考哲學原則情況就比阿爾圖秀斯受到了更多的牽制。在把主權定義爲不受他人合法控制的一種權力之後，他區分了這一權力中通常和特殊的所有者或主體。

所謂通常的主體是國家本身；而根據各個國家的憲法，其特殊主體則是
一個人或多個人。因此，主權者或者是政治實體本身（阿爾圖秀斯的國
家），或者是政府，但這一說法幾乎無法解釋清楚。他又回到了羅馬法
學家的觀點上面，即一個民族能夠完全剝奪它自身的最高權力。他以封
建觀點把公共權力等同於對土地的世襲權力，認為這種世襲權力可以透
過征服、轉讓或遺贈而得到。結果，主權作為國家本身的特有屬性，就
消失在茫茫的細節之中了。這些細節與普遍性的理論並沒有關係，它們
只與特定統治者的憲法權力有關。

在法學史上，格勞秀斯的重要地位並非取決於國家理論，也不取決
於他不得不談到的任何有關憲法的東西，而是取決於他對調節主權國家
間關係法律的見解。這一問題在十七世紀的現實緊迫性是無須強調的。
到處是滋生混亂的土壤，以往中世紀的教會偶爾還能施加軟弱的限制，
但隨著這種抑制力的消失，各獨立政權之間的關係變得更加混亂了。專
制君主制的興起，以及在它們的關係中或多或少地公開接受了馬基維利
的主張，使得暴力成了國與國之間交往的裁決者。在這之上，還必須加
上發生於宗教改革運動之後的宗教戰爭影響，這場戰爭後國際關係帶來
了宗教仇恨，並且為最露骨的王朝擴張計畫抹上善意的色彩。在公開的
政治野心背後，是經濟方面的誘惑，這導致西歐國家沿著擴張、殖民、
商業拓展和開發新領土的道路前進。格勞秀斯認為，要實現人類的幸
福，就需要對支配國家間相互關係的準則進行全面而系統的探討。他所
以確信這一點，是有充份理由的——

　　這樣的工作格外必要，因為我們今天如同以往的時代一樣，以輕
蔑態度認定這門法律空有其名而無實質內涵者大有人在。❻

格勞秀斯對於國際法這個特定問題的貢獻，已超出了政治理論史的
範圍。就政治理論史的範圍而言，他的重要性在於他的巨著的「序言」
（Prolegomena）中所專門陳述的那些哲學原則。在這些原則之上，他
試圖建立他的專門學科。在十七世紀，不可避免的使他求助於有關基本
法或自然法的得到普遍承認的思想，這一思想是所有國家的民法的支
柱，而且由於它固有的公正，它對於所有的民族，對於臣民和統治者，
都具有同樣的約束力。在基督教政治思想的漫長傳統中，沒有任何作家

否認或懷疑過這一法律的有效性。對於有效這個事實，格勞秀斯本來並無須再費心思，但是，隨著基督教界統一的破裂和基督教權威的衰落，這一有效性的根據又亟需重新加以檢驗了。事實上，無論是教會的權威、聖經的權威還是任何形式的宗教啟示，都不能建立對新教和天主教民族具有同樣約束力、並能規範基督徒和非基督徒統治者相互間關係的法律基礎。格勞秀斯基於他的人文主義素養的背景，又回到他在古典作家那裡找到更古老、前基督教的自然法傳統，乃是很自然的事情。於是，他一如在他之前的西塞羅所做的那樣，選擇了與卡尼亞德斯（Carneades）——對斯多噶哲學持懷疑態度的批評家——爭論的方式來檢驗有關自然法的種種根據。❼

　　卡尼亞德斯駁斥自然正義的要點在於這樣的論證，即一切人類行為都是出於自私自利的動機，因此，法律只不過是具有普遍利益的社會習俗，支持它的並不是公正的意識而是謹慎的態度。簡單地說，格勞秀斯的答覆是：像這樣訴諸於功利主義，在根本上是含糊不清的，因為人生來就具有合羣的社會性。所以，維持社會本身的生存就是最好的功利主義，這種功利主義（除了滿足他們的社交衝動之外）並不能以個人所得到的私人利益來衡量——

　　　　當然，人是一種動物，但人是高級動物，人與一切動物之間的距離，遠比不同類動物之間的距離要大得多……然而，在人的特有屬性中存在一種不可抑制的社交要求，易言之，就是對社會生活的要求——不是任何一種社會生活，而是按照他的智力尺度，和他的同類過一種和平的和有組織的生活，這種社會趨向，斯多噶派稱之為「羣居習性」（sociableness）。❽

　　所以，維護和平的社會秩序本身就是一種內在的善，而為了這一目的所需要的條件跟那些服務於更確切的私人目的的條件一樣具有約束力——

　　　　這種對於社會秩序的維護——我們已經粗略地敍述過，這一點也與人類的才智相一致——正是所謂的法律的來源。屬於這一法律範圍的是：放棄屬於他人的東西，歸還任何屬於他人而可能為我們占有的東西，並連同歸還我們可能從中得到的任何利益。履行諾言的義務，

補償因我們的錯誤而帶來的損失，並根據人們的罪過而施以相應的懲罰。❾

人類本性既然如此，那麼，如果有秩序的社會要持續下去，就必須實現某些最低限度的條件或價值。具體地說，這些條件或價值主要是：財產的安全保障、良好的信用、公平的交易以及在人的行爲後果和他們應得賞罰之間的普遍協議。這些條件並不是自願選擇的結果或慣例的產物，倒不如說恰恰相反，選擇和慣例所遵循的是事例的必然性——

> 既然我們不缺乏可以把我們引入相互的社會關係的任何東西，人的這種本性乃是自然法之母。❿

然而，在一個更高的層次，這種自然法導致了國家實證法的產生。這種實證法的有效性，取決於一切社會義務的基本根據，特別是取決於對於協議的良好信用——

> 對於那些贊同某一集團或已服從於一個人或多個人的人們來說，他們或者已經明白約定，或者其交往的性質隱含地說明他們已經約定，他們將遵照擬作出的決定行事，這種決定在某種情況下是由多數人作出的，在別的種情況下是由那些得到授權的人作出的。⓫

格勞秀斯確信，在自然法的這一框架中有考慮功利主義的充份餘地，這種功利主義可能因民族而異，也可能支配一切民族在國際交往中對所有民族都有利的種種慣例。然而，某些廣泛的正義原則卻是自然的，說得確切些，就是普遍的和不可改變的，各種各樣的國內法體系正是基於這些原則而確立，它們都取決於協議的認可，而國際法，則取決於統治者之間協議的神聖性。

格勞秀斯因而對自然法作出了如下的定義：

> 自然法是正確理性的指令（dictate of right reason），它根據一項行爲是否符合理性，指出它內含卑劣的道德品質或具有道德上的必然性，並據此指出這樣的行爲或者是自然造物主上帝所禁止，或者是他吩咐去做的。⓬

這一對上帝命令的指涉，其確切的涵義相當重要。正如格勞秀斯煞費苦

心加以澄清一樣，這一說法事實上並未給定義增添什麼東西，而且也絕無宗教認可的含意。因為，假定上帝根本不存在，自然法也完全可以作出同樣的命令。而且，它並不會因上帝的意志而改變。理由在於上帝的權力無法使一個原本是自相矛盾的命題變為正確的命題。若有這樣的權力，它也不會是強有力的，而是軟弱的——

　　因此，正如上帝不能使二乘二不等於四一樣，他也不能使原本邪惡的東西變得不邪惡。❸

　　所以，自然法與算術一樣，絕不是隨心所欲的。正確判斷的指令是任何人類本性和事物本性所內含的必然因素。意志作為一種因素可以加入這種關係，但如上所說的上帝或人的願望，卻不能創造法律的強制性。在提及舊約的權威時，格勞秀斯小心地區分了上帝給予選民猶太人（因而是完全依賴於神意）的命令，和足以證明自然的人類關係的證據及其他重要文獻。這就再清楚不過地表明，他與內含於加爾文主義的神授主權體系毫無關係。

道德的公理與論證

　　這一自然法理論的極端重要性，並不在於格勞秀斯賦予它的內容，因為在這方面他所遵循的乃是古代法學家們的老生常談。良好的信用、真正的公正和協議的神聖性一直是一切時代談自然起源的準則。這一理論的重要性在於方法論，它提出了一種理性的、在十七世紀可以視之為科學的方法，以便得出一批命題作為政治安排和實證法條款的基礎。它與古代關於自然法的說法相一致，主要是訴諸於理性，但是它賦予理性的涵義，其精確程度卻是古代的自然法學說無法企及的。格勞秀斯經常提到數學，這是意味深長的。某些法律中的命題，就像二乘二等於四一樣，是一個公理，它們因自身的明確、簡潔和自明而得到確證。這些命題一旦得到準確的理解和清楚的認識，任何有理智的人都不會懷疑它們。它們構成了對實體的基本性質進行理性觀察的要素。一經掌握這些基本性質，它們就構成為種種原則，藉助這些原則進行系統推理，就能

建構出一個完整的有各種定理的理性體系。這種方法顯然和幾何學的方法是同一的。

　　這正是格勞秀斯受到人們讚譽的特質。他像數學家一樣，特別申明他不想再考慮每一個個別的事實。簡言之，按照他對問題的理解，他打算像數學上的成功論證，或者像伽利略（Galileo）對待物理學那樣對待法律問題——

　　　　我所關注的是把涉及自然法事物的證明歸入某些無可爭辯的基本概念，以便使任何人都無法否認它們，除非他歪曲事實。因爲只要你們特別留心，自然法的諸原則本身都是一清二楚的，幾乎與那些我們透過外部感官感知到的東西一樣明顯。❹

由於這一好方法的觀念盛行起來，十七世紀成了法律和政治學的「論證體系」（demonstrative system）的時代，目的在於使一切科學——社會科學和自然科學——儘可能地同化爲一種據說能夠證明幾何學確定性的形式。在格勞秀斯之後的下一代英國哲學家中，托馬斯·霍布斯（Thomas Hobbes）最堅定地遵循了這一方法。在荷蘭，斯賓諾沙（Spinoza）以幾何證明的形式陳述了他的倫理學，並附帶了所有的公理、定理、註釋和推論。他的《政治論文》（*Political Treatise*）雖未採取這種形式，但方法卻幾乎同樣嚴格。❺塞繆爾·普芬道夫（Samuel Pufendorf），在其論證自然法和國際法的非常有系統的論文中，❻一開始就對於格勞秀斯的觀點提出異議，認爲道德和數學並不具有同等的確定性。這種論證模式並沒有侷限於法律和政治學，它延展到一切社會研究的部門，帶動了流行於整個十七世紀的自然宗教和理性倫理學的體系。最後，它也帶動了自然經濟的體系，這些體系作爲經濟科學而繼續傳到了十九世紀。這些概念在現代社會研究的早期發展中，具有無比的重要意義。無論在什麼地方，人們都確信自然法的體系提供了探討社會學科的正確科學方法，並提供了社會實踐的科學指導。

　　這一方法之所以獲得了權威，主要因爲人們認爲它跟伽利略到牛頓這段期間自然科學取得輝煌進步所運用的步驟相同。人們認爲這些步驟所依靠的也是業已在幾何學中得到充份運用的方法。在格勞秀斯寫作之後不久，笛卡爾（Descartes）就在他的《方法導論》（*Discours de la méthode*）中對這一方法作了哲學上的經典論述：把任何問題都分解為最簡單的要素，只以最小的步伐前進，以使每一推進都是明顯的和無可非議的，對於不十分清晰和明確的東西絕不認為理所當然。顯然，笛卡爾認為他只不過是概括了這種方法，藉助這種方法，他發現了解析幾何。像伽利略那樣偉大的實驗科學家，他關於方法的言論實質上往往也是同一個意思，這些言論散見於他關於新力學的對話之中。在十七世紀，人們還不可能像今天所做的那樣，在數學和依靠實驗與觀察的物理學之間劃出鮮明的界線，這大概是因為力學所需實驗數據並不太多，而數學的材料卻相當可觀。這種方法之所以給學者，特別是給法律和政治學的研究者普遍留下好印象，並不是因為他們像物理學家那樣希望運用任何數學的方法，而是由於邏輯性的分析模式簡便，不證自明，這同樣適用於一切主題，甚且，它們還是權威與習慣性信仰的絕佳摧破者。早期理性主義者訴諸於理性，其矛頭總是直指教條主義和對傳統的盲目追隨。

正是推理技巧本身的發展，逐漸暴露出了自然法體系本身所固有的模稜兩可之處，這就是對「真」（truth）一詞的雙重用法：有時它意味著結論對其前提的邏輯上的依賴，有時又意味著所涉及的事情或事件的實際存在。這種形式化的演繹推理方法，適時導致理性真理和實際資料的對比，然而在早期的理性主義者當中，無論在科學方面還是法律方面，訴諸理性並不是要排除觀察和事實的積累。他們確信，理性本身為自明的原則和必要的推理提供了不可動搖的結構，但是在這個體系之內，他們理所當然地接受了一大批透過觀察得來而且是以經驗為根據的事實。因此，格勞秀斯從不懷疑，許多法律應歸因於他所說的「自由意志」（free will），確切說也就是人的制定，而且可以在不違背理性的情況下加以改變。然而某些關係卻是「必然的」（necessarg），無論意志還是權威都不能改變它們。雖然它們為實證法的改變留下了相當大的餘地，但它們肯定排斥某些組合。像這樣關於自然法和實證法的某些概念是得到普遍承認的。一百多年之後它仍然是一種常見的看法，孟德斯鳩在《法意》（*Spirit of the Laws*）的開場白就是證明：

> 從最一般的意義來說，法律是產生於事物本性的必然關係。

自然法理論的實際功效主要取決於這樣的事實，即它把規範性的要

素引入法律和政治學之中，包括一大堆諸如正義、良好的信用和公平的分配等超越性價值，而實證法的執行就是依據這些價值進行判斷。因此，這是日後爲使法律道德化而做的一切努力——諸如魯道夫‧施塔姆勒（Rudolf Stammler）的「公正」法律論，乃至像耶林（Ihering）和邊沁（Bentham）那樣的功利主義理論——的先導，這些理論儘管在原則上否認自然法，但卻都保留了自然法的因素。一般地說，這一理論像十七世紀大多數科學觀點一樣，整個觀點是柏拉圖式的，格勞秀斯所寫「序言」中的柏拉圖主義就非常明顯。自然法是一種「理念」、一種理型或模式，就像完美的幾何圖形一樣，現實存在物則與之近似，但它的有效性並不取決於與事實的一致。因此，在常規的古老意義上，萬民法（ius gentium）可以重新定義爲國際法，因爲常規中不乏只是合理事物的象徵，而且未必是非常好的象徵。❿理性應該有它自己的價值標準，統治者應使實證法與之相一致。良好慣例的標準是被用來反對習慣性或傳統性做法中常見的不合理性。

　　因此，訴諸理性和自然法，除了業已提到的在事實眞理和邏輯涵義之間的歧義以外，還包含另外一種可能的歧義。這就是存在於邏輯必然性和道德必然性之間的含糊之點。自然法的體系往往認爲，它是不證自明的命題，至少在某些情況下具有規範性，它不僅確立了制定事物是什麼（what is）的理想標準，而且確立了事物應當是什麼（what ought to be）的理想標準。然而，幾何學公理的必然性和法律應具有的必然性是非常清楚的兩種不同的必然性，因爲後者所涉及的是人類目的和宗旨的實現。即使格勞秀斯所說的是正確的，即正義存在於法律與人性的基本原則相一致，那後者所造就的也是一大堆非常複雜而不確定的事實，任何要保持價值永恆有效的命題都遠不是自明的。自然法的體系對價值在自然裡是否占有任何位置的問題，傾向於做預前的判斷。在十七世紀，唯一試圖認眞對待這一問題的哲學家是斯賓諾莎。他的倫理學如同數學和物理學一樣，並不打算論及目的，但不能說他在用詞上避免了雙重含意。在他的政治理論中，他就始終試圖把權利歸結爲自然的力量，並試圖表明，强有力的政府最終必然是好政府。在這裡，他同樣不可能完成他所從事的所有企圖。霍布斯也有一個形而上學體系，在其中沒有超驗價值的地位，但他爲把他的唯物主義與流行的自然法內涵相調和而

作的努力，除了證明這一術語在十七世紀中葉已具有強勢性（mandatory）之外，什麼也證明不了。他的一切最重要的結論都爲邊沁主義者所接受，這些人在原則上並不承認自然法。大約到了十八世紀的中葉，大衞・休謨（David Hume）才在其著作中對自然法體系進行了批判性的分析，並鑑別了它的雙重含意。

契約與個人同意

在政治學中，賦予自然法體系以統一性並不是依其原則的不證自明，而是這樣一種情況，即關於什麼東西重要而值得堅持存有普遍的協議。眞正具有約束力的義務必須由參與各方自由承擔，這一點對幾乎所有的思想家來說，好像都是不證自明的。當人性得到重視的時候，這種出於明智考慮的選擇可能就不可避免，但衝動是存在於內心，是從人自身的利害關係和動機中所湧出。歸根結底，義務不能以暴力強加，它往往是人們的自願承擔。正是這一信念使得一切義務都以諾言的形式出現，一個人理應信守他所許諾的東西，因爲他自己的行動爲自己確定了這一義務。在一個人對他生活於其中的社會所負義務的較大問題上，人們通常認爲，除非把這種義務歸因於一項約定，否則就無法以任何理性方式來想像它。正如康德（Kant）後來所說，這樣的契約，無論說它是歷史的假定還是方法論上的假定都無關緊要，在這兩種情況下，一切有約束力的義務都必須體現爲自願承擔的義務。普芬道夫（Pufendorf）的一段話可以說明這一點（同樣的話在許多作家的作品中都可以找到）：

> 一般說來，應把一輩人或許多人結合成一個複合的人（Compound Person），承擔總體的行動，擁有某些權利，因爲它是和個別成員相對立的，而且這樣的權利也不是個別成員在與其他成員相分離的情況下所能享有。要做到這一點，這些人必須首先透過契約的訂立把他們的意志和力量統一起來。若無契約的訂立，如何把這一大輩生而平等的人聯合在一起就令人無法想像了。⓭

因此，以自然法爲基礎的政治理論就包含兩個必不可少的要素：社

會或政府（或兩者）藉以存在的契約（contract）和存在於契約之外的
自然狀態（state of nature）。後者適用於兩種重要的情況：私人彼此
間的關係和主權國家間的關係。這兩類契約參加者所訂立的協議，一方
面導致了國內法的產生，另一方面又導致了國際法的產生，這兩種法律
都服從於自然法的一般原則。國內法和國際法都來自於契約，這兩者都
具有約束力，因為它們都是自願承擔的。有關契約的形式和性質的理論
幾乎可以變化無窮。政府依賴於統治者與人民之間的契約，這種內含於
封建領主與其陪臣關係之中的觀念，遠比現代的自然法理論古老得多。
在這一較古老的概念中，人民或社會扮演了法人團體的角色。隨著自然
法理論的發展，人民的締約資格就顯然需要加以解釋了。最簡單的解釋
是設想兩種契約，一種是造就社會並把社會成員相互約束在一起的契
約，另一種是這樣構成的社會同它的統治官員之間的契約。透過這種方
式，契約觀念便成了涉及一切形式的義務和一切形式的社會集團的普遍
理論。這就是阿爾圖秀斯所採取並為普芬道夫所繼承的理論形式。❶到
這時為止，英國作家猶未發展這一理論：霍布斯出於他自己的目的而不
講政府契約，洛克雖然運用了這兩種契約形式，但卻沒有費神把它們區
別清楚。這大概是由於自然法始終不曾在英國法學中起過它在歐洲大陸
所起的那種作用。

　　一般說來，契約不必然會被用來作為限制政府權力或為反抗做辯護
的工具，儘管它當時常被這樣使用。霍布斯和斯賓諾莎把它轉向或歪曲
成了專制權力的辯護工具。阿爾圖秀斯和洛克則用它來捍衛政治權力必
須受到限制的論點，而且洛克還用它為成功的革命做辯護。也許，像格
勞秀斯和普芬道夫那樣的大多數作家，遵循的是一條中間路線，他們並
不證明反抗有理，他們強調的是對統治者施予道德上的限制。這一理論
實際強調的是：法律和政府屬於一般的道德範疇；它們不僅只在武力的
表現，而且是完全受道德批評所支配的對象。因此，從整體來說，這一
理論一般是傾向於政治上的自由主義。

　　契約義務是否真是最明顯的道德真理，這一問題在政治理論上早已
無關緊要了。需要解釋的是，為什麼在十七世紀有如此多的人，一般都
是最開明的人，認為這一理論是不證自明的。也許，如此自覺地與過去
決裂，或堅決努力從舊的習俗和傳統中解放出來，是上一世紀或下一世

紀都沒有的現象。在十七世紀，思想家們已意識到，不得人心的習俗是異想天開的，單憑繼承得來的地位是毫無意義的，沒有理智的力量是粗野的。這是自希臘哲學古典時代以來所未曾有過的意識。共同的認識是，人類幸福的動因要到開明的智慧中去找尋，而開明的大敵看來就是盲目承認那些僅僅以存在作爲證據的事物。在數學物理學方面所取得的種種成就，理所當然地產生了一種自信，這種自信使得該世紀成了現代學術上的最傑出的時代。就這種自信而言，似乎只要有理性作爲指導，創建就可能從最低點開始。遠在現代科學取得實質性的成就之前，一些比較開明的人就像法蘭西斯‧培根（Francis Bacon）所說的那樣，意識到了知識就是力量。再者，十七世紀的哲學也第一次成爲了中產階級的哲學。在這個時候，中產階級一般說來都站在自由主義、世界主義、啓蒙運動和個人主義一邊。

　　以這些先入之見觀察世界並認爲這種觀察必須從不證自明的事物開始，現代哲學顯然不可能找到比個別的人性更可靠、更無可懷疑的東西了。個別的人，連同他的興趣、事業、對幸福和上進的要求，尤其是他的理智——這似乎是他運用他的其他能力的條件——顯然是一個穩定社會必須賴以建立的基礎。傳統的身分差別，似已開始動搖了。人不是作爲一個教士或士兵，不是作爲一個行會或等級的成員，而是作爲一個赤裸裸的人，一個「沒有主子的人」（masterless man），這顯然已是不可動搖的事實了。人們已經有可能設想這樣一種心理學，它能揭示隱匿於人自身的行爲動機。人必然具有某種統一的特性，具有人這一特殊種類的某種天賦的力量。就構成物質世界的這個羣體而言，當時是第一次有可能對這種特性作出精確的闡述。如果這樣說是正確的，那麼在人本性中局部的、暫時的和個別的特質，就可以解釋爲是本質標準（norm）之外的種種偏差，因爲這些標準一般說來是保持不變的。如果在人性中存在著這樣一種不可改變的核心，那麼，要使人在社會集團中形成穩定的結合，就必須具備某些最低限度的條件，而且必須有某些關於好行爲和好政府的基本法律，而任何統治者一旦蔑視這些法律就不可能不受懲罰。關於自然法、自然宗敎、自然經濟的哲學正是植根於十七世紀的這些思想的和社會的假定。

　　有一件未澄淸的事實似乎需要加以特別的說明。作爲個人的人，同

時也是作爲公民或臣民的人。自然法理論認爲,這一點是從人的個性中推論出來,它是明確的,但並不是自明的。這種假定的確定性具有重要意義。在其他的情況下,人作爲一個有組織的社團成員可以扮演公理般的角色,就像柏拉圖和亞里斯多德大體上所認爲的那樣,而人作爲一個個人則是派生出來的。對自然法理論來說,特別是在霍布斯之後,需要解釋的反倒是成員身分的問題。社會是爲人而存在,而不是人爲社會而存在,正如康德所說,必須始終把人當作目的而不是手段。無論從邏輯來講還是從道德上來講,個人都是至上的。就十七世紀的哲學而言,關係(relation)好像總是比實體(substance)更薄弱;人是實體,社會則是關係。正是這種有關個人至上的假定,成了自然法理論中最顯著和最持久的特質,也構成了現代理論不同於中世紀理論的最明確的差異。特別是經過霍布斯和洛克的發展,這一假定到法國大革命時成了社會理論的普遍特徵,並在其後歷久不衰。而且,在大衞・休謨摧毀了有關自然權利的方法論之後很久,它作爲邊沁學派的假定仍然持續地存在著。

註　解

❶參閱恩斯特·卡西勒（Ernst Cassirer）的《啓蒙哲學》（*Die Philosophie der Aufklärung*），1932 年版，第 320 頁。

❷他的《政治方法分析》（*Politica methodice digesta*）初版於 1603 年，1610 年出了增訂版。現代版本經過了某些刪節，弗里德里希（C. J. Friedrich）編，坎布里奇，馬薩諸塞州，1932 年版。

❸另一方面，布丹把自然宗教與原始猶太教奇怪地結合了起來，其中也出現了這樣一種把自然法等同於摩西法的傾向。

❹見奧托·馮·吉爾克（Otto von Gierke）的《約翰尼斯·阿爾圖秀斯》，1913 年版，第 16 頁及次頁。

❺《論戰爭與和平法》（*De jure belli ac pacis*）初版於 1625 年。1646 年版已影印複制（華盛頓，1913 年版），並附有凱爾西（Francis W. Kelsey）和其他人的英譯本作爲第 3 號〈國際法經典〉（The Classics of International Law）。

❻《序言》，第 3 節（凱爾西譯）。

❼有關西塞羅《論共和國》中的辯論說明，大部份保存在拉克坦西（Lactantius）的《基本原理》（*Institutes*）之中，格勞秀斯無疑是取自於該書。現在《論共和國》的各種版本都是以這些有關的段落作爲證明。

❽《序言》，第 6 節。

❾同上，第 8 節。

❿同上，第 16 節。

⓫同上，第 15 節。

⓬第 1 卷，第 1 章，第 10 節，1。

⓭第 1 卷，第 1 章，第 10 節，5；參閱《序言》，第 11 節。在格勞秀斯之前，也有一些作家發表了少數具有相同意思的見解；見克爾尼的《阿爾圖秀斯》（1913 年版），第 74 頁，註 45。

⓮《序言》，第 29 節。

⓯《倫理學》和《政治論文》在其死後於 1677 年出版；愛爾維（R. H. M. Elwes）英譯，兩卷本，藏於波恩哲學圖書館。

⓰《論自然法與萬國法》（*De jure naturae et gentium*），隆德（Lund），1672

年；巴西爾・肯尼特（Basil Kennet）英譯，倫敦，1710年。

⑰參閱格勞秀斯對法律所作的有關自然法和意志法（即實證法）的區分，見第1
　卷，第1章，第10～17節。

⑱同上書，第7卷，第2章，第6節（肯尼特譯）。

⑲同上書，第7卷，第2章，第7～8節。

參考書目

1. "The Law of Nature" By James Bryce. In *Studies in History and Jurisprudence*, New York, 1901.

2. *Politics of Johannes Althusius*. Translated by Frederick S. Carney. London, 1965.

3. "The 'Higher Law' Background of American Constitutional Law." By Edward S. Corwin. *Harvard Law Rev.*, Vol. XL Ⅱ (1928～1929), pp. 149, 365.

4. *Natural Law: An Introduction to Legal Philosophy*. By A. Passerin d'Entrèves. London, 1951.

5. *Studies of Political Thought from Gerson to Grotius*, 1414～1652. By John Neville Figgis. 2d ed. Cambridge, 1923. Ch. 7.

6. *National and International Stability: Althusius, Grotius Van Vollenhoven*. By P. S. Geibrandy. London, 1944.

7. *The Development of Political Theory*. By Otto von Gierke. Eng. trans. by Bernard Freyd. New York, 1939. *(Johannes Althusius und die Entwicklung der naturrechtlichen Staatstheorien.)*

8. *Natural Law and the Theory of Society*, 1500~1800. By Otto Gierke. With a lecture on the Ideas of Natural Law and Humanity by Ernst Troeltsch. Eng. trans. by Ernest Barker. 2 vols. Cambridge, 1934 (From *Das deutsche Genossenschaftsrecht*, Vol. Ⅳ.)

9. *The Revival of Natural Law Concepts*. By Charles Grove Haines. Cambridge, Mass, 1930. Chs. 1~3.

10. *The Life and Works of Hugo Grotius*. By W. S. M. Knight. London, 1952.

11. "The History of the Law of Nature." By Sir Frederick Pollock. In *Essays in the Law*. London, 1922.

12. *Natural Rights*. By D. G. Ritchie. 3d ed. London, 1916. Ch. 2.

13. *Justice and World Society.* By Lawrence Stapleton. Chapel Hill, N. C.,
　　1944. Ch. 2.

14. *The Province and Function of Law.* By Julius Stone. Sydney, 1946.
　　Ch. 8.

15. *Hugo Grotius.* By Hamilton Vreeland. New York, 1917.

第二十三章
英國：準備內戰

　　英國在一六四〇年國內戰爭爆發之前，敵對政治思想之間的界限遠不如十六世紀末葉的法國那樣分明。在法國，反抗權已與政治權力屬於人民的古老思想明確地聯繫在一起，消極服從的義務已明確地依附於君權神授論上，而布丹的《國家論》，則相當接近在國王治下實現憲制統一的理論。在英國，直至十七世紀的前二十五年過去，並沒有出現內亂的嚴重威脅，這些思想仍處於初始狀態，還存在於中世紀的傳統之中。都鐸王朝實際上是專制王朝，但他們的權力有賴於富裕的中產階級的默認，因此他們極為謹慎，不敢疏遠這個階級。所以，沒有任何派別會認真地以神授權利論來支持君主專制，而且也沒有任何派別必須為反抗權尋求理論上的辯護。到那時為止，也沒有任何人被迫去思考法定權力之間破裂的結果，諸如國王與議會或國王與其法庭之間的破裂。這古老的假定仍然成立，即在王國的基本法之下這些權利間的禮讓與和諧，無須考慮它們之中哪一個享有至高無上的合法地位。傳統的權利和界限雖然籠統，但已足夠清楚地規定政體各組成部份的地位，這些權利和界限尚未達到破裂之點。

摩爾的《烏托邦》

　　隨著十六世紀的推移，在英國也一如歐洲的其他地方，新教改革運動所引發的種種政治問題，使得一切討論都黯然失色了。各種各樣的教會在政治上的野心掩蓋了嚴重的經濟混亂，這種混亂是伴隨著現代貿易的興起和古老經濟的破壞而來。這種思想上的較古老層面可以見之於像

托馬斯・摩爾爵士（Sir Thomas More）所著的政治諷刺作品《烏托邦》
（ *Utopia* ）❶那樣的前宗教改革作品。《烏托邦》雖然在外表上模仿了柏
拉圖的〈理想國〉，但它實際上表達了作者對貪得無厭之社會的厭惡，在
這種社會裡，「從國外以極低的價格買進，然後再以非常昂貴的價格賣
出」搖身一變成了良好的道德。這一諷刺作品所遵循的是一種可應用於
任何經濟失調時期的模式：犯罪比比皆是，並因而受到相應刑法的殘酷
處置，然而嚴刑起不了作用，因爲犯罪仍是很多人易於接受的唯一謀生
手段。「除了使他們做賊然後懲罰他們之外還能做什麼呢？」受訓作爲
士兵的人，因戰爭停止而被迫回到社會，但卻不可能爲產業界所吸收。
產業，特別是農業，已不能養活那些業已從事這一行業的人，因爲已成
爲最有利可圖的羊毛需要把耕地變爲牧場，並剝奪農民對土地的占有。
綿羊「吃光、摧毀和吞沒了全部的田地、房屋和城市」。當農民挨餓，
或以搶劫爲生的時候，富人們卻追求「奇裝異服、窮奢極欲、歡宴豪
飲」。政府不去抨擊這些社會弊端，反而以合法的卑鄙手段敲榨稅款，
推行有害的戰爭和征服計畫。但是，摩爾最辛辣的諷刺，卻是專門針對
國際外交中的背信棄義。

　　然而，這種對於商業經濟的抨擊，其眞正動機乃是對於過去的懷
念。儘管這幾乎是不切實際的，但它還是回到了合作式共和國（coo-
perative commomwealth）不切實際的理想上面，這種共和國正爲新的
經濟所取代。摩爾聲稱，他關於什麼是社會公正的概念，來自於柏拉圖
關於階級合作體系的社會分析，但也許更確切地說，是來自於大多數中
世紀社會理論對於這一概念假定的正當性。根據這種流行於聖托馬斯之
後任何時候的觀點，在一個由各個階級組成的社會裡，每一個階級都負
有對公眾利益來說是必不可少的任務，每一階級都執行它的相應職責，
取得它的應得報酬而不侵犯他人的同等權利。在這樣的設想中，個人企
業實際上毫無地位。也許一個英國的莊園離這樣的見解還不算太遠，可
以構成一個經濟單位和理想上的道德單位。正如摩爾的理想化見解一
樣，一個社會的道德目的就是造就良好的公民，造就在智力上和道德上
都享有自由的人，根除懶惰，爲一切人提供物質需要而無須進行過度的
勞動，廢止奢侈和浪費，縮小貧富差距，把貪婪和敲榨減到最低限度。
總之，要達到「思想自由和供給相同」的完美境界。

如果曾有一種有價值的道德觀念確實可憐又可笑的話，那麼在宗教戰爭和現代貿易擴張即將開始之際所出現的摩爾的思想就正是如此。摩爾的思想，正如他的一生所爲一樣，表達了人道主義的合理和坦蕩，然而，無視殘酷事實的道德願望是無濟於事的。甚至爲突出社會和經濟問題及其人類後果而作出的努力，也在日益高漲的神學鬥爭和這一鬥爭所涉及的政治組織問題面前歸於失敗了。因此，相比較而言，《烏托邦》在當時的政治哲學中只是一支孤獨的和不重要的插曲。它所表達的毋寧是古老理想的垂死呻吟，而不是行將到來的新時代的眞正聲音。

胡克：國教會

摩爾和十六世紀所有英國作家提出的合作式共和國的概念，成了孕育十七世紀中葉比較尖銳問題的母體。到了十六世紀末，這一陳舊觀念顯然已經支離破碎了，各個黨派都傾向於依靠無法維持的妥協，而在實際上互不相容的各種要求都出現以後，這種妥協就不得不中止了。主要壓力有兩個方面：首先，教會和世俗政府的老問題並未因脫離羅馬而解決，而是轉變成了國內問題，涉及到了國家與英國國教會和諸如長老會派、獨立派及其他反對國教的新教派別的關係。在所有這些教會的和神學的主張中，不可避免地存在著，並將繼續存在著種種政治上的特殊內涵。所以，有必要考慮英國人劃分這些宗教派別的政治差異。第二是中央集權及其對於政府各部門間想像中的合作關係的影響問題，這特別涉及到國王和他對於他的法庭的控制，首先是對於諸習慣法法庭的控制，更重要的是最終對於議會的控制。這一章將首先描述一些主要宗教團體的政治主張的特色，特別是這些主張對於政教關係理論的影響。其次，它將描述王權和英國政體其它組成因素之間日趨緊張的關係，這些關係逐漸打破了權利和諧的陳舊觀念。

由於當時情況種種不可避免的原因，英國教會從羅馬教會中獨立出來，只能意味著國王將成爲其世俗首腦，但是教會的世俗首腦卻是一種新的和無法理解的觀念。教會的管理必須包括決定其成員信奉什麼教義的權力，然而，任何一位基督徒都決不會認眞考慮到，英國國王能說出

什麼是眞正的教義。一位幾乎不懂而且也很少關心神學的法學家，可能
會滿意於這樣的實際結論，即國王的法庭能夠像界定其他犯罪一樣界定
異端。但是，一個眞誠相信教會的教義是永恆眞理的人，看到這一眞理
由受國王之命管理教會的主教來掌管，卻很可能會感到疑惑。確實，這
種世俗首腦之所以貌似有理，就在於人們還無法理解它。事實上，它並
不意味著一種理論，而是意味著一種切實可行的妥協，這種妥協是不可
避免的，而且一般說來有助於維護國家的秩序。法國的宗教戰爭提出了
另一個可採用的方法，小心謹愼的英國人對此極爲關注。在這種形勢
下，一個基本的事實是，每一個人都依然生活在想像中的世界性基督教
會的陰影之下，相信教會的分裂是暫時的，不久就會消失，並會恢復到
共同信仰的正常狀態。凡是接觸到喀爾文關於教會獨立的強硬觀點的
人，都認爲世俗首腦的現狀不會永久不變。

　　關於國王居於教會首腦地位的論戰產生了一篇具有持久意義的論
著，這就是理查・胡克（Richard Hooker）的《教會政治的法律》（ *The
Laws of Ecclesiastical Polity* ）。❷這部論著很具爭議性，旨在駁斥清
教徒對英國國教的批評，但從其學識的特徵和廣度來看，它與通常的論
戰著作卻大相逕庭。雖然它毫不隱諱地論述教會管理，但實際上卻詳盡
地研究了法律和管理的哲學，因爲胡克認爲，教會管理只是全部市民社
會管理的一個方面。作爲當時具代表性的思想，《教會政治的法律》是值
得注意的，因爲在這個可稱爲中世紀傳統的東西即將被國內戰爭的緊張
局勢所猝然打斷之前，這部作品確是有關這個傳統的最後的傑出聲明。
令人驚訝的是，這部作品能夠調解各種各樣的爭論問題，而不是像幾十
年以後那樣使它們成爲不可調和的爭論。然而，歸根結底，這本書的重
要性在於它提供了一種方法，而藉由這一方法，這種中世紀傳統在進行
某些必要的變革之後，又能夠一直延續到國內戰爭之後的現代政治哲學
之中。約翰・洛克對「明智的胡克」（judicious Hooker）是懷有感激
之情的，事實上，他對革命結果的概述之所以具有保守的特點，在很大
程度上就是由於他的思想跟這位早期思想家的思想一脈相承。

　　胡克論證的主要目的是要表明，清教徒拒絕服從已確立的教會，就
已暗自否認一切政治義務的基礎，英國人受理性的約束必須服從英國的
教會法，而清教徒卻既不受理性約束也不受宗教約束，因而不服從這個

法律。為了對這一論點進行辯護，他首先對一切法律和政治義務的基礎
進行了哲學上的考察，並且在這一方面效法托馬斯的作法。法律存在有
各種各樣的形式：永恆法，即反映上帝自身本性的法律；自然法，即上
帝按照事物的不同類型而管理它們的法令；理性法，即人作為理性動物
尤其有義務遵守的法令。理性能使人領悟善，而他的意志則引導他遵循
善。所以，人們的生活準則就是「理性根據他們所要做的事情的善的方
面而作出的判決」。而據以了解這些理性準則的徵兆，就是人類的普遍
同意。「所有人在一切時間裡學會的，正是自然本身所必須教授的東
西。」❸因此，最基本的理性準則一旦為人們所了解，就會得到普遍承
認，而具有較少普遍性的準則就可以從中推導出來。到此為止，胡克對
於全部中世紀政治思想的陳詞濫調幾乎沒有越出一步，因為他的目的就
是要以得到普遍承認的原則進行論證。他所重申的法律理論，正是格勞
秀斯（Grotius）後來引做出發點的理論，格勞秀斯還為這個繼承而來
的理論添加了一個更具理性主義的形式。

　　顯然，即使社會和政府不存在，理性法也會絕對地約束著一切人。
按照胡克的觀點，人們之所以要組成社會，是因為他們天生具有羣居
性，而且因為在孤獨生活的情況下無法滿足他們的要求。一個社會沒有
政府是不可能存在的，而政府在沒有人類法律或實證法的情況下也是不
可能存在的。當人們聯合在一起的時候，不可避免地會產生不滿，消除
這種不滿的唯一辦法，就是「在他們中間逐漸達成妥協和協議，確立某
種類型的公共政府，並使他們服從於這個政府。」儘管胡克的話中已隱
含有契約的思想，但他並未對這一概念加以詳述。人們為了共同生活而
選擇的準則，或者是得到了明言的一致同意，或者是得到了一致的默
認，而這樣確立的制度就是共和國的法律，「是政治實體的真正靈魂，
正是法律賦予了這個實體的各個部份以生氣，使之結合在一起，並能按
照共同利益的要求而工作。」❹因此，政治義務的根據就是共同的同
意，根據這種同意，人們一致接受某一個人的命令。正如胡克在一番使
人想起庫薩的尼古拉（Nicholas of Cusa）的話中所指出的，沒有這種
同意，一個人為什麼應做他人的主人或審判者就毫無理由了。不過，他
還明確主張，同意可以透過代表作出，而且一旦共和國成立，它的法律
就對它的成員永遠有約束力，因為「法人乃是永存的」。因此，儘管他

指出「法律不經公衆認可就不成其爲法律」，而且堅持認爲未經同意的統治乃是暴政，但他根本不承認造反的權利。權力一經確立起來，社會就絕不能撤回它的同意了。

就這一點而言，有關這一體系值得注意的事實就在於它實質上與托馬斯完全一致：社會的人類之法是從上帝的永恆之法那裡經過一系列的遞降步驟派生出來，因此擁有其本源的全部權威的支持。實證法實施了自然在一般情況下所要求的東西，而社會作爲一個自然的單元，按照它自身的固有法律，具有約束其成員的內在能力。然而，當胡克與清教徒對英國國教會的抨擊打交道時，他與托馬斯的相似之處就不存在了。簡言之，他認爲英國的教會法與理性或基督教信仰並不矛盾，因此如同其他的英國法律一樣，對所有英國人都具有約束力。扶植宗教是每一個國家的首要義務，而擁有眞正宗教的社會旣是一個教會又是一個國家。英國國教會和英國國家在成員人數上完全的等同，因爲每一個英國人都是一個基督徒，而每一個英國的基督徒也都是一個英國人。因此，教會法也具有與其他法律一樣的權威，不服從它就會破壞整個社會秩序。對胡克來說，**清教徒主義**（Puritanism）的罪過就在於它把教會和國家分成了兩個不同的社會，就像羅馬天主教信條所做的那樣。實際上，正如他所非常清楚地暗示的，這是使教會凌駕於國家之上的一種隱蔽的手段。因此，教皇制和長老制都是國家中並且最終也是教會中發生混亂的原因。

這一論點確實是中世紀主義和國家主義的卓越結合。首先，它認爲英國是一個國家或社會，是一個自足的法人實體，它的法律不僅根據其成員的個人身分，而且把他們作爲社會的組成部份對之加以約束。所以，法律規定王公和高級教士可以做什麼，並規定他們的權力不屬於他們的意志而屬於他們的職務。從法制方面來看，胡克的理論仍然是合作式共和國的理論。關於宗教，它的設想則完全是中世紀式的，而任何完善的社會必然旣是教會又是國家，包括一個教會組織同時也包括一個世俗組織。它理所當然地認爲基督教是眞實的——大概對英國人來說和對其他人一樣眞實——然而，它也設想了肯定會使托馬斯都感吃驚的東西，即這個普遍眞理並不需要有它自己的普遍制度，而可以由一個國家政府和國家教會來管轄。最後，它認爲不容置疑的基督教眞理使得教會

管理形式——在主教制和長老制之間進行抉擇——成了一個對信仰無關緊要的問題，從清教徒的觀點來看，這構成了它的致命弱點。顯然，任何喀爾文主義者都不會承認這一點，而天主教徒也同樣不會承認教會的宗教權威與信仰毫無關係。

如果把胡克的理論看作是十六世紀末英國政治思想狀況的代表，那麼它所忽略的東西與它所包含的東西一樣引人注目。他關於同意理論的說法，根本不是對於反抗權的辯護，但他也同樣沒有對消極服從做任何闡釋。反叛是錯誤的，十六世紀的其他英國作家已對這一倫理上的信念進行了強有力的闡述——清教徒的論述跟其他作家一樣多——但這種信念的根據是功利主義的，它絕非意味著一種王權專制主義理論。❺特別是，胡克儘管是作為一個英國國教徒從事寫作，但他的理論卻與任何君權神授學說都風馬牛不相及。神權論在英國國教徒中的流行，恰恰是內戰及戰後的一種現象。它是一種教士的理論，在大學裡得到最激烈的支持。❻在查理一世（Charles Ⅰ）被處決之後，它成了對「王室烈士」的情感寄托。這一理論從未影響過任何有關立憲的爭論，即使是對於保王派的現實思想，它起的作用也微乎其微。當然，它在詹姆士一世和查理一世治下的議會中也都沒有代言人。後來它得到了人們的口頭承認，但它也許從未在英國政治哲學中發揮重要作用。

天主教徒和長老會友的反對

另一方面，胡克為國王居於國教會首腦地位而作的辯護，至少有兩類英國人無法容忍，包括長老會友和天主教徒。這兩者一致認為，國王在教會中居於最高地位，就是對於宗教獨立的侵犯。在新出現的教義爭論和有關教會管理的分歧背後，仍然存在著教士主導和宗教自由的古老問題。國教徒堅決反對前者；長老會友和天主教徒則把後者作為基督教的基本信條。

天主教徒的基本立場，可以用托馬斯·摩爾爵士受審之時，他與國王的司法官之間的一段對話來說明。這位司法官試圖誘使摩爾陷入否認議會議案具有約束力的圈套，他問摩爾，如果議會透過一項選舉教皇的

決定，是否一定不爲英國人所接受。摩爾回答說：

> 關於你的問題的第一部份，議會完全可以插手世俗王公的事務。
> 但是爲了回答你的問題的第二部份，我將問你一個問題，如果議會制
> 定一項法律，說上帝不是上帝，那麼里奇（Rich）法官，你會說上帝
> 不是上帝嗎？❼

任何眞誠的天主敎徒都必然同意摩爾的思想。因爲如果由國王和議會來
支配宗敎信仰，那就不存在全體基督徒的世界性組織了。對天主敎徒來
說，承認敎皇權威對保持敎會的統一和自由似乎是必不可少的。他不需
要耶穌會士一樣認爲敎皇甚至擁有廢黜國王的間接權力，但他必須相信
這一點，即國王在敎會中居於最高地位，除了符合基督敎統一的神秘涵
義之外，是不合任何敎義的。

喀爾文敎派對敎皇的憎惡，並沒有使他們欣然承認敎會的世俗首
腦，因爲他們贊同天主敎徒的觀點，認爲這是侵犯敎會的宗敎獨立。凡
是喀爾文主義不受約束的地方，其傾向都不是政治控制敎會，而是敎士
控制政治。對於整個社會的道德戒律和敎義戒律是這一規畫的主要組成
部份，它要求敎會得到政府的支持，但它同樣也意味著敎會應自由地決
定其正統敎義和敬神生活的構成。因此，政敎分離是喀爾文主義的一個
基本目標，但這並不是使國家完全成爲世俗機構的現代意義上的分離。
喀爾文主義所設想的分離是讓敎會自治，但也是要讓它的決定具有强制
性。所以，長老會友像國敎徒一樣，堅持中世紀基督敎傳統的實質性部
份，但卻往往不得不違背這一傳統的字義和精神。國敎徒引入了中世紀
的敎會國家概念，其結果是使敎會按照國家的方針發生了驚人的變革。
長老會友在敎會中引進了宗敎獨立的概念，其結果是使根本不是敎會的
國家發生了同樣令人驚異的變革。在十六世紀，政敎分離被視爲清敎徒
和耶穌會士所扶植的新奇事物。

然而，在一個重要的方面，英國的長老會友同法國和蘇格蘭的喀爾
文主義者截然不同：他們反對國王在敎會擁有至高無上的地位，但絕不
認爲反叛是合理行爲。在這一方面，他們更接近於喀爾文，而不是諾克
斯（Knox）、貝扎（Beza）或《索還反抗暴君之權》的作者。這是因爲
在十六世紀的英國，他們從來沒有機會經由反叛的手段，獲取長老會式

的教會管理形式。甚至到十七世紀，他們的反叛一般說來仍然是猶疑不定的，所以就有了這樣的嘲笑，長老會友引導查理上了斷頭臺，卻由**獨立派**（Independents）砍下他的頭。作爲一個集團，英國長老會派幾乎沒有任何富有特色的政治理論。他們的觀點主要是貴族政治觀點和保守觀點，當然目標也是君主制觀點。他們目標並不是政治變革，而是教會改革。在內戰初起長老會派暫居優勢期間，他們的作家爲反抗進行了辯護，但他們的理由是任何一個議會派人士都能接受的。他們的願望，主要是在英國國教會中實行長老制，而且一般說來，他們希望藉助國王而不是經由反對國王來實現這一點。因此，在一六六二年他們被《信仰劃一法》（*Act of Uniformity*）取締之前，他們仍然是英國國教會內部的一個派別，而不是一個具有明確政治目標的派別。

獨立派

在所有英國清教徒中，獨立派（或稱公理會, Congregationalists）在政治上占有最重要的地位。雖然他們的神學屬於喀爾文主義，但他們在宗教改革上已邁出了一步，這使得他們與長老會分處於不同的範疇。他們根據有可能在教會中進行改革的決斷而大刀濶斧地解決了難題，正如羅伯特·布朗（Robert Browne）所說，他們是「毫不遲疑」的。❽他們相信，基督徒團體可以構成一個宗教集會（congregation），這種集會是一個眞正的教會，能夠任命它的教士並確定一種經過改革了的禮拜模式，而無須國家行政官員或教會權力的認可。因此，教會在原則上是志同道合之信徒的自願聯盟。無論是對自身進行改革，還是爲不同意向的人提供實踐慣例，它都不承認國家當局的支持。教會實質上變得等同於宗教集會了，而後者不過是基於協商目的鬆散地團結起來的一種聯盟。這樣，獨立派就不可能形成任何形式的全國性教會，而且不得不爲他們自己要求或多或少的宗教自由，並爲別人的宗教自由進行辯護。教會和國家成了非常明確的兩個社會，它們不單單是分離的，而且在原則上是獨立的，强制性的權力集中在國家，但只限於履行世俗政府職責方面。

　　強迫信教，以權力扶植教會，依靠法律和懲罰強制服從教會的統
治，這些既不屬於他們（行政官員）的職權……也不屬於教會的職
權。❾

　　毫無疑問，所謂的獨立派只是在不同程度上接受了這個重大原則及
其隱含的內容。首先，沒有人要求也很少有人鼓動對宗教統一進行實際
破壞。如同任何宗教改革計畫一樣，獨立派是以這樣的假定爲起點，即
眞誠的探討可以揭示出基督教在信仰和實踐上的可論證的本質，從而可
以導致統一；第二，儘管獨立派信徒主張的教會控制要比長老會更少，
但是要求完全除去宗教會議對宗教集會的影響者，只占很少數。在麻薩
諸塞的獨立派就堅決不接受「分離主義者」這個稱號，他們寧可做任何
事情也不願實行信仰自由。而且，在獨立派的宗教集會內，可以在不同
程度上接受自願皈依的原則，但在允許每一個成員就解決教義問題或戒
律問題而表達意見方面，他們並不始終如一的堅持民主。另一方面，宗
教上自由同意的原則和對政府的贊同有一種普遍的聯繫，公理會遠比長
老會更堅持這樣的主張，即爲了捍衛基本的自由，不僅應支持對國王的
反抗，而且要支持對議會的反抗。

　　最後，儘管獨立派不得不保證某種程度的宗教自由，但這種程度卻
不好衡量，而且獨立派只是偶爾才持這種進步的立場，主張任何無害於
社會秩序的宗教信仰都應當得到允許。如同大多數宗教少數派一樣，他
們爲自身取得信仰自由，要比爲他人的信仰自由更爲熱心進行辯護。但
他們並非像他們所表現的那樣僞善，因爲對他們之中的大多數人來說，
信仰自由只是宗教改革這一主要目的的附帶內容而已。他們從來無意否
定政府應該鎭壓「偶像崇拜」。羅得島的羅傑‧威廉（Roger Willi-
ams）所持的立場最爲進步，在那裡第一次根據信仰自由的一般原則建
立了一個政府。一六四四年，他在《血腥的迫害方針》（*Bloudy Tenent
of Persecution*）中爲這一原則進行了辯護，這本書在當時被認爲是誹
謗文獻中最令人反感的著作之一。同年，一位不承認自己是任何左翼教
派成員的倫敦商人威廉‧瓦爾溫（William Walwyn），出版了他的《富
有同情心的樂善好施者》（*Compassionate Samaritane*），有力地爲分
離主義者和再浸禮派教徒進行了辯護。威廉和瓦爾溫甚至在以獨立派而

知名的作家當中也是特異的例子。❿

　　儘管獨立派起源於十六世紀，但直到十七世紀四〇年代，他們在英國尚爲數不多。在依靠宗教進行反抗的範圍內，他們當時形成了反抗國王的骨幹力量。在克倫威爾（Cromwell）的「模範新軍」（New Model Army）中，並且在第二次內戰和處決國王之後的政治實驗中，他們達到了其力量的頂點。然而，戰爭期間中產階級裡不大富裕的那部份人所遭到的經濟和政治損失，導致平等派（Levellers）內產生了一個眞正的政黨。毫無疑問，平等派主要是由獨立派成員組成，儘管大多數獨立派成員並不是平等派。平等派的政治哲學在某種程度上是左翼獨立派理論的繼續，但對它應該而且也必須單獨進行探討。

分裂派和國家全能論者

　　更傾向於新教改革運動左翼的浸禮派和教友派，透過把教會組織及其與世俗政權的關係降低到毫無意義的地步，而有效地處理了教會管理問題。對他們來說，宗教的精髓既然在於宗教體驗的內心啓明，那麼教會管理也就無足輕重了，而且他們甚至摒棄了建立全國性宗教組織的想法。在以浸禮派和教友派而知名的不同團體之間，根本無須就非常重大的問題達成一致，而誹謗它們的大多數作家，也很少關心它們的信仰是什麼。總之，推測分裂派（Sectaries）本身具有獨特的政治見解，或是不相信它們的成員大多數是單純的守法民眾，都是毫無道理的。他們之所以令人厭惡，部份原因是由於像托馬斯・愛德華（Thomas Edwards）⓫那樣的異端追逐者神經過份緊張，但也由於人們把確實零星存在過的奇異觀念全部歸罪於被認爲是狂熱的教派。這樣就有一些人，他們一般被稱爲浸禮派教徒，相信經歷眞正的宗教啓蒙後人根本不需要法律，而且行政官員也不可以迫使他們服從。這一信念往往與這樣的觀念有關，即世界末日即將來臨，諸聖徒將在新的天命中繼承這個世界。這一觀念可能會導致政治上的無爲主義或虛無主義，而在後一種情況下，它可能以抨擊財產和法律爲目標。就共產主義在當時英國政治哲學中占一席之地，是在於所謂的掘地派（Diggers），他們的領袖傑拉爾德・

溫斯坦萊（Gerrard Winstanley），將在以後再做討論。

　　正像列舉剛才這些宗教派別一樣，還應該提及一種英國意見，這種觀點出於所有這些派別的觀點，特別是反對長老派的觀點的反對。人們通常（並不很正確地）稱之為**國家全能論**（Erastianism），而約翰‧塞爾頓（John Selden）大概就是這種觀點的代表。塞爾頓的政治觀點和宗教觀點來自於十七世紀不大常見的一種世俗主義，並來自於他對世故的精明老練，這種精明老練戳穿了政客和教士的虛偽。他認為，憲法上的約定只是確保秩序和安全的協議。國王的權力恰恰是法律賦予的，而法庭能夠有效實施的正是法律。同樣，教會的建制和教士的特權乃是世俗政權所造成。他認為，神聖權利的主張在任何地方都是榨取俗人錢財和權力的騙局，這是他對於各教派特別是長老會派的公正斷言。「長老教會的長老是世界上握有最大權力的教士，他們對俗人欺騙最大。」教士的職務純屬一種職業，就像律師開業一樣。塞爾頓的功利主義、世俗主義和理性主義和這些主義的典型思想相去甚遠，但它們在他的朋友托馬斯‧霍布斯的著作中又再現了。在某種意義上，它們也在哈立法克斯（Halifax）的思想中對革命有著決定性的影響。

憲政理論：史密斯和培根

　　教會問題的緊迫性和國王作為教會世俗首腦所擁有的權力，有助於使政體擺脫中世紀的平衡狀態，但是，與上層中產階級日益增長的獨立性相關的種種其他原因，也易於造成國王和法庭之間的緊張關係，因為正是法庭限制了國王的權利。當這種緊張關係達到破裂點的時候，內戰就爆發了。一般說來，其結果是不得不放棄主張權力和諧的較古老的政體觀念，而代之以比較現代的，由最高權力本源委派代表的觀念。在內戰之前，並無明確的理論說明最高權力屬於政體的哪一部份。根據遠古以來的慣例，人們認為，屬於國王、議會和其他機構的權力是它們所固有的。它們各自都可以在其相應的自由範圍之內主動行事。如果說最高權力存在於某個地方，那它乃是屬於王國本身，並不屬於王國的任何機構。儘管都鐸王朝的國王們享有很大的權力，但卻並沒有出現像法國的

布丹那樣清楚的王權至上理論。內戰迫使保王派和議會派爲各國國王以及議會提出最高權力要求，這遠遠超出了各派原先的意圖。儘管雙方提出了英國歷史的根據，但最終雙方——議會派並不亞於保王派——都與十六世紀的傳統斷絕了關係。不同之處在於，議會派實現了其新要求，而國王卻失敗了。

托馬斯·史密斯爵士（Thomas Smith）所著的《論盎格魯共和國》（ *De republica Anglorum* ），大概是對十六世紀英國憲政理論狀況的最好說明。⓬像弗雷德里克·梅特蘭（Frederic Maitland）和弗雷德里克·波洛克爵士（Sir Frederick Pollock）那樣適任的歷史學家，都認爲這本書所陳述的是議會至上論，但這幾乎肯定是一種誤解。⓭事實上，史密斯一方面斷定國王對於英國政府所做的任何事情都具有「權威」，另一方面又斷言議會擁有「王國最高的和絕對的權力」。他確信，某些事情國王可以撇開議會去做，而有些事情是必須在議會中做的。這兩種情況都由國家的慣例所決定。史密斯著作中最引人注目的特點，是它認爲政體主要是由法庭組成，並且把議會作爲王國的最高法庭。正是在這一意義上，他關於議會絕對權力的陳述也許應該這樣來理解：任何其他法庭都不能取消議會的決定。他很清楚，議會不同於其他法庭，它並非經常審理私人之間的問題，但他仍然認爲它主要是一個司法機構。總之，他並未明確地把它看作一個立法組織，因爲他並沒有劃清制定法律和解釋法律的界限，而且他也從未仔細考慮過議會和國王之間的衝突。最高權力寓於王國及其法律之中，這種法律賦予國王和他的各種機構以相應的權力，而所有這些權力按照假定在任何地方都應和諧合作。因此，按照史密斯的想法，下述觀點並不是自相矛盾的，即國王是整個體系的「首腦」，而議會則是第一法庭。

這種關於政體和議會的概念，在積極反對詹姆士一世類似絕對權力之主張的活動出現之後，仍然繼續存在。詹姆士最初並不是與議會而是與習慣法法庭發生了爭執，爭論所涉及的不是立法權而是君權。在這一爭論中，主要人物除詹姆士之外，還有法蘭西斯·培根（Francis Bacon）和愛德華·科克爵士（Sir Edward Coke），爭論點既不是國王的最高權力問題，也不是政府任何其他部份的最高權力問題，而是國王與其法庭之間的適當平衡問題。環境使得培根成了強有力的王權代言

人，確實他肯定從不相信君主專制主義，但他眞誠地相信王權。環境也使得科克成了限制君權的主要代理人，儘管議會擁有至高無上的權力同樣令他厭惡。這兩人雖然針鋒相對，但他們都贊同國家習慣法所規定的和諧或平衡概念，這一概念爲國王和任何其他政府機構都提供了一席之地，而不使任何一方擁有最高權力。

培根的整個政策觀念傾向於強調王權，他往往依照都鐸王朝君主制進行思考，認爲國王是國家和議會的可信賴的領袖。詹姆士甫登上王位，培根就迫不及待地透過建議新君主實行強有力的領導政策而毛遂自薦。與蘇格蘭聯合，使愛爾蘭殖民地化，對歐洲大陸採取侵略政策，這一切對他來說都經過精心考慮，以便使英國成爲西北歐的統治力量和代表新教利益的領袖。在他的一生中，他一直相信，如果詹姆士肯聽他這些勸告，那麼他與他的英國臣民之間的糾葛在愛國主義的浪潮中就會煙消雲散。從他的《短論集》（ Essays ）來看，他的政治理念顯然是一個強大好戰的民族，它沒有過重的稅賦，財富不是特別集中，有一個不太強大的貴族階層——都鐸王朝就是完美的典型——由國王實施領導，這個國王在王室領地擁有大量的財力物力，有強而有力的君權並推行一項富有活力的民族擴張政策。在他的心目中，這並不意味著專制主義。詹姆士決心依恃他的君權，這與培根的好政策的觀念就已經相悖，而他打算撤開議會進行統治的企圖也與培根的建議相背道而馳。按照培根的觀點，沒有比強行在國王權利和議會權利之間進行選擇更不明智的了。

在國王與習慣法法庭之法官的爭論中，培根出於他的官員身分，不得不採取一種偏袒的態度，不過他對於強有力的王權的信念確實非常眞誠。國王把自己看作是正義的源泉，把法官看作是他的代理人，因此，在涉及君權的案件中，國王宣稱有權向他們發布命令，或把案件從法庭撤出，轉交給特別的委員會。在培根的著名文章《論審判制度》（ Of Judicature ）中，他像詹姆士一樣強調，法庭在國家和王權問題上的正確態度就是不設置障礙，法官應當是獅子，但他們是「王座下面的獅子」（ lion under the throne ）。這篇文章似乎是影射了科克，培根無疑認爲他是壞法官的典型。

愛德華・科克爵士

　　反對詹姆士加強君權的主要人物是大法官愛德華・科克爵士。科克全部政治思想的根基就是他對習慣性的崇敬。他認為，習慣法既是王國的基本法律，又是理性的化身，不過這種理性只是指律師公會所理解的理性。習慣法是一種「神祕的事物」，科克自詡是這方面的主要專家。他記錄了他同詹姆士的如下一次談話：

　　　　當時國王說，他認為法律是以理性為基礎，而他和其他人與法官一樣，也都有理性。對此我回答說，確實是這樣，上帝賦予陛下卓越的知識和非凡的天賦，但陛下並不精通王國的法律，涉及陛下臣民的生命、繼承、貨物或財產的種種案件，並不是根據自然的理性來決斷，而是根據人為的推論和法律的判斷來決定。一個人只有經過長期的學習和體驗，才能夠得到審理法律的權力……對此，國王勃然大怒，並且說，那麼他就應該居於法律之下了，這種說法是犯了叛逆罪。對此我說，布萊克頓（Bracton）說過，國君不應服從任何人，但應服從上帝和法律（Quod rex non debet esse sub homine, sed sub Deo et lege.）。❶

　　按照科克的觀點，正是習慣法賦予國王權力，賦予王國的每一個法庭以相應的管轄權，而且事實上也賦予每一個英國人以符合其身分的權利和特權。因此，習慣法包括了我們今天作為憲法的全部內容，既包括了政府的基本結構，也包括了臣民的基本權利。當然，他認為這些基本的東西實質上是不可變更的。

　　正是這種關於法律的見解，使得科克提出了他的最著名的限制王權的論斷，「國王不能憑藉禁令或公告判定過去不是犯罪的行為為犯罪。」❶這也是習慣法法庭據以限制其他法庭的停審令的根據，是科克堅決反對詹姆士企圖從法庭撤出案件，並由國王自己或由特別委員會來審理的根據。最後，這種觀念為科克的如下信念提供了種種理由，即議會本身並不能改變體現在習慣法之中的基本的正義原則。對於這些限制

的性質他並不十分清楚，但他卻明確地肯定了它們的存在。因此，在處理邦哈姆（Bonham）案件時他說：

> 這一點在我們的書中已表明，在許多情況下，習慣法將支配議會的法令，有時將裁決這項法令完全無效，因為一旦議會的一項法令違背公民權和理性，或與之牴觸，或使之不能執行，習慣法就要控制它，並裁定這樣的法令無效。⓰。

這一觀點儘管極端，但並非科克所特有。它表明在十七世紀初持議會至上論的英國法學家是何等的少，同時也表明美國的司法審查（judicial review）方法與英國法律傳統的淵源關係是何等的深。

科克尤其是一位習慣法的實踐者，但是撇開這一事實不談，他的基本信念與托馬斯・史密斯爵士和胡克的那些信念卻又極其相似。他像史密斯一樣，認為英國政府主要是由法庭所構成，其中以議會為主。無論科克還是史密斯，都認為議會主要不是立法機構，政府存在的主要目的不是制定法律。他們三人都不認為制定法律要有任何明白易懂的意義，雖然他們都同意法律的特別條款會隨著時間的推移而改變。對科克來說，法律是在王國之內土生土長的東西；對像胡克那樣的哲學家來說，法律是宇宙的一個天生的部份。但在實踐中，這兩者差別並非很大。法律公開或私下地賦予每一個人以權利和職責、自由和義務，它確定正義的標準，人們不得不按照這個標準有所為或有所不為，不論國王還是臣民受到的約束都是一樣的。國王的權利與臣民的權利是有不同，但兩者的權利都侷限於法律之內。因此，雖然法律支配數不清的權力，但它並不承認最高權力，因為國王、議會和若干習慣法法庭都是按照法律的規定，享有各自不能廢除的權力，沒有任何一種權力可以成為所有其他權力的代表。因此，科克之所以向詹姆士挑戰，是因為他是一個徹頭徹尾的保守派，甚至是一個反動派。如果環境使他成為一個議會的反對派，他也可以同樣堅定地扮演這個角色。因為他代表著一種法律概念和法律對政府的關係的概念，這種見解比國王的專制主義哲學或議員們被迫採取的專制主義哲學更為古老。

只有緩慢地並且在環境的壓力之下，人們才能摒棄熟悉的和諧觀念，而採取有關最高權力的新奇思想。早期反對查理一世建立個人政府

企圖的活動，是從對國王專制主義的憎惡中發展起來——這種專制主義表現爲不經議會批准就強行徵稅，不經法律程序就監禁臣民——但這並不隱含議會至上權的理論。即使是在一六四一年的前幾個月，議會主要還是滿足於限制王權的使用，廢除特別法庭，和確保它自己參預徵稅——簡言之，就是割除被認爲是都鐸時代據以毀壞完美的古代政體的贅疣。作爲一項實際措施，議會不得不要求享有不經過它自己的同意就不得被解散的權利。到一六四一年底，它被迫要求擁有任免大臣、控制王國全部軍事、民政和宗教事務的權力。這些要求是革命性的，因爲這些要求與史密斯或科克所瞭解的憲法習慣之間的差距，遠大於與國王之關於其特權的廣義解釋之間的差距。在英國如同在法國一樣，內戰的壓力應該像事實上的趨勢一樣，在理論上產生一個中央集權政府，但在英國，國家的合法領導權卻轉到了代議制議會的手中。

註 解

❶初版於 1516 年。關於合作式共和國的一個不大知名的例子是托馬斯·斯塔凱（Thomas Starkey）的《英格蘭》（*England*），這是紅衣主教波爾（Pole）和托馬斯·勒普塞特（Thomas Lupset）之間的一個對話，寫於 1536～38 年，1871 年由早期英國經句協會初次出版。參閱艾倫（J. W. Allen）的《十六世紀的政治思想》（*Political Thought in Sixteenth Century*）中論述〈真正的共和國〉一章，1928 年版，第 134 頁。

❷第一冊至第四冊出版於 1594 年，第五冊出版於 1597 年。胡克在去世之後，這部著作又以稍加刪節的方式補充了第六冊到第八冊。

❸第一冊，第 8 節。

❹第一冊，第 10 節。

❺參閱艾倫前引書，第二部份，第 2 章。

❻關於這個理論的最強有力的陳述有：⑴教會的憲法和法規：1640 年教會會議正式通過的《論王權》（*Concerning Royal Power*）；《宗教會議》（*Synodalia*），卡德威爾（E. Cardwell）編，第 1 卷，第 389 頁；還可看威爾金斯（D. Wilkins）的《協商》（*Concilia*），第 4 卷，第 545 頁。⑵牛津大學的裁決和教令，1683 年正式通過，載《索莫斯文集》（*Somers' Tracts*），第 8 卷，第 420 頁；還可參看威爾金斯前引書，第 610 頁。

❼艾倫所引，見前引書第 200 頁及次頁。

❽《論宗教改革不要等待安尼》（*A Treatise of Reformation without Anie*），1582 年版。

❾同上書，科里平（T. G. Crippen）編，第 27 頁。

❿威廉的文章在納拉崗塞特（Narragansett）俱樂部出版物中再版，見第一集，第 3 卷（1867 年版）。1848 年漢塞爾德·諾利斯（Hanserd Knollys）協會也重印了此文。瓦爾溫的文章在《1638～1647 年清教徒革命中論述自由的文章》（*Tracts on Liberty in the Puritan Revolution*, 1638～1647）中重印，威廉·哈勒（William Haller）編，1934 年版，第 3 卷，第 59 頁。

⓫他的《壞疽》（*Gangraena*）（1646 年）是對教派罪惡的相當歇斯底里的回顧。

⓬1583 年出版，但最初寫成於 1565 年。愛爾斯頓（L. Alston）編，劍橋，1906 年

版。

❸梅特蘭，《憲法史》（ *Constitutional History* ），1911 年版，第 255,298頁；波洛克，《政治科學》（ *Science of Politics* ），1911 年版，第 57 頁及次頁。參閱愛爾斯頓的導言；還可參閱麥克爾溫（C. H. Mcllwain）的《英國議會》（ *High Court of Parliament* ），1910 年版，第 124 頁及以後數頁。

❹科克的《記錄》（ *Reports* ），第十二部份，65。

❺《記錄》，第十二部份，75。

❻《記錄》，第八部份，118 a。

參考書目

1. *A History of Political Thought in the Sixteenth Century*. By J. W. Allen. 3d ed. London, 1951. Part Ⅱ

2. *English Political Thought*, 1603~1660. By J. W. Allen. Vol. Ⅰ, 1603 ~1644. London, 1938.

3. *Citizen Thomas More and His Utopia*. By Russell Ames. Princeton, N.J., 1949.

4. *The Lion and the Throne: The Life and Times of Sir Edward Coke* (1552~1634) By Catherine Drinken. Boston, 1957.

5. *Thomas More*. By R. W. Chambers. New York, 1935.

6. *The Medieval Contribution to Political Thought: Thomas Aquinas, Marsilius of Padua, Richard Hooker*. By Alexander Passerin d'Entreves. Oxford, 1939. Chs. 5, 6.

7. *Fundamental Law in English Constitutional History*. By J. W. Gough. Oxford, 1955. Ch. 3.

8. *The High Court of Parliament and lts Supremacy*. By C. H. Mcllwain. New Haven, Conn., 1910.

9. *The Political Works* of James *I*. Ed. by C. H. Mcllwain. Cambridge, Mass., Introduction and Appendices.

10. *Political Thought in England; Tyndale to Hooker*. By Chrisopher Morris. London, 1953.

11. *The Place of Hooker in the History of Thought*. By Peter Munz. London, 1952.

12. *Archbishop Laud*, 1573~1645. By H. R. Trevor-Roper. London, 1940.

第二十四章
托馬斯・霍布斯

　　正是英國當地所發生事件的邏輯，促使國會領袖要求並行使既違背他們的先前觀念，又與英國憲法傳統相悖的至高權力。既不是對邏輯一致性的欲求，也非對歐洲政治演進的哲學洞察，能在議會採取的措施上以及議員們的思想深處產生大的作用。在思想上和實踐中發生作用的普遍性力量，是遠超出地方視野及當下的場合。朝向由單一個至高權主宰的中央集權政府的演進，是由超出英國之外的社會及經濟原因所決定，而這種演進趨勢也主要體現在制定和實施法律上頭。雖然托馬斯・史密斯（Thomas Smith）、胡克，以及科克（Coke）的政治觀點已成定勢，卻也越來越不合時宜。英國和法國的內戰，已迫使政治思想要在某種程度上與事實齊頭併進。

　　與此同時，歐洲哲學和科學的思想視野亦發生了巨大變化，這要求政治理論也發生相應的變化。早在英國內戰爆發前一百多年，馬基維利就曾明確地指出這一事實：歐洲政治（無論是國家還是個人）大體上繫於武力和自利心，不過，對於這點，他幾乎未做任何的闡釋。大約在馬基維利之後五十多年，布丹在法國宗教戰爭中揮筆疾書，強調最高立法權是國家的顯著標誌。但是他未能使這一原則擺脫歷史上有關憲制的陳陋偏見，也未能清楚地說明其內涵。內戰初期，格勞秀斯把自然法理論與由尊崇數學而產生的科學概念聯繫起來，使自然法理論得以現代化。但是，格勞秀斯是否領悟了新科學的涵意依然是個謎。歐洲思想的一切傾向，都在托馬斯・霍布斯（Thomas Hobbes）的政治哲學中交集，並在他於一六四○至一六五一年所寫的一系列著作中得到了充份的發揮。❶

　　內戰促使霍布斯撰寫政治著作，目的是想對國王施加影響力。這些著作刻意支持專制政府，而按照霍布斯的意圖，此意指專制君主制。他

個人的一切利益，使他依附於保皇黨，他眞誠地相信，君主制乃是最穩定、最有秩序的政府。但是，霍布斯的書在這方面產生的立即影響（必然微乎其微），只是這些著作的長程價值的極小部份而已。他的原則與他意欲支持的斯圖爾特王朝（Stuarts）的主張相牴觸的程度，不下於與他意欲駁斥的革命黨的主張相牴觸的程度，而且與保皇派或議會派兩者相牴觸的程度更大於保皇派與議會派相間牴觸的程度。國王的親信或許已經深感霍布斯的友善與克倫威爾（Cromwell）的敵對同樣危險。克拉雷頓（Clarendon）駁斥了《利維坦》（Leviathan），申斥「他的制度之邪惡原則」既與斯圖爾特王朝合法性的信念不符，又與流行的人民代表制理論不合。克拉雷頓認爲，寫這本書是爲了吹捧克倫威爾。這種指責並不眞實，雖然霍布斯一直竭力表明，他的觀點與任何事實上的政府相一致。他的政治哲學內容太寬泛，無法產生良好的宣傳效果。但是，他那嚴謹的邏輯，卻對以後的全部道德思想史和政治思想史，產生了深遠的影響。直到十九世紀，他的思想被併入功利主義者的哲學激進主義（philosophical radicalism）和約翰・奧斯汀（John Austin）的主權論，其積極影響才得以充份發展。因此，霍布斯的思想就這樣服務於中產階級自由主義的目的，儘管這位哲學家對自由主義將會毫不贊同。

科學唯物主義

爲君主專制制度辯護，是霍布斯強有力的政治哲學中最薄弱的一部份，雖然內戰促使他思考與寫作，但是內戰只在很小程度上證明其思想的重要性。事實上，霍布斯是當時最偉大的哲學家，他試圖把政治理論與完全近代的思想體系密切結合起來，努力開拓這一體系，使它能以科學原則來充份說明包括人類行爲（個人的和社會的）在內的一切自然事物。這個計劃顯然使他的思想遠遠超越了應時性或論戰性的文獻範圍。同樣也不能僅憑霍布斯所得結論的正確性來評判他，因爲他所秉持健全科學方法的構成要素觀念是他那個時代的觀念，對現代而言，早就過時了。事實上，他所具有的東西只能稱之爲關於政治的科學，這是他關於

自然世界的整體概念的一個不可分離的部份，而且也為他以超乎尋常的清晰開展下去。因此，即使那些企圖駁斥他的思想家，也受益匪淺。他的哲學也證明了培根（Bacon）的名言：「從錯誤比從混亂更容易得出真理。」（Truth emergers more easily from error than from confusion.）由於清晰，亦由於文風潑辣，霍布斯成為英國各族人民培育出來最偉大的政治哲學家。

政治理論只是他根據科學原理設計的包羅萬象的哲學體系之一部份。目前，人們稱這個體系為唯物主義（materialism）。儘管他到晚年才開始研究數學和物理學，而且並未精通它們，但是至少領悟了新自然科學所要達到的目的。正如伽利略所云，自然科學「從一個古老的主題創造了新科學」，這個主題就是「運動」（motion）。它提出了一個革命性的思想：物理世界純粹是一個機械系統，其中所發生的一切都可以依據物體間相應的位移來解釋。科學在這一原理——牛頓的行星運動理論——上取得偉大成就依然是未來的事情，而霍布斯卻掌握了這一原理，並使它成為自己體系的核心。他認為，一切事物歸根結底都是運動，要解釋一切自然過程，就必須穿透複雜現象，深入潛在的運動之中。或者，正如霍布斯習慣認為的那樣，開始乃最簡單的物體運動——位置的變化——繼之變為更複雜的運動，從表面上看，它並非運動，但的確是從簡單運動發展而來。他據此設計了一個哲學體系，由三部份組成：第一部份討論物體，包括幾何學和力學（或物理學）；第二部份包括個體生理學和心理學；第三部份涉及一切最複雜的事物，即「人為的」事物（"artificial" body），亦可稱之為社會或國家。這一大膽規畫的體系中，在最初所發現的運動法則之外，理論上不可能出現任何新的力量或原則，只有機械性因果的複雜事例。這一切都可從幾何學和力學中推演出來。

因此，霍布斯的哲學試圖把心理學和政治學與精確的物理科學等同起來。一切知識都是同類，而力學則提供了模式。由於闡述心理學和政治學時使用了同樣的方法，所以，關鍵在於說明這一方法。霍布斯相信，他的體系只有憑藉這一方法才能得到證實。但是，證據絕不是經驗的，他也不認為他的結論是系統性觀察的結果。無疑，他認為結論是正確的，因此，他常常以事實來說明它們，但這只是說明，而不是歸納

法。十七世紀的所有科學都被幾何學所迷惑，霍布斯也不例外。在霍布斯看來，好的方法意味著把幾何學當作卓有成效的思維模式，搬進其他學科。在這一點上，他與格勞秀斯或笛卡爾幾乎沒有什麼差別。幾何學的奧秘在於首先抓住最簡單的事物，當進到更複雜的問題時，僅僅使用前面已經證明過的東西。以此種方法，它穩固地建立起來，因爲它不把其他東西視爲理所當然，並且前一步驟裡確保了下一步驟，由此類推，可以追溯到該構造由之開始的自明眞理。這也正是霍布斯所設想的體系，其結構成金字塔形。運動是自然界中的普遍現象。人類的一切行爲，包括感覺、情感，乃至思維，都是一種運動形式。而社會行爲（統治術即立基於此）只是人類行爲的特例，而且僅在人們彼此相互作用時才出現。因此，政治科學以心理學爲基礎，其步驟是演繹。霍布斯並不打算說明政治實際上是什麼，而是爲了成功地控制人——其動機即是人這個機器的動機——必須論證政治是藉由什麼動力來控制人。

　　勿庸贅言，霍布斯實際上並未實現這一體系的理想，因爲這套體系根本達不到該理想。這套體系將邏輯或數學知識與經驗或事實知識相混淆（萊布尼茨以前的哲學普遍如此），因此，它無法看出從幾何學到物理學的線性進展是不可能的。心理學能否歸結爲物理學是另一個問題，但是，霍布斯實際上確實也未成功地從運動規律中推演出感覺、情緒，以及人類的其他行爲。霍布斯的貢獻在於開闢了心理學研究的新起點。實質上，他從總體上爲人類行爲設定了原理和公理，並由此出發表明了特定環境下該原理的作用，從而推演出特殊實例。運用這種方法，他得以從心理學進入政治學。他一旦著手研究心理學，就必然嚴守自己的方案。他認爲，人性受單一基本規律的支配，他的政治學就在闡述這一規律在特定社會集團中的作用。他的方法，基本上是演繹法。

唯物主義和自然法

　　儘管這一傳統的方法與格勞秀斯法學現代化的方法相一致，其結果卻與格勞秀斯南轅北轍。格勞秀斯將自然法從與神學的古老結合中解放出來，甚至認爲自然法與上帝毫無瓜葛，但是從未想過自然的機械化問

題。對於格勞秀斯乃至整個十七、十八世紀的人來說，自然法是「目的論原則」（teleological principle），不是「機械論原則」（mechanical principle）。繼霍布斯之後，斯賓諾莎（Spinoza）進行了唯一決定性的嘗試，使倫理學以及宗教和數學式的自然科學協調一致，但是並未獲得完全的成功，直至十九世紀初，他的影響微乎其微。自然法（natural law, 自然律）具有雙重意義。在物理學和天文學中，意味著像牛頓運動定律一樣的一個力學原理；而在倫理學和法學中，它意味著一種直覺到的公正原則，一種超越的價值或準則，透過它可以判別實證法或實際道德習俗的價值。但是在霍布斯那樣的哲學中，卻無法理解公正或正義為何物。自然和人性對他來說，只不過是因果關係的系統。

在霍布斯的程序與自然法理論的程序之間，表面上至少有以下的相似：二者都表示自己的基本原理來自人性，並認為從人性出發，可以推斷出法律和政府必須遵守的基本原則。不過，所謂「依靠人性」，在這兩種情況下卻具有完全不同的涵義。就典型的自然法理論而言，這種依靠關係是亞里斯多德式的，也就是說，自然法說明了人道及文明生活的基本道德條件。接近這些條件就是目的，它們可以在道德上合乎規律地控制實證法和人類行為。對霍布斯來說，控制人類生活的不是結果而是原因，是人這種動物的心理機制。由共同生活的動物所構成的社會，是他們之間的作用與反作用的結果。他們之間穩定聯合的條件，不是公正或公平交易，也不是任何道德理想，而是一些通常能夠引起共鳴的行為，就邏輯而言，霍布斯依據自然法想要說明的一切就在於此。不能說他自始至終堅持了這個立場。或許這也不是人力所能及的事情。然而，霍布斯的體系無論如何是將政治哲學作為科學知識的一個部份的第一個全心的嘗試。

霍布斯如果能像更富於經驗色彩的後繼者休謨和邊沁（Bentham）那樣，拋棄自然法，無疑會輕鬆得多。倘若那樣，他可以從作為事實的人性出發，透過觀察證明他所看到的是適於人性的品質或理想目標。但是，這條路線也許與十七世紀所謂最佳的科學方法相牴觸。一個演繹系統必須有其公設，除公設不證自明之外，沒有任何證據。結果，霍布斯不僅保留了自然法則（laws of nature），而且在其政治理論中賦予它們以重要地位。他的一切努力旨在按照自己的心理學原理解釋它們，但

是必須承認，他還保持了一些偶然的因素，彷彿他所說明的東西，別人也曾有類似的說明。實際上，他們毫無共同之處。對霍布斯來說，自然法則實際上是一套規則，倘若一個理性人完全意識到他的活動環境，並且根本不爲瞬時的衝動或偏見所動，他會依據這套規則追求自己的利益。既然他假定人們一般如此行動，那麼自然法則只表明了一些假設條件，而人由於其基本特性，所以允許在這些條件之上建立一個穩定的政府。自然法則並不陳述價值，只能經由因果關係與理性推理而決定在法律及道德體系中什麼東西能夠被賦予價值。

自我保存的本能

　　霍布斯的第一個問題是說明人類行爲法則（law of human behavior），並系統地闡述穩定社會的因素中一些必備條件。按照他的唯物主義原則，現實總存在於物體的運動中，物體運動透過感官傳遞到中樞神經系統，作爲「感覺」顯現出來。此外，他進一步假定，這種傳遞運動總會幫助或阻礙「生命運動」（vital motion），並且生命運動的器官不是大腦，而是心臟。隨著生命運動的加劇或受阻，出現了兩類基本的感覺類型：欲望（desire）和厭惡（aversion）。第一類感覺朝向有利於生命過程的方向「努力」；第二類卻朝相反的結果退後。霍布斯從基本的反應──進與退──出發，不斷推出一些更複雜、更間接的情感或動機。這些情感和動機依賴於刺激物及其所引起的反應兩者間的關係。顯然，按照欲望和厭惡的形式來看，情感總是成雙成對的。因此，富有魅力的東西一般受人歡迎，滋生厭惡的東西總令人憎嫌；取得其一可產生快樂，遭受另一則引起悲傷；一種前景鼓舞人心，另一前景使人沮喪。其他相應的結合則產生恐懼或勇氣、憤怒或仁慈等等。霍布斯認爲，透過這種簡單的心理學設計，可以引申出人所經歷的一切情感。所謂「心靈的」快樂和痛苦較爲複雜，不過沒有原則上的差別。意志沒有甚麼特別之處，因爲每一種情緒都是對刺激的一種反應形式，或是對外部客體和事件的一種積極的反應，意志不過是「最後的欲求」。霍布斯心理學的新要素不是它所暗示的人類自私的設想，因爲在這一點上，他

與馬基維利無甚區別。霍布斯的新穎之處在於心理學理論，他試圖利用心理學理論，使「利己主義」（egoism）成爲說明行爲的科學根據。

毋須強調這一動機理論的細節，但有必要說明其闡釋的原則：首先，推論方式是演繹的，不是經驗的。霍布斯並未將觀察人性所發現的感覺和動機依次編目，只是假設一切人類動機均來自刺激引起的基本引力和斥力，並根據這個假設表明：在各種不同的複雜情況下，會出現什麼樣的反應作用；第二，他的理論在許多重要方面都不同於十八世紀英國心理學家所闡述的苦樂動機論。事實上，一切來自欲望之情緒，通常是愉快的，一切源於憎惡的情緒總是不愉快的，但是趨樂避苦則不是霍布斯的理論，其根據的資料不是快樂與痛苦，而是刺激與反應。有機體總要以某種方式作出反應，因此，無須對積極的行爲作任何特殊說明；第三，霍布斯的價值理論，與後來功利主義的價值理論完全不同，後者假定，必須根據快樂的單位來度量價值。對霍布斯來說，關於價值的基本心理學的事實是，每一個刺激都會對生命產生有利或有害的影響。如果影響有利，機體會作出適當反應，以確保並持續有益的影響；如果影響有害，機體就會退縮，或採取其它行動，以避免有害的影響。在所有行爲背後的規則是，生物總是本能地保存或提高自己的生命力。總而言之，在所有行爲背後的生理原則是「自我保存」（self-preservation），而自我保存正是意味著個體生物性存在的延續。有助於這個目標的就是善，相反的就是惡。

顯而易見，在霍布斯看來，自我保存絕不像以往假定的那樣，僅是簡單且頃刻的事情。生活就是這樣，你想一勞永逸地達到某個目的，它卻不爲你提供達此目的所需的喘息之機，生活就是無休止地追求繼續生存的手段。況且，保障安全的措施並不可靠，任何對欲望的節制都不能限制生存鬥爭。對安全的渴望是人性眞正的基本需求，就所有的目的而論，它與權力的欲望分不開，而權力則是獲取未來利益的現成手段，因爲每一種程度的安全都要求得到進一步的保障——

　　我認爲全人類有一種普遍的傾向，即一種至死方休，永不停息的權力慾。造成這種結果的原因並不總是人們得到隴而望蜀，希望獲得比已有的快樂還要大的快樂，也不是人們不滿足於一般的權力；而是因爲人若不事多求，恐怕連現有的權力以及獲取美好生活的手段也保

不住。❷

因此，對安全的適度要求，顯然等於對每一種權力的無盡的需求，無論財富、地位、名望，還是榮譽，都可以使人避免最終降臨的厄運。這種手段可以有形，亦可無形，霍布斯將前者稱之爲「收益」（gain），將後者稱之爲「榮譽」（glory），但是價值相同。

說明了人類動機之後，霍布斯順理成章地接著描述了在社會之外的人的狀態。每個人都只考慮自己的安全和權力，他人只有在侵襲其安全和權力時，才變得舉足輕重。每個人的能力和狡詐程度大致相等，因而任何人都不可能有安全感，要是沒有文明權力來調節他們的行爲，他們便處於「每一個人對每一個人戰爭」的狀況中。這樣一種狀況是與任何種類的文明都不協調的：由於沒有工業、航海、耕作、建築、藝術，或文學，而生活遂成爲「孤獨、窮困、齷齪、野蠻、而短促」。由於生活的準則是「弱肉強食」，所以也就無所謂是與非、公正與不公正。霍布斯顯然認爲，原始人的生活確實近似於這種狀況，但是，這一描述的歷史精確性對他來說無足輕重。他的目的不是歷史，而是分析。

合理的自我保存

到此爲止，霍布斯只擺出了分析的一半。人類慾望發自生命力的瞬時增強，它與生命的總體延長風馬牛不相及。他說，人性有兩個原則：慾望（desire）和理性（reason）。第一個原則使人損人利己，從而引起人們紛爭不息；第二個原則敎導人們「避開反自然的磨損」。理性並未使人增加新的動機，它只是調節力或遠見。以此追求安全，不僅頗爲有效，而且仍可自我保存。急躁的貪得會導致敵對衝突，而處心積慮地精打細算的自利卻能使一個人進入社會。霍布斯的心理學並未十分清楚地闡明理性與本能的關係，以及前者影響後者的方式。他對「自然」（natural）一詞的雙重用法表明這一點。有時，「自然」一詞意指一個人自發地獲取安全以及赤裸裸的掠奪和侵略行徑，有時，則意味著完美的理性敦促他爭取環境所允許的最大安全。

由於上述兩種意義差別頗大，所以霍布斯能夠把社會形成前後的狀

態加以對比。社會建立之前，自然人被說成無理性的動物；而在建立並管理國家時，則表現出非凡的深謀遠慮。爲了過社會生活，他必須是一個十足的利己主義者，而這種利己主義頗爲罕見。上述結果乃一悖論（paradox）——倘若人處於最初那種蒙昧或反社會狀態，就不能建立政府；倘若他們有足夠的理智建立政府，就不可能在這之前一直沒有政府。這個悖論乃是下述事實所造成：作爲社會起源的心理因素，由分析心理學的兩部份所組成。霍布斯根據心理學常規，將動機完全視爲非理性的東西，但同時又將理性作爲動機的調節者，而只有後者才能導致社會的形成。這個區別當然是虛而不實的。人性與他的假定完全不同，旣不是如此的理性，也不是如此的不理性。

　　構成社會的原材料，乃是兩個彼此對立的因素：基本的慾望與厭惡。它們引起了一切衝動、情感及理性，理性可以使人明智地達到自我保存的目的。只有依靠理性的這種調節能力，才能完成從蒙昧、孤獨狀態向文明以及社會的狀態的轉變。轉變依賴於自然法這一「社會或人類文明的條件」。在事關自身安全時，一個非常理性的人，倘若能平心靜氣地考慮與別人的關係，這些自然法會表明他將會做些什麼——

　　　　因此，自然法……受正確理性支配，理性通曉爲保護自己的生命和其他成員，該做什麼，不該做什麼。❸

　　　　自然法是理性所發現的戒律或一般法則。這種戒律或一般法則禁止人們去做損毀自己生命或剝奪保全自身生命之手段的事情，並禁止人們不做自己認爲最有利於生命保全的事情。❹

因此，行爲的動機仍是自我保存，不過先見之明使人洞見一切後果，它提供了人們賴以聯合及合作的條件。自然法乃一先決條件，霍布斯合理的社會結構，正依此而建。它們旣是十足審愼的原則，又是社會道德的原則，因此，憑藉它們，有可能從個體行爲的心理動機走向文明法律以及道德。

　　霍布斯將自然法的條件分爲三個表加以闡述，這就說明，他並未眞誠地努力化約其原則，使之達到他的目的所需的最低程度。雖然他擁有無庸置疑的邏輯能力，卻沒有掌握精確的分析。這三個表（上述每一部著作都載有一個表）實質上頗爲相近，但細節並不相同，它們都包含一些

無關緊要的規則，這些規則只可作爲更具普遍性之規則的特例看待。因此，對它們無需加以詳盡考察，也無需對不同的細節進行比較。

實質上，霍布斯的全部法則可以歸結爲：和平共處比暴力和競爭更有利於自我保存，以及和平需要彼此信任。根據人性之法則，人必須努力獲取自身的安全。如果他必須在毫無外援的情況下做出努力，那麼，可以說他有「權」（right）爲達到這一目的而採取任何相應的措施。正如霍布斯所看到的，這完全是權利一詞的象徵性用法，它的眞正涵義是在任何法律和道德的意義上根本沒有權利。但是，對手段和目的的理智思索表明，「只要每個人都希望和平，就應該努力爭取和平。」「應該」僅僅表明，從長遠的觀點和實踐的角度出發，任何別的途徑都有損於渴望得到的安全。由此可見「只要別人也是爲了和平，並能夠保證自己的必要需求，一個人就應該心甘情願地放棄這種權利，他應滿足於獲取與他人同樣多的自由，反之亦然。」從實用目的來看，這條法則的全部重要意義就在於這一短語：「別人也是這樣」，如果你允許他人某一程度的自由，而他們卻不允許你有相同程度的自由，這將會造成難以想像的惡果。因此，建立社會的首要條件就是相互信任和嚴守契約，否則沒有行動準則，但是必須有一個合理的前提，即別人也願意如此待你。

當然，這個論證有點偏頗，這已經在論證基礎的心理學裡提到過了。霍布斯首先相當武斷地從人性中孤立出與相互信任水火不容的性質——競爭和殘忍。隨後，他又表明（這當然是顯而易見的），在這種條件下，社會不可能存在。提出自然法是一種重建平衡的方式。將這兩種因素結合起來，才能產生人性，人性則可以形成社會。但是，關於最重要的社會屬性之假設，乃心理結構的基礎。既然個人的切身利益是一切人類行爲的原動力，那只能將社會視爲達到此目的的手段。於是，霍布斯成爲一個徹頭徹尾的功利主義者和道道地地的個人主義者。國家力量和法律權威，只有在保障個人安全時才是公允的，因而，如果服從和尊重權威不能預見可以獲取更大的個人利益，此舉便毫無合理之處。社會福利本身完全消失了，取而代之的是一堆分散的私利（self-interest）。社會只是一個人爲的實體，一個以下述事實爲前提的集合名詞：人們發現它有利於個人之間的商品交換和勞務交換。

正是這種鮮明的個人主義，使霍布斯的哲學成爲那個時代最富革命

性的理論。除此之外，他爲君主制的辯護則相當膚淺。克拉雷頓（Clarendon）有個善良願望，希望霍布斯從未用這種論點爲他的王室學生辯護，因爲這對君主制賴以確立的一切忠誠、敬仰，以及情感而言，是一副絕妙的溶解劑。由於霍布斯的努力，傳統的力量第一次被淸晰的頭腦和冷酷的理性主義所擊潰。國家是一個巨靈（leviathan），但沒有人熱愛或推翻一個巨靈。就它的所做所爲而言，它被化約成爲功利性的，不過是私人安全的奴僕。霍布斯在論述中，對二百年來因傳統經濟和社會制度的衰落而產生的人性觀點，進行了概括。此外，他掌握住了至少激勵社會思潮達二百年之久的精神，此即**自由放任**（laissezfaire）的精神。

主權與虛構的法人

既然社會依賴於相互信任，隨之而來的問題自然是解釋它在理性上「何以可能」。這促使霍布斯提出了主權理論。由於人們的不合羣傾向，期待他們自發地尊重彼此的權利是毫無指望的，而除非大家都能尊重彼此的權利，否則，要任何人放棄自力救濟（self-help）並不合乎情理。只有建立一個會懲戒違約行爲的有力政府，才能理性地期望履行契約。

不帶劍的契約只是一紙空文，並無保障人類安全之力。❺

詞語的約束過於軟弱無力，倘若沒有對某種强制力量的畏懼心理，就不足以束縛人的野心、貪欲、憤怒，以及其他種種激情。❻

保障安全需要一個政府，它有足夠的力量保持和平，可以運用必要的懲罰手段，制止人所固有的不合羣現象。使人社會化的有效動機是害怕懲罰，法律的權威只存在於强制力所及的範圍。至於這種動機與履行契約究竟是甚麼關係，尚不淸楚。顯而易見，霍布斯的意思是說，理性爲彼此協調提供了充份的根據，但是它過於弱小，無法在總體上抵消人的貪婪。實質上，霍布斯的理論將政府與武力等同起來，無論是否加以運用，這種武力至少總要在幕後發生作用。

　　爲了證明武力的正當，霍布斯保留了契約的古典設想，儘管他小心翼翼地排除了制約統治者的契約這一內涵。他把契約描述爲個人之間的協議，憑藉一紙協議，人人都放棄了自力救濟，使自己臣服於一個君主。他說：

> 我放棄管理自己的權力，將它授予這個人或這個集體，但條件是你也把自己的權力授予他，並以同樣的方式承認他的一切行爲……這就是偉大的利維坦（Leviathan）時代，或者更虔誠些說，這就是人間上帝的誕生，我們在不朽上帝的庇蔭下獲得和平與安全之保障。❼

既然放棄的「權利」只是使用自然力量的權利，而且，「不帶劍的契約只是一紙空文」（covenants without the sword are but words），那麼這種契約就僅僅停留在口頭上。確切地說，它只是一種邏輯虛構，以此可以抵消他的心理學的反社會虛構。毫無疑問，這有助於霍布斯把道德義務的概念輸入社會關係，從而大大增加了他的論點的表面合理性。嚴格說來，他不過是說，爲了合作，人們必須做他們不願做的事情，否則，他們就要承受更不願承受的痛苦。就邏輯而言，在霍布斯的體系中，根本不存在任何其他意義上的義務。

　　或許，這樣表述霍布斯的思想更爲準確：他想用「法人」（corporation）這一法律概念取代契約概念，他在《論市民》（De cive）❽中就是這麼做的。他認爲，烏合之眾無法掌握政權，也無法採取行動，只有個人才能做到這一點，由此得出結論：「集體」（collective body）是人爲的。因此，說一羣人集體採取行動，實際上意味著某人以集體的名義充任受人信賴的代理人或代表。沒有這樣的代理人，不可能有任何集體。霍布斯用嚴格的邏輯證明，倘若同意他的前提，導致法人產生的就不是「同意」，而是「聯合」，聯合造成了法人，並且意味著大家服從一個人的意志。法人實質上不是一個集合體，而是一個人，是集合體的領導者或指揮者，他的意志應該當作全體成員的意志。依此類推，社會當然也是一種虛構（fiction）。其實，社會只能意味著統治者，沒有他，也就沒有社會。霍布斯認爲，這種理論適用於一切法人。他主張，其他理論只能使法人變爲「較小的團體」，「像人體內臟裡的蟲子一樣」。國家是獨一無二的，在它之上沒有更高的階級存在，別的團體要

想存在，尚需經它許可。

從虛構法人推出的結論

　　從上述觀點出發，可以推出霍布斯的一些頗具特色的結論。將社會與國家區分開來，必然引起混亂，若區分國家與政府，亦會重蹈覆轍。倘若沒有有形的政府，即有權貫徹其意志的個人，就沒有國家亦沒有社會，而僅是一批羣龍無首的烏合之眾。很少有人像霍布斯那樣始終如一地堅持這一意見。由此推論，試圖將法律與道德區分開來，也必然引起混亂。社會只有一個說話的聲音，只有一個迫使人們服從的意志，那就是君主的聲音和意志。君主造就了社會。霍布斯很合宜地稱他的君主為「人間上帝」（mortal God），他手裡握著寶劍與權杖。

　　法人團體的理論植根於霍布斯的專制主義。對霍布斯來說，獨裁與完全的無政府，至高無上的君主與無社會，二者必居其一，捨此別無他途。社會實體要透過設制機構才能存在，它的成員除非經由委任否則沒有權利。因此，必須把一切社會權力統治集中在君主手中。法律和道德，不過是君主意志，君主的權力是無限的，或者僅受他的自身力量所限，因此，他的同意是唯一的權威。顯而易見，君權不可分割，亦不可轉讓，或者承認他的權威，使國家得以生存，或者否認他的權威，陷於無政府的狀態，二者必居其一。政府的一切必要權力，諸如立法權、執法權、使用武力權、地方行政組織權等等，一律操在君主手中。布丹（Bodin）讓君權處於前後矛盾的無能狀態，霍布斯則解除了這種狀態。然而，他的選言推理與政治權力的細微差異毫無關係，他的理論純然是一種邏輯性分析。

　　他的主權論還有另一方面，霍布斯不大強調它，但並不意味他沒有看到這一點。為了展開爭論，霍布斯強調這一事實：反對權威絕不可能被合理化，因為合理化必須得到權威認可。然而，同樣地可以推出：保障安全是臣民歸順的唯一原因，政府若不能兌現，就會出現反抗。給政府留下的唯一有利論據，是它實際上在統治。因此，如果反抗成功，統治者失去權力，君不君，臣不臣。於是，他們必須依靠自己的努力保衞

自己，並有權去服從能夠保護他們的新君主。霍布斯的理論裡沒有<u>無權</u>
<u>力的合法性</u>（legitimay without power）存在的餘地，而正是這一點觸
怒了保皇黨。他的理論歸宿，最清楚不過地體現在《利維坦》中，《利維
坦》是他在查理一世被處決之後所撰寫的唯一一部政治著作，正如克拉
雷頓所說，此時霍布斯已有「隱退之意」。但是，這始終是對他的原則
所作的最明顯的暗示，並且在《論市民》中曾經提到這一點。從功利主義
的立場看，任何政府都比無政府狀態好。他認為，君主制政府很可能比
任何一種政府更可行，但是，他的理論適用於任何能保障和平和秩序的
政府。後來的思想家，可以輕而易舉地將它用於共和制或議會制政體。

政府的實質在於最高權力，因此，對霍布斯和布丹來說，不同政府
形式的差別僅在於最高權力在什麼位置的問題。世上沒有導向邪惡的政
府形式。人民之所以用「暴政」或「寡頭政治」一類的詞稱謂政府，是
因為他們不喜歡這樣行使權力，如果願意，他們也會用「君主制」或
「民主制」一類詞讚美政府。無疑，每個政府都有最高權力，問題在於
誰執掌。同理，<u>並</u>不存在一個混合政府或受限制的政府，因為最高權力
不可分割。必須有某個人做最後決定，誰能掌握決定權並能妥善使用
它，誰就擁有最高權力。霍布斯關於一切能維持秩序的政府最終都是一
樣的事物的論述，比任何政治文獻都更清楚地表明，一個天生的功利主
義者不能體會革命時代的精神。對他來說，渴望獲得更多的公正和權
力，不過思想上的混亂不清而已。憎惡暴政，似乎只是不喜歡權力的某
種特殊運用，熱愛自由倘若不是感情用事，便是十足的偽善。霍布斯在
其《巨獸》（*Behemoth*）中，將內戰描述為邪惡行為與神經錯亂的奇異
混合。他那清晰的政治學體系，與對人性的理解毫無關係。

從主權理論到民法理論只有一步之差。嚴格地說，法律是「那個人
的命令……在其令狀中包含著服從的理由。」❾「對每個臣民來說，民
法是國家以語言、文字，或其他充份表達意志的形式下達的法規，讓他
用來區別是非，也就是區別哪些事情與法規相符，哪些事情與法規相<u>違</u>
<u>背</u>」。❿霍布斯小心翼翼地指出，這個定義將民法與自然法嚴格區分開
來，前者是執行所認可的命令，後者則受理性支配。自然法只是比喻意
義上的法律，而民法本質上就是強制性的。霍布斯解釋道，議會法制專
家和科克一類的習慣法學家，其混亂正在於此。前者主張，代議機構的

同意必有幾分好處，後者則認爲，習慣更有效力。事實上，正是實施中的權力才得使命令具有約束力，而且，誰擁有權力，誰就擁有法律。科克竟然認爲，習慣法有自身的道理，這是荒誕不經的。同樣，君主可以與議會商討意見，或允許議會擬定法規，但是，只有實施才能使它們成爲法律。霍布斯假定，應以國王的名義付諸實施，不過，他的理論並不反對議會的主權，只要那個實體既能制定法律又能控制它的實施就行。霍布斯以爲自己能夠加強君主專制時，確實犯了錯誤，但是，他相信某種形式的中央集權制是現代國家的主要標誌，卻沒有什麼失察之處。

　　既然自然法僅僅表明國家得以建立的合理原則，它們就不是對主權者權威的權力限制。霍布斯的論點聽來似乎是閃爍其詞，卻有不少合理之處。他說，任何民法都不能違背自然法，所有權或許是一種自然權利，但是，民法限定了所有權，而且，如果某一個特定權利被取消，它就不再是所有權，因而也就不成爲自然法。限制君主的不是自然法，而是臣民的力量。霍布斯的君主面對的是條件而不是理論，但是，民法在自身的領域毫無限制。布丹關於限制君主權限的憲法的概念，早已銷聲匿跡了。

國家與教會

　　自從帕都亞的馬西利奧（Marsilio of Padua）得出宗教與世俗權力分離這一合乎邏輯的結論開始，直至霍布斯的主權理論，才使教會臣服於世俗權利的過程最終完成。對霍布斯這樣的唯物主義者來說，宗教只是個幽靈，是一種冥想。他並不否認天啓眞理或心靈眞理之類的東西，但是他清楚地知道，對於這些東西說不出甚麼道理——

　　　　因爲我們宗教的奧義就像治病的靈丹一樣，整丸吞下倒有療效，要是嚼碎的話大部份都會吐出來，一點兒效力也沒有。⓫

　　他把這種對非物質實體的信仰，歸之於亞里斯多德學說所衍生的錯誤，並認爲是神職人員爲了自己的利益而加以傳播。另一個形而上的基本錯誤是相信教會即上帝的王國，擁有與國家政權不同的權力。霍布斯

仍傾向於認為，信仰不能被強迫，但是，宗教信仰乃公開之行為，因此
屬於法律的管轄範圍。就外在後果而言，信仰自由根本行不通。如果
說，一切宗教儀式和宣言，宗教典籍上的教規、教義，以及教會管理等
等有任何權威，那都是君主授予的。既然宗教真理沒有客觀標準，確立
任何信仰或禮拜儀式自然是君主意志的表現。

　　因而，對霍布斯來說，教會只是一個社團。與其他任何社團一樣，
它必須有領袖，而領袖就是君主。這是一個以君主為核心結合而成的團
體，很難與國家本身完全區分開來。世俗政府與宗教政府是等同的。霍
布斯和馬西利奧一樣，仍然堅持認為，布道是教會的天職，但他又進一
步指出，如果君主不授權與它，任何布道都是不合法的。布道或任何其
他教會懲罰，都是君主授權的。所以，按照霍布斯的判斷，在神聖法與
人類法之間，顯然不能有任何衝突。宗教完全處於法律和政府的控制之
下。人們可以輕而易舉地推測，根據霍布斯的經驗，宗教不是甚麼重要
之物。與馬基維利相比，他賦予宗教更少道德意義。在他心目中，渴望
信仰自由如同渴望政治自由，完全是思維混亂的象徵，他十分不了解一
個真正的宗教信仰的力量。然而，宗教問題卻充斥於他的著作之中，在
《利維坦》中，有將近一半的篇幅談論宗教問題。在這個方面，英國人的
思想從一六五○年至該世紀末，必然發生了急劇的變化。四十年之後，
當洛克從事寫作時，在政治問題與宗教問題做出更徹底的分離，其徹底
的程度已遠超過霍布斯所能想像。

霍布斯的個人主義

　　霍布斯的著作是英國內戰時期無與倫比的精品。最獨到的地方，主
要在於其論辯的邏輯清晰和首尾一貫。它絕不是實際政治觀察的產物。
霍布斯並不了解，實際生活中影響人們生活的實際動因是甚麼；他對同
時代人之特徵的解釋，也往往十分怪僻。他不認為自己的心理學是觀察
的產物，與其說他是如實地描述人，不如說是依照普遍性原則論述「人
應該是什麼」。這就是霍布斯眼裡的科學——根據簡單原理推導出複雜
結構，而幾何學就是最佳的典範。他對政府的最終估計總體來說是世俗

的，是冷酷無情的功利主義。政府的價值完全在於其所做所爲，但因捨
此選擇必然淪入無政府狀態，兩者比起來，一個功利主義者毫無疑問會
選擇前者。這種抉擇幾乎不帶任何感情色彩。政府的好處看得見，摸得
著，這些好處必須讓每個人在和平、舒適，以及個人和財產均有安全保
障的情況下，實實在在地得以發展。這是政府得到肯定，甚或賴以存在
的惟一基礎。和公衆意志一樣，普遍利益或公衆利益也是想像的虛構，
只有渴望存活以及安享謀生手段之保障的個人，才是眞實的存在。

　　在霍布斯思想中，這種個人主義是不折不扣的現代東西，也在這方
面表明了他能夠極爲清楚地掌握住即將來臨的時代的特徵。在他逝世後
的兩個世紀，絕大多數思想家認爲，自私自利比公正無私是更爲明顯的
動力，補救社會弊端比較可行的辦法，與其說是任何形式的集體行動，
毋寧說是開明的自私。主權者的絕對權力——通常與霍布斯名字相連的
理論——確實是個人主義的必要補充。有一個人們必須服從，並在必要
時強迫人們服從的上級，除此之外，只有個人，而且每個人都爲私利所
驅使。或者人類是獨立的有機體組成的一個沙堆，或者國家做爲一個外
部力量以藉著懲罰（用以與個人動機互補）把人類不穩定地連繫在一
起。在這兩個選項之間，沒有中間立場可言。多彩多姿的社團消失了，
否則就成爲既孤疑又勉強地允許它們作爲國家權力的威脅而存在。這是
一個有無數經濟和宗教組織紛紛遭難的時代，也是以制定法律爲代表性
活動的強權國家脫穎而出的時代，在這個時代產生這樣的理論，再自然
不過了。立法權有增無已，並且承認私利是生活的主要動機，這一切都
是近生活最普遍的傾向。霍布斯將其作爲自己體系的前提，並透過嚴密
的邏輯把它們貫徹到底，這是他的哲學洞識的眞正準繩，也是他做爲偉
大政治思想家的尺度之所在。

註　解

❶霍布斯 1640 年寫成的〈人之本性〉（ Human Nature ）和〈論政治團體〉（ De corp-
ore politico ）兩篇論文，也許未經霍布斯同意於 1650 年發表，全集根據霍布斯
的手稿，由董尼斯（ F. Tönnies ）以《自然法和國家法的要素》（ Elements of
Law Natural and Politic ）為題於 1889 年出版，1928 年再版。《論市民》（ De
cive ）用拉丁文寫成，於 1642 年出版，1647 年再版；1651 年出英文版。《利維
坦》（ Leviathan ）1651 年出版。

❷《利維坦》，第 11 章。

❸《論市民》，第 2 章第 1 節；《英文著作集》（ English Works ），莫爾斯沃斯
（ Molesworth ）編，第 2 卷，第 16 頁。

❹《利維坦》，第 14 章。

❺同上，第 17 章。

❻同上，第 14 章。

❼同上，第 17 章。

❽第 5 章，第 6 節。

❾《論市民》，第 14 章，第 1 節。

❿《利維坦》，第 26 章。

⓫同上，第 32 章。

參考書目

1. "Hobbes, Locke, and Professor Macpherson," *Political Quarterly*, October~December, 1964. By Sir Isaiah Berlin.

2. *Hobbes and His Critics: A Study in Seventeenth Century Constitutionalism.* By John Bowle. New York, 1952.

3. *Thomas Hobbes' Mechanical Conception of Nature.* By Frithiof Brandt. London, 1928.

4. *Hobbes Studies.* Edited by Keith C. Brown. Oxford, 1965.

5. *Thomas Hobbes as Philosopher, Publicist, and Man of Letters.* By George E. G. Catlin. Oxford, 1922.

6. *Hobbes's Scince of Politics.* By M. M. Goldsmith. New York, 1966.

7. *The Social and Political Ideas of Some Great Thinkers of the Sixteenth and Seventeenth Centuries.* Ed. by F. J. C. Hearnshaw. London, 1926. Ch. 7.

8. *Hobbes.* By John Laird. London, 1934.

9. "Hobbes and Hobbism." By Sterling Lamprecht. In the *Am. Pol. Sci. Rev.*, Vol. XXXIV（1940）, p. 31.

10. *The Hunting of Leviathan.* By Samuel I. Mintz. Cambridge, 1962.

11. *The Political Theory of Possessive Individualism: Hobbes to Locke.* By C. B. Macpherson. Oxford, 1962.

12. "Introduction "to Hobbes' Leviathan.* By Michael Oakshott. Oxford, 1946.

13. *Hobbes.* By Richard Peters. Baltimore, 1956.

14. *Hobbes.* By Sir Leslie Stephen. London, 1904.

15. *The Political Philosophy of Hobbes, Its Basis and its Genesis.* By Leo Strauss. Eng. trans. from the German manuscript by Elsa M. Sinclair. Oxford, 1936.

16. *Thomas Hobbes, der Mann und der Denker.* By Ferdinand Tönnies. 2d

ed. Stuttgart, 1922.

17. *The Political Philosophy of Hobbes: His Theory of Obligation*. By Howard Warrender. Oxford, 1957.

18. *Hobbes's System of Ideas*. By J.W.N. Watkins. London, 1965.

第二十五章
激進主義者和共產主義者

　　霍布斯（Hobbes）的政治思想基本上屬於學術或科學領域。儘管為了支持**保皇黨**(royalists)，它企圖影響事件的進程向著有利的方向發展，終究事與願違。但從長遠的觀點看，作為傳統效忠的溶解劑以及開明利己主義的描述，它對激進**自由主義**（radical liberalism）的貢獻，遠遠超過對十七世紀政治學領域的貢獻。同時，也可以看到，作為霍布斯哲學先決條件的激進個人主義，在內戰中也出現在左翼民主政治中。當然，並不是說激進主義效仿霍布斯，而是因為他們都關心超越黨派和切身利益的社會變革及思想變革。傳統制度的解體以及它所產生的經濟壓力，不是理論而是事實。霍布斯的邏輯將利己主義變成社會哲學原理，但是，促使個人主義成為潮流必然觀點的背景條件，也因其自身條件而繼續衍生不止。社會制度之所以合法，乃因為它們保護了個人的利益和權利。這種信念在環境壓力下脫穎而出，在十七世紀的英國率先發揮效力，隨後的兩個世紀，它不僅始終不衰，且發揮更大的効力。

　　公眾輿論在內戰中起的作用並非無足輕重。它們標誌著公眾意見首度表現為政治的重要因素。大量不定期出版的論戰性著作，遠遠超過了宗教戰爭時期的法國，雖然後者的數量並不算小。❶就廣義而言，這些討論絕大多數是哲學的，至少涉及一些普遍的思想——神學的、宗教的，以及倫理的——及其對政府的適用性。它們揭露弊端、討論憲法、頌揚或反對宗教信仰自由，抨擊或維護教會政府，並考察教會與世俗權力的關係，贊成或否認各類公民自由，時常提出大量曾為民主政府嘗試實施的政治措施。這種以期刊、手冊來筆論的作法，乃是將印刷廠當成政府機關以普及政治教育的一種偉大嘗試。不管它們如何含混不清或缺乏體系的一致性，它們至少為民眾的政治生活中帶來思想尺度。在許多

英國人當中流傳的觀念和願望，並不因其無法直接兌現而黯然失色。

　　在民衆的思想運動中，**平均派**（Levellers）的民主激進主義，比任何運動都更重要、更有意義。就宗教而言，他們是獨立派，贊成宗教信仰自由，反對建立聖公會或長老會式的教會政府。儘管該團體的組成並非十分固定，但在一六四七到一六五〇年短短的幾年中，卻頗有點像個眞正的政黨，形成明確的革命政治目標，具有根據自由主義路線重新立法的計畫，並依靠堅定的共同政治信仰。最後，它的目標全部落空，但是，它卻以顯著的特點，代表了十八～十九世紀初期以革命自由主義爲特徵的思想模式和論證模式。它明確地將享有較少經濟特權的階級的自由主義，與富有而保守的自由主義或輝格黨人區別開來。

　　與此同時，革命黨人還出現了另一個團體，**掘地派**（Diggers）。有時，他們也自稱爲眞正的平均派，在當時，他們與平均派沒有甚麼明顯的區別。他們人數不多，其書面宣言，全部或幾乎全部出自一人之手，那人就是杰勒德·溫斯坦萊（Gerrard Winstanley）。然而，他們的宗旨及觀點，似又與平均派截然不同。平均派具有政治目的，是中產階級激進民主派的早期典型，而掘地派則更容易被人看作<u>空想共產主義</u>（utopian communism）的始祖，因爲他們認爲，政治改革倘若不能革除經濟體制的不平等，那就是表面文章。平均派的成員，主要由中產階級中比較不富裕者構成，而掘地派的成員，或許迫於經濟壓力而從中產階級的行列滑入無產階級隊伍。總之，溫斯坦萊說，他在做生意時「讓買賣騙術」給毀了。掘地派理論可以算是第一個出現的無產階級哲學。本章的宗旨就是考察這兩種早期的激進主義。

平均派

　　平均派運動在短暫的時間內取得進展，並與內戰的特定階段有關，因爲這個階段幫助它確定了政黨的宗旨。直至一六四六年底，克倫威爾（Cromwell）反對查理（Charles）獲得成功，形成三足鼎立之勢，革命形勢就此形成。國王失敗了，但未被摧毀，如果能使敵手彼此爭鬥，仍有轉敗爲勝的希望。議會獲得了成功，卻因此不知所措，不知如何運

用新獲得的政權，議會領導人士所注意的是如何建立長老制，而不是制定任何特殊的政治改革方案。最後，也是最重要的一點，獲勝的克倫威爾軍隊，不允許國王或長老派摘取勝利果實。查理玩弄新的政治手腕，揚言要打一場新內戰，議會則要掃除軍隊，自己放手大幹一場。單獨掌握權力的軍隊，有能力結束這種混亂局面（三年後便這麼做了），但是，軍隊的領導者克倫威爾及其女婿愛爾頓（Ireton），對軍事專制由衷的反感，對軍事專制能否賦予革命以立憲形式也深表疑慮。他們的躊躇終於導致一六四七年的兵變威脅。士兵們深知，國王和議會都不值得信任，所以也害怕克倫威爾出賣他們，使革命中獲取改革的希望化爲泡影。正是在這種情形下，第一個普通士兵的激進團體——平均派，乃應運而生。他們不滿意軍方首腦頒布的謹慎而保守的改革方案，提出了自己關於革命獲取成功的激進主張。

他們像一九一七年的俄國軍隊組成蘇維埃一樣，自發地組成了兵團委員會。委員會迅速擴大並要求參與決策。軍事委員會的報告有幸完整無缺地保存下來，內容顯示，討論在克倫威爾和愛爾頓領導的軍官代表與極少數高級官員同情並支持的兵團代表之間展開。❷在這一事變前後，軍隊中出現了大量的小冊子，它們主要由平均派的領導人約翰・利爾伯恩（John Lilburne）和理查德・奧弗頓（Richard Overton）撰寫，其中提出了他們的實際目的和他們賴以行動的政治哲學。❸

軍事委員會的辯論別開生面，因爲此次辯論重新開啓了沉寂三個世紀之久的實際對話局面。使人看到了英國社會下層，諸如小商人、工匠、農民等階層的內心世界，這些人都是克倫威爾軍隊的普通士兵。辯論表明，他們與軍官所代表的富有階級具有無法避免的衝突，他們正是爲此而戰。兵變的危險確實存在。一六四七年十一月，克倫威爾迅速採取措施，嚴格整飭軍紀，此後不久，他又自行決定，不再與查理進行談判。這個決定再度獲得軍隊士兵的信任。一六四八年後半年，平均派再度以民間政黨的姿態出現，但是，當軍官們於一六四九年上半年採取高壓政策時，平均派的作用便無足輕重了。

平均派的主要領導人約翰・利爾伯恩是一個典型的激進鼓動家。爲了捍衛他的「權利」、抨擊時弊，他無休止地抗爭，一生都在與政府各部門發生衝突：其中包括上下兩議院和軍方首腦。他忠實、無畏，但好

鬥、多疑。一六四九年和一六五三年，他在兩次政治審判中，利用公衆
情緒征服首席法官，宣判他無罪，因此兩度成爲轟動一時的英雄利爾伯
恩的影響主要在於他能使自己成爲公衆解放的象徵，「當別人討論國王
和議會各自享有的權利時，他總是談論人民的權利。」（Where others
argued about the respective right of king and parliament, he spoke
always of the rights of the people.）平均派作爲一個政黨，必然是一
個較小的團體，由貧苦階級的智者組成。他們的政見對鄉紳和倫敦富人
都沒有甚麼吸引力。他們確實全線潰敗：首先，對軍官的信任恢復之
後，他們未能掌握大多數；其次，未能使軍官支持他們激進的改革；再
次，沒有足夠的力量影響議會。平均派的價值不在於它能有所作爲，而
在於它的思想，在許多方面成爲後來民主激進主義的意識形態和綱領。

英國人的天賦權利

平均派之稱顯然是個象徵性的雅號，它意味著，該政黨試圖消除人
們在社會地位、政治身分，乃是至財產佔有等方面的差別，把所有的人
拉到同一水平。平均派的一個論敵，將他們的論點歸納如下：

> 一切人生來就是亞當的子孫，享有正當的權利和自由，乃是他們
> 的天賦權利，因此，無論英國還是其他民族，以及每一民族的特定個
> 人，不管法律、政府、等級、地位有任何差異，都應該有同樣的自
> 由，享受正當的權利和人的天賦特權，他們是這一切權利的法定繼承
> 人。因此，普通人與貴族享有同等的權利。所有的人，生來是平等
> 的，生來喜歡體面、特權和自由；上帝創造了我們，每個人來到這個
> 世界本來就是自由的、體面的，我們正是這樣生活，每個人都同樣享
> 有天賦權利和特權。❹

文章的作者顯然抱有偏見。平均派絲毫也不指望獲得「同樣的體面」
（like propriety）：財產平等或拉平社會差別。他們反對貴族階層的
政治特權，反對透過貿易壟斷獲取經濟利益，也反對律師享有的職業壟
斷。他們的目的在於反對受法律保護的特權，而不是社會和經濟的不平

等。《克拉克文件》（Clarke Papers）披露的討論，提出了各種異議，顯然發自內心，卻毫無攻擊財產之意。他們所追求的平等，是法律面前的平等和政治權力的平等，尤其對小資產所有者階級而言。其實，平均派似乎清楚地理解激進民主自由主義的觀點，就其哲學而言，他們是個人主義而不是社會主義，他們的目的在於政治，不在經濟。

這種個人主義的基礎似乎始終建立在於理性主義的信仰上，即人的基本權利不證自明。從平均派所處的時代，以及他們與獨立運動的關係出發，《克拉克文件》和小冊子的論述很少從宗教方面入手，也未求助於《聖經》的權威，這倒有點兒出乎意料。事實上，他們的政敵有時也抨擊他們太不尊重宗教啓示或法律和政府的傳統，只想以自然和理性去衡量它們——

> 他們在宗教和良心方面避開了聖經及其展示的超自然真理，冒犯它們不會受到責問，只有犯了抗拒自然和理性權威的錯誤時，才會受詰難。在公民政府和現實生活中亦復如此，他們脫離了王國的法律和憲法，心甘情願受自然的規律和正確理性的規則支配。❺

利爾伯恩的小冊子，尤其中後期作品，為這些言論提供了證據。早在一六四六年，他就斷言，只因人們都是亞當的子孫，「所以生來平等，並擁有同等權利、體面、權威和尊嚴」，因此，「只有透過規定或授予，也就是說，只有為了彼此的利益和愉快相互協商並取得一致」，才能行使公民權利。總而言之，政府只有透過被統治者同意，才能獲取正當的權力，這意味著要透過每個公民同意。軍官開會時，一個兵團的代表具體生動地說明了這個原則：

> 我確實認為，誰在英國最貧窮，誰的一生就最偉大。因此，閣下，我認為，政府必先在獲得所控制之人民的親自同意之後，才能對他們執行管轄；我還認為，嚴格說來，英國最窮的人，根本不願意受制於未經他同意而將自己置於其下的政府。❻

平均派在「天賦權利」的主張方面有點兒混亂，是勿庸置疑的。它或許是英國人保存在習慣法或大憲章中不朽的傳統自由，也可能是指普遍的人權。利爾伯恩像一切技巧嫻熟的鼓動家一樣，運用各種情況下最

強有力的論辯——訴諸下院以反對上院，訴諸大憲章以反對習慣法，訴
諸理性以反對上述一切。只要慣例或傳統權利依然行之有效，就不需要
注入抽象觀念。但是，從總體上看，一個力主激進改革的政黨，根本不
可能固守傳統。威廉・瓦爾溫（William Walwyn）於一六四五年評論
說：

> 大家都應該知道，大憲章只是人民權利和自由的一部份，是人民
> 殊死博鬥、先驅流血犧牲，從國王的魔爪下奪取的。國王曾經用暴力
> 征服了這個國家，更改了法律，並用強制手段奴役人民。❼

一六四六年，理查德・奧弗頓（Richard Overton）稱大憲章為「可恥
的東西」，並提出了超俗的論點：

> 你們（議會）是選舉產生的，你們的職責是拯救我們，使我們在
> 合於理性與普遍平等的原則下，獲得天賦而公道的自由權，無論我們
> 的祖先甚麼樣，無論他們做過甚麼，也無論蒙受過何種痛苦，或被迫
> 放棄甚麼，反正我們是現時代的人，應當絕對免受各種無度、騷擾或
> 專橫之苦。❽

習慣與自然權利之間的差別，是愛爾頓與兵團代表之間爭論的焦點。這
種含糊其詞的主張，激怒了愛爾頓那種重視法理的心思：

> 如果你只願求助於自然法，那麼根據自然法，你對這塊土地或其
> 他任何東西所擁有的權利，並不比我多。❾

「從現實和民法的角度看，法律」才能使一項權利歸我所有。平均
派則反駁說，不公平的法律根本就不是法律。

平均派哲學有一個有趣而顯著特徵，即賦予古典天賦權利和同意等
概念以新的形式。他們認為，自然法乃是與生俱來不可剝奪的權利。法
律和政體的職能，就是保護這種權利，同意乃是個人的行為，每個人都
有資格採取這一行動。他們的論述雖然不像霍布斯那麼系統，但幾乎與
霍布斯一樣表明，社會存在的唯一正當理由是造福於每個人。倘若他們
繼續發揮那隱現於同意理論中的契約概念，將明顯地形成類如霍布斯所
主張的社會契約理論，從而主張人們為了彼此的利益結成社會集團，社

會契約則是這一社會集團的成員所締結，而不是首領與社會之間那種古老的契約形式。個人及其權利是整個社會結構的基礎。就激進自由主義的社會哲學特徵而言，自由之限制惟有在其本身有益於個體之自由時，才有正當的理由予以限制。

溫和的改革與激進的改革

　　平均派倡導的政治改革方案顯然與他們的政治哲學原則一致。如上所述，他們是克倫威爾軍隊中的左翼革命者，不同意軍官們提出的保守方案，這種態度明確界定了他們的立場。一六四七年，革命已成為既成事實，部份法制的整飭重建顯得迫切需要。溫和派和激進派許多方面都有實質的一致，或者說，差異只是細枝末節，不是原則問題。雙方都期望革除弊端，因為它們造成國王與國會的衝突。基本分歧在於，軍官形成的集團，出身於擁有土地的紳士之家，因而希望將政治權力移交給他們這個階級，不過，唯一公正的評價是，他們的方案包含了許多民主改革，直至十九世紀，這些改革才在英國完成。平均派成員和兵團裡的士兵，都只擁有小小財產，最可能因戰爭而瀕臨破產，因而希望盡最大可能將政治權利與財產權利分開。結果，以克倫威爾和愛爾頓為首的軍官，贊成把既有的憲法改變愈少愈好，這個方案與他們所理解的保存戰爭勝利果實的想法一致。平均派則希望藉機進行徹底改革，他們的目標是獲得公正而合理的安排，不大考慮傳統如何——

　　　　眾所周知，這個國家的法律與自由人民的地位不相稱，要徹頭徹尾對它進行審查，並展開嚴肅的辯論，使之成為與普遍平等和正確理性相一致的東西，它應該是每個政府的形式和生命。❿

在軍官和兵團代表聯席會議上，克倫威爾為上述變革的宏偉和新穎感到震驚。克倫威爾和許多成功的革命家一樣，靈魂深處是個保守主義者，而且，他比平均派者更瞭解，在當時的現實環境中，將整套抽象原則付諸實踐是相當不切實際的作法。

　　士兵騷亂之前，軍官委員會已經擬定了一份文件，題為〈幾點建議〉

（Heads of Proposals）⑪，它是一項行動綱領，建議議會將革命引起的憲法變革付諸實施。由士兵們草擬，並由兵團代表遞交軍事會議的〈人民協議書〉（The Agreement of the People），是一個截然相反的建議，勾畫出平均派所喜歡的政府輪廓。此外，雙方一致同意，必須保障議會的自由，必須定期召開會議，爲使議會擁有更平等的代表，必須重新分配席位。再者，雙方一致同意，議會必須控制行政官員，其中包括陸海軍將領，儘管軍官們同意將其當作爲期十年的暫行綱領，而平均派則想使其成爲章程的永恆部份。雙方一致同意，除羅馬天主教外，實行宗教信仰自由，並表示希望革除執法中出現的弊端。軍官們同意這些變革，但也願意恢復國王個人的權利和自由，儘管這不是他們的主要想法，而且後來也放棄了這種打算。一些平均派成員至少是堅定的共和派，他們相信君主制乃「一切壓迫之源」（original of all oppressions）。⑫但是，該黨綱領之核心，似乎不是廢除君主制。共和主義是他們政府計畫的手段，不是目的。

　　然而，在手段方面獲得的廣泛一致背後，隱藏著政治哲學的基本分歧。平均派之所以期望議會獨立，不是因爲議會享有傳統的自由，而是因爲它是人民代表。毫無疑問，在他們的心目中，主權者是人民，而不是議會，議會只有代表權。他們認爲，議會代表了組成這個國家的現實人，它並不代表公司、既得利益集團，以及財產和身分地位；這一見解，恰與其天賦權利理論所倡導的個人主義息息相關。議會的代表權和每個人透過其代表同意法律的權利，是他們政治哲學的兩個特徵。這兩個特徵，乃是他們激進綱領之主體賴以存在的基礎。

　　因此，既然平均派和軍官都希望代表們在議會中獲得平等，那麼，他們所說的平等，實際上便是截然不同的兩個概念。軍官們力主根據各選區納稅的比例重新分配議席，而平均派則想按照人口平均分配。更加保守的觀點——這種觀點肯定更接近歷史上的議會概念——將該機構看作是代表所有權的，即代表土地所有權或獲准進行貿易的公司股份權。愛爾頓以極明確的語言表述了這一觀點。他說，誰都沒有選舉權，除非他在這一王國中擁有永恆的固定財產，這些財產當然是不動產，並且是經濟結構和政治結構中的永恆部份⑬。代表平等意味著，即便擁有最少的財產，選舉代表時也有同等的發言權，而不是說「人人」都可以有此

權利。平均主義對此作出答覆：服從法律的是人不是財產，因此，要代表的是人而不是財產。平均主義眞誠地否認有任何干擾財產所有權之意，它也認爲財產所有權是人的天賦權利，但是，它明確劃定了財產權和政治權之間的界線。政治權利不是財產，即便窮人，也有他的「天賦權利」，國家要像保護富人的財產那樣保護這種權利。

　　結果，平均派在理論上贊成普選制，貧民除外，或者，以一種可行的權宜之計，贊成能夠實行的最低財產限制；而愛爾頓的理論實際上則意味著，只有土地所有者才有選舉權。軍官們深信，普選制會危及財產，最終導致混亂。正如愛爾頓所云，如果一個人只因爲活著便擁有選舉權，那他亦可能有反對合法財產權的天賦權利。天賦權利根本就不是權利，因爲政治權利和財產權利都來自法律。但是平均派回答說，法律的精確性恰恰需要解釋和證實。法律的制定若不經人民同意，立法機構若沒有代表人民者，怎麼能迫使人民服從法律？一個人倘若無權選舉他的代表，又怎能讓別人代表他？這兩種觀點形成鮮明的對比：一種是認爲，社會是永恆財產，特別是地產利益集團的組織，是由習慣特權和强迫手段所形成；另一種則提出新的國家概念，即國家乃自由個體組成，他們以個人利益爲基點彼此合作，爲了個人的自由權利制定法律。

對立法機關的限制

　　從平均派的觀點看，議會應當享有的最高權力，絲毫也不比國王大。議會與國王一樣，只有別人授予的權力，保障個人權利無論對立法機關還是對執法機關，都具有同等的重要性。當時長期議會（Long Parliament）中長老派首腦所做的記錄，試圖讓獨立派明白，約束最高立法機構不是一個學術問題。因此，平均派希望具有符合憲法的措施，以保障個人的基本權利，甚至可用以對抗人民的代表者，他們擬出的措施，實質上是一份附有基本權利法案的書面憲法計畫。在確認議會擁有管轄政府其他機構的最高權力的同時，「人民議定書」特別指出，公民的某些權利，連議會也無權更動，並試舉其中若干條文，如議會不許拒付公債，不許無端反對法律的實施，不許取消財產權和人身自由權，尤

其是不允許取消或更改文件中規定的任何權利。總之，議定書相當於不可更改的憲法，它是一六五三年攝政時期，政府文件實際採納的方案。一六四八年，平均派試圖召集一個大會，這樣會議在美國恐怕稱之爲制憲會議，即一種特殊的代表機構，「不行使立法權，只爲組織公正的政府擬定基本原則。」因此，「議定書」就是一種社會契約，高於法律，並限定了議會的立法權，它要經由選民和候選人在每次選舉中簽署並贊同。人民議定書像後來制定的許多憲法一樣，試圖保護不可取消的人權，它將反抗合法化了，以防議會超越議定書所允許的範圍。

　　英國革命時期，平均派比任何團體都更接近於後來典型的激進民主主義的政治哲學。在平均派那兒，古典自然法理論以新的形式出現：每個人天生享有最低限度的政治特權，藉參與代表選舉以表示人們立場的同意原則，法律和政府存在的正當理由是保護個人權利，政府各部門的權力受限於人民的主權，以上這些不可剝奪的人民權利，統統體現在一張書面清單上。十七世紀中葉，英國出現這些思想當然頗有意義，與美洲殖民地到後來美國堅持推行了憲制相比較，英國的立憲計畫是完全失敗。一六五三年的「政府文件」，是透過成文憲法限制議會立法權的第一次嘗試，也是最後一次嘗試。而英國革命，最終乃是要解決議會法定的最高權限問題。在美國，成文憲法對立法機構的種種限制是通常的做法，其不同之處不難闡明。一六六〇年英王復辟後，英美之間政治思想的交流比以前受到更大的限制。因此，關於議會最高權力的較新思想，並未在美洲殖民地的英國人當中廣泛傳播，而陳舊的法律信念反而沿襲下來，並在適宜的條件下沿著平均派提出的相似路線持續發展。這並不是說他們完全模仿平均派，而是說，英美的制憲思想同出一源，美洲的時局允許人們直接作出徹底的努力，使這些思想產生效果。

掘地派

　　平均派的小冊子雄辯地證明，內戰給英國中產階級的較貧階層諸如小農、商人、工匠等，帶來了經濟上的災難。他們當中絕大多數人，或者服從富裕鄉紳的領導，或者期待著更激進的政治平等，能消除壟斷之

類的徇私性法律。不過，按照極少數人的觀點，政治革命是實現經濟平等、改變公眾貧窮狀況的機會。❹共產主義者有時自稱爲「眞正的平均派」，這個名稱即刻表明，他們是這一激進黨的左翼，而且也表明，他們至少模模糊糊地意識到與激進黨的差別。另一方面，利爾伯恩斷然否認他與共產主義者有任何關係。且不論當時的種種混亂，共產主義者的社會哲學本質上與平均派截然不同。後者主要是擁有政治目的的激進民主主義；共產主義者主要則是帶有經濟目的的空想社會主義者。

一六四九年，共產主義者驟然間變得聲名狼籍，因爲當時，他們中的一小批人，企圖佔據並開墾尙未圈定的公地，目的是將產品分給窮人。此舉使他們獲得「掘地派」的雅號，十七世紀，他們便以此而聞名。這個行動，在一部份地主當中引起恐慌，但是，其影響並未持續下去。爲數不過數十人的掘地派所做的實驗，大約持續了一年，在法律干涉和暴力滋擾下，終於潰敗。唯一的成果是溫斯坦萊撰寫的小册子，其中包括在英國建立共產主義政府的計畫，開墾公地宣告失敗之後，這項計畫才正式公諸於世。溫斯坦萊的共產主義，無疑淵源於**宗敎神祕主義**（ religious mysticism ）。他的宗敎信仰，實質上與幾年後出現的**敎友派**（ Quakers ）相類似，而且與絕大多數激進的喀爾文主義（ Calvinism ）截然不同。

平均派與共產主義的共同之處在於：雙方都把自然法作爲正當依據，十七世紀，所有的激進份子都是如此。平均派將自然法解釋爲個人權利之學說，其中財產權必然是最重要的權利之一。掘地派把自然法看作維持生存手段的公共權利，其中土地最爲重要，而且自然法僅賦予每個人以分享公共土地和公共勞動產品的權利。土地是上帝或自然的恩賜，人人都有資格從這一「公共寶庫」（ common treasury ）中獲取自己的生活所需——

> 誰都不應該是騎在他人頭上的老爺或地主，人類的子孫應該自由地生活在大地之上。❺

因此，「共同所有」乃是人的自然狀態，共產主義爲英國革命描繪的藍圖，就是返回這種田園詩般的境地。

對這種思想的起源，我們只能作一些猜測。似乎可以合情合理地認

為，英國和歐陸常常發生經濟恐慌，德國爆發農民革命和**再浸敎運動**（Anabaptist movement），這一切都促使無產階級萌發含糊的起義念頭。總而言之，共產主義的基本原則以中世紀廣爲流行的基督敎信仰爲出發點，即共同占有較之私人占有，是一種更圓滿的生活方式，因爲人們公認，私人占有不是自然的，而是人類劣根性的產物。掘地派哲學的一個重要部份，在於他們利用某種方法從這一信仰中得到相反的結論。按照一般的推演，私有財產雖不及共同占有那麼完滿，但是，對於墮落的人性來說，仍不失爲最切實可行的步驟。掘地派則斷言，私有財產乃一切人間邪惡，社會弊病和腐敗墮落之源。一切罪惡根源於貪婪，貪婪首先產生私有財產，私有財產又造成一人凌駕於另一人之上，造成一切流血事件以及對人的奴役，工資制使許多人陷於貧困，他們不得不依靠勞動，支撐那個奴役他們的唯一權力。因此，要消除絕大多數社會弊病和人類罪惡，必須摧毀私有財產，特別是土地私有權。掘地派的論點與盧梭（Rousseau）《論人類不平等的起源》（*The origin of Inequality among Man*）一書，有頗爲明顯的相似之處。

掘地派的小册子自然對地主充滿了仇恨——

> 啊，你們這些地球的亞當，身著奢華服裝，吃得腦滿腸肥……但是，要知道……最後審判即將來臨……受你們欺壓的窮人將是國家的救世主……如果你們乞求寬恕……就不得再從事壓迫……買賣土地的罪惡行徑，就得與地主所有制及繳納地租等行爲決裂，並自願讓大地成爲人類的共同財富。**⓰**

他們也猛烈抨擊了律師和神職人員，倒不是因爲律師敗壞了法律，神職人員敎誨人們褻瀆神明，而是因爲他們乃是私有財產的主要支持者。自威廉征服後的全部英國史都表明：征服者掠奪了人民的土地，將其分封給「諸侯」，又透過後者傳到當今的地主手裡。英國是一所監獄，狡詰的法律是牢門，律師是獄卒，一切陳舊不堪的法律著述，都應該付之一炬。同時，征服者僱傭了神職人員，讓他們收取什一稅，以「鼓勵他們布道」，「堵住人民的嘴巴」，甘願做順民。由此得出的結論頗爲明顯：既然革命廢棄了王權，也應該隨之廢棄私有制，因爲人民若不收回土地，就會喪失勝利果實。

　　儘管這些言論聽起來頗爲激烈，掘地派卻無意煽動人們用暴力或武力剝奪地主。要是他們人多勢衆，天知道會幹出甚麼事來。由於他們勢單力薄，宣傳暴力等於以卵擊石。他們明確提出，耕種公地，將圈地留給它的所有者。沒有任何理由懷疑他們的誠意。他們像絕大多數空想社會主義者（utopian）一樣，自稱爲和平主義者，他們大概相信，這種新生活方式的優越性，甚至會博得地主的稱讚。他們企圖用神秘之物感化人們，儘管他們激烈地反對宗教，本質上卻是虔誠的教徒。他們說：「耶穌基督乃平均派之首」（Jesus Christ is the head Leveller）。顯然，他們純眞地認爲，宣揚手足之情的基督教義，可以按其字面涵義加以接受。

溫斯坦萊的《自由法》

　　溫斯坦萊是掘地派惟一有影響的作家，一六五二年，他獻給克倫威爾的《自由法》（*Law of Freedom*）一書正式問世。這不是普通的小册子，它較爲精確地描繪了烏托邦社會的憧憬，它是按照公正原則制定的「共和政府綱領」（platform of commonwealth's government）。溫斯坦萊設計的共和國藍圖，其基本思想在於：貧窮乃受奴役之根源，「人無食養身勿寧死」（A man had better to have had no body than to have no food for it）。眞正的自由意味著，所有人都具有同等的機會利用土地及其果實。人性有兩種對立的傾向，即需要共同保護和尋求自我保護，前者是家庭以及一切和平與公正的根源，後者則是貪婪和暴虐的根源。與第一種傾向相應的是共和制，在共和國裡，弱者和强者一樣受到保護；與第二種傾向相應的是王權政府和征服者的法律。基本差別在於：王權政府受「買賣騙術」（cheating art of buying and selling）的控制，它是從攔路劫盜的小兄弟那裡竊得土地的政府。因此，改革的本質在於禁止買賣，特別是土地買賣。物與物之間不可能有平等，因爲財富產生權力，權力意味著壓迫。此外，誠實掙不到財富。單憑自己的努力，誰也發不了財，只有課扣助手的所得才能致富。

　　因此，眞正的自由要求土地公有。土地的產品應放進公共倉庫，每

個人可以從中取得自己所需的一份。所有身強力壯的人，必須參加體力
勞動，至少幹到四十歲。溫斯坦萊並不想觸及家庭的私有財產和住宅。
爲了共和國長治久安，他精心設計了一項詳盡的管理方案，制定了一套
嚴格的法律規則，簡單明瞭，無須多加解釋。他採用的政治手段主要是
普選制，當選者任期爲一年。計畫中頗爲重要的一部份是，把國家的教
會改造爲普及教育的機構。顯然，在他的宗教概念中，幾乎沒有超越自
然之物，當時的神職人員「布道是爲了討好神志不清的愚民，藉以在著
迷、遲鈍和喪魂失魄的民衆中保住自己的財富和聲望」。以後，神職人
員將成爲學校的教員，在每周的第七天講授公共事務、歷史、藝術和科
學。「了解自然的奧秘，即是了解上帝的功德」，通常所說的神學，乃
「體弱多病者之學說」。「這種神學的宗教教義，乃無稽之談。」訓練
用途廣泛的手藝和技巧，乃教育之重要組成部份——

> 當那些人凝視上天，憧憬著來生的幸福，或恐懼著死後的地獄審
> 判時，他們的眼神，便已迷失在其中，看不到自己的天賦權利究竟爲
> 何？[17]

　　溫斯坦萊的共產主義自然立足於十七世紀的政治哲學。他以權威的
口吻談到無產階級的空想社會主義，第一個表達了不善言辭的公衆心靈
深處激起的政治熱情，並提出公平社會的目標在於爲普通百姓謀取福
利。儘管它實際上不過是一種烏托邦，卻敏銳地洞察到，政治自由和平
等依賴於對經濟的控制。只有在哈林頓（Harrington）的著作中，才能
發現十七世紀有關政治依賴於財富分配的明確論述。哪裡也找不到如此
明確的思想，即經濟剝削與民主理想勢不兩立。溫斯坦萊的共產主義直
接淵源於他的宗教經歷，但是他的宗教思想卻不受教條主義和教權主義
束縛，他的政治思想和社會思想完全是世俗的。他的倫理學，根本不同
於貼著喀爾文主義標籤的倫理學，被視作民主政治首要原則的，不是個
人自足，而是手足之情。

註　解

❶由書商喬治‧托馬斯（George Thomason）在 1640 年長期議會開幕至查理二世加冕期間搜集的文章（現藏於大英博物館），雖不完全，也有二萬篇之多。參見威廉‧哈勒（William Haller）在《清教徒 1638～1647 年革命中發表的論自由文集》（*Tracts on Liberty in the Puritan Revolution, 1638～1647*）第 1 卷中對這類小冊子所作的詳論，全書共三卷，紐約，1934 年版。

❷見《克拉克文件》（*The Clarke Papers, Camden Society Publication, 1981～1901*），弗思（C. H. Frith）主編，4 卷本。伍德豪斯（A. S. P. Woodhouse）在《清教徒主義和自由》（*Puritanism and Liberty*）中重編，倫敦，1938 年版。

❸《清教徒 1638～1647 年革命中發表的論自由文集》，威廉‧哈勒編；《平均主義者論文集，1647～1653》（*The Leveller Tracts, 1647～1653*），威廉‧哈勒和戈弗雷‧戴維斯（Godfrey Davies）編，紐約，1944 年版；《平均派在清教徒革命中的宣言》（*Leveller Manifestoes in the Puritan Revolution*）沃爾夫（Don M. Wolfe）編，紐約，1944 年版。伍德豪斯的上引書第三部份從當時的小冊子中作了許多節選。平均派的黨綱是「人民協定書」，有四種不同時期的版本，均收入前引的沃爾夫的書中。

❹托馬斯‧愛德華：《岡革朗納》（*Gangraena*），第三部份，第 17 頁。愛德華引證了理查德‧奧弗頓（Richard Overton）的《抗議書》（*Remonstrance, 1646 年*）；參見前引哈勒編的書，第 3 卷，第 351 頁。

❺《岡革朗納》，第三部份，第 20 頁。

❻《克拉克文件》，第 1 卷，第 301 頁。

❼〈英格蘭殘酷的奴隸制〉（Endlands Lamentable Slauerie），見《清教徒 1638～1647 年革命中發表的論自由文集》，第 3 卷，第 313 頁。

❽《抗議書》，同上書，第 354 頁。

❾《克拉克文件》，第 1 卷，第 263 頁。

❿《抗議書》，同上引，第 365 頁。

⓫伍德豪斯上引書的摘錄，第 422 頁。

⓬《抗議書》，同上引書，第 356 頁。

⓭《克拉克文件》，第 1 卷，第 302 頁及後幾頁。

⓮愛德華‧伯恩斯坦（Eduard Bernstein）在《英國革命中的社會主義和民主主義》
（*Sozialismus und Demokratie in der grossen Englishen Revolution*, 1895 年第
1 版）中首先提出這一點，引起歷史學家的注意。斯坦寧（H. J. Stenning）的英
譯本題爲《克倫威爾與共產主義》（*Cromwell and Communism*, 1930 年）。共產
主義者的論文在（George H. Sabine）編的《溫斯坦萊文集》（*The Works of
Gerrard Winstanley*, Ithaca, New York, 1941）中重印。較重要的著作收在雷奧
納德‧漢米爾頓（Leonard Hamilton）編的選集中，倫敦，1944 年版。見彼特
高爾斯基（D. W. Petegorsky）的《英國內戰中的左翼民主派》（*Left-wing De-
mocracy in the English Civil War*）倫敦，1940 年版。

⓯《溫斯坦萊文集》，薩拜因編，第 289 頁。

⓰〈真正的平均主義者的標準〉（The True Leueller's Standard Aduanced,
1649），見《溫斯坦萊文集》，第 264 頁及後幾頁。

⓱《溫斯坦萊文集》，第 569 頁。

參考書目

1. *John Wildmam, Plotter and Postmaster: A Study of the English Republican Movement in the Seventeenth Century.* By Maurice P. Ashley. New Haven, Conn., 1947.

2. *Cromwell and Communism: Socialism and Democracy in the Great English Revolution.* By Eduard Berntein. Eng. trans. by H.J. Stenning. London, 1930.(*Sozialismus and Demokratie in der grossen Englischen Revolution.*)

3. *The Levellers: A History of the Writings of Three Seventeenth–century Social Democrats: John Liburne, Richard Overton, William Walwyn.* By Joseph Frank. Cambridge, Mass., 1955.

4. *John Lilburne, the Leveller: A Christian Democrat.* By M. A. Gibb. London, 1947.

5. *Political Thought in England: From Bacon to Halifax.* By G. P. Gooch London, 1946.

6. *Fundamental Law in English Constitutional History.* By J. W. Cough Oxford, 1955. Ch.7.

7. *Tracts on Liberty in the Puritan Revolution,* 1638～1647. Ed, With a Commentary, by William Haller. 3 Vols. New York, 1934.

8. *The Leveller Tracts,* 1647～1653. Ed. by William Haller...... and Godfrey Davies. New York, 1944.

9. *Mysticism and Democracy in the English Commonwealth.* By Rufus M. Jones. Cambridge, Mass, 1932.

10. *The Development of Religious Toleration in England.* By W. K. Jordan. 4 Vols. Cambridge, Mass, 1932～1940.

11. *Left-wing Democracy in the English Civil War: A Study of the Social Philosophy of Gerrard Winstanley,* By David W. Petegorsky. London, 1940.

12. *The Works of Gerrard. Winstanley.* Ed. by George H. Sabine. Ithaca, N.Y., 1941. Introduction.

13. *Leveller Manifestos of the Puritan Revolution.* Ed. by Don M. Wolfe. New York, 1944. Introduction.

14. *Puritanism and Liberty, being the Army Debates* (1647～9) *from the Clarke Manuscripts.* With supplementary documents selected and ed. With an introduction by A. S. P. Woodhouse. 2d ed. Chicago, 1951.

第二十六章
共和派：哈林頓、彌爾頓
及西德尼

　　在**清教徒革命**（Puritan Revolution）的階級中，以共和政體取代君主政體的問題，並沒有產生任何重大影響。克倫威爾的軍官們，打算在革命成果鞏固後的一段時間裡，採取適當的安全措施，於一六四八年釋放國王並讓他復位。可是，幾個月之後，這些軍官卻不得不處死查理。之所以如此，不是根據共和派的原則，而是他們深信，他們無法與查理達成任何一項持久不變的協議。雖然平均派的某些成員對共和制深信不疑，卻也未將廢除君主制作爲主要目的。因此，反對君主制原則似乎沒有甚麼實際意義。然而，當時確有某些明確的共和理論，儘管其成份多少有些複雜——也許是因這種理論尚未系統化所造成。約翰・彌爾頓（John Milton）和阿爾傑農・西德尼（Algernon Sidney）只是就抽象原則爲共和制辯護，認爲自然法和人民至高主權論當中已蘊含共和的意思。詹姆斯・哈林頓（James Harrington）雖然是烏托邦的創始人，卻比任何作者都更徹底地拋棄了著名法學家的立論，將共和制作爲社會經濟進化的結果加以辯護。哈林頓一方面錯誤地相信，君主制已失去其必然性，一方面又正確地指出，任何一屆英國政府都必須考慮經濟權力的轉移問題。

　　哈林頓是一位政治思想家，具有非凡的能力和自主性，也是惟一能從哲學角度觀察清教徒革命社會起因的評論家。儘管哈林頓篤信共和，是個直言不諱的共和主義者，他卻生於貴族之家，並與一位貴族關係密切，他的那位摯友相當照應國王查理，甚至願意陪同他一起上斷頭臺。哈林頓很欽佩霍布斯，稱霍布斯爲「當代世上最傑出的作家」，但他的

政治思想方法，與霍布斯卻大相逕庭。他之所以仰慕霍布斯，乃因爲後者信奉普遍因果律，並試圖以科學方式理解人類行爲的動機。不過，他必然感覺到，霍布斯沒有將自己的認知徹底應用於他的學說中。因爲霍布斯的社會契約論以法律類比替代了因果關係論，他的主權論沒有分析唯一能賦予政府眞正權力的社會條件。哈林頓正是要進行這種分析，並且力圖在分析中證明自己是最有創見的政治哲學家。他的理論雖不如霍布斯廣博，對政治現實的透視卻遠深於霍布斯。

　　哈林頓的《大洋國》（ *Qceana* ）於一六五六年在倫敦出版❶，就其形式而論，它是一種政治上的烏托邦；它虛構了一個大洋共和國新政府的形成，並以大量虛構的細節，描述了這個政府。可是在哈林頓思想深處，嚴格意義上的空想成份則比較少。大洋國顯然指英國，而且，人們從不懷疑他所描寫的人物和歷史事件的眞實性。這本書是獻給奧利弗・克倫威爾，也是獻給時代的，其中詳盡而瑣碎的虛構細節，大概是廻避檢查的手法。哈林頓建立政治理論所用的方法，卻沒有一絲虛構成份。他是馬基維利狂熱的頌揚者，他認爲馬基維利是當時唯一具有古代政治家風度的政治著作家。像馬基維利和布丹一樣，他運用的主要也是歷史比較方法。虛構大洋國政府的每個特徵，都摹擬古代或現存的政府，尤其摹擬猶太人、羅馬、斯巴達，以及威尼斯的政府，並透過它們爲虛構的政府辯護。他斷言，一個人只有研究歷史，觀察比較現存政府，才能領悟政治家的手腕。

共和制的經濟基礎

　　在衆多的政治著作家當中，唯獨哈林頓領悟到，政府必須藉由社會與經濟這種根本性的力量來確立它的組織結構與職能運作。在各黨派明爭暗鬥並相互指責對方造成混亂的邪惡時代，哈林頓理智地採取了超然的態度，將他想像的政府認眞地作爲一項政治建設計畫提出來。哈林頓學說的基本思想在於認爲，一個國家的政府能否長期存在下去，取決於財產的分配，尤其是土地的分配。無論哪個階級占有超過相當部份以上的土地，譬如四分之三，僅憑這經濟上的需要，它就必然控制政府。

哈林頓沒去詳細述說保皇黨和議會派的弊端，而是提出關於內戰的「經濟—歷史」理論，這個理論完全正確。他認為，這種解釋淵源於英國都鐸王朝的社會歷史。玫瑰戰爭中英國貴族階層的滅亡以及亨利七世貫徹執行將大莊園分給農民的政策，在在都犧牲了貴族利益而增長自耕農（yeomanry）的勢力，於是促成了人民要求建立人民政府的條件。亨利七世沿同一方向採取的第二個步驟是解散寺院，這個政策，剝奪了英國最大的地主集團，即教會，用一大批小土地所有者取而代之。這兩個步驟，使財富分配到大量的土地所有者手中，而後者遲早會提出人民的權利問題。哈林頓以絕妙的筆觸描述伊麗莎白的政治策略，譏諷她說：「變換統治術的手段使她與臣民的關係篆上談情說愛的色彩，是一種道地的愛情騙術。」但是，當人民獲得了所有權時，這套政治把戲也就拆穿了——

> 國王在爭辯中越來越像君主制的神經一樣鬆弛僵化，與此同時，又受到神職人員的慫恿——這將導致他徹底地毀滅——此外，他只相信他們的邏輯而不相信議會提出的嚴厲哲學，那麼，決裂將變得不可避免❷。

哈林頓的理論，部份出自亞里斯多德的觀點，即財產不平等會引起革命，部份出自馬基維利的信念，即強大的貴族與人民政府難以並存。他表明，後者的不足在於未注意經濟原因，若用亞里斯多德補充馬基維利，就可以找到通往正確理論的途徑。土地所有者的人數十分重要，如果貴族占有一半以上的土地，普通人必定因經濟依賴，而在政治上依附於貴族。如果土地為多數普通人所有，貴族的權力就會相應削弱。哈林頓還想用這種理論糾正並補充霍布斯。他直率地指出，霍布斯關於政府乃建立在協議上的權力之說相當膚淺——

> 他（霍布斯）談及法律時說，沒有劍的法律只是一紙空文；或許他已經想到，這把劍沒有柄，只能是一塊冰冷的鐵器。握柄的手是國家民兵……軍隊是大肚皮野獸，一定要把它餵飽；因此，涉及到你有甚麼樣的牧場，你所擁有的牧場是否收支平衡，倘若沒有這一切，公共的劍便徒有虛名，或只是腰上的飾物❸。

在法律的意義上，權力不是自明之詞，它假定社會力量的存在，並進而

假定控制維持生存的手段。霍布斯和哈林頓之間的分歧，是法學家與社會經濟學家之間的分歧。

　　對哈林頓來說，內戰結局如何是可以預見的，它不是抽象的對錯問題，而是社會所引起的問題。土地的控制權轉到中產階級手裡，隨之而來的，乃是政治權力的轉移。都鐸王朝也許暫時大權在握，但是，新階級一旦形成，即政治上覺醒之時，政權遲早會反映財產的分配狀況。正是基於這一點，哈林頓才成爲共和主義者。雖然哈林頓相信共和制頗爲優越，但在理論上並不反對君主制——

　　　　英國步入共和制，既堅定不移又順乎自然。自由之路需要和平，和平之路需要遵守法律，而在當今的英國，法律不能由議會制訂，英國議會將成爲純粹的公衆集會，雖然公衆集會制訂的法律在一定時期內令人敬畏或失望，但終究是大衆的法律，而大衆法律之總和，必定相當於一個共和國❹。

這段話是他在王朝復辟的那一年內說的，因而成爲批評家嘲弄的話柄。但是，這段話道出了英國社會變化的基本事實，若論深刻，十七世紀的文章恐怕很少能與之媲美。無論是好是壞，擁有土地的紳士控制了政權，要制訂永久的方案，不能不考慮這一事實。

　　哈林頓斷言，要在政治上解決問題，必須解決土地所有權的問題。毫無疑問，他過份誇大土地所有權對政治問題的作用，相對低估了製造業、商業、金融業的影響。他承認，在一個由商人組成的小國裡，如佛羅倫斯，金錢或許比土地重要，但是他相信，英國這樣的大國不可能如此。他的看法在那個時代是正確的。不過，他只看到了地主階級，卻看不到即便在當時的英國，商業亦十分重要，這一點，他本來是能夠看到的。因此，他斷言英國也許在商業上超過荷蘭（這符合實際情況），但這個論斷的依據以下述信仰爲基礎：英國能夠生產自己的原料，所以能在商業上超過荷蘭；這個論斷結果是錯的。

　　哈林頓根據土地所有權平衡論，對政府形式進行了分類。他利用傳統分類法，將政府分爲三類：君主制、貴族制、民主制，並從亞里斯多德的理論衍生出三種相對的反常形式，但是，他的修正很有獨創性，完全推翻了傳統方案。他的三分法包括君主專制（absolute monarchy）、混合或封建君主制（mixed or feudal monarchy）、以及共和制（commonwealth），其中每一種都依附於相應的土地占有形式。如果國王能把土地控制在自己手中，並把它出租給被迫在國王軍隊中服役的小佃農，就會產生君主專制，這是軍事政府，暴君爲虐時期的羅馬和土耳其帝國就是典型例子。當極少數貴族占有土地並同時控制大批家臣時，將產生混合君主制，這必然是一種軟弱的君主制形式，因爲國王要依附強大的諸侯，諸侯則要造反，不過，他們彼此爾虞我詐，延緩了摧毀王權的時間。最後，如果大封建莊園解體，貴族無力奉養大批家臣，就會形成共和制或人民政府的形式。

根據這個理論，哈林頓能夠澄清民族「腐敗」（corruption）的模糊概念，這一概念曾屢屢出現在馬基維利的思想中，並且爲陳舊的政體循環論所固有。所謂腐敗，就是把共和制變爲君主制，只不過改變了土地控制權而已。「一個政府的腐敗……就是另一個政府的誕生」。倘若同時發生道德的變化，也是因財產所有權的變化而引起。哈林頓的分類法，爲所謂「反常的」政府形式留下餘地，但不過是一些例證，它說明，一個政府由於某些暫時的原因可以在財產不平衡的狀況下繼續生存。在這個意義上，伊麗莎白的君主制是一種反常現象。另有一些權力平衡不很確切的情形。如果土地大致在貴族和平民之間平均分配，就不可能出現穩定的政府，除非一個階級能「喫掉」另一個階級。這個計畫提出了一項靈活而又現實的政體分類法。

法的絕對統治

不過，哈林頓絕非經濟唯物論者。財產本身體現了法律制度，因而只能依法而存在。人們並不需要在本質上改變財產的分配形式，只須將公衆所歡迎的政府分配形式永久化。他把政治學歸結爲兩條原理：第一是力量（force），它取決於財產分配以及對穩定的政府的可能變化加以限制，不過依然留有選擇的餘地；第二是權威（authority），正如哈林頓所云，權威依賴於健全的大腦，如聰明才智、膽識勇氣、深謀遠慮等等。一個智慧或理智的人可以維護個人利益，同理，一個有智慧的

共和國，便能夠保護整體利益。倘若哈林頓論述權威的態度，也像他論述政府形式那麼嚴謹，其思想也就首尾一致了。可惜，他在這一點上卻受了狂熱的共和主義影響。就廣義而言，他將力量與權威之間的區別，與「古代的深謀遠慮」和「近代的深謀遠慮」之間的區別相提並論。所謂「古代的深謀遠慮」是指爲了共同利益而依法統治的藝術；所謂「近代的深謀遠慮」則指爲了個人或階級利益而剝奪社會的藝術。哈林頓認爲，在當代著作家中，「古代的深謀遠慮」以馬基維利爲代表，「近代的深謀遠慮」以霍布斯爲代表。既然近代的深謀遠慮起始於羅馬共和國的衰敗，這種對比在本質上必然與君主制（君主專制和混合君主制）和共和制的對比相一致。哈林頓熱衷於文藝復興時期的復古傾向，他力圖使自己的共和國盡量接近雅典、斯巴達、羅馬、猶太國家之類的古典模式，他認爲這些即是他心目中的人民政府。

　　共和制的顯著標誌在於它是「法治之國」，不是「人治之國」。哈林頓說，霍布斯的錯誤就在於混淆這種區別。因爲霍布斯說過，既然所有的政府都讓臣民服從於某種統治，那麼臣民在每個法律體系中都是平等的。哈林頓所做的區分實際上與亞里斯多德對僭主政治與立憲政府的區分相同。僭主政治乃個人獨裁，立憲政府則爲公眾的利益依法行事，它的臣民可以參政。包括共和制在內的一切政府形式，都要求權力與權威相符。除非政治權和經濟權結爲一體，否則，無論多大的聰明才智也不能使政府平安無事，當然，政府也不是自發地從現存的經濟秩序中產生出來，這種看法也是正確的。哈林頓也一如亞里斯多德和馬基維利，假設政治是一門藝術。不過，合理組成的共和國要比君主制好得多，它是一個實實在在的法制政府，因而也更穩定。因爲君主專制實際上是人治政府，封建君主制是國王和貴族競爭的舞臺；共和國則僅允許法律下的自由，並使眞正的政治家和公眾精神有充份的用武之地。哈林頓認爲，人的天性是合羣，不是自私，但是，他不願過多強調人的無私。眞正的治國之道在於個人利益與公眾私益的統一，人民政府最樂於做到這一點。哈林頓將這種國家稱之爲「平等的共和國」（equal commonwealth）。在這類政府中，熱衷於煽動人們情緒的人沒有權，有權的人不屑於此道。就國家衰落的內因而論，這種政府理應長期存在。

　　哈林頓政治哲學的其他部份，分析了如何達此目的的問題。從合乎

邏輯的角度看，這個制度的基石必然在於防止土地分配發生變故，或者在共和制下，防止土地集中於少數人手裡。因此，哈林頓把重點放在「土地法」（agrarian law）上。土地法規定，把大地產分給幾個繼承人，每一份年收入不得超過兩千英鎊。在他看來，長子繼承法不僅危及政治平等，也違反每一項公正原則——

　　　　我十分納悶它是怎麼規定的，我們竟然要像對待小動物一樣對待自己的孩子——一個放在膝上精心餵養，其餘五個溺死❺。

然而，哈林頓並非抨擊抽象的不公平，而是抨擊社會危機。依據他所提出的土地法，若只有一個繼承人，無論多少財產都應全部繼承。如果該地產在最大限度以下，是可以遺贈給唯一的繼承人。倘若繼承人有若干個，地產規模又相當大，則必須分割繼承。哈林頓並不關心如何擴大英國民眾土地的所有權，而是要維持現狀——

　　　　現在，我們並不想為將能得到甚麼多費口舌，只想討論我們已經獲得了什麼❻。

他估計，五千個所有者足以使英國安然步入共和制。

　　很難說哈林頓期望的人民政府到底有多廣泛的基礎。他限定「靠自己生活的人」才有公民權，這等於把僕人和僱工排除在外。然而，他的政府大綱所使用的數字達五十萬公民，顯然，三十歲以上的人都包括在內了。因此，如果他確切地知道當時英國人口，恐怕只有為數很少的人被排除在外。總之，他擬定的計畫並未限制土地所有者的政治權力。他對進入上議院所做的財產限制相當低，只是為了給窮人大開方便之門，他還為議員的薪金辯護。另一方面，他又認為，共和國理所當然地應由貴族領導——

　　　　不論誰建立了共和國，他首先應該是個紳士❼。

只要紳士的數量龐大到無以形成特定的貴族階層，他們就不會危害共和制，反而成了共和的原動力。哈林頓贊成選舉行政官員，因為他假定，這樣可以選拔一批有能力的「天生貴族」（natural aristocracy），這些人主要屬於紳士階層。他反對人民政府只是拉平經濟差異之手段的思

想。

共和國的結構

　　將共和國的基礎置於土地法之上，就有三種治國之術，供政府用來
對人民的意願作出反應：第一，輪流執政。哈林頓把它比作血液循環。
應當選出短期任職的官吏，通常任期爲一年，並應隨時進行重選以罷免
官吏；第二，進行無記名投票，保證選舉自由。哈林頓花費大量時間制
訂秘密投票方案，他說他在威尼斯曾見過這種方法；第三，對建立自由
政府的問題，他指出本質問題在於分權。不過，哈林頓的政治權力劃
分，與後來孟德斯鳩的畫分不盡相同，他僅根據對城邦的研究提出政治
分權。他認爲貴族應行使審議或制定政策的職能，即由少數經驗豐富並
具有專門知識的人來完成。人民只有認可或否決政策的責任，爲此，應
選出一大批人履行這一職責，但無權審議。鑑於內戰前英國的經驗，他
竟然閉口不談司法權的獨立，簡直不可思議。

　　土地法、輪流執政、無記名投票，以及分權制，都是哈林頓所謂平
等共和國的結構原則，他認爲，在這樣的國家裡，所有權與煽動暴亂的
權力絕不會融爲一體。他作出如下定義：

> 　　一個平等的共和國……是以土地平等爲基礎的政府，它產生了上
> 層結構或三個程序：立法機構進行辯論並提出方案、人民裁決、行政
> 官員實施，這些行政官員乃是透過無記名投票秘密選舉出來。⑧

哈林頓不滿足於提出原則，又進而制定了一部大不列顛憲法，其中每一
條都透露著他的原則。這項工作，使他贏得空想社會主義者的榮譽。他
帶著孩童般的喜悅，描繪這幅藍圖的細節，甚至連會議日期、地點、官
員穿著都一一標出。事實上，這些幻想的細節，與其哲學原則毫無關
係。他的想法一部份是空談，原因在於他相信政治機構的效率，在這方
面，他與同時代的人沒有甚麼差別。像他這種對政治權力的經濟起因有
如此深刻洞見的人，居然信賴政治機構，眞有點不可思議。

　　哈林頓的憲法開宗明義先將全體人民分爲自由民和奴僕，只有前者

是公民。然後，以年齡爲根據，將公民分爲現役軍人階層和年長者，前者在三十歲以下，後者爲後備軍，也是共和國的人民中堅。此外，他又根據財富狀況將其分爲騎兵和步兵，大致相當於紳士和普通人。有關政府的計畫詳盡描述了間接代表制的方案。最小的地方單位是教區，其中所有的長者從他們當中選出五分之一的代表，前往另一個較大的單位，該單位由一百名教區的代表組成。二千名代表合成一個選區。由教區代表、百人代表，以及各選區代表集體選出他們的地方行政官員，另外每一選區每年選出兩名區議員進入立法機構，並選出七名代表（三名區議員，四名一般代表）進入「享有特權的選區」（Prerogative Tribe），發揮人民立法的作用。他們的任期都是三年，而既然有五十個選區，立法機構便有三百名議員，每年有一百名退職，而一千零五十人代表中每年有三百五十人退職。立法機構選出中央行政官，組成四個委員會即國務委員會、軍事委員會、宗教委員會和貿易委員會，分別處理有關的事務。根據分權原則，立法機構的職能是辯論，它制訂出法律或政策以後，提出的議案即被印發給人民代表或享有特權的選區。後者不能對議案進行辯論或修改，只能頒布、駁回，或退交委員會進一步審議。

　　哈林頓的政府模式含有十七世紀人所熟知的立憲制思想，但闡述不很清楚。這個思想體現在關於政府特定的制憲立法機構以及法律與憲法之間區別的一份書面文件中。文件寫於一六五六年，他必須將他的計畫呈獻克倫威爾，因爲他認爲克倫威爾是一位神奇的立法者。他希望克倫威爾成立一個由政治家和學者組成的委員會，以組織新政府，每個人都可以自由地將自己的提案交給委員會。委員會一經組成，即可公布由若干條款組成的憲法，其中每一條款都涉及到政府結構的重要因素。哈林頓沒有討論過該憲法的修訂問題，但是，他顯然想把憲法條文與立法機關的一般法令區分開來。

　　至於棘手的宗教自由問題，哈林頓試圖在公理會和國教之間形成妥協。他認爲，完全有必要建立某種形式的國教，既可以爲神職人員提供俸祿，又可以保留種種符合民族意願的禮拜形式。不過，他反對任何形式的强制，他認爲，强制乃「一種陋習，它造成前所未聞的宗教戰爭，否認行政長官對它的管轄權」。❾因此，他主張每個教徒可以自由選擇自己的神職人員，除猶太教和天主教外，應允許人們採取法定形式以外

的禮拜。他也希望開辦公學，公費開支，免費招收貧家子弟，並强迫九到十五歲的兒童入學。

　　儘管哈林頓的共和國形式頗爲怪誕，卻透露著爲數衆多的種種設想，後來，人們把這些設想視作開明政府的標誌。制訂成文憲法、選舉行政官員、無記名投票、短期並輪流執政、分權制、保障宗教自由、實行公費普及敎育等等，都證明了這一點。但是，無論從其宗旨還是從其理論來看，哈林頓絕不是一個民主主義者。他認爲，共和國的領導權必定掌握在擁有土地的紳士手裡，這個階級的權力和能力都占有明顯優勢，這是不言而喻的。他的經濟因果論排除了類似平均派所憧憬的民主理想，平均派假定政治權利與財產權相分離。哈林頓的政治思想是貴族卵翼下的一種古典共和國，在這個方面，他與同時代的共和主義者一致。不過，他獨自一人强調政府形式取決於財產分配形式，他對內戰淵源的解釋，或許是當時社會問題討論中最寫實的作品。哈林頓正確地指出，有土地的紳士掌握政權，乃當時基本的社會現實，倘若他能進一步瞭解英國的貿易，就會懂得平均土地並不足以永久保持權力。貿易擴張與經濟平等之類的主張毫不相容。假如看到這一點，從邏輯上說，他或者必然尋找對財富進行更加嚴厲的政治控制的方法，或者改變他對人民政府的整個設想。

約翰・彌爾頓

　　約翰・彌爾頓（John Milton）和阿爾傑農・西德尼（Algernon Sidney）的「共和主義」，旣不如哈林頓富於創見，又不如他重要。三人聯接的紐帶在於他們都嚮往古代，並將貴族政治理想化。彌爾頓和西德尼對政治史和比較制度的知識，不及哈林頓豐富，也不甚瞭解政治變革的社會起因。共和主義在他們那兒是一種道德理想，以抽象的天賦權利和公正爲基礎。他們對十七世紀普遍熟知的政治思想，並沒有作任何重大增補。彌爾頓以其華麗的文筆和雄辯的筆觸著稱於世，他用華麗的語言表達常識，以雄辯的筆觸表達崇高的政治理想。西德尼的書雜亂無章，結構鬆散，假如不是寫於英國政治思想的貧乏時期，並成爲最著

名的傑弗里（Jeffrey）司法暴行的場景之一，恐怕不會有誰去注意它。

彌爾頓最著名的論文，當推爲出版自由辯護的《論出版自由》（*Arepoagitica*）（1644）。儘管這篇論文問世之時並未引起多大迴響❿，但它與約翰·斯圖爾特·穆勒（John Stuart Mill）的《論自由》（*On Liberty*）一併成爲英語著作中倡導言論自由的名篇。彌爾頓最終闡明了思想自由的信念，認爲眞理和謬誤一旦可以透過研究和討論加以檢驗，眞理必將戰勝謬誤——

> 雖然各種學說風行於世，眞理亦自有份，但是，我們卻懷疑眞理的力量，亢自採取一些許可或禁止言論的措施。讓眞理與謬誤搏鬥吧！誰掌握了眞理，誰就能在自由而公開的衝突中擊敗對手。……有誰不知道，眞理的力量僅次於全能的上帝；她不需要政策和策略，也無須取得認可而奪取勝利，這些東西都是謬誤用來抗拒眞理的手段和遁詞。⓫

因此，彌爾頓所做的事情，在當時很少有人做到，他坦然自若地將黨派的激增視爲探索新眞理和新自由之嘗試。他爲宗教信仰自由所作的辯護受時代和門戶偏見的侷限。他的文章不涉及羅馬天主教，部份原因在於羅馬天主教徒都是些盲目偶像崇拜者，另一部份原因是認爲他們除了忠於敎皇之外不能忠於任何統治者。然而，即便受這種侷限，《論出版自由》仍不失爲一部前所未有的佳作，激烈地抨擊了愚蠢無用的檢查制度。

一六四九年，彌爾頓出任共和國國務會議秘書，此後，他一躍而成爲蜚聲政壇的政論家。他在《國王和行政官員的任期》（*Thnure of Kings and Magistrates*）中，爲處決查理一事辯護，他尤其反對長老派，因爲他們後悔將革命時間拖得太長。緊接著，他於一六四九年發表了《偶像的破壞》（*Eikonoklastes*），於一六五一年發表了《爲英國人民辯護》（*Defensio propopulo Anglicano*），這是爲答覆萊頓（Leyden）的薩爾美夏斯（Salmasius）所作，此人受保皇派的指使，撰文爲國王辯護。彌爾頓的著作根據自然法，根據《聖經》和英國法律，爲處死國王直言辯解。他慷慨陳辭，以致人們竟將《爲英國人民辯護》一書和克

倫威爾的軍隊相並比，同為和共和國的堡壘。沒有那位作家能像他一樣，充份表達英國革命中那種熱情洋溢的理想主義：

> 説到這裡，我不禁為自己具有這樣的祖先而感到慶幸。他們像最傑出的古羅馬人和希臘人一樣，以無與倫比的審慎和自由精神，創立了這個國家，倘若他們知曉今天的情況，必將為這樣的後代而高興。他們一度幾乎淪為奴隸，但是，他們以自己的智慧和勇氣，從國王的暴政下收復了這個國家，並明智地將其建立在自由之上。⓬

彌爾頓的論述實質上不過是在斷言，反抗暴政的古典原則體現了天賦權利。他在《國王和行政官員的任期》中表明，人生而自由，為了共同的安全建立了政府。於是，公共權威取代了個人自我保護的權利，制定法律是為了限制和控制公共權威。行政官吏的權力來自人民，目的在保護公眾利益，因而，保護公眾利益提防暴君侵奪的權利必然永遠屬於人民——

> 國王和官吏的權力只是派生的，人民出於信賴，出於共同利益，將權力授予他們，委託他們全權代理，權力實質上依然歸人民所有，不能從他們手裡奪走，否則，就是侵犯他們的天賦權利。⓭

國王沒有不可取消的權力，人民可以在適當的時候罷免他。處死暴君完全合法，無論他是篡權者還是繼承人。新教改革者，尤其是諾克斯（Konx）和布坎南（Buchanan），經常引用彌爾頓的話為自己作論證。

在宗教問題上，彌爾頓與最激進的獨立派持相同觀點。⓮他認為，限制信仰自由以及從財政收入中支付神職人員的費用，乃是宗教腐敗的首要原因。他不僅接受了新教的原則，認為《聖經》是信仰的準繩，而且對《聖經》作出最廣泛的解釋：每個人必須對自己去解釋《聖經》，誰也不可能絕對正確，因此，任何官吏和教會都不應強迫人們接受某一特定的解釋。個人的良知是終審法庭，虔誠的信徒不相信旁門左道。教會所關心的是人之心靈，武力無法叩開人的心扉，國家也只關心外部行為。兩個機構的性質目的截然不同，因而應該分立。如果神職人員靠政府奉養，不是靠接受布道者的捐助，必然導致腐敗。教會和國家乃是迥然不

同的兩個社會，它們的組織機構，人員構成以及宗旨皆不相同。這種反向分離各自運作，無論在理論上還是實踐上，根本不同於胡克（Hooker）抨擊的長老派與天主教。彌爾頓的結論，實際上與羅傑·威廉（Roger Williams）二十年前在麻薩諸塞州得出的結論相同，當時，他與僧侶們發生了激烈的爭執。復辟前夕，這個論斷在英國根本無法實現。

彌爾頓的共和主義以模糊的柏拉圖式原則為背景，即權威的合理性在於道義上和理智上的優越。「造物主規定，智者應該統治愚者」（Nature appoint that wise man should govern fools）。因此，權力世襲違反天性。一六六〇年英王復辟之前，他的最後一本政治著作《通往建立自由共和國的捷徑》（*The Ready and Easy Way to Establish a Free Commonwealth*）問世，在這本書裡，他甚至懷疑耶穌是否「給王位打上異教的印記」。這是反對君主制的絕望吶喊，撰寫此書時，彌爾頓一定知道，復辟已不可避免。在這本小冊子裡，他認為一切崇高願望均已破滅，而英國革命卻是為了實現這些願望──

> 一個民族竟然在戰場上如此勇猛無畏地為自己贏得自由，一旦獲得自由，卻又漫不經心，不動腦筋，以致不知怎麼利用它、珍惜它、對待它，也不知怎麼對待他們自己。與暴政進行了十或十二年的激戰和爭執之後，他們又糊塗地將已經打碎的枷鎖又重新套在自己的脖子上……如果厄運降臨我們頭上，那將是一種恥辱，而這種厄運，從未降臨到任何一個已經獲得自由的民族頭上。❺

這本小冊子是彌爾頓建設性政治學的一部力作，沒有甚麼比它更能說明他那理想與現實脫節的弊病了。他的「捷徑」實際上是無法實現的幻想。他的全部主張不過是說，人民應該丟掉偏見和私利，把國家的「菁英」選送到一個永久的委員會，該委員會的成員則實行終身制。這本小冊子是一種奇特的混合物，盲目相信菁英，不相信選民，可是任何議會，無論永久的還是短期的，都必須由選民選舉產生。彌爾頓不過認為，凡符合他願望的選舉會工作得很好，凡不合他願望的選舉會工作得很糟。他對個人自由充滿了熱情，卻又認為人民大眾輕視人的理性和善良願望。彌爾頓生性挑剔，生就一副貴族氣派，他鄙視議會並不遜於鄙

視國王。總而言之，他無法瞭解，如果人們都不在政府中尋找可以信賴
的代言人，個人自由就是空談。他像所有那些把革命早期階段理想化爲
文明世界新生的人一樣，並未作好充份的準備去面對革命後期的現實。

菲爾默和西德尼

　　阿爾傑農・西德尼（Algernon Sidney）的共和主義，就其重要性
而言，與彌爾頓相同。一六六〇年，由於英王復辟，生氣勃勃的政治討
論忽然偃旗息鼓，而之前的二十年間，除了出現一大批涉及每一階段的
政治哲學和制憲理論的論戰文章之外，也產生了兩大經典著作——霍布
斯的《利維坦》和哈林頓的《大洋國》。查理二世逝世前，一位天主教繼承
人繼位問題迫在眉睫，復又爆發世襲權利與議會權利之爭。詹姆斯要求
繼位是合理的，完全符合王室的原則，但是他未對新教作出恰如其份的
保證，大多數人爲此憂心忡忡。問題挑明之後，保皇派把羅伯特・菲爾
默（Robert Filmer）這個稀世古董推上前臺。菲爾默死於一六五三，
生前曾寫過大量保皇的小冊子，但當時並未引起人們的注意。一六七九
年，他的作品滙集成冊，重新印發，次年，他最著名的著作《論國王的
天賦權力》（Patriarcha or the Natural Power of kings）首次發表。這
部書之所以享有過世之譽，是因爲受到西德尼和洛克（Locke）的抨
擊。西德尼的《論政府》（Discourse Concerning Government）一書，
寫於一六八〇年至一六八三年之間，但是直到至一六八九年方才發表，
這和議會一六八九年撤銷剝奪他公民權的判決一樣，只是一種慰藉亡靈
之舉。西德尼因與黑麥館陰謀案（Rye House Plot）牽連，於一六八
三年被處決。他的許多論文，包括〈論政府〉在內，都曾被人用來反對
他，起訴書引用了其中的一些話，說國王要服從法律、對人民負責、若
犯有「不誠實、煽動叛亂和叛國罪」，應予以廢黜。

　　一六八〇年首次出版菲爾默的《論國王的天賦權力》，無疑成爲轟動
一時的特大新聞。不可動搖的世襲權力，居然透過一部三十年前早已被
人遺忘的手稿表張起來，而這本書稿又這樣容易使人感到荒唐可笑，豈
不說明這個問題缺乏生命力嗎？菲爾默的書，確實在完稿之日便成爲廢

紙一堆。該書攻擊王權的兩個敵人，耶穌會和喀爾文派，由於這兩個敵人，「君主制已被兩個小偷——教皇和人民——私下釘上了十字架」。因此，它企圖重申保皇派的兩個原則：神聖權利和消極服從。菲爾默採取了論戰中反擊敵人堡壘的危險策略。他未藉助《聖經》的權威，而是企圖證明國王權力是「天賦的」，爲了達到解釋目的，他從父母的自然權威來推斷這個觀點。總而言之，亞當是第一國王，而「當今國王是或即將是亞當第二」。這種軟弱無力的論點，據說成爲他人攻擊菲爾默的把柄。因爲根據長子繼承法，只能有一個人繼承亞當，但是，又不知繼承者是誰，那麼，結論應該是所有的國王都不合法。西德尼和洛克不厭其煩地追擊這一論點只能表明，一個荒唐的結論乃天賜之物，沒有一個爭論者會輕易放過它。

　　然而，要不是菲爾默炒的是過氣的言論，批評他的人也不會占壓倒一切的優勢，這樣說對菲爾默是完全公平的。批評者們都贊成這樣的理論，即政治權力屬於「人民」，只有經人民認可，政府才能成立。菲爾默輕而易舉地表明，如果這些論述的字面涵義是眞實的，那就跟以往的言論一樣荒誕不經。首先，誰是人民？如果指全部人口，他們何時締結條約，又怎樣對一件事表示贊同？如果僅在字面上理解贊同一詞，派系之爭如何限制？令人費解的是，在這些問題上，他援引了許多霍布斯的話（他很欽佩霍布斯）。他堅持認爲，人民是「烏合之衆」，各自爲戰，而代表、選舉、多數裁決原則之類的概念，只有在合法的社會裡才有意義，否則毫無意義，而要形成一個社會，就必須有個主權者。菲爾默倘若不是因亞當皇權的謬論而聲名掃地，或許是個難以對付的批評者。他像西德尼和洛克一樣❿，對英國憲制史有透澈的研究，而且像大多數因言語驚人而著稱於世的批評家一樣，並不如人們描述的那麼愚蠢。

　　西德尼顯然不想發表他的《論政府》，儘管該書後來受到托馬斯·傑斐遜（Thomas Jefferson）等人的稱許，但實際上並不是一部有影響的書。它效仿菲爾默，把一切反對意見統統塞進一篇文章，致使這些意見所指陳的觀點變得模糊曖昧，若將這個小冊子刪減十分之一，或許會是一部很有影響力的書。此書缺乏獨創的見解，其反駁菲爾默的論點也不過是重複衆所周知的命題：一切人都有統治他們自己的天賦權利，他們

可以按照自己的意願選擇統治者，政府的權力來自人民，它的存在是爲了人民的安全和幸福，它有責任實現這些目的。西德尼認爲，在英國，「議會和人民有權利推擧國王」，但是，他也相信，人民委託議會掌握權力，也可以由任何一種方式收回權力。

按照伯爾內特（Burnet）主教的觀點，西德尼「頑固堅持一切共和主義原則」，在共和國時代，或許如此，但是，在《論政府》一書中，卻沒有與君主立憲制不相容的東西。他當然相信，選擧產生的代表可能不如帝王的寵臣容易墮落。他也一如彌爾頓，讚美貴族的共和國，認爲選擧是選擇「菁英」統治的唯一方法。他時常回憶獲得偉大成就的時代，在那個時代，英國人曾一度獲得古希臘、古羅馬時代的自由。大約在一六八〇年，斯圖爾特王朝復辟後二十年，西德尼透過薄薄的玫瑰色迷霧，看到克倫威爾獨裁的本來面目，這是彌爾頓於一六六〇年無法看到的，於是西德尼找到一個藉口。當西德尼針對有組織的行賄行爲和聲名狼籍的陰謀傾洩義憤時，表現出非凡的戰鬥力。作爲一個共和主義者，他相信，從英王有幸復辟以來，這些劣跡便已從法國帶來。他說，人們不妨考察一下：

> 無論老鴇、娼妓、小偷、小丑、寄生蟲，還是天生見利忘義的卑鄙小人，在英國白殿、法國凡賽爾、梵蒂岡、埃斯庫里亞爾等地，是否比在威尼斯、阿姆斯特丹和瑞士擁有的權力小，如果讓民眾和議會參考，無論海德（Hide）、阿林頓（Arlington）、丹比（Danby），還是克利夫蘭（Cleveland）和樸茨茅斯（Portsmouth）的大人先生們，或是森德蘭（Sunderland）、詹金斯（Jenkins）和契芬奇（Chiffinch），是否還能保持迄今在我們這裡所擁有的權力。⑰

十七世紀英國共和主義的重要性很難概括。一方面，它是絕望的空談，因爲廢除君主制不是實質問題，不過暫時爲環境所迫，而且又與克倫威爾獨裁有染，所以很快地便名聲掃地。在彌爾頓和西德尼那裡，它主要反映了熱情的理想主義情緒，卻不像平均派的抽象哲學那麼粗獷有力。十七世紀的共和主義，本質上是貴族的學說，根本不是平均派提出的政治綱領般的人權宣言。對彌爾頓和西德尼來說，「人民」乃天生的傑出人物所領導的團體，根本不是一羣擁有天賦權利的平等個人。實際

上，英國革命將國家的紳士推上當權的地位，與其說是民主，不如說是貴族統治，而且，這種方式與共和主義無關。君主投靠議會以後，紳士們很容易與君主制妥協。因此，這種共和主義從來不成其為眞正的問題。哈林頓的經濟分析不是空談，但是，與他的共和主義也沒有邏輯上的密切聯繫。假如他在共和國時期尙未從事寫作，他的分析很可能適合於君主立憲制。

註 解

❶當代唯一的好版本是由利爾傑倫（S. B. Liljegren）所編輯，漢堡，1924年版。哈林頓的《文集》由約翰‧托蘭（John Toland）主編，倫敦，1700年版，以後多次重印。

❷《大洋國》（*Oceana*），利爾傑倫編，第49頁。

❸同上，第16頁。

❹《制定法律的藝術》（*Art of Lawgiving*），見《文集》，1747年版，第432頁。

❺《大洋國》，第94頁。

❻同上，第93頁。

❼同上，第35頁。

❽同上，第33頁。

❾同上，第38頁。

❿見《清教徒1638～1647年革命中發表的論自由文集》，威廉‧哈勒編，第1卷，附錄B。

⓫《文集》（*Works*），帕特森（F. A. Patterson）編，第4卷，第347頁以下。

⓬《首次申辯》（*Defensio prima*），第8卷，沃爾夫（Wolff）的英譯本，《文集》第7卷，第451頁。

⓭《文集》，第5卷，第10頁。

⓮〈論基督教起因的社會力量〉（A Treatise of Civil Power in Ecclesiastical Causes）和〈將佣工驅出教堂之最佳方案的思考〉（Considerations touching the likeliest Means to Remove Hirelings out of the Church）二文均發表於1659年。

⓯《文集》，米特弗（Mitford）編，第5卷，第413頁。

⓰見他的《世襲地保有者關於國王陛下及其議會的重要調查》（*Freeholders Grand Inquest touching Our Sovereign Lord the King and his Parliament*）。

⓱《論政府》，托蘭編，1763年，第205頁。

參考書目

1. *Milton and the Puritan Dilemma*, 1641～1660. By Arthur Barker. Toronto, 1942.

2. *The Life and Times of the Hon. Algernon Sydney*, 1622～1683. By A. C. Ewald. 2 vols. London, 1873.

3. *The Classical Republicans: An Essay in the Recovery of a Pattern of Thought in Seventeenth Century England*. By Zera S. Fink. Northwestern University Studies in the Humanities. Evanston: III. 1945.

4. *Political Thought in England: From Bacon to Halifax*. By G. P. Gooch. London, 1946. Ch. 5.

5. *The History of English Democratic Ideas in the Seventeenth Cetury*. By G. P. Gooch. 2d ed. Cambridge, 1927.

6. *Milton and Wordsworth, Poets and Prophets: A Study of Their Reactions to Political Events*. By Sir Herbert J. C. Grierson. Cambridge, 1937.

7. *Liberty and Reformation in the Puritan Revolution*. By William Haller. New York, 1955.

8. *The Rise of Puritanism: or, The Way to the New Jerusalem as Set Forth in Pulpit and Press from Thomas Cartwright to John Lilburne and John Milton*, 1570～1643. By William Haller. New York, 1938.

9. *The Social and Political Ideas of Some Great Thinkers of the Sixteenth and Seventeenth Centuries*. Ed. by F. J. C. Hearnshaw. London, 1926. Ch. 8.

10. *The Social and Politiaal Ideas of Some English Thinkers of the Augustan Age, A.D.* 1650～1750. Ed. by F. J. C. Hearnshaw. London, 1928. Ch. 2.

11. "A Historical Sketch of Liberty and Equality as Ideals of English

Political Philosophy from the Time of Hobbes to the Time of Coleridge."By F. W. Maitland. In *Collected Papers*. 3 vols. Cambridge, 1911. Vol. I, p. 1.

12. *Milton's Contemporary Reputation*. By William R. Parker. Columbus, Ohio, 1940.

13. *Harrington and His Oceana: A Study of 17th Century Utopia and Its Influence in America*. By H. F. Russell-Smith. Cambridge, 1914.

14. *The Revolution of the Saints*. By Michael Walzer. Cambridge, Mass, 1963.

15. *Milton in the Puritan Revoution*. By Don M. Wolfe. New York, 1941.

第二十七章
哈利法克斯和洛克

　　十七世紀英國政治的最後一幕，在一六八八年的不流血革命中驟然達到高潮。詹姆斯二世扶植天主教的蠢舉，激怒了英國的新教徒，他們認為復辟王朝的這個舉動乃卑劣行徑。大部份英國人都是堅定不移的新教徒，他們在詹姆斯二世短暫統治之後，很快便下定決心，認為維護新教至高無上的權力乃最根本的問題。「光榮革命」之所以迅速而輕易地得以實現，固然主要由於詹姆斯二世的昏庸無能，但也表明，這場革命不僅僅是解決新教的問題。光榮革命驅除了共和主義幽靈，即使這個幽靈繼續徘徊，也沒有什麼值得一提的人物再想重溫「共和國」的美夢。英國將成為君主制國家，但是，這種君主制受議會控制，並根據內戰結果確定的路線行事。解決了威廉和瑪麗的繼位問題之後，人們不再疑慮王權若發揮作用仍必須受議會監督的問題。因此，英國政府在這種形式下持續了一百年之久，而且未像一六五〇年那樣，使代表權的變革成為無可避免。它確實是階級政府的非常形式，並且在十八世紀，出現了階級政府的最劣弊端。不過，它畢竟遵循了代議制形式，與歐洲任何一個政府相比，也稱得上是開明政府。兩位最富於啟蒙精神的人概括了這種原則，一位是第一代哈利法克斯（Halifax）侯爵，政治家喬治·薩維爾（George Savile），另一位是哲學家約翰·洛克（John Locke）。

　　雖然可能是天主教王朝的威脅觸發了革命，革命卻導致政教分離。自新教改革以來，政權與宗教不再像以前那樣合而為一。**寬容令**（Toleration Act）乃是各教派和睦相處的唯一可行前提。儘管「宣誓條例」（Test Act）作為英國立法的古玩保存下來，但對天主教徒和不信奉國教者只是不公正，談不上甚麼迫害。在哈利法克斯和洛克的政治思想中，教會和教義問題不像以往那樣占有支配地位，這一點十分明顯。

青年時期的洛克也曾希望英國國敎會採取「兼容並蓄」（comprehension）的策略，但是，當希望落空後，他轉而主張普遍寬容和政敎合一。英國革命取得成功，與洛克的主張相去不遠，於是在這個古老問題上，洛克的主張日益成為各國可能接受的解決辦法。洛克和哈利法克斯的整個學術傾向是非宗敎的，這在五十年前根本行不通。他們與霍布斯有明顯區別。雖然霍布斯一生中的非宗敎色彩比任何人都濃，但在《利維坦》中，卻以過半的篇幅論述「君權」和「僧侶權」問題。洛克的私人生活具有清敎徒昇華後的純眞品質，卻能撇開「君權」和「僧侶權」問題，只在論述寬容時略微涉及一些。哈利法克斯和洛克在這方面屬於十八世紀，而不屬於十七世紀：他們對付神學爭端的一個最有力武器就是冷漠。洛克本人雖然信敎並恪守基督徒的倫理，他卻深信理性的力量，反對敎條。

在哈利法克斯和洛克的政治理論中，可以看到同樣的思想品質。他們都認為，常識比邏輯更重要。他們都謹愼從事，只要條件許可，寧願保守一點兒。他們表現出明顯的實用態度和妥協態度。對於旣成事實的問題，不願多加辯論，而喜歡接受並充份利用它。與十七世紀的任何人相比，哈利法克斯都更接近於將這種思想作為獲取成功的政治前提。沒有人像他那樣懷疑大道理，或者說，沒有人像他那樣善於揭穿浮誇之談。他的特點是反脣相譏，對周密的思考持矜持的冷漠態度，使自己避開構思實證理論的艱苦工作；他思想開明，思路敏捷，本質上是個經驗論者和懷疑論者。對洛克這樣的哲學家來說，悠然自得地懷疑一般原則根本不可能。他雖然是個經驗論者，卻染有濃厚的哲學理性主義色彩，對正誤自明原則持堅定的信念。遺憾的是，要歸納眞正相互對立的哲學立場，常識的確是個不高明的手段。結果，在洛克的體系中，出現一系列使第一原則含糊不清的折衷調和。當然，他的折衷調和在半個世紀中，幾乎人人滿意，他依靠常識，牢牢把握了英國人解決問題的基本倫理理想，即人權。他的折衷調和也掩飾了十八世紀英國理想與現實之間的缺憾。結果，後來與洛克相關的政治思想變得極其複雜。

哈利法克斯

　　哈利法克斯❶之所以採取探究和懷疑態度，主要在於事實上幾乎沒有適合於政府的一般原則。正如他所言，這些原則都是些「粗線條」（coarse thing），絕大多數爲權宜之策和折衷妥協，幾乎沒有一個主張「不帶有欺騙性」。唱原則高調，通常已成爲謀求私利或黨派利益的口實。他說，人們所謂的「根本原則」不過是──

　　　　一枚釘子，每個人都用它固定有利於自己的事，因爲人人都想使爲我所用的原則亙古不變。❷

　　　　基本原則乃俗人之語，它像僧侶使用的「神聖」一詞一樣，用以確定他們心目中力圖保留的東西，任何人不得冒犯。❸

　　只有一點確鑿無疑：人類的一切機構都將發生變化，所謂政府的基本原則也要隨之變化。神賜王權，永不消逝的財產權或人權，以及不容撤銷或更改的法律等等，都試圖約束未來，這些不可能也不應該奏效。他說，法律和政體並非一次就能完成，而是需要。它們本身的作用有限，歸根究柢是由解釋人和實施者賦予他們所打算給予的涵義。他針對科克（Coke）說，倘若法庭或行政官員不將習慣法付諸實施，習慣法只能「在空中翱翔」（hovers in the clouds），其涵義只能由法庭裁決。法律和政府最終依賴於指導者的智慧和善意。抽象原則相當重要，具體利益和力量更不容忽視。哈利法克斯設想的政府主要由統治階級執掌，但必須是明察秋毫和公正廉潔的階層。其主要優點在於權利與自由之間達成切實可行的妥協，能擴充自身以應付突然變故，能適應變化的環境，有強大的力量維持和平，也有足夠的自由以避免高壓政策。

　　儘管哈利法克斯看重政府人員，但是他的閱歷太深，因而並不以爲政府可以爲所欲爲。政府背後是國家，國家產生政府，而不是相反。人民失去國王依然如故，國王失去人民則不再成其爲國王。每個國家都有最高權力，可以根據人民的利益經常更改政體。國家生存和自保原則，乃政治學中最接近根本原則的東西，哈利法克斯坦率地承認，他無法定

義和預言它——

　　國家的產生是必然的，無法界定，它以人類的共同利益爲基礎，而且不朽。在一切變革和革命中，當法律的字面意義或許要摧毀國家時，公衆利益便起而拯救國家，維護其原有的權利。❹

人民自我發展的固有力量不會亦不應受到限制。一個政府的實際力量，取決於對這種內驅力的反應。沒有這一條，無論憲法還是暴力，都不能長期奏效。正是在這個一般意義上，一切政府都取決於同意。代議機構是反映國家意願的最可行手段，然而，哈利法克斯顯然將其作爲唯一的手段。若從實際目的出發，必須給領導者一些無法限定的權力，關鍵時刻擁有無限權威，依靠它，國家在生死存亡的時刻可免於毀滅。

　　基於這種權宜之計，也根據英國的歷史，哈利法克斯對英國危機作出估量。他在《海上新模式》（ New Model at Sea ）一書中，抽象地敍述了三種可能性：一種是君主專制，即指法國。他承認，君主專制具有統一和高效率的優點。但是，人本應在「充份自由的狀態」（ competent state of freedom ）中生存，君主專制却破壞自由，況且在英國，君主專制根本不可能，不僅因爲民族傳統不允許，也因爲英國之偉大就在於貿易，而貿易乃「自由的產物」（ creature of liberty ）；第二種是共和制，從理論上說它優於君主專制，但英國人不喜歡它，其排斥力難以抗拒。君主制或許是一種「華麗的飾物」，但實際上，英國的共和制試驗也以軍事獨裁而告終，因此，唯一可行的只能是「混合君主制」（ mixed monarchy ），即國王與國會份權的立憲政府。哈利法克斯非常滿意這種選擇，他認爲這種政府能在權力與自由之間達到充分的協調；它是第三條道路，介於君主專制與共和制之間：

　　我們從一個政府手中拿走有害的過大權力，留下足以統治並保護我們的權力，我們消除了另一種政體的混亂、對峙、敵意及特權，並保留了與人們信仰相一致的適當自由。❺

國會也許是個累贅，但賦予開明政府以巨大的力量。

　　然而，哈利法克斯在兩個方面無法理解新政府的機制。他不懂得，內閣大臣必須服從國會並向它負責，而不是由君主個人選擇。當國會的

歷史進程尚未清楚地展示這一點之前，大概沒有人能懂得，哈利法克斯也在這一事實沒有充份顯示出來之前便已去世。因此，他自然未能看到，政黨成為議會政府不可分割的一部份。他對政黨的評價顯然持有明顯的敵對態度。之所以如此，部份是由於復辟時期，他與那些聲名狼籍的陰謀小集團打過交道，革命時期又與那些不作任何妥協的派系打過交道，部份則因為他生性挑剔，一旦無法控制別人，他便很難與之合作。他認為，一個政黨，充其量不過是與國家其餘人互相對立的陰謀集團，黨的紀律與個人意志自由不相容。，在一七七〇年柏克（Burke）的《當前的不滿》（ *Present Discontents* ）一書問世之前，這種貶低政黨的觀點相當典型。

　　哈利法克斯的政治嗅覺十分敏銳，超出當時的一切英國人。目前，大概絕大多數歷史學家都同意麥考萊（Macaulay）對他的評價：「儘管當時的公眾情感常常受到革命浪潮的衝擊，但是他對當時重大問題所持的觀點，最後終究得到了歷史的肯定」。當然，他幾乎沒有甚麼政治理論，他總說，不可能有什麼政治理論。十七世紀最喜歡搞黑白分明，絕對權利和義務，在這種情況下，不可能搞出完整的政治理論。他那節制的稟性、甘願妥協的態度、權宜行事的決斷，為十八世紀的英國政治留下了註腳。他對「根本原則」的猛烈抨擊與洛克對天賦觀念的激烈批判，成為休謨（Hume）對天賦權利理論進行經驗主義批判的前奏。他強調權宜之計是政治調適的永恆因素。這一主張乃倫理和政治功利主義（ philosophical radicalism ）的先導，成為十八世紀英國唯一有活力的社會哲學。後來邊沁（Bentham）和穆勒（Mill）父子的哲學激進主義，深深體現了這種影響。因此，雖然哈利法克斯未獲哲學家的美譽，卻表現出學者的氣質，成為哲學不可或缺一的部份。

洛克：個人與社會

　　約翰・洛克（John Locke）的政治哲學，以隨筆的形式撰寫而成。一六九〇年發表的兩部著作，旨在捍衛革命成果，並囊括了他的政治哲學❻：第一部主要駁斥菲爾默（Filmer）的思想，並無永久價值；

第二部不是即興作品，它追溯往昔，時間跨越整個內戰時期，並與胡克（Hooker）的《基督教政治形態》（*Ecclesiastical Polity*）一脈相承。胡克的著作總結了宗教改革末期和議會與國王決裂之前英國的政治思想。透過胡克、洛克的思想與聖‧托馬斯（St. Thomas）以來的中世紀政治思想傳統聯繫起來。按照這種思想傳統，道德對權力的約束，統治者對被統治者的社會責任，以及政府服從法律等等，這些都是公理。這並不是說洛克是個古玩搜集者，他的天賦主要不在知識淵博，也不在邏輯嚴謹，而是以無與倫比的常識（common sense）為標誌。他藉助常識把哲學、政治學、倫理學，以及教育學的主要思想集中起來，把以往的經驗納入當時更開明的思想中。他用簡結、樸實，並富於說服力的語言，將這些思想傳給十八世紀，後來竟成為英國和歐陸政治哲學的源頭。洛克透過胡克發掘的中世紀傳統，此乃一六八八年革命立憲思想不可分割的一部份。內戰的歲月改變了它，但未摧毀它。因此，洛克的問題不是歷史再現胡克的思想，而是將其中的恆久因素滙集起來，加以更新，並根據十七、十八世紀的狀況重新叙述。

在這兩個世紀中，若論政治理論首尾一致的發展，首推霍布斯。霍布斯以明晰的論據表明，政治上的專制主義可能從個人主義原則中產生。洛克恰好站在霍布斯的對立面。倘若他以同樣鮮明的立場捍衛立憲政府，就應起而駁斥霍布斯。不幸的是，他的第二部書並未這麼做，依然繼續反駁菲爾默。從洛克的論戰目的看，這樣做可以理解，因為他的保皇派論敵並未說自己站在霍布斯一邊，雙方都不喜歡霍布斯。從論戰出發，菲爾默在某些方面不乏荒謬之處，而且表面上比實際更荒謬。洛克未將菲爾默的荒謬論點與有根據的論點區分開來，後者大多來自霍布斯。洛克既然著眼於大眾，便選擇了一些顯而易見的問題，但嚴重損害了它們在哲學上的透徹性。它們未解決最困難的問題。這的確是洛克哲學的一般特點。洛克像大多依據常識的哲學家一樣，缺乏分析的透徹性，因而無法回歸到最主要的幾個原則。

關於洛克的政治哲學，其要旨如下：經胡克傳至洛克的中世紀傳統以及遵循一六八八年解決方式而產生的憲制理想認為，政府——特指國王，也指國會和每個政治機構——要對他所統治的人民和社會負責，政府權力受制於道德律以及歷史所固有的憲制傳統和習俗。既然，不可能

沒有政府，因而，其權力亦不能廢除。但是政府權力是為了國家的利益，在這個意義上，它是派生的。這個論點顯然以社會團體和社會現實為前提，在習俗支配社會的歲月裡，這種假定不難成立。無論如何，它是中世紀亞里斯多德主義的永恆原則，並極大地鼓舞了胡克。然而，霍布斯分析的主要結果已經表明，這種社會純綷是一種虛構，除非社會成員能夠協作，否則，只是子虛烏有。社會成員享有個人利益才樂於合作，社會之所以成為社會，就在於某些個人能夠行使主權（sovereign power）。霍布斯透過分析得出結論：對任何形式的政府來說，人民都不可避免地要有服從，諸如契約、代議、責任等等觀念，若無主權作後盾，則毫無意義。因此，上述觀念只有在國家內部才存在，而不是為國家而存在。

上述的兩種觀點在邏輯上尖銳對立：第一種觀點闡述了政府的職能。它所設想的個人和機構，都從事社會中有益的工作，政府根據整體的利益，在法律允許的範圍內進行調節，因為法律可使一個集體成為社會；第二種觀點從個人的自我滿足出發。它認為，社會由個人組成，個人以私利為出發點，他們為了對付同等自私的人，求助於法律和政府，以期在和平的條件下獲取個人的最大利益。洛克若贊同一種觀點，反對另一種觀點，他的思想或許更加前後一致。但是，他下筆為文時的現實環境要求他兼容並蓄，自然需要考察各項原則，並要求具備最高水平的綜合能力。事實上，這項任務超出洛克的能力範圍。他為革命所作的辯護，實質上承襲了胡克的衣缽，而且早為哈利法克斯所奉行。洛克主張，英國人民已形成一個社會團體，他們不斷根據社會演變的需求，推動政府變革，並建立統治者必須遵循的道德準則。另一方面，洛克將霍布斯的大部份論點納入自己的社會哲學，實屬無奈。不管洛克是否具有霍布斯那種利己主義心理學，按照個人利益建立社會理論，乃是洛克時代的必然結局。自然法理論的整個趨勢，都朝這一方向發展，洛克對此做出不小的貢獻。他把自然法解釋為每個人對天賦權利的要求。私有財產權便是典型一例。結果，他的理論內涵，與霍布斯的利己主義毫無二致。政府和社會都是為了保護個人的權利，這種權利的必然性，便是政府與社會權威的極限。因此，在洛克的部份理論中，個人及其權利是終極原則。在另一部份理論中，社會才發揮了終極作用。他的理論沒有一

處可以充份說明，二者如何同樣成爲絕對的原則。

對財產的天賦權利

　　洛克雖未直接批評霍布斯，卻也抨擊過一些典型的霍布斯思想，而不僅僅是菲爾默。最值得注意的是霍布斯的這一理論：自然狀態是人人相互敵對的戰爭狀態。洛克認爲，自然狀態乃「和平、友愛、互助、安全的狀態」。自然法規定了一整套人的權利和義務，所以這種狀態可以維持。自然狀態的缺陷僅僅在於沒有執法官、成文法，以及固定的懲罰辦法等組織措施，以便使權利規範行之有效。正確與錯誤都是永恆的，成文法並未賦予不同行爲的倫理標準以新的內容，不過提供了行之有效的實施手段。在自然狀態中，每個人必須最大限度地保護自己，但是，只有在政府管轄之下，他享有的權利以及尊重他人的義務才能實現。需要特別指出，這正是聖‧托馬斯（早洛克幾個世紀）的主張。洛克不過重複了胡克的思想，並透過胡克，承襲了中世紀有關法律與道德關係的傳統觀念。若撇開自然狀態的虛構，這種思想僅僅表明道德準則的適用範圍比成文法廣泛，無論政府是否奉行都有效。究竟什麼東西賦予道德以力量，依然是個問題。也許依靠神的意志，或許它在理性中自明，或許依賴於下述事實，即社會並非植根於政府之中，而是深深扎根於人性之中，所以確立了政府不容蔑視的標準。總之，洛克堅持認爲，道德的權利和義務是本能的，並且先於法律而存在，政府不得不依靠法律，使天賦權利和道德權利生效。

　　顯而易見，洛克完全按照自然法解釋其全部理論，他所說的前政治時代的互助狀態，正是以自然法爲基礎，政治社會的產生與自然法相吻合。至少，他認爲應該義不容辭地指出，即使不存在行政機關和執法機關，這個法則也具有約束力。事實上，他根本沒有仔細分析過自然法，他對自然法的明確論述，僅限於在依循亞里斯多德反對菲爾默的同時附帶地區別家長權力與政治權力。因爲傳統的做法在討論財產時總與家庭聯繫起來，所以致使洛克將自然法的討論與私有財產的起源理論結合起來。討論洛克的自然法理論是否正確之前，最好先介紹一下他的私人財

產權理論，因爲洛克一直假定，一切自然權利都與私人財產權相類似。

洛克認爲，在自然狀態中，每個人都有權從大自然的恩賜中獲取生活所需，就此意義而言，財產是公有的。這裡，他續接了遙遠的歷史觀念，在中世紀，人們普遍認爲，公有制比私有制更完美，因而也更「自然」。私有制的產生應歸罪於人類墮落的罪孽。羅馬法裡還有另一種不同的學說，即私有制起源於公共使用的——非公共佔有——東西轉讓給個人。洛克超越了上述兩種理論，斷言人對「摻入」體力勞動的東西享有自然權利，例如圈地耕作便是如此。他的結論顯然根據殖民主義者墾殖新土地這一事實，但是，也可能因爲他強烈地感受到，私人農業經濟比原始的公共耕作效率更高。洛克認爲，生產水平越高，社會生活水準也就越高。十八世紀的圈地實際上提高了產量，但是資本家化的地主利用他們的戰略優勢，强占了由此而得的收益。洛克的理論無論來源於什麼，其主要論點認爲，私有財產權的產生在於人透過勞動，將自己的人格擴展到產品中。人將自己的內在能量花費在產品上，產品成爲人的一部份。一般說來，產品的效用取決於耗費其上的勞動。因而可以說，洛克的理論蘊含著後來的古典經濟學和社會主義經濟學的勞動價值論。

從洛克私有財產起源論，可以得出如下結論：財產權在自然狀態——即原始社會之前——就存在。正如洛克所說，財產「乃沒有任何明示的契約註明屬於每一個人」。❼那是每個人將自身賦予社會的一種權利，就像他提供自身的體力一樣。因此，社會並不創造財產權，而且，也只能在某一限度內調整財產權，因爲社會和政府之所以存在，至少在某種程度上，是爲了保護已經存在的財產權。有關財產的這種論述儘管採用隨筆的形式，卻對洛克的整個社會哲學產生極其深遠的影響。他並沒有說，當然基本上也不相信，除財產之外便無天賦權利可言。他經常列舉的天賦權利是「生命、自由和財產」。不過，他常常用「財產」一詞表示一切權利，財產是他深入考察過的唯一天賦權利，所以，必然將財產作爲典型而重要的天賦權利。總之，他把一切天賦權利統統視作財產權，也就是說，視爲個人與生俱來的屬性，因而成爲對社會和政府不可取消的要求。對這些要求不能等閒視之，社會就是爲保護它們而存在，對權利加以調節也僅僅是爲了更有效地保護它們。換句話說，一個人的「生命、財產和自由」，只有在保護他人同等權利的有效要求範圍

內才能加以限制。

哲學的模棱兩可

洛克理論的社會政治內涵，與霍布斯一樣，都是利己主義
（egoistic）。洛克確實為我們描繪了一幅全然不同的自然狀態畫面。
一切人人相互敵對戰爭，對他主張的常識而論，無疑是太誇張了故弄玄
虛。但實質上與霍布斯的主張一樣，即認為社會的存在是為了保護財產
和其它私人權利，這些權利並非社會所創造。結果，十八世紀從洛克心
靈理論脫穎而出的心理學，就其對人類行為的解釋而論，基本上是利己
主義的。它根據快樂與痛苦的原則加以展開，而不像霍布斯那樣，依據
自我保護原則，這是否稱得上改進，尚有疑問。不過，快樂原則與自我
保護原則一樣，乃以自我為中心。霍布斯的邏輯較為精密，洛克卻比較
富於人情味。他們二人奇特、偶然的結合，將下述思想加諸於社會理
論，即認為個人私利明確而緊迫，公眾或社會利益則空洞而微不足道。
也許，正因為洛克學說尚未意識到自己的原則，所以，影響更為深遠。
他為古老的自然法理論保留了一切情感的內涵的宗教感召力，但是，卻
不知不覺完全改變了胡克等人詞語的內涵。洛克沒有制定一套法律，以
保護社會公益，而是確立了一套不可取消的個人天賦權利，用以限制社
會職權，並把個人權利作為屏障，防範個人自由和私有財產受到侵犯。
他和後來的自由主義者一樣，認為保護公益和保障個人權利乃是同一回
事。對現存的政治和工業狀況，這個觀點顯然是正確的，但是，除了含
糊地假定在自然和諧中，「惡的歸宿是善」（somehow good will be
the final goal of ill）之外，它並沒有提出任何邏輯根據。從現代科學
或現代哲學的觀點看，這種憑藉情感對自然的信任毫無道理，但它卻貫
穿於十八世紀的政治和經濟理論發展史裡。

要準確理解洛克自然權利理論的哲學根據，或者換句話說，要弄清
洛克如何將其政治理論與他的一般哲學立場統一起來，極其困難。造物
主賦予每個人以生命、自由和財產權利的說法，若撇開與社會政治的關
聯，必定無法提出任何經驗證明的一個預設，似乎是找不到任何方法加

以證明。正如托馬斯・傑佛遜（Thomas Jefferson）所說，它必然存在，簡直是不證自明，它是公理，一切社會和道德準則都可以從中推演出來，而且，它比其他倫理原則更爲彰明顯著。也許，洛克正是這樣認爲。將道德類比爲法律科學中的自然法與幾何學中的公理，這種傾向在格勞秀斯（Grotius）之後的十七世紀相當普遍。但是，即使承認某些道德價值不證自明，對它們必須採取個人天賦權利的形式這一點，也並非顯而易見。洛克大概從未眞正正視這一問題，因爲他似乎並未意識到，他的自然權利理論與這種理論的古老形式有多大差別。

即使把後一個問題撇在一邊，也很難理解洛克的哲學立場如何確定使他相信，一項不證自明的定理，無論是屬於倫理方面還是其他領域，爲什麼可以據此理由而成爲眞理。他的第一部著作《人類理智論》（*Essay Concerning Human Understanding*）竭力表明，沒有甚麼天賦觀念，也就是說，心靈中沒有那個部份，可以不證自明。實際上，這等於說自明的東西靠不住，因爲一個虛假的命題也可能因爲傳統或習慣而變得貌似眞理。毫無疑問，洛克想透過對天賦觀念的抨擊，解除一切偏見，其中包括道德、宗敎，以及科學的偏見。他相信觀念來源於感覺，並自認爲這一信念爲知識奠定的基礎，完全不同於天賦觀念的虛假檢驗。

依照這種經驗主義的觀念起源論，洛克摒棄了這一信念：任何經驗科學——即依賴於感官對具體存在事物的反應的科學——都可以證實爲眞。但是，他依然保留了當時風行的信念，認爲任何充份可靠的科學必須可以證明。他主張，理性能夠在某些觀念之間覺察必然的「一致與不一致」，這足以證明數學之類的科學是成立的，而且，倫理學也包含在內。因此，他相信，他的政治學說以可論證的倫理科學的自明眞理爲支柱。這樣，他的哲學在總體上呈現出精神學說與科學學說的一種反常結合，一方面，他的精神學說屬於經驗主義，另一方面，科學理論和政治科學程序則屬於理性主義。於是，他的社會哲學出現了奇特的結果，既突出強調寬容，也以批判態度捍衛宗敎自由，還極其武斷地維護財產權。

洛克在哲學方面對經驗主義影響較大，也就是說，主要對心理學有較大影響，主張根據感覺解釋人類的認識與行爲，主張行爲準則性需要

根據經驗概括的有效性來確定。顯然，天賦權利——即人類與生俱來，不可取消的行動自由的權利要求，無論它們是否具有社會聯繫的關係——不能以這種方式證明，而且，自從他批駁了天賦觀念之後，天賦權利的說法也可能無法再作爲毫無爭議的公理了。因此，洛克的英國繼承者，在十八世紀上半葉（繼《人類理智論》之後），便按照愉快和痛苦原則迅速發展了行爲理論，快樂是吸引力，痛苦是排斥力。作爲價值理論，快樂爲正數，痛苦爲負數，快樂減去痛苦爲純快樂之最大值，此乃社會性行爲的價值目標。最初，心理學主要與神學的倫理學結盟，經由法國中介，傳到邊沁和哲學激進主義份子手中。正如休謨所說，其邏輯結果必然全部取消洛克的天賦權利和他關於自然狀態的契約和假想。然而，這種說法仍以自我爲中心，無論行爲的心理學解釋還是價值理論——倫理學、政治學、經濟學——方面，都是如此，只不過假定個人自由與最大的公共利益是一致的。從洛克至約翰・斯圖爾特・穆勒之間一切社會理論中的個人主義，主要不是依賴於邏輯，而是依賴於它與產生這一思想的階級利益相一致。

契　約

　　洛克將自然狀態描述爲和平互助狀態，並以財產類推，認定自然權利先於社會而存在，然後，他從社會成員的同意推演出文明社會的產生。洛克理論的這一部份內容，必然遇到麻煩，即源自胡克的觀點與贊同霍布斯的觀點之間發生了矛盾。他將政權（civil power）界定爲「具有懲罰措施的立法權……以控制並保護財產，以及運用社會力量執行法律的權利……而所有這些都不過是爲了公衆的利益」。❽這種權力的產生只能依靠同意，同意或許以默認的方式表現出來，但每個成員必須代表自己表示同意。政權來自每個人保護自己和財產的個人權利，否則便不可能存在。政府爲保護財產行使立法權和行政權，不過是將每個人的天賦權利「轉交給社會」或「公共關係」，人們所以認爲它正當，也就在於它能比個人天生的自助能力更有效地保護天賦權利。這是人們據以「組成社會」的「原始契約」，這是一種樸素的協議，以「組成一個政

治社會」，該協議就是「參加或組成共和政治的個人之間簽定的契約，或者需要它充當契約。」❾

這種理論的困難在於，洛克從未明確說明「原始契約」究竟產生了什麼結果。產生了社會本身還是僅僅產生了政府？他在《政府論》第二篇裡鄭重地指出，二者是有差別的，他論證說，政治革命可能摧毀一個政府，一般卻並未摧毀政府統治下的社會。再者，個人將自己的天賦權利移交給社會或公共機構，倘若後者能夠接受權利的讓渡，想必一定是某種實體。另一方面，根據洛克的理論，權利在個人移交之前，只能留在個人手中。個人不能無條件地把權利交給社會和政府，個人移交權利「只是爲了更好地保護自己的自由和財產」，社會「必須承擔保護每個人的財產和安全的義務」。❿爲了闡明這一問題，諸如阿爾圖秀斯（Althusius）和普芬道夫（Pufendorf）之類的歐陸作家，都曾審慎地分析過契約理論。他們假定有兩種契約，一種是導致社會產生的個人之間的契約，另一種是社會與政府之間的契約。洛克在某種程度上默認了這些假設，儘管不曾明確說過。當然，雙重契約不能說明任何問題，因爲用同一概念說明兩種情況的確令人質疑，不過，這種說法畢竟正式澄清了契約論。洛克並非十分注重正式澄清的性質，而是滿足於將兩種觀點融爲一體。他從胡克那裡繼承了較古老的理論，主張一種其行政長官能在道義上對之負責的社會。他主要遵循這一理論爲光榮革命辯護，認爲它是促使英國政府爲英國社會的需要而服務，乃是正當行爲。較新的理論清楚地體現在霍布斯的體系中，僅僅假定個人和私人利益，洛克在某種程度上也遵循這一理論，認爲社會和政府都是保護生命、自由和財產的機構。

洛克理論的這兩個方面之所以得到統一——應當承認，這個統一並不充份——在於這樣一種前提，即經過社會成員的半數以上同意，一項社會行爲才能生效。每個人若同意與他人組成政治團體，他就有義務服從多數人的意願，正如普芬道夫所說，社會契約的構想必須由一致同意的構想加以支持。多數人的同意等同於整個社會的行爲——

　　任何社會行爲都是經社會成員個人同意的，而且必然作爲一個整體向一個方向發展，該整體的行動應朝向更大推動力的方向前進，亦即多數人同意。⓫

然而，這種解決辦法容易招致兩方面的反對。如果個人權利確實不能剝
奪，那麼多數人剝奪他的權利並不比一個暴君剝奪其權利好多少。洛克
顯然沒有料到，多數人也可能實行暴政。況且，沒有任何充份理由說
明，一個個人主義者為什麼僅僅因為多數人不同意便放棄個人的意見。
另一方面，倘若「公共機構」或「社會」確有自身的整體性，那就沒有
理由宣稱，只有多數人同意才能作出決定。傳統的人民主權論（如馬西
利奧）普遍認為，社會的「主要部份」既是數量單位，也是質量單位。
總而言之，多數支配原則並沒有顯示出洛克歸之於它的那種明顯效力。

社會和政府

　　從總體上看，洛克認為建立政府遠不如原始契約重要，因為後者產
生了公民社會（civil society）。一旦經多數同意形成政府，「社會的
全部權力自然掌握在多數人手中」。政府採取何種形式，取決於多數人
或社會打算如何處置其權力。可以保留，也可以委託給形形色色的立法
機構。洛克從英國革命的經驗出發，認為立法權是政府最高權力，儘管
他也承認行政機關參與立法的可能性。然而，上述兩種權力都是有限
的。立法權不能任意行事，因為即使設立該機構的人也沒有這權力；立
法權也不能憑藉臨時政令進行治理，因為人們是在通曉法律和法官的情
況下聯合的。未經同意，立法權不得強索財產，洛克這裡所說的是未經
多數人同意；立法機構不得將立法權移交他人，因為這種權力是社會以
不可更改的方式委託給它的。一般說來，立法機構的權力屬於受託性
質，它的行為若有負於人民的信任，人民有權更換立法機關。行政機關
依附於立法機構，所受限制更多，其特權還要受法律約束。為了自由，
立法權和行政權不能掌握在同一機構手中，這一點非常重要。洛克對立
法機構與行政機構相互關係的論述，其每個細節都從某個側面反映了國
王和議會之間的糾紛。

　　不過，在洛克的著作中，人民控制政府的權力，不如後來較為民主
的理論那麼完善。雖然洛克把立法機構的權力稱作受託性質，由半數以
上者代表社會授予，但他依然持有陳舊觀點，認為只要政府忠於職守，

社會授權便使人民喪失了權力。正如後來盧梭（Rousseau）所說，在這方面，他的理論在邏輯上有點武斷。倘若政府只是人民的受託人，那就無法解釋，委託人（人民）爲何因行使委託而束縛自己的手腳。那實際上等於說，人民的立法權只是行使一次的行爲（雖然洛克認爲實行民主是可行的），即建立最高立法機構。即使社會有充份的理由收回權力，也只有等到「政府解散之後」。盧梭那種民主主義者自然認爲，人民擁有按自己意願治理國家的永恆權力，限制這種權力毫無道理。洛克形成這種意見大約有幾個原因。洛克是個小心謹愼、頭腦清醒的人，即使不得不爲革命辯護，也絕不會鼓勵放縱。此外，他正確地看到，民主政府至少在英國是個學術問題。更爲重要的理由或許是，他的思想中一直保留著從胡克那裡承襲下來，並曾支配過科克（Coke）和托馬斯・史密斯（Thomas Smith）爵士的傳統思想。這種傳統思想認爲，社會有權管理自己，國王和其他政府部門擁有不可取消的權力，二者並無矛盾，後者畢竟已經獲得地位和旣得利益。洛克理論的這一方面，一直爲十八世紀惠格黨的自由主義（whig liberalism）所堅持。他們認爲，政府除了對公共利益負責之外，還要在王室、貴族、教會、平民等各大利益集團之間保持平衡。柏克（Burke）時代，這種學說成爲當時保守主義理論的出發點。英國革命沒有猛烈地摧毀英國政府的傳統，同樣，洛克及其哲學乃革命者中最爲保守的觀點。至於洛克思想對十八世紀法國的影響，情況則大爲不同。

　　洛克的文章無論成於何時，其目的是捍衛革命的道德權利，因此，他在第二篇論政府的文章中討論了反抗暴政的權利問題。他最有影響的論據，依賴於從胡克那裡承襲的原則。其實質在於，英國社會和英國政府乃是不同的兩個東西。政府是爲了社會福祉而存在，嚴重損害社會利益的政府應該進行變革。洛克對透過征服攫取權利的問題作了冗長的討論，以證明上述觀點。洛克區分了正義戰爭和非正義戰爭。純粹的侵略者不可能得到權利，即使正義戰爭的征服者，也無權否定被征服者的自由權和財產權。這個論點直接反對下述理論，即政府僅僅透過征服或使用暴力便可得到正當的權力。洛克論證的原則，本質上與後來盧梭發展的原則相同，認爲道德上的效力和暴力是兩件完全不同的東西，後者不能產生前者。所以，憑藉暴力建立的政府，像其他一切政府一樣，要想

證明自己合法，只能以承認並支持個人和社會固有的道德權利爲基礎。
換言之，道德秩序是永久的，是自身永恆的，政府不過是道德秩序的一
個因素。在這種意義上，洛克心目中的自然法，基本上與西塞羅（Cic-
ero）和塞尼卡（Seneca）以及整個中世紀並無二致。

　　政府有別於社會，既可因立法權易手而解體，也可因有負衆望而崩
潰。洛克考察了兩種情況，其依據均得自英國前五十年的經驗。他試圖
表明，由於國王企圖擴大特權，撇開議會進行統治，所以引起了革命。
國王的作法打亂了人民授予代表他們的議員的最高立法權。洛克對長期
國會的不當舉動也記憶猶新，因而不願讓立法機構毫無約束。任何侵犯
臣民生命、自由或財產之舉，均屬無效，立法機構若有這種企圖，便要
失去其權力。遇到這種情況，權力應歸還人民，人民必須透過新的立憲
行爲建立新的立法機構。洛克在所有的辯論中都使用「合法」
（lawful）一詞，造成許多不必要的混亂。他不斷提及行政機關和立法
機關的不法行爲，當時，他也明知沒有法律上的補救手段。他也常常談
論合法抵抗暴政，意思是想尋找一種法律以外，而在道德上又站得住脚
的補救措施。廣義上說，他將合法一詞看作公正（just）和正當
（right）的同義詞，但並未區分道德的公正與法律的可行。這種作法
源自永恆的傳統信念，即認爲法──無論自然法、實證，還是道德法
──是渾然一體的，因而，存在著並非由最高立法機關制訂的「根本」
法。現實情況表明，英國法律條款，隨著洛克爲之辯護的光榮革命而煙
消雲散，但道德上限制議會的信念依然存在。也許美國人的作法比較接
近洛克的思想，他們把憲法與成文法、普通立法與公民投票表決的特別
立法區分開來。

洛克理論的複雜性

　　我們很難直截了當地陳述洛克的政治哲學，只要對它進行分析就會
遇到諸多邏輯上的困難。雖然他的學說表面看簡單明瞭，並因而使其政
治哲學大衆化，但的確有邏輯上的困難。這是因爲洛克透徹地看到十七
世紀政治哲學涉及的許多問題，試圖謹慎地將它們合爲一體。但是，他

的理論缺乏精心設計的邏輯結構，不足以容納如此複雜的問題。環境促使他成爲革命的辯護人，但他絕不是一個激進主義者，在學術上，他是最不容空談的哲學家。這個事實或許能說明一些問題：當他成熟時，正值內戰已有成果，但尚未得到公認的時代。他闡述的原則主要是繼承別人的成果，並未對它們進行徹底的考察。他對現實問題極其敏感，並試圖以坦承的態度對待它們。十七世紀中葉，英國政治思想發生了巨大的變化，但又與內戰爆發之前的時代，保持著不間斷的連續性。洛克的政治哲學，是將歷史與現實結合起來的一次嘗試，試圖爲各派的有識之士尋找統一的核心，但是，他未能將他歸納的學說綜合起來。由於他把過去的不同成份併合在一起，因此，一個世紀之後，從他的哲學中繁衍出種種不同的理論。

洛克的政治哲學之所以缺乏邏輯結構，乃因爲他從未明確地劃分何爲基本之物，何爲衍生之物。他論述的公民社會多達四個層次，後三個依次由第一個派生出來。然而，一有機會，洛克就會將其中的某一個絕對化。個人及其權利，尤其是財產權，乃洛克體系的基石。就總體而言，應將其視作洛克政治哲學的重要方面。洛克學說主要在於保護個人權利，反對政治壓迫。其次，人也是社會的一員，雖然洛克認爲社會依賴於默認的同意，社會就意味著這半數人同意下的運作，但他始終把社會看作是一個確定的單位，和個人權利的受託者。第三個層次，社會之外還有政府，它乃社會的託管者，頗像社會一樣，也是爲了個人而存在。最後，在政府內部，行政部門遠不及立法機構重要，也不如它有權威。當然，洛克並不認爲國王及其大臣僅是國會的一個委員會。爲了保衛自由和財產，立法機構支配行政機構，社會支配政府。只有在極爲罕見的情況下，社會本身才會解體，那時，捍衛自由便回到個人自救狀態，這種偶然狀況，洛克並未認眞考慮過。洛克認爲，社會、立法機構，乃至國王，都擁有某種既得權利或永恆權威，只能因故予以剝奪，儘管他曾經宣稱，個人財產權和自由權是絕對不可剝奪的唯一權利。洛克的理論頗爲機智，並不想十分明確地表明各種機構的眞正權力如何從個人平等和不可剝奪的權利中衍生而來。

洛克政治思想的複雜性，爲簡明扼要的陳述所掩蓋，他與後世政治理論的關係，讓人難以捉摸。人們直接把握的是他理論中最明顯而易見

的部份，然而也是其中最不重要的結論。十八世紀早期，他的學說風行一時，恐怕正是因爲他的思想貌似單純，往往使人把他的哲學當作常識倍加稱頌。因革命成功而保留下來的自由思想，在宗教寬容方面最忠實地貫徹了洛克哲學的精神。十八世紀的英國，這種精神又獲得眞正的生命力，儘管由於繼續執行「宣誓條例」，在政治上取消了天主敎徒和不信奉國敎者擔任公職的資格。議會的最高權力不再有什麼爭議，對王室權力的黨派分歧也無重大意義。十八世紀的惠格黨人口頭上標榜洛克，實際上僅表現了《政府論》中微不足道的內容：政府的權力一經確立，便不可取消地保留在該機構手中，除非一方試圖侵犯他方的職權，政府最終要在各方勢力——王室、土地貴族，以及諸多社團——之間保持平衡。❷洛克的個人權利理論在這裡蕩然無存，只剩下艾爾頓（Ireton）與平均派辯論時提及的王國「永久不移的利益」。這使分權神話一直延續到十八世紀末。正如布萊克史東（Blackstone）所說：

> 我們國家行政機構的每一部門，既支持其他部門，也得到其他部門的支持，既支配其他部門，也受其他部門支配：因爲兩種不同的利益將兩院拉向兩個不同的方向，而其他部門享有的特權又與兩院不同。它們彼此制衡，相互都不得超越適當權限，這樣既可使整體免於崩解，又可透過王權的混合性質將其人爲地聯繫起來，王室既是立法的一部份，也是唯一的行政長官。❸

地主階級壟斷權力，不僅與洛克的個人權利理論相悖，也違反他關於一般財產之重要性的學說。

因此，洛克哲學最重要的內容，已經超越了當時英國的可行方式，爲美國和法國的政治思想奠定了基礎，並在十八世紀末的大革命中達到頂點。洛克學說中爲捍衛個人自由、個人同意，以及自由獲取並享有財產的不可剝奪之權利而進行抗爭的思想，在大革命中收到了充份的效益。這些概念的萌芽遠遠早於洛克，自十六世紀開始便成爲一切歐洲人的天賦權利，所以，不能將這些思想在美國和法國的存在單單歸功於洛克一個人，但是，稍微留心政治哲學的人都知道洛克，他態度眞誠，篤信道德，對自由、人權，以及人的尊嚴充滿眞摯的信念，所有這一切與他隨和通達的稟性結合在一起，使他成爲中產階級革命的理想代言人。

在宣揚開明理想，而又不訴諸暴力革命的作家中，洛克名列前茅。即使他的一些疑點甚多的觀點，諸如分權以及多數決的必要智慧等等，至今依然是民主信條的一部份。

　　十八世紀，爲洛克政治哲學奠定邏輯基礎的自然法體系，已不像十七世紀那樣占據支配地位。部份原因是經驗科學的方法在自然科學和社會研究中取得普遍進展，但是，洛克哲學中强調人類理智發展的自然史部份，其重要作用並不亞於前者。洛克哲學還是沿著他所設計的道路發展。它大大發揮了行爲的心理學解釋，認爲人之行爲的唯一動機是趨利避害。它用功利主義的道德、政治、經濟價值學說，取代了自然法理論關於追求固有的善的理性標準。大約十七世紀中葉，休謨指出，這一發展如果在邏輯上貫徹始終，就可能把整個自然法學說摒棄掉。洛克政治哲學的內在結構也隨之徹底崩潰。不過，他那務實的目的和內在的精神，絕大部份爲功利主義所吸收。功利主義雖未公開爲革命吶喊，卻堅持了洛克審愼而激進的改革精神。它堅持理想化的個人權利，堅持革除政治弊病的自由主義信念，堅持對財產權的同樣關懷，堅持從個人利益出發考慮公衆利益的同一觀點。

註　解

❶瓦爾特‧雷利（Walter Raleigh）曾編輯過哈利法克斯的著作，牛津，1912 年
版。它們也曾收入福克斯克羅夫特（H. C. Foxcroft）的《喬治‧薩維爾爵士，哈
利法克斯第一侯爵的生平和信札》（ *Life and Letters of Sir George Savile*, Bart.,
First Marquis of Halifax ），2 卷，倫敦，1898 年版。哈利法克斯最重要的文
章有：〈騎牆派的特徵〉（ The Character of a Trimmer ），寫於 1684 年，1688
年第一次發表；《海上新模式草圖》（ *A Rough Draught of a New Model at
Sea* ），1694 年發表，摘自早年寫作的論文；《等值剖析》（ *The Anatomy of an
Equivalent* ），1688 年發表。這些文章都是應時之作。

❷福克斯克羅夫特，第 2 卷，第 492 頁。

❸同上，第 497 頁。

❹《騎牆派》（雷利編），第 60 頁。

❺同上，第 54 頁。

❻《政府論兩篇》（ *Two Treatises of Government* ），大約寫於 1681 年。見拉斯萊
特（P. Laslett）〈英國革命和洛克的政府論兩篇〉，載《劍橋歷史雜誌》（ *Camb.
Hist. J.* ），XII（1956），第 40 頁及以後幾頁。洛克於 1689、1690 和 1692年發
表了《論寬容》（ *Concerning Toleration* ）的三封信。

❼《政府論》（第二篇），第 25 節。

❽同上，第 3 節。

❾同上，第 99 節。

❿同上，第 131 節。

⓫同上，第 96 節。

⓬見柏克著《新惠格黨人向老輝格黨人的呼籲》（ *Appeal from the New to the Old
Whigs* ）一書關於輝格原則的闡述。

⓭《評論集》（ *Commentarsies* ），第 1 冊，第 2 章，第 2 節。

參考書目

1. *Locke on Peace and War.* By Richard Cox. New York, 1960.

2. *John Locke, A Biography.* By M. W. Cranston. London, 1957.

3. *Life and Letters of Sir George Savile, Bart., First Marquis of Halifax.* By H. C. Foxcroft. 2 vols. London, 1898.

4. *A Character of the Trimmer: Being a Short Life of the First Marquis of Halifax.* By H. C. Foxcroft. 2 vols. Cambridge,1946.

5. *John Locke's Political Philosophy.* By J. W. Gough. Oxford, 1950.

6. *The Social Contract.* By J. W. Gough. 2d ed .Oxfor, 1957. Ch.9.

7. *"Religious Toleration in England."* By H. M. Gwatkin. In the *Cambridge Morden History*, Vol. V(1908), ch. 11.

8. *The Library of John Locke.* By John Harrison and Peter Laslett. Oxford, 1965.

9. *The Social and Political Ideas of Some English Thinkers of the Augustan Age*, A. D. 1650 ~ 1750. Ed. by F. J. C. Hearnshaw. London, 1928. Chs. 3,4.

10. *John Locke and the Doctrine of Majority-rule.* By Willmoore Kendall. Urbana, Ill., 1941.

11. *The Moral and Political Philosophy of John Locke.* By Sterling P. Lamprecht. New York, 1981.

12. *Property in the Eighteenth Century, with Special Reference to England and Locke.* By Paschal Larkin. London, 1930.

13. *Political Thought in England from Locke to Bentham.* By Harold J. Laski. London, 1920.

14. *"The English Revolution and Locke's Two Treatises of Government."* By Peter Laslett. In the *Cambirdge Historical Journal*, Vol. X Ⅱ (1956), pp. 40~55.

15. *John Locke: Essays on the Law of Nature.* Ed. by W. von Leyden. Ox-

ford, 1954.

16. *John Locke, A Critical Introduction.* By John D. O'Connor. Baltimore, 1952.

17. "Locke's Theory of the State." By Sir Frederick. Pollock In *Eassys in the Law.* London, 1922. Ch. 3.

18. "English Political Philosophy in the Seventeenth and Eighteenth Centuries." By Arthur Lionel Smith. In the *Cambridge Modern History,* Vol. Ⅵ(1909), ch.23.

19. *Studies in the History of Political Philosophy before and after Rousseau.* By C. E. Vaughan. 2 vols. Manchester, 1925. Vol. I, ch. 4.

20. "Locke on the Law of Nature." By John W. Yolton. In the *Philosophical Review,* Vol. LXⅧ(1959), pp.477～498.

第二十八章
法國：自然法的衰落

　　富有創見的政治哲學在英國內戰中誕生，轟轟烈烈經歷了半個世紀，最後以革命的成功和洛克論著的問世而告終。隨之而來的是沉寂或停滯，這種情況在歷史上屢見不鮮。新政府需要這樣一個時期鞏固勝利成果，直至十八世紀中葉之前，斯圖亞特王朝的復辟——在法國的影響下恢復羅馬天主教世系——是當時真正的威脅。英國人的思想氣質變得保守，甚至有些自鳴得意。這樣做並非毫無道理。英國政府儘管是寡頭政治，腐敗墮落，但是與歐洲其他國家相比，還是比較開明。至少，在法律上給所有的人極大的自由，在政治上給那些覺悟的階級政治自由。政黨制和內閣負責制的發展，與其說是有意識的建構，毋寧說是經過實驗和調整而得出的結果。直到十八世紀中葉的大衛·休謨和十八世紀末葉的愛德蒙·柏克出現以前，英國思想家並未對社會哲學增添甚麼重要內容，柏克晚期的思想，則受法國政治事件的支配。

法國政治哲學的復興

　　十八世紀，政治哲學的中心在法國。這個事實本身就是一場革命。雖然法國哲學在笛卡兒時代便成為歐洲科學解放的先導，猶如法國文學領導歐洲藝術潮流一樣，但在政治或社會問題上，卻沒有甚麼建樹。它的地盤過去一直在數學、形而上學，以及神學領域。亨利四世統治下的法國，乃個人或官僚獨裁的時代，社會哲學幾乎沒有什麼地位。黎塞留（Richelieu）和馬薩林（Mazarin）執政時期，情況有所發展，於路易十四王朝達到頂點。在法國投石黨（Fronde）運動時期，❶也曾注意到

英國的內戰，其結果只能說明，政治思想若對政治事件毫無影響，便毫無力量。那時，唯一符合路易十四專制需要的是波舒哀（Bossuet）的一句話：「王位不是凡人之位，而是上帝之御座。」❷從形式上看，這是陳腐的君權神授論，就其哲學本質而言，則依賴於霍布斯的觀點，即君主專制與無政府狀態之間，不可能有第三條路。然而，路易十四長期統治的最後三十年，大約從一六八五年到一七一五年路易十四逝世，王朝日益衰落。路易十四戰功赫赫，曾使法國全國上下為之傾倒，然而，最終卻在軍事上一敗塗地。他的野心使整個歐洲與其對立。他曾誇下海口要征服歐洲，最後自己卻蒙受恥辱。他多次發動戰爭使法國瀕於破產的邊緣，苛捐雜稅使貧困四處蔓延。他對教會像對國家一樣一手遮天，他支持耶穌會所主張教皇權至上的政策，致使他失去主張限制教皇權的法國天主教徒的同情。他廢除**南特敕令**（edice of Nantes），對新教徒的迫害達到無以復加的地步，不僅使心地善良者大為反感，亦使法國更加虛弱。

　　獨裁政府的衰落，使法國哲學再次轉向政治理論和社會理論。十七世紀末，人們對政治逐步發生興趣，爾後日趨濃郁。十八世紀前葉，這方面的著作接連出版，數量之多令人應接不暇，其中有論述古代法國體制的歷史著作，有介紹歐洲，特別是英國政府的著作，有描述美洲和亞洲各民族倫理和政治體制的遊記，並婉轉地旁敲側擊法國，有改革稅制、促進農業商業發展的計畫，還有論述政府宗旨及其為辯護的哲學著作。從一七五○年至革命爆發，對社會政治問題的探討簡直著了魔。各文學分支──詩歌、戲劇、小說等──成了社會討論的媒介。整個哲學界，甚至可以說整個學術界，興奮點都集中在這方面，連自然科學著作，也論及社會哲學的基本原理。像伏爾泰（Voltaire）那樣的詩人，盧梭（Rousseau）那樣的小說家，狄德羅（Diderot）或達蘭貝爾（D'Alembert）那樣的科學家，杜爾哥（Turgot）那樣的政府官員，以及霍爾巴赫（Holbach）那樣的玄學家，談論政治學說就像社會學家孟德斯鳩寫諷刺小品那樣流暢自如。

　　在激烈的觀念衝突中，各種思想運用時不斷交叉重複。倘若不把哲學歸結為公式，將其涵義抽象化，則很難理出一個頭緒，而要針對公式所涵括的理論作出新的評價也是倍加困難的。僅僅作為抽象理論考慮，

法國哲學幾乎毫無新意。它的討論，絕大部份不是創新，而是老生常談之說。十八世紀哲學的創造性遠不及十七世紀。不過，新背景下的舊觀念，已失去本來面目。在十八世紀，原來十分鮮明的觀點，變得愈發含糊，並且具有時髦思想所特有的折衷性質。它們反覆強調不證自明的天賦權利，但是，由於社會研究中**經驗主義**（empiricism）日見風行，人們也就自然疏遠自明原則體系中不可或缺的**理性主義**（rationalism）。倫理學和政治學上的「功利主義」，就其內涵而言，基本上屬於「經驗主義」，它們雖然在邏輯上與天賦權利互不相容，卻也不斷交織在一起。**哲學浪漫主義**（philosophical romanticism）的發展蘊含著更爲嚴重的矛盾，儘管沿用傳統術語，但是，與經驗主義和理性主義都勢不兩立。這一新趨勢乃是十八世紀哲學最富於創見的要素，然而，直至法國革命之後，其破壞力才充份表現出來。

　　要將這麼複雜的材料整理得井井有條，似乎不大可能，不過，從整體上看，有一點十分清楚，即十八世紀的法國，出現了一位與眾不同的人物——盧梭（Jean Jacques Rousseau）。他自己覺察到這一點，並爲之而苦惱，與他相識的人也看到這一點，並因此而嫌惡他，一切明辨是非的批評家都試圖說明這一點。利頓・斯特雷奇（Lytton Strachey）說，「盧梭的特質與當時的人格格不入，致使他與他們之間裂開一條不可逾越的鴻溝，那就是他很摩登（modern）。」「摩登」一詞沒有別的意思，不過卻說明一個重要的事實——無論盧梭使用了多少時髦詞，其政治哲學無論就其性質還是就其影響，都與十八世紀的其他著作大相逕庭；他的哲學與法國革命及其後來一段時期的關係，也與眾不同。因此，最好爲盧梭單列一章，以便充份闡明他那模糊而重要的政治哲學。本章將提綱挈領地闡述十八世紀法國革命前比較典型的法國思想。這種哲學主要源自洛克，但又與洛克有重大差別，需要專門加以說明。

洛克受到歡迎

　　十七世紀末，對路易十四政府的批判，最初並未產生任何政治哲學，只是一些有識之士對腐敗政府的醜惡行徑作出應有的迴響：沃邦（Vauban）之類的工程師針對不公平賦稅對農業造成的不良影響慷慨陳詞，布瓦居列貝爾（Boisguillebert）之類的地方官對苛刻限制所帶來的貿易損失忿忿不平❸，所有這些意見，不過是要促使實行比較開明的專制制度。對專制的批判，最初是以恢復被王室破壞的法國古代政體的名義而展開。費內隆（Fénelon）在傳奇小說《泰萊馬克》（Télémaque）中發揮了這個思想，後來又在他的隨筆中進一步加以明確表達。❹他認為，要克服專制主義，恢復法國古代政體，必須建立獨立的地方政府和省議會，恢復國會，重振貴族的權力及影響，實行議會獨立。❺這種夢想一直持續到法國革命，貴族中尤甚，在《論法的精神》（Spirit of the Laws）中可窺見其踪。但是，它畢竟是個夢。巴黎的大理院也常常拒絕登錄某一敕令，並因此而贏得人民的讚賞，頗像科克與詹姆斯一世之爭。不過，科克與詹姆斯一世之爭，只是查理與議會鬥爭的前奏，而在法國，卻沒有進行爭論的議會。大理院實際上代表不了任何人，一七七〇年對其特權加以限制，的確是個改革。君主專制使法國不可能保存傳統政體，力主改革的政黨無法藉其名義恢復傳統政體。

　　對君主專制的批判，迫切需要哲學（立憲傳統的根既然已被挖掉，遂更加需要哲學理論），而英國革命的哲學又垂手可得。十七世紀，法國的哲學和科學相對自成一體，十八世紀，笛卡爾主義變為一種「經院哲學」，所以，逐步由洛克哲學和牛頓科學取而代之。路易十四廢除南特敕令（Edict of Nantes）之後，宗教自由便成為一切重大哲學改革的重要組成部份。因此，政治思想上接受洛克是個必然結果。一七二六年至一七二九年，伏爾泰客居英國，十年以後，孟德斯鳩也來到英國，洛克哲學成為法國啟蒙運動的基礎，頌揚英國政體乃是法國自由主義的主旋律。此後，「新的思想方法」（new way of idea）成為哲學和心理學思考問題的通則，而《政府論》（當然還有英國的其他著作）的原則，

則成為政治社會批判的公理，這些原則簡單而普遍。至於自然法或理性
法則，則被看作適當的生活準則，無須添加甚麼天啓真理或超自然真
理，他們相信，自然法或理性法則基本上以相同的形式印在人們腦中。
按照霍布斯和洛克的看法，自然法的內涵實質上就是開明的自私自利，
由於自然界固有的和諧，開明的自私自利被看作對一切人都有利。根據
這些普遍的倫理原則，政府存在的價值就在於增進自由、人身安全、財
產享有權，以及其他個人利益。因此，政治改革必須以建立負責任的政
府、建立代議制、限制權力的濫用和暴政、取消壟斷和特權為宗旨，總
而言之，就是要創建一個社會，使個人的精力和能力成為獲得權力和財
富的關鍵。就一般原則的有效性而言，法國作家之間以及他們與洛克之
間，沒有本質的區別，但是，法國的不同環境，卻使這些抽象理論夾帶
與英國迥然不同的色彩。

改變了的環境

前面已經提到，法國專制制度十分徹底，要進行任何有效的改革都
不可能恢復傳統政體。基本法的古典理想在十六世紀的法國和歐洲十分
盛行，它在布丹（Bodin）哲學中表現出強大的生命力，足以與主權思
想平分秋色。到路易十四專制時期，這種思想失去了一切具體意義。在
英國，如果平均派把「天賦權利」稱之為人權或英國人之權利，不過是
換了一種說法而已。無論那一種情況，都意味著習慣法傳統中的具體內
容。法國人的權利實際上則是毫無意義的空話，唯有貴族的特權除外。
所以，法國自由派所要求的法人之權利，必然比較抽象，比較脫離實
際，難以具體應用，但易於理論性的解析。洛克思想輸入法國之後，便
失去最具英國特色的東西：政治理性主義的性質。他們無法引進胡克的
思想，也無法引進觀念或政體逐步過渡的思想，而正是這種思想，使洛
克與聖‧托馬斯及中世紀傳統哲學聯繫起來。他們也不能將法國的新哲
學與十六世紀任何一位法國思想家聯繫起來。英國革命的歷史特色以及
相對保守性——事實上和觀念上——必然喪失殆盡。這對法國政治哲
學，具有極其深遠的影響。理性處於與習俗和事實全然對立的地位，這

在洛克那個時代絕不會發生。大概沒有一位英國政治家會說出像某位演講者在法國國民議會所說的這番話：

在涉及如此重要的問題時，我只能依照事物的自然秩序探求真理。可以說，我希望保持自己思想的純潔性。❻

法國政治思想模式比英國更富於先驗、教條、激進的性質，且因其滋生之環境的催化而益顯強烈。專制制度下也有一些自由學說相繼問世，但絕大部份作者無從政經歷，因而也不可能有這方面的經驗。在法國，只有步入文職人員行列，才能獲得從政經驗，但是官僚階層——杜爾哥（Turgot）是個例外——幾乎無人能夠建立政治哲學。獨裁政府把政府搞得神秘莫測，一切都暗中進行，對財政或其他方面的情況，即便知道也秘而不宣。然而，只有對這些情況瞭若指掌，才能對政策作出理智的判斷。在公衆集會或報刊上展開批評討論根本不可能。地方政府——一向是英國政治家的大學校——完全服從中央政府的指揮，辦事拖拉，互相傾軋，官樣文章。英國有一套經實際驗證而形成的習慣法，法國則沒有。拿破侖法典誕生之前，法國約有三百六十一個地方私人法律體系，剩餘部份才遵守君主政體的行政領導。與英國哲學相比，十八世紀法國哲學必然是一種「書本哲學」（literary philosoply），雖然缺乏學術性，卻又咬文嚼字，純粹爲上流社會的沙龍和受過教育的資產階級所撰寫，他們是作者能夠對之大發宏論的唯一對象。法國政治哲學堆砌公式，內容廣泛，追求華麗，行文概念含糊又乏新義可言。它往往是有力的宣傳，但消極作用常常大於積極作用，相對來說，太不負責了。不過，需要公正地補充一句，直至今天，人們依然和十八世紀一樣，不清楚什麼樣的批評才對當時的法國政府具有建設性。

法國的政治哲學有點苦澀，洛克卻沒有類似的東西，這大概與法國社會及政治狀況有關。法國社會是一種特權結構，它所造成的階級隔閡，即便不如英國確實明顯，仍足以使人省悟而忿恨不平。神職人員仍占有法國大約五分之一的土地，有巨額收入，有大量的豁免權和特權，但其道德和智慧，卻與地位極不相稱。同樣，貴族擁有特權，卻沒有政治權力或領導權。法國的農業不像英國，能爲貴族提供發展資本主義的機會，法國政治也沒有貴族的用武之地。貴族獲取的封建地租在經濟上

已經枯竭，無論在經濟上還是政治上，都毫無收益。在中產階級看來，神職人員和貴族都是寄生蟲，卻享有社會特權，擁有大量的賦稅豁免權。此外，法國中產階級也與英國不同。在法國，沒有與英國相應的自耕農。法國革命之前，農業的特點就是存在著大量的農民小業主。中產階級是典型的都市資產階級，差不多擁有全部資本，並且是無力償還債務的法國政府的主要債權人。法國的政治著作具有階級意識，對剝削有一定認識，而英國的政治著作只是偶爾閃現一些火花。事實上，法國革命是一場社會革命，英國革命則不是。法國革命沒收了教會的土地、王室的土地，以及流亡貴族的土地，英國從亨利七世一直到亨利八世才完成這個任務，法國將其減縮到三、四年。如果說洛克的哲學在法國革命前抨擊既得利益，在英國宗教改革後維護既得利益，並非言過其實。

上述差異涉及空間範疇，時間範疇的差異同樣重要。洛克在英國屬於十七世紀，在法國屬於十八世紀，這個事實本身就是重大差別。在格勞秀斯（Grotius）和笛卡爾時代，甚至洛克時代，訴諸理性是對理智極大的冒險，是對哲學領域和科學領域的新開拓，是掙脫權威的束縛。十八世紀，訴諸理性已成爲老生常談，愈背離理性之源，就愈保險；愈教條，就愈陳腐。儘管人們尊崇啓蒙，但許多理性倫理學和理性政治學顯然是一種謹愼的說教，在理智上並不透徹，道義上似乎也不能激動人心。霍爾巴赫的唯物主義證明，無神論者撰寫的富於哲理的文學作品，可能與教士寫的一樣單調。然而，成千上萬的法國人、英國人、德國人，滿懷極大的熱情閱讀這些書。它們使新的廣大讀者看到了從笛卡爾到伽利略、洛克和牛頓這一系列偉大哲學家和科學家的創造。相較之下，它在十八世紀不可避免地受到重創。任何時代的天才著作總值得一讀，然而，通俗哲學一旦不再流行，那就再沒有什麼比這更沈悶的了。

不過，事情還有另一面，而且似乎更重要。十八世紀的自信以及對理性的信任，不僅是因爲熟悉理性，在某種程度上，也是因爲取得了實實在在的成就。在一六八七年牛頓的《自然哲學的數學原理》發表以前，近代科學仍處於實驗階段。一些哲學家狂熱地相信它，卻沒有人知道它是否能起作用。牛頓之後，科學的作用無人不曉，其中包括只有一些模糊概念的人。新科學的觀念對人們想像力的影響，遠遠超過了對技術的實際影響。牛頓的理性似乎洞悉到自然科學的核心，揭示出我們所看到

的「智慧同樣展現在精巧的結構中，而且是最偉大、最微妙部份的運動」。❼一切都由理性支配。培根的格言「知識就是力量」已成爲現實，在人類歷史上，人們第一次從善良願望出發携手合作，就連霍爾巴赫這樣的無神論者，也把這種仁愛之心視爲自然的和諧。十八世紀的社會思想相信，在理性的指導下，人類可以得到幸福和進步，這是最能表達當時社會思想特點的信念。這種思想，諸如相信自然和諧，乃一種觀念的混亂，根本沒有新科學作根據。但是，從總體上看，認爲人的命運掌握在自己理智的手中，乃是一種高尚的信仰，比起以前的權威崇拜和以後的感傷宗教崇拜，更爲人道。一般來說，它並未過高地估計科學理性控制自然的力量，至於這種力量是否擴展到人際關係，今人知道的並不比古人多。當時的淺薄在於過份誇大了問題的簡單性。

孟德斯鳩：社會學和自由

　　除盧梭之外，十八世紀法國的政治哲學家，最重要的當屬孟德斯鳩（Montesquieu）。唯有他最清楚地認識到社會哲學的複雜性。然而，他也犯了過份簡約的錯誤。他是唯一以經驗研究爲基礎，廣泛考察社會和政府的人。但是，他所假設的歸納，完全爲預先的設想所支配，既沒有經驗的證明，也不設法尋求。他明確表示，要建立一種廣泛適用於各種環境的政治哲學。不過，他撰寫的全部著作，都著眼於法國的現狀。因此，孟德斯鳩的著作既表現出他那時代最美好的學術氣息，又出現了一些不可避免的混亂。他的著作並未拋棄理性主義方法——永恆的、正義的自然法和契約——實際上卻忽略了契約說，提出了一種與不證自明的道德法全然不同的社會學相對主義（sociological relativism）。他提出一項研究方案，力主透過自然和社會環境來研究政體，這需要對政體進行廣泛的比較，無奈，他既缺乏精確的知識，又缺乏一種超然態度，計畫難以實行。酷愛政治自由，乃是他稟性中唯一的熱情，也是十八世紀最優秀的傳統，然而，他對自由憲政原則的分析，卻過於草率而膚淺。

　　孟德斯鳩《論法的精神》（*Spirit of the Laws*），很難說幾經推

敲。它之所以免遭布丹《共和國》的厄運，乃因其文筆高超。此書中有兩個主要論點，其間並沒有內在聯繫：第一點，發展了有關政府與法律的社會學理論，他指出，政府和法律的結構與功能取決於人民賴以生存和環境。環境包括自然條件，如氣候和土壤，他認爲這些條件對國民精神有直接影響，還包括藝術與貿易狀況、生產方式，心理與道德的氣質和傾向，政治體制，以及民族性格中根深柢固的習俗和傳統。簡言之，政體形式就廣義而言是個整體，需要所有的機構相互調整和適應，這是政體保持穩定和秩序的條件之一；第二點，孟德斯鳩深恐君主專制嚴重破壞法國傳統政體，致使自由永遠不可能實現。可以明顯地感到，他憎惡專制獨裁，即便在試圖客觀描述俄國和土耳其政府時，也時有流露。他的實際目的——也是他的著作中最有影響力的部份——是分析自由賴以存在的政體條件，並藉此尋找法國人民恢復古典自由的方式。對後一個問題，他似乎並未得出明確的結論。他的著作既給反動派也給自由派以幫助和安慰。前者希望恢復法院、恢復等級制、恢復省議會，後者則希望效法英國政體。

　　孟德斯鳩思想的這兩個方面，在其著作中並未因時間地點而明顯區分。《波斯人信札》（ *Lettres Persanes*, 1721 ）基本上是對法國社會狀況的諷刺，作者側重於教會，側重於路易十四，側重於法院的沒落和貴族的衰微。❽批判的思想基礎就是《論法的精神》中發揮的專制政體概念，在這種政體下，介於國王和人民之間的一切中間力量，都摧毀了，法律也成了君主意志的代名詞。正由於對君主專制作這種解釋，才使分權變得如此重要，他相信，他在英國政體中發現了分權原理。他在《波斯人信札》中指出，「以最適於人民性情的方式進行統治」乃是最佳政府，而他對人口減少的原因進行了探討，也表現了他對社會問題的敏銳洞察力。❾

　　撰寫《論法的精神》（ 1748 ），至少花費了他十七年以上的時間，而每個人都認識到，該書的各部份並非十分連貫。第一至十卷是關於英國問題的隨筆，與第十一卷關於英國政體的敍述不相一致。❿末尾論述羅馬帝國政體，是他發現分權原理之後寫的，與前面關於古典共和制的論述也不盡相同。⓫無疑，孟德斯鳩於一七二八至一七三一年漫遊歐洲，尤其是旅居英國，對其學術思想的發展有著決定性的作用。他早期熱愛

自由，主要表現爲倫理的性質，這是他研究古典著作的結果，也反映了
他對古典共和制的嚮往，與馬基維利、彌爾頓、哈林頓等人頗爲相似。
這一階段的思想在《論法的精神》中概括爲這樣一種理論，即美德與公共
精神乃共和政體形式的先決條件。然而，孟德斯鳩對現存共和國（如義
大利與荷蘭）的考察，並沒有證實他的設想，旅居英國激發了他的新思
想：自由並非產生於高尚的公民道德，而是產生於正確的國家體制。著
名的第十一卷論述了與分權相應的政體結構，乃是他新發現的如實記
錄。

法律與環境

　　孟德斯鳩社會哲學的一般原則，顯然以自然法爲起點。《論法的精
神》第一句便開宗明義地指出，法，「是由事物的本性產生的必然聯
繫」（ the necessary relations arising from the nature of things. ）。
這一模糊的公式，始終掩蓋著他未澄清的含混之點。在物理學中，「必
然聯繫」只是物體行爲的一致性。在社會中，法律是人們行爲的準繩或
規範，理應遵守，然而卻常常有人違犯。孟德斯鳩對這個事實作了兩種
解釋，卻不能說明任何問題。他認爲意志自由和缺乏理智妨礙人們展示
自然本性其餘部份的完美性。但是，與霍布斯不同，他極力主張，在成
文法出現之前，自然界已提供了絕對正確的標準。若否認這一點，就像
說「在圓的描述產生之前，一切半徑並不相等」一樣荒謬。顯然，他沒
有仔細考慮自然法。他列舉的東西包括一或些互不相干的因素，就像對
上帝的認識、身體的欲求與社會基本狀況互不相干一樣。這種開場白不
過是一種約定成俗的方式。他眞正的興趣在於：通常與理性相一致的社
會基本自然法，必然在不同的環境下發生作用，因此，必定在不同的地
域產生不同的體制。氣候、土壤、職業、政體、商業、宗教、習俗等
等，都是決定理性（或法）在具體情況下建立甚麼體制的有關條件。這
種對具體情況的適應，或者說，與自然條件、心理狀況以及政體形式的
關係，就是「法的精神」。顯然，孟德斯鳩主張的是一種社會方法，即
以比較的方法，對體制以及對體制有影響作用的其他制度性條件和非制

度性條件進行研究。一切都是「自然」變形的假設，不過是一種虛構。

　　要準確評估孟德斯鳩構想的獨創性或重要性，並非易事。無疑，他的研究計畫規模龐大。他的想法，最初大概起源於亞里斯多德，尤其是《政治學》諸卷，⓬該書分析了城邦民主政治與寡頭政治的細微差別的部份。關於法律必須適應不同的自然和社會環境，好政府只具有相對意義等思想，亞里斯多德已經進行了充份論述，並且還對民族特點與氣候的關係，作出推測。近代作家中，布丹也提出類似主張。但是，無論亞里斯多德還是布丹，都不曾打算進行全面性的研究。十七世紀大量流行的遊記文學，深深吸引了孟德斯鳩，那些遊記記載了南北美洲和非洲土著的生活，記載了亞洲異國情調的文明。查丁（Chardin）的《遊記》（Journal）強調氣候之影響，孟德斯鳩的《波斯人信札》，絕大部份取材於此。孟德斯鳩試圖說明在千差萬別的環境中，各主要政體之差異，並表明各類政體必須適應環境。

　　孟德斯鳩與亞里斯多德相似，認為政府的形態或類型固定不變，只有環境的影響才能改變政府形式。亞里斯多德的考察僅限於希臘城邦，其論斷基本上是正確的。孟德斯鳩的考察規模相當廣闊，作出這種論斷就危險得多。他計劃討論的問題甚為重要，對各種政體形式的比較卻少得可憐。理由並非捨棄傳統的三分法或僅採用其中一部份。他只斷言，政府有三類：<u>共和制</u>（民主制與貴族制的合成）、<u>君主制</u>、<u>君主獨裁制</u>。君主獨裁制與君主制的差別，前者獨斷專行而又反覆無常，後者則根據法律形式組成政府，並要求在君主與貴族之間，保留貴族或地方自治一類的「中間力量」。他給每個政府形式加上一條「原則」或臣民性格的動機力量，作為權力之由來以及政府賴以存在和執行職能的必要條件。因此，民眾政府依賴於公民的道德或人民的公共精神，君主制取決於軍人階層的榮譽感，君主專制依賴於臣民的恐懼或奴性。

　　要明瞭孟德斯鳩的分類法究竟遵循什麼原則，幾乎是不可能的。就統治者人數而言，君主制和君主專制同屬一類；若論合法性，共和制可以像君主專制一樣無法可依。此外，君主專制政府無法可依的想法是一種虛構，就像上述三類政府分別適合於小、中、大國的觀念只是假設一樣。我們無法想像，對政府形式的這種分類，到底是在何種意義上說是根據觀察或比較得出的。作為政治現實之探索，它也無法與哈林頓的理

論相提並論，至少哈林頓認爲，可以根據土地所有權的形式對政府進行分類。對法國政治問題作出道德上的回應，似乎是孟德斯鳩的唯一驅動力。他提出的共和制是受到堅定的公民道德鞭策的共和制，指的是羅馬共和制（或羅馬共和國的憧憬），與當代共和制毫不相干。他的君主專制則表現了他的憂慮，即唯恐法國的黎塞留（Richelieu）和路易十四的統治局面，使地方政府、法院和貴族接連地失去特權。他的君主制，表達了他渴望法國應當保持何種政體的願望，或者說，是他後來認爲英國採用的那種政體。因此，孟德斯鳩的理論線索，不是根據經驗考察，而是根據他對法國理想政體的預想而決定的。

至於《論法的精神》有什麼布局，那就是根據三種政府形式，找出法律和憲法的相應變化，並根據自然環境和社會環境的需要，找出彼此的差異。但是，這些問題確實沒有內在聯繫，不相干的東西不勝枚舉。第四～十卷討論教育制度、刑法、禁止奢侈法、婦女的地位、每種政體形式固有的腐敗，以及各種政體相應的軍事組織形式等。第十一～十二卷論述了政治自由和法律自由。第十三卷討論賦稅政策。第十四～十七卷討論氣候對政府和工業的影響，以及氣候與奴隸制和政治自由的關係。第十八卷扼要地論述了土壤問題。第十九卷又回到習俗對政體的影響上，這點在處理上似乎缺乏條理，且支離破碎。第二十～二十二卷實際上對商業和貨幣進行了充份考察。第二十三卷講人口問題。第二十四～二十五卷論述宗教問題。第二十六～三十一卷又離開主題轉而論述羅馬史和封建法。

要概括孟德斯鳩的理論，從中得出結論，似乎不太可能，他的論述時常爲小插曲所打斷，而且很少依賴他所提出的證據。可以說，他的主論左右搖擺，這是他將含混原則作爲出發點的必然結局。一方面，他傾向於主張人類的法律合乎理性，因此，任何廣爲流傳且永久成立的慣例，都有在其環境下存在的充足理由。這種態度與他一向的保守傾向相吻合，也與他主張自然原因——如氣候——可以直接影響人之心理能力和道德內涵的理論相一致。不過，由此得出的邏輯結論，只能是徹底的道德相對主義，這當然不是孟德斯鳩的立場。另一方面，他或許總把氣候和某些制度（如奴隸制和多偶制）視爲不利條件，只有經立法加以彌補，才能產生良好的道德效果。對政治進化作這種解釋，意味著道德觀

念，至少是立法者的道德觀念，獨立於社會的因果關係，而氣候一類的因果影響，只有當立法者意識到它，才會發生作用。這種觀點削弱了政治的社會學理論的解釋能力，重複了馬基維利曾使之風行一時、誇大統治者作用的觀點。事實上，孟德斯鳩在這方面的過失，比起當時的其他學者要少得多。

因此，對於孟德斯鳩的著名論斷，即法律必須適合一切國家賴以生存之環境，我們實在不可能得到確切的解釋。無疑，他對政治上的公道問題的純抽象解釋或先驗解釋，提出了修正。同樣毫無疑問，他主張對法律進行廣泛的比較研究，但對如何進行這類研究，卻只有一個十分模糊的計畫。孟德斯鳩最有積極意義的高見——氣候之類的自然力直接影響身體和心靈——也和生物學家拉馬克（Lamarck）所宣揚的同類假設一樣命運不佳。認為孟德斯鳩確曾設想並使用歸納法或比較法研究社會制度的說法，值得再三斟酌。恐怕很少有哪位重要的政治理論家像他那樣，熱衷於倉促定論，又很少顧及精確的推理與先入之見的衝動之間的差別。他的確博覽羣書，但知識卻不怎麼精確，只是根據手頭的材料作判斷，而不是根據後來的學術成果。博學多才主要用於證明他的信仰，即便對波斯一無所知，他的信念也不會有什麼不同。就連目下的歐洲政治現狀，孟德斯鳩也不如馬基維利、布丹，甚至哈林頓了解的透徹，而他們並未自詡知識淵博。孟德斯鳩之所以被人稱之為「業餘一流」，不是因為他獲得什麼科學研究成果，而是因為他對自由充滿了熱情。他是個道學家，對他來說，永恆真理已經淡漠，但又無力創立新學說，所以還得依靠永恆真理生存。

分　權

孟德斯鳩的重要作用在於傳播並加強了一種信念，即英國政體是實現政治自由的工具。從總體上說，這種評價還是中肯的。旅居英國使他擺脫了政治解放須得依靠唯羅馬人才具備的美德，並因只有在城邦才能實現的這種先入之見。旅居生活使他更加厭惡君主專制，並提出一條可能彌補法國君主專制不良影響的途徑。孟德斯鳩本人相信法國可以效法

英國政體的說法未必真實，不過，名著《論法的精神》之第十一卷，確實將英國的自由歸結為立法、行政、司法三權分立，以及三權在制約中達到平衡，並將這一學說作為自由立憲的信條。孟德斯鳩在這方面的巨大影響無可辯駁，美國與法國憲法中的人權宣言（bill of right）說明了這一點。❸

　　這種思想當然是老掉牙的政治理論。混合政體思想恐怕與柏拉圖的〈法律篇〉一樣古老，波里比厄斯（Polybius）還用它解釋過羅馬政權的穩定。緩和君主制或混合君主制是中世紀人們熟知的概念，中世紀的立憲主義，實際上依賴於權力的劃分，不同於新君主制主張的主權。在英國，國王與執行不成文法的法院之間，國王與議會之間的爭端，都使分權有了實實在在的重要性。哈林頓認為，分權實質上就是建立自由政府，而在洛克的議會優先理論中，分權卻處於次要地位。但是，混合政府的思想實際上並沒有確定的意義。它部份是指分享社會利益和經濟利益，並保持各種利益和階級之間的均衡，部份指社團或自治地區一類的團體分享權力，僅在很小的意義上指合法權利的憲制機構。其最大的用途，也許在於限制集權，提醒政治機構注意如果不能禮讓並公平對待各組成部份，就不能發揮作用。孟德斯鳩將分權思想變為機構各部份的合法監督和平衡體系（制衡體系），就此意義而言，孟德斯鳩改變了古典學說。他的論述實際上並不明確，《論法的精神》第十一卷與分權沒有什麼關係，主要討論代議制的一般優點，討論陪審團制度或世襲貴族制度的特殊優點。孟德斯鳩理論的特定形式依賴於這樣一個命題，即一切政治職能必然可分為立法、行政、司法三類，但他對此未作任何討論。一個政治現實主義者絕對不會同意，立法過程可以與司法、行政過程截然分離，或制定政策可以與執行政策截然分離。孟德斯鳩跟每個運用他的學說的人一樣，並不期待真正的三權絕對鼎立：立法機關應當配合政機關的要求舉行會議；行政機關對立法機關的審議事項擁有否決權；立法機關還得享有特別司法權力。按照孟德斯鳩的說法和實際情況，三權分立原則與立法機關有較大權力這一相反原則，交織在一起。實際上，後一種原則使三權分立成為一種信念，藉未限定的額外特權加以補充。

　　孟德斯鳩聲稱，他在對英國憲制進行研究的基礎上，發現了分權原則，這是一個值得注意的事實。由於內戰摧毀了封建殘餘，一六八八年

的革命又確立了議會的最高權力，所以，稱英國為混合政府更恰當。不
過，當孟德斯鳩旅居英國時，內閣地位尚未明確，但是，善於獨立觀察
的人，還無人將分權作為憲制的特徵。孟德斯鳩並不依靠觀察，洛克和
哈林頓使他知道什麼才是重點，其餘的想法，則來自當時英國流行的神
話。他的朋友博林布魯克（Bolingbroke）使他受益匪淺：

> 正是由於君主權力、貴族權力，以及民主權力混合在一個體系
> 中，正是由於三大等級彼此勢均力敵，我們的自由憲制體制才能長期
> 不受侵犯。❶

在孟德斯鳩和布萊克史頓（Blackstone）的鼓吹下，這種憲制理論流傳
下來。即使柏克堅決主張合法權力分立，他也相信，革命導致利益平均
和秩序平衡。只有到了邊沁的《政府論斷片》（*Fragment on Govern-
ment, 1776*），分權理論才受到真正的抨擊。

伏爾泰和公民自由

《論法的精神》除了對英國憲政作分析以外，不足以代表十八世紀政
治思想特徵。該書至少提出政治體制依賴於自然和社會狀況，從而導致
政治意義上的相對主義，這與當時普遍流行的觀點相對立。十八世紀的
法國作家通常堅信，理性為人類行為和社會制度的評價提供了絕對標
準。可以根據理性標準一勞永逸地判定人類行為和社會制度的是與非。
這種主張對於批評腐敗和暴政有明顯的戰略意義。此外，近代思想的兩
個集大成者就是牛頓的物理學和洛克的心理學，當時顯然可以借用來為
上述解釋作證。牛頓關於自然的機械定律不受時空的限制，為主張在同
一抽象高度論述政治、經濟事件的觀點增色不少。洛克關於心靈的普遍
自然歷史觀，與牛頓物理學基本上沿襲同一條路線，他對社會過程所做
的心理學解釋並不受歷史或社會制度進化的限制牛頓和洛克是十八世紀
最有權威的兩位大家。普及牛頓物理學和洛克哲學，乃是伏爾泰於一七
二九年從英國返回故里後的兩大計畫。❶
　　與代議制相比，伏爾泰更仰慕英國的言論出版自由。因此，洛克哲

學對法國的最初影響，只是間接的政治影響。《論寬容書簡》（ *Letters on Toleration* ）的影響並不亞於《政府論》。洛克哲學與法國立憲主義傳統相吻合，路易十四卻透過廢除南特敕令破壞了這一傳統。洛克哲學也與皮埃爾·貝勒（Pierre Bayle）的溫和懷疑主義相吻合，當洛克的類似見解問世之前，貝勒就提出，宗教教條對道德而言，並非都是無可置疑或不可或缺的。宗教審判和政治意見的審查制度，使出版自由成爲法國生命攸關的問題，在這種情況下，伏爾泰不屈不撓的鬥爭精神成爲當時論政家的楷模。他對維護言論自由做出的最大貢獻，或許在於猛烈抨擊了迫害基督教的行爲。但是，他的鬥爭絕大多數與建立人民政府的事業相脫節，這種策略缺乏遠見，因爲公民自由若不伴隨政治自由，根本不可能實現。他對政治不感興趣，對人民大衆亦漠然視之，認爲他們殘忍而且愚蠢。但是，他對學術的自由關懷備至，他心地善艮，對法國刑法的昏庸無道和殘酷狠毒深惡痛絕。他的最大特長是頑强、機敏，常常使論敵陷入困境。既然不可能與沒頭腦的制度辯論，他便對其極盡嘲諷之能事。由於實行審查制度，對教會和政府的評擊只能以曲折隱晦的方式表達出來。狄德羅（Diderot）《百科全書》（ *Encyclopaedia* ）中，表述了他編輯這部自由主義巨著的構想：

> 在民族偏見得到尊崇的地方，必定出現某種吹捧的文章，其中充斥著讚美和誇張。但是，泥塑大厦應當摧毀，污穢之物應當清除，用內容堅實的文章取而代之。這種使人警醒的方式，在思想正確的人中可以立即生效，對各種思想有潛移默化的影響，不會有甚麼不良後果。❶

伏爾泰的宗教觀念和寬容觀念的獨到之處，不在於它們的內涵。它們與洛克的觀念略有差別，表現爲更徹底地否定神之啓示，此外，也與英國人的觀念毫無差異。但是在法國，它們卻以激進的論調出現，這在英國完全沒有，洛克政治哲學在法國也遇到類似的情形，與其說是觀念本身造成的，倒不如說是思想所處的環境使然。法國政府和法國教會一向把最溫和的自由思想視爲破壞。以抽象角度來看，同一哲學在英國出現時較爲保守，在法國卻十分激烈。正如約翰·莫利（John Morley）指出的，建立十八世紀英式思想的英國人，都趨於保守，而屬於同類思

想的法國人，許多卻成了實際的受迫害者。

愛爾維修：法國的功利主義

　　洛克社會哲學在法國和英國，以同樣的途徑得到理論的擴展。《政府論》基本上依賴於不證自明的個人權利，而《人類理智論》第四卷關於認識的理論，與第二卷關於理智的自然歷史毫無關聯，後者試圖證明觀念來自感覺，通常認為是本書最富有啓發性的部份。因此洛克哲學的思辯發展，擴大了他的所謂「新思想方法」，抵消了笛卡爾主義，不過，他的科學知識理論，依然帶有笛卡爾哲學的特點。貝克萊（Berkeley）取得極大成功的小冊子《視覺新論》（*New Theory of Vision*），於一七〇九年正式出版，從而扭轉了局面。《視覺新論》部份以馬勒伯朗士（Malebranche）的思想爲基礎。該書表明，聯想的心理學規律如何有效地用以分析和解釋心理作用（深度視知覺）（visual perception of depth），心理作用似乎是一元的、先天的。此外，洛克思想的這種發展方式，與他自己所欽佩的牛頓力學之途徑相一致。休謨在《人性論》（*Treatise of Human Nature*, 1739）中，將作爲心理解釋原則的觀念聯想，比作物理世界的萬有引力。因此，心理過程之解釋，僅僅意味著把它們歸結爲感覺元素，說明它們如何通過聯想律產生進化。十八世紀中葉，孔狄亞克（Condillac）使法國人通曉了聯想心理學。

　　洛克的理論政治思想需要做些修正，因爲它們依賴於理性把握明白眞理的直覺力量。他或許拋棄了天賦觀念，但是，他主張的個人天賦權力，實際上與前者並無差別。構成一種人類行爲理論，根據觀念聯想進行解釋，並非十分困難，最簡單的假說設定了構成動機的兩種自然力：追求快樂、逃避痛苦，並認爲一切較複雜的動機，均由快樂或痛苦以及多少與它們相關的東西所派生。人類行爲的目的在於享受更大的快樂，遭受最小的痛苦。這種理論於十八世紀三、四〇年代在英國迅速發展。⓱在法國，愛爾維修（Helvetius）一七五八年發表的《論精神》（*De l'esprit*）詳盡闡述了這一理論。英國功利主義倫理學與法國舶來的功利主義倫理學，有著驚人的差異。英國的功利主義倫理學發源於神學，甚

至遠溯至基督教教義，基督教義對獲取未來幸福或痛苦甚爲重要，深受英國正統教會的寵愛。愛爾維修在法國，將功利主義倫理學變成立志改革者的綱領，我們用人類動力原理把個人幸福與公共利益完好無損地結合起來。總之，他把最偉大的幸福原則當作變革的工具，並傳給兩位追隨者：貝卡利亞（Beccaria）和邊沁（Bentham）。邊沁後來到法國學習，而且首先向愛爾維修學習，爾後，又將英國哲學帶回英國，爲激進的改革服務，儘管其哲學原則曾在長達半個世紀的時間內始終是英國正統的護身符。

愛爾維修在《論精神》一書的前言中寫道，他一直試圖將倫理學作爲科學，使它像物理學那樣成爲經驗的。倫理學家卻總想告誡或指責人們，說上述兩種作法純屬徒勞無益之舉，因爲道德必須以理解人類行爲之動因爲前提。行爲之首要原則，是人必然追求自身的利益，在倫理科學中，利己的地位如同運動之於物理學。任何人斷定爲善的東西，就是認爲有利於己的東西。同樣地，任何由人組成的團體或國家視爲合乎道德的東西，也正是他們認爲普遍有利的東西——

> 倫理學家不斷埋怨人變壞了，而這恰恰説明，他們根本不了解問題之所在。人並不壞，他們只服從自己的利益。倫理學家的哀嘆當然不能改變人性的這一動力。應當抱怨的不是人壞，而是立法者無知，總把個人利益與公共利益對立起來。⓭

總而言之，行爲的唯一理性標準必須是爲絕大多數人謀取最大利益，與此對立的是爲特殊階級或集團謀取特殊利益。一個團體也許對幸福之起因抱有偏見，從而制訂一個錯誤的標準，或者說，一個小集團可能爲了自身的利益而剝削更多的人。上述任何一種情況，都能使人進一步理解眞正的利益，或者讓更多的人啓蒙開竅。於是，倫理學成爲「立法者」的問題，立法者必須把特殊利益與普遍利益結合起來，首先必須傳播知識，使人們看到，公共利益也有他們的一份。由於道德教育往往委托給宗教狂熱者，由於暴君並非眞正願意謀取公共利益，也由於人們懶惰、迷信、愚昧，倫理學依然比其他科學落後。當人們處於作惡得獎的體制裡時，告誡人們行善爲榮簡直徒勞無益。要準確地理解人類動機，必須讓明智的統治者掌握無限的權力，並爲人類獲得幸福創造無限

的可能性。因此，人們所設想的倫理學，成爲公共政策的關鍵——

> 完善的法律是讓人們從善的唯一手段。立法的全部藝術在於利用
> 人的自愛之心，迫使人們公平對待他人。要制訂這樣的法律，必須懂
> 得人心，而且首先要瞭解，雖然人人關心自己，不關心他人，但是，
> 人生來既不善又不惡，人之善惡，乃視共同利益如何而定，共同利益
> 促使其聯合則性善，促其分裂則性惡。每個人都偏愛自身——此乃種
> 族延續賴以存在的情感——是自然賦予的永恆權利。肉體的感覺使我
> 們喜歡愉快，厭惡痛苦，愉快和痛苦乃每個人自愛的胚芽，然後再逐
> 漸長成爲激情，我們的一切美德和罪惡，均由此而生。❿

愛爾維修發揮了上述引文的心理學論點，以支持他的結論。唯渴望
愉快厭惡痛苦，才是人天生的衝動力。他將追求愉快逃避痛苦稱之爲兩
大「安全措施」，此乃大自然的恩賜，邊沁後來沿襲了這種說法。所有
其他動機都是「人爲的」，是由於愉快和痛苦與諸種行爲（引起它們的
近因或遠因）發生聯想而產生的。在這個基礎上，他建立了所謂文化的
心理學理論，與孟德斯鳩的理論相抗衡，孟德斯鳩認爲文化直接受氣候
一類因素的影響，並否認種族的作用。由於愛爾維修將一切心理作用歸
結爲聯想，他斷定，人的智能無先天差異。聯想的形成取決於注意，注
意則依賴於愉快和痛苦所提供的動機。人們形成的善惡觀念，完全取決
於環境或廣義的教育究竟使人愉快還是痛苦，一個民族道德的優劣，主
要取決於法律。專制主義使人像野獸一樣殘忍，而完善的法律，則可達
到個人利益和公共利益的天然和諧。總之，凡立法者力行獎勵人才和善
行之舉，必有偉人和善人出現。這項工作雖然艱難，但並非不可能，任
何民族道德要達到某個水準，或者就原則而言比較簡單明瞭：爲了獲得
預期的善，必須提供必要的刺激，其手段是在重大問題上給予更多的快
樂和痛苦。

聯想主義的心理學和功利主義倫理學，似乎是洛克政治哲學的簡
化，因爲它用單一的價值標準，即最大多數人的最大幸福（greatest
happiness of the greatest number），代替了若干未加明確的不證自明
的權利。事實上，這遠非簡化可比。因爲若貫徹上述理論，將摧毀天賦
權利論、社會契約論，以及自然法的整個體系（據說，它可以保障個人

利益與社會利益的和諧）。十八世紀，除了休謨之外，誰也不淸楚這一點。邊沁追隨休謨，以功利主義反對天賦權利，連他也未看到這樣做的內在涵義。因爲，假如道德和社會制度只能根據其功利來判定是否公允，那麼，權利也必須這樣衡量。結果，任何天賦權利的主張或者純係無稽之談，或者只是糊里糊塗地說，權利確實有助於最大的幸福。愛爾維修似乎根本沒有意識到這一差別。

實際上創立功利主義倫理學時，它所包含的假設並非由功利原則證明，而是作爲普遍承認的自明原則爲人們所接受。因此，每個人當下即可獲得最大幸福的假設，乃是先天和諧的古老信念，它試圖證明，實現個人權利，將形成最大的社會和諧。再者，一人幸福應與另一人具有同等價值的假定，與天賦平等的信念相一致。功利主義和天賦權利兩大原則，很可能導致相反的實際結果，某種程度上的確如此。愛爾維修從功利主義原則得出結論：一個聰明的立法者用痛苦和懲罰使人的利益達到和諧，並不需要多大程度的自由。相反，自然法卻意味著，如果人們獲得自由，利益必定一致，經濟學家以此證明，立法者不應插手貿易。將上述兩種觀點統一起來的不是邏輯，而是下述事實，即分別主張這兩種觀點的人得出一致的結論。無論以功利主義名義還是以自然法的名義，都是在爲相同的政治改革辯護。

重農主義者

愛爾維修將功利主義發展爲某種道德和立法理論，與此同時，功利主義也擴展到經濟學領域。魁奈（Quesnay）的《經濟表》（*Tableau é-conomique*）與《論精神》同年發表。重農學派（Physiocrates）和愛爾維修一樣，認爲快樂和痛苦乃是人類行爲的兩個源泉，而且把合理的個人利益作爲有效調節社會的準則。但是，他們不贊成讓立法者占有決定性的作用，立法者的任務很簡單，即避免干預經濟規律的自發作用。每個人都是自身利益的最好法官，所以，人們獲得幸福的最可靠途徑，就是減少對個人努力和創造精神的限制。因此，政府應該把法令減少到最低限度，以防止侵犯個人自由爲限。這種觀點假定了自然經濟規律的存

在，亞當·斯密（Adam Smith）後來將其稱之為「明白而簡單的天賦自由體系」，只要它們不受侵犯，便可產生最大的繁榮與和諧。它是自然法的兩種不同意義的奇妙混合。一種較老的意義是將自然法理解為樹立公正和正確推理的標準，另一種意義較新，認為自然法只是經驗的概括。從功利的角度看，似乎沒有理由認為，政府放任企業的政策，必然給最大多數人帶來最大利益。經濟自由並不被用來暗指著政治權利，重農主義者滿足於君主專制，前提是實行開明的經濟政策。總之，除了盧梭，一切法國哲學家毋寧都更關心公民自由，諸如法律面前人人平等、行動自由等等，反倒不太關心人民政府。

霍爾巴赫

十八世紀七〇年代，霍爾巴赫（Holbach）發表了被稱為「無神論者的聖經」的、著名的《自然體系》（*System of Nature*），以及其他政治著作。[20]直到這時，對天賦權利的功利主義解釋，才在法國充份顯示其戰鬥力。霍爾巴赫以徹底的無神論或唯物主義，取代了伏爾泰模糊的自然神論。他說，他的無神論依靠自然科學，把自然科學作為反宗教的基礎。《自然體系》是一系列著作的第一部，這些著作在長達三十年的時間裡，不時給哲學以強大影響，在相信宗教是「人民的鴉片」的人中，具有很高的聲望。和其他人一樣，霍爾巴赫的書也帶有泛神論色彩，而泛神論在邏輯上並不依靠科學。他在該書結尾高呼自然的結束語，肯定不是從思考機械系統的理智活動中得出的。

霍爾巴赫在另一個方面也超過伏爾泰。抨擊宗教的同時，他也直言不諱地抨擊政府。一般的政府，尤其是法國政府，一向無知、無能、偏頗、貪婪，只知壓榨人民，不為他們謀福利。它們不關心貿易和農業，也不關心教育和藝術。它們熱衷於戰爭和征服。它們不是普遍利益的代理人，而是饑饉和滅絕人口的肇始者。霍爾巴赫的指控流露出遭受排斥的中產階級的強烈階級意識，這個階級敏銳地意識到自己的優越性，對代表社會寄生階級利益而剝削他們的政府充滿了強烈的厭惡，並泰然自若地相信自身的利益與普遍利益相一致。對霍爾巴赫和英國功利主義者

來說，中產階級在某種意義上是社會幸福的代表，這種信念表明，階級衝突純係一種邪惡，藉由擴大政治權利可以消除它。將階級衝突和政府視爲剝削工具的認識又輾轉隨功利主義回到了英國，並在那裡爲卡爾·馬克思（Karl Marx）掌握這一思想創造條件。

　　霍爾巴赫的政治哲學與愛爾維修的政治哲學沒有原則上的差別。但是，霍爾巴赫對心理學沒有甚麼興趣，對政府卻興趣盎然。人並非天生的壞，而是由壞政府帶壞的。壞政府之本質，在於未將普遍幸福作爲主要目的。壞政府起因於暴君和敎士執掌權力，他們不關心人民的利益，只熱衷於剝削，解決的辦法是讓「普遍意志」❹自由發揮出來，它意味著個人利益與天然正義的和諧。君主是位代理人，他行使權威以鎭壓有害行爲。但是，社會只有讓人們自由尋求自己利益才是好社會。自由是「不可剝奪的權利」，沒有自由就不可能有繁榮。所有國家滙聚在一起組成國際社會，在其中，戰爭就將是一國國內屠殺和掠奪的副本。專制主義在於濫用君權，統治階級的利益占據一般利益的地盤，就形成了專制；而各階級之間利益的分裂，則是國力衰弱的主要根源。簡而言之，解決辦法是求助於敎育。霍爾巴赫期望透過敎育「創造改革奇蹟」，因爲人是理性的，只需看到眞正的利益所在便足矣。進行啓蒙敎育，排除迷信和暴政設置的障礙，讓人們自由追求理性之光，勸說統治者相信，他們的利益確與臣民一致，這樣，社會幸福便會自動到來。人們看到眞正的利益，就會追求，只要他們追求眞正的個人利益，一切善行將隨之而來。霍爾巴赫激烈指責過去歷史的一切愚昧，但他僅僅想以這些愚昧不會帶來好處而建議改革，也實在令人吃驚。

　　霍爾巴赫提出的開明糾正辦法，極爲溫和，與他猛烈抨擊政府的態度形成鮮明對照。他絕不是一個革命者，至少沒有這種打算。他一再表示，理性是不流血的，開明的人乃是和平主義者，智慧的作用緩慢，卻很保險。他也不主張民主。人民代表必須是有產者，擁有財產，才「與國家的命運息息相關，而爲了保護財產，也同樣要維護自由。」

　　　　我所用的「人民」一詞，並非指愚蠢的芸芸眾生。他們蒙昧、無
　　知，隨時都可能成爲那些圖謀擾亂社會的激烈煽惑者的工具與幫兇。
　　所謂公民，是指那些靠財產收入，體面地維持生活的人以及擁有土地
　　的一家之長。工匠、商人、薪資階級者，都以特有的方式報效國家，

理應受到國家的保護。但是，他們要想成爲公民，必須透過自己的勞動和行業獲得土地。㉒

因此，對霍爾巴赫來說，眞正的改革者是君主，需要做的一切是讓君主相信，「恣意妄爲的荒謬權利」實屬下策。這種相信啓蒙全能的信念不是民主的學說，因爲當時普及教育根本不可能。盧梭是十八世紀偉大的民主主義者，在他的教育思想中，智設的啓蒙無足輕重。

進步觀念：杜爾哥和康多塞

從愛爾維修到霍爾巴赫，始終貫穿著人類進步的觀念。自然的社會秩序（natural social order）的觀念，一般的人性科學、社會幸福產生於知識的信念，特別是洛克提出的知識源於經驗積累這一概念，都蘊含著進步觀念。從總體上看，進步觀念與哲學經驗主義不可分離。早自培根時代，他就把古代學問與當代學問加以比較，提出近世乃是「人世間一個更爲先進的時代，是廣泛實驗和深入觀察的時代」，或者按照巴斯卡（Pascal）的說法，種族的歷史與個人的歷史一樣，乃是持續的學習過程。伏爾泰的歷史觀也有同樣的觀點，他強調指出，藝術和科學的進化是社會發展的關鍵。杜爾哥（Turgot）和康多塞（Condorcet）列舉了社會發展經歷的不同階級，從而把進步觀念變成了歷史哲學。㉓杜爾哥的兩篇短文在哲學上更爲重要，雖然康多塞更爲鮮明地表達了激勵人們相信進步的渴望。杜爾哥以深刻的洞察力說明了物理學與歷史學的本質差別，前者研究反覆出現的現象之規律，後者則探究構成文明的經驗積累。他在探索變化無窮的歷史現象背後隱藏的統一模式時，提出與孔德（Comte）社會發展三階段相去不遠的規律：<u>萬物有靈階段</u>、<u>思辯階段</u>、<u>科學階段</u>（animistic, speculative, and scientific stage）。康多塞提出三個假設的史前階段，然後，滿足於將歐洲歷史分爲六個階段，古代、中世紀、現代各分爲兩個階段。他認爲，法國大革命標誌著更輝煌的新時代的到來。法國大革命使他陷入不幸，並在他的書最後修訂之前，使他遭受挫折，然而，這一切並沒有使他對人類命運喪失信心。

康多塞對即將來臨時代的表述，比起他對歷史時期的劃分，更能揭

示他心目中的進步觀。他的烏托邦源自知識的傳播，源自知識賦予人們
以征服通向幸福之障礙的力量，包括物質上和精神上的幸福。它的基
礎，是愛爾維修詮釋的洛克經驗論。康多塞相信，進步大致沿三條路前
進：國家之間日趨平等、消除階級差別、由前兩者導致普遍的精神和道
德進步。革命已在美國，並即將在法國證明，一切國家和一切民族都可
能成爲文明的國家和民族。民主將消除對落後種族的剝削，使歐洲人成
爲黑人的兄長，而不是主人。每個國家都可能消除社會階級不平等加諸
於不幸者在教育、機遇、財富等方面的劣勢。實行貿易自由，爲老弱病
殘實行保險、消滅戰爭、消滅貧困、反對奢侈、給婦女以平等地位、普
及教育等等，實質上就是讓一切人的機會均等。最後，康多塞預料，進
步將是漸進的，因爲社會安排的完善將會改善種族的精神、道德，以及
體力——

> 陽光將只照耀在自由人的世界上，自由人只承認自己的理性，不
> 承認任何主人，這一時刻即將來臨。暴君與奴隸、教士與其蒙昧僞善
> 的工具將不復存在，除非是在歷史的過去或舞臺上。㉔

> 活到破曉之日無比幸福，
> 青春年華才是極樂世界。

　　回顧本章扼要介紹的哲學，必然得出一個結論：它對公衆的影響，
遠 遠 大 於 它 在 理 論 上 的 創 新 或 深 度 。 它 的 成 就 是 普 及
（ popularization）而不是發現。十八世紀完全可以稱之爲百科全書的
時代，在這一時代，歐洲鞏固了十七世紀更富於創造性的天才所取得的
成就。即便對孟德斯鳩這麼引人注目的人，這樣說也不爲過份。十八世
紀的政治哲學，本質上仍是天賦權利說，它確立了個人的人格，制訂了
法律和政府有權去做的標準和無權超越的界線。此類權利就性質而言，
應作爲公理，是理性直覺的產物，無法加以證明，亦無法透過經驗概括
爲之辯護。往最壞處說，它是比崇尚權威的教條主義略勝一籌的教條主
義，它把人們從十七世紀權威教條的束縛下解放出來，但求助於自明性
終究還是教條主義。無論科學領域還是社會研究領域，自明性都經不起
經驗方法的推敲。

　　整個十八世紀，出現了持續而又不完全自覺的變化：社會哲學成爲

經驗主義式的哲學，連霍布斯和洛克都不曾達到這種程度。十七世紀尚未用經驗主義方法進行社會歷史研究，理性主義認爲不值得對野蠻人的習俗探索，對製造業、機械工藝、貿易、金融以及稅務進行的考察，其方式使博學的空談家深感震驚，然而，十八世紀的經驗主義卻帶有理性主義的傾向，它自以爲無所不知，渴望把事物簡單化。它訴諸事實，卻堅持事實應該用預先設定的語言來敍述。即便新功利主義倫理學和新經濟學，也因此在邏輯上前後不一，儘管它們豐富了社會學理論。它們聲稱將人類動機置於經驗的理論上基礎上，但又假定科學迄今尚無法證明的自然之和諧。因此，十八世紀流行的思想，重述了它只部份相信的哲學，也宣揚了它只貫徹一半的方法。這種流行哲學具有重大的實際意義。它把科學信念傳遍了歐洲，它使人們懷抱希望，相信人極有可能成爲自己社會和政治命運的主人。它熱情地捍衛了一種理想：人要爭取自由，獲得光明的前途，享受高尚的生活，雖然主要是爲了某個社會階級的利益。它並未過份宣揚自己的偏見，但是，它在學術上卻顯得膚淺，也正因爲如此，它在某種程度上成爲訴諸情感的犧牲品，此自盧梭即已開始。因而，整個說來，它的確缺乏堅實的價值。

注 解

❶當時唯一有重大影響的作者是克勞德・約里（Claude Joly）；見布里索（J. B. Brissaud）的《十七世紀的自由主義者克勞德・約里》（*Un libéral au* xviie *siècle : Claude Joly*）（1607～1700）巴黎，1898 年版。

❷《出自聖經本義的政治》（*Politique tirée des propres paroles de éEcriture Sainte*），大約作於 1670 年，1709 年第一次出版，Ⅲ，ii，1。

❸沃邦（Vauban）：《第十個王室計畫》（*Projet d'une dixième royale*, 1707）；布瓦居列貝爾（Boisguillebert）：《法國詳情》（*Le détail de la France*, 1695）。

❹參見致路易十四的信（1694），《文集》（*Deuvres*）巴黎，1870 年版，第 3 卷，第 425 頁。

❺布蘭瓦利爾（Boulainvilliers）：《法國古代政體》（*Histoir de l'ancine gouvernment de la France*, 1727）。

❻《世界箴言報》（*Moniteur universel*），1793 年 5 月 15 日。

❼根據麥克勞林（Maclaurin）對牛頓思想的通俗解釋。轉引了自卡爾・貝克爾（Carl L. Becker）的《十八世紀哲學家的樂土》（*The Heavenly City of Eighteenth-Century Philosophers*, 1932）第 62 頁。

❽見《信札》〔拉布萊（Laboulaye）編〕，第 24、37、92、98 篇。

❾《信札》第 80 篇，112～122。

❿參見第 2 卷，第 4 章。

⓫關於各卷的寫作時間，參見德迪厄（J. Dedieu）：《孟德斯鳩》（*Montesquieu*, 1913），第 82 頁。

⓬按傳統編排的第 4～6 卷。

⓭例如，弗吉尼亞權利宣言（1776），第 5 節；1780 年麻薩諸塞憲法，序言，第 30 節；法國人權和公民權利宣言（1791），第 16 節。當然，美國的三權分立學說，並非僅僅根據孟德斯鳩的理論。

⓮《論政黨》（*A Dissertation upon Parties*）。第 13 封信；引自《工匠》（*The Craftsman*），作於 1733～34 年。

⓯他的《關於英國人的通信》（*Letters on the English*）於 1733 年以英文出版，1734 年出法文版。

⓰「百科全書」詞條，約翰・莫利（John Morley）的譯本。

⓱這種學說最早的明確概述載於約翰・蓋伊（John Gay）的《論善或道德的基本原則》（*Concerning the Fundamental Principle of Virtue or Morality*），1731 年版；塞爾比・比格（L. A. Selby-Bigge）的《英國倫理學家》（*British Moralists*），第 2 卷，第 267 頁。見阿爾比（E. Albee）：《英國功利主義》（*English Utilitarianism*, 1902），第 1～9 章。

⓲《論精神》（*De l'esprit*）Ⅱ，5；《文集》（*Oeuvres*，巴黎，1795 年版），第 1 卷，第 208 頁注。

⓳同上，Ⅱ,24；第 1 卷，第 394 頁及以後諸頁。

⓴《社會體系》（*Systeme social*），1773 年版；《自然政治》（*La Politique naturelle*），1773 年版。

㉑「普遍意志」一詞，狄德羅在論自然法的文章中曾經用過；盧梭爲《百科全書》撰寫的論述政治經濟學文章也用過。究竟誰是創始人，尚難確定，但盧梭賦予該詞以自己的涵義，見下一章。

㉒《社會體系》，第 2 卷，第 52 頁。

㉓杜爾哥：《論人類理性的持續進步》（*Discours sur les progrès successifs de l'esprit humain*, 1750）；康多塞：《人類理性進步的歷史概觀》（*Esquisse d'un tableau historique des progrès de l'esprit humain*, 1794）。在英國，葛德文（Godwin）的《政治公道》（*Political Justice*, 1793）提出的哲學思想與康多塞的相似。

㉔《人類理性進步的歷史概觀》，第 210 頁。

參考書目

1. *The Heavenly City of the Eighteenth-century Philososhers.* By Carl L. Becker. New Haven, Conn., 1932.

2. *The Idea of Progress: An Inquiry into Its Origin and Growth.* By J. B. Bury. With an Introduction by Charles A. Beard. New York, 1932.

3. *The Philosophy of the Enlightenment.* By Ernst Cassirer. Eng. trans. by Fritz C. A. Koelln and James P. Pettegrove. Princeton, N. J, 1951.

4. *Montesquieu and Burke.* By. C. P. Courtney. Oxford, 1963.

5. *Montesquieu and English Politics* (1750 ~ 1800). By F. T. H. Fletcher. London, 1939.

6. *The Faith of Reason: The Idea of progress in the French Enlightenment.* By Charles Frankel. New York, 1948.

7. *Condorcet on the Progress of the Human Mind.* By Sir James George Frazer. Oxford, 1933.

8. *Voltaire's Politics: The Poet as Realist.* By Peter Gay. Princeton, N. J., 1959.

9. *Turgot.* By C. J. Gignoux. Paris, 1945.

10. *The Social and Political Ideas of Some Great French Thinkers of the Age of Reason.* Ed. by F. J. C. Hearnshaw. London, 1930. Chs. 5,6,8.

11. "The Age of eason. ""Diderot." By Harold J. Laski. In *Studies in Law and Politics.* London, 1932.

12. *The Rise of European Liberalism: An Essay in Interpretation.* By Harold J. Laski. London, 1936. Ch. 3.

13. *The Political Doctrine of Montesquieu's Esprit des lois.* By Lawrence M. Levin. New York, 1936.

14. *French Liberal Thought in the Eighteenth Century: A Study of Political Ideas from Bayle to Condorcet.* By Kingsley Martin. 2d ed. rev.

London, 1954.

15. *Voltaire: Man of Justice.* By Adolph Meyer. London, 1952.

16. *Natural Rights: A Criticism of Some Political and Ethical Conceptions.* By David G. Ritchie. London, 1895.

17. *The Pioneers of the French Revolution.* By Marius Roustan. Eng. trans. by Frederic Whyte. Boston, 1926

18. *Voltaire and the State.* By Constance Rowe. New York, 1955.

19. *Progress in the Age of Reason.* By R. V. Sampson. Cambridge, Mass., 1956.

20. *Condorcet and the Rise of Liberalism.* By J. Salwyn Schapiro. New York, 1934.

21. *Montesquieu: A Critical Biography.* By Robert Shackleton. New York. 1961.

22. *Montesquieu in America*, 1760～1801. By Paul M. Spurlin. University, Louisiana, 1940.

23. *Baron d'Holbach: A Prelude to the French Revolution.* By W. H. Wickwar. London, 1935.

第二十九章
重新發現社會：盧梭

　　法國啓蒙時期最富特色的作家與盧梭（Jean Jacques Rousseau）之間橫隔著一條不可逾越的鴻溝。當時的相關人士對這種隔閡都十分清楚，但是，要描述這種隔閡的確切性質卻有莫衷一是的看法。狄德羅（Diderot）把它描述爲「天堂與地獄的巨大懸殊」，並且說，盧梭的思想攪亂了他的工作，「好像一個該死的幽靈糾纏我」。盧梭則反脣相譏，說誰要懷疑他的忠誠（honesty），誰就「該上絞架」。整個歐洲都在爭吵，雙方陷入信仰的痛苦中。即使最基本的個人忠誠，也成爲爭議的問題，雖然現在也許已沒有人會相信，狄德羅爲人不正直，或盧梭是一個道地的僞君子。托馬斯・卡萊爾（Thomas Carlyle）曾說，他與斯特林（Sterling）的分歧僅僅在於「意見」不同。而盧梭除了意見之外，在所有方面都與當時的人大相逕庭，即便使用相同的詞彙，也絕不具有相同的涵義。他的稟性，他對生活的看法，他的價值標準，他的本能反應等等，都與啓蒙時期讚頌的東西格格不入。一七四四年至一七五六年的十二年中，他在巴黎度過，此時，他與百科全書派的作者們交往甚密，然而，這只能使雙方確信，盧梭並不是屬於這個圈子的人。

　　這種對立狀態以及盧梭撰寫的全部哲學和政治學著作，多多少少肇因於他那複雜而不幸的性格。《懺悔錄》（Confessions）對其性格的描繪入木三分，其中變態和宗教方面的變態有著很大作用。他說：「我的品味和思想，總在高尚與卑劣之間上下波動」。他與女人的關係，無論實際還是想像上，都耽於聲色，既沒有動物的滿足，也沒有情欲的昇華，只以感傷的幻想和內省狂洩出來。對於盧梭，喀爾文敎派的誡律、理性或道德準則，根本不存在。但是，他又不斷遭受淸敎徒意識的折磨，背負沉重的原罪感，心懷下地獄的恐懼。這對他的所作所爲並不會產生多

大影響，但是，作爲一種救贖，卻在道德情操方面獲益匪淺。「我很容易忘記我的不幸，但是，不能忘記我的缺點，更忘不了我的美德」。盧梭熱忱地相信人性本善，並曾將其作爲倫理學著作的基本原理，這與其說是出於理智的信仰，毋寧說他擔心自己性惡的內在恐懼的一種轉化。由於他將缺點歸咎於社會，既可以滿足譴責的需要，又能使自己在舒適的神話中找到庇護所。

盧梭性格中高貴與卑劣、理想與現實的內心衝突，使他無法滿足於自己的工作，無法對自己的工作充滿信心。一個觀念的萌發，像劃破夜空的光線，解決了「我們社會制度的一切矛盾」。這種論點表達的不是局部的認識，而是閃爍智慧之光的洞察力。在社會關係中，他蒙受不適應、愚蠢和自我猜疑的痛苦。除了和女人在一起以及學術交流之外，他似乎從未感到舒服。他喜歡寄生，而且在相當長的時間裡，過著半依附性的生活，但是，他又從不坦然地接受贍養。相反的，他爲自己構思了假禁欲主義（pseudo-stoicoism）的神話和虛幻的自給自足。最清楚的表現是他猜疑那些試圖向他伸出友誼之手的人，正千方百計地想毀滅他，密謀出賣，這些大概都是想像的。在他臨終之前，這些猜疑成爲迫害妄想狂。儘管他過了多年流浪生活（並非與他的性格不符），他的愛好和道德仍代表了中下階級的情操。本質上他喜歡樸實無華，害怕科學和藝術，懷疑優雅的舉止，感傷地看待普通人的美德，並把感覺置於理智之上。

向理性反叛

與大多數人相比，盧梭更喜歡將自己稟性中的矛盾和失調歸咎於社會，並爲自己的痛苦尋找止痛劑。因此，他採取了訴諸理性常用的一切方法，即人們熟悉的以自然狀態（natural）與實際狀態（actual）加以對比的方法。但是，盧梭並未訴諸理性。相反的，他把對比變成對理性的攻擊。啓蒙運動認爲，社會文明的唯一希望是理性、是知識增長進化和科學進步。盧梭則針鋒相對地提出崇尚友愛、仁慈的情操、善良願望和尊嚴。人類的共同情感賦予生活價值，這也許可以稱之爲本能。在這

方面，人與人簡直沒有甚麼區別。盧梭想像，這種情感在質樸而未經教化的人身上，比受過教育、老於世故的人更純潔、更眞實，「有思想的人是墮落的動物」。他的一切道德評價都注重共同情感的價值，諸如溫暖的家庭生活，母親的愛撫和美麗，來自平凡技藝（如耕作）的滿足、普遍的宗教情感等等，其中首要的是共同命運之感和享受共同生活——追隨他的人將其稱爲日常生活的「現實性」（reality）。相較之下，科學是無聊好奇心的產物；哲學是理性的浮誇，政治生活的快感則是虛設的飾物。

盧梭尚古主義的英雄不是高貴的野蠻人（noble savage），而是憤懣且迷茫的資產階級——社會對他冷漠、蔑視，他與社會格格不入，他自認爲心地善良，道德高尚，並對那些居然認爲沒有任何神聖事物存在的哲學家的邪惡感到震驚。因此，某種奇妙動機產生的邏輯驅使從他兩面出擊，一方面抨擊壓抑他的社會秩序，另一方面抨擊該社會賴以存在的社會基礎。爲反對這兩方面，盧梭建立了質樸心靈的虔誠與美德。實際上，盧梭是第一個道出新覺醒之恐懼的人，他擔心理性批判一旦摧毀教會清規戒律之類的煩人虔誠，也會欲罷不能地繼續摧毀尙有保留價值的虔誠——

> 這些盧榮無能的空談家（哲學家）四處遊說，以似是而非的謬論動搖我們信仰的基礎，使美德化爲虛幻。他們對愛國主義和宗教之類的舊名稱報以輕蔑一笑，用他們的天才和哲學去中傷和詆毀一切人們視爲神聖的東西。❶

簡言之，理智是危險的，它毀滅了虔誠；科學是破壞性的，它奪去了信仰；理性是邪惡的，它精明地反對道德直覺。若沒有虔誠、信仰、道德直覺，那就沒有人格也沒有社會。對於這種論調，啓蒙運動難以理解——除非它暗中捍衛教會並對其重新評價，而實際上並非如此——因爲啓蒙運動習慣於將信仰和希望建立在理性和科學的基礎上。一般說來，盧梭的巨大作用在於他把哲學推向與傳統相反的道路。康德認爲，盧梭第一個表明，與科學研究相比，道德意志更有價值。康德哲學即便不是新的信仰時代的開端，至少是科學與宗教道德之間新的分水嶺。在這種新的組合中，哲學不是科學的盟友，而是宗教的監護人。科學必須

審愼地以現象界爲限，圍於這個範圍，科學不至於危及內心的眞實性，也不至於危及宗敎誡律的道德法則。一旦科學僅限於認識現象，則至少表明了認識現實世界還有其他途徑，而哲學一旦從科學中解放出來，就不再跟在道德律後面蹣跚而行。有時可以藉助非理性和反理性的方法，藉助信仰、天才，藉助形而上學的直覺，或者藉助意志力等，去追求更高的眞理。不信任理智的現象，在十九世紀的哲學中比比皆是。

　　像盧梭這種政治哲學，以推崇道德情操，反對理性開始，可以走上不同的道路，但是，必然與天賦權利或功利主義一類的傳統自由主義背道而馳。盧梭和康德都否認合理的利己主義是高尚道德情操的動力，認爲小心精明審愼並不是美德。結果出現了更激烈的平等學說，該學說可以拿理性和個人權利加以辯護，因爲盧梭假定，美德存在於普通人中最純淨的地方。正如他在《愛彌爾》（*Emile*）中所說：

> 正是普通人構成了人類，不屬於人民大衆的人，根本不値個考
> 慮。各階層的人都是同樣的人，旣然如此，人數最多的階層最應受到
> 尊敬。❷

　　然而，這種民主意味著很少的個人自由，因爲它並不重視個人才能。把道德等同於合理的自利利己主義的倫理學，至少假定個人有判斷自由，但是情操倫理學，特別是強調情操乃是一切人之天性的倫理學，根本不需要這樣。最後，這種倫理學最明確灌輸的思想是遵從傳統和習俗的權威。普通人的道德無論包含多少善良願望，都必然是時代和地位的產物。它的標準與其說是個人的，不如說是集團的，這種道德總是敎導人們服從集體，遵守傳統義務。旣然如此，那根本無法保證，最終能把這種道德變爲民主。盧梭有點不經心地高估了無明顯等級差異的單純社會。他讚頌的美德：忠誠和愛國主義，爲集體創造幸福的榮譽感等等，必然與民主沒有什麼特殊聯繫。很難說盧梭究竟是屬於雅各賓派（Jacobin）的共和主義，還是屬於保守的反動派。

作爲公民的人

　　爲方便起見，可將盧梭的政治學著作分爲兩個時期：第一個時期爲形成時期，時間大約是一七五四至一七五五年。在這個時期，他形成了與狄德羅相對立的思想❸；第二個時期爲一七六二年，《社約論》(Social Contract)最後修訂並準備發表。許多批評家都感到，兩個時期的作品存在著基本的邏輯矛盾。沃恩(Vaughan)這樣描述：「《論人類不平等的起源和基礎》表現出富於挑戰性的個人主義」，「《社會契約論》則表現了毫無顧慮的集體主義」。毫無疑問，盧梭本人並沒有感覺這種對立。他在《懺悔錄》裡說：「《社會契約論》的每個重要思想，早在《論人類不平等的起源和基礎》發表之前就已形成了」。一般說來，盧梭的意見是正確的，雖然相互矛盾的思想在其著作中始終存在也是事實。《社會契約論》也有許多挑戰性的個人主義，他的著作沒有一本是首尾一致的。早期著作和《社會契約論》之間的差異僅僅在於，前者的寫作儘量在擺脫不合口味的社會哲學的束縛，而後者則儘情表達自己的思想，儘量清楚地表明一種與之相反的哲學。

　　盧梭不得不擺脫的社會哲學，乃是系統的個人主義，直到他寫作的當時，這種個人主義都被認爲來自於洛克。這種思想主張，一切社會集團的價值在於幸福或自我滿足，爲自己的成員造福，尤其在於保護他們的天賦權利和財產權。開明的利己主義和謹慎的個人利益促使人類進行協調合作。社會本來就是功利主義的產物，它保護各種價值，但它本身沒有什麼價值；它賴以存在的動力是普遍的自私；它的主要作用是爲了成員的幸福和安全。盧梭將上述見解歸之於霍布斯和洛克，完全正確。霍布斯認爲，戰爭狀態是人人相互敵對的自然狀態，針對霍布斯的見解，盧梭提出了中肯的反對意見。盧梭指出，戰爭是「公共的人」(public person)或「被稱爲首領的道德人」(moral beings called sovereign)挑起的。❹人不是作爲孤立的個人去戰鬥，而是作爲公民或臣民去戰鬥。

　　將盧梭從個人主義中解放出來的作家是柏拉圖。從盧梭開始，進入

古典著作對政治哲學發生影響的新時代，這種影響一直延伸到黑格爾主
義，與十八世紀的僞古典主義相比，它是更道地的古希臘思想。盧梭從
柏拉圖那裡獲得一種整體思想。首先，它相信，政治的主題本質上是倫
理問題，其次才是法律和權力問題。第二，也是更重要的一點，他承襲
柏拉圖的觀點，認爲社會本身是重要的道德化機構，因而代表了最高的
道德價值，一切城邦哲學都蘊含著這種思想。與盧梭相對立的哲學以完
善的個人爲起點，並賦予個人一整套利益和深謀遠慮的計算能力，即追
求幸福之欲望、所有權觀念、與他人交往的能力、討價還價、制訂協
議，以及建立實施協議的政府等。柏拉圖促使盧梭發問，除社會外，個
人能在什麼地方獲取這種能力，在社會裡，才可以談個性、自由、個人
利益、信守條約等；在社會之外，談不上什麼道德。個人從社會獲取精
神和道德能力。人只有依靠社會才成其爲人，基本的道德範疇不是人，
而是公民。

　　盧梭具有日內瓦城邦的公民資格，這也是他得出上述結論的原因之
一。早年，當他只是普通的日內瓦老百姓時，還看不出這種資格對他有
什麼影響，後來，他將其理想化和概念化。在《論人類不平等的起源和
基礎》一書的獻詞中可以看到這一點，該書是他打算在日內瓦安家時寫
成的。對城邦的理想化可以說明，他的政治哲學爲何從來不與當時的政
治緊密結合。在理論系統化的過程中，他從不考慮民族意識的國家，而
在論述具體問題時，他的觀點也與理論幾乎沒有什麼聯繫。盧梭哲學有
助於民族主義，但他卻從來不是一個民族主義者，他喚起城邦公民的親
近感和對城邦公民資格的尊敬，並據此向人們提出民族國家公民資格的
有效性問題，至少這個問題帶有情感色彩。他傾向於認爲，自然法所蘊
含的世界主義，乃是躲避公民義務的托辭。

　　在他形成政治觀念的兩年中，他主要關心「自然狀態」（state of
nature）或「自然人」（natural man）一類習慣用語的涵義，這類用
語顯然與他自己的觀念不一致，因爲他認爲，離開了社會，人即沒有道
德品質。他與狄德羅在這個問題上的分歧，乃是他們畢生爭論的開端。
一七五五年出版的那卷《百科全書》，有狄德羅論自然法的一篇文章和盧
梭論政治經濟學的一篇文章，大約在同一時期，盧梭又寫了一篇批評狄
德羅的文章，原想收入《社會契約論》，但在定稿時，又抽了出來。

　　狄德羅的論文是根據傳統觀念寫成一篇辭藻華麗的文章：人是理性的，人的理性使他服從自然平等法則，道德和政府的標準就在於人類的普遍意志（general will）；這種普遍意志具現在法律和文明人的實踐中。盧梭所抨擊的，正是這篇文章的因循守舊，他也對每一篇接受類似這種守舊信條的文章都持異議。首先，人類社會是一個「十足的怪物」，種族並非就是社會，因為相同的外表並不能形成真正的結合，社會是由道德人組成，由成員之間的真正結合所產生。社會必須有共同財富，如共同的語言、共同的利益、共同的福祉等，它們不是私人利益的總和，而是它的源泉。作為整體的人種，沒有這些共同之物。其次，傳統理論認為，人只關心自己的幸福，理性可自然而然地使人們結合起來。這種傳統觀點是絕對錯誤的。全部論點都是虛構的，因為我們的一切思想，包括個人利益的觀點，都源自我們生活於其中的社會。社會需求把人們聚集在一起，與社會需求相比，個人利益既不是天賦的也不是本質的。最後，如果有甚麼一般的人類家庭之觀念，那它也產生自人們本能地生活於其中的小團體；國際社會是結局，不是開端——

　　　　我們只是根據特殊的社會去設想一個普遍的社會，小國的建立使我們想到了大國；我們只有成為公民，才真正開始成為人。這表明，我們應該怎樣看待那些故步自封的世界主義者。他們認為熱愛人類就是熱愛祖國，他們誇口，為了享有大公無私的恩惠，人們必須熱愛整個世界。❺

自然與淳樸生活

　　《論人類不平等的起源和基礎》大約也在同時出版，該書因抨擊私有財產而遭受誹謗，而且也正因為如此，它才聞名於世。顯而易見，沒有人權，也就沒有財產權。盧梭在《科西嘉憲法草案》（ *Plan for a Constitution of Corsica* ）中甚至說，國家應該是唯一的所有者不過，盧梭並不必然就是共產主義者。他在論政治經濟學的文章中，將財產權說成「一切公民權中最神聖的權利」，在《論人類不平等的起源和基礎》中，還稱財產權是必不可少的社會權利。法國大革命前的半個世紀，法國確

實產生種種烏托邦共產主義設想，它們與中產階級激進主義的關係，大約相當於溫斯坦萊的共產主義與英國平均派政治學說的關係。盧梭之前的梅利葉（Meslier）和他之後的馬布里（Mably），以及摩萊里（Morelly），都勾畫過社會的「自然」圖景，在他們所設想的社會中，財產——尤其土地及其產品——爲公共所有。在革命時代，馬雷夏爾（Marechal）的《平等者宣言》（*Manifesto of Equals*）和巴貝夫（Babeuf）於一七九六年組織的共產主義起義，都堅持這種觀點，即沒有經濟平等，政治自由只能是表面文章。盧梭《論人類不平等的起源和基礎》對私有財產的抨擊，在模糊的意義上，可以算作這類共產主義思想。但是，盧梭沒有認眞考慮廢除財產權的問題，也沒有明確認識到，財產權在社會中究竟處於何等地位。盧梭對社會主義——空想社會主義及其他類型的社會主義——的貢獻在於提出一些普遍觀念，主張一切權利，包括財產權，都是社會內部的權利，並不與社會相對立。

從整體上看，《論人類不平等的起源和基礎》與狄德羅（Diderot）〈論自然法〉一文探討的主題相同。盧梭在該書前言提出一個問題：人性中什麼是天賦的，什麼是人爲的？他的答案概括如下：超越自私之上，人有一種先天的情感，即厭惡他人受苦。社會化的共同基礎不是理性，而是情感，除邪惡之人以外，無論哪裡有痛苦，都會接令人不快。就這個意義而言，人性善。一些理論主張的理性計算的利己主義，並不存在於自然之中，而是存在於反常的社會中。哲學家「很清楚倫敦或巴黎的公民爲何物，卻不知道人是什麼？」❻眞正的自然人是什麼呢？歷史無法回答，因爲，如果曾經存在自然人，現在卻已不復存在。如果人們試圖提出一種設想，那麼答案很明確：自然的人是動物，行爲純粹是本能，無論什麼思想，都是人類「墮落」的產物。自然人根本沒有語言，只有本能的喊叫，沒有語言就不會有任何思想。結果，自然人既不善也不惡，既不痛苦也不幸福。顯然，自然人沒有財產權，財產權源自觀念、期待性的需求、知識、工業等等，它們本質上不是天賦的，而是蘊涵於語言、思想以及社會之中。自私自利、興趣愛好、尊重他人、藝術、戰爭、奴隸制、惡習、夫妻、父母之愛等等，只有當人成爲社會人，共同生活在或大或小的集團中，才在人的身上表現出來。

這個論證相當普遍，它旨在證明，天生的利己主義是虛構的，某種

社會的出現不可避免，沒有一個社會是純粹本能的。然而，盧梭卻將這個論證與另一個邏輯上互不相干的論證混爲一談。他的早期著作，比《社會契約論》更富濃厚的悲觀主義色彩。也許旅居巴黎的經歷使他認識到，當時的法國社會，充其量不過是個剝削工具，因此變得憤世嫉俗。一個階級歷經貧窮的磨難，另一個階級才能過驕奢淫逸的生活。藝術是掛在人們鎖鏈上的的花環，藝術雖靠人民的勞動維持，人民羣衆卻可望而不可及。經濟剝削必然引起政治專制。盧梭反對這一是非顛倒的社會時，構思了一種理想化的淳樸社會，恰好介於原始人的怠惰與文明人的利己之間。他現在的結論與以前的結論顯然不一致。前者認爲，現存社會是非顛倒，應把它淳樸化；後者則主張，某種社會是人類生活中唯一的感化力量。社會如果是扭曲的，結論應該是取締它。盧梭卻沒有得出這種結論，因而人們紛紛指責他。事實上，這不是他的結論。他所欣賞的淳樸社會，正如他極力表明的，與天賦本能相去甚遠。因此，他對自然狀態的批判引出什麼實際結果（如果有的話），並不十分清楚。一切都取決於個人所處的社會性質。民族國家、好鬥的工人階級、擁護教皇絕對權力的羅馬天主教，都可以像盧梭喜好的城邦那樣，輕率地宣稱他們代表了人們應當效忠的絕對價值。其內涵可能保守，又可能十分激進。

　　盧梭的早期著作中，最清楚地表明其政治學說的，當首推《百科全書》第十五卷有關政治經濟學的那篇文章。在某種意義上，它顯然是狄德羅在同一卷中論述自然法文章的姊妹篇。最能代表盧梭政治思想的術語「普遍意志」（ general will ），同時出現在他們倆人的文章中，究竟狄德羅還是盧梭創造了這個術語，簡直無法確定。不過，盧梭肯定是按照自己的理解使用這一術語。該文簡單論述了《社會契約論》充份發揮的大多數觀點，其中包括社會具有法人資格或 “moi commun”（共同之我）的學說，將社會團體比作有機體，也包括法人的普遍意志是約束成員的道德標準，並認爲政府是普遍意志代理人的學說。這個論點背後的一般原則，前邊已經提到，即人種的相似並不能使人組成社會，只有心理或精神的紐帶才能發揮這種作用，包括各個部份的感情交流和相互溝通，與有機體的生命原理是一個道理 ——

　　　　因此，政治實體也是有意志的道德實體；這種普遍意志始終有助

於維護整體和每個部份的生存和幸福，所以它是法律的源泉，它向國家的全體成員指明，在他們的相互關係以及他們與國家的關係中，什麼是公正的準則，什麼是不公正的準則。❼

構成社會的傾向有著某種普遍特徵，亦即無論何處，只要個人之間存在有公共利益，就會組成永久的或暫時的社會，每個社會都有一個普遍意志，負責調節成員的行為。較大的社會並非直接由個人組成，而是由較小的社會組成。每個較大的社會確立各個小社會所承擔的義務。因此，盧梭依然維持「大社會」，即人類，自然法體現了他們的普遍意志，但是，這裡將人類視作社會，而不是種族。然而，這個社會的紐帶顯然非常虛弱。事實上，盧梭將愛國主義視為最高美德和其他一切美德的源泉——

　　毫無疑問，愛國主義創造了最偉大的美德奇蹟：這一美好而強烈的情感賦予一切自愛力量以道德美，賦予它力量，但不損害它的形象，使它在所有的熱情中最富於英雄氣概。❽

人要成其為人，首先必須是公民，但是，為了成為公民，政府必須給人以合法的自由，必須為他們提供物質福利，改變財富分配上的嚴重不平等，必須創立一個公共教育體系，使兒童逐漸「養成一種習慣，即在與國家的關係中考慮自己的個性」。盧梭幾乎以自相矛盾的形式，在《社會契約論》卷首提出了一般的政治哲學問題：

　　究竟用什麼不可思議的藝術，找到一種辦法使人們在服從中獲得自由？❾

普遍意志

《社會契約論》於一七六二年出版。據盧梭說，它是一本巨著的一部份，他曾計劃寫這部巨著，但未能完成。人們不知道他的計畫，但是，從《社會契約論》的材料安排看，他可能打算從抽象地說明普遍意志入手，繼而對歷史和政治作廣泛的考察。已經出版的後半部份依然帶有孟

德斯鳩著作的痕跡，《科西嘉憲法草案》和《論波蘭政府》（*Considérat-ions sur le gouvernement de Pologne*）也有類似的情況。《社會契約論》的理論部份過於抽象，當盧梭敘現實問題時，很難看到理論與他的計畫，或者計畫與他的理論有甚麼聯繫。因此，不妨說，放棄撰寫巨著，對他來說沒有造成甚麼損失。普遍意志（*general will*）和批判自然權利，概括了他想說的一切重要內容。這種理論可能有廣泛的實際用途，但是，盧梭既沒有足夠的知識，又沒有足夠的耐心鑽研它們。他相信，像城邦一樣的小社羣，是普遍意志的最佳典範，這使他在討論現實的政治問題時抓不住要領。

　　《社會契約論》對普遍意志理論的發揮有許多自相矛盾之處，部份是因爲他的觀念模糊不清，部份似乎因爲他具有雄辯家的怪癖：喜歡悖論。顯然，鑑於他批判自然人，應該完全廻避契約一詞，因爲該詞既無意義，又容易讓人誤解。但是，他卻保留了這個術語，從表面看，似乎是喜歡它的普遍感染力，而且，爲了掩飾這種不一致，他刪去了對自然狀態的批判，以前這是爲反駁狄德羅而作。盧梭不滿足於這種混雜的現象，他引入契約概念之後，又將其涵義弄得面目全非：第一，他的契約與政府職責和權力毫無關係，政府只是人民的代理人，沒有獨立的權力，因而不能成爲契約的主體；第二，設想社會是怎樣產生的想像活動，絕非來自契約，因爲個人必須成爲團體的成員，才有權利和自由。盧梭的全部論點依據一個事實，即公民社會對其成員而言是唯一的，與他們共存，他們既不能造就社會，也無權反對社會。社會是個「聯合體」（association），不是「聚集體」（aggregation），它是道德人格和集體人格。契約一詞像盧梭選擇的其他詞一樣令人迷茫不知所措

　　社會秩序乃是爲其他一切權利提供基礎的神聖權利。❿

　　要找出一種結合形式，使它能以全部共同的力量來捍衛和保障每個結合者的人身和財富，並且由於這種結合使每個與全體相聯合的個人，依然服從自己，並仍像以往那樣自由。

　　我們每個人都把自身及全部力量置於普遍意志的最高指導之下，我們將每個成員都視爲全體不可分割的一部份而加以接納。⓫

　　另一個矛盾在於，盧梭不得不努力證明，人只有成爲社會成員，才能比孤立存在獲取更多的利益。《社會契約論》開篇的名句就包含這層涵義，他對社會約束之所以「合法」（legitimate）所作的解釋，也有這個意思。這種提問題的方法便意味著，盧梭像霍爾巴赫或愛爾維修一樣試圖表明，成爲社會中的一個成員總體說來是一筆合算的交易。當然，如果自然狀態只是一種幻想，判斷交易是否合算的全部標準就只有在社會中才能找到，盧梭也就不會去做這種事了。同樣，說人「無處不在枷鎖之中」，實際上意味著社會是個累贅，人必須爲此付出代價，而盧梭卻爭辯說，人要成爲人，就必須成爲社會成員。一個壞的社會把枷鎖套在成員頭上，但是從邏輯上看，盧梭必定認爲，其所以如此是因爲社會太壞，而不是因爲它是社會。在盧梭看來，企圖證明社會存在是否合理的問題，乃一荒誕之舉。至於究竟什麼使一個社會優於另一個社會，這個問題當然是正當的。其中包括根據每個社會所保護的社會利益和個人利益，對不同的社會加以比較，但並不是拿一個社會與它並不存在的情形進行比較。再者，一個人可能在一個社會裡比在另一個社會裡境遇好些，但是，在沒有社會的情況下，他的處境是好是壞的問題則毫無意義，因而不予討論。他說，正是社會，才用「公正代替本能，並賦予人們以往沒有的道德」。「社會使人不再是愚昧和毫無想像力的動物，而使之成爲理性之物，即人」。沒有社會，也就沒有衡量幸福的標準。

　　因此，普遍意志代表了社會的獨特事實，即社會擁有集體利益，與成員的個人利益不是同一回事。在某種意義上，社會具有自己的生命歷程，它能完成自己的使命，也有自己的厄運。盧梭在一篇政治經濟學的文章裡，進一步發揮了社會同機體相類比的原理，認爲社會也可以具有自己的意志，即普遍意志（volonté générale）：

　　　　如果國家不外是個道德人格，其生命全在於成員的結合，如果它最關心的是保存自己，那麼它就必須有一種普遍性的強制力量，以便按照最有利於全體的方式推動並安排各個部份。⓬

　　自由、平等、財產之類的個人權利，乃是自然法爲人規定的權利，實際上，這些權利都是公民權。正如盧梭所言，人只有依據「約定俗成和合法的權利」，才能取得平等地位。並不像霍布斯所說的，平等是因

爲人的體力大致相同——

　　每個人對於他自己那份地產所具有的權利，永遠從屬於社會對所有人具有的權利。❸

　　在社會中，人首先獲得公民的自由（ civil liberty ），這是一種道德權利，不僅僅是「天賦自由」（ natural liberty ）；就形貌而言，「天賦自由」大概隸屬於孤獨的動物。

自由的矛盾

　　至此爲止，盧梭所說的完全正確，他恰如其份地回答了當時對自然狀態的過份誇張。不過，社會的人到底擁有什麼權利，盧梭的論述並不十分明確。盧梭對這個問題的闡釋，有時在一頁之內便自相矛盾，例如：

　　社會公約也賦予政治體以支配其成員的絕對權力。

　　我承認，每個人由於社會公約而轉讓出來的一切權力、財富、自由，僅僅是與集體有重要關係的一部份，且必須承認，唯有主權者才是判斷這種重要關係的仲裁人。

　　可是主權者的一方，絕不能爲臣民加上任何一種於整個集體無用的約束。

　　由此可見，主權權力雖然是絕對的、神聖的、不可侵犯的，卻不會超出，也不能超出公共約定的界限，人人都可以任意處置這種約定所留給自己的財富和自由。❹

　　事實上，盧梭隨心所欲地來回搖擺，徘徊在普遍意志理論與他表面拋棄實際上卻不可剝奪的個人權利之間。任何權利必須得到社會承認，並只能根據公共利益來維護這些權利，這一事實本身，並不足以說明，一個井然有序的社會，將賦予成員以何種個人權利。盧梭當然相信，社會福祉本身就支配著個人選擇和個人行爲的某種自由，一旦遇到這種情況，他便就以此作爲約束普遍意志的界限。如果自由本身是總體利益要

求的東西，從邏輯上說，根本不會發生社會福利支配個人自由的事情。另一方面，盧梭可充份地爭辯說，旣然不存在無視總體利益的不可剝奪的權利，所以根本不存在什麼個人權利。這又是一個邏輯上的混亂，除非有人主張——盧梭肯定要否定自己有此主張——一切自由都與社會公益相牴觸。事實上，普遍意志是抽象的，它不過斷言，一切權利都是社會的，至於在社會中，究竟給個人留下多大權利才是明智之舉，則根本無法判定。與此同時，盧梭反對全然無視社會幸福的天賦權利說，其一般立場當然還是正確的。

盧梭論點的混亂引起了另一個矛盾，即關於自由的矛盾。這個矛盾相當重要，卻又特別令人煩惱。盧梭一開始就設定某種宗旨以苛責利己主義的理論，但自己卻不受其範限，他眞切地反對利己主義，並確切地去證明人在社會中「仍然可以只服從他自己」。結果，這樣做只能表明，社會絕不會有眞正的強制（coercion），那些視爲強制性的東西，只是表面的，這是一個最糟糕的矛盾。就連罪犯也變成爲心甘情願自己受懲罰了——

> 爲了使社會公約不致於成爲一紙空文，它暗自默默地包含這樣一種規定……即任何拒不服從普遍意志的人，整體將迫使他服從。這無異於說，人們要迫使他自由。……唯此方法，才能使法律規定合法，沒有它，法律規定就是荒謬的、專制的，並且會嚴重濫用。**⑮**

換句話說，強迫不是眞正的強迫，因爲當個人要求的東西與社會秩序給予他的不同時，那不過是他自己反覆無常，根本不知道自己的利益或願望。

盧梭和他之後的黑格爾，都以這種曲解的含混概念進行危險的實驗。自由成爲威布倫（Veblen）所謂的「尊敬的名詞」（"honorific" word），一個感性的名稱，甚至連那些攻擊自由的人，也希望用它來命名。完全可以合法地指出，某些自由是不好的，某個方面獲得自由，而另一方面就可能失去自由，或者說，還有另外一些政治價值，在某種情況下，它們比自由更值得推崇。用牽強附會的語言說什麼限制自由，實質上等於增強自由，說什麼強迫，實際上卻不是強迫，這樣就只能使含糊的政治術語更加含糊。這還不是最糟糕的。盧梭的學說幾乎不可避

免地蘊含這樣一層涵義，即一個人的道德信念若與社會的道德信念相對立，那只能說他反覆無常，應當予以壓抑。從普遍意志的抽象理論出發，也許得不出這個結論，因為良心的自由確實屬於社會利益，而不僅僅是個人利益。但是，在每一具體情況下，普遍意志都必須與某類具體的現實意見相一致，而「道德直覺主義」（moral intuitionism）也往往意味著把道德與人們普遍承認的標準等同起來。強迫人們自由，只是盲目服從羣衆或強大黨派的托詞，羅伯斯庇爾（Robespierre）談到雅各賓派時，也就順理成章地採用了這種說法——「我們的意志就是普遍意志」——

　　他們說，恐怖主義是專制政府的靠山。我們的政府是專制主義嗎？當然是。自由英雄手裡揮舞的劍，與武裝暴君的幫兇們手中的劍毫無二致……革命政府是反對暴政的自由的專制主義。❶

正如盧梭所再三重申的，普遍意志永遠是正確的。這的確是自明的濫辭。因為普遍意志代表社會公益，社會公益就是正確的標準。凡不正確的東西都不是普遍意志。然而，這種絕對正確的東西，同許多可能與之矛盾的判斷究竟是甚麼關係？誰又有權判定是非呢？為了回答這些問題，盧梭提出了許多自相矛盾的說法和遁詞。有時他說，普遍意志只關心一般問題，不考慮特殊的人或行為，以此為私人判斷留下餘地。但是，他又斷定，普遍意志規定了個人判斷的範圍。兩種說法自相矛盾。有時，他企圖把普遍意志與多數人的決定等同起來，但是，這將意味著，多數人永遠是正確的，盧梭當然不相信這一點。有時他又說，普遍意志在溝通不同的意見時自動顯現出來。這種意見既無法否定，又無法證明。這等於說，社會——國家或民族——具有識別幸福和吉祥的特異功能。盧梭思想起源於羅曼蒂克式的團體崇拜，這是他的社會哲學與他所背離的個人主義哲學之間的本質差別。理性主義將價值體系建立在個人文化修養、智力啓蒙程度、獨立判斷和進取精神的基礎上。盧梭哲學則強調集體作用，強調參與集體所獲得的滿足，以及對非理性的崇拜。

盧梭的本意原認為，普遍意志理論將大大降低了政府的重要性。主權只屬於結合為團體的人民，政府不過是被授予權力的代理人，權力可以依據人民的意志撤銷或更換。政府不具有洛克契約論中那種法定權

利，它不過是一個委員會角色。盧梭是想藉此排除任何形式的代議制政府，因爲誰也代表不了人民的主權。因此，唯一自由的政府是直接民主制，在這種民主制中，公民可以親自出席城鎭會議。除了盧梭仰慕城邦之外，普遍意志究竟出於其他什麼原因而侷限於這種形式，就不十分清楚了。毫無疑問，盧梭相信，人民主權論大大縮小了行政部門的權力，然而，這是一個錯覺。儘管「人民」擁有一切權力，擁有一切道德的正義和智慧，但是人民作爲集合體，旣不能表達自己的意願，也不能把它付諸實施。社會權力拔得愈高，代言人就愈有權威，無論是否稱之爲代議士，情況都是如此。就連盧梭深惡痛絕的黨派，也將因爲集體主權的思想而得到加強，而不是削弱。組織嚴密的少數人，其領袖總是對自己的靈感深信不疑，而其成員則「用血來思維」（think with their blood），這種團體就是普遍意志的完美機構。

盧梭與民族主義

　　盧梭的政治哲學相當模糊，很難說清它有任何特質的指向。法國大革命時代，羅伯斯庇爾和雅各賓派也許主要受其影響。正如吉爾克（Gierke）所說，盧梭的人民主權論和否定政府享有法定權利的思想，是一種「永久革命」（permanent revolution）的思想，非常適合激進民主黨的宗旨。此外，普遍意志的概念並不眞正地要求全體人民自覺接受，或透過人民議會表現出來。盧梭對民主城邦的狂熱，乃是一個不合時代的錯誤。以農業經濟爲主的小社會，和類似的社會結成鬆散的聯邦，也許最能代表其理想的方案。但是，這種社會在歐洲無足輕重，而在美洲只有臨時意義。雖然盧梭認爲，任何較大的國度都不可能有自由公民，但是，在當時的歷史的條件下，盧梭激發的情感，必然導致理想化的民族愛國主義。他寫的論波蘭問題的文章，原想建議實行分權政策，但其唯一的作用，卻必定是喚起波蘭人的民族主義。另一方面，他一直攻擊啓蒙時代的博愛主義和世界主義的理想，指責他們普遍缺乏道德原則——

　　當今不再有法國人、德國人、西班牙人，或者英國人，只有歐洲

人……哪裡有可竊的金錢，有可勾引的女人，哪裡就是他的家。❼

　　結果，他把理想化的城邦公民資格，不加批判地用於當代的民族國家，然而，民族國家與社會和政治單元根本不是同一回事。因而，理想化的國家囊括了一切民族文明的價值，就像於希臘城邦涵蓋了希臘人幾乎所有的生活面貌一樣，儘管近代國家事實上已並非如此。盧梭本人並不是一位民族主義者，但他希望重新改造古代的公民理想，使之成爲適合於民族情感的東西。

　　不過，民族主義不是單向的，也不是只有一個推動力。它可以像革命時代那樣，意味著民主和人權，也可以意味著擁有土地的貴族與擁有財富的資產階級結盟。民族主義可以掃除封建制殘餘，建立新的制度，使這個制度的傳統忠誠觀和階級從屬關係，絲毫不比舊制度遜色。英法已完成了政治統一，其民族主義必然與日耳曼大相逕庭。日耳曼人的首要問題是建立與統一的日耳曼文化相應的民族政府。盧梭把平民百姓的道德情感理想化，很快在康德倫理學中產生共鳴。盧梭對日耳曼哲學的影響，尤其是盧梭的集體意志和參與公共生活的理想，在黑格爾的唯心主義哲學中得到了充份的體現。不過，盧梭的集體主義要求重新評價習俗、傳統，以及民族文化的歷史遺產，沒有這個前提，普遍意志就是一句空話。這反過來又對哲學的價值造成一次徹底的革命。自笛卡爾以來，人們將習俗與理性對立起來。理性的作用是把人們從權威和傳統的束縛下解放出來，使他們在自然之光的照耀下前進。這是自然法體系所具有的全部意義。盧梭的感情主義卻默默地把它放在一邊。黑格爾的唯心主義試圖把理性和傳統融爲一體，這是由民族精神或民族意識發展起來的文化。事實上，理性是爲習俗、傳統和權威服務的，與此相應，它強調穩定性、民族統一，以及發展的連續性等價值。

　　黑格爾的哲學把普遍意志視爲民族精神，它體現在民族文化中，不斷發展，並根據自身的歷史體制創建組織機構。盧梭除了在表述普遍意志上前後不一致之外，剩下的明顯缺陷就是概念極端抽象。普遍意志是社會的一種觀念或形式，就像康德的絕對命令是道德意志的形式一樣。除了所謂歷史偶然性之外，任何東西都不能把普遍意志與國民的感受和公民身分的理想化聯繫在一起。盧梭在法國政治生活中的離異立場，道德上不能與社會脈動相聯合，以及當時的法國政治狀況等等，都使他無

法賦予普遍意志以任何具體內容。然而，這個缺陷很快由埃德蒙·柏克（Edmund Burke）加以彌補。對柏克來說，傳統的體制、英國人的傳統權利和職責、逐代繁衍的豐富民族文化形式，都是具體的，不是抽象的，凡此種種都充滿了熾熱的愛國主義熱情和善良的道德情操。柏克晚年，法國大革命的衝擊和恐怖迫使他改變了畢生的堅持，不得不以籠統的形式，陳述他一直遵循的哲學。其結果與盧梭立刻形成一種對比，也是一種互補。在柏克的著作中，英國的集體生活成了可以意識的現實。普遍意志從雅各賓派的暫時束縛下解放出來，成為保守民族主義的一個要素。

　　十八世紀最典型的創造是哲學理性主義和自然法體系，現在則處於逐漸衰落的狀態。盧梭對它的否定大體上是感情因素超乎理智，他欠缺理智的透徹性，以感情用事的態度代替理智的批評。但是，理智的批評卻在休謨的著作中出現了。從洛克時代起，經驗哲學的發展以及社會研究中日益採用的經驗主義方法，造成了不調和的觀念日益向自然法體系滲透。或許，更真實地說是，自然法體系從一開始，就以理性的名義包含了多種因素，而為了明確起見，有必要區分出這些不同的因素，並指出這些因素已隨著社會研究的深入而變得越來越不協調。休謨的天才分析，造成了舊自然法體系的分裂。他從反面闡述理性的界限，實際上成為盧梭和柏克提出的價值準則的邏輯前提。盧梭將這個準則歸之於道德情操，柏克則將其歸之於發展中的民族傳統。

註　解

❶《藝術與科學》（ *The Arts and Science* ），英譯者科爾（ G. D. H. Cole ）；《社會契約論》（ *The Social Contract and Discourses* ），人人叢書第 142 頁。

❷轉引自莫利（ Morley ）的《盧梭》（ *Rousseau, 1886* ），第二卷，第 266 頁及下頁。

❸主要著作有《論人類不平等的起起源和基礎》（ *The Discours sur l'inégalité, 1754* ），爲百科全書撰寫的「政治經濟學」詞條（ 1755 年）；《社會契約論》初稿中刪去的一章〈論普遍的人類社會〉（ I,ii ）以及其他幾篇未出版的文稿。最佳版本爲沃恩（ C. E. Vaughan ）編的《讓·雅克·盧梭的政治著作》（ *Political Writings of Jean Jacques Rousseau* ），2 卷，劍橋，1915 年版。已出版的著作由科爾翻譯：《社會契約論》（人人叢書）。

❹《論戰爭狀態》（ *L'état de guerre* ）殘篇，沃恩，第 1 卷，第 293 頁。

❺沃恩，第 1 卷，第 453 頁。

❻《論戰爭狀態》，沃恩，第 1 卷，第 307 頁。

❼沃恩，第 1 卷，第 241 頁及下頁；科爾的英譯本，第 253 頁。

❽同上，第 1 卷，第 251 頁；同上譯本，第 263 頁。

❾同上，第 1 卷，第 245 頁；同上譯本，第 256 頁。

❿《社會契約論》，I，i。

⓫同上，Ⅰ，vi。

⓬同上，Ⅱ，iv。

⓭同上，Ⅰ，ix。

⓮同上，Ⅱ，iv。

⓯同上，Ⅰ，vii。

⓰1794 年 2 月 5 日致國民議會；《世界箴言報》，共和國 2 年 2 月 19 日，第 562 頁。

⓱《關於波蘭政府的若干論述》（ *Considérations sur le gouvernment de Pologne* ），第 3 章；沃恩，第 2 卷，第 432 頁。

參考書目

1. *Rousseau and Romanticism.* By Irving Babbitt. Boston, 1919.

2. *Rousseau: A Study of His Thought.* By J. H. Broome. London, 1963.

3. *The Question of Jean-Jacques Rousseau.* By Ernst Cassirer. Eng. trans. and ed. by Peter Gay. New York 1954.

4. *Rousseau-Totalitarian or Liberal?* By John W. Chapman. New York, 1956.

5. *Rousseau and the Modern State.* By Alfred Cobban. London, 1934.

6. *The Early Rousseau.* By Mario Einaudi. Ithaca, 1967.

7. *Rousseau and the Idea of Progree.* By Frederick C. Green. Oxford, 1950.

8. *Jean-Jacques Rousseau: A Critical Study of His Life and Writings.* By F. C. Green. Cambridge, 1955. Ch. 7.

9. *Jean-Jacques Rousseau: Discours sur les sciences et les arts.* Ed. by George R. Havens. New York, 1946. Introduction.

10. *The Social and Political Idea of Some Great French Thinkers of the Age of Reason.* Ed. By F. J. C. Hearnshaw. London, 1930. Ch. 7.

11. *Jean-Jacques Rousseau, Moralist.* By Charles W. Hendel. 2 vols. London, 1934.

12. *The Idea of Nationalism: A Study in Its Origins and Background.* By Hans Kohn. New York, 1944. Ch. 5.

13. *The Political Philosophy of Rousseau.* By Roger D. Masters. Princeton, 1968.

14. *Rousseau and the French Revolution.* By Joan McDonald. London, 1965.

15. *Rousseau and Burke: A Study of the Idea of Liberty in Eighteenth-century Political Thought.* By Annie M. Osborn. New York, 1940.

16. *La Pensée de Jean-Jacques Rousseau: eassai d'interprétation nouvelle.*

By Albert Schinz. Paris, 1929.

17. *The Rise of Totalitarian Democracy.* By J. L. Talmon. Boston, 1952.

18. *The Political Writings of Jean Jacques Rousseau.* Ed. by C. E. Vaughan. 2 vols. Cambridge, 1915. Introduction.

19. *The Political Tradition of the West: A Study in the Development of Modern Liberalism.* By Frederick M. Watkins. Cambridge, Mass., 1948. Ch. 4.

20. "Rousseau's Political Religion," *Review of Politics* (October, 1965). By Fred H. Willhoite, Jr.

21. *The Meaning of Rousseau.* By Ernest H. Wright. London, 1929. Ch. 3.

第三十章
習俗與傳統：休謨和柏克

　　盧梭哲學僅僅抨擊了自然法體系的一個局部，即人爲地把社會視爲保護個人財富的代理人，把人性視爲算計個人利益的籌碼。他針鋒相對地提出一個相反命題，主張健全人格的核心，是一些深沉的情感，與理智力量幾乎沒有什麼關係，它能使人們結成社會，因此，社會幸福乃最重要的事情，高於任何的個人利益。很難說他爲該命題作出甚麼辯護，他只是將其作爲道德直覺，作爲尚未墮落之人性的直接頓悟加以闡述，並且將歐洲社會的種種弊病，諸如自私自利、缺乏公德等等，統統歸罪於哲學家，歸罪於他們濫用理性批判。倘若盧梭是孤立的，那麼，影響深遠的自然法體系，經歷一個半世紀的哲學發展之後，不太可能在這樣一種指導無方的批評下崩潰，從而導致普遍意志猶疑不定的結果。但是，盧梭並不孤立。盧梭之所以贏得普遍讚賞，乃因爲他用一堆爲數不多而又未經消化的概念說服了人們，他在陳述中常常流露出華麗而動人的傷感，深深打動了人們。這表示，他擁有了公衆，公衆也至少在情感上與這種新的道德感召力產生共鳴。從思想上來看，自然法體系已經不合時宜，它不能爲社會研究提供適當的理性工具，它那教條式的自明主張，比吹牛好不了多少。自然法體系之所以能在法國生存，主要在於它的作用像是革命性的溶劑一樣，溶解了陳舊的政治和社會體系。

　　在英國，這種作用已不復存在。捍衛革命的任務，已隨洛克而宣告結束，只有到了法國大革命時期，才產生了天賦權利的迴響，而十八世紀英國作家的氣質，無論政治和宗教方面都顯然比較保守。在教會和政府能夠爲政治上具有發言權的階級之利益作妥善服務的國度裡，雖然普遍濫用自然法，自然法體系仍已喪失了直接的實際功效。此外，洛克的《人類理智論》問世後半個世紀之久，英國哲學幾乎完全沿著經驗主義道

路發展，像洛克一樣強調觀念的自然發展歷史以及觀念的由感覺派生。英國倫理學也經歷了同樣的過程。演繹倫理學以洛克保留的自明道德律爲起點，很快就過時了。邊沁以前，英國功利主義始終沒有愛爾維修賦予法國理論的那種激進變革的目的，不過，體系更爲明確，因爲它試圖自覺地消除自然公正、天賦權利一類的不恰當觀念。甚至在經濟學——到十九世紀，依然是自然法的根據地——之中，從總體上看，亞當·史密斯也不如後來的古典經濟學家更熱衷於演繹法，這也許是因爲他們比史密斯更受法國重農學派的影響。倘若史密斯更緊密的追隨他的朋友休謨的經濟學思想，其經濟思想或許能成爲更加系統化的經驗論。

休謨：理性、事實、價值

對自然法體系的批判和逐步清除，在休謨的《人性論》（ *Treatise of Human Nature* ）中達到了頂點。該書於一七三九—四○年出版。它在近代哲學史上占有重要地位，它的重要意義也絕不僅限於政治哲學領域。同時，休謨的一般哲學立場，對社會領域的各個分支產生了深遠的影響。休謨進行了透徹的邏輯分析，若接受這種分析，將摧毀一切自然法具有科學有效性的主張。此外，他還把這一批判結果擴展到具體運用自然法的宗教、倫理學、政治學領域。我們至少需要闡明休謨分析的主要原則，因爲它們對社會理論的進一步發展產生了深遠影響。在此可以略去休謨論述自己觀點時所用的技巧，它們目前已經過時了。

休謨分析了理性在自然法體系中慣用的涵義，他指出，理性一詞未經批判便將意義截然不同的三個因素或過程混淆地結合起來。結果，把不能肯定其絕對確定性的命題當作必然眞理，或當作不可改變的自然法和道德法。首先，休謨說明，就其必然意義而言，什麼才能正確地稱之爲理性。休謨承認，某些「觀念的比較」（comparison of idea）便可產生這類眞理。他認爲，只有在數學的某些有限領域，才能發現這類眞理，其特點十分明顯。它們就是現在所謂的形式蘊涵（formal implication），它們表明，如果前提成立，結論隨之成立。無須知道前提是否爲眞，因爲它的全部推論意味著，如果一個命題爲眞，另一個命

題也必然真。按照休謨不太確切的說法，這僅僅涉及觀念之間的關係，事實如何無關緊要。由於休謨的興趣所致，他不太重視數學真理或形式真理。他所關心的是，將形式真理和其他混淆在一起的邏輯運算區分開來，他試圖表明，這就是理性真理或必然真理的明確或恰當之涵義。

根據前面所述，顯然可以得出如下結論：任何觀念的比較都不能證明事實問題，從嚴格的邏輯意義或剛剛提及的理性意義來說，事實之間的聯繫沒有必然性。這就是休謨著名的因果分析之要點。要假定與任何事實相反總是可以做到的，發現兩個事實或事件具有因果聯繫，所有我們所能知道的一切，不過是它們的確以某種程度的規律性一起發生。人們只能發現它們一起出現，但不能由一個事實推出另一個事實。因此，所謂因果必然聯繫是一個虛假觀念，這裡所說的必然一詞，嚴格地說只存在於數學之中，在因果關係中，只有經驗的相互聯繫。由因果分析和事實分析也許可以推出：只討論實際發生的事件及其現實聯繫的經驗科學，與數學或表明一命題隨另一命題而出現的演繹推理，有著本質的差別。

第三，理性或合理的一詞，適用於人類行為。自然法公開表明，存在著有關權利、公正或自由的理性原則，它們可以表明為必然的，不可逃避的。休謨斷言這是另一個混亂。因為在這些情況下，說某一行為正當或正確，並不是根據理性推論，而是人類的某種偏好、渴望，或「嗜好」。理性本身並不指導行為方式。理性可以根據因果聯繫的知識指出，按某種方式行事其結果會如何如何。問題卻依然存在，當推理完成之後，結果是否能為人的偏好所接受？只有在下述意義上，理性才能成為行為的指南，即他指明用何種手段能獲得滿意的結果，用何手段避免不合意的結果。至於令人滿意的結果本身，既無所謂合理，也無所謂不合理。正如休謨所說：「理性是而且只應該是感情的奴隸，除了為感情服務及服從感情之外，談不上有其他什麼功能。」由上述分析可以得出：倫理學、政治學，或任何其他社會研究，凡涉及價值判斷，既有別於演繹科學，又不同於純粹的因果科學或事實科學。

於是，在理性的名義下，有三種本質不同的作用混為一談，休謨把它們區分開來：首先，嚴格意義上的演繹或理性；第二，經驗關係或因果關係的發現；第三，人們談論的權利、公正或功利，實際上乃是一種

價值的頌辭。仔細區分這三種作用，所謂自然法的合理性也就土崩瓦解了。後兩種意義嚴格說不是理性的，所以都含有無法證明的因素。休謨將這類因素稱之爲「習俗」（convention），休謨哲學的主要篇幅，都致力於表明經驗科學和社會科學中的這類因素。「習俗」不可避免，經驗推理和實際常識都需要它們。它們之所以有效，乃因爲人們習慣於使用它們，它們之所以有用，乃因爲憑藉它們可以形成多少比較穩定的行爲準則。但是，無法證明它們是必然的，永遠可以假定有相反的情形。與其說它們來自理性，不如說來自想像或「杜撰的嗜好」（propensity to feign），即假定自然或社會的規律比能肯定的更多。經驗科學中的因果律就是一例。所謂普遍的因果證明，都是循環論證，它的具體應用充其量不過得出一些或然性的結論。休謨認爲，從心理學的角度看，因果律是人的一種習慣（habit），而且看不出自然爲什麼必須符合人的習慣。不過，如若沒有因果律，也就沒有什麼原則將事實聯繫起來。同樣，休謨試圖表明，正義和自由一類的社會價值也包含了約定俗成的習俗問題，主要涉及它們對功利的作用，或者說，最終涉及它們同人類動機和嗜好的關係。

自然法的毀滅

　　休謨從一般的哲學命題出發，運用批判的武器，摧毀了自然法體系的許多分支的理論。他沒有涉足自然法體系的全部領域，而且其論點的全部內涵，很久以後才爲人所理解。但是，他至少批判了自然法體系的三大分支：自然的或理性的宗教、理性倫理學、政治學說中的契約論或同意說。他指出，理性宗教的概念肯定是虛構的，既然對事實不能進行演繹證明，上帝的存在當然也無法證明。實際上，由此得出的結論更爲廣泛，即旨在表明有任何事物必然存在的理性形而上學也不能成立。不過，所謂宗教眞理，甚至不具有科學概括的實際可能性，它們純然屬於情感的領域。因此，宗教可以有「自然史」，即有對宗教信仰和宗教實踐的心理學和人類學解釋，但是宗教卻不存在眞假問題。同樣，在倫理學和政治學中，由於價值依賴於人類行爲的癖好，所以，理性本質上不

能創造任何義務。結果，美德只是得到普遍贊成的心靈的屬性或行為。它像宗教一樣可能有自然史，但是，道德義務的力量，取決於人們是否承認嗜好、欲望，以及引起行動的動機。除此之外，不可能有任何其他的功用。

　　然而，休謨倫理學批判主要針對處於優勢地位的功利主義形式，該形式試圖把一切動機歸之於趨樂避苦。休謨的批判是經驗的，他當然確切地認為，功利主義將動機過於簡單化了。人性可不像單一癖好那麼簡單，許多顯然是原始的衝動，與快樂根本毫無關係，它們或許主要出自仁慈，例如某種父母之愛；它們也或許從表面上看既不自私也不仁慈。人性必須從本來的面目去把握它，自私動機合理的流行偏見，猶如理性主義者將正義視為合理的一樣，都變得荒謬不誕。休謨的人性論，排除了當時一切倫理學派把精打細算和深謀遠慮歸之於人性的習慣看法。他認為，人在追求個人利益和其他東西時，並不精於盤算。當人的情感和衝動不能直接奏效時，才會深謀遠慮，但是衝動經常影響個人利益，也經常干擾仁慈。休謨的功利主義模式不認為利己主義具有特殊的價值，也沒有過份誇大人類理智的作用。在這方面，他的功利主義與約翰・斯圖爾特・穆勒（John Stuart Mill）的共同之處顯然多於邊沁。邊沁更傾向於法國功利主義採取的簡單而又難以立足的觀點。

　　休謨對同意說——政治義務的約束力僅在於自願接受——的批判，沒有從歷史的角度提出反駁，因而比較複雜。相反，他將同意說視作假設性歷史（hypothetical history），以此來削弱它。他像後來的柏克一樣承認，在遙遠的過去，第一個原始社會有可能建立在同意的基礎上。即便如此，它與當今的社會並無聯繫。公民服從的義務如果來自遵守協議的義務，那我們還是可以質問：遵守協議的義務何以具有約束力呢？這兩件事在經驗上不同：沒有一個政府實際上徵得臣民的同意，也沒有一個政府實際上無法明辨政治從屬與遵守契約之間的關係。在人類動機中，忠誠或效忠政府的情感，與信守協定的情感一樣普遍。在政治世界中，專制政府營塑虛構同意的表面文章比自由政府來得少，而臣民也很少對專制政府提出疑義，除非專制的壓迫過於苛刻。最後，二者的目的似乎也不盡相同：政治效忠可以維持社會秩序以及保障和平與安全，遵守契約則是為了私人之間取得相互信任。休謨指出，顯而易見，公民服

從（civic obedience）的義務和信守協議的義務並不是同一回事，彼此不能相互推演派生，即使能，也不是因爲一個比另一個更有約束力。那麼，爲什麼二者都有約束力呢？顯然因爲在一個社會中，要維持穩定的社會秩序，保護財產，進行物質交換等等，缺少這些義務便行不通，兩種義務乃是同根生。若進一步問，人們爲什麼非要維持秩序，保護財產呢？答案是，部份因爲可以滿足實實在在的個人利益，部份則因爲教育造就了效忠習慣，結果，它像其他動機一樣成爲人性的一部份。社會成員確實感到某種共同利益，他們接受了強加給他們的義務。

就其本性而言，休謨表明的共同利益，與其說是契約或理性眞理，勿寧說只是具有類似語言的性質。它是一整套約定的習俗或籠統的總規則，經驗證明，它大體上能爲人之需要服務，雖然具體應用常常遇到許多困難。爲了保持穩定性，人們必須知道能夠依賴什麼，因而有必要制定某些規則。若引起不便，人們會更改他們，如果沒有其他途徑，甚至不惜使用暴力。但是，一般說來，任何規則都比沒有强，人們對它寄託的最大希望是：它能合理地發揮作用。顯然，規則並非扎根於人的自然本性之中，而只是根據行爲結果判斷所形成的行爲的標準，並且經由習慣而固定下來。總而言之，它們可以維持穩定的社會生活，這與人的嗜好和利益相一致。休謨將這種約定的習俗分爲兩類，一類調節財產權，稱之爲公正規則，另一類涉及政治權威是否合法。公正（justice）通常意味著財產所有權是穩定的，可以透過彼此同意相互轉讓，這類協議應有約束性；規則之所以公正，乃因爲它們把財產權變成了穩定的社會制度，並能滿足創造產權利益的需要。一個合法政府不同於篡權之政府，它依賴一套類述上述的習慣規則，以區別合法權力還是濫用武力。約定俗成和簽定法規乃習慣法最重要的規則。休謨指出，它們的影響往往具有時間上的回溯作用，因而包含一些非理性因素。根據當時的標準，一六八八年威廉即位的合法性很值得懷疑，後來之所以斷定合法，僅僅因爲他的後繼者們的認可。

感情的邏輯

如果同意休謨論點的前提，就不能不承認他淡化了天賦權利、自明真理，以及永恆不變的道德法等一整套理性主義哲學。以前，人們認為，這套哲學是先定和諧和社會秩序的保障。一旦取消了不能取消的權利或自然公正以及自由之後，剩下的就只有功利（utility），而功利之標準，或依據個人利益，或依據社會的穩定性，並由此產生一些習慣性的行為準則，以為人類的目的服務。當然，這些約定的習俗在人們當中常廣泛流傳並相對持久，因為人的動機完全一致，而且總體上變化遲緩，但並不具備其他意義上的普遍性。人的動機總因實際情況而異，隨事實與人之嗜好的因果關係而發生變化，並以行得通的規則為轉移，這些規則為人們的嗜好留下餘地。社會習俗可以通過歷史、心理學，或人類學加以解釋，但是，這些祇能給人們以相對的方便並符合人們的功利評價，除此之外毫無意義。任何想從社會習俗中尋找永恆的適用價值或權利的企圖，都只是一些混淆這些習俗的真正用途的說法；一旦承認功利原則，便要拋棄整個天賦權利體系。

這種強有力的毀滅性分析所導致的直接結果，却是休謨始料未及的。如果他的批評成立，唯一可能的推演結果是某種經驗的實證主義（empirical positivism），既排斥形而上學或宗教，也排斥那種聲稱具有超越社會環境之有效性並能滿足人們需要的倫理學。事實表明，休謨的批評，遠不如沿襲傳統的形而上學、宗教，以及倫理學強大。確實，沒有哪一位哲學家，在承認休謨前提的情況下，會否認他的結論具有必然性，也沒有人專門致力於用理性的自明真理，去恢復自然法體系。相反地，在法國大革命以及反對革命的保守反動時期之後，哲學家們比較願意相信，個人權利學說由於思想上的不適和社會的危害，也會遭及厄運。但是，他們不想停留在休謨的結果上，因為當時普遍把休謨的成果視為「過於消極」的標誌。結果，只能追隨休謨的主要前提，同時又否認他嚴格劃分理性（reason）、事實（fact）、價值（value）的合理性。如果能把三者融為一體，或者說，如果理性同時包含三者，那麼，

新邏輯、新形而上學，以及爲絕對價值的新辯護，就有可能誕生。這就
是由康德引導，以黑格爾的唯心主義最終完成的哲學過程。究竟是獲得
新的綜合還是產生新的混亂，依然是個有待討論的問題。無論如何，休
謨的實證主義產生了一個弔詭的結果，即造就了一種精緻的形而上學、
一種宗教復興，以及更爲堅實的絕對倫理價值觀。

　　黑格爾雖然是最有系統地闡述了這種新哲學，但是他混入十八世紀
末普遍流行的觀念，形成了對「感情」的一種新的文學評價，形成了浪
漫主義的擬中古精神（romantic pseudo-medievalism），形成了民間
詩歌的復興和對民族文化歷史根源的新興趣，並產生一種觀念，認爲法
律和憲法體現了「民族的內在精神」（inner sprite of the nation）。
就社會哲學而言，當時熱衷於將三個因素融爲一體，形成新的綜合。首
先，有一種傾向，或者極力貶低邏輯（或抽象理性），檯高感情，或者
希望二者在一個更高級、更深刻的邏輯體系中加以結合。卡萊爾（Ca-
rlyle）曾經譏諷休謨的哲學，說它是「平舖直敍的邏輯打場，從地理一
直說到宗教，一切問題都以同樣的機械程序拍打和篩選」，這種說法頗
具代表性。尤其是道德情感以及盧梭推崇的宗敎虔誠和忠於集體的偉大
情操，比邏輯的清晰性包含了更深刻的智慧；第二種傾向是，尊重感情
和尊重集體本身蘊含著對習俗和傳統價值的新評價。新哲學沒有把它們
視爲理性的對立面，而是看作隱含在種族或民族意識中之理性的逐步展
開。因此，習慣和傳統絕不是有敎養的人應當擺脫的負擔，而是應予以
捍衞的珍貴遺產，個人步入這一遺產，眞可謂三生有幸。柏克
（Burke）對傳統民族文化的新評價，呼無人能與之媲美；最後，這個
變化本身蘊含著新的歷史意義。新哲學習慣於將文明史視爲神的精神和
目的逐步展開。因此，社會生活的價值，包括道德觀、文學藝術、宗敎
及其文化成就等等，旣是絕對的，又是相對的。所謂絕對，是就其終極
意義而言；所謂相對，則就其特定歷史條件下的具體體現而言。人的理
性是潛在的宇宙精神的表現，宇宙精神透過各民族的歷史逐步實現自
身。

柏克：約定俗成的政體

這一莊嚴而浪漫的哲學殿堂，最後由黑格爾的「唯心主義」體系加以落成，十九世紀的哲學家試圖用它取代自然法體系，柏克爲此做出了重大貢獻。柏克比十八世紀任何一位思想家都抱持更虔誠的態度對待政治傳統。他從政治傳統中看到政治家必須求教的至理名言，看到了豐富人類成就的積累，認爲只有尊重這些成就的本來涵義，才有可能予以改變。把休謨和柏克放在同一章，確實有點兒不太協調。蘇格蘭哲學家休謨的個性冷靜而略帶尖刻，愛爾蘭政治家柏克則有奔放的想像力和與生俱來的虔誠，二人個性形成鮮明的對照。不過，在某種意義上柏克也同意休謨對理性和自然法的否定。他承認，社會是人爲的，不是天然的，社會不僅僅是理性的產物，社會的準則是約定的習俗，社會依賴於模糊的本能和嗜好，甚至依賴於偏見。但是，「藝術是人的自然本性」。這些嗜好以及嗜好產生的社會，就是人的本性，如果沒有這一切，沒有由此產生的道德準則和制度，那就如亞里士斯德所言，人也許是野獸或天神，但絕不是人。因此，民族生活傳統具有的功效，不能由是否方便個人或是否使個人享有權利來衡量。它是一切文明的寶庫，是宗教和道德的源泉，甚至是理性之主宰。因此，柏克明確表明了休謨摧毀永恆理性和自然法之後所引起的反作用。他用情感、傳統，以及理念化的歷史取代了自明的權利，用社會崇拜代替了個人崇拜。

關於柏克政治哲學的一致性，一向眾說紛紜，尤其對他一方面堅持惠格黨原則（Whig prfnciples），一方面又激烈反對法國大革命的做法，更是莫衷一是。他反對法國大革命的態度，斷送了他畢生建立起來的政治聯繫和友誼，在當時看來，這與他早期爲美國自由辯護、抨擊國王凌駕於議會之上、力主肅清東印度公司的既得權利等做法，十分不協調。事實上，這是錯覺。柏克政治觀點的一貫性，不在於按邏輯構造的體系，而在於他一貫奉行保守主義原則。這種立場驅使他抨擊法國大革命，他在革命前的一切著作，都貫穿了這種原則立場。確實，法國的事變使他恐慌，使他判斷失衡，表現出他的憎恨（以前他還曾體面地掩飾

過），滔滔不絕地發表一些不負責任的言論。在這些言論中，他的公允態度、他的歷史評價，以及他慣於駕馭事實的本領，都喪失殆盡。但是，革命並未使他產生或改變什麼觀念。只不過迫使他把觀念與具體情況區分開來，並作爲普遍的命題提出來。他的主要政治信念始終如一：政治體制形成一套龐雜的約定俗成的權利體系和習慣遵守的慣例，這些慣例產生於過去，又在不打破連續性的情況下適應現實，他還認爲，政體的傳統和社會傳統應被奉若神明，因爲它是集體智慧和文明的寶庫。革命使他更激烈地摒棄自然權利，但並沒有徹底拋棄。爲了便於敍述，可以對柏克關於英國問題的意見和他的概括性論述加以區分，前者包括政體性質、議會代議制，以及政黨價值等，後者主要來自法國大革命。

　　柏克忠於惠格黨的原則，承認洛克的學說，即政體是國王、貴族和平民的平衡。出於修飾的目的，他不惜藉助孟德斯鳩的權威，但是，事實上他的政體平衡觀念與分權思想幾乎沒有什麼關係，自由主義者則把分權視爲個人自由的基石。對柏克來說，平衡乃是就幾大勢力集團之間的平衡而言。它的基礎不過是習俗，根本不是個人利益的不可侵犯。他的見解基本上與休謨一致，即認爲政治社會的秩序通常是因應人的需要而尊崇的習俗——

　　　　我們的政體是約定俗成的政體，其唯一的權威則淵源流長……你們的國王、你們的貴族、你們的法官、你們的大小陪審團等等，都是約定俗成的……約定俗成乃最堅實之權威，不僅對財產如此，而且對保障財產權、對政府也是如此……它是一個依據，憑藉它可以支持政府的既定方案，反對任何未經考驗的計畫。正因爲如此，一個國家才能長期存在，繁榮昌盛。它是國家作出更可靠抉擇的依據，遠遠勝過實際選舉時作出的突然而臨時的選擇。因爲國家不是地域性概念，也不是個人的臨時聚合體，而是一個連續概念，時間上不斷延長，人數和空間上不斷擴展。這不是權宜的或個人的選擇，也不是烏合之眾的輕率之舉，它是若干世紀、若干代人的審慎抉擇，這是一種比選擇優越一萬倍的政體，由特定的環境、條件、性格、氣質以及人民的道德、民俗和社會習慣所決定的，這一切需經很長的時間才能表現出來……個人是愚蠢的，不審慎行事的公眾一時間也是愚蠢的，但是，人類是聰明的，祇要給他們時間，他們永遠可以正確行事。❶

這種政體思想確實出自洛克，但不是洛克講的個人權利不可取消那一部份，而洛克革命者的形象，恰恰源自於那一部份。確切地說，這種思想與洛克承襲的胡克傳統相吻合，該思想可追溯到一種革命前的政體理念，其主要觀點是：政體是權力之間的禮讓，所有這些權力都有其本來的權威，因為它們都是王國的機構，但是，他們沒有一個是法律上的主權者。不過，更確切地說，柏克的政體學說和議會政府概念，都以一六八八年的解決辦法為基礎（這是它與洛克哲學理論的差別），利用這種方法，實際的政治權力轉移到了惠格黨貴族手裡。一七七○年，柏克試圖重振惠格黨的努力是一種反動，因為惠格黨的大家族，在光榮革命之後已不再享有無可爭辯的領導地位。正是對英國政府概念的忠誠，促使他既反對議會變革，又反對喬治三世在議會中擴大影響。因為他擔心，而且直言不諱地說他擔心，國王的任命權與東印度財主的金錢相結合，將會產生比惠格黨更大的影響。柏克的議會制政府概念，相應地包含了內閣獨立於法院和內閣在會議中的領導權，但排除了大眾化的眾議院。

議會代表制與政黨

柏克的代議制理論可退回到十七世紀。他反對把選區看作人數或地域單位，也反對將代議制視為擁有所代表人口之若干量選票的概念。他否認代議制僅代表個體公民，也否認數量優勢在形成一個國家的成熟意見時有什麼實際意義。他認為，名符其實的代議制，就是「其中含有共同利益以及一致的情感和願望」。它具有透過實際選舉而產生的優點，也避免了它的許多缺點。總而言之，柏克心目中的議會制政府，為結構嚴密且獻身公眾的少數人所領導，國家通常願意服從他們的領導。議會則是對少數領導人提出批評的場所，批評是為了維護整體國家利益。同時，也允許現存代議制政府對領導人的意見提出合理的批評。柏克中肯地指出，議會過份細膩地立法嘗試，會遇到許多困難。他在贈布里斯托爾（Bristol）選民書中，為議員的獨立判斷和獨立行動撰寫了最優秀的辯辭。他說，一旦當選，他就要對全民族和帝國的利益負責，無論是否

與選民的判斷相一致，對選民他負有以最佳判斷而自由行事的義務。正如柏克所說，一個議員並不是非要向他的選民求學，才通曉法律和政治原則。

柏克努力振興惠格黨，使他比其他英國政治家更早地看到，政黨在議會中占有必不可少的地位。❷惠格黨關於內閣充當衆議院領袖的設想，蘊含了這一內容。柏克的論點主要針對某些偏見，其中包括宗派意見的組合乃是一國政治宗旨，只追求非愛國主義的黨派利益，尤其是使喬治三世成爲「愛國的國王」等偏見。他提出了政黨的經典性定義——

> 政黨是人的聯合體，聯合的前提是他們一致同意的某些特定原則，其目的是共同努力促進國家利益。

他無可辯駁地表明，任何一個嚴謹的政治家，對何謂正確的公共政策都有自己的見解，如果他是認眞負責的人，必定公開宣稱將其政策付諸實施，並努力尋求施政的方法。他必然要求持共同見解者聯手，不讓個人對這些見解的忠誠稍有動搖。他們必然聯合起來，拒絕和那些與他們的組成原則不相容的團體結盟或接受其領導。毫無疑問，這對理解憲制政府及其作用頗爲重要。

抽象權利和政治人格

有關柏克對英國政府的想法雖然重要，但是，卻不能爲他在政治哲學家中贏得更高的地位。法國革命迫使他違心地概述他一貫奉行的原則。他的早期著作幾乎有意避免搞一套政治哲學。關於美洲的爭論以及抨擊東印度公司的特權，爲他的聞名提供兩次機會，但是，他拒絕討論議會抽象的合法權力或殖民地和東印度公司的抽象權利。關於美洲，他提議徵求憲政「天才」（genius）的意見，卻否認文字辯論的必要性。他通常以輕蔑的口吻談論公民抽象權利論，將抽象權利的利用稱爲「未妥善管理國家的一個必然徵兆」。他把抽象科學之判斷與政治判斷加以比較，前者僅考慮某一時刻的某一方面，後者則需要考慮最多數的可能情況。他不承認道德問題是抽象問題，他斷言，從道德上判斷事情的對

與錯，只能從它與其它事物的關係和聯繫來判斷。他把政治家的智慧描述為精明、機斷、洞悉人性、聽從意見等等。總之，他認為政治是一種藝術和洞察力，涉及「千變萬化」的主題，人的「權利處於中間狀態，無法定義，但並非不能辨別。」正是革命哲學的戰鬥性，迫使柏克不去闡述權利理論，反而以概括的形式將其思想納入權利所由產生的社會構架中。

　　誠然，他從未否認過自然權利的現實性。他像休謨一樣承認，社會契約可能存在，不過頗有點兒假設歷史的味道。甚至，他比休謨更加深信，不可違背社會的某些習俗。他從未打算說明，那些不可變更的原則——也許包括財產、宗教、政體綱要等——究竟是什麼，但無疑相信它們是真實存在的。然而，他像休謨一樣將其視作純粹的習俗。也就是說，它們不是源於自然或人類全體，而是源於習慣以及約定俗成的安排，由此將某個特定集團的人變為市民社會。柏克對人種和社會進行的對比，恰恰與盧梭批評狄德羅時的對比一拍即合——

　　　　蒙昧狀態，不存在什麼人民。烏合之眾不具備團體的資格。人民是個法人概念。它像其他的法律構想一樣，完全是人為的，由共同協議所組成。至於該協議的特殊性質，則取決於該特定社會的形式。❸

這足以說明，革命的平等理想為什麼不可能實現並具有破壞性。多數同意原則本身是一種社會習俗，是經普遍同意而確定下來的實踐手段，並為習慣進一步加以強化，它根本與「自然」毫無瓜葛。況且，天賦平等只是一種社會虛構。人結合成政治實體需要等級差別，這是「習慣的社會誡律，智者、實業家、富人據以進行指導，透過指導啟迪並保護弱者、愚者、貧者」。總而言之，人民是一個有機的團體，有它的歷史、體制、習慣行為方式、慣有的崇尚、忠誠以及權威等等。它是一個「真正的政治人格」（true politic personality）。

　　這種社團結構，僅在很小程度上依賴於計算或自利，甚至很少依賴於自覺意志。柏克對革命者的理性神話反唇相譏，寧願說社會取決於「成見」（prejudice），即取決於深厚的愛心與忠誠，這種情感，發端於家庭鄰里，超出國界與民族。追根究柢，這些情感是本能的，它們形成人格的巨大深層結構，相形之下，理性和個人利益則是表象性的。

社會和道德的基礎在於人人都覺得，自己需要成爲一種超越短暫生命而廣存的部份存在。構成社會不靠精打細算的個人利益，而是靠全體成員及其責任感，人在社會中占有一席之地（哪怕最低的位置），在道德上必須承擔他的地位賦予他的義務。沒有它們，人就不可能穩定地結合在一起，因爲個人智慧若得不到習慣制度和義務的支持，只能是一個脆弱的工具——

> 我們擔心人的生活和交往僅以個人理性爲準繩，因爲我們覺得，個人的理性大都總是偏狹的，個人如果把自己置於國家和世代的資本中，將發揮更大的作用。❹

　　正是由於感到社會生活的巨大和個人理性與意志的相對渺小，柏克才以政治學的抽象觀念爲敵。抽象觀念過於簡單，根本不符合事實。它帶有一定的虛構，即使最聰明的政治家，也無法把握，它也有一定的柔韌性，任何制度都不可能具有。制度不是發明創造出來的，它們是活生生的，不斷發展的，因此，必須以敬畏的態度接觸它們，以審愼的態度對待它們。對制訂計畫的政治家來說，以冒險和空想的計畫來制訂新制度，很容易毀掉他一時心血來潮想要重建的東西。舊制度之所以正常運轉，乃是因爲人們世代習慣、熟悉，並尊重它們，新創造的制度倘若不能使人們積累類似的習慣和情感，無論多麽符合邏輯也行不通。因此，那些自詡能夠創造新體制、新政府的革命者，在柏克眼裡既愚蠢又可悲。一個政府可以變更或改善，但每次只能做小幅度的更動，而且總得符合人民的習慣和歷史精神。大致上柏克所說的向憲政天才請教之內涵，就是如此。他對人民所擁有的智慧，幾乎抱有一種神秘的崇敬感。他認爲，一個偉大的政治傳統有自身的發展線索，這並不意味著盲目地追隨先例，而是讓習慣做法適應新的形式。對柏克來說，這是政治家的藝術，在變革中維護傳統。它像理性一樣是一種洞察力，因而難以定義。

歷史中的神意

　　柏克不僅像休謨一樣，清除了社會制度依賴理性或自然的一切僞裝，而且遠甚理休謨推翻了自然法體系蘊含的價值系統。不是理性，而是習慣、傳統，以及社會成員的資格，賦予了人性的道德品質。正如盧梭所說，人只有成爲公民才能稱之爲人。因爲正是這一「人爲的」（artificial）實體提供了標準，提供了對人的生活進行道德評價和理性評判，「人爲創造乃是人之天性」（art is man's nature）。對照不是在愚蠢而實行壓制的當局與自由而有理性的個人之間，而是在「這種美好的秩序，這種眞理與自然系列、習慣與偏見系列」，與一幫雜亂無章的「逃兵和無賴」之間進行。文明是社會財富，不是個人財富，人的一切精神財富都來自有機社會的全體成員。因爲社會和社會傳統，乃人類一切創造──包括道德理想、藝術、科學、知識──的衞士。社會成員的身分意味著獲得通往一切文化寶庫的資格，通往文明與野蠻的分水嶺。它不是負擔，而是通往人類自由的大門──

> 　　社會的確是一種契約。契約若服從暫時的利益，隨時都有可能解除。不應把國家僅僅看作經營胡椒和咖啡，進行白布或煙草貿易，或者解決其他什麼次要問題的合夥協議，可以爲蠅頭小利而締結，亦可因當事人見異思遷而解除。應抱另外一種尊敬的態度看待國家，因爲國家不像野生動物那樣，只是爲了暫時生存而搭成的合夥關係。國家是一切科學的組合、是一切藝術的組合、是一切美德的組合、是一切完美之組合，只有經過許多世代，才能完成這種組合之目的。這不僅是活著的人之間的組合，亦是生者、死者和即將出世者之間的組合。每個特定國家每項契約條款，按照神聖誓言批准的固定盟約，可以把低級的自然狀態與高級狀態聯繫起來，把可見世界與不可見世界聯繫起來。這種誓約是一切物理的和道德的自然本性之支柱，使它們各就其位。❺

　　這一大段高論，或許是柏克著作中最爲著名的一段，其中對國家一

詞的用法，特別像黑格爾。文中並未清楚地區分社會與國家，而國家的特殊涵義，意指著文明中一切較高級利益的保護者。當然，這並不排除國家的低級職能之一依然是由政府來扶植「胡椒和咖啡貿易」（trade of pepper and coffee）。這至少是用詞的的嚴重混亂，因爲社會、國家、政府無疑具有完全不同的意義。此外，互換詞彙乃柏克論辯的修辭手段。他利用這種手段影射推翻了君主制的法國政府，認爲它已經成爲法國社會的敵人，並且正在摧毀法國文明。毫無疑問，柏克想斷定自己的看法正確，但是，他無權用未經證明的假定論證自己的觀點。推翻一個政府和摧毀一個社會根本不是一回事，文明的許多方面幾乎不依賴於國家。把國家理想化，使之成爲文明的一切最高價值的化身，此乃黑格爾和英國理想主義者的獨有特徵。

柏克對國家所持的崇敬態度，與休謨和功利主義者迥然不同，權宜之計是他的口頭禪，但幾乎不具有功利的意義。因爲他實際上把宗教與政治聯繫起來。這不僅指他篤信宗教，相信優秀公民與宗教信仰不可分離，而且也指他將英國教會奉爲國家的神聖事業。他以一種近似宗教崇拜的敬畏態度看待社會結構、歷史、制度、各種職責以及忠誠。他不僅對英國懷有這種感情，對根深柢固的古典文明同樣如此，他對東印度公司的猛烈抨擊和對海斯廷斯（Warren Hastings）的指控，在某種程度上是出於對印度古代文明的崇敬之情，因此他確信印度人必須根據「他們自己的原則而不是我們的原則」治理國家，同時他認爲，東印度公司只不過在那裡進行開發利用和毀滅。他也崇拜法國文化，儘管法國是修道院制，嚴格說來，作爲一個新教徒，他對這種體制並不帶任何宗教上的好感。柏克從不認爲政府或社會僅與人的問題相關，它是世間的神聖道德秩序的一部份，而這個世界則是由上帝所管轄。他也從不認爲任何國家只按自己的法律行事。因爲每個人都應在國家穩定連續的秩序中占有一席之地，同樣，每個國家在世界文明中亦各安其位，這種文明是按「神聖旨意」（divine tactic）的展開。在一段話中，柏克盡興地發洩了他對法國的不滿之後，認定歷史是神的安排，這種對神意的肯定甚至超過他對革命的憎惡。他無可奈何地說，如果一個大規模的變革確已降臨，「那麼，倒行逆施的人不單是反對人之意圖，而且也是違背神意」。柏克與黑格爾頗爲相似，他們都相信社會秩序和歷史發展含有神

的旨意——

　　我是默默消逝的過去，我是即將降臨的未來，我是永恆秩序的偉大鏈條之一環。❻

柏克・盧梭・黑格爾

　　柏克正確地被人看作自覺的政治保守主義奠基人。保守主義的一切原則，幾乎都可從柏克的言論和著作中找到：他欣賞社會體系的複雜性以及社會習俗的巨大力量；他遵從既定制度的智慧，尤其是宗教和財產制度的智慧；他強烈地感受到歷史變動的連續性；他相信個人意志和理性相對軟弱，無法使制度脫離軌道；而且，社會成員安於國家不同等級的忠誠，使他享受道德上的滿足。當然不是說柏克之前沒有保守主義，而是在他之前幾乎沒有保守主義哲學。柏克確實想維護一個已經無力操縱英國政府的政黨的特權，但是，他的觀念比惠格黨寡頭政治的辯詞更能廣泛應用。他對法國革命的反動是一種轉變的開始，即流行的社會哲學已開始從攻勢轉為守勢，因此開闢了一個新階段，開始強調穩定的價值以及穩定賴以存在的習慣之力量。保守主義並不死硬地主張維持現狀。黑格爾的哲學系統包括了柏克散佈的一切原則，黑格爾本人則是德國典型的新政治秩序的鼓吹者。這種哲學的重要性日趨升級，標誌著一個時代的到來，變革勢力與穩健派開始握手言和了。這種現象背後，存在著一個社會階級結構，暫時處於相對穩定狀態。在這種情況下，即使自由派，也希望依靠和平溫變而不是依靠革命來達到變革之目的。

　　盧梭與柏克的基本思想有驚人的相似之處，這足以表明歐洲人的觀念普遍發生了變化。從表面上看，他們之間沒有任何共同之處，柏克與盧梭交往一段之後，曾以輕蔑的筆調記錄了盧梭的人格。但是，盧梭眷戀「城邦制」，柏克崇敬民族傳統，二人卻如出一轍，他們都以新的社會崇拜（new cult of society）取代了舊的個人崇拜（old cult of the indivi dual）。儘管柏克與休謨性格頗為相似，而且都認為自然法體系不能成立，但他們之間的差異卻清晰可見。休謨偏愛事物的動機和目的，實乃功利主義特有之性質。如果有什麼東西直接在他寧靜的內心激

起不信任和厭惡，那就是「熱情」。摧毀自然法的崇敬之後，他覺得無須用新的崇敬塡補這一空白，社會崇拜在他看來並不比別的崇拜好多少。對柏克和對康德都一樣，自然法僞科學的滅亡是一個機會，可藉此建立「理性的信念」，期使誠摯的崇敬可以爲保障眞理而克盡其職。

　　要說柏克有一套完整的政治哲學，是有點兒言過其實。他的思想散見於各式言論和著作中，這些言論和著作都因當時的事件而起，不過，它們卻有前後一致性，標誌出敏銳的理智和堅定的道德信念。當然，柏克沒有什麼哲學，只有對當時參與的事件作出反應，他對哲學史也知之甚少。因此，他並沒有意識到自己的思想或他所反對的自然法，與當時歐洲學術史之間有什麼聯繫。他甚至不能系統表達他對政治和社會倫理的看法，更不能把它們歸結到更廣泛的宗教和科學問題上去。不過，繼柏克之後，黑格爾恰恰試圖表明這種更廣泛的聯繫。柏克對黑格爾沒有直接的影響，黑格爾似乎也從未提及柏克，可是盧梭對黑格爾的影響很大。黑格爾所證明的，正是柏克認爲理所當然的：那些表面上支離破碎的社會傳統，可以置於一般的社會進化體系中。同時，黑格爾還加上了柏克從未想過的東西：這種進化的理性形式，可以變爲一種方法，普遍運用於哲學和社會的研究中。

註 解

❶《眾議院代表制的改革》（ *Reform of Representation in the House of Commons,* 1782），《文集》，第 6 卷，第 146 頁以下。所引著作出自博恩（Bohn）的版本，倫敦，1861年版。

❷《對當前不滿原因的若干想法》（ *Thoughts on the Cause of the Present Discontents,* 1770），《文集》，第 1 卷，特別是第 372 頁以下。

❸《新惠格黨人向老惠格黨人的呼籲》（ *Appeal from the New to the Old Whigs,* 1791），《文集》，第 3 卷，82 頁。

❹《法國革命感想錄》（ *Reflections on the Revolution in France, 1790*），《文集》，第 2 卷，第 368 頁。

❺同上，第 2 卷，第 38 頁。

❻《沃倫·海斯廷斯》（ *Warren Hastings*）《文集》，第 8 卷，第 439 頁。

參考書目

1. "Burke and His Bristol Constituency." "Burke and the French Revolution." By Ernest Barker. *In Essays on Government.* 2d ed. Oxford, 1951.

2. *The Language of Politics in the Age of Wilkes and Burke.* By James T. Boulton. London——Toronto, 1963.

3. *The Political Reason of Edmund Burke.* By Francis P. Canavan. Durham, N. C., 1960.

4. *Morals and Politics*： *Theories of Their Relation from Hobbes and Spinoza to Marx and Bosanquet.* By Edgar F. Carritt. Oxford, 1935.

5. *Edmund Burke*： *The Practical Imagination.* By Gerald W. Chapman. Cambridge, Mass., 1967.

6. *Edmund Burke and the Revolt against the Eighteenth Century.* By Alfred Cobban. New York, 1929.

7. *Burke and the Nature of Politics*： *The Age of the American Revolution.* By Carl B. Cone. Lexington, Ky., 1957.

8. "Europe and the French Revolution." By G. P. Gooch. In the *Cambridge Modern History*, Vol. Ⅷ（ 1908 ）, ch. 25.

9. *David Hume.* By J. Y. T. Grieg. London, 1931.

10. *David Hume.* By B. M. Laing. London, 1932.

11. *Hume's Philosophy of Human Nature.* By John Laird. New York, 1931.

12. *Political Thought in England from Locke to Bentham.* By Harold J. Laski. London, 1920.

13. *The Political Philosophy of Burke.* By John Mac Cunn. London, 1913.

14. *David Hume*： *His Theory of Knowledge and Morality.* By D. G. C. Macnabb. London, 1951.

15. *The Life of David Hume.* By Ernest C. Mossner. Austin, Tex, 1954.

16. *Edmund Burke, a Biography*. By Robert H. Murray. London, 1931.

17. *The Age of the Democratic Revolution*. Vol. I, *The Challenge*. By R. R. Palmer. Princeton, N. J., 1959.

18. *The Moral Basis of Burke's Political Thought*. By Charles Parkin. Cambridge, 1956.

19. *Hume's Intentions*. By J. A. Passmore. Cambridge, 1952.

20. *The Philosophy of David Hume*：*A Critical Study of Its Origins and Central Doctrines*. By Norman Kemp Smith. London, 1941.

21. *Edmund Burke and the Natural Law*. By Peter J. Stanlis. Ann Arbor, Mich., 1965.

22. *History of English Thought in the Eighteenth Century*. By Leslie Stephen. 2 vols. 2d ed. London, 1881. Chs. 6, 10, 11.

23. *Studies in the History of Political Philosophy*. By C. E. Vaughan. 2 vols. Manchester, 1925. Vol. Ⅰ, ch. 6; Vol. Ⅱ, ch. 1.

24. *The Problem of Burke's Political Philosohpy*. By B. T. Wilkins. Oxford, 1967.

第三十一章
黑格爾：辯證法和民族主義

　　黑格爾的哲學志向宏大，以徹底重建近代思想爲其宗旨。政治問題和政治思想固然是黑格爾哲學的重要部份，但是與宗教和形而上學相比，只居第二位。從廣義上說，黑格爾的問題自近代思想發端之始便長期存在，並且隨著近代科學的進步而日益尖銳，那問題便是：爲科學目的所設想的自然秩序與基督教倫理和宗教傳統所包含的自然概念之間的對立。休謨指出了「理性」一詞隱藏的含混之處，進而懷疑自然法體系的原則。盧梭將心靈的理性與頭腦的理性對立起來，認爲宗教和道德實際上是情感的問題。康德試圖同時保留科學和道德的自律，爲二者劃定各自的範圍，並使理論理性和實踐理性之間的對立達到極其尖銳的程度。以上三種哲學，乃是啓蒙運動的代表性結論。它們都建立在分析的原則之上，即分而克之。與此相反，黑格爾則大膽地提出了思辯的綜合原則，他認爲，道德和宗教可以進行邏輯的證明，但是必須找到一種更新的、更強有力的綜合邏輯，超越科學所使用的分析邏輯。因此，黑格爾哲學宣稱，他擴大了的理性概念，它重疊並包容了休謨和康德所分離的理性，他的體系的核心是建立一種新的邏輯，以便使新的思考方法系統化。他把這種邏輯稱作**辯證法**（dialectic）。他主張，辯證法的優越性在於它能夠展示事實領域與價值領域之間的必然邏輯關係。因而，辯證法爲理解社會、道德、宗教等問題提供了一套嶄新的、不可或缺的工具。它用嚴格的理性價值標準取代了自然法（儘管這裡的理性已經依據新的定義），因爲自然法的哲學弱點已爲休謨所證實，它的實踐弱點顯然也已由法國大革命所證實。

　　實際上，黑格爾的哲學，並非全然由上述那種形式的考慮或高度的抽象所決定。法國大革命在歐洲學術史與政治史之間，劃下一道分明的

分界線。法國大革命的恐怖和暴虐，以及帝國主義者最後對弱小民族的
攻擊，所有這些都招致人們的反對，即使起初對人權篤信不移的擁護
者，心目中也產生了反感。在反對者中，譬如柏克，形成一種看法，認
爲法國革命的過激行爲是革命哲學的必然結果。於是，人們對革命者原
來嘲弄的民族傳統和虔敬習俗賦予了新的價值。此外，拿破崙戰爭摧毀
了一切歐洲大陸國家的政治體制，政體重建成爲主要的課題，而且，事
態的發展說明了，求助於人權之類的抽象東西已無濟於事，因爲人權的
抽象概念已證明具有極大的破壞力。人們越來越感覺到，法國革命是破
壞性和虛無主義的，它所依據的哲學被描繪爲一種空想，枉費心機地試
圖憑藉空想去改造社會與人性。黑格爾對這場革命及其政治哲學的個人
主義，基本上也是這種評價。對黑格爾和其他許多人來說，民族重建
（national reconstruction）表現爲重新確立民族體制的連續性，發掘
昔日民族團結之源，並確認個人對民族文化遺產的依賴。就黑格爾的背
景而言，這種動機不純粹是反動的，儘管自法國革命之後泛起的浪漫主
義中世紀精神，往往帶有反動的色彩。按其目的，它具有建設性，但是
又極其保守，誰若願意，也可以稱作反革命的。黑格爾的辯證法實際上
是革命與復興的象徵。它承認生機勃勃的社會力量摧毀了陳腐的制度，
但又讚賞民族的創造力使得穩定性能重新建立。無論破壞還是建設，黑
格爾都不認爲個人的意志能起多大作用。社會內在的非個人力量決定了
它們自己的命運。

　　在黑格爾的心目中，歷史方法的概念意味著徹底的思想革命
（intellectual revolution），他的哲學乃是這場革命之代表。他闡述哲
學時常常流露出權威的口吻，並非完全出自理智的驕傲自大。毋寧說，
這反映了他所運用的方法不可能爲門外漢所掌握，而且，也無法以委由
那些尙未超越邏輯分析的局限性的邏輯學家的方式來表述——

　　　用羅列屬性等方法評判國家性質，將無法取得任何進展，國家必
　須解理爲一種機體（organism）。同樣，神的本性也不能用屬性去理
　解。❶

　　當然，問題在於這種方法是否眞的不用訴諸空洞的神秘主義或權
威，儘管黑格爾不這樣認爲。黑格爾設想理性能夠洞察歷史事實背後的

理性力量，並以爲它是比具體事實和事件更眞實的力量——諸如國家力量——這種宇宙力量在實際中難道僅僅是一種抽象？辯證法作爲社會研究用以把握有機體的邏輯工具，是否眞能作爲精確的方法論表述，以便對它提出的觀點進行批判性的考察？最後，若上述問題都能得到圓滿的答覆，那麼，休謨和康德認爲水火不容的因果解釋與道德批判，是否就能透過歷史過程的綜合理解而明確地得以結合？對黑格爾的哲學體系如何評價，取決於這些問題的解答。至於說辯證法（無論黑格爾的還是馬克思的）是理解社會現象和創造嚴密歷史科學所不可或缺的新邏輯工具，究竟如何評價，也取決於這些問題的解答。

民族精神

　　黑格爾的結論無論正確與否，有一點毫無疑問，就是他的思想淵源與他最終賦予哲學的邏輯嚴密性和令人生畏的術語之間，並無多少關聯。他的主要思想源於年輕時代對歐洲文化的研究，特別是基督教歷史，後來歸結爲一套格式（formula）而公開發表。❷黑格爾年輕時對宗教的興趣甚於政治。他的思辨發端於赫德（Herder）和萊辛（Lessing），他們二者都認爲，世界宗教的延續過程便是不斷揭示宗教眞理和對人類進行神學敎育的過程。後來，黑格爾在其歷史哲學中充份發揮了這個思想，提出過程從「實現自身的潛在力量」開始而「實際擴展到潛在力量一向所能達到的程度爲止」。事實上，這個思想中包含著亞里斯多德學說的成份，這是自萊布尼茲之後便爲德國思想所固有。從赫德和萊辛那兒，黑格爾還進一步認識到，宗教信條和儀式既非全屬眞理，亦非純係迷信，而是精神眞理在象徵中藉以表現自身的外在形式。它們爲當時的時代所需要，但同時只具有轉瞬即逝的價值。從這種批判和評價方式中，不難看到辯證法的萌芽。黑格爾和當時最傑出的德國人一樣，爲意義深遠的希臘研究的復興所打動。他很早便確信，西方文明產生於兩大力量，其一是自由的希臘智慧，其二爲基督教較爲深刻的道德和宗教的洞察力。在學術上，若以基督教神學與柏拉圖和亞里斯多德的哲學相比，他不得不承認前者是墮落的，但是，他還是相信基督教爲西

方文化帶來了希臘哲學所沒有的深刻精神體驗。黑格爾考慮這個問題時，大概深受孟德斯鳩對自然法解釋的啓發，認識到雅典的哲學和宗教是整個城邦生活方式不可分割的組成部份，而基督教的神秘主義、悲觀主義以及厭世情緒，則是與失去市民自由以及誕生新觀念的陣痛緊密相連，這種新觀念就是世界範圍的人道（worldwide humanity）。

黑格爾的早期宗教思想便是以這種方式集合了心中的各種觀念，從而恢復了啓蒙思想，特別是德國啓蒙思想蘊涵的一個觀點：即認爲一切文化要素構成一個整體，宗教、哲學、藝術、道德等文化分支在其中彼此相互作用，它們表現了創造者的民族「精神」，即內在的智慧稟賦。一個民族的歷史乃是它向整個人類文明實現並展示自己貢獻的過程。透過進一步思考，黑格爾逐漸意識到，他能將這一過程體驗爲三段式：第一個階段是「自然的」，快樂而年輕，但基本上屬於無意識的和自發的。第二階段歷經痛苦的挫折，增強了自我意識，精神「轉向內部」，喪失了自發的創造性。第三階段在更高的水平上「反轉自身」，它包含著新時期透過挫折獲得的覺悟，從而將自由與權威和自制統一起來。整個過程就是他所說的「思想」（though）。他的歷史哲學試圖根據西方文明史的廣泛領域證明這一點。初創時期的希臘城邦代表第一階段，蘇格拉底和基督教代表第二階段，以宗教改革爲開端的新教和德意志民族則代表第三階段。民族精神心靈是世界精神心靈在某一特殊歷史階段上的具體體現——

　　每一個特殊的民族的天才，都僅能被視爲世界歷史進程中的一個個體。❸

它的價值應該根據它對人類進步做出的貢獻去評價，並不是所有的民族都能在世界歷史的國民精神（welthistorische volksgeister）中占有地位。一般說來，這已是衆所周知的德國思辨方式。早在黑格爾之前，赫德便主張，日耳曼一向具有且永遠具有「確定的民族精神」（fixed national spirit），與黑格爾同時的施萊爾馬赫（Schleiermacher）也說，上帝「爲地球上的每個民族分派了明確的任務」。這種信念並不是要去相信古物收藏家的啓示力量，而是，它是在煞費苦心地探索民族的使命，對黑格蘭來說尤其如此。在民間宗教中，黑格爾尋求的東西遠

不像啓蒙時代的理性宗教流於空談，也不像基督敎會的敎條陷入自相矛盾的境地。在社會研究的各個分支中，黑格爾始終堅信，各種思想和制度必須理解爲整體文化的一部份，這些思想和制度的歷史乃是探求它們在世界文化發展中的現有價值和未來作用的線索。用席勒（Schiller）的一句名言來說，世界歷史乃是世界的法官（Die Weltgeschichte ist das Weltgericht）。

黑格爾論述政治，尤其是德國政治的早期著作，表明了類似的宗旨和構想。他認爲，精神的挫折乃基督敎興起的關鍵，經過必要的修正之後，也可以成爲他那個時代的標誌，成爲他所希冀或預見的德國偉大社會和精神變革的關鍵。在德意志精神與德國政治的實際狀況之間，他發現了一種完全脫節的現象，他認爲，這旣是悲觀厭世和無能爲力的原因，也是新的希望和行動的基礎。一七九八年，他無疑仍然被法國大革命點燃的青春熱情所激動，他寫道：

> 靜靜地默許事物的現狀，毫無希望，以及耐心忍受壓抑不住的強大命運，已經轉變爲希望和追求，堅定不移地去爭取不同的命運。更加美好、更加正義的時代曙光，已經敲開人們的心扉，對純潔和自由的渴望激動著每一個心靈，使它遠離事物的現存狀態……如果你願意，可以稱之爲突發的狂熱，然而，這種發作最終或者導致死亡，或者消除病因。❹

確實，黑格爾從來都不是一個革命者——他過於相信體現民族生活的制度在本質上是正當的——不過，他的政治著作旣是一種預言，也是一種呼籲。這種呼籲並非要求個體成員的自助，而是訴諸<u>民族的共同意志</u>（communal will of the nation）——

> 有人竟以爲，當制度、憲章、法律與人類的道德、需求以及目的不再相符之後，當它們的意義已經喪失殆盡之時，依然可以繼續維持，以爲理智和情感已不再賴以維繫的形式依然有聚合民族的力量，這些人多麼愚昧無知啊！

這些制度必須改變，或者讓位於體現民族要求的新形式。問題在於這類新體現必須採取什麼樣的形式。

　　黑格爾一八〇二年在一篇〈德意志憲章〉（Constitution of Ger-man）論述德國憲法的論文中❺，進一步發揮並詳盡闡述了這一思想，而且特別參照了當時的德國狀況。這篇文章一開始便竭力主張：「德意志已不再是一個國家」。黑格爾對帝國在威斯特伐利亞和約（Peace of Westphalia）之後的沒落，做了極精彩的分析。他認為，德國已成為諸多獨立單元組成的無政府主義的結合體。作為一個名稱，其涵義僅僅代表著過去的偉大，作為一種制度，它與歐洲政治的現實全然不符。具體地說，它必然與現代君主國在法國、英國和西班牙建立的統一民族政府相矛盾，這種統一民族政府在義大利和德國並沒有蓬勃起來。然而，歷史的分析顯然是手段而不是目的。黑格爾的目的在於提出問題，即德國如何才能成為現實的國家。

德意志國家

　　黑格爾十分準確地發現帝國軟弱的原因在於局部主義和地方主義，他將其視作德意志民族性格的缺陷。就文化而言，德意志是一個民族，但是，他們不懂得局部服從全局的道理，而這對民族政府來說至關重要，除地方賦予的權力之外，帝國沒有任何權力，現存的法律事實上只是一紙空文，只能保護國家的軟弱。自由城市、獨立王侯、各類階級、行會、以及宗教派別，統統各行其是，攫取國家的權利，使其行動陷於癱瘓──所有這一切好像都可以在統治帝國的陳舊封建法律中找到合法的權利。黑格爾辛辣地諷刺說，德意志奉行的座右銘是：寧願德國滅亡，也不丟棄正義（Fiat justitia, pereat Germania）。因為私法與憲法之間混亂一團。立法、司法、教會和軍事特權，就像私有財產一樣被任意買賣。從對十九世紀初德國狀況的分析中，可以看到黑格爾後期政治理論的兩個基本特徵。首先，他認為德國這種各行其是的局部主義（particularism），是對「自由」的一種無政府主義式的偏愛，即把自由誤解為不要紀律和權威。這種自由並非「真正的自由」，真正的自由只有在民族國家的範圍內才能發現。因此，一個民族的自由在於擺脫封建的無政府狀態，創立一個民族政府。依照黑格爾的理解，自由與英法

政治思想中的個人主義毫不相干，毋寧說，它是民族自決能力在個體身上反映出來的一種特質。其次，黑格爾主張私法與公法或憲法相對立，完全不同於英國的政治思想。這種對立與國家和市民社會的對立相一致，在他成熟的政治理論中，後者對立成為一項典型的特徵。

分析了德意志的軟弱性之後，黑格爾將國家定義為一個大家共同保護其財產的集團。它唯一的基本權力是建立足以達此目的的民政和軍事機構。❻換言之，國家具有實際的權力，誠然，它是民族統一和民族自治要求的體現，但從根本上說，它是民族意志在國內外得以有效實施的權力。國家的存在並不要求全體一致，沒有全體一致並不妨礙統一的政府。黑格爾認為，政體的確切形式並無關緊要，雖然事實上他相信，君主制是不可避免的。國家的存在並不意味著在民族治理的範圍內強求民權的平等或法規的一律，可以有特權階層，也可以存在習俗、文化、語言、宗教上的廣泛差異。實際上，他把法國共和制的中央集權政府斥之為「迂腐」，認為它試圖包攬一切，把本國人民降到普通公民的水平。和布丹（Bodin）一樣，黑格爾將建立民族的立憲君主制視作國家得以生存的唯一必要條件。他認為法國、西班牙，以及英國的經驗證明，只有透過君主政體才能廢除封建制度，建立一個民族國家，這個過程本身便構成「自由」──

從這些地區成為國家之日起，他們的權力、他們的財富，以及他們公民的自由條件，才置於法律的保護之下。❼

黑格爾這一判斷的歷史精確性無須爭辯。同時，他也為德國開了一劑救國藥方，這藥方或許會被英國人或法國人恥笑，斥之為「政治倒退」。同樣明顯的是，黑格爾所說的，「他們公民的自由條件」之類的話，絕無法國人所說的「人權和公民權」之類的涵義。

黑格爾相信君主制的歷史作用，因此一八〇二年，他將德國統一和現代化的希望寄託於偉大軍事領袖的出現，儘管他也認為，這位軍事領袖必須自願地接受法律的約束，並將德意志的民族統一視作自己的道德事業。他根本不相信透過普遍的贊同或和平地散布民族感情能夠統一德意志。他尖刻地指出，壞疽是不能用薰衣香水治癒的。一個國家要想表現自己的勇氣並充份發揮一切潛力，只能依靠戰爭，而不是和平。在黑

格爾看來，近代政治出現了兩位英雄人物：馬基維利和黎塞留（Ri-
chelieu）。他稱《君王論》爲「眞正的政治天才之作，具有偉大而純正
的構想，崇高而宏偉的宗旨」。❽因爲個人的道德規範不能限制國家的
行爲，國家的最高職責便是維護自己，加強自己的力量。黎塞留的政敵
──法國貴族和胡格諾敎徒──在黎塞留個人面前並沒有失敗，但在黎
塞留提出的法國民族統一的原則面前卻一敗塗地。黑格爾補充的一個警
句充份反映了他的歷史哲學的特徵：「政治天才在於將自己與原則統一
起來」（Political genius consists in identifying yourself with a princ-
iple）。❾一八〇二年，黑格爾堅定地相信，德國的現代化要鐵與血的
時代，但同時，他的希望集中於奧地利而不是普魯士。後來他的忠誠轉
移了──忠誠轉移是拿破崙戰爭之後南德經常發生的事情。

　　〈德意志憲章〉（Constitution of Germany）這篇早期論文之所以
值得讓我們詳細地提及，出於兩個原因：第一，黑格爾在一八〇二年是
以政論家身分發表這番閎論的，沒有令人迷茫不解的辯證抽象，後來那
套抽象的辯證卻使得他的政治哲學異常艱澀難懂。雖然沒有邏輯工具，
主要思想卻已經表達出來。似乎可以這樣認爲，一八〇二年，他的抱負
不過是要成爲德國的馬基維利。黑格爾思想的主要特徵是堅定地把握歷
史現實，是一種冷酷的政治現實主義，它直率地將國家與權力聯繫起
來，根據國家在國內外推行擴張政策的能力判定成敗。他將國家看作是
民族意志和民族命運的精神體現，視爲「自由的眞實領域，理性觀念在
其中必然體現它自身」。它高出並不同於市民社會的經濟秩序，和控制
公民行爲的個人道德規範有所區別。民族精神潛力的實現，對於推動文
明事業具有終極價值，它是世界精神逐步得以實現的時刻，也是將尊嚴
和價值賦予公民個人事業的源泉。他把自願地奉獻給民族自我實現事業
看作個體的「自由」，因爲民族的自我實現同時也是個人的自我實現。
民族君主政體是立憲政府的最高形式，是近代政治的獨特成果，它完美
地完成了自由與權力的綜合。黑格爾認爲，封建的地方獨立主義的崩潰
可以昇華爲民族生活的職能。儘管他贊成並接受了法國大革命的結果，
卻竭力反對革命理論中的個人主義，他和身後的許多德國人一樣，把個
人主義看作是對利己主義和個人爲所欲爲的美化，是粉飾富豪對社會的
統治。他提出歷史乃道德和政治啓蒙之源的觀點，這不僅訴諸於經驗，

而且依賴於信仰，即相信觀念和制度的演進展示了一種必然性，這種必然性既是因果的也是倫理的。

第二，〈德意志憲章〉清楚地表明，黑格爾的辯證法概念不是爲了科學目的，而是爲了道德目的。他的文章開宗明義地指出，論文的旨義在於提倡按照事物的本來面目去理解它們，說明政治史不是隨心所欲的，而是必然的。人類的不幸是一種挫折，產生於現實突然與他所認爲的應當（應然）兩者之間的矛盾。這種情況之所以發生，是因爲人們以爲事件乃互不相干的細節，並非由「精神支配的系統」。補救的辦法是重新調和，實現必然發生的現實，並意識到必然的東西也就是應當發生的東西。黑格爾後來用一句名言清楚地概括了這個原則：「凡是現實的都是合理的」（The Real is the rational）。然而，任何一位細心的讀者在閱讀這篇早期論文或《法哲學》（philosophy of right）時，大概都不會誤認爲黑格爾的意思是在倡導政治無爲主義或純粹的政治反動。所謂「必然」，不是維持現狀，而是爲了德意志的現代化和國家化。「必然」是道德上的無上斷言，並非自然規律中不可避免或純然的可欲，它是一種道德動因，能夠贏得人們的效忠和奉獻，使他們把自己與文明的命運聯繫起來，從而使他們渺小的個人目的變爲崇高。這個道德、自然和邏輯必然性的混合，正是辯證法的本質所在。

辯證法與歷史的必然性

《法哲學》❿（The philosophy of Right）這部著作無法很有效地摘述。部份原因是由於它的邏輯手法在技術上十分縝密，而主要原因則是由於這部書無論從任何經驗觀點來看純屬安排不當。這不是黑格爾的混亂或疏忽，完全在於邏輯工具本身。題材的安排並非根據經驗描述的規則，而是根據它的「理念」，所謂「理念」，黑格爾是依照它在辯證法中的地位來表明其意義的。該書的結構直接發端於知性（understanding）與理性（reason）的矛盾。前兩部份論述抽象法（abstract right）和主觀的道德，表明權利或法的理論將走向對立面，從知性的觀點看，這是不可避免的。具體地講，第一部份主要討論所有權、人權，以及契

約權，如同自然法理論所作的處理。然而，由於知性弄巧成拙，這一部份必然陷入知性無法克服的矛盾，必然辯證地達至第三部份，即自由或客觀意志，在這一部份中，理性解決了原來的矛盾。第三部份，特別是最後論述市民社會和國家的兩章，包含了黑格爾的重要結論。但是，結構的編排無可挽回地打亂了主題。有時，同一類題材拆得七零八落，討論財產與契約時和經濟秩序隔開，而婚姻與家庭、犯罪與法律的執行等亦都相隔甚遠。有時，不同類的題材不恰當地揉合在一起，諸如離婚與繼承。爲了迎合辯證發展的邏輯安排，主題受到扭曲，結果掩蓋了黑格爾哲學所包含最富有成果的一個思想，即政治、經濟、法律以及道德制度，實際上是相互依存的。不過，必須承認，《法哲學》的安排確實正確地表達了黑格爾的一個最重要的政治結論——即國家在道德上高於市民社會（civil society）。

　　既然闡述黑格爾的政治哲學不能沿用《法哲學》一書的思想順序和方法，那麼最好還是自由拆解，盡可能以簡明的方式表明他的論證和結論。批判地理解和評價黑格爾哲學著重在把握兩點：首先，需要判定他所聲稱的辯證法是揭示社會和歷史依存性和相互關係的新方法，捨此之外別無其他正確方法可以辨別。這種判定之所以舉足輕重，乃是因爲卡爾‧馬克思（Karl Marx）採納了他的辯證法，當然，馬克思對黑格爾辯證法的形而上學涵義作了較大的修正，但是，辯證法作爲一種邏輯方法的概念，馬克思並沒有多大改變。因此，辯證法成爲馬克思的社會主義和共產主義的固有部份，也成爲馬克思主義一向宣稱具有科學優越性的根據。其次，黑格爾的政治哲學是民族主義的經典表述，其形式摒棄了個人主義和主張人權的含蓄的世界主義（implicit cosmopolitanism of the rights of man）。它賦予國家以特殊的內涵，以至成爲整個十九世紀德國政治學說的特徵。

　　由於辯證法的目的在於提供能夠揭示歷史「必然性」的邏輯工具，所以，辯證法的涵義必定取決於黑格爾賦予歷史必然性的複雜涵義。他這方面的思想發端於早年的信仰，認爲民族的歷史記錄了一個民族精神的發展過程，民族精神在各個文化階段展現自身。與這種歷史觀相反，黑格爾列舉了另一種啓蒙時代常見的歷史觀，即認爲哲學、宗教以及各種制度，都是出於實踐之目的而有意作出的「發明」。黑格爾認爲，這

種幻覺之所以產生是因為把歷史僅僅看作政治家施展才幹的附屬品，將籌劃社會生活和社會發展的力量過多地賦予政治家和立法者，實際上，他們還沒有這麼大的力量。這種觀點遵奉的教條以為，人性無論何時何地總是相同的，休謨列舉的所謂「癖好」（propensity）便足以說明一切人類行為，因此，只要巧妙地操縱人的動機，就能夠隨心所欲地按照預期的方向把握人的行為。這些實際上都是功利主義鼓吹的原則，諸如愛爾維修（Helvetius）以及後來的邊沁（Jeremy Bentham）。黑格爾認為，他們所以對歷史理解膚淺，乃是因為他們忽略了各種制度的相互作用，忽略了社會和制度遵循自身內在趨向的慣例。個體及其有意的目的實際上根本無法說明總體結局（total outcome）。在創造個體的文化中，個體充其量不過是一個偶然的變數，由於他的個別性差距是如此大，所以與其說個體具有意義，倒不如說個體是善變的。況且，對個體也不應估計過高，因為一般說來「個體屬於手段的範疇」（individuals came under the category of means）。正確地說，個體的願望及其滿足，要為實現更高的民族目的而作出犧牲。因此，黑格爾關於歷史必然性的信念與他的兩個重要哲學因素緊密相聯：第一，他是一個邏輯實在論者（logical realist）。他認為歷史的有效現實和動因都是非人的、普遍的力量，不是個別人或個別事件。後者充其量不過是社會力量的部份具體化；第二，他的倫理學認為，人的價值取決於他所做出的貢獻以及他在社會舞臺上所起的作用。

黑格爾認為，文明史是世界精神在時間中的開展或逐步的實現與具體化（materialization）。他的哲學，部份出自信賴和獻身道德價值的宗教感，即奉獻給高於自身的事業。部份則出自對人類願望的虛榮心懷抱嘲諷態度的幽默感，這使他對理性主義者被世界精神的狡獪所捉弄而感到高興。從行為者的觀點看，歷史是嘲弄與悲劇的統一，從整體的觀點看，歷史則是一種循環或螺旋式上升的前進（cyclic or spiral advance）——

　　它驅使熱情去為它工作，由於這種推動裡發展了它的存在，而熱情卻受了損失，遭到禍殃——這可以叫做「理性的狡獪」（cunning of reason）。……分殊（particular）比起普遍（geueral），大多顯得微乎其微，沒有多大價值：個別的個人是供犧牲的、被拋棄的。⓫

i

　　歷史有自己解決問題的方法，即使最聰明的人對此也只能瞭解甚微。偉大人物既不能創造歷史，也不能指導歷史，最多只是稍許瞭解，與遠遠超出他們的意志和理智的巨大力量通力合作。上引黑格爾對黎塞留的評論很有特色，天才人物與其說是憑藉自己的才能，倒不如說是因爲他使自己與「原則」保持一致，也就是說，與當時占主導地位的力量或趨向保持一致。偉大人物是深藏在歷史表層之下非個人性社會力量的一種工具，他們屈從於事件的內在邏輯（inherent logic of event）。因此，科學和哲學在歷史的發展中也只能扮演有限的作用。黑格爾以爲，只有當社會體系行將滅亡時，才可能清楚地理解它。柏拉圖和亞里斯多德在西元前四世紀創立了城邦哲學，此時，伯里克里斯時代（Age of Pericles）已經成爲過去。「密涅瓦的貓頭鷹要等到黃昏到來才會飛」。歷史猶如斯多噶派的上帝，引導智者先行，將愚者遠遠甩到後面。

　　然而，黑格爾並不認爲歷史在本質上莫測高深或不合理性。居於歷史之中的不是非理性，而是理性的高級形式，遠遠超過分析性的理解（analytic understanding）。「凡現實的都是合理的，凡合理的都是現實的」。不過，要透過表面的混亂，撥開七零八落的素材，而將歷史過程看作有機的發展，需要一種不同的邏輯工具，辯證法就是爲此而提出的。以抽象的觀點來看，對於打開如此複雜的迷津，辯證法是一種過於簡單的手段。實際上，黑格爾採取的觀念十分古老而含糊，猶如希臘學者最初對自然的思索——即歷史過程由正反的對立面推動前進。每一種趨向當發展到頂點時，便孕育出一個對立的趨向來摧毀它。人們一直用這種觀點爲混合政體辯護：不受約束的民主走向放縱，不受限制的君主制蛻化爲專制主義。黑格爾將這種觀點加以推廣。對立和矛盾是自然的普遍性質，既是宇宙的規律，也是思維的規律。一切力量都發展爲自己的對立面。不過，混合政體理論主張對立面的均衡是穩定和持久的關鍵，而黑格爾卻認爲，世界在永恆的運動中達到平衡。矛盾力量提供了歷史的動力，平衡不可能是永久的，它不過提供了連續性和變化的方向。在黑格爾看來，對立不是絕對的。論戰中，一方立場的失敗絕非徹底失敗。雙方都有部份的正確和部份的謬誤，一旦適當地權衡正確與謬誤，便產生第三種立場，它統一了前兩者包含的眞理。黑格爾認爲這就

是柏拉圖對話錄中表現的眞知灼見，所以，他用柏拉圖的辯證法一詞稱
呼這個過程。

　　對立的力量以循序平衡方式前進，並以漸進的邏輯發展形式出現，
對黑格爾來說，這個原則普遍的爲一切自然和歷史提供一道公式。或
許，這個原則最適用於哲學史。依照黑格爾的看法，這足以說明一切體
系的明顯不足，不過，它卻爲整體提供了日益增長的意義和眞理。每一
哲學均掌握部份眞理，誰也不能掌握全部眞理。每一哲學都是另一哲學
的補充，而永恆的問題是：如何以包容對立體系之間明顯矛盾的方法重
新闡述種種問題。在絕對的意義上，問題根本不能解決，但就相對意義
而言，問題始終正在解決。討論圍繞著新問題重新開始，同時又考慮到
以前曾探討的一切。因此，正如黑格爾所說，哲學史在字義上也就是哲
學，它是絕對眞理在時間中的具體體現，逐步接近眞理的頂峯，但永遠
也不可能達到。它像螺旋一樣盤旋上升。黑格爾所謂的矛盾驅動力，爲
古老的邏輯術語增添了一種形式邏輯不曾具有的意義。在黑格爾的邏輯
中，矛盾意味著體系之間的有益對立（fruitful opposition），它對每
一個體構成一種客觀的批判，逐步地導向更全面、更一致的體系。辯證
法不僅僅適用於哲學的發展，一切題材，凡涉及漸進的變化和發展的概
念，都可以應用於辯證法，而且在這類題材中，辯證法不可或缺，因爲
分析性的理解只能機械地排列分散的材料，對把握過程的內在必然性卻
無能爲力。因此，辯證法特別適用於社會研究。社會及其結構的一切主
要部份——法律、道德、宗教，以及體現它們的制度——都是透過內部
力量的緊張對立和思想不斷的調整而前進的。這就是眞正的歷史方法得
以存在的原因。掌握了事物自身的發展過程，即事件的內在「走向」，
人們便可知曉下一步的邏輯發展或事態的命運。

　　將辯證法作爲社會變遷理論的鑰匙時，它提出了兩種很容易彼此對
立的解釋。從辯證法的觀點看，一切「思維」活動都包含了兩種運動。
一方面，它是否定的，每個肯定或命題都蘊涵著矛盾，這種矛盾日趨明
顯，結果必然推翻原有的肯定。另一方面，它也是肯定的或建設性的。
它是更高水平上的重述，原來的矛盾得以昇華，並納入新的綜合之中。
黑格爾認爲一切社會進化都是「思維」的發展，因而，辯證法的雙重特
性也特別顯現於社會制度的逐漸變遷上。一切變化既是連續的又是非連

續的，一方面推進了過去，另一方面也破舊立新。辯證法對社會歷史的實際運用，對於對立結構的雙方來講都適用於同樣的邏輯。可以強調連續性或「漸進性」──不可能隨心所欲地突然摒棄過去長期確立的規範和習慣；也可以強調非連續性或否定──變革必然要巔覆和破壞過去的規範和習慣。某位思想家強調那一方面，不僅取決於邏輯，同樣也取決於他的整個思想傾向，或許還取決於他的個人性格。總體說來，黑格爾以及保守的黑格爾主義者，一般側重於強調連續性，認爲革命發生在過去，而馬克思則認爲革命將發生在未來。不過，馬克思主義是搖擺在革命論與修正主義之間的社會主義理論，也反映了辯證法的兩面性。一般說來，辯證法主張，整個社會歷史應被解釋爲各個發展時期的連續，其間被革命時期所打斷。任何既定局勢，其固有的緊張關係積蓄到一定程度便達到爆發點，那時，整個體系就要經歷一場劇烈的變革。

辯證法批判

　　在批判黑格爾的辯證法時，必須記住，辯證法的提出不僅僅是爲了描述社會歷史那些已經被調整和修正了的矛盾傾向，而且是一種邏輯規律。黑格爾試圖全面地改造邏輯學，或者正如他自己所說，試圖創建理性的邏輯（logic of reason），以補充或代替理解的邏輯（iogic of the understanding）。辯證法的目的在於修正「思維規律」（laws of thought），特別是要修正繼亞里斯多德之後邏輯學所理解的邏輯矛盾律。抽象地說，這意味著重建邏輯，其基本原則是：同一命題可以既是眞的同時又是僞的。黑格爾之後，沒有一位邏輯學家認眞地思考過這種意見。❷但是，倘若這種邏輯眞能成立，它的功效必然依賴於一套應用它的方法論。否則，無論承認它還是拒絕它，都是主觀的。歷史學家和其他一些社會科學家，一般不願承認他們的學科需要一種與其他學科迥然有別的邏輯，這種態度是有道理的。哲學有時還對上述主張抱以希望，但通常卻採取公開的非理性主義的形式，認爲需要某種不同於理性的能力（猶如柏格森的「直覺」）以把握有機體的性質和持續的有機生長的性質。但是，這種觀點實際上接受了主觀主義，其眞正的涵義意味

著理性或科學標準不能適用於社會問題，難怪後來被德國的國家社會主義所利用。黑格爾哲學的特色，以及馬克思重新構思這一哲學的特色，就在於宣稱它是真正合乎理性的，同時宣稱它要取代邏輯命題的理論，而迄今為止，只有邏輯才能賦予命題以確切的涵義。最後，它宣稱是科學的，然而，它所依賴的可行性很值得懷疑。

　　至於黑格爾對辯證法的運用，其最顯著的特徵就是用詞含糊不清，更不必說歧義叢生了，況且，他的術語過於廣泛，很難加以界定，這些都是眾所周知的事情。有兩個至關重要的例子可以說明這種傾向，即他所應用的「思維」（thought）和「矛盾」（contradication）二詞。依照黑格爾的觀點，任何進步的社會變革──包括宗教、哲學、經濟、法律或政治──都是透過「思維」的進步而發生。這個用法絕非偶然，它不但是形而上學的需要，亦是辯證法的需要。黑格爾的唯心主義依賴於心理過程與自然過程的同一，黑格爾的辯證法則依賴於他所謂「思維規律適用於一切具有發展過程特點的主題」。一切變化均由思維推動，它試圖消除內在的矛盾，追求更高的統一或邏輯的一致性。但是，如果賦予這些詞以確切的涵義，這種理論根本就不成立。不用說那些尚未高度理性化的社會產物，即便對於科學和哲學，新發現和新觀點的產生也不能理所當然地統統歸因於早期觀念體系的自我矛盾。一切社會進化的部門，自然也包括哲學，正如霍姆斯（Holmes）大法官對法律的論斷，是經驗的作用大於邏輯。黑格爾將思維普遍化（universalize）的傾向對黑格爾學派的歷史著作有雙重影響：或者將難以駕馭的事實強行納入先行確定的邏輯模式，或者賦予一致性、連貫性之類的詞字以異常模糊的意義，使之不再有什麼用處。同樣，黑格爾的「矛盾」一詞也沒有任何確切的涵義，它指涉的只是對立或矛盾的模糊形式。有時，它意味著沿不同方向運動的物質力量，或者意味著造成對立結果的各種動因，諸如生或死。有時，對立指涉的是道德評價，譬如他曾提到懲戒「否定了」罪行，以及惡是自我矛盾的。辯證法的實際運用在很大程度上是利用術語的模稜兩可，而不是嚴格意義上的方法。在黑格爾那兒，辯證法得出的結論正是他在沒有辯證法時業已得出的結論，辯證法對結論的證明沒有什麼貢獻。

　　據說，辯證法的獨特之處在於能夠揭示和闡明黑格爾所說的歷史發

展的「必然性」。然而，必然性一詞依然猶如休謨曾經證明的那樣模稜兩可。當然，它可以單指歷史的因果關係，在這個意義上，一切事件都可以認爲是必然的。但是，這肯定不是黑格爾的意思，黑格爾主張「凡現實都是合理的」，他始終對現實和存在作出明顯的區分❸。現實（real）是歷史意義的永恆內核，與此相比，具體事件則是偶然的、變動的、表面的。因此從根本上說，辯證法是一種選擇過程。它是一種方法，用以區分什麼是相對偶然和不重要的因素，什麼是最終有效和重要的因素。存在（exist）總是暫時的，在很大程度上帶有偶然性，它不過是深層力量的外在表現，只有那深層力量才是現實的。然而，區分重要與偶然的根據也是模稜兩可的。它可以指在導致某一歷史結局中，某些事件比其他事件更加舉足輕重。也可以說成某一結果之所以發生，乃因爲它至關重要，它的價值本身便是起作用的原因。黑格爾將正義（right）與強權（force）視爲一體，從而有意識地把這兩種涵義融合起來。在形而上學中可以證明，因爲黑格爾賦予自然以理想的結構，不可避免地將最大的權力授與正義，然而實際上，他把強權看作是正義的標準。所以，他在歷史中看到的必然性既是物質力量的強制，同時又是道德力量的強制。他說德意志必須成爲一個國家，其意是說應當如此，文明和德意志民族生命的最高利益都要求這種結果，其他的偶然力量也迫使它向這個方向發展。於是，辯證法將道德判斷與歷史發展的因果律結合在一起。德意志必須成爲一個國家，不是因爲德國人希望如此，也不是因爲無論他們希望什麼都將如此。「必須」（must）既表達意願，也表達事實──「意願」可不是隨心所欲，因爲德意志發展成爲一個國家是要符合政治發展的整個方向。「事實」也不是偶然事件，因爲它綜合了政治發展中具有客觀價值的東西。辯證法的獨特要求在於把理性與意志合爲一體。正如喬賽亞·羅伊斯（Josiah Royce）所說，辯證法試圖成爲一種「感情的邏輯」（logic of passion），一種科學與詩歌的綜合。

　　其實，辯證法作爲倫理學比作爲邏輯更容易理解。它沒有公開的勸導，而是一種精巧有效的道德呼籲。黑格爾把道德的「和諧」看作一切人類有效活動的基礎，它既是被動的又是主動的，既有屈從又有合作。它能醫治難以忍受徒勞無益和軟弱無能的感受──孤立的自我意識是這

種感受的犧牲品，因爲它不僅僅是一種情感，而且是與更高力量的眞正合一。黑格爾譴責最激烈的莫過於多愁善感和單純善良，他尖酸地稱之爲「善良願望的僞善」，認爲它們不是儒弱便是狂熱，而且二者都徒勞無益。他根本就不相信，在以效力（effectiveness）作爲正義最終標準的世界裡，單靠無組織的善良意志能做成什麼事情。不是感情造就民族，而是要求權力的民族意志轉換成制度和民族文化。個人只有將民族使命作爲一種道德事業，接受民族使命賦予他的職責，才能充份地發揮個人的創造力，提升爲自由行動的道德人。路德和康德認爲個人的責任感產生於個人與上帝的關係，黑格爾則認爲個人的責任感具體體現於他作爲民族一員的天職，而民族本身則獲得神聖的靈光，表現出神的本質。總之，黑格爾的說法，作爲一種道德呼籲無論多麼有效，卻不能無視康德的基本觀點，即道德義務與因果在邏輯上有別。

但是，辯證法的形式將自己的特徵賦予有關責任的解釋。由正反所代表的不同利益和價值，處於彼此直接矛盾的關係中——相互鬥爭和對立的關係。矛盾昇華到綜合（synthesis）之前，各方必然發展到最後結局。隨著觀念的演變，調和與折衷確實會發生。然而，就人類參與者方面的自覺預見（conscious prevision）和努力而言，它們往往被描繪爲感情脆弱和缺乏主見的標誌，即背叛絕對的神聖尊嚴。結果，社會不可避免地表現爲各種對立力量的結合，而不是諸多和諧一致的人類關係。依據辯證法的假定，溝通變得特別困難，因爲沒有那個命題可以確切地稱之爲眞或假。它的涵義總是多少與它似乎蘊涵的涵義一樣。因爲辯證法特別要求相對主義與絕對主義的統一。每一階段在其短暫的時間裡，都包含著絕對（absolute）的全部份量和力量，儘管最終它是過渡性的。也就是說，它在自身的延續過程中是絕對的，其責任是要獲取完善的自我表現，儘管在世界精神的未來發展中它必然陷於失敗。因此，辯證法蘊含著一種道德態度，不僅非常刻板，也非常靈活，除了結果的成功之外，它沒有提供任何正確與否的標準。正是由於這個緣故，黑格爾的批評者（譬如尼采）在辯證法中看到的只是機會主義，這種機會主義實際上推崇「整個系列的成功」（the whole series of successes）。

事實上，黑格爾的辯證法是歷史洞見與現實主義的奇怪混合物，是道德號召、浪漫主義理想，與宗教神秘的奇怪混合物。它的意向主要是

理性的，而且是邏輯方法的延伸；但是，這種意向蔑視精確的表述形式
（formulation）。實際上，它利用了日常語言中含混對比手法，諸如
實在與表象、本質與偶然、永恆與暫時等等，辯證法不能給它們確切的
涵義，不能爲它們提供清晰的標準。據說，辯證法能爲黑格爾的歷史判
斷和道德評價增添客觀性，但是實際上，和沒有這類精巧工具的哲學家
一樣，它們依然受限於時空和個性的先決條件。將這些巨大差距的目的
和無法定義（或不能用經驗驗證）的要素結合爲一種方法，並賦予這種
方法以科學的精確性，實際上根本不可能。辯證法所獲得的成就，是將
貌似有理的邏輯必然性賦予歷史判斷和道德評價，其實，正確的歷史判
斷依賴於經驗證據，完善的道德評價取決於每個人的道德洞見。辯證法
企圖把二者結合起來，與其說澄清了二者的意義，倒不如說是模糊了它
們。

個人主義和國家理論

　　《法哲學》一書的重要性不在於論證的形式結構，而在於它聯繫到政
治現實的關聯性，從形式主義的觀點看，這種關聯性是一種偷偷摸摸的
聯繫。《法哲學》討論了兩個重要問題：一是個人與他生活的社會和經濟
制度之間的關係，另一個是這些制度與國家的關係。至於國家，黑格爾
認爲它是社會經濟制度中獨具特色的東西。本章的後幾節將著重討論黑
格爾關於這兩種關係的理論。但是，在談及他的理論之前，首先應該指
明，黑格爾的觀點與英法政治思想相對立，儘管如此，它卻自有道理，
它注入政治理論是十分及時和重要的。《法哲學》滲入的思想傾向，與黑
格爾的早期著作相同，牢牢地把握政治哲學和對政治歷史的現實理解。
就狹義而言，黑格爾的目的可以說是根據憲政歷史驗證政治理論，涉及
的哲學問題自然是不可剝奪的人權學說以及法國大革命所揭示的意義。
黑格爾評價法國大革命的觀點是典型的德國方式，反映了德國人的政治
經驗。天賦人權的哲學可以說是爲了適應法國和英國的政治經驗修剪而
成的。黑格爾摒棄天賦人權並創立國家學說，則是爲了適應德國的政治
經驗。但是，就廣義而言，黑格爾的批判是對個人主義及其作爲社會理

論的有效性進行徹底的哲學分析。因此，它也是重新考察社會哲學所蘊涵的一切心理和倫理問題的出發點。在這個領域，黑格爾的哲學在德國境外所造成的影響，或許比在德國境內更大，因為它揭示了個人主義所忽略的問題。

在德國政治中，個人權利的概念對於德國人政治覺醒所起的作用微乎其微，遠不及法國和英國。不僅過去如此，當時也不例外。當然，作為一種理論，天賦人權的哲學的確為德國人所熟知，但僅限於少數人並充滿了學究氣，一八四八年的德國自由主義證實了這一點。英法兩國的天賦人權學說是為了維護少數人的宗教寬容要求，以抵制多數人的威脅，多數人可以利用政府的權力壓制少數人，當時的政府已經比較充份地實現了中央集權，並基本上已經國家化。德國則不然，當時，它的宗教差異與政治疆域基本上能夠保持一致。在英國和法國，天賦人權是為了捍衛民族革命，反對君主專制，在德國，卻不曾發生革命。德國人從不認為，維護個人針對國家發表的意見和行動自由，乃是國家的根本利益之所在。最後，英國的個人權利在哲學上支持了放任主義政策下的工商業擴張。相反，在黑格爾及其稍後的時代裡，德國並沒有達到英法已有的民族感情的統合。它的精神充滿了地方主義（provincialism），充滿了鄙夷尚未融合的少數民族的敵對情緒。德國的經濟與英法的國家經濟相較之下，仍處於落後狀態，而其政府在拿破崙的進攻前，也就是黑格爾的時代，恰恰暴露了政治軍事的無能。黑格爾死後又經過了整整一代，德國才實現了與其文化民族主義相一致的政治統一，而且正如黑格爾正確預見的那樣，它的發展與英法自由主義的路線大不相同。它的政府是一種聯邦制，透過極強國家強加於地方之上而建立起來。它的內閣向君主負責，而不是向議會負責。它的經濟現代化和經濟擴張不是依靠自由放任政策，而是在強大的政治指導下進行。黑格爾哲學給「國家」一詞加上了神聖的靈光，對英國人來說，這似乎純屬多情善感，而在德國人看來，卻表達了真實而迫切的政治願望。

黑格爾的國家理論與英法的個人主義之間，在觀點上有很大差異，這種差異可以理解為對法國大革命的政治成就持有兩種不同的評價方法，事實上，黑格爾也是這樣解釋的。不過，這將取決於對全部憲制政府的演進過程，究竟把什麼看作是永恆的重要因素。從自由主義的觀點

看，法國大革命是人權戰勝了法國君主制那種不負責任的獨裁強權。它
所獲取的永恆成就是個人自由，是由被治者同意下的政府，是保障國民
自由的憲法約束，以及官員對全體選民的負責制。若從黑格爾的觀點審
視這些成就，有的純屬偶然，有的則是爲害不淺的幻象。他認爲，革命
的建設性成果是民族國家的完善化，這是君主制支配了貴族、城市、各
個等級，以及其他中世紀封建制度，是這些過程的直接延續。革命僅僅
橫掃了封建主義的殘餘，隨著君主制的興起，封建主義雖說已經過時，
但實際上沒有被摧毀，而雅各賓主義（Jacobinism）則偏離了正軌。和
〈德意志憲章〉的論文一樣，黑格爾繼續根據公法與私法的對立解釋封建
國家之間的區別。他認爲，封建主義是將公共職務當作私人差事的一種
典型制度，公共職務就像私有財產一樣可以任意買賣。相反，國家的出
現必須有待於建立眞正的公共權威，它不僅在性質上高於體現私人利益
的市民社會，而且有能力指導民族完成其歷史使命。從根本上說，這個
過程是使君主制民主化的過程。因此，政治演進的頂峯是國家的出現及
其公民對國家的接受，並認爲它是高於市民社會的一種政治演進。就倫
理學而言，黑格爾將其認作個人在更高程度上的自我實現，即現代人所
達到的一種新的自由高度的社會形式，這種社會形式使個人利益與公民
利益重新得以綜合。作爲世界精神的展現，民族國家確實是神聖的。歷
史學家蘭克（Ranke）清楚地表達了黑格爾的思想，他說，每個國家都
具有「個體性，它們彼此相似，本質上卻彼此獨立……它們是精神的存
在，是人類精神的原始創造——也可以說，它們是<u>上帝的思維</u>（tho-
ught of God）。」

　　另一方面，黑格爾也譴責法國大革命，因爲法國大革命追循自由和
平等的理想，黑格爾認爲這實際上是以新的形式重新堅持了封建主義的
舊謬論。它抹殺了人與人之間機能上的差異，使其社會能力統統服從於
一般而抽象的政治平等，結果，人與國家的關係成爲純粹的私人利益問
題。它將社會制度和國家制度歸結爲功利手段，似乎是爲了滿足個人欲
望和迎合個人癖好，就像個人情緒一樣反覆無常。爲了得到眞正的道德
尊嚴，首先必須把個人動機吸收並轉換爲市民社會的制度，然後提升到
更高級的國家制度。因此從根本上說，法國大革命的哲學有兩個錯誤：
第一，它沒有認識到，公民的人格是一種社會存在，要以它在市民社會

生活中所起的作用作爲道德意義的先決條件。第二，它沒有認識到，市民社會制度是民族的機體，必然體現於在尊嚴上與民族道德精髓保持一致的公共權威。無論社會還是國家，都不能僅僅取決於個人的同意，它們也深深地紮根於需求與滿足的整體結構，這些需求與滿足構成了個人的自我實現。人類的最大需求是參與，即要成爲高於私人欲望和滿足的諸多動因和目的的一個個體。正如黑格爾所說，革命哲學的根本錯誤是抽象的個人主義。它在政策上的錯誤，是企圖根據個人主義的假設建立成文憲法和政治程序。

黑格爾對個人主義和法國大革命的抨擊相當重要，它不僅表達了德意志的政治經驗，還反映了隨之而發生的整個歐洲大陸的政治、思想氣候的深刻變革。正是這種變革使德國哲學在十九世紀上半葉取得前所未有的領導地位。法國大革命結束了一個政治時代，也結束了一個思想時代。自然法的理論曾經支配了在此之前的整個近代政治思潮，傾刻間便陳舊不堪，令人目瞪口呆。它作爲一種學術建構之所以順理成章，取決於從十七世紀繼承下來的哲學理性主義的偉大體系，然而在十九世紀，哲學理性主義的權威已經喪失殆盡。在法國，盧梭的激進思想將公民地位理想化。在英國，柏克的保守主義將傳統理想化，他們都爲黑格爾哲學後來加以系統化的思想提供了線索。所謂完全理性化的個人（他所追求的目的完全由他的個人稟性所確立），是一個經不起歷史學或心理學推敲的概念。個人的政治權利和公民權利不容侵犯亙古不變的教條，不僅與高度評價其集體主義宗旨的民族主義格格不入，也與更加明察個人價值和社會價值彼此激烈衝突的倫理學相牴觸。於是，個人的性質及其與社會的關係——即個人需求與社會目的在心理和倫理上的交織——過去似乎已由少數自明的普遍法則所解決，現在卻成爲問題，而且是社會科學和社會倫理學的主要問題。黑格爾的政治學說之所以重要，很大程度上在於提出了這個問題。提出問題的同時，既挑明了發展民族主義的反自由主義傾向，又迫使對當時政治自由主義的個人主義進行徹底的重新考察。因此，正如上面所說，黑格爾的政治哲學論述了兩個主題：第一是他的倫理學說，論述了自由以及自由與權威的關係，這一部份大體上與他對個人主義的批判相一致。第二是他的國家理論，論述了國家的憲政結構以及它與市民社會制度的關係。

自由與權威

　　黑格爾對個人主義的批判針對兩類不同的概念。首先，他認爲個人主義與地方主義、局部主義如出一轍，均阻礙德意志取得現代民族國家的地位。黑格爾把這點民族特色主要歸因於路德的影響，路德將基督教的自由神秘化，使靈魂獨立於一切世俗條件。其次，黑格爾把個人主義等同於雅各賓主義，後者代表了法國革命的暴虐、狂熱、恐怖和無神論。他將這類個人主義歸罪於哲學理性主義。他發現，這兩類個人主義的共同錯誤在於個人脫離了他在有組織社會中的地位——在有組織的社會中，個人在其中發揮一定的作用，履行一定的職責，並從屬於他所處地位的身分。就個人而考慮個人，他不過是反覆無常，爲殘暴本能所支配的動物，正如盧梭所說，沒有比個人的衝動、欲望、嗜好更高的行爲準則，也沒有比自己的主觀想像更高的思維準則。要正確地理解個人，必須將其看作社會的一員。在現代的世界中，個人還必須被看作國家的一員，因爲民族國家連同基督教新教，乃是近代文明唯一成就，它學會了如何把最高權威與公民的最高程度和最高形式的自由結合起來——

　　　　現代國家的本質在於，全體（universal）是與其成員的完全自由和私人福利相結合。⑭

　　黑格爾不僅將國家的最高形式等同於新教的，而且也等同於「德意志的」。

　　以神秘主義和理性主義形式出現的個人主義，僅僅將個人判定爲靈魂或理性的存在，而忽略了造就他的歷史條件，或者說，忽略了他的宗教、道德，以及理性所賴以生存的社會經濟條件。它既歪曲了個人的性質，也歪曲了社會的性質。之所以歪曲了前者，乃是因爲個人的靈性和理性是社會生活的產物。黑格爾承認它們是形而上的存在，但並沒有採取神學或理性主義的想像方式設想它們。世界精神在其內在的發展中創造了它們，它們是世界精神的階段或片斷。至於後者，個人主義之所以歪曲了社會制度的性質，乃是因爲它把社會制度看作是偶然的，與個性

的道德發展和精神發展無關，好像社會制度是純粹的功利輔助，憑空造就以滿足人們的無理要求。這是歷史的錯誤，因為語言、政府、法律、宗教都不是發明的，而是「生長」（grow）出來的。個人主義也犯了倫理上的錯誤，因為它把自由與限制人之稟性的習俗、法律，以及政府約束分割開來。這些約束被視為負擔，為了自由必須將其減低到最小程度，就理想而言，甚至可以減少到「黃金時代」（Golden Age）或「自然狀態」（state of nature）那種毫無限制的程度，每個人都可以為所欲為。然而黃金時代是歷史的虛構，從道德和政治上看，它不過是一種無政府狀態，無政府可不是自由，而是暴政。

　　黑格爾對天賦人權和個人自由主義的批判當然是辯證的。他和其他人一樣清楚地知道，無論洛克還是個人主義學說的其他代表人物，都不會相信如此文明世界竟會排斥和扼殺自由，不管既定的社會可能採取怎樣殘暴手段。黑格爾的批判揭示了洛克哲學的潛在「矛盾」。事實上，如果將黑格爾的批判理解為喚醒人們注意被忽略的社會心理和社會倫理方面，恐怕有效得多。它實際上指明了一個重要事實，即個人人格的心理結構與個人賴以生存的社會結構具有密切的關係，與他在該社會的地位有著密切的關係。一個民族的法律、習俗、制度，以及道德解釋，反映了該民族的精神，但同時也鑄造了這種精神，並隨著它們的發展不斷重新鑄造。個人的道德觀和知識觀，都無法離開他身處其中的社會，無法離開他透過公民權、社會階層或宗教聯繫而參與的社會關係。譬如，黑格爾在論述市民社會（civil society）時，竭力反對把經濟需求與生物需要混為一談。經濟需求實際上是精神狀態，因此取決於社會解釋、經濟制度、某一社會階層公認的生活方式，以及道德評價。他說，賤民的本質在於社會的排斥和自尊心的喪失，匱乏「並不自行造就賤民」。這取決於對窮人持何種看法以及窮人如何評價自己——

　　　在英國，最窮的人也相信他們享有權利，這與其他國家所給窮人的滿足有所不同……但是在社會狀態中，匱乏立即採取了不法的形式，這種不法是由一個階級強加於另一個階級。❺

　　上述這類話，明顯地蘊含著馬克思關於社會地位決定意識形態這一學說的萌芽。黑格爾的論證主張從經濟上解釋社會地位，儘管這不是唯

一的解釋。然而，黑格爾確實意味著，社會，或者更確切地說文化，是解釋人類行爲所不可缺少的範疇。⑯這種思想的頂峯形式，不僅在馬克思那兒可以發現，在當今一切社會心理學和文化人類學中也可以發現。

不過，黑格爾很少考慮心理學和社會學，而主要考慮有關個人自由的倫理學和政治理論。他認爲，自由必須理解爲一種社會現象，理解爲社會制度的一個特性，透過社羣（community）的道德發展而產生。與其說它是個人天賦，倒不如說是一種地位，是透過社羣公認的法律制度和道德制度賦予個人。因此，它並不等於個人意志或隨心所欲。相反，自由恰恰在於修正個人傾向和個人能力，以履行具有社會意義的職責，或者正如布拉德雷（F. H. Bradley）所說，自由在於發現「我的地位及其職責」。這種地位與職責使個人傾向體現道德價值，因爲自由或幸福的要求除非與一般善的某個方面相吻合，並爲普遍的意志所支持，否則，它不可能在道德上得到維護。個人的權利和自由與他的社會地位所賦予的職責相對應。即便私人的幸福，也要求「與社會地位相稱的尊嚴」和「從事社會有益工作的意識」。黑格爾始終認爲，自我意識就其自身而言是痛苦的，是失敗和無能的標誌。顯然，這種幸福概念以及它所必需的權利和職責概念，與盧梭的一樣，部份依賴於古典思想的復興。黑格爾的自由公民權理論很像柏拉圖和亞里斯多德，不是根據私人權利，而是根據社會功能。但是，黑格爾以爲，與奴隸制社會相比，基督教道德的發展和現代國家公民權的發展，可以更完善地綜合個人權利與公共職責。在現代國家中，所有的人都是自由的，而且他們在爲國家服務的過程中可以發現自我實現的最高理想形式。在現代國家中，消極的自我意志自由爲公民的「眞正自由」所取代。

黑格爾的論證採取了辯證法形式，因而，他從「自由」與「眞正自由」的對立中引出了自相矛盾的結論。辯證法理論成爲純粹邏輯抽象的玩弄（play of logical abstraction）。黑格爾的特點在於將個人選擇等同於反覆無常、多愁善感或盲目狂熱，從而抹殺了心理學和倫理學的一個重要事實，即一個實際存在的人，不會將自己的各種欲望——無論多麼短暫或多麼深遠——統統看作同一水平，或者允許它們以同一程度影響其行爲。與這種不加區別地對待個人動機的做法相應，黑格爾將市民社會描述爲機械必然性支配的領域，它是個人慾望的非理性力量構成的

結果，爲規律所支配，尤其是在經濟方面，黑格爾把它們比作行星的運行規律。因此，撇開國家看社會，社會便由非道德的因果律所支配，且因而在道德上是無政府主義的。結果，對個人主義的批判也是漫畫式的：個人爲利己的動機所支配，拒不承認社會動機，沒有國家的社會是這些非道德動因的機械平衡。由此自然推出如下結論：「克服」市民社會無政府主義的國家是整個社會過程中唯一眞正的道德因素。國家單憑定義就壟斷了道德目的，因爲這些目的在分析中被排斥在個性和社會之外。因此顯而易見，國家理應是絕對的，而且只有它才能體現倫理價值。同樣，個人只有投身於國家的事業才能獲得道德尊嚴和自由。

倘若黑格爾要將這種邏輯「訣竅」（ *tour de force* ）轉換爲實際的市民權利和自由，即使不是完全不可能，至少相當困難。黑格爾關於具體政治權利的論述極其含糊，而且經常前後不一。從個人選擇純粹是反覆無常的假設出發，他很容易提出個人判斷（甚至是良心）只不過「徒有其表」的主張。由此可以得知，黑格爾把職責看作簡單的服從，或者說，在他看來，好的公民僅僅在於順應現存的事態，服從政府制訂的各項法令。在《法哲學》的序言中，他公然否認政治哲學有批判國家的權利。另外，黑格爾的出發點也建立在這個一般命題的基礎上——個人的善需要發現有意義的社會地位，照此說來，似乎個人與社會之間沒有眞正的利害衝突。然而，從另一個角度看，黑格爾的全部社會哲學又依賴於個人的挫折，當社會不能給予它的成員以有益的工作時，個人必然受挫。儘管黑格爾有把普魯士君主制理想化的傾向，但是實際上，黑格爾是德國現實政治狀況的尖銳或辛辣的批判者。作爲一個歷史學家，黑格爾讚賞的是成功的革新者，不是墨守陳規的保守者。可以肯定，黑格爾認爲，近代立憲政體——究竟以什麼方式，他從沒有弄清過——創立了較高的個人自由，也比以往的政府更加尊重個人的獨立性和自我抉擇的權利。還可以肯定，他認爲這意味著尊重人的權利，而不僅僅是捍衛社會中發揮作用的一份子——

　　人之所以爲人，正因爲他是人的緣故，而並不因爲他是猶太人、天主教徒、德國人、義大利人等等不一。🄯

但是，作爲「人」的人具有價值這一信念，確實與人的道德判斷反

覆無常的看法格格不入，也與人的價值來源於他的社會地位，其道德目
的爲民族國家所賦予的看法格格不入。

同樣的含混不清也出現在黑格爾關於國家體現最高價值的信念中。
即便基於他提問題的形而上學基礎，也弄不清一個國家——只是世界精
神的一種展示——如何能夠包括藝術和宗教的一切價值，或者說明這些
價值如何從一種民族文化轉換爲另一種民族文化。實際上，黑格爾關於
藝術與宗教的論述明顯前後不一。有時，他把藝術和宗教看作民族精神
的產物，但是，他斷然否認基督教是某一民族的特性，也不認爲藝術和
文學始終具有民族特性。另一方面，從黑格爾的觀點看，並沒有藝術和
文學所從屬的一般歐洲社會或人類社會，因爲「沒有國家的現代文化」
（modern culture without a state）在措詞上就自相矛盾。這種混亂或
許可以說明這樣一個事實，即在具體的政治水平上，黑格爾沒有弄清敎
會與國家的關係，也沒有闡明信仰的自由，儘管他確實不贊同宗教的脅
迫。他對羅馬天主教和德國虔敬派的敵意評價以及他對路德新教的頌
揚，都同樣缺乏批判態度。他賦予國家以形而上學的無上權威，卻又與
現實政府的政治功能聯繫在一起，其間沒有清晰的思想線索。因此，黑
格爾的自由學說沒有明確地闡述公民自由或政治自由採取何種方式。不
過，國家的理想化與對市民社會過低的道德評估結合在一起，卻無可避
免將導致政治獨裁主義。

國家與市民社會

正如上述，黑格爾的國家學說依賴於國家與市民社會之間現存關係
的特殊性質。這種關係既是互相矛盾的，又是彼此依存的。按照黑格爾
的理解，國家絕不是一個功利機構，根本不從事日常事務，諸如提供公
共服務、執行法律、履行警察職責、以及調整工商利益等等。所有這些
職能都屬於市民社會（civil society）。國家確實要根據需要來指揮和
調節這些事務，但它本身不承擔這些事務。市民社會依賴於國家，國家
爲其提供明智的監督和道德意義。市民社會僅僅爲機械規律所支配，這
是由許多個人的貪得無厭和自我中心的動機相互作用所造成的結果。國

家也依賴於市民社會，市民社會爲其提供實現道德目的的手段。二者雖然相互依存，卻處於截然不同的辯證水平。國家不是手段，而是目的。它代表了不斷發展的理性理想和文明的眞正精神要素，並運用（在形而上學的意義上或許是創造）市民社會實現自己的目的——

　　國家是神的意志，在某種意義上它是地上的心靈，展現爲世界的現實形體和組織。⓰

　　相對於市民社會則是盲目傾向和因果必然性的王國，國家的「行爲依照自覺的目的，已知的原則和規律，它們不僅是暗含的，而且明顯地展示在意識面前」。這類引文不勝枚舉。總之，國家是絕對理性的，是通曉事務，按自身意志行事的神聖力量，是永恆必然的精神存在，是上帝在世界中的行進（march of God in the world）。

　　然而，重要的是應該看到，國家的道德優勢並不意味著輕視市民社會及其制度，在某種意義上，恰恰相反。就黑格爾的個性及政治思想而言，他首先是個道地的資產者，比一般的資產者更重視穩定和安全。依照他的理解，國家與市民社會的關係是相互依存的，儘管這種關係也有高下之分，儘管國家的權威是絕對的。社會的經濟生活由於國家及其文化使命依賴於它而獲得道德意義——在某種意義上，它因此而增光。雖然國家的管理權是絕對的，卻並不取消執行經濟職能所依賴的制度或權利。根據黑格爾的理論，財產不是國家創造的，也不是社會創造的，它是人的人格不可缺少的條件，大體上如洛克所說。實際上，黑格爾對市民社會的解釋細緻（甚至詳盡）地分析了行會和公司、等級和階級、協會和聯營機構，這些組織構成了他所熟悉的德國社會的結構。他認爲這些組織或類似組織是人類不可或缺的。沒有它們，人民便成了烏合之衆，個人便成爲人之原子，正是這種經濟和體制的紐帶，使個人的人格具有了本質。因此，從黑格爾的觀點出發，國家最初不是由個體公民組合而成。個人必須經過一系列公司和協會的「中介」，才能獲得國家公民的身分。雅各賓主義要求政府通過選舉建立於人民的意志之上，實際上這意味著政府係由烏合之衆所治理。「人民」僅僅意味著一部份公民，他們「不知道自己希望的是什麼」。⓳

　　應當指出，對市民社會的這種看法具有幾方面的意義，一方面，可

以將其視作反動的。毫無疑問，它反映的觀點代表了等級制依然固若金湯的社會，該社會保留了對等級和地位不容置疑的尊崇，從未感受到工業化踏平一切等級的影響。它沒有給平等的公民權以任何價值，而依照英法政治家的觀點，平等的公民權是自由政體的一個條件。但是另一方面，黑格爾對市民社會的看法也不純粹是反動的。它沒有受到功利主義經濟學家那種幻想的影響，以爲自由放任主義是不可更改的自然秩序，而是像馬克思那樣，將自由放任主義視爲社會發展的一個特殊階段。黑格爾的觀點非常適合國家主義的形式，國家具有鼓勵扶植工商業的職責──這是國家擴大民族實力任務的一部份。還必須承認，黑格爾對法國雅各賓主義的許多批評都爲人們所接受。雅各賓主義經常以自由的名義無情地摧毀了各種社會組織形式，其實，這些組織形式是爲了有益的目的，爲了自由自身的利益，後來又不得不以各種不同形式重新加以恢復。❷一般說來，黑格爾對市民社會的看法體現了一個正確的原則：當個人僅僅被看作一個公民時，國家將吞沒人類社會組織（association）的一切形式。實際上，這並不是自由，而是專制，一切形式的極權主義都證明了這一點。十九世紀末，政治多元論者的觀點，恐怕多基於黑格爾的市民社會學說而建構出來。馬克思認爲經濟力量對於政治具有重要作用的觀點，顯然也是由此源出，儘管馬克思斷言黑格爾的國家要走向滅亡。

市民社會及其與國家關係的學說，基本上決定了黑格爾所謂立憲政體的涵義。按照黑格爾的理解，國家權力是絕對的但不是獨斷的。它的絕對性反映了優越的道德地位，事實上，黑格爾默許國家壟斷社會倫理的各個方面。然而，國家必須以法律的形式施展其管理權力。國家是理性的體現，法律是「合理的」（vational）。在黑格爾看來，這意味著公共權威的行爲必然可以預見，因爲它們的行爲來自已知的規章，規章限制官員濫用職權，官員的行爲表現了官方的權威，而不代表個人的意志或官員本人的判斷。法律平等地對待它所適用的一切人，因爲它是普遍的，不可能照顧個體的特殊性。專制的本質在於無法可依，自由立憲政體的本質在於排除了無法狀態並提供了保障──

　　專制就是無法無天，在這裡，特殊的意志（不論君主的意志還是暴民的意志）本身就具有法律的效力，或者更確切地說，它代替了法

律。

　　恰恰是在國家中一切均穩固和安全這一事實，構成了反對任性和獨斷意見的堡壘。㉑

　　因此，黑格爾的國家就是後來德國法理學所說的政法國家（Recht-sstaat）。國家要實現國內行政的高效率，它的司法機構必須保障財產和人的權利，黑格爾認爲這些都是市民社會的經濟職能所不可或缺的。在法律權威與個人權利區別的問題上，黑格爾的立憲政體學說與自由主義學說相一致，但是，它不承認法治與民主政治進程之間有任何聯繫。

　　黑格爾憲政論在這方面的關鍵是著重強調一個官吏統治階級的重要作用，這就是他所說的「普遍階級」（universal class），他們根據出身並經過訓練適於進行統治，具有等級森嚴的權威和有條理程序的長期傳統。他認爲這個階級超脫它所管理的私人利益和社會利益，對此鐵面無私。因而，在某種特定的意義上，它代表了普遍意志和社會「理性」，與貪得無厭的自私或局部利益相對立，並保護整個公衆利益。市民社會的官僚機構是其頂端，它透過這一點與更高的國家制度相接觸。整個體制的本質特徵在於它植根於遠古的習俗，植根於長期既定的等級和權威，而這些等級又是整個民族生活運轉的機能。黑格爾在心裡將這種立憲政體概念與法國制訂成文法的實驗加以對比，也與英國的議會政體作了比較。對於前者，他抱有歷史學家根深柢固的輕蔑感。他認爲，問誰制訂出憲制純係胡言亂語，因爲憲制不是制訂的。「憲制不純粹是製造造的，它是幾個世紀的產物。」必須將其看作「自在自爲存在的東西，從而應視其爲神物，永世勿替的東西」。㉒因此，什麼權利法案、權力分立、相互制衡等等，純係手段。立憲政體依賴於自治的傳統，按照黑格爾的看法，這種自治傳統是與社會等級的差別無法分離的，也是與統治階級與社會低層之間可以接受的平衡以及忠於王室的貴族無法分離的。君主制的主要作用是維持平衡。但是平衡不取決於分權，而取決於職能的分化。職能分割的目的不是削弱國家，而是強化國家。另一方面，在黑格爾看來，英國的議會政體是封建主義的殘餘。這種制度下的政治權力依然爲貴族寡頭所據有，而這個貴族寡頭並沒有履行民族的職能。因此，英國從未獲取國家的尊嚴。在黑格爾去世的那一年，對英國政體的這種評價也許並非不合實際，只不過有點兒膚淺。黑格爾早期的

政見對貴族既得利益集團治理下的政府充滿了十足的厭惡感，這是他根據伯爾尼市（Bern）的情況意識到的。黑格爾最成熟的論斷幾乎是在他去世之時提出的，他斷言英國政體便屬於上述的類型。他認爲英國政體缺乏君主的睿智，已經預先看到英國改革法案無非是在封建主義的謬誤上添加雅各賓主義的謬誤。❷根據黑格爾對憲政史的解釋，關鍵的一步在於君主制下興起民族的權威，而不是由立法機構控制行政機構。

與官吏的作用相比，代議制和君主制在黑格爾憲制學說中所起的作用幾乎微不足道，儘管他對君主制充滿了神秘的敬畏感。由於上述種種理由，黑格爾認爲僅以地域和人口爲基礎的代表毫無意義，因爲個體在與國家的關係中，是作爲市民社會支持的衆多團體的一個或幾個的成員而起作用，立法機關是這些團體與國家的接觸點。在市民社會方面，需要代表的是各重要領域、各利益集團、或各職能單位。這種職能代表的思想在十九世紀最後二十五年所遇到的困難，說明黑格爾爲什麼從未根據該原則制訂一個切實可行的代議制政府的計畫。另一方面，他認爲管理市民社會的官吏階級應該在立法機關由部長們代表，這是至關重要的。但是後者絕不對立法機關負責。相反，按照黑格爾的理解，立法機關與內閣的關係，實際上是顧問或諮詢關係，內閣向君主負責。但是，在管理完善的君主制下，君主沒有多大權力，他所擁有的權力應該出自他作爲國家元首的法律地位。

> 在一個有良好組織的君主制國家中，惟獨法律才是客觀的方面，而君主的部份只是把主觀的「我要願意」加到法律上去。❷

實際上，君主是民族精神、民族法律、民族國家這些抽象概念的有形象徵，後者才是黑格爾認爲在政治歷史背後起作用的眞正力量。

黑格爾哲學對後來的影響

雖然黑格爾以各種術語掩蓋了他的思想，其結論也過於抽象，但是，沒有哪一家政治學說能像他那樣與政治現實保持密切的聯繫。他的學說眞實地反映了拿破崙戰爭即將結束時的德國狀況，反映了德國在法

國掌握之下蒙受的民族恥辱，也反映了爭取政治聯合、創建民族國家、弘揚統一而偉大的日耳曼文化的強烈願望。在很大程度上，這一學說也揭示了發展的主要線索，在黑格爾死後的三十年中，德國正是沿著這條線索實現其上述理想。它賦以國家概念以特殊的意義，並賦予國家概念以英法政治思想中所沒有的內涵，正是這種內涵，使它在整個十九世紀成為德國政治哲學和法律哲學的中心原則。十九世紀中葉之後，國家概念擺脫了辯證法的哲學術語，從黑格爾的遮飾下顯現出來，但依然保留其本質特徵。本質上，國家概念是強權的理想化。它將兩種觀點奇妙地結合在一起：一種是對遠離武力的理想抱有庸人（Philistine）的輕蔑，一種是對自我證明的武力抱有道德的尊崇。黑格爾的學說將民族置於形而上學的頂端，超然於國際法的控制，甚至超然於道德的批判。就其政治蘊涵而言，國家理論是反自由的──它是君主獨裁高度神化的形成，在這裡，民族主義取代了王朝的合法性──但不反對立憲。不過，它所設想的立憲政體與其他國家可能出現的立憲政體大相逕庭，在那些國家，自由主義和立憲政體是同一政治運動的面貌。這一學說的全部涵義幾乎可以用一句話概括：「政府實行法治而非人治」。因此它不重視民主程序，倒著重井然有序的官僚式管理。它主張保障人民生命和財產安全，主張政府關心公共福利，但不是依靠對民眾輿論的政治責任實施保障，而是依靠官吏階級的為公精神，這些官吏階級被認為是超乎於經濟和社會的利益之上的。在實踐上，該學說甘冒風險，將政治委付於出身與職能均適合於統治的人。但是，當一個國家創建政治統一擴張民族權力的願望高於政治自由的要求時，這種冒險是可以理解的。在所有這些方面，黑格爾哲學以令人驚異的準確性反映了德意志第二帝國的現實。

　　但是，黑格爾政治思想的重要性僅用它與德國的關係來說明，似乎並不充份。他的思想異常廣闊，依照他的構想，他的哲學不僅追隨近代思想的潮流，而且試圖對其加以總結並使之完善。從這個角度看，他的中心思想是普遍的歷史（世界史）概念，他將其設定為一種新的統一原則，以代替十七、十八世紀的自然法體系。盧梭曾經斷斷續續地提出普遍意志的思想──既是民族內在不可缺少的原則，又是構成客觀現實核心的更大精神力量之表現──柏克的宗教觀將歷史看作「神的旨意」，

黑格爾則用普遍歷史（世界史）的概念把二者統一起來。黑格爾希望給這些模糊的沉思加上邏輯的確定性和準確性，並透過辯證法創造科學研究的工具，以便在實際上展示「上帝在世界中的進程」。他以絕對精神在歷史中的合理展現取代了亙古不變的自然法的永恆體系。

將這種宏大的思辯結構輕率斥爲浪漫主義幻想的狂妄行爲，是最容易不過的事情。然而它是新觀點的萌芽，幾乎影響到十九世紀社會哲學的每一方面，有好的作用，也有壞的作用。重要的變化在於這一事實：黑格爾展示的宇宙力量雖然也像啓蒙哲學家一樣稱之爲理性，但是，它表現在社會團體、民族、民族文化和體制中，而不是表現在個人身上。倘若黑格爾的世界精神爲生產力所代替，結果在原則上相似。無論前者還是後者，社會都是力量的系統，而不是個人的組合，社會的歷史是制度的發展，制度作爲集合的實體屬於社會。這些力量和制度就像它們所從屬的社會，按照內在的趨勢發展。制度的歷史——法律、政體、道德、宗教、哲學等——成爲社會研究思想裝備的永恆且主要的一部份。對於社會力量的行動和發展，個人的道德判斷及個人利益幾乎不起什麼作用，社會力量是眞正的社會動因，它是自我證明的，其趨勢不可抗拒。這些思想既包含著大量的眞理，也包含了許多誇張，在十九世紀的社會哲學中，曾經風靡一時。就政治學的研究而言，不但使研究變得充實，也變得貧乏。對各種制度進行歷史研究，以及對政府和人類心理中的社會經濟因素有更具體的理解，補充了法律主義和個人主義，而使得政治學更加充實並且更爲現實化。但是另一方面，政治作爲一門獨立的學科而受到威脅，因爲有一種觀點將之歸結爲社會力量的「反映」，是各民族的抗衡或各經濟階層的抗衡的「反映」。這種觀點試圖把人際關係中的談判領域縮小到最小範圍，並且模糊了下述事實，即政治機構與其說是施權的機構，倒不如說是用於談判的機構更爲眞實。它還掩蓋了這一事實：談判藝術以及由此所需的政治智慧，根本不可能歸入各種實力的嚴酷盤算。顯然，隨著這種觀點的變化，自由的政治概念很容易被人忽視。所有這些趨向都潛存在黑格爾的哲學中，儘管不能單從黑格爾的哲學中直接生長出來。但是，黑格爾哲學是後續社會和思想潮流發生變化的有力宣告，上述傾向都是在這種變化的基礎上發生的。

直接受黑格爾哲學影響而產生的政治學說，有三條發展線索特別值

得一提：首先，一脈相承的發展線索是從黑格爾到馬克思，然後形成後來的共產主義學說史。這裡的關鍵點是辯證法，馬克思將其作爲黑格爾哲學劃時代的發現而繼承下來。至於黑格爾的民族主義和國家理想，馬克思認其爲玷污辯證法的「神秘之物」（mystification），形而上學的唯心主義損害了辯證法體系。馬克思將此學說改造爲辯證唯物主義，並把辯證法作爲對歷史的經濟解釋，他認爲這樣就可以使辯證法成爲解釋社會演進的眞正的科學手段。市民社會（除了國家）就其結論而言主要是經濟的，這是馬克思從黑格爾那兒接受的現成結論。其次，黑格爾哲學是牛津唯心主義者修正英國自由主義的主要因素。辯證法在這方面的作用微乎其微。重要的影響是黑格爾對個人主義的考察及全面性的批判；而工業主義的進步則增加了批判個人主義的緊迫性，那卻是黑格爾從未感受到的。黑格爾政治學說的反自由傾向遠離了英國政治的現實，因而幾乎沒有什麼人注意。最後，在義大利法西斯的早期階段，黑格爾哲學作爲一種高度實用主義運動的哲學理論而被採納。然而事實上，法西斯的黑格爾哲學差不多也被認爲是一種特別的理性化（*ad hoc* rationalization）。

註　解

❶《法哲學》（ *Philosophy of Right* ），第 269 節，補充。所有引文引自諾克斯（ T. M. Knox ）的譯本。

❷這一點首先由威廉·狄爾泰（ Wilhelm Dilthey ）在《青年黑格爾》（ *Jugendgeschichte Hegels* ）一書中提出（ 1905 年版 ），以後爲哈爾林（ T. L. Haering ）在《黑格爾，他的宏願和著作》（ *Hegel, sein Wollen und sein Werk* ）2 卷，（ 1929 和 1938 ），詳盡加以發揮。

❸見黑格爾在《歷史哲學》（ *Philosophy of History* ）中對哲學史的論述，緒論，第 3 節。西布利（ J. Sibree ）譯本，博恩叢書，第 55 頁。

❹《論符騰堡內在的新事件》（ *Uber die neuesten innern Verhältnisse Württembergs, 1798* ），著作集，拉森（ Lasson ）編，第 7 卷，第 150 頁以下。

❺《德意志憲章》（ *Die Verfassung Deutschlands, 1802* ），著作集，第 7 卷，第 1 頁以下。

❻同上書，第 17 頁。

❼同上書，第 109 頁。參考《歷史哲學》（ *philosophy of History* ）第 4 部份，第 2 節，第 2 章有關君主制起源的論述。

❽同上書，第 113 頁。

❾同上書，第 108 頁。

❿《法哲學原理》（ *Grundlinien der Philosophie des Rechts.* 1821 ），英譯者諾克斯 （牛津，1942 年版 ）。

⓫《歷史哲學》，諸論，第 34 頁。

⓬從黑格爾主義立場出發以英文認眞寫出的著作當推伯納德·鮑桑葵（ Bernard Bosanquet ）所著《邏輯或思維形態學》（ *Logic or the Morphology of Thought,* 1888; 第 2 版，1911 ）。懷特海（ Whitehead ）和羅素（ Russell ）的著作發展起來的「現代」邏輯可以肯定是黑格爾稱之爲知性的邏輯，其歷史來源是萊布尼茨 （ Leibniz ）和休謨，不是黑格爾。

⓭黑格爾以“Wirklichkeit”表示現實，以“Dasein”表示存在。

⓮《法哲學》，第 260 節，補充。

⓯《法哲學》，第 244 節，補充。

❶❻關於黑格爾在這方面思想的歷史，赫伯特・馬庫塞（Herbert Marcuse）在《理性與革命：黑格爾與社會理論的興起》（ *Reason and Revolution: Hegel and the Rise of Social Theory*, 1941; 1954 年第 2 版）中有長篇論述。

❶❼《法哲學》，第 209 節，附釋。

❶❽同上書，第 270 節，附釋。

❶❾同上書，第 301 節，附釋。

❷⓪見帕爾默（R. R. Palmer）的〈人和公民：個人主義在法國大革命中的應用〉，載於《政治學說論文集》（ *Essays in Politcal Theory* ），密爾頓・康維茨（Milton R. Konvitz）和阿瑟・墨菲（Arthur E. Murphy）合編（1948），第 130 頁以下。

❷❶《法哲學》，第 278 頁，附釋，第 270 頁，補充。

❷❷同上書，第 274 節，補充；第 273 節，附釋。

❷❸關於黑格爾在伯爾尼居住時（1793～1796）對貴族形成的看法，見法爾肯海姆（H. Falkenheim）的〈黑格爾一篇不爲人知的政治著作〉載於《普魯士年鑑》（ *Preussische Jahrbücher* ），第 138 卷（1909 年），第193 頁以下。關於英國政府的評論，參見黑格爾的論文《論英國改革法案》（ *Über die englische Reformbill*, 1831 ），著作集，第 7 卷，第 291 頁以下。

❷❹《法哲學》，第 280 節，補充。

參考書目

1. *History of Political Thought in Germany from* 1789 *to* 1815. By Reinhold Aris. London, 1936.

2. *The Philosophical Theory of the State.* By Bernard Bosanquet. London, 1899. Chs. 9, 10.

3. *Hegel: A Re-examination.* By J. N. Findlay. London and New York. 1958.

4. *The Political Philosophies of Plato and Hegel.* By M. B. Foster. Oxford, 1935.

5. *The Philosophy of Hegel.* Ed. by Carl. J. Friedrich. New York, 1954. Introduction.

6. "The Growth of Histoical Science." By G. P. Gooch. In *Cambridge Modern History,* Vol. XII (1910), ch. 26.

7. *The Decline of Liberalism as an Ideology, with Particular Reference to German Politic-legal Thought.* By John H. Hallowell. University of California Publications in Political Science. Berkeley and Los Angeles, Calif., 1943.

8. *The Social and Political Ideas of Some Representative Thinkers of The Age of Reaction and Reconstruction.* Ed. by F. J. C. Hearnshaw. London, 1932. Ch. 3.

9. *The Metaphysical Theory of the State.* By L. T. Hobhouse. London, 1918.

10. *Hegel: Reinterpretation, Texts, and Commentary.* By Walter Kaufman. Garden City. 1965.

11. *From Hegel to Nietzsche: The Revolution in Nineteenth-Century Thought.* By Karl Lowith. New York, 1964.

12. *Reason and Revolution: Hegel and the Rise of Social Theory.* By Herbert Marcuse. 2d ed. New York, 1954.

13. *Machiavellism: The Doctrine of Raison d'état and Its Place in Modern History*. By Friedrich Meinecke. Eng. trans. by Douglas Scott, London, 1957.

14. *An Introduction to Hegel*. By G. R. G. Mure. Oxford. 1940.

15. *Hegel's Political Writings*. By. Z. A. Pelczynski. Oxford, 1964.

16. *The Ethical Theory of Hegel: A Study of the Philosophy of Right*. By Hugh A. Reyburn. Oxford, 1921.

17. *Hegel und der Staat*. By Franz Rosenzweig. 2 vols. Munich, 1920.

18. *The Philosophy of Hegel*. By W. T. Stace. London, 1924. Part Ⅳ, Second Division.

Sutdies in the History of Political Philosophy. By C. E. Vaughan. 2 vols. Manchester, 1925. Vol. Ⅱ, chs. 2~4.

20. *Hegel et l'état*. By Eric Weil. Paris, 1950.

第三十二章
自由主義：哲學激進主義

　　自盧梭和柏克開始反對天賦權利哲學，到黑格爾時第一次得到系統的闡述，但並未取代十七、十八世紀思想主流的個人主義傳統。相反地，天賦權利哲學在十九世紀造成了實際的後果。其歷史正是黑格爾津津樂道的一個弔詭的例子，即一種哲學的主要原則得到認可，才能得到充份發展和廣泛應用，然而，一旦達到這種程度，主要原則卻成爲發展之障礙。革命時代的原則首先由洛克清晰地闡述出來，並體現在美國獨立宣言以及法國和美國的人權法案中。這些原則歸納了一套政治的理想，該理想在十九世紀所有流行西歐文化的國家裡，似乎肯定會逐步實現，而且大概能在全世界實現。其內容包括公民自由，即思想自由、言論自由、集會結社自由等等，也包括財產的保障以及公衆意見對政治機構的控制。在各個國家，這些目的似乎是透過立憲政體的形式實現的，即透過承認政府必須依法行事的原則，承認政治權威之中心是在代議制立法機構的原則，並承認政府各職能部門應該對全體選民（包括全體成年男子）負責的原則而實現的。這些理想以及將其付諸實施的政治機構，都在天賦權利的名義下得到保護，它們並持續地總結了十九世紀自由主義的宗旨，籠統地說，也總結了十九世紀自由主義的成果。這種政治思想模式的核心，乃是有關價值性質的基本主張，即一切價值的最終意義，乃人之個性的滿足和實現。康德的著名格言：「道德不把人看作手段而是看作目的」，就是這一主張的具體體現。傑佛遜（Jefferson）也肯定了這種主張，他說，政府的存在，就是爲了保護並實現個人不可剝奪的權利。

　　革命時代的天賦權利哲學與十九世紀自由主義之間，無論氣質上還是精神上，都有著深刻的差異。天賦權利哲學本質上是革命的綱領，一

且基本權利受到侵害，它絕對不容妥協。但是，法國大革命的許多方面卻孕育著反動。拿破崙帝國的野心在歐洲大陸破壞了每個西方國家的憲政傳統。即使英國的情況有所不同，議會改革的進程也受到反動勢力的阻礙，直至一八一五年以後才艱難地起飛。法國大革命因過激而引起人的反感，革命常常遭此命運。當時的風尚就是將這種過激行爲歸於哲學和人權。夏多勃里昂（Chateaubriand）表明了自由主義的特徵，他說：「我們必須維護政治成果，它是革命的果實……但是，我們必須從這一成果中消除革命。」後來，將進化理想化爲革命的對立面，也體現了同樣的思想。

自由主義態度的溫和趨勢在某種程度上是哲學造成的。天賦權利哲學依據的倫理學理論必然是一種直觀，除了像洛克和傑佛遜那樣，斷定神聖不可侵犯的個人權利不證自明之外，找不到爲它辯護的其他方法。但是，一般的科學趨勢，尤其是社會思想趨勢，一直穩定地走向經驗論，因而逐漸拋棄了那種信念——即認爲一個命題只要淺顯易懂便是公理。總而言之，理性主義的權威日益衰減，天賦權利論則始終是哲學理性主義的一個要素。然而，比任何理論考察更有影響的，無疑是隨著工商業中產階級地位的穩固和影響的擴大，其思想也自然而然地發生變化。在十九世紀，工商業中產階級是自由政治變革的先鋒，而工業和商業的發展趨勢必然擴大他們的政治權力。與之相應，地主的影響力相對減弱，受薪勞動者至少在十九世紀上半葉或三分之二的時間裡，尚未在政治上覺醒，沒有形成強有力的組織。馬克思批判自由主義時常說，立憲政府和個人自由的理想只代表中產階級利益，這種說法言過其實。事實上，中產階級最初是這一理想的主要代言人，繼之，該階級的社會地位使它在世界觀和方法論方面逐步喪失了革命性。當弗蘭西斯・普賴斯（Francis Place）以擠兌英國銀行的黃金相要挾，要求透過一八三二年改革草案時，顯然不是講給阻礙改革的階級聽❶。隨著時間的流逝，自由政治變革愈益超越思想意識範圍，進入重建體制的組織。管理現代化、法律程序的改進、法院改組、衛生法規、建立工廠檢查制度等等，都是自由變革的標誌，這些並不依賴革命熱情的影響，而是靠艱苦的實際探索和周密的立法來實現。自由主義理想是革命時代的後遺症，然而，它的成就大部份是適用於特殊問題的高等實踐智慧的產物。它的理

論仍然是理性主義的，但卻為現實所制約，即理想必須作用於大量的具體情況。它的哲學自然而然地變成功利式的，而不是革命的。

政治自由主義就其整體而言，是一場大規模的運動，它波及歐美，而在英國取得最典型的發展。在德國，自由主義哲學在程度上依然屬於學術研究，並未深深地植根於民眾的思想中，一八四八年議會制和內閣責任制敗局已定。德國人心目中的民族統一問題掩蓋了自由憲政的吶喊，俾斯麥（Bismarck）和霍亨索倫家族（Hohenzollerns）等非自由派領導實現了民族統一。只有在德國的司法制度中才能實現自由主義的價值，如保護財產、一定的公民自由等，因此，德國的自由理論是司法的而不是政治的。法國大革命最重要的社會結果也許是造就了五、六百萬農民業主，除了引起阻礙作用之外，他們在政治上並不活躍，他們覺得自己的利益與資產階級相一致。在反對上述兩個階級的鬥爭中，歐洲第一次爆發了工人階級運動，即社會主義運動，其政治思想是激進主義的，不是自由主義的。這一發展具有重要的社會意義，與馬克思的階級鬥爭理論一拍即合。因此，法國自由主義與英國大相逕庭，它是一個階級的社會哲學，以貴族式的態度對付「羣衆」，其職能主要是批評，因爲它根本就不想貫徹一項國策。❷只有在十九世紀的英國，這個世界上最高度工業化的國家裡，自由主義登上了國家哲學和國家政策的寶座。英國狀況與馬克思主義預料的恰恰相反，自由主義提供了循序漸進與和平演變的原則，它首先使工業獲得完全的自由，給予中產階級權力，最後給予工人階級權力，並保護他們免遭最嚴重的工業之害。之所以形成這種局面，乃是因爲英國的社會和經濟階層之間發生分裂，與各政黨的路線根本不能完全吻合。即使在早期，它的經濟理論特別清楚地代表了工業資產階級的利益，英國自由主義就其目的而言，至少一貫是代表全民族利益的理論。在後期，這種意圖更加自覺、明確，當必須考慮其他利益，特別是勞工和農工的利益時，這一點尤爲突出。

作爲富有成效的政治運動，英國自由主義由許多因素組成，它們爲達到某個目的而彼此合作，不管意識形態是否一致。其中最顯著的，是福音派和邊沁非宗教激進主義以及哲學激進派之間所謂「工作同盟的傳統」[沃拉斯（G. Wallas）語]。他們道德目的和社會目的在本質上的相似性，抵銷了他們哲學信仰上的不一致。正如格萊斯頓（Gladstone）所說，政治自由主義的支柱是不信奉英國國教的宗教派別。❸起初，他們的一切動機就是捍衛並擴大宗教自由和參政權。雖然他們有時缺乏智力的啓蒙，但是，卻提供了基督教的博愛和人道主義，而功利主義倫理學的冷酷自私和古典經濟學恰恰欠缺這些成份。此外，非國教派作爲整體，其政治觀點根本就不是革命的或激進的。由於意識形態各異的派別暫時聯盟，所以，政治上的自由主義從一開始就沒有理論上那麼多限制，而且隨著時間的推移，許多利益的調和成爲自由主義哲學最顯著的部份。不過，正是哲學激進派爲早期自由主義提供了智力結構及其綱領。他們始終是一個學術團體，而不是一個政黨，但是，他們的影響可不能以其成員來衡量。正如政治上經常發生的那樣，學者提供思想，從政者根據狀況的急迫性取其隻言片語，有時則完全不用。

爲了著重說明英國自由主義哲學調和與綜合的一面，可以將其分爲兩個階段，但是應該清楚地看到，這兩個階段具有歷史的連續性。其顯著的歷史特徵，是它從名副其實的代表資產階級利益的意識形態（它的批評者也這麼說）開始，發展成爲國家哲學，其理想是保護並保障一切階級的利益。這種發展之所以可能，乃因爲它受到並非不公正，卻又不完全正確的批判。早期自由派雖然常常偏狹、刻板，卻也不乏深沉、誠懇、熱心公益，他們把不完善的社會哲學變爲諸種目的，這些目的很大程度上對社會有利，其意向也不是剝削的。因此，自由主義使自己成爲兩種學術思想的橋樑，一端是早期個人主義，它是革命時代的哲學遺產，一端是現實認識和社會公共利益的價值，它通常以反自由主義的形式出現。因此，後期自由主義的目的不僅維護了個人主義所體現的政治自由和公民自由，同時使它們適應工業主義和民族主義的逐漸發展——這種發展孕育出一種威脅政治自由和公民自由的哲學。自由主義承認，政治自由爲現代文化增添了永恆的價值，它也承認，這一使命可以影響更多的人，因而有益於社會。所以，將自由主義劃分兩個階段，遠不是爲了敍述方便，而是爲了說明具有重要意義的變化，也是爲了說明具有同樣重要意義的連續性。最好以斯圖爾特·彌勒（Stuart Mill）爲界，他的哲學奇妙地跨在分界線上。因此，本章將討論自由主義的古典思想，即哲學激進派的思想，下一章討論經過修訂的現代自由主義及其現代化的問題。

最大的幸福原則

　　哲學激進派的社會哲學，本質上是法律、經濟以及政治改革的綱領，它們認爲它們是從最大多數人的最大幸福原則（principle of the greatest happiness of the greatest number）派生而來的。哲學激進派認爲，這個原則是個人道德和公共政策唯一合理的指南，他們哲學理論有很大一部份，是爲了使這個原則更準確地運用於實際問題。事實上，激進派的成員，包括邊沁本人在內，沒有一個以哲學創見甚或以牢固的把握哲學原則而著稱。他們所喜愛的形式化和演繹化的闡述方式，爲他的思想披上一層系統的外貌，使得他們的分析變成是欺瞞性的。體系各部份之間的順序表明，它們的關係是一種實際聯繫，而不是邏輯聯繫。實際上，邊沁（Bantham）直到六十歲，才眞正對法律改革發生興趣，他預料，開明專制主義（enlightened despotism）比政治自由主義能夠更快地達到目的。因此，一七八九年《道德和立法原理》（*Principles of Morals and Legislation*）發表之後，邊沁用法文撰寫法理學方面的著作，向歐洲大陸公衆抒發自己的見解。直到十九世紀二〇年代，他的法文著作譯成英文，《審判證據原理》（*Rationale of Judicial Evidence*）之類的新作出版，他的思想才回歸故里。後者是約翰・斯圖爾特・彌勒根據邊沁的手稿編輯整理並於一八二七年公開發表的。當時，大約在一八〇八年，詹姆斯・彌勒使邊沁認識到，英國法律改革取決於放寬議會代議制，這時，邊沁才放棄培育過他的托利黨政治（Tory politics）。這種變化絕不意味著自由主義在邏輯上依賴於最大幸福原則，而是寄希望於證明法律改革比貴族制或開明君主制更切實可行之上。

　　哲學激進派經濟理論的主要著作是李嘉圖（Ricardo）的，其發展與邊沁感興趣的法律改革沒有任何密切的聯繫。該理論一開始就以某種相似的方式指向貿易自由，其目的是不受食品保護關稅和航海法的限制。經濟改革也像法律改革一樣，只能靠摧毀英國地主階級所享有的政治壟斷才能完成。直到實現了這些目的，詹姆斯・彌勒才對該派別一貫依賴的心理原則和哲學原則進行理論考察。他的《人類精神現象的分析》

（ *Analysis of the Phenomena of the Human Mind* ）於一八二九年出版，當時他已五十六歲。該書在邏輯上應該是體系的基石，但實際上，它只不過以演繹和高度教條的方式，把聯想主義心理學系統化。大衛·哈特萊（David Hartley），十八世紀英國倫理學家，還有像孔狄亞克（Condillac）和愛爾維修（Helvetius）一類的法國思想家，曾在八十年以前便發展了聯想主義心理學。彌勒並未對這種心理學做出多大貢獻，更談不上以觀察為基礎對人類行為進行實際研究。所謂功利主義的經驗主義，實際上充斥了未加驗證的一堆假設。倫理學的最大幸福原則，可以像往常一樣，沒有心理學的快樂說支持也可以為人們所接受。以最大幸福原則的名義進行改革，僅僅意味著該原則靠大量與該體系無關的前提作補充。

除了經濟學以外，功利主義思想的總綱領發表於邊沁最早的著作，即一七七六年出版的《政府論斷片》（ *Fragment on Govemment* ）。該書主要批評布萊克斯通（Blackston）的《釋義》（ *Commentaries* ），並以此抨擊整個法律界以及惠格黨對英國政府的看法。邊沁表達出他主要興趣在於從事法律改革，並略地表達了後來一系列法理學著作中發揮的觀點。他說，布萊克斯通對英國法律的說明，充其量不過是一種注釋，僅僅說明了法律的現狀，或者，說得重一點兒，以闡述為虛，為現實辯護為實。法理學的真正職能是「檢查」，用改良過的觀點批評法律制度。對於這種批判，需要一個價值標準，而且，只有功利原則能夠提供這個標準。「最大多數人的最大幸福原則是正誤之尺度。」邊沁將這一灼見歸功於休謨，他第一次看到休謨的倫理學著作時，彷彿感到耳目一新。休謨的批判摧毀了，關於政府不可剝奪的權利和契約限制權力的學說，因為休謨說明了這些學說或者毫無意義，或者混淆了清晰的功利主義原則。政府的基礎不是契約而是人的需要，滿足人的需要是政府賴以存在的唯一口實。邊沁或許根據了霍布斯和休謨的思想而得出結論：布萊克斯通粉飾英國憲法和所謂分權制，走進了荒誕的王國。法權（legal power）就其性質而言，不可能受到法律的限制，在一切政治社會中，權威必須集中在某個人或某些人身上，其他人習慣於服從他（他們）。邊沁表明，這適用於自由政府也適用於專制政府。就統治者對自身行為承擔的責任、國民指評的自由、出於政治目的結社和出版自由等

等來說，這兩個政府確實不同，但行使的權力卻是一樣的。《政府論斷片》提出了一些主要思想，激勵著哲學激進派：最大幸福原則作為價值尺度，法律主權是立法程序改革的必要前提，法理學根據法律對普遍幸福的貢獻，對其進行分析和「審查」。

《政府論斷片》主要是批判，但是邊沁很快就轉入建設。《道德和立法原理導論》於一七八〇年私下印行，一七八九年公開出版，該書按照愛爾維修設定的路線，把心理學、倫理學和法理學結合起來。邊沁認為，快樂和痛苦不僅為「審查性的」法理學（censorial jurisprudence）提供了所需要的價值標準，而且也是人類行為的動因，巧妙的立法者，利用它可以控制並指導人類的行為——

> 自然將人類置於兩個最高主權者——痛苦與快樂的統治之下。因為有了痛苦與快樂，才表明我們應當做什麼，決定我們將要做什麼。一方面是正確與錯誤，另一方面是因果鏈條，二者都與痛苦和快樂的寶座連在一起。❹

於是，邊沁的理論長篇累牘地詳盡分析描述了作為動因的快樂與痛苦，他試圖表明如何計算它們的數量，又何以產生影響。他像一般主張快樂論的倫理學家一樣，假定快樂與痛苦可以公約，即一定的快樂抵銷一定的痛苦，也可以疊加起來，計算快樂之總和，以表明個人或個人組成的團體的最大幸福。計算必須考慮快樂與痛苦的四個維度或四個方面：密度、間隔、某一特定行為的確定性，以及出現的頻率。某一快樂或痛苦很有可能導致另一快樂或痛苦，因而必須將這種傾向考慮在內，任何社會計量還要考慮人數的影響。雖然邊沁有時承認快樂相加的概念為虛構，尤其是不同個人的快樂相加概念，但是，一般說來，他似乎真地相信，人類總是依據精神力量的平行四邊形（mental parallelogran of forces）行事。毫無疑問，他認為這個假設是一種「先決條件，沒有它，一切政治推理都不能進行」。事實上，他並沒有心理學觀察的技巧，對此也毫無興趣。但是，他渴望成為「倫理科學的牛頓」（Newton of the moral sciences），而且他認為他的心理學虛構並不比力學中行之有效的虛構來得更強烈。

對邊沁來說，快樂和痛苦理論以及與之相關的感覺心理學，除了使

他能夠計算立法效果以外，還有其他價值。他認爲，運用感覺心理學能夠追查並抵銷社會研究和政治推理中隨處可見的「虛構」。邊沁的知識論是嚴格的唯名論，與其說與休謨相關，倒不如說與霍布斯有關。一個名稱是某一事物的名稱，而該物歸根究柢是一種具體的感覺經驗。一個名稱的意義由它所意指的經驗來確定，這就是現在我們所謂語詞所指的「參照對象」（referent）。因此，就名稱所指的眞實存在（real entiy）一種而言，可以說它們就是「專有名詞的集合」，如果忽略這個事實，一般名詞至少會瀕臨成爲虛構的危險。虛構的存在實際上是爲了「交談方便」（例如，用「關係」代替「相互關聯的客體」），但是，爲了明晰起見，需要精確地瞭解事實的參照對象（factual reference）。「最糟糕的是把虛構的名稱當作眞實存在的名稱，這勢必造成混亂和無知」。❺要明白指出相關的具體經驗，這必定是有可能的事。正如威廉・詹姆斯（William James）在若干年後所說，對一個經驗主義者來說，每個差異必然產生一種區別。對邊沁來說，虛構理論主要在政治和立法領域有效。這兩個領域都充滿了虛構。他深信，立法虛構「除了爲某些不能成立的東西辯護之外，沒有任何用途」。像權利、財產、君權、公共福利之類的詞，都有虛構的性質，通常用來保護既得利益。在邊沁看來，社會或國家一類的法人團體必然是虛構的。無論以它的名義做什麼，都由某人去做，正如邊沁所說，它的利益是「構成它的一些成員的利益之和」。因此，最大幸福原則的效用，在於它體現了虛構的最大應付能力，因爲它意味著，一種法律或憲法的實際意義，必須根據它的作爲來判斷，尤其要根據它對具體個人做了些什麼來判定。邊沁知道，當然不可能探尋各種情況會產生什麼結果，但是，缺乏它的任何東西都是一種權宜的替代品。既然價值與快樂一致，而快樂只是個人的某種體驗，那麼，法律和政府的實際價值，在於對男女的生活和命運發生影響。在某種程度上，這個原則是一切自由哲學的必要條件，但是，這並不意味著承認邊沁心理學的不成熟成份。

邊沁的法學理論

邊沁認為，最大幸福原則是掌握在嫻熟的立法者手中的萬能工具。「藉著理性和法律的手，可以用它培育出幸福的結構。」（rear the fabric of felicity by the hands of reason and law）因為它在動機和價值兩個方面提供了基本的人性論，邊沁認為，無論何時何地，該理論都能適用。立法者只須知道特殊習慣和習俗形成的特定時間和地點，就能藉著施加痛苦和懲罰的方式控制行為，以產生合乎需要的結果。對邊沁認可的方法的唯一限制是心理學和倫理學的，一方面限定法律所能做的事情，另一方面明確規定它試圖去做的事情。他理所當然地相信，對這種方法不可能有任何法律的限制。即使人們長期養成的習慣或長期接受的體制所造成的限制，邊沁也將其作為一種心理學的限制，因為他認為，習俗和體制只不過是習慣而已。它們像一切習慣一樣，為達到某些目的採取一些理智的調整手段，必然有風險；它們也是各種技術問題和虛構的源泉，這是最大幸福原則打算消除的。不信任習俗，讓其完全服從立法，乃是邊沁法學的基本特徵。與此相關的是，社會研究漠視甚或蔑視歷史因素。從邊沁的觀點看，歷史主要是人類犯罪和愚昧的概述。這種思想情緒，或許是邊沁社會哲學在十九世紀下半葉顯得有點兒過時的主要原因。即使他的門徒約翰・斯圖爾特・彌勒，也漸漸認為這是它的弱點，確實應對不同文化傳統造成的人與人之間深刻的差別的膚淺認識負責。

邊沁的法學不僅是他著作中最偉大的部份，也是十九世紀最矚目的學術成果之一，它將上述觀點用於法律的各個分支（民法和刑法），並運用於程序法律和司法系統的組織。❻在各種情況下，它的目的是批判，不是描述，是審查，不是講解，因為他一開始就聲明反對布萊克斯通。所以，他在法學的各個分支中，將他所說的自然方法與技術方法區分開來。後者包括法律所承認的取其表面價值的分類和技術程序，並具體化為它的習慣術語、傳票和訴訟程序。這種法學的效果，充其量不過是把法律概念歸結為某種形式程序。相比之下，自然方法則根據功效

（utility）來設想一切法律禁令以及將法律禁令付諸實施的一切法律程序，以此作爲最大多數人獲得最大幸福的手段。法律問題本質上在於正確行使懲罰，以獲得預期的結果。

在民法領域，這種方法要求分析法律的權利與義務，這是從有助於還是有礙於實現功利所依據的商品交換或勞動交換的角度來看。每項法律義務必然强行限制這種交換自由。一個人的權利意味著，他的行動自由需要透過懲罰來保障，懲罰可以防止他人侵犯。要證明懲罰是否正當所依據的證明只有透過比較，讓兩個人隨意行動，根據可能發生的情況比較那種限制的相對效應。在一切情況下，立法效用將按它的作用和實施的代價去衡量，一般視其產生的交換制度總體來說是否有利於社會的最大多數人而定。只有功利才能使行爲成爲義務。財產權之所以是正當權利，是由於安全的需要，爲了使行爲結果可以測量，也是爲了避免因挫折而產生的躊躇和失望，這裡所說的安全，當然是有限的社會安全概念。根據邊沁的判斷，財產安全是獲得最大幸福的主要條件，但是他也覺察到，這是一項最爲保守的原則。它意味著無論何時都要在法律上保護財產分配。他深信，法律主要是爲了使財產得到相對平等的分配，至少不是爲了武斷地創造不平等。這是一個政策問題。實際上，必須在安全與平等之間建立切實可行的平衡。同樣，邊沁認爲，神聖的契約只有當有助於維持商業交易的可靠性時才成爲法律的依據，而法理學過去一向把契約當作符咒，如同神學將聖餐作爲血肉的化身一樣。

至於刑法領域，邊沁認爲，功利原則爲合理的懲罰理論提供了一種自然的方法。技術方法的出發點是假定犯罪「應受」處罰，但是，只有根據現存的實踐和觀念才能定義功罪概念。相反，自然方法的出發點在於這樣一種原則，即懲罰造成了痛苦，因而永遠是邪惡的，人們之所以認爲它合理，只是因爲它可以阻止更多的邪惡或補救已產生的邪惡。刑事法理學必須對犯罪進行現實的分類，分類根據不是法律的習慣分類法，而是根據某些行爲模式造成的傷害或對特定個人、階級以及公眾的傷害來分類。邊沁正確地認識到，按照習慣法分類會造成予盾，令人難以理解。刑事法理學還必須對處罰進行相似的分類，以便按罪量刑，並且盡可能有效地防止傷害或補救已有的傷害。一般的法則是，處罰帶來的痛苦必然超過犯罪得到的利益，但盡可能少超過犯罪造成的惡果。邊

沁的著作中，這一部份頗像愛爾維修的另一位追隨者貝卡利亞（Beccaria）所得出的結論，不過，邊沁的論述更系統、更巧妙，並沒有重複貝卡利亞的結論，即懲罰的必然性與其說是嚴酷，毋寧說是威懾。邊沁實際上贊成塞繆爾・羅米利（Samuel Romilly）爵士提出的建議，主張取消野蠻而無效的懲罰，十九世紀初，這類懲罰有損於英國刑法的形象。羅米利的刑事法理學與邊沁絕大多數改革方案一樣，主要出於熱愛秩序和效率，而不是出於人道主義動機，不過應當公正地說，爲了改善監獄的狀況，他也犧牲了大量時間和私人財產。他個性的動力是啓蒙，與關心社會棄兒的利益或少年犯罪的改造相比，他更關心普通人的利益。

　　邊沁最富於特色的思想發展，也許主要體現在他的法律程序和司法組織理論中，無疑，正是由此出發，他越來越背離以前的自由主義傳統。滿懷簡化程序和改進法庭效率的抱負，邊沁提議幾乎完全拋棄檢查和防衛，而以前人們一向認爲，檢查和防衛是保護臣民權利所不可少的。邊沁在《政府論斷片》中就已提出關於憲法的原則，這裡又將其擴充到程序法中，他正確地指出，法律的形式主義和可接受證據的人爲規章，主要依據這一信念，即實體法是不好的，政府是危險的。他指出，如果這種信念正確，合理的補救辦法是改善法律，而不是削弱法庭。他認爲，法律的程序繁雜、含混不清和技術細節，使當事人消耗了最大的費用，弄得筋疲力盡，帶來無窮的煩惱。許多人受到不公正的待遇，法律程序的結果變幻莫測，極不穩定。邊沁所說的技術體系，簡直是法律部門對公眾的欺騙。即使在《政府論斷片》中，他對律師表示敬意，但是，他一生都帶著改革者的積怨盯著他們。

　　他們是被動、懦弱的一夥，隨時準備吞下苦果，默許任何事態；他們不能用自己的智慧區分正誤，情感冷漠、感覺遲鈍、固執己見、毫無生氣，而且很容易被虛妄的恐懼搞得驚厥不定；他們對理性和公眾利益的呼聲充耳不聞；他們對利益的耳語和權勢的召喚百般諂媚。❼

　　邊沁的理想是「每個人是他自己的律師」（Every man is his own lawyer）。爲了這個目的，他極力主張將非正式程序提交仲裁人調解，以代替正式訴訟，仲裁人認可一切有關證據，爲排除枝節問題，不用刻板的規章，而用大量的司法裁定（judicial discretion）。關於法庭的組

織，邊沁特別抨擊「付費法官」（paying judge）的做法以及其他法庭官員不實行薪金制只拿費用；他抨擊英國法庭彼此隔絕，相互重疊，矛盾重重；他也抨擊「陪審制」；他認爲英國法庭盛名之下其實難負。

　　邊沁的法律理論確立了分析法理學的觀點，整個十九世紀，英國和美國的律師一般都知道，這幾乎是該主題的唯一體系。這個學派通常與約翰・奧斯汀（John Austin）的名字聯繫在一起，但實際上，奧斯汀只不過將邊沁那些散亂繁多而不易懂的觀念滙集在一起❽。奧斯汀著作在政治理論方面的影響，主要在於過份誇大主權論的重要性，實際上，他的理論與邊沁藉著議會控制改革法庭的方案不謀而合。組織的明確意味著應該把責任落實到某個地方，但是，邊沁的政府只是某些特定的人實行專門統治，臣民慣於服從他們的見解，根本不足以解釋政體在政治中的作用。邊沁的法理學著作制訂了一項計畫，英國司法部門根據這項計畫進行了徹底的修正，並於十九世紀實現了現代化，就此而論，這個理論比主權論有更大的歷史意義。的確，邊沁的觀點從未被系統地採納並付諸實施，他的某些見解，主要是將英國法律編成一般法典的思想，也從未被採納。但是，法律和法庭的徹底改革經過一系列的事變終於完成了，而且有多得令人吃驚的事例表明、改革按照邊沁的批評所指引的方向前進❾。弗雷德里克・波洛克（Frederick Pollock）爵士說得對，十九世紀英國法律的每個重大變革，都有邊沁思想的痕跡。

　　不過，邊沁的法理學並不像他所想像的那樣，完全由功利原則所決定，這的確是事實。實際上，「功利」一詞若不說明對什麼事或對什麼人，根本沒有確定的涵義。邊沁的哲學中的自由主義因素，大部份存在於不言而喻的前提之中。當他說「一個人的價值恰好同另一個人一樣」，或者在計算最大幸福時，每個人「只能算一個誰也不比誰多」，顯然藉助了自然法的平等原則。事實上，他並非僅僅依靠無法檢驗的假設，即一個人的快樂與另一個人一樣。在他熱愛秩序和效率的背後，還有真正的自由主義前提，尤其包含了所有人都能過像人一樣的生活這一價值準則，而效率或最大幸福原則卻沒有包含這一準則。由於他的法理學從個人主義出發，所以確實具有不自覺的偏見。關於判斷法律是否公正必須根據它對人類的影響，尤其根據它對具體個人的影響而定的原則，顯然是一條自由主義原則，但是，應用於某些類型的法律卻比應用

於其他的法律容易得多。對財產權的限制是明顯的，然而，從某個人健康的改善，根本看不出保護公共健康法的效益。儘可能地擴大私人關係中的契約自由，會使人感到自由僅是徒有其表，這一點愈益明顯。邊沁法理學的內涵，無疑使社會立法更爲困難。他萬萬沒有認識到，他的思想受特定思考的影響，尤其受當時的法律變革，主要是革除舊習慣這一事實的影響，不過，儘管他的思想仍有許多不足之處，但是在社會哲學史上，幾乎很少有那位思想家像邊沁那樣產生如此巨大的影響，發揮那麼有益的作用。

早期自由主義的經濟理論

從總體上看，自由主義的法律哲學幾乎完全受邊沁的啓發。它的經濟理論——所謂古典經濟學或放任主義理論——是自由主義思想的另一組成部份，它不能歸功於邊沁，但目的和觀點却與邊沁相似。它與邊沁的經濟學思想一樣，是從亞當·斯密的《國富論》衍生的。一代英國作家的著作，以及法國魁奈（Quesnay）和重農主義繼承人的著作，也對其發生了影響。古典經濟學最重要的著作是大衛·李嘉圖的《政治經濟學原理》（ *Principles of Political Economy*, 1817 ），該書吸收了馬爾薩斯（T. R. Malthus）的人口理論，也包括馬爾薩斯曾予陳述，李嘉圖（Ricardo）自己也曾論述的經濟學地租理論。因此，經濟學成爲邊沁法理學和政治學研究之外的一門獨立的社會學科。它像法理學和政治學一樣，依賴於邊沁使用的聯想心理學和快樂心理學所闡明的一般人性原理。它試圖說明一切經濟社會規律，不考慮時間地點，也不涉及法律和政府建立的規章制度。從學術氣質和學術觀點來看，古典經濟學與邊沁哲學完全一致。這是一種「社會牛頓主義」（Social Newtonianism），認爲體制及其歷史在科學上毫無關聯，因爲它們可以歸結爲思想和行爲的習慣，而習慣可以用相當簡單的個人行爲規律加以充份解釋。認爲經濟與政府彼此獨立或者它們只是藉著個人心理而間接相關的看法，乃早期自由主義最富有特色的觀點之一。正是這一特點，使古典經濟學顯得異常陳舊。這不僅是因爲聯想主義心理學本身就不十分完

善，也不只是因爲自由主義經濟學家所信奉的放任主義在十九世紀後期逐漸行不通了，雖然這兩種說法都各有道理。政治體制和經濟體制始終是文化中的一個相關因素，而文化體制從產生之日起，就由組成它的「個人天賦」特徵所構成，這一基本事實，已逐漸爲社會心理學和人類學所闡明。無論人類行爲規律變得如何，它們必定會過於廣泛得以至於無法與特定時間和特定地點的實際狀況產生關聯。

雖然古典經濟學力求成爲一門科學，以獨立於產生它的特定社會政治環境，但是，它像邊沁的法理學一樣，標誌著創造者務實的改革目的。一八一五年的和平，給英國工業品和國內外市場造成嚴重的不景氣，從而使英國的地主和製造商之間根本利益的不一致表面化，以往，拿破崙戰爭的危機一直掩蓋著這種不一致。長期以來，英國農業享有穀物關稅保護市場，而英國商人和製造商，卻一致要求糧食廉價。英國製造商擁有的技術優於其他一切國家，暫時還不需要政府的支持。在這種情況下，自由貿易政策顯然符合他們的利益，戰爭結束後的緊縮政策觸發了一場爭論，並引起一八三二年的議會改革，廢除一八四六年頒布的穀物法使改革達到頂峯。結果，英國成爲近代第一個工業國家。它推行典型不受限制的貿易自由主義政策，在國內擴大代議制政府，它的理想是建立一個在政治上是自由的國家的國際性合作組織，而這些國家都能基於國際分工遵循它們民族的自我利益。李嘉圖的經濟學代表了爭論時代的特點，並在這個時代形成了自己的理論。

雖然古典經濟學旨在成爲一個嚴格的邏輯體系，但實際上包含了兩個不同的觀點，並表現爲對經濟社會非常不同的見解❿。這一差異反映在兩個自然概念上，當代哲學一開始就包含了這兩個概念：一種信念認爲，自然秩序本質上是單純、和諧、善良的；另一種信念則認爲，自然順序缺乏道德屬性，其規律與正義，理性或人類福利毫無關係。正如前面所說，即便邊沁的法理學也有天賦權利的萌芽，但這與他源自休謨並刻意追求的純自然主義和功利主義，形成鮮明的對比。在李嘉圖的經濟學中，矛盾發生在靜態理論與動態理論之間。從社會靜態的觀點看，經濟科學是在自由競爭的市場中進行商品交換的理論，價格由市場本身的條件確定，除有關個人進行選擇之外，不受任何力量的阻礙。一般認爲，經濟社會由各生產者組成，每個人將自己的產品與其他生產者的產

品進行交換，儘可能買得廉價，賣得昂貴。從社會動態的觀點看，經濟學是在生產者中進行產品總分配的理論，正如李嘉圖所說，經濟學要「在共同生產工業產品的各階級之間確定產品分配的法則」。這門科學的主要組成部份是地租、利潤以及工資理論，它們是工業品分配的基本收入。從這種觀點看，經濟社會由階級而不是由個人所組成。

這兩種觀點之間的差別實際上非常顯著。一個不受任何壟斷因素限制的自由市場，長期以來被認爲能一視同仁地爲一切人服務，因而能滿足最大多數人的最大利益。根據亞當・斯密所謂簡單的「天賦自由的原則」（simple principle of natural liberty），市場的作用不斷趨於形成最低價格，既可以維持業務，又可以對付出的勞動給予適合的報酬。總而言之，完全的交換自由，自發地產生了利益的自然和諧，爲了使每個人獲得環境所允許的較多經濟利益，只須順其自然。不過，當人們考慮到分配的法則（laws of distribntion）時，情況便有很大的不同。這些法則不僅按照經濟階段的體系起作用，個人在這種體系中的命運，主要取決於各經濟實力分配給他那一階級的財富比例；而且正如李嘉圖認定的，這些法則在邏輯上不可避免地導致如下事實：每個階級的利益，通常必然與其他階級的利益相衝突。由此看來，經濟社會的狀態是典型的階級衝突狀態。李嘉圖期望用動態規律爲經濟發展指引方向，絕非要走向自然的利益和諧。

這兩種對立的觀點，第一種依賴於勞動價值理論，即假定在自由市場上，商品的價值由生產它的必要勞動量所決定。按照李嘉圖的看法，這個理論的目的，或許是爲實際市場上出現的眼花撩亂的價格背後，提供一個絕對的經濟標準。根據李嘉圖的設想，價格一般依照暫時的供求狀況，圍繞著價值上下波動。李嘉圖不無遺憾地承認，這個目的並未達到，因爲這是一種循環論證：價格本身只是商品勞動總量的確定尺度。但是，嚴格的自然主義涵義，卻與勞動價值理論的一般內涵大不相同。洛克在倫理學的意義上使用它，以期證明當一個人把勞動「摻入」他所生產的商品時，便獲得了財產權。亞當・斯密運用這種理論發展了「自然」價格概念，認爲這是一種公平的價格。如果商品交換根據生產它的勞動總量進行，似乎可以斷定，買方和賣方必然投入並得到等量的價值（暫時的偏離可忽略不計）。總之，每個人都要使價值和他耗費的勞動

量等價，因而便會保有他生產的全部價值。因此，完全自由的交換產生了一種「自然的」公平系統。毫無疑問，勞動價值理論之所以為李嘉圖的門徒麥克庫洛赫（J. R. MacCulloch）等人所接受，不是因為它能用於經濟學，而是因為它為自由貿易以及反對藉立法來造成「人為」障礙的主張提供了倫理學的依據。人類動機的自由發揮由利己開始，為社會帶來最大利益，為社會全體成員提供了行之有效的方法。正如李嘉圖解釋亞當·斯密的名言「看不見的手」（unseen hand）時所說，「追求個人利益巧妙地與整體利益聯繫在一起」。

可是，這種論點不是功利主義的，顯然與邊沁法理學使用的快樂痛苦原則不一致。按照邊沁的觀點，功利確實要求所有人的利益與最大幸福和諧一致，但不乏是自然而然形成的，只能通過立法產生。對法理學家來說，快樂的意義除了提供價值標準外，還要儘可能地控制人類行為。此外，邊沁一向拒絕將自由作為法律的對象，因為法律只強迫人們去做他們不願意做的事情。邊沁認為，社會和諧是透過立法的強制產生的。在經濟學家看來，由於沒有立法，才形成經濟利益的和諧。毫無疑問，對於功利主義者來說，邊沁的態度較為一致。不過，可能是為了努力廢除關稅，經濟學家的論點卻更有說服力，因為即便像邊沁所認為的那樣，強迫永遠是一種邪惡，但它是一種「必要的邪惡」（necessary evil），之所以使用它，乃由於它的力量足以阻擋更大的邪惡。當然它可以站在功利主義的立場上反對特殊的貿易限制，但是，某些立法的管制作用是不可避免的，功利原則可以為任何程度的貿易「干涉」辯護，但是這樣做害多利少。不過，放任主義為自己解釋道，就其本質而言，任何立法控制都會造成交換的不平等——這一論點顯然假定，在沒有管制的情況下，經常出現的是天賦的自由和自然的平等狀態。

支配社會財富分配的動態法則，描繪了一幅圖景，與天賦自由體系所蘊含的和諧與正義迥然不同。分配在社會各階級之間進行的，各階級之間的利益總體來說是相互對立的。動態法則乃是社會進化規律，正如李嘉圖所說的，隨著經濟發展而形成的正常遠景絲毫不見樂觀。動態力量中的決定因素，是馬爾薩斯在一七九八年首次出版的論文裡所說的人口因素。⑩馬爾薩斯認為，人的生育能力倘若失控，就會像孔多塞（Condorcet）和英國的威廉·高德溫（William Godwin）所預料的那

樣，必然遏止社會的進步。生活水平的提高將造成人口增長，從而抵銷生活水平的提高，因爲在一般情況下，人口的增長比糧食生產的增加更快，人口總是對謀生手段造成很大的壓力。除了暫時波動之外，大部份人的生活水平大約只能維持生存。當然不可能長期降到最低點，但也不可能長久高於這個水平，因爲人口的進一步增長總比糧食供給增加得快。這一社會學定律的經濟後果，在第二個動態規律，即地租規律中得到系統的闡述，馬爾薩斯曾經論述過，李嘉圖又作了系統的發揮。糧食是土地的產品，而土地的特點是數量有限，生產率不同。肥沃土地的耕作者，比貧瘠土地的耕作者支付較高的地租，因爲同樣的費用，前者可以生產更多的糧食。如果土地的耕作只夠支付生產費用，就得不到地租；土地越肥沃，生產率上昇幅度越大，土地所有者索取的地租就越多。因此，地租是一切土地特定的生產率與根據當時的糧價計算該土地生產率恰恰不足以支付使用土地費用之間的差額。

　　李嘉圖從人口和地租規律推出一些重要結論。首先，地主是壟斷者，確切地說，是經濟上的寄生蟲，他們從一切經濟階級身上搜集貢賦，因爲地租對生產毫無貢獻。正如李嘉圖所說：「地主的利益永遠與社會其他階級的利益相對立」。甚且，由於耕作會導致土地的貧瘠，糧價會提高，地租也會隨之增加，而且人口增長也會導致糧價上漲。其次，地租和人口規律蘊含著工資規律，即除了暫時的情況之外，工資不能高於或低於維持生存的水平。正如李嘉圖所說：「勞動的自然價格就是使勞動者足以維持生計並能傳宗接代，旣不增加，也不減少。」最後，由於工業生產總量一般分配爲地租、工資、利潤，所以，若增加前兩者，資本家那一份便會減少。因此，隨生產上昇而發展起來的經濟，其正常趨勢是：地主獲取較多的分額，雖然他們對進展並無貢獻，資本家獲取的份額則較小；至於勞動者僅獲取能夠更換勞動能力的分額。即使最堅定的樂觀主義者，也很難承認這是自然公平的體系。在李嘉圖的動態規律中，自然的圖樣（nature figure）只被當作沒有理性的生殖本能，根本不考慮後果。

　　將自然和諧的經濟社會觀念和天然對立的階級觀念結合在一起，不是靠邏輯，而是因爲二者在自由貿易上，尤其是在廢除穀物關稅政策上取得一致。這個結論顯然出自這一理論，即經濟社會靠競爭維持自然調

節。另一方面，如果地租是經濟上的非生產消耗，結論是不應該透過立法增加地租，因為這樣會人為地提高糧價。古典經濟學之所以失之偏狹，乃是因為它把注意力集中在廢除單項賦稅的眼前利益，很少依靠體系的邏輯。任何賦稅，都必然以某種方式影響經濟，從純粹功利主義的觀點看，只要方法奏效，立法者沒有理由不掌握賦稅以增加普遍利益。例如，詹姆斯・彌勒承認，賦稅可以增加資本，雖然他也相信這種嘗試不一定成功。此外，除了地租，還有許多經濟租金，即便國家將它們全部充公，根據上述理論，立法也不致損害生產。亨利・喬治（Henry George）的《進步與貧窮》（ *Progress and Poverty,* 1879），對準備成立費邊社（Fabian Society）的年輕英國人產生了強烈的影響，該書反映了興趣的變化，而不是理論的變化，即希望在現有的經濟理論之內，探索為了普遍利益運用立法調節經濟的可能性。許多古典經濟學家除了支持公共教育之外，反對一切社會立法形式，這表明他們只關心英國經濟的單一問題，也反映了他們不自覺地袒護他們所代表的階級。所謂不能藉立法改進雇佣工人的狀況，其主要依據是馬爾薩斯的社會學人口規律——這個規律業已證明是該體系最靠不住的部份。人道主義的自由主義，從不參與反對社會立法。十九世紀二十年代的英國立法以取消對貿易的限制為起點，但也包括制訂工廠法以及取消對工人組織起來的限制。然而，十九世紀中葉以後，自由立法的重點還是放在放任主義上，這也是事實。

支配自由主義經濟學的是實際考慮，不是邏輯考慮，其範圍竟然為馬克思巧妙地加以闡述，馬克思接過該學說的論點，輕而易舉地運用於完全不同的目的上。李嘉圖強調地主的利益與勞動和資本的利益相對立，但是，要證明資本家的利益與勞動者的利益相對立也不難，因為產品劃歸利潤的份額是從工資裡拿去的，而且，如果地主壟斷了土地便可索取地租，那麼同樣可以證明，資本家在工業化的經濟裡壟斷了生產資料，獲取的利潤就是剩餘價值，或者實質上如費邊派認為的那樣，是一種經濟租金。況且，不能說李嘉圖關於發展經濟的規律是唯一規律，或唯一正確的規律。李嘉圖曾經悲觀地感到，為了地主的利益，資本家會變窮。但是，一個樂觀主義者同樣可以希望，為了雇佣工人的利益，應該剝奪資本家。實際上，古典經濟學為馬克思描述了一幅勞動剝削的現

成畫面。可以肯定，經濟學家想像他是在描述植根於事物本質的制度。但是，馬克思掌握了黑格爾的辯證法，自然認爲它紮根於歷史，並把剝削歸諸於資本主義制度。

早期自由主義的政治理論

　　與邊沁的法理學或古典經濟學相比，他的激進主義政治理論並不重要。部份是因爲「自我調節的經濟」（self-regulating economy）信條賦予政府的作用十分有限，部份是因爲英國自由主義政治改革的方向長期以來一直很明確，而且，這種改革早就應該進行。顯然，經濟改革或立法改革若成爲可能，必須打破地主對議會的政治壟斷。詹姆斯・彌勒在爲新創刊的激進派機關報《威斯敏斯特評論》（*Westminster Review*）⓬撰寫的文章中估計，衆議院實際上是由兩百多個家族選出來的，英國國敎的神職人員和法律界的同行實質上是它的助手。他說，在現有的兩個政黨之間，除了反對黨一心一意要獲得執政黨所享有的恩惠（patronage）外，沒有什麼差別，並未改變對兩黨都有利的壟斷狀況。他指責英國政府純粹是階級利益的機關。兩黨都代表了爲數甚少的統治階級，主要是土地所有者的利益，以及透過賄賂滲入進去的金錢勢力集團。他天眞地認爲，補救辦法只有將代表制擴大到全社會，尤其是工業資產階級。「在現代的偉大發現——代議制中，可以找到解決一切困難（想像的或實際的）的方法。」⓭

　　早期功利主義政治理論的創始部份，都是在邊沁的法理學中提出來的，在《政府論斷片》中已初具規模。它們將邊沁計畫改組司法制度時運用的思想擴充到憲法中。⓮基本原則是，自由主義政府並不等於軟弱政府。在法律上限制統治權，諸如權利法案、分權制、制衡等等，都是法律上的形式主義和細枝末節，在邊沁眼裡不過是理論的混亂和實踐的自取滅亡。因此，他承認議會有完全合法的統治權，並依靠開明的公衆輿論保證議會履行職責。他認爲，政治主權最終應掌握在人民手裡，只有這樣，才能使政府利益與普遍利益相一致。爲了使人民的利益發生效力，他相信普選制，只是附帶暫時的資格條件——直至敎育能夠造就出

有教養的選民爲止。爲使議會反映選民的意見，應將議會的法律壽命減爲一年。這些政治思想的重要意義，不在於它們比邊沁時代切實可行的改革方案更激進，而在於已經完全超越視憲法爲自由之保障的自由主義思想階段。邊沁把最初用於開明專制的政府概念，直接用於自由主義。他的開明信念頗爲深厚，竟致使他絲毫也不擔心出現多數人專制的可能性。正如約翰・斯圖爾特・彌勒後來所說，早期功利主義者之所以是自由主義者，不是因爲他們相信自由，而是因爲他們相信好政府。毫無疑問，邊沁低估了政治體制在保障政治和公民自由方面的重要作用，這是他對現實體制在文化中所起的作用認識不足所致。同時，他主張以下原則，即認爲自由政府無須因承認其不稱職而爲它辯護。就此而言，他的見解是正確的。

　　詹姆斯・彌勒關於政府和改革的見解與邊沁並無多大差別，但是，他的《政府論》（ *Essay on Government* ）更明確地揭示了這些思想的哲學基礎。他特別指出，邊沁的自由主義政治思想更依賴於霍布斯，而不是休謨。彌勒像霍布斯一樣，相信無休止的權力欲驅動著所有人，體制上的限制無能爲力。他像邊沁一樣，拒絕接受任何分權和權力均衡的概念（無論開明政府還是專制政府），雖然他泛泛地承認政府的唯一困難是不得不限制統治者必須擁有的權力。他認爲問題只能藉由設立立法機構加以解決，這立法機構的利益與國家的利益是一致的，因此，其成員的動機就是將權力用於普遍的利益，並讓立法機構控制行政機構。如前所述，他憑空想像，以爲透過普選制和短期代議制可以自發地產生以上結果·。儘管他想說明每個論點，彷彿包含了普遍、永恆的原則，但是，彌勒的政治思想實際上是以他認爲最重要的直接目的爲指導的，即工業中產階級的參政權（ enfranchisement of the industrial middle class ）。他極其坦率地將工業中產階級描述爲「社會最睿智的部份」（ wisest part of the community ），認爲「下層階級」應永遠受他們的指導。他從未設想過這種可能性，即中產階級可能使用政治權力爲自己謀利益。

　　彌勒的政治思想像古典經濟學一樣，把個人動機的利己主義理論與人類利益自然和諧的信仰困難地結合起來。他所主張的普選制依賴於下述前提，即全人類，至少受過一定教育的人，能夠清楚地認識到自己的

利益，認識自己的利益之後，便能切實按照它們行事。該論點還依賴於這個不言而喻的假設——如果所有的人都理智地追求自己的利益，最大多數人就能獲取最大的利益。總之，他遵循某種只有教條主義者才能理解的方式，把對人性的頗為悲觀的估計，與理性殘存的崇高信念結合起來，那些信念曾鼓舞孔多塞和高德溫一類的激進份子參加革命，追求無限的人類進步。約翰‧斯圖爾特‧彌勒十分準確地紋述了他父親的觀點：

> 我父親完全信賴理性對人類心靈的影響，認為在任何時候都應允許理性抵達人類的心靈。他感到，如果整個人口都受到教育，可以讀書識字；如果讓各種意見都可以透過口頭和書面形式來表達；如果藉由普選制任命一個立法機構來有效地採納他們的意見，似乎便可萬事大吉。他認為，立法機構一旦不再代表一個階級的利益，就會忠實地運用全部聰明智慧，以謀取普遍利益。⑮

顯然，這樣的信念要得到邏輯上的支持，只能依賴這一假設，即合理的行為本質上來自社會和諧，不過在經驗主義和功利主義水平上達不到社會和諧。

哲學激進派的自由主義，是十九世紀政治學中產生重大影響的學術力量。他們自身並未獲得與政黨相應的地位，但是，他們傳播思想，掃除大量過時的政治垃圾，並使立法、行政，以及司法程序更有效、更民主。改革議會、廢除束縛貿易和工業的若干條款、改革司法制度，這些都是改革過程中最為明顯的事例，但是遠不只這些。一八三二年的議會改革進一步證明了邊沁的信仰：自由主義的改革不會限制政府的權力，只能激勵它行動。議會改革幾年之內帶動了一系列行政改革，其中，受邊沁思想薰陶的人扮演著重要的角色，儘管他們一向不是很惹人注目。像集中管理的《貧困法》（ *Poor Law* ）即刻推行，主角是埃德溫‧查德威克（ Edwin Chadwick ）和喬治‧格羅特（ George Grote ）。保護公眾健康的機構，對地方警察實行集中管理的機構，以及工廠監察制度，很快建立起來，查德威克又在其中發揮了重要作用。一八四〇年，羅巴克（ J. A. Roebuck ）和其他邊沁派成員力爭透過了一項不很充份，但具有實際意義的法案，即爭取普及初等教育法案。德拉姆（ Durham ）

勛爵一八三九年的報告，部份是由查爾斯・布勒（Charle Buller）和愛德華・吉本・韋克菲爾德（Edward Gibbon Wakefield）起草的。該報告從修正殖民政策入手，給加拿大輸入了一部自由憲法，這是獲准在殖民地實施的第一部憲法。它和韋克菲爾德的澳大利亞殖民地計畫，實際上就是大英國協的發端。❿功利主義者透過耐心而乏味的工作，把來自啓蒙運動的理性信念同源自邊沁的專業智能理想結合起來，從而導致了改革，改革使政府更自由、更有效率。

對「哲學激進主義」的一般批評，是指責它忽略了政體及其歷史發展，說它本著虛妄的人性及動機的程式化概念行事，甚至連自由派的繼承人約翰・斯圖爾特・彌勒也隨聲附和。這兩點批評都是正確的。可是，這些批評常常被人誤解，以爲哲學激進主義是清晰的，邏輯嚴謹自成體系，只是邏輯前提過於狹隘。這是不正確的。它的根本弱點不如說，作爲一種哲學，它一向不明確，它的假定和推論也從來不是井井有條的。在某些方面，它像十七世紀理性主義哲學一樣，是一種「自然」體系，但是，沒有一套使人明白易懂的知識理論。它自稱是經驗的，但並不打算透過觀察來檢驗其前提，實際上，它的經驗主義停滯在粗糙的「感覺主義」階級，這種感覺主義是若干年以前從洛克那兒衍生的。因此，只要它所面對的思想家不像彌勒那樣，爲它特有的教義所打動，它就很容易成爲批判的對象。哲學激進主義實際上是一種特定的哲學，大抵上是某一社會利益的代言人，但是，它卻草率地（雖然不是虛僞）將這種利益說成是全社會的利益。認識了這個事實及其社會政策不可容忍的後果，就會看到，甚至在它力主立法改革完成之前，它就有可能失去社會哲學的資格。作爲社會哲學，它的弱點是沒有積極的社會利益概念，當全社會的利益成爲人們關注的對象時，它的利己的個人主義，使它對這類概念的有效性發生懷疑。作爲政治哲學，它的弱點是，當政府不可避免地要爲普遍福利承擔更主要的責任時，它的政府理論幾乎完全是消極的。因此，從長期政治進化的觀點看，哲學激進主義勢必爲惰性所驅使（be carried by inertia），無法投身於日益成長的發展軌道。它作爲政治上即將衰老的力量，其重要性無法估量，但是，由於只限於這種功能，它只能是一個時期的喉舌。

註 解

❶格雷厄姆・沃拉斯（Graham Wallas）：《弗蘭西斯・普賴斯的生平》（Life of Francis Place, 1898），第 309 頁及後幾頁。

❷關於大陸自由主義，見吉多・德・魯吉爾羅（Guido de Ruggiero）：《歐洲自由主義史》（The History of European Liberalism），英譯者科林伍德（R. G. Collingwood），1927 年版。

❸關於十九世紀初英國政治生活中非國教派的重要性，見伊利・哈列維（Elie Halévy）：《1815 年英國人民史》（A History of the English People in 1815），特別是第 1 卷第 3 冊。英譯者華特金（E.I. Watkin），1924 年版。

❹第 1 章，第 1 節。

❺見《邊沁的虛構理論》（Bentham's Theory of Fictions），奧格登（C. K. Ogden）編，1932 年版，奧格登作序。

❻見伊利・哈列維（Elie Halévy）：《哲學激進主義的成長》（The Growth of Philosophic Radicalism），英譯者瑪麗・莫里斯（Mary Morris），1928 年版，特別是第一部份第 2 章，第三部份第 2 章。

❼序言，蒙特古（F. C. Montague）編，1891 年版，第 104 頁。

❽1828～1832 年在邊沁主持創辦的倫敦大學學院，他就法理學進行講學。講學內容於 1832 年在《法理學的範圍》（Province of Jurisprudence Determined）中發表，隨後在 1861～1863 年收入內容更充實的《法理學報告》（Lectures on Jurisprudence）。傑恩羅・布朗（W. Jethro Brown）編成選集，並加注釋，題爲《奧斯汀的法律理論》（The Austinian Theory of Law），倫敦，1906 年。

❾參見沃德（T. H. Ward）編的《維多利亞女王的統治》（The Reign of Queen Victoria, 1887），第 1 卷，第 281 頁，其中載查爾斯・辛格・克里斯托弗・鮑文（Charles Synge Christopher Bowen）爵士的論文「1837～1887 年的法律行政」；美國法學學會委員會編的《英美法律史論文選》（Select Essays in Anglo-American Legal History）收入該文，見第 1 卷（1907），第 516 頁。當時對邊沁作爲法律改革家的評價，見布魯厄姆（Brougham）勛爵的演說「論法律現狀」（1828.2.7）以及《演說集》（Speeches）序言，第 2 卷（1838），第 287 頁。

⑩哈列維在《哲學激進主義的成長》一書中發揮了這種不一致，特別是第 3 部份，第 1 章。

⑪事實上，早已有許多作家曾得出近似馬爾薩斯的結論，馬爾薩斯的創造在於對該原則作了數學比擬。見哈列維上引書，第 225 頁及後幾頁。

⑫第 1 卷（1824），第 206 頁，載《愛丁堡評論》（ the Edinburgh Review ）。

⑬見《大英百科全書》補編關於政府的詞條，1820 年版；1825 年收入《關於政府的論文集》（ Essays on Gorvernment ）。

⑭主要著作是《立憲法典》（ Constitutional Code, 1830 ），見《著作集》[包琳（ Bowring ）編]，第 9 卷。

⑮《自傳》（ Autobiography, 1873 ），第 106 頁。

⑯見理查遜（ B. W. Richardson ）：《各國的健康關係，對埃德溫·查德威克著作的評論》（ The Health of Nations: a Review of the Works of Edwin Chadwick, 1887 年版 ），特別是傳記論述和第 2 卷，第 1、2 部份。威廉森（ J.A. Williamson ）：《英國擴張簡史》（ Short History of British Expansion，第 2 版，1930 年 ）第五部份，第 3、4 章。

參考書目

1. *Bentham and the Ethics of Today.* By David Baumgardt. Princeton, N. J., 1952.

2. *The Austinian Theory of Law.* By W. J. Brown. London, 1906.

3. *The Politics of English Dissent: The Religious Aspects of Liberal and Humanitarian Reform Movements from* 1815 *to* 1848. By R. G. Cowherd. New York, 1956.

4. *Political Thought in England: The Utilitarians from Bentham to J. S. Mill.* By William Davidson. New York, 1916.

5. *Jeremy Bentham.* By Charles W. Everett. London, 1966.

6. *The Growth of Philosophic Radicalism.* By Elie Halévy. Eng. trans. by Mary Morris. New ed. New York, 1949.

7. *The Social and Political Ideas of Some Representative Thinkers of the Revolutionary Era.* Ed. by F. J. C. Hearnshaw. London, 1931. Ch. 7.

8. *Jeremy Bentham: An Odyssey of Ideas,* 1748～92. By Mary P. Mack. New York, 1963.

9. *The Social Problems of an Industrial Civilization.* By Elton Mayo. Boston, 1945. Ch. 2.

10. *Bentham's Theory of Fictions.* By C. K. Ogden. London, 1932. Introduction.

11. "Benthamism in England and America." By P. A. Palmer. In the *Am. Pol. Sci. Rev.,* Vol. XXXV（1941）, p 855.

12. *Three Criminal Law Reformers: Beccaria, Bentham, Romilly.* By Coleman Phillipson. London, 1923. Part Ⅱ.

13. *The English Utilitarians.* By John P. Plamenatz. 2d ed. rev. Oxford, 1958. Chs. 4～7.

14. *A History of European Liberalism.* By Guido de Ruggiero. Eng. trans. by R. G. Collingwood. Oxford, 1927.

15. *French Political Thought in the Nineteenth Century.* By Roger Soltau. New York, 1959.

16. *The English Utilitarians.* By Leslie Stephen. 3 vols. London, 1900.

17. *The Life of Francis Place*, 1771 ~ 1854. By Graham Wallas. 4th ed. London, 1925.

18. *Select Essays in Anglo-American Legal History.* Compiled and edited by a Committee of the Association of American Law Schools. 3 vols. Boston, 1907~1909, Vol. I, part iv.

第三十三章
近代自由主義

　　哲學激進主義在立法上取得最大成功之日，便是開始衰落之時。一八四六年廢除了穀物法，並以自由貿易作爲英國國策，哲學激進主義的影響也隨之達到頂點。但是，在此之前，失控的工業主義（industrialism）的社會影響，也引起了自由派的疑慮，並在既得利益階級或傳統生活方式受到威脅的階級中產生了迴響。一八四六年，受命調查煤礦工業的皇家委員會提交了一份調查報告，使整個英國感到震驚：雇用婦女和兒童、野蠻地延長勞動時間、沒有安全設施、衛生條件普遍惡劣、道德淪喪。這份報告和其他行業揭露類似的狀況引起了討論，並立即反映在英國文學中，如十九世紀四〇年代出版的蓋斯凱爾（Gaskell）夫人的《瑪麗‧巴頓》（*Mary Barton*）、迪斯累利（Disraeli）的《西比爾》（*Sybil*）、金斯利（Kingsley）的《阿爾頓‧洛克》（*Alton Locke*）等，都是描寫工業主義的小說。直至十九世紀末，卡萊爾（Carlyle）、羅斯金（Ruskin），以及威廉‧莫里斯（Willam Morris），仍分別從倫理學和美學的角度，不斷掀起批判工業主義的浪潮。早在十九世紀三〇年代，議會就顧慮重重地批准通過了工廠法，以控制勞動時間和勞動條件；這些立法限制了契約自由，不僅與較早的自由主義立法傾向背道而馳，也與自由主義的理論規範大相逕庭。隨著十九世紀的發展，社會立法的規則不斷擴大，有資格的觀察家認爲，到十九世紀七〇年代以後，議會不再將工業主義作爲指導原則，轉而接受了「集體主義」（collectivism）。❶人們以往理解的自由主義已處於守勢，立法機構破格通過了合乎社會福利——因而也合乎最大多數人的最大幸福的立法，這與人們承認的自由派思想相悖。

　　對「經濟自由主義」的反抗並非以對立的社會哲學爲起點，也不意

味著受其影響的人在哲學上取得一致。戴雪（Dicey）所說的「集體主義」當然不是一種哲學。說它是對產業革命的社會破壞性以及在毫無安全保障情況下無情地推行工業化政策的一種自發防衞，或許更爲貼切。它的主要動機是一種不成系統的感覺，這種感覺是人們感到失控的工業主義和商業主義威脅著社會安全和社會穩定。正像經濟學家所表明的，即使工業主義和商業主義眞的在總體上促進了社會繁榮，提高了人們的實際收入，也無法使威脅得到緩和。事實上，在所有國家以及奉行大不相同社會哲學的政黨，都對放任主義採取了種種限制。❷這種反抗在某種程度上可以歸咎於因爲產業工人受到不人道的待遇而激發的人道主義。自由主義作爲一場政治運動，不容許脫離**人道主義**（humanitarianism），儘管哲學激進主義很少公開承認，但人道主義一直是自由派强有力的動力。不過，除了一般反抗之外，自由主義爲工業家的事業成功所作的辯護，也激發了其他兩大經濟勢力的政治自覺性，自由主義對它們的地位構成了威脅。首先，自由貿易改變了長期以來英國農業採取的關稅保護政策，這等於犧牲農場主的利益去擴大工商業。農業始終是保守的，保守主義的政治哲學則源自柏克。它强調社會穩定的價值和社會的歷史延續性，成爲工業主義的天然批判者和反對者。工業主義導致的結果是異常的，至少詹姆斯・穆勒之類的自由派這樣認爲，他始終把工人想像成永遠服從「社會聰慧者」的領導，即工業中產階級的領導。受到新技術威脅的工人很容易感到，地主領導的政黨比他的雇主代言人所從屬的黨派更能保障他的利益。迪斯累利的「保守黨民主」（Troy democracy）已經成爲眞正的政治力量，雖然只是暫時的。其次，工業雇傭者的政治自覺性，必然培養出勞工的自覺意識。一八六七年，英國保守黨政府給予相當一部份工人以選舉權，標誌著具有深遠意義的政治變革的開始。這意味著出現一批投票者，他們更關心工資保障、勞動時間和雇傭條件，而不是擴大企業；他們充份認識到，他們的力量不在於契約自由，而在於集體成交。若不是自由主義滿足這些要求，就是工人失去自由。二者必居其一。

正如前一章所說，英國自由主義的顯著特徵，在於發展成全國性的政治運動，而不像開始那樣，停留在工業資產階級代言人的水平。英國的確是世界上最高度工業化的國家，工廠主已經獲得一定程度的政治權

力，在其他國家則不曾享有。但是，他們也是社會的一部份，深信民族
團結和民族利益的重要。正如哈利法克斯（Halifax）在革命中所說，
他們從長期代議制政府的經驗裡知道，「國家的出現有其自然原因……
當法律的文字要摧毀一個國家時，……它依然保留自己拯救國家的本來
權利。」因此，自由主義倘若不想失去公眾，必須修改法律文字，實際
上，它正是如此。作爲一個政黨，它必須修改政策，但是，爲了作爲社
會思想的一個因素而能保持其地位，還必須修改理論。修改政策比較容
易，主要取決於政治上的便利，只須拋棄社會進步永遠是「從現狀到契
約」（from status to contract）的教條就行了，其實，這個教條除了
相信它的人以外，從未使人信服，正如戴雪所說，從政治上拋棄這一教
條已於一八七〇年完成。但是，這一教條的背後，不僅隱藏著巨大的感
情力量，而且還有影響深遠的邊沁法理學體系以及古典經濟學家的主
張，後者的政策完全建立在人類行爲法則的基礎上。因此，若徹底修改
自由主義理論，需要重新考慮國家的本質和機能、自由的本質、自由與
法律強制的關係等。這種重新考察又揭示出個人人性與社會環境的關係
問題。關於最後一個問題，以往根據自利、快樂功利等作出的現成解
釋，已經越來越沒有說服力。在倫理學和社會科學方面，基本趨勢是脫
離個人主義，探討某種集體主義概念。總之，自由主義理論的現代化，
有賴於破除哲學激進主義知識的侷限性——它是造成教條主義的主要原
因。另外，還必須接觸其他社會階級的觀點，接觸歐洲大陸的思想流派
和科學研究的新領域。只有這樣，自由主義的主張才能成爲一種社會哲
學，而不只是特殊利益集團的意識型態。

　　可以說，這種修正的情形出現了兩次浪潮：第一次主要是約翰·斯
圖爾特·穆勒和赫伯特·斯賓塞（Herbert Spencer）的哲學，他們二
者既有聯繫，又形成鮮明對比。第二次是**牛津唯心主義哲學**（Oxford
idealist），特別是托馬斯·希爾·格林（Thomas Hill Green）的哲
學。穆勒和斯賓塞的著作最清楚地證明了自由主義需要修正的緊迫性
——且不說它的不可避免性。二者均產生於本國的哲學傳統，在許多重
要方面，均以各自的方式忠於這一傳統。二人的最明顯特徵，在於努力
探索本國傳統所不具有的知識範圍。斯賓塞力圖將自己的社會哲學與**有
機進化論**（organic evolution）和整個自然科學結合起來。穆勒則致力

於修正功利主義和個人自由概念，並試圖吸收孔德的社會哲學。然而，正是牛津唯心主義的批判，最終打破了英美哲學思想中占據統治地位的經驗論傳統，並聲稱以康德後的德國哲學爲基礎。在政治哲學方面，唯心主義與自由主義保持著連續性。格林猛烈抨擊了老式自由主義賴以建立的基礎——感覺論（sensationalism）和享樂主義（hedonism），但是，他的政治理論比穆勒更清晰、更連貫地呈現出自由派思想。雖然牛津唯心主義自稱是「新黑格爾主義」式的（neo-Hegelian），但除格林外，黑格爾主義在德國主張的政治威權主義對他們的影響不過略帶痕跡罷了。

約翰・斯圖爾特・穆勒：自由

概觀約翰・斯圖爾特・穆勒的社會哲學，尤其是他的倫理學，其中有著決定作用的因素不僅有他受到的學術薰陶，或許還有他個人的經歷。他一出生，父親便打算讓他承襲哲學激進派的改革運動，當然，老穆勒根本不會想到，這場運動竟會改變方向。小穆勒很早就被灌輸了最刻板的教條理論，受到最嚴格的教育「栽培」，後來卻能在學術上獨樹一幟。一八三六年，他的父親逝世，直到那時，他才對倫理學問題提出自己的見解，當時他三十歲，在此之前，他從事編輯工作，是自由派觀點的撰稿人。這種強制性的早熟也曾一度使他精神枯竭，然而最終還是得到解脫。正如他在《自傳》（*Autobiography*）中所說，他以沉醉於華茲華斯（Wordsworth）的詩篇而求得解脫，當然，這種方法是其父的教育哲學所不曾想到的。穆勒的學術生涯充滿了矛盾。一方面，出於強烈的個人效忠感情，他對從父親和邊沁那兒學到的哲學，保持著言過其實的忠誠，因此，注定成爲這種哲學的代表人物。同時，他對德國唯心主義產生的對立哲學深表同情和讚賞，將其與華茲華斯的詩聯繫起來，但並未批判地理解這種哲學。十九世紀的前三十年，這種哲學在英國主要以不拘形式的形而上學沉思和柯立芝（Coleridge）的個人影響爲代表。穆勒的思想具有極其正直的品格和學術上誠實的特點，致使他幾乎以神經質的焦慮，急於公正地評判反對他的哲學。因此，他想做出的讓

步，遠比實際做出的更多，這些讓步往往表現為寬容，而不是批判。一八三八年和一八四〇年，他在《倫敦和威斯敏斯特評論》（ London and Westminster Review ）上分別發表了評論邊沁和柯立芝的姊妹篇，這是擺脫其父影響的聲明，他對柯立芝比對邊沁公正。穆勒以非凡的理性洞察力看到，柯立芝哲學極其關注社會制度的性質，關注社會制度的歷史進化，而英國經驗論傳統恰恰缺乏這些。後來，法國孔德哲學的類似氣質也深深吸引了他。因此從廣義上說，穆勒哲學是一種嘗試，試圖借助康德和康德之後的德國哲學思想，改造曾經孕育過他的經驗主義。

　　遺憾的是，穆勒雖然心懷坦誠，不抱成見，卻不具備必要的理解力和創造力，將迥然相異的哲學真正有條不紊地綜合起來。實際上，這項任務吸引了十九世紀中後期英美哲學家的全部注意力。穆勒的思想擁有過渡時期的一切標誌，在這個時期，產生的問題超出了當時的解決手段。可以毫不誇張地說，穆勒的書都遵循同一個公式。幾乎在每個問題上，他都千篇一律地從一般原則的陳述開始，從字面到內容，都滲透著其父著作的刻板和抽象。但是，穆勒宣稱忠於先人遺訓之後，作了一些讓步和深刻的重新闡述，因此，有批判頭腦的讀者當然表示懷疑，先前的說法是否已被搪塞。例如，他的《邏輯系統》（ system of Logic ）講的是經驗論，卻以相當的篇幅論述演繹的科學價值，並試圖將歸納過程歸結為類似於三段論的法則。穆勒的知識論無法解釋形式推理的邏輯強制性，只說明了「持久的聯想」（ indissoluble association ），正如林賽（ A. D. Lindsay ）所說，「持久的聯想」乃是哲學上包攬一切的女僕，可以用來解釋實際事實與粗糙的經驗論所假設的事實之間的任何差異。穆勒對贊孕他的哲學，始終未能採取超然的批判態度。表面上，他的心理學依然是感覺主義，在這種感覺主義中觀念聯想乃心理結構的唯一規律。在他的倫理學中，動機理論和價值理論顯然是享樂主義的計算方法（ hedonistit calculus ），從嚴格的邏輯意義看，他的功利主義仍然遵循邊沁的「唯我個人」主義（ egoistic individualism ），可是，這些說法並不符合穆勒哲學的真實涵義。真正體現其哲學意義的不是他的理論，而是他所提出的一些限制。因此，體系的批判固然容易，卻無實際價值。穆勒哲學的重要，就在於他開始擺脫仍被他宣稱要維持的體系，因此，也就在於他對功利主義傳統所做的修正。

　　穆勒在《功利主義》（*Utilitarianism*）一書中闡述了他的倫理學理論，該理論既表明了他的哲學缺陷，又闡發了他修正自由主義的基礎。開始，他顯然接受了邊沁闡述的最大幸福原則。渴望獲取自己的最大快樂乃是人的唯一動機，每個人的最大幸福是衡量社會利益和一切道德行為的唯一標準。穆勒借助極為明顯的謬誤論證將這些命題結合起來，以致成為邏輯教科書的標準例證。接著，他對享樂主義作了描述，他斷言，快樂可以按道德品質分為高級或低級。這使他的論點在邏輯上不能自圓其說，因為這還要為標準的衡量制訂標準，這在條件上自相矛盾，也使他的功利主義不能成立。因為判斷快樂本質的標準無法說明，即便能夠說明，其本身也不是快樂。全部混亂的根源在於，穆勒不願承認邊沁的最大幸福原則實際上是判斷法律效用的粗略而現成的標準，而邊沁的唯一目的，恰在於此。最大幸福原則在邏輯上與邊沁的心理動機理論無關，而且，不論個人遵循什麼道德準則，同樣適用於立法。另一方面，穆勒功利主義有一明顯特徵，即試圖表達與他本人的唯心主義相一致的道德品質概念。由此看來，邊沁的名言，「圖釘也像詩一樣美好」，如果能給人們同樣的快樂，簡直是粗俗的胡言亂語；而穆勒則主張，「寧願做失意的蘇格拉底，也不願做得意的傻瓜」（It is better to be Socrates dissatisfied than a fool satisfied.），這是一種正常的道德反應，絕不是享樂主義。穆勒的倫理學對於自由主義十分重要，因為它實際上拋棄了利己主義，主張社會福利乃是一切善良之人所關心的事，自由、正直、自尊，以及個人的特性，乃是人之固有屬性，與他對幸福的貢獻無關。這種道德信念是穆勒全部開明社會觀念的支柱。

　　因此，穆勒於一八五九年發表的《論自由》（*On Liberty*），自然集中表現了他政治思想的最大特色及其最持久的貢獻。這篇文章為功利主義文獻定下新的基調。正如穆勒本人在另一處所說，父輩的功利主義不是為自由而嚮往開明政府，而是以為開明政府更有效率。當邊沁從仁慈的專制主義轉向自由主義時，除了改變一些細節之外，的確什麼也沒有改變。對穆勒來說，思想和研究的自由、討論的自由、自我控制的道德判斷和行為的自由，本身就是有價值的。它們激起他內心的一股熱流和激情，這是他的其他作品所沒有的。因此，《論自由》是繼穆爾頓《雅典最高法院法官》（*Areopagitica*）之後的又一篇捍衛自由的英文經典力

作。穆勒相信，一般說來，思想（學術）自由和政治自由理所當然地對
允許它們存在的社會有利，也對享有自由的個人有利，不過，他那論證
有力的論點並非功利主義的。他說，全人類都無權不讓一位持不同意見
的胃議者閉口不說話（ all mankind has no right to silence one dissen-
ter. ）；實際上他肯定，判斷的自由，即說服而不是被壓服的權利，乃
是道德成熟的人格所固有的品質，自由的社會既承認這些權利，又要建
立制度以實現這些權利。單單容忍個性和個人判斷，彷彿它們是可以容
忍的邪惡，顯然是不夠的，開明還要認為它們具有積極的價值，視它們
為幸福之本質和高度文明的標誌。穆勒對個性自由的這種評價，深刻影
響了他對自由政府的評價。他並不因為「大眾政府」（popular gov-
emment）有效率而為之辯護。他對大眾政府是否永遠有效率深表懷
疑，完全喪失了他父親的那種信心，即認為自由政府採取的措施，諸如
普選制，總能合理地用於有益的目的。他認為，為政治自由論證的真正
論據，在於它能造就高尚的道德品質，並給予表現的機會。傾聽公眾的
自由討論，有權參與政治決策，具有道德信念並使之有效的發揮作用，
都是產生理性人的若干方式。形成這些品格，不是因為它有益於什麼秘
而不宣的目的，而是因為它本質上具有人道的性格和文明的特徵——

　　假如人們意識到，個性的自由發展是幸福必不可少的首要因素之
一，不僅與文明、啟迪、教育、文化等詞的內涵相協調，而且也是它
們必要的組成部份和條件，那就不會發生低估自由的危險了。❸

　　嚴格的政治問題不再占據突出的地位，這是穆勒為自由辯護的顯著
特徵，也是他的〈代議制政府〉（ Representative Government ）的顯著
特徵。〈論自由〉一文沒有呼籲減輕政治壓迫或改變政治結構，而是呼籲
真正寬容大度的公眾輿論，重視不同觀點，限制要求一致的意見，歡迎
提出新觀念作為發現之源。至於對自由的威脅，穆勒主要擔心的不是政
府，而是不能容忍非傳統見解的多數人。他們以懷疑的目光掃視持不同
意見的少數人，準備以數量優勢壓制並整肅他們。這是一種可能性，老
一代自由主義者不會為此煩惱，他們的確不曾想過，他們的問題只不過
是從地位穩固的少數人手中奪取政權。老穆勒假定，代議制改革，擴大
選舉範圍，進行適當的公眾教育，將解決政治自由的一切嚴重問題。到

一八五九年爲止，即使實行了實質性的改革，也未出現太平盛世，而獲取自由在當時政治組織的機制中成爲更加嚴峻的問題。穆勒認識到，自由政府的背後必須有自由社會，老一輩自由主義者不懂得這一點。

政治體制乃廣大社會範圍的一部份，決定政體作用方式的主要是社會，這種認識本身就是一個重大發現，也是對政治概念的一個重要補充。在個人與政府之間以及保障個人自由的問題，社會是第三個因素，也是決定性的因素。穆勒之所以擔心壓制和曲解公衆意見，部份是因爲他認識到，早期自由派理論的個人主義不合時宜。同時，要說明穆勒的思想在這個時期有什麼明確的涵義，相當困難。只有一點十分明確，與父輩的遠大志向相比，他醒悟了。在某種程度上，也反映了一種敏感，挑剔、以及才智過人的個性，與實際政治中的平庸之輩接觸後猛醒。也許，它只表明了一半的擔心，即社會民主化進程可能與個人特性不相容。這種擔心在十九世紀中期相當普遍。毫無疑問，穆勒對自由主義變革的傳統路線並未失去信心，相反，他對某些改革的評價，諸如婦女參政等等，認爲這遠遠超過了應有的重要性。他在《代議制政府》中，將脫離現實的自由主義虛構，諸如比例代表制，視爲重大發現。因此，穆勒自由理論給人的總體印象總是令人難以把握，甚至有點消極。雖然他肯定了自由的倫理價值，這在早期自由主義作品中十分匱乏，但是，他並未將自由與解決政治問題的新途徑結合起來。尤其必須指出的是，他從未眞正重視工業社會所獨有的個人自由問題，也從未重視工業社會中沉重地壓在雇用勞動者身上的自由問題。

當穆勒從一般評估自由的道德價值，進而論述社會或國家對它施加合理限制的實際法則時，便顯得軟弱無力。他假定，有可能區分出只與自己有關的一類行爲，該行爲僅影響行爲者本人的利益，「不影響別人的利益」，社會和國家不應干涉這類行爲。從字面上看，這樣會把自由歸結爲無足輕重的瑣事，因爲只影響一個人而不影響他人的行爲，也許對他本人的影響並不大。穆勒的論點避免了瑣事的印象，因爲它比較委婉，邊沁則是明說的。一個只「關心」個人的行爲，實際意味著該行爲應由他本人承擔責任，因而，應該讓他自己做出決定。但是，穆勒所要劃定的，恰恰是這個私人決定的範圍。只要存在大量個人的天賦權利，並且不得剝奪這種權利，他的論點才令人信服，但是，對一個功利主義

者來說，這種推理途徑顯然行不通。另一方面，同樣十分清楚，從穆勒
賦予自由的內在價值來看，他無法退回到邊沁的推理，認為權利是法律
的產物，個人只能獲取國家賦予的自由。穆勒論點的基本困難，是沒有
實實在在地分析自由和責任之間的關係。他常常保留一些源自邊沁的傳
統觀念，認為任何強制或社會影響都會剝奪自由。然而，他從不認為沒
有法律竟會有任何重要的自由，而且，當他把自由等同於文明時，並不
認為沒有社會能有文明。穆勒所需要的自由理論，須先通盤考慮個人自
由依賴於社會和法律的權利與義務，而格林（T. H. Green）即竭力想
為自由主義補充這方面的內容。

　　穆勒為立法設立的嚴格標準不十分清楚，當討論實際情況時，這一
點異常明顯。他的結論根本未遵循任何規則，只是依據十分主觀的判斷
習慣。因此，他認為禁止出售含有酒精的飲料是侵犯自由，強制性教育
卻不是。這種結論的是與非，無疑不能根據下述理由：即一個人的教育
對旁人的影響比對自己的影響更大。為了維護公眾的健康和福利，他準
備接受一項龐大而不甚明確的工商業規章。原因固然模糊不清，卻產生
了重要的結果，即穆勒放棄了「經濟放任主義」。甚至連邊沁曾經認為
的立法本質上並不好，所以必須將立法控制在最低限度這類格言，也已
失去邊沁賦予的內涵。穆勒的真正目的在於拋棄早期自由主義的教條，
沒有立法才有最大的自由。穆勒承認，除法律行使的強制以外，還有許
多其他形式的強制。但是，隨之而來的是兩種結局，要麼「立法本身根
本無法藉自由主義減縮強制暴力的目的來加以判斷是否公道」，要麼
「自由主義理論必須進一步考慮法律強制與非法律但屬有效的強制之間
的關係」，後者即使在國家不採取什麼行動時也存在。這就是格林後來
試圖用「積極的自由」（positive freedom）理論加以解決的問題。至
於穆勒，基於人道主義，他只贊成社會立法的需要，但並未從理論上闡
明社會立法的合理限度。

　　穆勒的經濟理論也表現出類似的邏輯缺陷，因此也受到類似的批
評。實際上，他以李嘉圖和古典經濟學理論為起點，原則上從未放棄過
這種立場。不過，他後來逐漸認識到，古典經濟學家把某些普遍而不可
避免的生產條件，與工業產品的分配條件混為一談──那些分配條件是
隨著經濟和社會制度的歷史發展而產生。所以，他認為後者是公共政策

問題，屬於立法控制的領域。當然，晚年時，他願意考慮某種程度和某種類型的控制，即所謂的社會主義控制。穆勒的批判揭示了古典經濟學一方面的缺陷，後來，他將這個缺陷歸之於早期自由主義的社會哲學，也就是說，忽略了社會制度的本質和社會制度的歷史成長。他對古典經濟學的批判只有一點是正確的，即指出古典經濟學不考慮歷史條件，將一切經濟學概念都視作絕對普遍的，因而，是從人之普遍屬性和人類生活不可改變的自然條件衍生出來的。不過，穆勒對歷史制度與人類行為的一般心理規律之間的區分，或者說制度與不可變更的自然條件之間的區分，與生產與分配之間的經濟區分並不一致，因此，無法解決資本主義生產體系與社會主義分配體系相互結合而造成的經濟困難。穆勒經濟學的主要特徵，在於實際上已經放棄「自然經濟法則」（natural economic law）概念，從而放棄了自我調節的競爭性經濟體系的教條。他揭示了立法與經濟關係的全部問題，揭示了立法與保持自由市場的關係問題。不過，這種改變的實際涵義並不十分清楚。穆勒和一般的自由主義者一樣，對政府及其舉動持懷疑態度。他懷疑，政府是否在做什麼不好的事情。因此，他喜歡個人的積極創造性，厭惡家長制，雖然他不是從經濟的角度，而只是從倫理學的角度反對這種家長作風。穆勒的經濟學與他的社會哲學一樣，實際上只是對資本主義社會的不公正，報以道德的義憤，正如他所說，資本主義分配給勞動的產品，「幾乎與勞動的比例相顛倒」。

　　對穆勒的自由主義作出公允而和諧的評價，相當困難。根據已有的解釋，可以輕而易舉地說是舊瓶裝新酒的典型。他明確陳述的人性論、道德理論、社會理論，以及政府在自由社會中的作用等等，都與他所賦予的內涵不相符合。這種抽象的批評和分析，既不是同情，又缺乏歷史的完善性。他的著作明徹清楚，儘管常常是表面的，他寬厚、坦誠，致使他的弱點更為突出；他占據第一代自由主義世襲繼承者的地位，所有這些，都對他的意見產生巨大的影響，與他在哲學上所能提供的論證相比，簡直不成比例。對一位不斷關心理論證據的思想家來說，下述判斷似乎是荒謬的：穆勒最重要的洞察力發自直覺，也發自對社會義務的高尚道德感和深刻覺悟。若不考慮穆勒哲學體系缺乏首尾一致的弱點，他對自由主義哲學的貢獻可以歸結為四個方面：第一，長期以來，人們一

直指責功利主義的道德價值論之根據是快樂和痛苦，穆勒拯救了功利主義倫理學，使它不再是索然無味的教條。穆勒倫理學的主要道德觀念像康德的一樣，主張眞正地尊重人，也就是說，必須充份顧及與人的道德責任相稱的尊嚴，沒有人的尊嚴，根本談不上人的道德責任。穆勒把人格價值視爲要在自由社會的現實條件裡實現的東西，而不是形而上學的教條，這是他的倫理學之爲功利主義的菁華所在。第二，穆勒的自由主義之所以承認政治自由和社會自由是一件好事，不是因爲它有助於祕而不宣的目的，而是因爲自由乃造就人類責任感的眞正條件。按自己的方式生活，發展自己的天賦和能力，並不是尋求幸福的方式，它是幸福的實質部份。因此，一個美好的社會必然容許自由，同時又能爲人的自由而美滿的生活提供機會。第三，自由不僅使個人得益，而且有利於社會。依靠強制或暴力壓制意見，旣是對持不同意見者行使強暴，又失去了社會從自由探索和自由批評中獲取的收益。事實上，個人權利和公共利益這兩種要求是密切相關的。對社會來說，以自由討論確定一種觀念能否成立，不僅是社會的進步，而且確實是唯一能夠造就適宜享有自由權利的個人的社會。第四，在自由社會中，自由國家的功能是積極的，不是消極的。國家不能只靠限制立法使公民獲得自由，或者僅僅由於消除了法律的無能就以爲實現了自由。立法乃創造機會，增加機會和機會均等的手段，自由主義不能隨意限制法律的運用。法律的侷限由它的能力決定，它以所能支配的手段，向更多的人提供並維護使生活更富於人情味、更少強制性的條件。

社會研究的原則

穆勒的政治和倫理自由主義理論，主要在他的《功利主義》、《論自由》、《代議制政府》等著作中得到充份發揮，大部份內容依然停留在英國傳統主題和觀念的水平上。他所做出的重大變革，被他自己誤認爲傳統的增補和修訂。不過，穆勒也逐漸認識到，他的社會哲學存在著許多缺陷，並試圖以廣闊的胸懷努力理解和吸收他人的觀點。他認爲這些缺陷可概括爲兩點：第一，邊沁時代的政治學和經濟學以一些普遍的人性

法則爲出發點，據信，這些法則在一切時間和空間普遍相同，可以直接用於特殊社會、特定時間，以及特殊立法體系結構之內的人類政治經濟行爲。因此，老一輩功利主義者沒能充分認識制度的重要性，或者說，沒有認識到制度乃第三現實，介於個人心理與特定時空的具體實踐之間這一事實。第二，由於未將制度視作獨立之現實，所以，未給歷史發展因素以應有的重視。穆勒對社會哲學的補充與國外的影響有聯繫，既模糊地與德國唯心主義和「柯立芝派」相聯繫，又明確地與孔德（Auguste Fomte）的哲學相聯繫。穆勒認爲，孔德提供了當時社會所需要的一般社會科學，用以支持政治學和經濟學之類的具體科學，並系統闡述了社會發展的一般規律。簡言之，這些就是社會學和「三階段」規律。

　　這兩個設想，乃是十九世紀中葉最具有代表性的思想，後來也導致重要結果，但在當時，只表明觀念的變化，沒有任何特殊成就。在某種意義上，孔德哲學是以盧梭神秘的普遍意志（或全意志）開始的社會思索之頂峯。盧梭把社會概念視爲一個集合體，具有自己的特性和價值，並超越成員的目的和意志。對法國大革命的反抗，使這個概念成爲十九世紀早期社會哲學的核心。孔德本人最初是從羅馬天主教的保守派，諸如博納德（Bonald）和德‧梅特爾（de Maistre）那兒接觸到這種反抗的思想。然而，黑格爾的社會哲學，則是這同一種趨勢引發的另外一種不同形式，馬克思主義又是對黑格爾哲學的進一步發揮。孔德的貢獻沒有更多的新發現，不過是給人們一種希望，即科學可能取代思辨，可以透過經驗驗證的方法去分析社會概念以發現社會規律。可以詳盡地探索社會制度與人性之間的關係。在另一種意義上，孔德的哲學不是頂峯，而是起點，是中間站，由它開始，可以全力以赴將社會研究置於當代科學之中。從這個角度看，他不過提出了複雜而模糊的任務，尚未取得驚人的成功。從孔德直至現在，乃是不斷提出新問題、新方法、新研究領域的歷史，也是形成文化人類學或社會心理學一類新科學的歷史。孔德哲學的這一基本目的，顯然引起了穆勒的強烈共鳴。擴大這種信念，始終是自由主義學說的核心任務，它相信人的關係能夠服從理智的理解和控制。

　　孔德建立社會科學的總計畫，暫時似乎與他的第二個設想相關，然

而，第二個設想却十分可疑，它認爲，社會科學的主要成果是發現控制社會發展的「規律」。據說，這個規律勾劃出社會進化的正常或標準途徑，每個社會一般都按照這條預定的道路前進，允許根據環境的不同作出一定程度的變更。利昂·布隆施維希（Léon Brunschvicg）將其稱爲十九世紀社會思想的「可愛陋習」（darling vice）。它從幾種不同的，可以說邏輯上各異的思想得到支持。它曾爲進步信念所主張，這種信念源於革命前的思想家杜爾戈（Turgot）和康多塞（Condorcet）。它還以另外一種形式包含在黑格爾的歷史哲學以及黑格爾派引入社會研究的歷史方法中。正如斯賓塞所表明的，它似乎也至少與生物進化並駕齊驅，達爾文（Darwin）之後，生物進化便成爲十九世紀科學矚目的中心。在這幾種思想的指引下，當時看起來似乎已匯合出一種觀點，「比較方法」在所有社會研究的分支中成了普遍被接受的程序。一般說來，結果雖然大大擴充了各類社會政治組織的訊息，但就其主要目的而言，非常令人失望。現在，幾乎沒有哪位人類學家願意接受這一前提：即認爲文化實際上按照什麼正常道路發展，或者認爲根據已知的社會變遷的原因，有理由希望文化沿著這樣的道路發展。❹

可是，當穆勒接觸孔德的哲學時，上述想法已經相當明確地成爲公衆意見的一部份。他渴望補充和充實承襲下來的社會哲學，消除它的偏限性和保守性。因此，他有保留地接受了一般社會科學的思想，希望將它變成一種歷史哲學，雖然要把它們與他思想中的舊觀念交織在一起，爲時已經太晚。他在《自傳》（*Autobiography*）裡，羅列了孔德和柯立芝派引導他得出的重要結論——

> 人類心靈的進展可能具有某種順序，其中，某些年物必然先於另一些出現，政府和公衆指導人能夠改變這種順序，但並非沒有限度：政治體制的一切問題都是相對的，不是絕對的，人類進步的不同階段不僅會有而且應當有不同的體制，政府或者掌握在社會最強大力量的手中，或者將移交到它們手中，這種權力不依賴於體制，反倒體制卻依賴於這種權力，任何一般的政治理論或政治哲學，都假定一種人類進步的理論做爲前提，歷史哲學的作用也是如此。❺

要對這些論述作出完善的解釋，必須對十九世紀後半葉的進化倫理

學和進化社會學的實質內容作出評論，二者絕大部份來自穆勒和格林的自由社會哲學觀點。❻在這種意義上，穆勒的思想就帶有綱領性。自由主義一貫主張以經驗論爲基礎，但是經驗主義卻被理解爲個體心理學，發端於洛克在《人類理智論》中獨創的「觀念的新方式」（new way of idea）。現在看來，個體心理學遠遠不夠，必須透過研究社會制度及其發展加以補充。方法依然是經驗主義的，不過是廣義的經驗主義。因此，該綱領涉及廣闊的領域，而穆勒肯定對涉及到的全部範圍知之不多。如果心靈具有「某種可能的進步順序」（certain order of poible progess），必然可以透過歷史歸納法說明這個順序。如果存在「人類進步的不同階段」，也一定可以表明道德觀念的進化以及體現各種道德觀念的社會制度的發展。而且，運用廣泛的比較方法最終一定能夠表明，精神（心靈）的發展與文明進步息息相關。如果以上要求全部達到，那麼的確可以證明以「人類進步理論」爲依據的自由主義，是政治發展的頂峯和總結。在十九世紀的歐洲，期望各國政治體制經過逐步的進化過程變得更加自由化，這在當時是可能的，甚至言之成理。人類學研究還不曾揭示比較方法的潛在困難，更不用說揭示其謬誤了。

可是，穆勒一八七三年寫上述一段話時，幾乎沒有預見到這項宏偉的計畫，他只抓住了兩個正確而重要的觀點：第一是政治體制依賴於社會體制，第二是社會具有心理學的性質。第一點符合對老一輩自由主義的一般批判，他們不知道個體心理學的一般規律在某種程度上適用於更爲廣泛的體制和歷史環境。因此在法理學上，他們將主權解釋爲特定人羣的「服從習慣」，而在經濟學上，正如穆勒認爲的那樣，他們錯誤地把資本主義社會的實踐歸之於不可更改的心理需要。穆勒在《論自由》中指出，自由政府取決絕社會和道德方面對個人的尊重，含蓄地表示了同樣的批評。意識到社會的存在並意識到個人行爲在某種意義上總是社會化的，這個事實是穆勒思想的重要屬性，雖然他並非一貫清楚地知道其中蘊含著多少內容。第二種思想，即社會行爲的基礎科學是心理學而不是生物學，乃穆勒與孔德的差別之一。在這方面，他堅持英國社會研究中一直流行的立場。他的結論可能部份由以下事實決定：即在考慮生物進化因素之前，他的思想早就已經形成了。但是無論如何，他的結論是正確的。將社會和道德發展直接與有機體的進化聯繫起來的企圖是錯誤

的，它把二者混爲一談，斯賓塞的進化論哲學就是這樣。另一方面，人們無法理解穆勒怎麼能夠運用他一貫宣揚的聯想主義心理學去解釋所謂心靈的「可能的進步順序」。因爲觀念的聯想實際上意味著：需要解釋心理發展的唯一過程乃是習慣之形成，而與習慣相聯繫的觀念並不依賴於心靈，僅僅依賴於環境。在這一點上，穆勒思想的任何有效發展，都涉及到對他思想的徹底重建。

穆勒在他的《邏輯系統》中，專門加進了一節，即第六卷，討論社會研究的科學方法。在一部討論自然科學歸納方法的邏輯學著作中，加進這個主題本身就是一件頗爲重要的事情。它表明，穆勒感到有必要擴大社會研究的範圍，使社會研究的方法更加嚴格，尤其是在自然科學之外確立社會研究的地位。一般說來，穆勒認爲，社會科學的方法是雙重的，既使用歸納法，又使用演繹法，這無疑是正確的，但並未將社會研究與其他科目區分開來。這個結論對哲學激進主義演繹程序的批評作出讓步，也重新肯定了演繹程序的必要性和合理性。一八二九年，麥考萊（Macaulay）在《愛丁堡評論》（*Edinburgh Review*）發表了一篇文章，對詹姆斯·穆勒的《論政府》表示輕蔑，攻擊該書使用高度理性化的方法，其立場顯然認爲政治科學應該使用純粹經驗主義的方法。穆勒在《邏輯系統》中否定了單一方法論的見解，主張既使用歸納，又使用演繹。他說，政治需要以歸納法爲基礎的行爲心理學規律，但是，對政治事件的解釋，基本上運用演繹法，因爲它們的解釋意味著將它們與心理學聯繫起來。穆勒遵循同一條路線，以便使自己的程序與孔德相一致。他承認有可能透過歸納法確立歷史發展的某些規律，儘管對這種方法的範圍和可靠性還有若干懷疑論的痕跡，但是，他依然認爲這些規律只有根據源自心理學的演繹法才能解釋。因此，穆勒得出一般結論：社會研究有兩種方法，它們應該互相補充。其中一個稱之爲直接演繹法，是他自己的，另一個稱之爲間接演繹法，歸之於孔德。

赫伯特・斯賓塞

　　爲了評價十九世紀五〇年代到七〇年代的自由主義理論，將穆勒哲學與斯賓塞哲學加以比較，似乎既有意義又有敎益。一般認爲，二者都是政治自由主義哲學和英國哲學傳統最重要的代表人物。他們二人的學術淵源都發端於哲學激進主義。就斯賓塞而言，這一點不如穆勒明顯，因爲他把哲學的核心，放在機體進化的新概念上。然而，斯賓塞倫理學和政治學的一切重要思想，都來源於功利主義，與生物學或進化論反倒沒有密切的邏輯依附關係。《社會靜力學》（ Social Statics ）比達爾文的《物種起源》（ Origin of Species ）早九年出版，斯賓塞後來的進化倫理學（ evolutionary ethicg ），才相當程度地在快樂說與「生物競存說」之間，構建了思辨的心理學的聯繫。穆勒和斯賓塞都可以回溯到哲學激進主義，但彼此差別很大，這個事實進一步強化了前一章得出的結論，即哲學激進主義中，兩種思想氣質鬆散地結合在一起。穆勒是邊沁學術思想的主要繼承人，是一個經驗主義者，對社會立法機制很少提出先驗的限制。斯賓塞則將古典經濟學的理性主義傳統帶進了十九世紀後半葉，並以進化論重建自然社會體系，在該體系內區分了政治學與經濟學。斯賓塞和穆勒爲社會哲學做出的主要貢獻，是探求新的知識聯繫，破除老一輩自由主義的狹隘。就斯賓塞而言，他的貢獻在於將社會哲學與生物學和社會學聯繫起來，進而與生物進化和社會進化聯繫起來。

　　斯賓塞的綜合哲學，乃是十九世紀理性主義（涵蓋從物理學到倫理學的全部知識領域）的博大體系，經過三十五年才最終完成，共十卷，從內容提要到最後一卷，幾乎是一氣呵成，沒有什麼重大變動！除了十七世紀廣爲流行的偉大自然法體系之外，確實還沒有能與之相媲美的體系，事實上，自然法體系與斯賓塞的哲學之間，有著密切的傳承關係。在斯賓塞看來，對「自然」所作的現代解釋就是進化（ evolution ）。他從馮・貝爾（ von Baer ）的胚胎學（ embryology ）得出分化律和整合律，「從無限不一致的同質，到有限一致的異質，」並擴建爲一項無所不包的原則，表現在成千的主題中，保持著同一模式。斯賓塞假定了

「同質的不穩定性」（instability of the homogeneous），並以此前提來擔負從能量守恆「推導」（deducing）出機體進化的驚人使命。由此出發，該體系逐漸演繹出生物學、心理學，以及倫理學的各種原則。除了暫時「瓦解」的旋流之外，自然界呈直線上昇，從能量到生命，從生命到精神，從精神到社會，從社會到文明乃至更加高度分化和整合的文明。

不用說，這種邏輯傑作並非以科學的嚴謹或演繹的說服力而著稱。很大程度上，是因爲它當時得到驚人的普及，隨後又成爲老生常談。就此而論，它是那個時代的典型代表，儘管很少有哪位思想家打算進行如此廣泛的哲學綜合。斯賓塞的進化論，乃上述歷史哲學的又一變形。它再次表達了一種希望，即社會發展將爲發展的低級階段和高級階段提供明顯的標準，用它區別過時的和適時的、恰當的和不恰當的，進而區別好的和壞的社會。就斯賓塞而言，這一希望表現爲以有機體進化這個公認事實爲依據，因爲道德進步似乎只是適應（adaptation）這一生物學概念的延長，而社會福祉彷彿等於適者生存。除了許多邏輯歧義之外，這些觀念的拼合是導致科學嚴重混亂的根源之一。斯賓塞從生物適應通向道德進步的唯一途徑，就是假定具有社會價值的行爲一旦被道德準則定爲習慣，就可以轉化爲通過遺傳傳遞的結構變異。斯賓塞一生致力於闡明的這種信念，不僅在生物學上毫無根據，而且是使解釋文化和社會變化的性質發生無窮混亂的根源。談及斯賓塞哲學的這些缺陷時，必須公正地指出，它對社會研究做出了重大貢獻，當然不是指具體結論的有效性。他把心理學與生物學聯繫起來，這是打破舊的聯想主義心理學敎條的第一步。他還把政治學和倫理學引入社會學和人類學的研究範圍，從而引進文化歷史領域。綜合哲學的時代，也是泰勒（E. B. Tylor）和摩爾根（L. H. Morgan）在科學上作出更有創造性發現的時代。❼斯賓塞像穆勒一樣，以不同的方式打破了舊功利主義哲學和一般社會研究在學術上的封閉狀態，使它們成爲當代哲學廣闊範圍的一部份。在這方面，他的哲學像孔德哲學一樣，對當時的學術思想發生了深遠的影響。

另一方面，斯賓塞的政治哲學只是一個反動。他在哲學激進主義落伍之後，依舊是個哲學激進主義者。進化論爲他提供了「自然」社會的概念，這只不過是「天賦自由」這一舊體系的新說法。演繹法帶來了一

些困難，因爲進化使國家像社會一樣，變得更爲複雜，並具有高度的綜合性質，而斯賓塞必須證明，愈益複雜的社會將如何支撐已經簡化到無法獨立存在地步的國家。他提出，政府行使的大部份職能都來源於軍事社會，而在工業化的社會裡，戰爭已經過時，以此解決了自相矛盾的說法。他由此推斷，隨著工業化水平的提高，愈來愈多的事情將留給私人企業去做。斯賓塞的國家理論，爲國家應當立即拋棄的職能羅列了一個清單，這些職能最初由無數「立法者的罪孽」所造成，隨著進化，這些職能已毫無用處。絕大多數立法都是壞的，破壞了適者生存的完美自然趨勢，事實上，一旦個人完全適應社會，一切立法都會過時。因此，斯賓塞堅決反對工業的一切規章，包括衛生條例和安全防衛制度，一切形式的公共慈善事業以及公衆對教育的支持。他在《社會靜力學》中提議，國家應把鑄幣和郵政都交給私人企業。

穆勒和斯賓塞的哲學合在一起，使自由主義理論處在一種難以理解的混亂之中。穆勒重新闡述了自由主義哲學，他一方面說，在重大問題上，他未偏離其父和邊沁的原則，但是，他的結論卻有所保留，很少甚至根本不支持自由主義政策的獨有路線：即限制政府的控制權，鼓勵私人企業，盡一切可能開拓契約自由的範圍。相比之下，斯賓塞賦予自由主義以新的哲學，該哲學以從前任何一代人都不曾知曉的科學發現爲基礎，但是，卻比以往任何時候都更刻板地傳播過去的政策。務實的自由主義者並不過分關心邏輯的一致性，連他們都發現需要對這些政策作實質性的修正。無論哪種情況，似乎都符應了法國的諺語：「萬變不離其宗」。自由主義似乎是一套公式，過去一向認爲具有的意義現在已不復存在，同時，它也似乎又是一套政策，與任何公式都不相符合。對頭腦清醒的自由主義的同情者來說，有兩個事實十分明顯：一是勞動者獲得公民權並組織起來，使一個階級獲得政治力量；這個階級不打算毫無鬥爭地接受任何人的指示，將他們的生活水準永遠置於生存和再生產的水平，排斥在工業化造就的日益舒適的生存條件之外。二是無論出於倫理學、宗教，抑或人道主義的原因，公衆輿論準備鼓勵並支持上述要求。面對毫無約束的工業主義後果，新一代自由主義者不願默認政府對人們爭取自由只能起消極作用。正是這種精神狀態，致使穆勒哲學雖然拘泥於形式而顯得不很充分，但仍不失爲十九世紀中期最令人欽佩的自由主

義。顯然，目前需要重新考察這種哲學，因爲它支持了自由社會的理想，並在自由政府中發揮了作用。

對自由主義的唯心主義修正

對自由主義理論的這種修正，是一八八〇年以後二十年內由牛津唯心主義者所完成，其中托馬斯・希爾・格林（Thomas Hill Green）是最重要的代表人物，至少政治哲學是如此。美國哲學界也有與此相關的類似運動，其中羅益世（Royce）是最著名的代表。約翰・杜威（John Dewey）的實用主義，就是後來從唯心主義發展而來，繼承了它的自由主義，拋棄了它的形而上學。除杜威外，這些只有鬆散聯繫的思想家，通常被看作新黑格爾主義者，不過，這一說法並無確切的涵義。當然，他們沒有人像黑格爾及其以後的馬克思那樣，將辯證法作爲邏輯分析的精密手段，也沒有人承認黑格爾政治學說的威權主義傾向。如果某些人傾向於保守主義而不是自由主義，那還是對代議制毫無疑慮的保守主義，他們當中最激進的人物，也根本不會傾向於馬克思的階級對立理論。他們的哲學與黑格爾哲學的聯繫，在於「人性本質乃是社會性」這個一般概念。牛津唯心主義，是來自英國經驗論傳統之外的各種學術思想影響的籠統集合體的頂點。它主要來自康德之後的德國哲學，而且始終與柯立芝和卡萊爾的名字聯繫在一起。但是，還有一個重大差別。由於早期唯心主義主要批判工業主義及其社會影響，所以它的政治觀絕不是自由主義的。而格林完成的工作，可以描述爲具有雙重對反立場的結局。一方面，他在十九世紀末爲自由主義贏得了一場思想運動，統治了整整一代英美自由主義哲學。另一方面，他修正了自由主義，以應付對自由主義的正確批評，這種批評認爲：自由主義只代表了一個階級的利益，它的自由概念，即使不是有意的，實際上也忽略了社會的穩定與安全。這種修正在很大程度上只是使穆勒的界說表裡如一和明確無誤，而穆勒實際上是爲邊沁自由主義的個人主義和利己主義作辯護。

唯心主義的目的主要在重新建構哲學體系，指導政治運動不過是附帶的。在事件之後加以觀察，很容易看到，它在哲學上的主要成就是批

判性的。❽它一舉將英國思想從重負累累的傳統中解放出來，該傳統是聯想主義心理學及其對邏輯學的影響、倫理學的苦樂動機和價值理論，以及個人主義對社會哲學的影響。關於後者，唯心主義發展了個人主義的批判，並使之系統化。這個過程由盧梭的普遍意志理論開始，在黑格爾的自由論中得到進一步的發揮。因此，唯心主義的基本哲學問題是人格的性質和社會團體的性質，以及它們二者之間的關係。其目的是要表明，只有發現了人格在社會生活中的重要作用，才能眞正「實現」它。從邏輯分析和形而上學的結構來論述問題，這既是唯心主義的力量之所在，又是它許多弱點的癥結。一方面，它對於機械論的教條主義形式進行了强有力的批判，五十年前，這種教條主義在科學中比現在更爲普遍。另一方面，唯心主義的論證愈益高度抽象，往往使它既不能對科學家也不能對主要從政者施加應有的影響。唯心主義似乎一直是一種「學院式哲學」（academic philosophy），敍述繁瑣，使用的德國術語只能爲少數人理解。然而，它的中心問題，即人格結構與社會環境的文化結構之間的相互依存，依然是個重要問題，而且在整個社會研究領域顯得愈益重要。唯心主義是個媒介，上述問題透過它又出現在社會心理學中，並觸及到自由社會的更具體的概念。

一些特殊情況，使格林的哲學研究遇到困難。格林早喪，因而，他業已完成並出版的幾部書幾乎沒有提及任何政治問題或具體的社會問題。他的《政治義務原則講演錄》（ Lectures on the Principles of Political Obiligation ），是他死後根據其筆記和學生的記錄編輯而成。況且，格林自己的經歷，主要是從事學術研究，儘管他一生都關心中等教育改革。雖然他能看到工業化對農業勞動的間接影響，但是他起初並不熟悉工業化引起的社會問題，因此，對這些問題的論述總有點兒言不及義。所以，格林的直接影響，幾乎完全是根據他教導學生而產生的影響來度量，雖然影響很大，但很難由此推及已經出版的著作。其影響的根源在於：他强烈地感受到社會道德的不公正，致使大部份社會成員無法在物質上，尤其在精神上，享受社會文明創造的種種益處。正如格林曾經所說：「倫敦庭院裡嗷嗷待哺的居民」享受到的英國文明，並不比雅典的奴隸多。在某種程度上，這一感情類似於穆勒反對競爭經濟，當然也有所不同。在格林的倫理學和一般意義的唯心主義中，含有一些宗教

因素，這是功利主義所不具有的，格林並不認爲這種剝奪主要是經濟上的。他認爲，赤貧很可能帶來道德的淪喪。對格林來說，在道德上充份參與社會生活是個人發展的最高形式，而創造這種參與的可能性，則是自由社會的目的。格林的這種信念不是源於黑格爾。一方面，它表現了對基督敎兄弟情誼的領悟，另一方面，希臘公民權解放的概念，與亞里斯多德所主張的少數人的特權不同，它讓所有的人都享有這種權利。因此，格林認爲，政治在本質上是創造社會條件的力量，有了這些條件，社會才能發展。

祗要沒有人在違背個人意願的情況下供他人驅使，我們就滿足了，但是，他是否具備承擔社會職責的能力，爲共同利益作出貢獻，並自由從事，我們認爲主要是機遇問題（matter of chance）。❾

格林對其自由主義的最具體的陳述，是一八八〇年所做的題爲「開明立法與契約自由」（Liberal Legislation and Freedom of Contract）的講演❿。這個講演與格萊斯頓（Gladstone）提出的愛爾蘭佃戶與地主之間管理契約議案相巧合。正如格林所說，這個計畫提出了一個關於開明立法（liberal legislation）反覆出現的問題：它自稱是自由主義的，但是縮小了契約的權利。較早的自由主義政策，一般遵循這一規則：即爲了縮小法律的限制，應儘可能地擴大契約自由，但要合乎公共秩序和安全。按不同的情況推行相反的政策，自由主義不就前後矛盾了嗎？假如邊沁的立場是對的，即一切立法在本質上是對自由的限制，在沒有法律控制而由當事人自願協議的地方，就有較大的自由，那麼，對上述問題的回答，必然是肯定的。但是，正如格林所說，邊沁的立場默認了法律是對自由的限制，然而，如果武斷地說自由即不要法律，當然是錯誤的。格林將上述說法稱之爲「消極的自由」（negative freedom），並提出了與之相反的概念，即「積極的自由」（potive freedom）的定義：自由乃「一種積極的力量或能力，能做值得一做或值得享受的事情」（a positive power or capacity of doing or enjoying something worth doing or enjoying）。因此，自由必然不僅意味著法律上的自由，而且從現有的條件看，也意味著發展人類能力的實際可能性，標誌著個人分享社會利益的權力和擴大共同利益的能力眞正擴

大了。契約自由也許是抵達此目的的手段,倘若這樣,那便是一件幸事,但是它本身並不是目的。例如在許多情況下,雇主和雇員討價還價的權力極不平等,祇不過使最不老實的雇主透過一個行業的習慣方式從中獲利。倘若收回土地便意味著挨餓,那麼,愛爾蘭佃農與土地所有者的契約自由將成爲一紙空文。格林認爲,在這種情況下,一個雇主或地主在合法契約的形式下對實際自由施加壓力,比國家縮小契約權利以保護弱者所施加的法律壓力更大。格林表明,選擇後者並不推翻自由政策。因爲法律永遠承認,某些契約破壞了公共利益,因而作爲違反公共政策而要加以阻止,如果把危害公共健康或危害應當尊重的公共教育標準的契約也納入這一類,那並不表示反對自由主義。

格林演講的論點,是對自由主義立法的一種行之有效的分析,祇是範圍有限。它說明了一個事實,過去的自由主義理論,主要爲廢除立法這個特定目的所支配,而格林則有力地說明,自由主義不能永遠置於如此狹窄的基礎上。自由主義政策必須具有靈活性,可以隨著情況而變化,而且,如果它們眞是自由的,必須始終聽從道德目的的指導。它們實質上是爲更多的人開闢人道主義生活道路的嘗試。因此,他斷言,自由主義哲學的核心,乃是普遍利益或人類普遍利益觀念,每個人都能享受這些利益,它們是立法的標準。這個標準不僅僅是個人的自由或法律對自由選擇儘可能不加限制,因爲自由選擇祇在某些情況下起作用,而在某些情況下,選擇是受嘲弄的對象。選擇意味著機遇,機遇意味著無論社會法律和政治結構,還是它的經濟和社會結構,都不是超越需要的一種限制。自由的確是社會性的概念,同樣也是個人的概念,它直接涉及社會特性和組成社會的個人品質。因此,一個旁觀的政府,一個立法上無所作爲的政府,不是自由的;或者說,自由社會的出現不能祇靠政治上的疏漏。自由政府的機能是支持自由社會的存在,政府不能依靠法律讓人民講道德,但能掃除道德發展道路上的障礙。格林的倫理學和政治哲學,進一步發揮並强化了這些觀念,他關於自由立法的講演,把這些觀念應用於當時的具體情況。

格林倫理學的核心原則,就是個人及其所在社會之間的相互依存關係。正如他所說,「自我乃社會的自我」(the self is a social self.)。此話與亞里斯多德的名言相近,意味著社會的最高形式是平等

的人彼此結合在一起，聯結社會的紐帶是各成員對羣體及其目的的忠誠。同時，作爲該羣體的成員，應該承擔它的工作並在其中發揮重要作用，這是獲得完善人格和獲得最高滿足的條件。格林認爲，在這個範圍內，任何社會羣體都是這樣。即使最強大、最專制的政府，也不能憑藉武力把社會揉合在一起。就這個意義而言，政府由同意而產生這一舊信念，也包含著有限的眞理。格林說，政府依賴於意志，不依賴武力，因爲使人類結成社會的紐帶是人性的內驅力，不是法律的懲戒，也不是私利的考慮。自由社會無可辯駁的論點是，它承認人性中的社會衝動，這種衝動同時也是一種道德衝動，竭力以道德的理想形式加以實現。該理想要求，社會成員平等相待、互相尊重、自由思想、自由行爲，他們的思想和行動完全受道德責任的指導和制約。因此，強制應該降到最低限度。不僅國家強制應該如此，凡不能使人充份發揮自由道德力量的強制形式，都應如此。對格林和康德來說，個人的社會是「目的的王國」（kingdom of end），在那裡，每個人都作爲目的，不僅僅是一種手段。因爲這是社會和個人的理想本性，應當給予所有人這種機會，在充份發揮能力的限度內去實現那種生活。因此，眞正的自由社會，其目的至少應該給予一切人以道德自主和道德尊嚴的權利，它們旣是人格的條件也是人格的權利。

格林分析權利（right）時著重發揮了這個概念。他認爲，權利始終有兩個因素：第一，主張行爲自由，本質上要求個人能實現自己內在力量和能力的願望。他認爲，享樂主義心理學基本上是虛假的，因爲人性是各種願望和活動趨向的總體，不僅以一般的愉快爲目的，也以具體的滿足爲目的。可是，這種主張不能單憑願望來進行道德判斷，而祗能根據合乎理性的願望，即考慮他人要求的願望。它之所以被認爲正當，主要因爲公共利益本身允許這種行爲自由。這是旣參與又作出貢獻的要求。因而權利的第二個因素是社會的普遍承認，這個要求保證個人自由確實有益於普遍利益。因此，在格林看來，一個有道德的社會，要求個人根據總體的社會利益提出自由主張，並進行自我限制，而社會本身支持他的主張，因爲普遍利益祗能透過他的自主性和自由來實現。正如盧梭所說，理想的社會應是「一種聯合形式，它以全力保護並捍衛個人以及每個聯合者的利益，而每個人在其中旣要把自己與整體統一起來，又

可以僅僅服從他自己。」因此，存在著一般的社會利益或福利，它以柏拉圖所謂的社會「健康」的個人權利和義務爲準繩，與個人幸福既不分離也不對立，因爲個人在其中可以分享幸福，也因爲參與本身就是個人幸福的重要部份。格林倫理學中的自由主義因素，主要在於他不願意設想那樣的社會幸福，即祇要求個人做出犧牲或要求個人放棄應該享有的東西，以此支持社會利益。社會的義務和權利符合於個人的義務和權利。倫納德·霍布豪斯（Leonard Hobhouse）在一本書中充份表述了格林的意思。霍布豪斯的這部書，主要是駁斥非自由派或黑格爾派將社會或國家利益置於成員之上的傾向，他將這種見解歸之於格林最優秀的學生伯納德·鮑桑魁（Bernard Bosanquet）——

> 社會的幸福和痛苦便是人類的幸福和痛苦，由於人類共同享有，因而提高或加深了這些幸福和痛苦。社會意志是人們的意志相結合的產物。社會意識，乃是人們內心高尚或低劣的反映。如果以個人對社會貢獻多少的方式來評斷，我們也同樣有權質問社會，你爲這個人做了些什麼。如果沒有人人都可分享的形式，如果不是個人確實離不開這種形式，最大多數人或大多數人的最大幸福就不可能實現。但是，除了爲每個男女所感受到的幸福以外，根本不存在其他的幸福，也不存在蘊含在人們靈魂中的共同自我。這樣的社會是存在的：在這種社會裡，人們獨特的和不同的個性可以協調地發展，並對集體的成就作出貢獻。⓫

在格林看來，個人要求與社會承認之間的相互依存，不是法律概念，而是倫理學概念。他明確地反對邊沁把權利定義爲「法律的創造物」。格林之所以持這種見解，是因爲他相信，在一個社會中，立法機構和公共政策如若不能不斷地對開明而道德上敏感的公衆輿論迅速作出反應，就不會有什麼自由政府。他認爲，這就是自然法理論所包含的眞理，它賦予法律以公正、平等、博愛的理想，這是法律應該努力接近的境地。他並不因此認爲，法律能使人們具有道德，因爲道德主要是品格問題，不能靠法律的強制產生。法律必然涉及行爲的外部表現，但不涉及背後的精神和意向。格林認爲，爲了使政府眞正獲得自由，法律和道德必須剛柔並濟。這種交換是雙重的。一方面，法律迫使人們履行的權

利和義務，從來不能達到所應達到的水平。對社會的道德判斷是必不可少的手段，掌握它，政府才能達到最佳狀態。另一方面，雖然國家不能使人道德，但能創造更多的社會條件，人們可以利用這些條件發展自己的道德責任感，至少可以爲道德的發展掃清障礙，例如國家一直在做的，承認兒童有受教育的權利。格林指出，許多自詡的自由政府，實際上離它們在這方面所應承擔的義務相去甚遠。國家在創造機會上所負的道德義務，並不因爲不能強迫人們很好地去利用機會而減少，但是，要人們達到沒有機會達到的道德水準，既徒勞又殘忍。格林自由主義最有特色的因素，是他相信眞的存在著社會良知，既可調節法律，又可爲法律所支撐。這是他賦予盧梭普遍意志的涵義。但是他認爲，當盧梭試圖在社會中尋找普遍意志居於何處時，陷入混亂之中。從事物的性質看，道德的公正在任何地方也找不到，因爲任何人、任何社會制度，都不可能盡善盡美。每個人必須按自己的智慧和意識行事，自由社會既尊重他的判斷權利，又增進社會信賴其判斷的可能性。

格林認爲，這種道德自由來源於自我或人格的形而上學性質，對他來說，道德自由乃政治自由主義的基礎。他指出，一般地探討人爲什麼服從社會制度創造的規則，或者作爲社會成員爲什麼擁有權利，根本沒有意義。他的自由和義務，是同一社會聯繫的兩個方面，它既給予合乎他在社會結構中所處地位的義務，同時又爲他提供與權利相關的人格。因此，人類社會是各種制度的集合體，人在其中生活，他們的人格主要在於成員資格所蘊涵的分享權和參與權。政府在社會複合體中的角色，是根據自由參與的理想進行控制調節。自由政府的目的是把強制縮小到最低限度，但強制是多種多樣的，並依賴於各類環境。一般說來，只要挫傷自發的自我表達能力，並以強制代替道德的自我控制，這種情況就是強制性的。法律強制的存在理由，在於它可以抵消和中和其他更加難以忍受的強制。格林不分等級和財富，平等地賦予一切人以自由判斷和行動的權利，前提是承擔社會責任，他相信，如果所有的人都有機會享受文明提供的道德文化，或多或少都會達到這個水平。因此，他認爲教育是最重要的社會功能，他還認爲，古代文明和現代文明的主要差別，在於現代國家爲一切人開放了那種在古代只屬貴族享有的利益。格林認爲，目前，民族是最大的單位，它具有社會凝聚力，爲共同利益觀點有

效地發揮作用所必需。但是他深信，所有的國家都應指導其政策，使之
符合於一般人的利益。他指出，在沒有出現道德失誤的地方，就不會有
戰爭，儘管戰爭有時也許是不可避免的，那總是道德上的失敗所造成。

自由主義、保守主義、社會主義

　　格林重申的自由主義，消除了經濟學與政治之間的嚴格界線，老自
由主義者正是根據這種區分拒絕國家干涉自由市場的活動。從格林的觀
點看，即使自由市場，也是一種社會體制，不是自然狀態，很可能需要
立法保持其自由。政治與經濟不是截然分開的領域，而是相互交織的體
制，無疑不能彼此獨立，在理想狀態下，它們應該對自由社會的倫理目
的做出貢獻。就政治理論而言，這種變化意味著對國家和立法的自由主
義態度發生了根本的轉變。自由主義始終以懷疑的眼光看待國家，將它
的活動限制在狹窄的範圍裡，或者透過一系列嚴格的憲法保護，或者斷
言立法機構同樣「不受歡迎地」干涉自由。相反，格林的自由主義坦率
地承認，立法機構似乎能夠對「積極的自由」做出一定貢獻，為了增加
普遍的福利，不使新滋生的弊端多於所消除的弊端，國家是一種積極的
力量。格林本人以及包括格林在內的一代自由主義者，並未按照他們的
理論突然改變態度。他們依然神經質般地恐懼「家長式的統治」和社會
立法破壞個人責任。但是，從格林的觀點看，問題不再意味著原則的差
別，而成為純粹的事實問題和可能的立法效應問題。他修正的主要宗
旨，在於迫使國家放棄以前公開宣稱的以自由主義原則為基礎的立法路
線。因此，格林認為，國家必須為公共教育提供更多的財政資助，使其
成為義務教育；但是，除了斯賓塞以外，幾乎沒有哪位自由主義者，在
這方面支持過放任主義。格林深信，需要擴大衛生法規，以保護公眾健
康，擴大住房標準，以保證適宜的生活條件，以及控制勞工合同。因為
格林在總體上認為，只要一切私人財產權有益於公共利益，就必須保護
它們，所以，他的理論為立法管制（legislative regulation）開闢了廣
泛的可能性。毫無疑問，他認為財產權無須多大變化，因為他相當含糊
地表明，大規模的資本主義發展與小規模的資本主義發展並行不悖。但

是，這也是個事實問題，如果他相信自己錯了，完全可以在邏輯上改變他的信仰。

格林的自由主義性質，勢必把不同政治理論之間的明顯界限弄模糊——祇要它們與他的自由主義的社會倫理觀念不發生矛盾。或許可以換個不同的說法，格林的自由主義不再意指任何單一的政治路線和立法政策，而意指不同政策路線的結合，以保證公認的有益於公共福利的社會利益。因此，自由主義與保守主義的差別，甚至自由主義與社會主義自由形式之間的差別，已不再是原則問題。格林的社會哲學像穆勒的一樣，可能被看作功利主義的擴大化和理想化形式。在某種意義上，這個變化與自由主義的一般特徵和傾向並不矛盾，它祇是最大幸福概念的擴大。不過，格林的確將英國政治傳統中特有的保守主義的社會價值和政策，放在自由主義名下。正因為如此，當時諸如馬克·帕蒂森（Mark Pattison），將他的政治哲學看作是一種混亂。迪斯累利（Disraeli）的保守主義實質上從柏克衍生而來，它宣告自己為穩定和安全的衛士，反對過份迅速、過份激烈的變革。但是，變革的主要原因是貿易和工業的擴展，而這恰恰是典型的自由主義政策。格林對自由主義理論的修正，在某種意義上就是堅持穩定和安全，認為它們是一般社會福利的重要因素，是自由的必要條件。格林哲學試圖說明極其廣泛的道德綱領，使一切具有社會良知的人都能堅持它，在某種意義上可以說他成功了。它的目的是把自由主義從特定階級立場維護一套利益的社會哲學，變為從全民族社會的一般利益出發考慮一切重要利益的社會哲學。

不過，這個目的顯然無法完全成功。格林的倫理學術語過於籠統（更不用說模糊不清），所以無法排除青年人所持的異議——這些年輕人自認為基本上同意格林。唯心主義的政治理論可作兩種解釋，一種更獨裁或更保守，另一種則是更明確的自由主義。在相當大的範圍裡，這種分歧是由於格林的哲學被認為是追隨黑格爾，因而與之有密切關係所決定的。格林哲學中的黑格爾主義因素，由他最優秀的學生伯納德·鮑桑魁（Bernard Bosanquet）在《國家的哲學理論》（*The Philosophical Theory of the State*, 1899）中進行篩選並加以強化，之所以如此，在某種程度上是為了糾正格林。在第一次世界大戰的困苦環境中，這本書受到倫納德·霍布豪斯的《國家的形而上學理論》（*Metaphysical The-*

ory of the State, 1918）的激烈批判，霍布豪斯本人受格林的影響甚深。實際上，霍布豪斯在戰爭的刺激下，突出了黑格爾主義某些反自由主義的內涵，而英美黑格爾主義則認為，這些內涵祇具有暫時意義。鮑桑魁和霍布豪斯的爭論，主要集中在兩點上：個人與社會之間的倫理關係以及社會與國家之間的關係。

格林說，自我乃社會之自我，只要是忽略了下述這一問題，它的確是一項重要聲明，但是，一旦承認了這一問題，問題依然存在：它的確切涵義是什麼？尤其當一個人與社會公認的信念或事實發生衝突時，涵義如何？鮑桑魁像黑格爾而不像格林那樣，對道德上持不同意見者提出的社會批評評價很低，認為祇有靠「社會發展的內在邏輯」，才能變革體制。因此，黑格爾把個人的愛好視作「反覆無常」，則將其視為「日常瑣事的喜怒無常」和「狹隘的專制、矛盾的意志」。盧梭曾經說過，普遍意志「賦予人們行為以前所未有的美德」，鮑桑魁認為社會是「真正的意志」，個人意志如果具有充份的道德和充份的智慧，就會與它保持一致。其字面的涵義實際上假定社會永遠正確，個人總是錯誤，或者實際上得出結論說，個人的意識只應符合或屈從於權威。布拉德雷（F. H. Bradley）在〈我的崗位及其職責〉（My Station and its Duties）一章中說的話，即使不是肯定，至少也蘊涵著這樣的觀點：

> 我們應該考慮，自信自己有主見的人，就他在道德主題上與世界持不同見解而言，除了上天降生的先知而外，是否有誰不是十足的自高自大。⓬

這個結論與黑格爾的大抵相同，但確實與格林的不同，格林一向認為，個人判斷與社會制度之間的交換必須是相互的。鮑桑魁表明，社會壓力不斷提高個人的行為標準，這比順其自然要好；但是，個人理想又不斷提高法律和政府的水準，如果不展開批評，根本辦不到。否認後一種見解的政治哲學，必然是有缺陷的自由主義思想，因為沒有它，思想自由和言論自由將大大失去其政治意義。

在英國的習慣用法中，「國家」一詞成為黑格爾意義上的專有名詞，無疑是一種不幸。在唯心主義者傳進英國之前，沒有哪一位英國政治思想家按照特殊意義使用「國家」一詞，或者說，確實沒有普遍使用

過它。唯心主義者並未因此而賦予它任何精確的涵義，在格林那兒，主要在鮑桑魁那兒，它不僅在術語上，而且在思想上，通常都是混亂的泉源。它有時指政府，有時指民族國家，有時指社會，這些都很含糊，但肯定不能互換；有時它也指理想實體，該實體很像盧梭的普遍意志，永遠正確，但是地球上的任何東西都不可能與之相似。當最後一種涵義與其它涵義結合時，就賦予某體制以道義上的尊嚴和權威；霍布豪斯也正是在這點上攻擊它是「形而上學的運用」或濫用。他表明，這個詞可以用於為政治的組織化提供法律根據，也可以長期確立社會等級，無論哪一種情況，都違背自由主義精神。霍布豪斯在另一部著作中指出，自由社會的一個標誌是，每個人在道義上要求獲得社會的重要地位，它以公道為基礎，而不是以施捨為基礎，因此，在自由主義與博愛主義（philanthropy）之間，存在著廣泛的道德差異。❸

　　雖然格林的自由主義可以由此轉向保守主義，但是，如果社會主義不依賴於階級對抗理論，它也與社會主義的自由形式相一致。格林的自由主義與一八八四年構成費邊社（Fabin Society）青年團體的社會主義之間，沒有原則上的明顯差別。這並不像格林教學對費邊派產生的直接影響，或任何一種抽象哲學理論的影響。格林和費邊派大約都各自反映了英國政治氣候的重大變化，即對所謂私人企業的社會效應失去了信心，更願意使用國家立法和行政權力糾正其弊端，使其變得仁慈博愛。費邊派像格林一樣，把維護他們的綱領做為一種自由主義的擴展。在一八八九年出版的《費邊社文集》（Fabian Fassays；1889）中，西尼・韋布（Sidney Webb）斷言，「民主理想的經濟方面，事實上是社會主義本身」，而西尼・奧利維爾（Sydney Olivier）說，「社會主義只是理想化的個人主義」，它的道德透過每個人最自由最充份的活動，努力追求人生的滿足，表現了永恆的生命熱情。社會主義不是抑制，而是實現人格和個性。認為費邊派社會主義是在比格林更為廣泛的經濟學、工業和政治管理學知識的基礎上，努力實現格林的「積極自由」，並非一件難事。雖然費邊派打算在基本工業國有化以及控制生產和分配方面超過格林，但是，他們和格林一樣，把計畫置於失控經濟的惡果之上，而不像馬克思那樣，以經濟發展的辯證和階級鬥爭的必然性為基礎。費邊經濟學絕大部份不是馬克思主義的，而是沿著亨利・喬治（Henry George）設定的路線，把經濟租金論擴展到資本累積方面。費邊政策的基礎是公道，他們希望把不勞而獲的收入奪回來，用於社會。這些目的依賴於這樣一種信念（實質上與格林相似），即沒有一定程度的安全，就沒有自由，因此，社會安全和穩定與自由一樣，也是政符政策的目的。與此相應，經過重組的英國工黨的社會主義原則，正如西尼・韋布在《勞工和社會新秩序》（ *Labour and the New Social Order*, 1918 ）中所說，採取了國民最低生活標準形式，無論閒暇、健康、教育還是生活費用，都是如此；大部份居民甚至低於這個標準，因此違背公衆政策。人們總把這個目的作爲自由主義的擴張而爲之辯護。一九四二年，工黨執委會重申它的信念，即有計畫的社會也許比競爭社會「更自由」，因爲它「一方面能使在該社會工作的人有連續發揮能力的機會，另一方面，使他們感受到完全有權制訂他們所要遵守的規則。」

自由主義當前的意義

　　對自由主義及其在當今政治理論中的立場作出評價，必須說明「自由主義」一詞具有相互關聯的兩個涵義，一個比較嚴格，一個比較廣泛。但是，它的用法不是任意的，因爲兩種涵義都有正當的歷史原因。狹義的「自由主義」一般指介於保守主義與社會主義之間的政治立場，該立場擁護變革，反對激進主義。在這個意義上，它與資產階級趣味相投，而與保持既得利益的貴族階級或主張控制和取代工商業的無產階級不相一致。狹義的「自由主義」這種用法，也許較能呈現歐陸的特徵，而與現今英美的用法有別；馬克思主義則常把自由主義視作資本主義的政治理論，以放任主義經濟，至少以接近放任主義的經濟爲目標。廣義的「自由主義」通常用來指俗稱的「民主政體」（ democracy ），與共產主義和法西斯主義形成鮮明的對比。這種「自由主義」的政治意義是維護民衆選舉政體，如普選、代議制議會，以及對選民負責的機構，但是，它也意指比較普遍的政治體制——承認社會哲學或政治道德的某些廣泛的原則，而不管採用什麼方法實現這些原則。在這種意義上，自由主義當然不可能與任何社會階級的意識型態相吻合，也不可能與任何政

治變革的有限綱領相吻合。自由主義可以稱之爲整個「西方政治傳統」的頂點，或者是「西方文明的世俗形式」⓮。自由主義的兩個意義相去甚遠，二者實質上都與現代政治的自由主義歷史有關。

在早期歷史中，英國自由主義可以毫不誇張地說是資產階級的政治運動，反映了新興的工業階級，隨著經濟急劇的工業化，爲爭取相應的政治地位所做的努力。它的政策主要在於廢除對工業和貿易的過時限制，它的敵手是那些在維護限制中獲得旣得利益的土地所有者階級。就自由主義的綱領來說，放任主義並非反常的口號。早期自由主義在理論上是有點空想的，在政策上有時輕率，這種說法並非不公正。它的空想尤其表現在心理上，即在競爭市場上人們會按規則行事，但它卻認爲這是對人性的科學論述。說它輕率，主要指它忽視了失控的資本主義具有社會破壞性，也因爲這種輕忽，所以才認爲社會安全和穩定毫無問題，一旦有問題，自由主義的政治經濟綱領就不可能實現。由於誇大了法律總是限制自由這個事實，它便輕視了「沒有法律就沒有自由」這一更爲重要的事實，儘管它默認了這一點。不過，就算這些批評具有充份的價值，把早期自由主義說成單純從一個社會階級利益的動機出發，也純屬誇大，例如，只有英國資產階級才能獲得邊沁法律改革的長遠利益這一說法，即屬過甚其辭。況且，即使當放任主義是自由主義的教條時，它也並未包括自由主義立法的全部綱領。英國的勞工法通常認爲從一八〇二年開始，雖然進展比應有的慢，但到十九世紀末，自由主義立法意味著更典型的社會立法，而不是加強經濟競爭的立法。從穆勒開始，除斯賓塞之外，沒有一位重要的自由主義思想家維護即使近似於放任主義的理論。將自由主義等同於政府與經濟關係的消極理論，是一種有特殊傾向的誇張，沒有討論價值。爲合理討論這種關係，可以提出一個問題：對工商業的管制到什麼程度會危及政治上的自由主義？一個自由主義者完全有理由懷疑，整體計畫經濟是否能與政治自由共存。

大約在一八五〇年到一九一四年期間，出現了一個相對穩定的時期。從表面上看，黨派間的分歧很大，但實際上，有很大程度的一致性。把自由主義稱之爲工業中產階級的哲學，並不比把保守主義稱之爲地主紳士的哲學好多少，二者也都不是根據馬克思的階級鬥爭理論來考慮它們之間的分歧。英國保守黨人反對自由主義的改革，但是，幾乎沒

有人希望或認眞希望扭轉改革，事實上，正是保守黨的政府，於一八六
七年給英國工人階級以選舉權。在政治序列的另一端，《共產黨宣言》
（ Communist Manifesto ）實際上是工人階級革命運動的綱領，可是，
馬克思主義對英國工候主義的理論和實踐，並沒有產生多大影響。在德
國，社會主義理論是馬克思主義的，也是革命的，社會主義政黨贏得了
相當多的選票，它的成功主要是透過立法得到的。到十九世紀末，革命
不再是社會主義政黨政策的重要組成部份。這個時代，人們很願意用進
化（ evolution ）取代革命（ revolution ），並且理智地相信，某種代議
制，至少某種民衆政府（人民政府），將逐步占據整個世界。目前，一
切從事實際政治活動的黨派，都滿足於在這些方法所能達到的範圍內，
實現自己的目的，反之，超越範圍的運動在實際目的上仍然很有限。像
尼采那樣的哲學家，譴責這個時期爲「洋洋自得的蠢行」獲取到的勝
利，結果是被斥作行爲古怪的書呆子。度過這個美好的時代，一九一四
至一九一八年的戰爭造成了災難性的後果，產生了共產主義和法西斯主
義，這場戰爭像十八世紀法國革命那樣，劃下了一條鮮明的分界線。

　　共產主義和法西斯主義都坦率承認或公開宣稱自己是自由主義的敵
人，他們拋棄了自由主義政策的實踐，自稱掌握了新的哲學原則。他們
說自己是「眞民主」的代表，並給自由主義烙上「假民主」標幟；但
是，他們都踐踏了民主體制重點保護的公民自由，摧毀了支撐民主政府
的政治自由。他們否認保護權利和自由是政府的首要目的，也否認「個
人是他終極利益的合格仲裁人，又是政府爲了保護一般或社會利益而必
須遵循的政策和實踐的合格仲裁人」。他們提出集體的價值高於個人，
人是「集體」（ collectivity ）的手段或工具；在法西斯那兒，集體主要
指種族，而在共產主義那兒，集體主要指社會或共同體。所以，他們都
認爲政治是凌駕於常人之上的神祕之物，將其想像爲擁有特殊才能或特
長的傑出人物的職能。法西斯主義把這種能力描述爲超越常人智力的本
能、直覺或天賦。共產主義則將其描述爲高級科學，因此，只有訓練有
素的專家，才有權認識歷史進展的必然過程。

　　這些主張顯然與自由主義政府的政策和綱領不相容，而且與自由主
義賴以建立的哲學不相容。政治乃天才或超人之特權的主張，違背了自
由主義的假設，即人與人之間形成政治和社會聯繫的問題，只能靠理智

和善意去解決，因為人類不具備解決這些問題的其他更高能力。法西斯主義領導人聲稱具有高能力，在自由主義者看來，充其量不過是江湖騙術，事實確實如此。共產主義者自稱具有更高的科學知識，形式上似乎合理，但是違背了自由主義的另一個基本原則。自由主義認為人與人之間的社會聯繫永遠是道德聯繫，最終只能訴諸道德判斷來解決問題，道德判斷的性質不可能僅僅是個科學知識問題。從自由主義的立場看，正如康德所說，道德專家（a moral expert）這個概念是個自相矛盾的術語。主張專家在政治領域的必要作用不僅是自由主義原則，還有充份的歷史根據證明，這也是自由主義的一大發現。但是，自由主義政治學始終認為，政治專家隸屬於政策的制訂者，他們的最後決策不僅是對原因的評估或對機遇的計算，而且也是對公道、公平，長遠利益或普遍利益的評估——因而，最終是對應然的問題作出道德判斷，而不是對將要發生什麼的事實問題作出事實判斷。對一個自由主義者來說，共產主義觀念，即道德判斷可以用於歷史過程，進步概念可以為正確概念服務等等，似乎是拐彎抹角地說，凡成功的，就是正確的。政治決策最終是一種道德選擇，所以對自由主義者來說，似乎只有透過觀念的自由交換和公開發表不同意見才能達到，霍姆斯（Holmes）大法官將其稱之為觀念的自由市場（free market of ideas）。因為人類經驗還沒有提供更好的辦法達到合理的共識。

　　對上述主張的分析似乎表明，不管用什麼適當的表達方式，自由主義政治哲學始終依靠兩個公設，或假設，或公理。一個可以稱之為「個人主義」，與任何形式的集體主義形成鮮明的對比，不過，這個詞的涵義頗多，無法自我闡明。另一個缺乏明確的名稱，即社會中的個人間的關係歸根究柢是道德的關係。也許還要補充第三點假設，即前兩個假設不是自相矛盾的，或者如格林所說，個人的本性在於他的本質是一種社會存在（social being）。這些假設事實上都是當代倫理哲學普遍承認的，代表了「西方的政治傳統」，可是到目前為止，始終沒有一個標準或普遍接受的陳述方式。

　　不同形式的個人主義，通常被自由主義者視作價值理論的公理。對信奉基督教傳統的自由主義者來說，耶穌所說「安息日是為人安排的，而不是人為安息日安排的」，就像任何哲學體系一樣正確。在當代倫理

哲學中，對個人主義有兩種不同的表達方式，端視其理論是關於利益的倫理學還是關於義務責任的倫理學。第一種以邊沁的陳述爲代表，「個人利益是唯一現實的利益」。第二種以康德的原則爲代表，尊重個人，視其爲目的，不是手段，此乃道德之本質。這兩種陳述形式不可相互交換，但核心是一致的，都是個人主義。邊沁陳述的背後隱藏著這樣一種觀念：如果某種東西有價值，該價值必定以人類實際經驗的形式表現在某人某地中。他的「最大幸福原則」，幾乎相當於公理的必然結果，他的快樂與痛苦心理學，卻冒充行爲科學理論竭力支持它，可是卻毫不相干。康德倫理學則與功利主義倫理學不同，但是從目前討論的意義看，他們又是一致的，即都是個人主義的，康德的原則意味著人的人格乃是唯一有價值的東西；如果社會實踐、制度，以及政府形式的價值成了問題，那麼，評估它們的衡量標準，就在它們對以個人爲基礎的人民產生了怎樣的影響。唯心主義倫理學的自我實現原則是康德式的成份不亞於黑格爾主義的成份。而除了邊沁的快樂與痛苦的計算，沒有理由說明格林的政治哲學爲什麼不承認「最大幸福原則」爲公共福利的標準。英國唯心主義像邊沁的法理學一樣，將他們對政治問題的分析建立在支持個人自由的基礎上，或者把證明的擔子壓在強制一邊，他們認爲，只有考慮到每個人的利益，使之獲得自由，才能證明強制是正當的。實質上，這是政治價值的個人主義理論，它把任何要求都當作手段，而把對個人的影響作爲目的。

這種見解深深地紮根於當代政治理論的傳統，並透過各類哲學術語表現出來。最直率的表述是自然權利理論（theory of natural rights；天賦人權說），它主張，人生來就是平等的，政府的正當權力發源於被統治者的同意。當這種神話或寓言式的表述冒犯了邊沁的常識，邊沁並沒眞正地澄清自由主義理論，只是用功利主義標準取代了它。因爲功利乃一相對的標準，意味著以最小能量的損耗獲取最大的成果。穆勒說早期自由主義對效率比對自由更感興趣，他或許是正確的。邊沁法理學的自由主義可信性，在成爲過時的政治術語之後，長久以來仍然依賴著天賦人權的活力。穆勒介紹快樂與痛苦之間質的差異，是企圖糾正功利的相對性，在邏輯上明確保持邊沁理論的自由主義，儘管穆勒在這一點上的推理並不十分淸楚。牛津唯心主義試圖選擇黑格爾哲學支持自由主

義，這個想法實際上很可疑，因爲黑格爾的社會哲學有許多方面都不是自由主義的。他直言不諱地斷定，人可以爲民族利益作出犧牲，其實這更符合馬克思的精神，馬克思同樣單刀直入地說，人乃是經濟範疇的人格化（personifications of economic categories）。由於英國政府的性質，唯心主義可以閉眼不理德國黑格爾主義的極權面相，即使如此，由格林的學生所滋生出來的差異表明，與黑格爾聯盟並不輕鬆。同時，黑格爾哲學對社會作了重要分析，強調了制度的性質，而英國社會哲學從未充份重視過這一點。它所起的作用是暫時的矯正，唯心主義可以利用它而獲益，雖然它不是自由主義政治哲學的終點。顯然，這種哲學必須假定個人爲唯一的泉源，無論冠以什麼名稱，這個假設與自然權利的作用相同。這或許可以說明自由主義哲學爲什麼一而再，再而三地回復到自然權利論，儘管論述的最佳方式從來就不一致。

　　上述第二個公設——社會中個人之間的關係必然是道德關係——意味著，社會之所以存在，乃因爲社會當中的人或多或少彼此承認是價值的目的和泉源，因而擁有權利，對權利賦予的義務提出道德要求。用康德的話說，社會乃「目的之王國」（kingdom of ends）。因此，解決政治問題的最後手段是人的關係問題，要解決這個問題，只有承認彼此的權利義務，彼此進行自我限制，但同樣需要下定決心維護自己的權利。在這種關係中，爭執和分歧顯然持續不斷，要解決這個難題，必須找出適當的生活基礎，據此才能處理構成人類社會的無數事宜。自由主義假設，可以透過討論，透過交換要求和建議，透過談判、調整和妥協，找到解決辦法，這裡，總要假定雙方都誠懇地承認權利，履行義務。這種社會體制，被認爲主要是提供手段，憑藉他進行思想交流，將絕對強制降低到無可避免的最小程度。這種體制也行使權威，但却是一種鬆散的權威（loose-fitting authority），幾乎不是一種負擔，而且總體上能讓，人們樂於自覺遵守。一個具有穩定社會實踐的社會，與生活其中的人們的自私想法一樣「自然」。他們生於社會，適應社會，感覺舒適，沒有什麼壓抑。當然，某種場合總是有些壓抑，但這都屬於需要重新調整的個別問題，而不是要推翻社會結構並按照新方案重新構造的問題。它的歷史是無休止的修補，但並未破壞或失掉社會的連續性，與其說社會僅僅是達到外部目的的手段，還不如說人類的物質要求永遠

是第一位的。可以認爲，當格林說他的哲學就是重新闡述自然權利，重
申人之本質乃社會性時，上述思想便是對格林思想的概括。

　　格林對自由主義的論述的確吸收了黑格爾的一些思想，不過與黑格
爾仍有重大差別。黑格爾的社會哲學之所以成爲十九世紀的重要哲學，
是因爲它把社會說成制度的羣體。從制度的歷史和制度的角度探討經濟
學和政治學，相對說來是個新發現，黑格爾哲學則將其體化。早期自
由主義幾乎沒有這種洞察力，實際上，它假定社會根本就沒有結構或歷
史。因此，早期自由主義想像，在放任主義經濟中，毫無節制的個人利
益只要理智，就可以自動地爲一切公共利益服務。制度在某種意義上與
個人無關：議會可以持續若干個世紀，其成員服從固定的工作模式，雖
然除了成員的行爲之外，並不存在其他什麼工作模式。黑格爾的社會概
念則把社會視爲一個力量體系，只能通過自己內部的力量發生變化，這
和放任主義認爲市場概念沒有制度結構一樣失之偏頗，不過它的優點在
於強調了相反的一面。同樣，馬克思說，工業社會的特殊條件造就了雇
用勞動者階級，於是產生了工會這一新制度，但並不意味著它們可以像
經濟範疇人格化那樣行事。發生問題時，它們（指工會）可以像人一樣
行動起來，提出解決問題的辦法，它們也可以形成一種制度，因爲它們
能夠將自己的行爲具體化爲組織成員的作用，這正是人類行爲的特點。
這種傾向顯然將社會視作人格化抽象觀念的組合，從而造就了黑格爾和
馬克思的反自由主義理論。他們認爲一切對立都是「矛盾」，即「是」
與「非」的對立。按照黑格爾的看法，只有民族國家之間的戰爭才能解
決矛盾，馬克思則認爲社會階級之間的鬥爭才能解決矛盾。黑格爾主
張，市民社會乃機械調節體系，沒有理性或自我指導能力；同樣，在馬
克思眼裡，資本主義乃「生產的無政府狀態」。任何東西都不能使黑格
爾的市民社會成爲人道的社會，只有強加給它的國家才能做到；正如馬
克思認爲資本主義社會不能容忍的，必須徹底摧毀，用不同的社會和不
同的人取而代之。格林堅持，人的本質是社會性，唯意義卻截然不同。
他大致認爲，社會組織對人們來說，並不比他們自己的性格組成更具有
外在性；一般說來，人們履行自己的義務，發揮社會制度所需要的作
用，而且，他們所以能這樣做，僅僅因爲他們是人，具有人格。只有這
些事實才能證明社會的存在。

　　格林分析的弱點是過份抽象和籠統，似乎人的社會性不是日常生活的經驗，而是極為罕見的人類行為特徵，必須依附於人類的自我滿足。他使用「社會性」（social）一詞時通常用單數，有時第一個字母還大寫。當然，「社會」（society）實際上是一種抽象，是錯綜複雜的人類羣體和社團複合體的總稱，人類隸屬於它們，其中有些是暫時的且微不足道，有些則比任何政治組織的歷史更為悠久，對人類更加重要，諸如家庭。社會集團與個人機體的生物學機制相比，沒有什麼更奇特、更神祕的地方（雖然它們都很神祕）。因為每個正常人都是無數這類集團的成員，或者同其他人處於各種關係之中，與他們或多或少有一致之處，或者有共同的利益。他從一系列這樣的關係轉到另一套關係中，並未出現不和諧，通常不需要仔細或自覺的準備。他不會完全被消化，無疑，他具有成為其中一員的天賦能力，但事實上，卻從不是他們的一員。他對一個集團的忠誠，當然可能與他對另一個集團的忠誠相衝突，但這不是一般規律，只是例外，因為兩個集團通常可以和睦相處，沒有摩擦，也無須異乎尋常的努力。一個家庭當然可能與鄰居世代結怨，但是這種情形沒有代表性。生活在這種家庭的人若要嘗試同屬於雙方家庭，也許就會形成雙重人格，不過這也不是一般規律。一個人的個人利益或私人利益，或許常常與他作為團體成員的義務和利益相衝突，但是沒有本質的衝突；隸屬於一個家庭也許是件令人不快的難事，然而絕大多數人並不因此而感到蒙受了多大損失。總而言之，利己主義與利他主義，私人利益與公共利益之間的關係，乃邏輯問題，因為它們都是抽象的。同一個人如何擁有雙重利益，完全是另外一個問題，因為事實上他總是擁有雙重利益。關於人如何成為具有社會性這一綜合性問題，既是人為假造的又毫無道理；他們所以是社會的，僅僅因為他們是人。

　　對政治自由主義所作的分析，其內涵意味著社會或羣體是一回事，國家則是完全不同的另一回事。社會包羅萬象，也是多元的，不需要一個凌駕於它之上的總組織或總權威將它捏合在一起，國家則是一個組織，因而不是包羅萬象的。相反，它是人們所從屬的無數聯合形式之一，其職能和權力都是有限的。「社會職能」（function of society）是毫無意義的詞語組合，正像「人的職能」（function of a humam being）從整體上看毫無意義一樣，除非賦予它們某種神學的意義。「國

家職能」則是恰如其分的表達。即使將國家定義爲擁有法律權威的壟斷權，假定它是依據法律程序並在憲法保障的範圍內行使職權的團體，也沒有什麼不合邏輯的地方。國家在社會內部支持的合法權利和義務之結構，只是一個框框，不是緊身衣；個人有自己的天地，在其中可以自行其事，自負其責；還可給老百姓的其他團體組織某種職能和權利，即便國家要對它們行使特殊的管理權。自由政府的一個決定性特徵，或許也是最重要的特徵，在於否定極權主義。從歷史上看，自由主義的發展主要是在歐洲社會，文化相對統一，而且具有相對獨立的權力中心。不僅包括國家，也包括敎會或敎派。它總是包括大量的而且類型不一的社團和自願聯合體，它們擁有很大的行動自由，同時又有權力對其行使有效的紀律約束。自由結社的權利是個人自由的一個重要側面。將自由政治社會描述成一羣烏合之衆憑藉國家公民權聚合在一起，根本不符合事實，不過是少數哲學家在法國革命刺激下的一種虛構。顯然，除國家之外，社團可以像國家一樣具有强制性和反自由的性質，但是不能認爲，假如人們沒有組織便可自由的見解是正確的。人類社會，即便非常原始的社會，是否可能簡單到只有一個組織，也是一個問題。當然，現代社會甚至不可能近似於這種狀況，法西斯主義和國家民族社會主義證明，這方面的實驗旣是幻想也是災難。

如果社會必然包括大量的聯合體，它們至少是潛在的權力中心，那麼，透過什麼才能管理它呢？黑格爾在某種程度上假定，而列寧則明確假定，領導權必須集中在某個地方，或者國家或者政黨，管制和指導實際上是命令的同義語。相反，自由主義則認爲，使政府成爲不斷磋商、討論、協商之地更爲合理，他們坦率地承認，國家只能滿足有限的目的，運用有限的手段。它基於以下假：雖然人類社會依靠意見一致，但是，一種有益的一致形式恰恰是———一致同意可以持不同意見（agreement to differ）。它還基於另一假設設：具備智慧和善意，即可獲得一致意見（共識），足以保證集體行動的一致性，後者可以合理地發揮作用，無須施加壓力。它提出一般意義上的經驗論假設，認爲公開討論畢竟是對觀念的最佳檢驗，因此，必須公正地接受這個結論，即政治的本質就是爭論，其行爲具有黨派性。即使在最協調的社會裡，完全合法的利益實際上也經常衝突，而經驗主義又常常站在習慣法的立場，讓每

一方各抒己見，雖然免不了帶些偏見和一定程度的虛假，但畢竟是尋求眞理或達成公平決定的最好辦法。從自由主義的觀點出發，政府首先是一套制度，用來調節公衆的反映和討論，以形成切實可行的政策。政府無疑也是權力機構，邊沁正確地指出，法律的存在是爲了讓人們去做沒有法律便不做的事情。但是，經過理性的權衡對種種要求行使權力，在道德上與赤裸裸的暴力則大不相同，前者可能更明智。因爲我們人類的智慧的表現，在確定性方面畢竟較少，而在知錯能改的可矯正性（corrigibility）方面則更出色。

　　顯而易見，自由政府的種種假定在特定情況下並非正確。他們假設的條件，尤其是道德條件，通常並不存在。這些條件假設政府能夠充份認識到：它按照共同意見行事並不能代表全部，按大多數人的意願行事時，也要顧及它未能代表的少數人的要求。它們假設，政府將給少數人以組織宣傳的權利，而少數人將遵守反對與顚覆之間的界線，雙方在污染公衆訊息來源的問題上，都要自我克制。這種制度要求誠懇地接受一個事實，即任何政黨都不應永久地占有權力，有組織的反對派應是自由政府必要的組成部份，只能使用合法的方法使它不能掌握政權。它要求一套憲法制度來予以支持，並盡可能加强這種政治道德。最重要的是要求社會對自身的自主凝聚力量要有强烈意識，並且關心公衆利益，普及公民敎育，也許還要求對運作這些制度要具有一定程度的工作經驗。

註　解

❶戴雪（A. V. Dicey）：《十九世紀英國的法律和輿論》（ *Law and Public Opinion in England during the Nineteenth Century*, 1905），第 7 講。赫伯特・斯賓塞對自由黨通過的立法感到擔心，他認為有反對自由主義的趨勢，因而在〈人與國家的對立〉（ *The Man versus the State*, 1884）中，他列舉了干涉自由市場活動的一系列立法清單。不僅包括勞工法，也包括衛生條規和政府對教育的支持。

❷卡爾・波蘭尼（Karl Polanyi）：《偉大的轉變》（ *The Great Transformation*, 1944），第 145 頁以下。

❸《論自由》（ *On Liberty* ），第 3 章。

❹關於歷史法則概念在方法論上的困難，參見卡爾・波柏（Karl Popper）〈歷史決定論的貧困〉，載《經濟學》（ *Economica, N. S.* ），第 11 卷（1944 年），第 86 頁，第 119 頁；第 12 卷（1945 年），第 69 頁。也見托馬斯・蘭登・索爾森（Thomas Landon Thorson）：《生物政治學》（ *Biopolitics*, 1970 ）。

❺《自傳》（ *Autobiography*, 1873 ），第 162 頁。

❻自由主義和進化論有機結合的最佳例證，連同以徹底的歷史歸納法來認真檢驗其判斷的企圖，是霍布豪斯（L. Hobhouse）的社會學；特別是他的《演進中的思想》（ *Mind in Evolution*, 1901 ）和《演進中的道德》（ *Morals in Evolution*, 2 卷，1906 ）。兩本書都有新版。

❼泰勒（Tylor）的《原始文化》（ *Primitive Culture* ）於 1871 年出版；摩爾根（Morgan）的《古代社會》（ *Ancient Society* ）於 1877 年出版。

❽牛津唯心主義者在這方面的重要歷史著作，首推格林（Green）為編輯休謨《人性論》（ *Treatise* ）而寫的冗長的引言（1874 年），他的《倫理學導論》（ *Prolegomena to Ethics*, 1883 ），布拉德雷（F. H. Bradley）的《倫理學研究》（ *Ethical Studies*, 1876 ），和《邏輯原理》（ *Principles of Logic*, 1888 ）中的有關章節。布拉德雷的《表象與實在》（ *Appearance and Reality*, 1893 ）和伯納德・鮑桑魁的《個性原理和價值》（ *Principle of Individuality and Value*, 1912 ）更為人所熟知，更具有代表性，它們是以批判主義為基礎的形而上學體系。

❾《政治義務》（ *Political Obligation* ），第 155 節。

❿《著作集》，第 3 卷，第 365 頁。

⓫《國家的形而上學理論》（*The Metaphysical Theory of the State*, 1918），第133頁。

⓬《倫理學研究》（1876），第2版，第200頁。

⓭《自由主義》（*Liberalism*, 1911），第8章。

⓮這些表述為弗德里克·沃特金斯（Frederick M. Watkins）用於《西方政治傳統：對現代自由主義發展的研究》（*The Political Tradition of the West: A Study in the Development of Modern Liberalism*, 1948）。

參考書目

1. *Matthew Arnold and John Stuart Mill.* By Edward Alexander. New York, 1965.

2. *The Philosophy of J. S. Mill.* By R. P. Anschutz. Oxford, 1953.

3. *Political Thought in England,* 1848～1914. By Ernest Barker. 2d ed. London, 1950.

4. *Reflections on Government.* By Ernest Barker. London, 1942.

5. *Two Concepts of Liberty.* By Isaiah Berlin. Oxford, 1958.

6. *The Political Ideas of the English Romanticists.* By Crane Brinton. Oxford, 1926.

7. *English Political Thought in the Nineteenth Century.* By Crane Brinton. London, 1933.

8. *John Stuart Mill.* By Karl Britton. Baltimore, 1953.

9. "*Thomas Hill Green,* 1836～1882" In *Studies in Contemporary Biography.* By James Bryce. New York, 1903.

10. *Morals and Politics: Theories of Their Relation from Hobbes and Spinoza to Marx and Bosanquet.* By E. F. Carritt. Oxford, 1935.

11. *Fabian Socialism.* By G. D. H. Cole. London, 1943.

12. *The Story of Fabian Socialism.* By Margaret Cole. Stanford, 1961.

13. *Mill and Liberalism.* By Maurice Cowling. Cambridge, 1963.

14. *What is Liberty? A Study in Political Theory.* By Dorothy Fosdick. New York, 1939.

15. *Intellectuals in Politics: John Stuart Mill and the Philosophic Radicals.* By Joseph Hamburger. New Haven, 1965.

16. *The Neo-Idealist Political Theory: Its Continuity with the British Tradition.* By Frederick P. Harris. New York, 1944.

17. *The Social and Political Ideas of Some Representative Thinkers of the Age of Reaction and Reconstruction.* Ed. by F. J. C. Hearnshaw.

London, 1932. Chs. 6, 7.

18. *The Social and Political Ideas of Some Representative Thinkers of the Victorian Age.* Ed. by F. J. C. Hearhshaw. London, 1933. Ch. 7.

19. *The Metaphysical Theory of the State.* By Leonard T. Hobhouse. London, 1918.

20. *Social Evolution and Political Theory.* By Leonard T. Hobhouse. New York, 1911.

21. *The Victorian Critics of Democracy.* By Benjamin E. Lippincott. Minneapolis, 1938.

22. *England in the Eighteen-eighties: Toward a Social Basis for Freedom.* By Helen M. Lynd. New York, 1945.

23. *The Web of Government.* By R. M. Maclver. New York, 1947.

24. *John Stuart Mill and French Thought.* By Iris W. Mueller. Urbana, Ill., 1956.

25. *The Service of the State: Four Lectures on the Political Teaching of T. H. Green.* By J. H. Muirhead. London, 1908.

26. *Carlyle and Mill: An Introduction to Victorian Thought.* By Emery Neff. 2d ed. rev. New York, 1926.

27. *The Life of John Stuart Mill.* By Michael S. Packe. London, 1954.

28. *History of the Fabian Society.* By Edward R. Pease. 2d ed., London, 1925.

29. *The English Utilitarians.* By John P. Plamenatz. 2d ed., rev. Oxford, 1958.

30. *The Logic of Democracy.* By Thomas Landon Thorson. New York, 1962.

31. *The Political Tradition of the West: A Study in the Development of Modern Liberalism.* By Frederick M. Watkins. Cambridge, Mass., 1948.

32. *States and Morals: A Study in Political Conflicts.* By T. D. Weldon. London, 1946.

第三十四章
馬克思和辯證唯物論

　　自由主義的政治思想，主要透過兩個基本的社會或道德觀念發展起來，一是政治乃一門獨特的藝術，可以在對立利益之間求得非強制性調節，二是民主進程乃進行調節的唯一有效的方法。因此，雖然在後來的歷史中，自由主義注意到黑格爾對個人主義有理有力的批評，但是，拒不接受黑格爾社會哲學的兩個主要假設。第一個假設，社會乃一對立力量的動態平衡，對立力量的對峙和鬥爭促進了社會的變化。第二個假設，社會發展史乃是各種力量本身內在的、類似邏輯式的演進。然而，黑格爾思想中的這些要素，在十九世紀及其後來的政治思想中，發揮了巨大的作用。主要是因為卡爾・馬克思（Karl Marx）對黑格爾哲學進行了改造。馬克思拋棄了黑格爾有關民族文化乃社會歷史起作用的基本單位的設想——該設想與他的體系沒有密切的邏輯聯繫——並用社會的階級鬥爭取代了民族鬥爭。因此，馬克思抽掉了黑格爾政治理論的顯著特點，即民族主義、保守主義及其反革命的性質，轉而改變成新的、強有力的革命激進主義。馬克思主義是十九世紀各種重要的黨派社會主義的先驅，經過重大修正之後，又成為當代共產主義的先驅。

　　不過，在許多重要方面，馬克思哲學都是黑格爾的沿續。首先，馬克思依然認為，辯證法是強有力的邏輯方法，只有它能夠表明社會發展的規律，因此，他的哲學與黑格爾的一樣，也是歷史哲學。對他們兩人來說，任何社會變革的基礎都是必然的、「不可避免的」，然而，「不可避免」（inevitability）一詞，無論在馬克思處還是在黑格爾處，都是模棱兩可的，兼有因果解釋和道德上無懈可擊的意思。雖然馬克思建立的哲學是唯物論（materialism），但是，他依然用辯證法支持社會進步理論，在這個過程中，較高的道德價值必然實現。其次，對他們兩

人來說，社會變革的驅動力是鬥爭，最後決定因素是權力。鬥爭乃階級鬥爭，而非民族鬥爭，權力乃是經濟權力，而非政治權力，政治權力在馬克思的理論中乃是經濟地位的產物。但是，馬克思和黑格爾二人都不認為，權力鬥爭有可能考慮雙方的利益而採取和平調整的方式。馬克思和黑格爾一樣，對人類的洞察力或人們對改變社會力量的作用所懷抱的善意，以及極其懷疑的態度，而且，由於馬克思的性格和社會哲學，他幾乎不相信立法有革除經濟弊端的力量。馬克思確實希望並期待他的革命激進主義能造就社會主義、社會平等和真正的自由，它們都將使政治民主的平等自由完善化。但事實上，他沒有充份的理由讓人相信，激進主義的權力政治在實踐中遠不像保守的民族主義強權政治那麼獨裁。因此，馬克思社會哲學存在著民主渴望與體系的內在邏輯之間的矛盾。馬克思生前所設想的社會革命從未成為現實的政治問題，因而矛盾只是潛在的。等到革命的馬克思主義成為共產主義時，這種矛盾便暴露無疑了。

無產階級革命

十九世紀發生了極其重要的社會變化，它使馬克思的社會哲學有所依據並第一次使人們注意到這一變化：工人階級政治自覺的興起並最終獲取政治權力。正如前一章所說，這個變化改變了自由主義思想的進程，但是，馬克思比自由主義者更早認識到它的重要性。尤其是在他的哲學組成部份的歷史研究領域，馬克思第一次從人的角度把資本主義描述為一種制度，這種制度已經產生並且也在擴大雇傭勞動者階級，該階級與雇主只是現金交易關係。他們的勞動力是商品，是他們擁有的唯一具有經濟價值的商品，必須到競爭市場上售賣，買主只須按時價付酬。工業中雇主與雇工的關係，完全剝奪了人的價值和人的道德義務，人成為赤裸裸的勞動力。馬克思正確地看到了這種情況潛伏著當代歷史中最革命的事實，一方面是生產工具所有者階級，其主要動機是創造利潤，另一方面是毫無權力的工業無產階級，他們只有組織起來，竭力維護和提高他們的生活水準。馬克思根據這一歷史事實認識到，資本主義

作爲一種制度不是永恆的經濟規律的產物，而是當代社會進化的一個階段。古典經濟學家已經充份闡明了分歧的階級利益，馬克思由此出發，把政治上的自由主義解釋爲資產階級特有的意識形態，並建立了新興的無產階級的社會哲學，它適合於無產階級的奪權鬥爭。

這個體系和黑格爾的國家理論一樣，取決於對法國大革命的歷史意義所作的估計。馬克思像黑格爾一樣相信，法國大革命標誌著封建社會的解體，但是，黑格爾認爲，隨著民族國家的出現，這場革命便達到高潮，而馬克思却認爲它是更激烈、更徹底的革命的序幕。馬克思認爲，法國大革命在當時具有重大意義，但是在某種意義上又是膚淺的。其之所以重要，乃是因爲它完成了文明發展的必然階段，之所以膚淺，則是因爲它僅僅開闢了通往更高階段的道路。馬克思主張，封建制度的廢除意味著資產階級掌握政權並建立有效行使權力的政治制度。資產階級政治制度的最高形式是民主共和制，但迄今爲止却仍未達成。因此，法國大革命實質上是一場政治革命。它將貴族和僧侶統治轉變爲工商業資產階級的統治。它把國家變爲資產階級壓制和剝削的典型工具，它的哲學——政治和經濟方面的天賦權力體系——是資產階級剝削工人的理想辯護詞。政治革命的下一步顯然是深刻的社會革命。必須由新興的無產階級來完成。資產階級取代了舊的封建階級，而工人階級也必將取代資產階級。新興的階級必須有自己的哲學，資產階級哲學實質上要求對於財產的自然權利，無產階級哲學則必然是無產階級人權的社會主義主張。但是，正因爲無產者處於社會結構的最底層，在它之下再沒有什麼階級可以被剝削，所以，無產階級革命並不是移交剝削權，而是廢除剝削制度。無產階級革命是走向無階級社會的第一步，是全人類自我實現的歷史開端。這是馬克思哲學爲其自身所設立的宏偉使命。

因此，就其目的而言，馬克思哲學實際上像黑格爾哲學一樣，非常實際。他們都相信，有效的政治行動取決於對歷史發展總方向的把握（馬克思稱之爲「進化的自然階段」），也取決於接受人的地位所賦予的歷史使命。黑格爾却假定，歐洲歷史以日耳曼民族（包括德國人、瑞典人、挪威人、丹麥人、荷蘭人以及英國人）的興起爲頂峯。馬克思認爲，社會史以無產階級的出現達於巔峯，他期待著無產階級在當代社會中上升爲統治階級。在黑格爾的歷史哲學中，自我發展的精神原則是主

要的驅動力，它不斷體現在歷史文化中，而在馬克思的歷史哲學中，生產力的自我發展體系才是驅動力，它體現在經濟分配的基本模式以及由此而產生的社會階級中。對黑格爾來說，進步的機制是文化之間的競爭。而在馬克思看來，則是階級之間的對抗。他們都認為，歷史過程是合乎理性的必然，各階級的模式按照邏輯方案展開，並朝著預定的目標前進。人類文明的莊嚴進軍要求人們合作互助。他們的哲學對人們的行為具有強烈的煽動性，也是道德規勸的有效形式。黑格爾求助於民族愛國主義，馬克思則求助於工人對自己的同伴忠貞不渝。他們所求助的東西與自由主義政治哲學的個人主義迥然不同。它提倡忠誠而非個人利益，提倡職責而非倡權利，除了向人們指出個人生命只有通過為一個比其自身目標來効力，才能獲得更大意義的希望之外，它沒有提供任何報償。馬克思認為他的哲學為社會革命擬定了計畫，提供了動力，工人在革命中可以掙脫貧困和剝削。

要想理解馬克思的革命行動綱領與社會發展「必然」進程的哲學理論之間的結合，必須懂得辯證法賦予「必然」和「不可避免」等詞的含義。如果它們只意味著因果關係，人與歷史進程的合作便毫無意義。它的內涵將是政治上的清靜無為。然而，馬克思主義的共產主義和黑格爾的民族主義顯然都不是清靜無為。相反，他們是堅決而無情的行動者，常常犧牲個人的利益。評論家把作為社會哲學家的馬克思與作為黨派社會主義組織者的馬克思加以區分，但是，任何一個馬克思主義者，甚至任何一個黑格爾主義者，都不會作這種區分。他們兩人所說的歷史「必然性」要求參與和積極合作。激勵人們行動、獻身。與其說它同科學因果性有關，毋寧說與達爾文主義者（Calvinist）歸之於上帝意志的宿命論有關。像上帝一樣，歷史賦予馬克思主義革命者以自己的使命，或賦予他必勝的信念，也許還會赦免他在歷史名義下的罪過。因此，歷史必然性不僅意味著原因與結果，也不單單意味著合乎需要或道德義務，而意味著三者合一，是包羅萬象的必然規律，它引起並影響人們的利益和人們的考慮，將人變成它的僕人。但是，達爾文主義者把它稱之為神學，黑格爾主義者和馬克思主義者則把它稱之為科學。

馬克思的社會哲學大致可以分為兩個階段，以一八五〇年左右或稍後幾年為分界線。早期主要是體系的蘊釀階段，這是馬克思在柏林大學

研究黑格爾哲學的結果。當時（黑格爾逝世後五年），這個學派已經分裂爲二，一派是爲宗敎辯護的觀念論，另一派是由路德維希・費爾巴哈（Lucwig Feuerbach）領導的唯物論。後來，馬克思認爲費爾巴哈與黑格爾相比是個小人物，但仍是繼黑格爾之後的一個劃時代的人物，他把黑格爾從唯心主義的「神秘化」中解放出來，因此，馬克思認爲，費爾巴哈使黑格爾哲學擺脫了保守主義的內涵，而步入科學的行列。當馬克思離開德國前往巴黎時，已經深深捲入法國的社會主義，法國社會主義是一八四八年達到高潮的整個革命騷動的一部份。它使馬克思深信，社會主義理論是膚淺的，因爲它不理解社會進化的動向，他認爲黑格爾的辯證法指明了這種動向。辯證法或經濟唯物論——社會發展取決於經濟生產力的進化——便是這一思想路線的產物。馬克思在許多著作中概述過這種理論，但都是偶然的、附帶的，其中以《共產黨宣言》（Communist Manifesto, 1848）最爲著名，不過，無論是當時還是後來，馬克思都沒有系統地或明確地闡述過這個理論。

　　一八四八年以後，革命動亂停止了，馬克思作爲積極的革命活動家的生涯也結束了，爾後，他以流亡者的身分在英國度過餘生。在英國，他專心致志撰寫巨著《資本論》（Capital），第一卷於一八六七年出版，第二、三卷在他逝世後（1883），由他的朋友弗里德里希・恩格斯（Friedrich Engels）將遺稿整理出版。《資本論》認爲經濟唯物論乃天經地義，但同樣未加以詳盡闡述。馬克思試圖通過對古典經濟學的徹底批判來支持他的哲學觀點，他認爲古典經濟學是資本主義經濟學中具有說服力的理論。馬克思用自己的「剩餘價值」（surplus value）理論反對古典經濟學理論，他試圖辯證地表明，資本主義制度在本質上是自相矛盾的。因此，十九世紀後期，馬克思主義的討論幾乎全部轉向經濟學。他早期的革命小冊子，被人們遺漏了，直到馬克思逝世以後，才對經濟唯物論展開更多的討論。事實上，馬克思從未系統地闡述過他的社會哲學，只是在一些特定的著作中，簡略地談了一些設想，而《資本論》的系統論述（不是指有關歷史的章節），今天看來充其量不過是經濟學的成就而已。但是不能否認，列寧所說的經濟唯物論是「核心，發表和討論的一切觀點都以它爲轉移」，無疑是正確的。因此，剩餘價值理論依然屬於陳舊的經濟學說史。從社會哲學的角度考慮，馬克思主義依賴

於下述主要命題的意義和有效性：社會經濟生產的發展決定了制度和意識形態的上層建築。

　　研究經濟唯物論的資料有兩類：第一，馬克思於一八五二年以前撰寫的若干著作。這些著作都是論戰性的，系統闡述了他的社會革命理論，間或也有一些分析法國革命失敗的小冊子。第二，恩格斯的一些著作，包括他在馬克思逝世後寫的大量重要信件，內容主要是解釋馬克思的社會革命理論，批判十九世紀末德國年輕的社會主義作家對該理論的歪曲。這兩類著作相隔二十五年之久，最好分別加以討論。毫無疑問，恩格斯不會有意背離馬克思的原意，但是，他的解釋有時的確很不相同。

辯證唯物論

　　一八四四至一八四八年人間，在費爾巴哈對黑格爾進行唯物論解釋的激勵下，馬克思以革命社會主義者的身分活動時，撰寫了一系列著作，第一次闡述了辯證唯物論。❶應當指出的是，馬克思是在特定的意義上使用「唯物論」一詞，然而人們常常誤解，因為這個詞曾經具有完全不同於馬克思的涵義，馬克思之後依然如此。法國革命前的一些著作，諸如霍爾巴赫（Holbach）的《自然體系》，「唯物論」一詞主要指一種哲學，它試圖依靠物理學和化學，並主張對這些科學的機械解釋可以適用於包括生命、心理、以及社會在內的一切事物。馬克思根本沒有得出這個結論，他在《神聖家族》（ _Holy Family_ ）中嚴格區分了他的唯物論與十八世紀法國哲學。對馬克思來說，「辯證的」這個限制詞是問題的本質。馬克思像黑格爾一樣，認為機械的解釋只適用於物理學和化學，這些科學討論的問題並不包括歷史發展問題。馬克思根本就不相信社會研究能採用他們的方法。他認為，辯證法是唯一能解決連續發展問題或揭示發展之「必然性」問題的邏輯方法。馬克思也像黑格爾一樣，認為機械解釋是一種考察低級階段的現實的低層次的邏輯形式。後來，達爾文的《物種起源》（ _Origin of Species_ ）發表之後，馬克思常常聲稱自己的社會發展理論與有機體的進化十分相似，事實上，階級鬥爭與自

然競爭只是表面上相似。馬克思第一次閱讀達爾文著作所獲得的印象的是「關於發展的粗糙的英國方法」，這的確是獨特的黑格爾式的反響。❷因為達爾文的進化論是嚴格的經驗總結，僅僅表明變化原因，並無進步之含義，而馬克思和黑格爾的辯證法則是邏輯法則。辯證法提供了先驗的進步理論，旣是一種解釋原則，又是一種評價。馬克思的唯物論不能取代黑格爾提出的關於存在著一種潛在力量的假設，它是隱藏在大量短暫表現和現象背後的現實。適合它的形而上學模式不是機械主義，而是自然主義的生機論。

　　同時，「唯物論」在馬克思那兒有幾個重要的內涵。首先，「唯物論」等同於「科學」，雖然馬克思不相信社會研究可以模仿物理學，但是，他確實認為研究社會可以同樣準確可靠。因此，他完全相信費爾巴哈的說法，黑格爾的「絕對精神」或「時代精神」這一類的概念只是虛構，社會歷史的眞正動力是物質條件。馬克思不像黑格爾，他對科學沒有絲毫的輕蔑。的確，給人們的印象是，馬克思注重事實和經驗。很少有政治家像馬克思那樣，用歷史和經濟關係支持其政策。或許正是這一特點，使馬克思無所不包的哲學概括模糊不淸。有時，像「以鐵一般的必然性達於不可避免的結局」之類的話（《資本論》序言），常常被當作教條，但是，有時似乎又被作為富有啓發性的工作前提加以運用。有時他好像說，辯證唯物論是一個公式，可以機械地用於任何歷史階段，但是，在其他地方，他又激烈地反對這樣運用。他非常任意地作出預言，也可以隨意宣布它們為例外。他可以說，革命不可避免，但又可以說在英國或美國不會發生革命。他可以斷言，資本主義是社會發展的必然階段，卻又認為，俄國的社會主義也許可以直接從村社產生。總之，辯證法使馬克思的邏輯缺乏嚴密性，使他無法區分或然性與嚴格的內涵，也無法認識到必然陳述是有特定條件的。

　　其次，馬克思的唯物論具有強烈的反宗教性質，實際上是戰鬥的無神論。因為宗教無疑是社會最大的保守力量之一，所以對馬克思和其他許多人來說，唯物論具有激進主義的內涵。馬克思與之結盟的異議黑格爾主義，早在一八三五年就出版了大衛・弗里德里希・史特勞斯（David Friedrich Strauss）的《耶穌傳》（*Life of Jesus*），這本書在當時被認為是惡意中傷，因為它說聖經故事不過是虛構的神話。雖然黑格爾哲

學的內涵一般說來是保守的，但是馬克思認爲，它的眞正內涵是革命
的。因爲辯證法是一種溶劑，可以溶解人們假定的每一個絕對眞理和超
然價值，認爲它們是相對的、世俗的，是歷史進化過程中人類生活的社
會產物。馬克思斷言，這些所謂眞理都是爲了支持某個階級統治社會，
剝削被統治階級而憑空杜撰的。宗敎是想像或幻想的滿足，它使人們尋
求眞正滿足的努力誤入歧途。基督敎將靈魂與肉體分開，說人有雙重生
命，用臆想的天堂歡樂慰藉現實的苦痛。宗敎是「人民的鴉片」，是阻
止被壓迫階級爲改變命運起而反抗壓迫者的麻醉劑。馬克思以及馬克思
主義者的唯物論，是反宗敎的現世主義，是進行徹底社會變革的前提條
件。

　　第三個涵義是，馬克思的唯物論和辯證法意味著一場新的、更深刻
的革命。正如黑格爾所說，法國大革命確實廢除了封建制度，但是革命
者所要求的天賦人權，卻並不比宗敎敎義更完美。黑格爾的精神化的國
家，也不是辯證法所要求的完美的綜合。它超過民主共和國的自由——
的確是資產階級社會的最高形式——也遠遠超過迄今爲止所形成的國
家，它是一種更高級的社會形式，它將取代現有的國家。要達到這種高
級階級，需要進行一場新的革命，它與已經發生過的政治革命截然不
同，它是一場社會革命。過去，革命把權力從一個階級手裡轉移到另一
個階級手裡，但是，卻留下根本的弊病，亦即統治與剝削的權力。政治
革命像基督敎一樣給人們留下雙重生活：想像中的自由和現實中的奴
役。奴役的根源並不是政治的，而在於生產制度允許一個階級壟斷生產
手段，以及私有制所包含的勞動分工。因此，除了政治革命以外，還有
社會革命，它通過生產的社會化把人與公民融爲一體，並且徹底根除了
剝削和社會不平等。資產階級曾經是政治革命的積極力量，而作爲資產
階級統治的產物以及處於最底層的被剝削階級，無產階級則要通過解放
自身來解放整個社會，並通過廢除社會不平等以建立無階級社會——

　　　　隨著分工的發展也產生了個人利益或個別家庭的利益與所有互相
　　交往的人們的共同利益之間的矛盾——原來，當分工一出現，每個人
　　就有了特定而單一的活動範圍，這個範圍是強加於他的，他不能超出
　　這個範圍——而在共產主義社會，任何人都沒有特定的活動範圍，每
　　個人都可以在任何部門內發展，社會調節著整個生產，因而使我有可

能隨自己的心願今天幹這個明天幹那個。❸

因此，對馬克思來說，唯物論最終具有倫理的意義：亦即，社會不平等的根源在經濟。相形之下，政治改革是膚淺的，未觸及不平等的根源，只有廢除私有制，才能發生實質性改變，社會的不平等結構將隨著這種變化而變化。無階級社會是社會發展的終極目標，也是超越資產階級革命業已贏得自由之後所採取的合乎邏輯的下一個步驟。馬克思像黑格爾一樣認為，辯證法似乎強加給歷史的無限相對主義，最終必然抵達絕對終點，而他的哲學已為此指明了道路。

經濟決定論

費爾巴哈主張，社會歷史的動力是物質的，在馬克思看來，費爾巴哈的說法實際上意味著，社會歷史的動力是經濟的。馬克思所說的經濟，是指經濟的生產方式，因為他深信，任何生產體系都擁有相應的社會產品分配方式，亦即使這一制度延續下去的唯一方式，而分配方式又產生出社會的階級結構，各階級都在該制度中處於應有的地位。因此，馬克思認為，社會利用自然資源生產它賴以生存的產品的方式，乃是它存在的主要動力。任何時代的生產方式，都可以解釋那個時代的政治及其整個文化狀況，生產制度的變化也可以解釋政治和文化的相應變化。這就是馬克思經濟決定論的要點，經濟決定論是他賦予辯證唯物論的具體的社會政治意義。

展望未來，這個理論為馬克思嶄新的工人階級革命提供了綱領，即廢除社會不平等，最終建立社會主義和無階級社會。回顧過去，馬克思憑藉這個理論解釋法國大革命。工業社會新興的資產階級，正是憑藉資產階級革命摧毀了貴族和僧侶的政治特權，滌蕩了阻礙新興資本主義生產制度的封建法律和政府。它以人權的名義將它的目的理想化、神聖化，人權則被描述為永恆而自明的天賦真理。然而，在工人階級看來，民主政治的公民自由和政治自由不是什麼人權，只是資產階級的權利。這並非說它毫無價值，因為民主共和制與它所取代的封建社會相比，乃是社會進化的更高階段。它確實是資產階級社會的典型階段，也是它所

能達到的最高階段，不過，它離可能實現的最高階級相去甚遠。馬克思
對政治自由和公民自由的態度始終自相矛盾，與他賦予社會主義的不明
確的自由權利相比，他認爲選舉權、代議制之類的政治方法，只是形式
上的權利，或者只是階級專政的遮羞布。總之，他認爲社會主義將保持
並擴大政治自由。但是，這不取決於對社會主義的分析，而取決於先驗
的信念，即在一個發展中的社會裡，任何有價值的東西都不會失去。

馬克思建立了社會進化論，自然法體系像其他特定發展階段的意識
形態一樣，也隸屬於這個理論。社會發展的正常進程是封建主義、資本
主義、社會主義，每個社會都有相應的政治組織形式。此外，馬克思的
革命理論明確闡述了政治變革發生的機制：社會各階級之間的利益不可
調和，以及各階級爲了自己的利益爭奪統治權的鬥爭。法國大革命將資
產階級從舊的階級剝削中解放出來，但又使它成爲剝削階級。靠工資爲
生的無產階級是資本主義的必然產物，是資產階級的孿生兄弟。資產階
級革命的成功，爲無產階級的徹底革命開闢了道路，無產階級革命最終
將消滅新的剝削階級。但是，最後的一步將是把階級和剝削統統滅除。

馬克思明確指出，他自己並不是階級對抗理論的創始人，他吸收並
發展了法國歷史學家創造的理論，並用它解釋法國大革命。他在給恩格
斯的一封信中提到奧古斯丁・梯葉里（Augustin Thierry），稱他是
「法國歷史著作裡的階級鬥爭之父」。❹馬克思反對資產階級歷史學家
的設想，即階級鬥爭以資產階級掌握政權而宣告結束，他也反對經濟學
家的觀點，即資本主義經濟規律永恆不變。馬克思認爲，在他那個時代
所爆發的革命，可以看到一種新型的革命暴動，它所針對的不是資產階
級意欲取得政權，而是工人階級意識到自身的卑微處境，困惑地決定去
改變社會不平等的經濟基礎，而非政治上層建築——

> 我的新貢獻就是證明了下列幾點：⑴階級的存在僅僅同生產發展
> 的一定歷史階段相聯繫；⑵階級鬥爭必然導致無產階級專政；⑶這個
> 專政不過是達到消滅一切階級和進入無階級社會的過渡。❺

因此，馬克思論述的最後一點是，任何一個社會在特定時期存在的
階級結構都是歷史的產物，它隨著該社會能夠利用的經濟生產力的變化
而變化。他認爲，這就是產生整個社會、立法的及政治體制的終極原

因，這種體制的變化與經濟生產方式的變化相聯繫。一八五九年，馬克思在其著作中為數不多的自傳性段落裡解釋道，由於未能自如地應付經濟問題的編輯工作，他不得不重新考慮黑格爾哲學和法哲學的研究——

> 我的研究得出這樣一個結果：法的關係已像國家形式一樣，既不能從它們本身來理解，也不能從所謂人類精神的一般發展來理解，相反，它們根源於物質的生活關係，這種物質的生活關係的總和，黑格爾——稱之為「市民社會」，而對市民社會的解剖應該從政治經濟學中去尋求。❻

這是馬克思賦予唯物論的與黑格爾的觀念論截然相反的最後一個涵義。黑格爾的市民社會乃是社會進化的首要因素，而不是國家。國家的法律關係和制度關係，以及與這些關係相應的道德觀念和宗教觀念，只不過是建立在市民社會經濟基礎之上的上層建築——

> 甚至人們頭腦中模糊的東西，也是他們可以通過經驗來確定的，與物質前提相聯繫的物質生活過程的必然昇華物。因此，道德、宗教，形而上學和其他意識形態，以及與它們相適應的意識形態形式，便失去獨立性的外觀。它們沒有歷史，沒有發展，那些發展著自己的物質生產和物質交往的人們，在改變自己的這個現實的同時，也改變著自己的思維及其產物。不是意識決定生活，而是生活決定意識。❼

重要性與因果效應的順序被顛倒了：經濟規則是「產生」事物的，思想只是「反映」。正像馬克思後來所說，黑格爾的「辯證法是倒立著的」，辯證唯物論消除了觀念論的神秘色彩，用工業體系有形的物質現實取而代之。因此，辯證法不再在邏輯抽象領域起中掀起作用，而是在現實範圍裡引起作用。

不過，重要的是要說明，馬克思並沒有改變辯證法，只是改變了對辯證法的形而上學解釋。辯證法是一種方法，很清楚，馬克思試圖保留黑格爾方法論的主要輪廓。黑格爾方法的目的，本質上是一個確立先後順序或現實等級順序的形而上學目的，使思想能夠據此從表象上升到絕對觀念。馬克思所要「顛倒過來」的是先後順序，而他的生產力與黑格爾的絕對精神十分相似。因此，社會、法律，以及政治歷史的真實事實

和事件，在馬克思眼裡，只不過是一些「現象的形式」，是基本現實的表象或表現，是轉瞬即逝或偶然事件的表面文章，因爲它的必然性來自它賴以產生的背後力量。在純粹經驗的基礎上，政治制度和道德觀念乃經濟狀況的「產物」這一事實，不一定必然得出如下結論：它們不可能反過來影響這些條件。總之，在辯證唯物論中，經濟因素不僅是產生經濟結果的科學原因，它更像一種創造力，其作用好似半人格化的動因。雖然公正地說，馬克思討論歷史分析的實際問題，總是比其他的方法更出色。但是，辯證法究竟是不是一種僞方法，仍是至今依然沒有解決的重要問題。事實上，馬克思唯物論社會學的重要性，無論從什麼確定的意義上講，都不是辯證的，只是經驗主義的，因果分析的。

在《哲學的貧困》（*The Poverty of Philosophy*）一書裡，馬克思將他的新觀點用於經濟科學的批判，包括對古典經濟學和當時社會主義經濟學。他對前者評價較高，深信它對資本主義的說明在本質上是正確的。他的批判主要在於經濟學家對經濟問題的歷史研究過於天眞，正像恩格斯後來所說，他們的論點等於主張，如果獅心理查（Richard）懂得一點經濟學知識，也會推行自由貿易，而不會把時間白白浪費在十字軍東征上，以致貽誤了六百年。神學家把自己和別人的宗教分爲眞假兩類，同樣，經濟學家一方面把資本主義的關係和範疇視爲自然的、永恆的，一方面又把所有的經濟制度都當作錯誤地不斷逼近資本主義。馬克思針對這種觀點指出，經濟學乃一門歷史科學。它的規律只適用於它所隸屬的經濟生產的階段。它的範疇，諸如利潤、工資、地租等，「都是社會生產關係的理論表達和抽繹」──

　　這些觀念、範疇也和它們所表現的關係一樣，不是永恆的，它們是歷史的和暫時的產物。❽

因此，經濟學對馬克思來說，成了歷史和分析的結合：分析任何一種生產制度的主要關係，以及這個制度的產生和發展的歷史。

對古典經濟學進行人道主義、空想主義和改良主義批判的做法，是馬克思所不能夠接受的。他認爲，這些批判既不涉及歷史，又缺乏分析，只能提出辯解、感傷，陷入觀念論的夢幻。實質上，他們的一切方案都是爲了區分資本主義的優劣，因而常常提出一些把資本主義生產和

社會主義分配相結合的方法，但卻是根本不可能實現的。馬克思認爲，空想社會主義拒不承認這一嚴峻的事實，即社會產品的分配方式是繼某種旣定的生產體系之後而產生的，整個階級結構和社會政治制度亦復如此。馬克思這樣對待空想社會主義實際上很不公平，因爲，他自己的無階級社會的理論，其空想程度絲毫不比蒲魯東（P. J. Proudhon）遜色，不同的只是他把空想（utopia, 烏托邦）推到了未來世界。馬克思與黑格爾一樣，蔑視個人的理想或願望，認爲這不過是一種荒誕不經的念頭，理想係由制度本身的內在動力所驅使，它之所以美好，只因爲它是「不可避免的」，也就是說，它是制度進化的最終目的。這種偏見造成的實際後果是，馬克思不歡迎任何改良的辦法。他認爲，立法在任何重要方面都無法改變工業制度，因此，他只把社會主義立法當作邁向革命的一個步驟。資本主義制度最終必然「瓦解」，而馬克思基本上也沒有拋棄烏托邦的觀點：一個制度的瓦解乃是建立另一個更佳制度的必經之路。

意識形態和階級鬥爭

馬克思的興趣不在於將辯證唯物論當作歷史哲學而使之日臻完善，而在於將之運用在具體情境，尤其是用它來爲自覺的革命無產階級制訂行動綱領。因此，一八四八年，他和恩格斯在《共產黨宣言》中把階級鬥爭視爲「迄今爲止的一切社會」的關鍵點，直到現在，《共產黨宣言》始終是最偉大的革命小册子之一。不久之後，他又寫了兩本小册子，解釋法國巴黎公社失敗的原因。這兩部書用經濟觀點解釋當代歷史問題。❾它們表明，馬克思特別善於運用敏銳的觀察，將具體材料與教條結合起來。它們精闢地分析了參加革命的各黨派的經濟來源，清楚地揭示了無產階級政黨的不成熟狀態，的確是當今任何第一流記者都想做法的對革命形勢的分析，它清楚地表明，馬克思的解釋在多大程度上能爲人們普遍接受。同時，馬克思的描述主要以先驗的社會階級理論爲基礎，馬克思主義者常常把辯證法說成是一種預測手段，這兩本小册子當然不能證明這種言過其實的主張是正確的。馬克思曾經預言，如果再出現一八四

七年那樣的商業蕭條，將會爆發新的革命，但結果證明這個預言是錯誤的。恩格斯後來坦率地承認，馬克思根本沒有認識到，資本主義制度尚有發展的可能性。

　　這兩本小冊子還澄清了馬克思關於社會階級與歷史進程，以及與各階級思維心態的關係概念。在馬克思看來，階級是一個集合體，正如民族對黑格爾來說是一個集合體一樣。在歷史上，它作為一個單位起作用，並作為一個單位形成自己獨特的觀念和信仰，按它在經濟和社會制度中所處的地位行事。個人的行動主要取決於他所從屬的階級，因為他的觀念，包括道德觀念、審美觀念，甚至他認為可信的推理，都主要是階級觀念的反映──

　　　　在不同的所有制形式上，在生存的社會條件上，聳立著由各種不同的情感、幻想、思想方式和世界觀構成的整個上層建築。整個階級在他的物質條件和相應的社會關係的基礎上創造和構成這一切。透過傳統和教育承受了這些情感和觀點的個人，會以為這些情感和觀點就是他的行為的真實動機和出發點。❿

　　這一段話表明了馬克思所說的意識形態（ideology）一詞的特殊涵義。思想觀念反映著並或多或少歪曲了作為基礎的經濟現實。它們是經濟現實的「神秘物」（mystification），至少在未揭示出其根源的情況下是如此。這些思想觀念，作為行動的思想動機或原因，只不過是一些表面現象，與真正的本質截然不同。儘管對不諳世事並持有這些觀念的人來說，它們似乎是正確的，但是，它們的強制力根本不在他的意識中，而暗藏在他所屬階級的社會地位及其與經濟生產的關係之中。這個理論顯然以表象與現實（appearance and reality）的對比為依據。馬克思的生產力像黑格爾的世界精神一樣，狡獪地創造出各種各樣的幻想和神話，以實現其內在的目的。馬克思的階級產生了相應的意識形態，就像黑格爾想像的民族精神產生出民族文化一樣。但是，「思維模式和生活觀念」之類的詞句很容易引起誤解。它包括了從迷信到科學等一系列的信仰和實踐問題，而一種信念究竟是來源於社會階級抑或就是階級的特徵，並不意味著該信念是否正確。馬克思和其他人一樣，也假定一切信念都同樣是真理，一切實踐都同樣是道德的。「意識形態」一詞乃

馬克思意義最為深遠的觀念之一，也是最模糊、最容易濫用的觀念之一。顯而易見，社會地位造成人們的偏見，偏見甚至可以幫助他們看到其他階級忽視的跡象，但是，如果認為偏見加偏見等於事實，那不過是神話罷了。馬克思所說的意識形態是一個強有力的論戰武器，但是，所有的論戰者都可以同等地使用它。包括馬克思主義在內的一切理論，都只把意識形態作為特殊的申辯方式加以「揭露」。於是，所有這類爭論的仲裁人就是權力。

關於法國大革命的兩本小冊子還概述了馬克思的現代工業社會階級結構的理論。這個理論，顯然是在觀察法國社會和體驗法國社會主義的基礎上提出來的，雖然馬克思工業資本主義和工業無產者的概念主要取自英國工業史。但他並沒有提出十分充足的理由，便假定將這兩個國家的情況結合起來可以為所有的工業社會提供一個普遍近似的模式。這個理論設想了一個資產階級和一個工業無產階級。資產階級主要關心城市和商業，政治上崇尚法國大革命的公民自由和政治自由，工業無產階級也在城市，但是關心經濟保障甚於政治自由。馬克思認為，這兩個階級是現代社會中積極的政治力量，階級鬥爭主要發生在這兩個力量之間。因此，根本的問題在於某一方的支配另一方。該理論所承認的其他階級，諸如農民階級和小資產階級，雖然在特定的情境下會對上述兩個積極階級的行為產生一定的影響，但是馬克思認為，它們在政治上是比較遲鈍的。馬克思還認為，農民階級和農場主的意識形態，就性質而言屬於小資產階級。

這個理論顯然是依照辯證法制訂的，辯證法迫使馬克思提出兩個主要的對立面，它們之間相互的緊張（tension）導致變革。因此，該理論即使含有馬克思對工業革命的革命性後果的深刻洞察，但大部份是先驗的。辯證法只能根據兩者之間的邏輯對立發揮作用，具體細節不過是某個主題的變異，至於細微的差別，則可以不計。因此，這個理論只是記載了對整個社會大體觀察的結果，而不是對個別社會的細節觀察。除了這兩個階級之外，其餘的階級只是一羣烏合之衆，結果，馬克思所謂的小資產階級成了各類不同成份的拼盤，它們除了不能列入資本家和工人一類而外，很少有什麼共同之處。因此，該理論把農場主和農民與個體手工業者和小商販歸為一類。專業人員和人數與日俱增的白領工人也

榜上無名，而這類人員的工作乃是工業所造就的。結果，馬克思主義者
雖然始終相信，階級鬥爭是制訂政策唯一可靠的指針，但是，馬克思社
會階級概念的模糊性，卻是某些錯誤預測的禍根。在整個十九世紀，農
場主使馬克思主義理論家和組織者感到絕望，而農民也只是在迫不得已
的情況下才變成工業勞動者。任何從經驗出發的社會學家都不會認為，
個體手工業者和職員具有同樣的工作經驗。將所有以薪資為生的雇員納
入雇傭工人的行列，似乎也過於寬泛。但是，人們必須相信，馬克思對
資本主義某些發展趨勢所作的富有遠見的預測，與其說是辯證的，倒不
如說是置辯證法於不顧。

馬克思的總結

　　馬克思制訂的辯證唯物論理論使用了片面的方法。下述引文，乃馬
克思對辯證唯物論理論所作的唯一總結，可以證實我們的結論。不過，
這段話是在他的理論成型之後過了若干年才寫的——

　　　　人們在自己生活的社會生產中參與一定的、必然的，不以他們的
　　意志為轉移的關係，即與他們的物質生產力的一定發展階段相適應的
　　生產關係。這些生產關係的總和構成社會的經濟結構，即有法律的和
　　政治的上層建築豎立其上，並有一定的社會意識與之相適應的現實基
　　礎。物質生活的生產方式制約著整個社會生活、政治生活和精神生活
　　的過程。不是人們的意識決定人們和存在，恰恰相反，是人們的社會
　　存在決定人們的意識。社會的物質生產力發展到一定階段，便與它們
　　一直在其中活動的現存生產關係或財產關係（這只是生產關係的法律
　　用語）發生矛盾，於是這些關係便由生產力的發展形式變成了束縛生
　　產力的桎梏，那時社會革命的時代就到來了。隨著經濟基礎的變更，
　　全部龐大的上層建築也或慢或快地發生變革。在考察這些變革時，必
　　須時刻把下面兩者區別開來：一種是生產的經濟條件方面所發生的物
　　質的，可以用自然科學的精確性指明的變革；一種是人們藉以意識到
　　這個衝突並力求把它克服的那些法律的、政治的、宗教的、藝術的或
　　哲學的，簡言之，意識形態的形式。……無論哪一種社會形態，在它

所能容納的全部生產力發揮出來以前，是絕不會滅亡的。而新的、更
高的生產關係，在它存在的物質條件在舊社會的胎胞裡成熟以前，是
絕不會出現的。所以，人類始終只提出自己能夠解決的問題，因為只
要仔細考察就可以發現，問題本身只有在解決它的物質條件已經存在
或至少是在形成過程中的時候，才會產生。❶

　　正如這一段話所表明的，馬克思的文化發展理論包括四個基本命
題：第一，文化發展有一系列階段，每個階段都有居統治地位的典型的
生產和交換體系。這一生產體系形成自己獨有的、適宜的意識形態，包
括法律、政治，以及與文明相應的理想或精神產品，如道德、宗敎、藝
術和哲學。每個階段的理想模式都是完備我、系統的、協調的整體，其
中理想的因素與作為基礎的生產力相適應，它們之間也彼此相互適應。
在實際運用中，譬如《資本論》的描述性和歷史性章節，馬克思理論的邏
輯並非那麼死板。在某個具體時期，生產力的發展在不同國家和同一國
家不同工業部門是不平衡的。旣有舊經濟的殘餘，又有新經濟的萌芽。
因此，不同的階層也有與之相應的，不同的意識形態；第二，整個過程
都是「辯證的」（dialectical）。動力來自新生的生產制度與適應舊制
度的固執意識形態之間的內部緊張（internal tension）。一種新的生產
方式發現自己處於一種敵對的意識形態環境時，必然要消除這一環境，
否則便不可能發展。與舊制度相應的意識形態，日益成為新制度的桎
梏，內在的壓力和矛盾加劇，直至破裂。新的社會階級擁有與之在新的
生產體系中的地位相應的意識形態，與舊制度培育的舊階級的意識形態
發生劇烈的衝突。因此，發展的一般模式是週期性的，是新制度逐步形
成，新意識形態逐步產生的交替演化過程，也是各種力量一齊崩潰，並
以另一種模式重新組合的革命階段；第三，生產力——商品生產和工業
產品分配方式——與處於次要地位的意識形態產物相比，永遠是第一位
的。物質力量或經濟力量是「現實的」（real）或實質性的，而意識形
態關係只不過是表面現象；第四，辯證的發展是揭示現實或賦予現實生
命的內在過程。社會內部的生產力，在辯證轉化或重新組合發生之前，
就得到了充份發展。由於屬於意識形態的上層建築，只反映了作為基礎
的形而上學實體的內在發展，所以，在意識層次出現的問題，經過進一
步揭示並逐步認識其背後的基礎之後，才能得到解決。

在馬克思這個既有啓發性，又使人迷茫的思辯結構中，第三條，即「生產力」居首要地位，反映了馬克思最重要的特徵，也是實際運用這個理論的關鍵。因爲這個命題表明，馬克思按照自己的理解給這個體系貼上「唯物論」（materialism）的標籤，並宣稱這個理論爲解決社會問題提供了特別「科學的」方法。若用這個理論解釋歷史事件，顯然必須把「生產力」與「生產關係」區分開來，或把上層建築與經濟基礎區分開來。但是，馬克思並沒有作出明顯的區分，原則上，似乎也不可能區分得很清楚。一個社會的生產力至少必須包括可得到的原料和貿易途徑，但是也不能排除技術，因爲技術決定原料是否能夠眞正「得到」。如果沒有冶煉技術，光靠鐵和煤並不能創造出文化。技術至少在某種程度上依賴技巧和知識，或依賴科學，而科學卻隸屬於意識形態或上層建築。也可以從另一個角度提出這個困難問題。上層建築顯然包括法律制度，它們控制著工具的所有權和資本的積累，並決定如何使用原料，或是否使用原料。因此，當馬克思用他的理論解釋資本主義在英國的發展時，把沒收寺院作爲資本的一種來源，把解放農奴作爲形成自由勞動者階級的一個因素。但是，這一切顯然都是政治或法律的變化，就寺院而言，這種變化依賴於宗教信仰的變化。在社會制度的紛爭中，堅持某種變化永遠是其他一切變化的「原因」，似乎毫無意義。實際上，馬克思關於上層建築和經濟基礎的區分不是經驗主義的；他的模型是黑格爾對表象和實在進行的形而上學的區分，從馬克思作出「所有社會問題都必定可以解決」這個絕無僅有的結論中，人們完全可以看出這一點。馬克思理論的含混之處，經由他的合作者弗里德里希·恩格斯加以闡述，才變得更清晰。

恩格斯論辯證法

大約在一八五〇年，馬克思完成了辯證唯物論理論。從那時起，人們認爲他所撰寫的一切著作，甚至在《資本論》中，再也沒有提起過這個理論。《資本論》對社會主義的論述實質上轉向經濟理論的討論，諸如剩餘價值問題。一直到十九世紀以後，從經濟角度解釋歷史才引起應有的

重視，並使影響擴大到公開宣稱是馬克思主義者的圈子之外。與此同時，生物進化論的傳播引起人們對辯證唯物論的興趣，儘管它們之間並沒有什麼邏輯聯繫。人類學家路易斯・摩爾根（Lewis Morgan）顯然沒有借助馬克思的理論，也發現技術在原始文化中有著重要作用。在社會主義者之間，特別是德國社會主義者中，歷史學派的發展促使從經濟角度解釋歷史的觀點得以應用，並重新受到檢驗。當時，馬克思的健康每下愈況（於 1883 年逝世），對其理論的進一步說明，歷史地落在他的朋友弗里德里希・恩格斯（Friedrich Engels）身上。❶不幸的是，恩格斯儘管見多識廣，光明磊落，但哲學上缺乏敏感，毫無創見。他詳細闡發了馬克思支離破碎的文章，卻絲毫未能彌補其中的含混之處。

在對辯證法一般性質的理解以及它所揭示的歷史必然性方面，馬克思和恩格斯顯然以黑格爾為依據。他們反對黑格爾對辯證法的應用方式，恩格斯往往稱之為武斷的，他們也反對把辯證法當作思想本身發展的唯心論（觀念論）解釋。相反地，他們認為辯證法是自然發展在思想中的反映。但是，這並不意味著他們對黑格爾作出重大的改變，因為黑格爾也相信，辯證法揭示了現實固有的發展。因此，黑格爾形而上學的邏輯，在馬克思的全部論點中是一個假定的主要前提，唯一的差異僅僅在於馬克思和恩格斯用唯物論的形而上學取代了唯心論的形而上學。恩格斯像黑格爾一樣，認為辯證法的價值在於它使人們發現了歷史的必然發展過程——

> 從這個觀點看（指黑格爾的哲學），人類歷史已經不再是亂七八糟一堆統統應當被這時已經成熟了的哲學理性的法庭所唾棄的毫無意義的暴力行為，……而是人類本身的發展過程。❸

在《費爾巴哈》（Feuerbach）中，恩格斯和黑格爾一樣，把理性（rationality）歸諸於自然（nature）。不能把現實或理性等同於存在，因為許多存在著的事物都是不合理的，因此也是不現實的。例如，在一七八九年，法國的君主專制儘管存在，但並不現實。換句話說，對恩格斯和黑格爾來說，「現實」不意味著存在，而是意義和價值。歷史過程本來就有選擇和自我實現，而不只是因果關係，實際上，凡認為重要的事物，只是因為它重要，才使自身存在，亞里斯多德的生命原理就

是如此。恩格斯整個概念構思本質上像黑格爾哲學一樣，基本上是活力論（vitalistic）或目的論（teleologic）。儘管馬克思和恩格斯稱之為唯物論，實際上，對他們來說也跟黑格爾一樣，歷史的必然性是一種道德的必然性，恩格斯稱之為由內部力量的擴展而引起的文明的「進步發展」。所謂必然性反映了無產階級革命必然要成功的信念，至於黑格爾，這種必然性則反映了他對德意志使命所抱持的信念。

按照恩格斯《費爾巴哈》對辯證法的說明，馬克思與黑格爾的重要差別在於馬克思選擇了辯證唯物論的說法：觀念不像黑格爾所說的那樣「是什麼力量」，而是「現實事物的映象」，「是現實世界辯證發展的意識反映」。恩格斯把觀念說成「映象」（picture），只是在他死後才具有重要性，因為列寧在《唯物論和經驗批判論》（*Materialism and Empirio-Criticism*）中重新提出這個觀點。顯然，「映象」一詞若作為集合名詞，以適用於從科學理論到幻象的一切觀念，純屬無稽之談。它顯然有雙重涵義。首先，它表明，意識形態與經濟力量相比，是非本質的，任何形式的哲學唯心論都是「故弄玄虛」，它的真實目的是支持反動派。第二，它表明，觀念在世界上有真正的對應物；在這個意義上，它是否定主觀主義的一種象徵性手法。由於主觀主義缺乏嚴肅的哲學立場，因此，恩格斯便輕易據此看待康德和休謨。他對當代哲學的論述採取了一種極端簡單化的形式。他貿然假定，凡哲學不是唯心論便是唯物論，他僅用這一句話，就把從休謨到康德的反形而上學傳統一筆勾銷了。顯然，恩格斯真的相信，只要指出一種由經驗確認的活動，就足以把他們的論證駁倒！而實際情況是，辯證法的批判問題根本就不是形而上學問題。問題在於休謨和康德在因果關係的論述與評價之間所作的方法論上的區分是否正確。

恩格斯在《費爾巴哈》中明確指出，他和馬克思之所以讚賞辯證法，乃因為它是削弱教條主義的力量。他說，就是因為這一點才使黑格爾主義成為革命的哲學——

　　哲學所應認識的真理，在黑格爾看來，不再是一堆現成的、一經發現就只要熟讀死記的教條了。現在，真理包含在認識過程本身中，包含在科學的長期歷史發展中，而科學從認識的較低階段上升到較高階段，愈升愈高，但是永遠不能透過所謂絕對真理的發現而達到這樣

一點，在這一點上它再也不能前進一步，除了袖手一旁驚愕地望著這個已獲得的絕對真理出神，就再也無事可做了。❿

科學沒有自明真理，社會沒有不可剝奪的天賦權利，任何東西都不是絕對的、終極的、或神聖的。充其量只能說，某一科學理論或某一社會實踐「適合於」當時的條件，當時流行的一切理論和實踐都是適合的，因為它們的確很流行。但是毫無疑問，隨著時間條件的變遷，它們肯定會過時，被「更高級的」東西所取代。恩格斯未經批判地貿然假定，文明作為一個整體總是進步的，或者具體來說，社會主義比資本主義進步。

馬克思和恩格斯偶爾也提出這樣的觀點，即認為辯證法只是一個工作假設（working hypothesis），不包含任何實質性的結論。這也許是為了對康德表示尊重，在十九世紀五○年代以後的德國，這種情況是不可避免的。這也是馬克思主義的修正者經常出現的「傾向」，一九○九年俄國的馬克思主義出現了這種傾向，列寧感到，必要予以駁斥。辯證法如果只是一個工作假設，便喪失道德上的吸引力。因此，恩格斯在《反杜林論》（Anti-Dühring）中說，辯證法只是為新的研究領域提供的一種方法，摒棄了形而上學或歷史哲學。馬克思說的更明確，一八七七年在他寫給俄國記者的一封信中說，《資本論》對原始累積的說明只不過描述了西歐資本主義從封建經濟中形成所走的道路，他反對某位批評家將他的說明用於俄國，將歷史歪曲成「關於命運強加給每個人身上的一段歷史—哲學理論」——

　　透過分別對每一種發展形式進行研究，然後將它們加以比較，人們可以很容易地找到（從顯然相同的條件下產生不同的歷史結局）這種現象的線索，但絕不可能借助於一般性的歷史—哲學理論其普遍通行證而達到這一點，因為這種理論的最高效用在於它是超歷史的。❺

若從字面上理解這段話，辯證法與十九世紀後二十五年在人類學中流行的「比較方法」差不多。恩格斯在他的信裡以同樣的口吻批評了德國青年社會主義者，他說，他們利用歷史唯物論做為不研究歷史的藉口。然而，馬克思確實並不認為資本主義的歷史僅僅是經驗史，否則他就不會在《資本論》的序言中說唯物論「以鐵的必然性發生作用並且正在

實現的趨勢」或「自然的進化階段」，或者說一個工業較發達的國家
「向其他不發達的國家展示它們的未來」。辯證法或者是一種預見歷史
的方法，或者馬克思派的歷史學家所用的方法與其他歷史學家的方法完
全一樣。如果辯證法只是一個工作假設，夠就沒有什麼理由斷言，無產
階級革命是「不可避免的」。

恩格斯論經濟決定論

除了辯證法包含的哲學原則之外，恩格斯對辯證唯物論的詳盡發
揮，主要涉及從經濟角度用於歷史。他在一八九〇年至一八九四年所寫
的一些信中，討論了這種解釋的可能性或適用範圍，主要目的是爲了糾
正當時黨內年輕成員的過份誇大。他承認，他和馬克思提出新思想時，
過份誇大了政治和法律制度賴以建立的經濟原因。他斷言，對全部歷史
都要找出經濟原因，未免太書呆子氣，例如，高地德語的音變，也許找
不出什麼經濟原因。這個例子有點兒奇怪，人們疑惑不解，不知他是否
意識到，他把語言史以及一切民族文化因語言而造成差異的內涵，都排
除在經濟解釋的範圍之外。他指出，在宗教和神話中，經濟力量是消極
的，不是積極的。他承認，在一般經濟力量的框架內，政治甚至王朝之
間的關係，也可以產生巨大的歷史影響，例如普魯士的興起出自勃蘭登
堡，而不是其他德意志小邦。他還承認，法律雖然不能改變經濟發展的
道路，但是「能夠阻塞某些經濟發展的渠道，開闢其他的渠道。」他
說，馬克思從不認爲經濟力量是歷史變化的唯一原因，只承認它們是
「最終的」或「基本的」原因。經濟因素是「最強大、最基本、也是最
具有決定性的因素。」最後，恩格斯指出，辯證法的特殊優點在於它考
慮到在同一歷史條件下存在的一切不同因素的相互作用——

> 根據歷史的物質觀，歷史過程中的決定性因素歸根究柢是現實生
> 活的生產和再生產。無論馬克思或我從來都沒有肯定過比這更多的東
> 西。如果有人在這裡加以歪曲，堅持經濟因素是唯一的決定性因素，
> 那麼他就是把這個命題變爲毫無內容的、抽象的、荒誕無稽的空話。
> 經濟條件是基礎，但是上層建築的各種元素——階級競爭的政治形式

及其結果、憲法——各種法律形式以及所有這些實際鬥爭在參加者頭腦中的反映，政治的、法律的和哲學的理論，宗教的觀點。……所有這些都對歷史上鬥爭的發展產生影響，並在許多情況下決定了鬥爭形式。⓰

由於作出這些讓步，所以幾乎看不出大多數資產階級歷史學家還有什麼必要否定對歷史作經濟的解釋，或求助於辯證法解釋歷史。實際上，恩格斯所說的與馬克思所強調的沒有多大差別，在社會研究中有一個因素常常被人們忽略或低估，那就是任何一個社會流行的生產和交換方式，本質上都與經濟、政治、道德的體制和實踐相關。現在的歷史學家，恐怕很少有人對此提出疑問或否認它的重要性，也很少有人拒不承認馬克思的創見。馬克思一向被人稱作「眞正的經濟史之父」⓱，這種說法未免有點兒誇張，但無疑有一定的合理性。

與此同時，恩格斯顯然想給予馬克思及其經濟決定論以很高的評價。他堅持認爲，經濟因素乃「最基本的」因素，儘管他也承認法律有時能夠控制它。他也堅持經濟基礎和上層建築之間的區別，儘管他曾表明，從因果關係來看，上層建築有時也影響經濟基礎。但是，馬克思哲學却依賴於下述設想，即認爲兩者可以明確地加以區分，經濟基礎決定上層建築而不是相反。離開這些設想，馬克思哲學就不稱其爲唯物論，也不可能斷言只有通過革命才能改變資本主義。按照恩格斯的見解，沒有任何理由表明一種道德觀念——例如良心上反對婦女和兒童一天工作十四個小時——不應導致從法律上限制勞動時間，或使這類法律生效。事實上，恩格斯已經削弱了馬克思賦予歷史「必然性」（inevitability）的意義。

恩格斯的信還發揮了馬克思關於意識形態及其依附於經濟制度的簡短說明。他比馬克思更明確地闡述了科學在總體上與法律、道德、哲學、宗教和藝術的差別，雖然從邏輯上看，它們都屬於上層建築。其實，他們二人都把科學當作眞理，而且正因爲科學是眞理，所以才爲技術提供了堅實的基礎。恩格斯認爲，科學受經濟影響的涵義僅僅在於：首先，科學家研究的問題是由工業提出的。其次，科學發現之所以對社會具有重要意義，乃因爲它們反作用於技術。顯然，馬克思和恩格斯都不像馬克思派的相對主義者那樣，試圖爲科學眞理尋找經濟起因，把科

學與道德、藝術、宗教同等對待。倘若眞是這樣，社會承認的眞理標準就應取決於階級結構，無產階級科學應當與資產階科學有所區別。某些馬克思主義者爲了論戰，間或得出這樣的結論，但是，也不過是竭力遵循經濟基礎與上層建築這個不切實際的劃分而已。意識形態在某種情況下也影響作爲社會標誌的眞理標準，這個概念導致了當今稱之爲知識社會學的龐大理論體系的問世。⑱

　　恩格斯對意識形態上層建築的其他部份的見解則迥然不同。人們對法律、道德、政治、藝術、宗教和哲學所要求的有效性，被看作「虛假的意識」（false consciousness），或者是生產體系中各階級利益的虛假反映。這位思想家在這裡並不清楚他作這種設想的動機何在，只是想像他的觀念是正確的。恩格斯特別把一些抽象概念，像公道、自由，以及所謂美學的、道德的、宗教的眞實性，統統納入這類範疇，當時，還沒有人把這些概念劃入某種特定的社會範疇。近來，有人稱這些概念爲「合理化」（rationalization）——對某種願望進行似是而非的辯護，或暗中對階級利益理想化。與此同時，恩格斯當然並不認爲一切意識形態都是虛假的。大概有兩點理由可以表明無產階級的思想意識形態優於資產階級思想意識形態。第一，馬克思的哲學明確地告誡無產者，他的道德、藝術和哲學觀念，都取決於他的階級及其階級鬥爭中的地位。因此，他的道德適應於革命事業。第二，無產階級是一個「上升的」階級，當前的歷史正把它推上支配的地位。因此，無產階級的意識形態是「未來的浪潮」。在上述兩種情況下，恩格斯論點的力量取決於他的信念，即堅信人類的進步，並且堅信進步方向正朝著無產階級革命和嶄新的無產階級社會發展這一預言完全正確。

辯證唯物論和政治

　　意識形態、經濟決定論、階級鬥爭等概念，都是馬克思社會哲學理論的組成部份。它們激勵工人階級起來革命，並成爲革命政黨制訂策略的指南。正如馬克思所說，哲學的目的不在於解釋世界，而是要改造（或改善）世界。這些理論給人的印象是具有高度的創見和洞察力，卻

又令人不快地含糊其詞。之所以含糊其詞，往往是因爲馬克思的體系本身含混不清（前面已經談過），即不能分清經濟基礎與上層建築之間的區別。由於理論上不明確，要說馬克思的社會主義在特定意義上是「科學的」，以及馬克思的理論具有獨特的預見性等等，未免言過其實。他對資本主義的未來作過一些富有遠見的預測，但是也常常出錯。當然，任何一個學識淵博、思想敏捷的人都難免出錯。但是，這畢竟不同於科學。我們有必要就這一點對上述概念的重要性作出評價。

　　在馬克思龐大的體系中，「意識形態」一詞是唯一的通用詞。雖然這個詞不是馬克思的發明，但是，他在不同的程度上賦予它目前慣用的意義。這個詞早就失去馬克思主義的內涵。雖然它涉及目前公認的一個事實，但是很難給它下什麼定義。所謂事實是指，作爲一個單位去行動的任何社會團體，都必須有共同的信仰、價值和信念，這一切都「反映」了它對自身、對環境、對其他相互往來的社會集團的理解。這些信念的確是一個團體存在的條件。它們包括從知識到信仰的一切領域，其間沒有十分明顯的界線，因爲在提出疑問之前，對那些持有這些信念的人來說，它們只是人類思想或信仰的「正常」途徑。每個社會都有而且必然有共同的理念，這在目前已是文化人類學的常識。在馬克思的用法以及在某種程度的一般用法中，「意識形態」一詞略有一點兒屈尊的味道，有時還比較明顯。它含有這樣一層意思，即與盲從的人相比，運用它的人要高明而有學問得多。有時，這個詞有「理性化」（rationalization）「一廂情願的想法」、「偏見」之類的涵義。馬克思理論的特點在於認爲，意識形態的信仰代表了社會階級的特點，反映了一個階級在整個社會階級結構中的地位，而社會階級結構只有靠經濟生產體系來解釋。當然，這種說法侷限性很大，因爲任何一個團體都有其典型的信仰和態度。如果該詞具有通常的理性化之涵義，那麼，弗洛依德心理學提供的例子，要比經濟學多得多。馬克思特別用這個詞描述自由主義政治學說或古典經濟學的自然法理論，認爲這是典型的資產階級理論。

　　在政治學裡，「意識形態」一詞幾乎始終是有爭議的。「揭露」對手乃馬克思的慣常用法：它試圖表明，對手的論點表面上合理，實際上卻很婉轉地爲階級特權辯護，只是由於階級偏見才似乎是正確的。爲了

論戰，揭露往往十分奏效，但手法卻是消極的，而且也可以造成自我拆臺的局面，因爲既然每人都有某種意識形態，「揭露」就成爲一種遊戲，你可以用來對付別人，別人也可以用來對付你。一旦所有的一切，包括馬克思主義本身在內，都被「揭露」無遺，那必然得出正面的結論，並加以維護。對政治或其他問題進行嚴肅的論證，必須以能分清是非爲前提。這種能力並不是那個階級特有的。

　　馬克思的經濟決定論也是一個偉大創舉，很有啓發性，但也可能將事情誇大到荒謬的程度，恩格斯本人也覺得應該拋棄，因爲有些作法常常弄到敗壞理論聲譽的地步。科爾（G. D. H. Cole）不是一個令人反感的批評馬克思主義的人，他曾經說過：「有些馬克思主義者看到一位抹口紅的少女，也會情不自禁地根據生產和階級鬥爭解釋她的品行。」要理解這個重要觀念相當困難，很大程度上是馬克思本人造成的，因爲他堅持認爲，經濟解釋優先於其他解釋，他把經濟因素描述爲物質因素，因此比其他因素更科學，更便於觀察問題。這實質上是馬克思的形而上學的一部份，也是他對唯物論的偏愛。但是，社會科學家談論人類行爲時（人在經濟關係中的所作所爲也是行爲），要區分精神和物質是不可能的，也沒有什麼用處。馬克思還造成另一個障礙，他要把經濟決定論變成歷史哲學，人們因此也無法接受這個理論。十九世紀常常出現一些推測，以爲每個社會都經歷一些標準的、連續發展的階段，這種推測一般毫無根據，通常只是對有機體進化的誤解。不過，儘管從經濟角度對政治和社會歷史加以解釋屢遭反對，但是它很有用處，目前沒有那一位歷史學家能夠漠然視之。技術、運輸、貿易途徑、可利用的原料、社會財富的分配等等，在歷史和政治方面一向是並且目前依然是重要的。它們與社會的政治制度、法律、社會階級、道德、藝術等有關。所有這一切構成一個錯綜複雜的相關整體，任何單一因素都不能完全「解釋」它們，可是那個因素也不能把經濟置之度外。功利主義把經濟與政治截然分開，有的則幾乎用法學家的態度對待這個問題，與之相比，經濟決定論可能會使政治研究變得更加現實，儘管它不是唯一的因素。這就使這個理論與社會史、文化史或人類學和社會心理學的關係向前邁進一步，這是後來出現的一種趨勢。正如恩格斯所說的，馬克思逝世之後，一些社會主義者濫用經濟解釋歷史，這種現象是由那些以此爲藉口

而不去研究歷史的人所造成的。

　　意識形態概念和經濟決定論加強了階級鬥爭概念，因此，馬克思認爲它們都是無產階級完成社會革命（social revolution）的戰略指南。馬克思的社會階級理論，實際上主要是爲了適應社會革命而先驗地擬定的。當然，他從未對任何社會的階級結構親自做過調查研究。的確，他的理論主要總結了法國革命的經驗，輔之以工業革命的正確認識，在馬克思從事寫作時，工業革命主要發生在英國。因此，他設想了一個占統治地位的資產階級，這個階級主要是與封建貴族殘餘和農場主有顯著差別的城市富豪。這種看法根本不適應於英國，因爲當時的英國，資本主義農業已取代了自耕農。在英國，富有的資產階級還和貴族廣泛聯姻。因此，馬克思的理論在許多方面根本不是制訂政治策略的可靠指南。它並未給英國工人階級留下任何深刻的印象，而按照馬克思的理論，工人階級應當最樂於接受這個理論。馬克思主義政黨的社會主義在德國比在法國更富有成效，因此，馬克思總把德國作爲背景與英法進行對比。

　　馬克思對社會階級行爲的說明，具有某些理論上的特點。一個社會階級在他看來是一個集合體，黑格爾就是這樣看待國家的。在《資本論》的序言中，馬克思指出，一個階級的成員乃「經濟範疇的人格化，是特定階級關係和階級利益的代表」。因此，社會階級總要爲自己的利益抗爭，這與古典經濟學描述的「經濟人」（economic man）極爲相似。但是，辯證法要求，一個階級的意識形態在某一點上也是自相矛盾的，它的行爲也必然滅亡。雖然可以假定個人的信念和行爲主要是他所處的階級地位決定的，但偶爾也會出現一些不尋常的人，他們掙脫本階級的束縛，爲上升的階級取代舊的統治階級提供新的意識形態。正如馬克思在《共產黨宣言》中所說，存在著「已經提高到理論上認識整個歷史運動這一水平的一部分資產階級思想家」。馬克思寫這段話時認爲，共產主義者不是一個政黨，而是一批知識份子革命家（iutellectualist revolutionist），能從外部激發和引導不滿情緒。列寧後來就是根據馬克思的這段話，爲馬克思主義知識份子規定任務，因而，它也間接爲列寧關於共產黨乃無產階級先鋒隊的理論提供了根據。馬克思預計在社會主義的最後階段，社會階級最終會消亡，這似乎是浪漫的個人主義留下的合乎邏輯的殘餘，馬克思並未擺脫它。這與他的社會哲學偏向集體主

義以及他通常的現實主義作風很不一致。他和恩格斯都把階級的產生歸之於社會勞動分工，而一個不斷提高工業化的社會，如何將分工簡化，則是無法解釋的。

社會各階級之間的權力鬥爭是政治的動力，因為按照馬克思對政治組織的理解，某個階級在一定時期必然占統治地位。它將利用最高權力去剝削權力小的階級，而國家只是權力機器（apparatus of power），利用它可以進行剝削，它是統治階級「管理共同事物的委員會」（committee for managing the common affair）。法律是一套規則，以維護剝削階級的「權利」（rigbt）。成功的政治統治關鍵在於懂得政治乃日常化的戰爭，政黨是一般的參謀機構，它制訂並指導所代表階級的戰略。這一類的政治概念顯然代表了一個革命者的觀點，認為現存的政治制度不公正，只能予以「粉碎」。這一類的政治概念也代表了無權者的觀點，這種人即使在想像中也未考慮過承擔管理責任是怎麼一回事。然而，粉粹了舊制度之後，成功的革命者要建立一個新制度只能依靠法律和政策，當然，他自己在思想上絕不會把新制度描述為剝削工具。像史達林那樣，他會把俄國農民和產業工人之間的關係描述為「友好的」，然而，這同把任何社會階級之間的關係說成「友好的」一樣虛偽或真實。因為，倘若階級取決於勞動分工，那麼，既可以按照柏拉圖的觀點，把他們的關係描述為合作關係，也可以像馬克思那樣，把他們的關係描述為敵對關係。實際上，他們在某些方面是合作關係，某些方面是敵對關係。革命之前，一個認為社會各階級正處於不斷鬥爭狀態的黨，會把注意力放在策劃革命上，至於革命之後做什麼事，只有一些朦朧的想法。從總體上看，馬克思就是如此。

資本主義作為一種制度

馬克思的早期著作受到早先所受的黑格爾學派訓練的嚴重影響。他構造體系的推理方法，主要是演繹法，但是，他像黑格爾一樣，企圖把歷史研究積累的大量資料嵌入他的體系之中。其目的是建立歷史哲學，馬克思沿襲了黑格爾的模式，認為一切重要資料實際上都可以納入一個

龐大的體系之中。正如黑格爾所說，「凡現實的都是合理的」，馬克思亦認為辯證唯物論是可以產生文明進化的萬能理論，而且從未放棄這個觀點。但自一八五〇年以後，他專心從事學術研究，努力運用自己的觀點對西歐的現實社會作歷史的解釋。與此同時，馬克思將黑格爾哲學一個最富有成效的思想萌芽發揚光大，這就是社會制度的歷史觀點。實質上，馬克思的企圖，就是把資本主義作為一種社會制度。當然，他不想放棄最初的實際目的：促進社會革命或為革命提供理論依據。因此，他同時不斷地制訂組織社會主義政黨的計畫，而不感到精力分散。他的雙重計畫包括對現存社會階級的經濟來源作深入研究，並對階級之間的對立性質作徹底的經濟分析。這兩個研究領域正是《資本論》的基本主題：第一個領域促使他對資本主義工業組織的起源、資產階級的產生及與其對立的雇傭勞動者階級等等，進行了廣泛的歷史研究，馬克思正確地認為，這是當代歐洲社會的主要發展；第二個領域是遵循古典經濟學家的路線，對資本主義進行精確的經濟分析，以此說明歷史，並表明資本主義產生的兩個主要階級以及它們必然日趨對立的機制。馬克思著作的這一部份就是剩餘價值論，馬克思主義早期社會主義的討論幾乎完全為這個理論所壟斷。

《資本論》的歷史章節，尤其是涉及十八世紀以前資本主義工業組織的歷史以及單靠工資維生的階級的形成等章節，乃是馬克思作品中最傑出的部份。雖然後來的作者受其影響，對經濟史抱以極大的關注，但沒有任何人的作品能與之相媲美。特別在研究新的工業制度對社會歷史的影響方面，馬克思開闢了一條對資本主義的歷史研究的道路：由於農民與土地的使用權分離，形成了無產階級，資本主義的發展不斷破壞家庭手工業，資本主義的組織規模和權力不斷擴大，徵用教會財產以及對美洲和東印度羣島的殖民剝削又加速了這一過程。馬克思論述的顯著特點，是他強調工業和金融的轉變導致人和社會關係的轉變，尤其是強調勞動分工的持續發展，束縛並扭曲了工人的生活。馬克思的一般命題是，工人階級受到工業組織的嚴格管制，並不像資產階級民主哲學所宣揚的那樣享有自由和平等權利——

　　在工廠手工業中，集體工人和資本在社會生產力上的愈形豐裕，是以工人在個人生產力上貧乏為條件的。❶

　　馬克思錯誤地認為，資本主義是靠降低工人的生活標準而生存的。
他撰寫《資本論》時，礦山和工廠的工作條件確實非常惡劣，當時不僅男
子，就連婦女和兒童的勞動時間都特別長，使用機器所受的挫折和危
險，是原始的生產制度中未曾有過的，馬克思正確地看到了這一點。
《資本論》描述性的章節對資本主義工業的批判，至今依然適用，馬克思
還引用了公開報告中列舉的統計材料和其他事實，以證實他的批判。恩
格斯於一八四四年發表了《英國工人階級狀況》（ *The Condition of the
Working-Class in England* ）一書，也許對馬克思後來的寫作有一定幫
助。馬克思寫實地論述了許多主題，諸如週期性經濟危機、繁榮時期也
經常出現的失業、新機器對手工業的破壞、熟練工取代非熟練工、非工
業化行業的困境、無產階級隊伍日益擴大等問題。至於歷史研究，馬克
思的新穎而富於啓發的論述在於強調工業化的社會反應，它的趨勢是削
弱像家庭之類的社會基本單位及其給人類帶來的種種問題。資本主義的
矛盾性質，對馬克思以及黑格爾來說，是組織狀態和無政府狀態弔詭的
結合：生產的技術組織與交換的無政府狀態相結合，各生產單位的複雜
社會協作與幾乎完全不考慮使工業手段適應人類目的的狀況相結合。馬
克思經常考慮到資本主義與有計畫的社會化經濟之間的對立，後者是根
據當時當地的合理需要而計畫進行產品的生產和分配的，盡管他只是偶
爾地順便提及這一看法。

　　馬克思《資本論》的實際力量不在於他所闡述的理論觀點，而在於它
以徹底的現實主義描述了眞實的勞動條件，生動地說明了失控的資本主
義是寄生蟲，吞噬人類的社會財富。事實上，《資本論》是對攫取財富
的、充滿道德鄙陋的社會從倫理上進行猛烈抨擊的第一部著作，這個社
會從來不考慮如何適當地保護工業勞動力。然而，具有特殊意味的是，
馬克思從未把他對資本主義的批判變為一種道德批判，他的資本剝削勞
動的論點並不意味著工人在先前的制度下處境會更好一些。在他看來，
辯證法是護身符，他常說，資本主義比以前的封建主義要先進。資本主
義的殘忍並不意味著資本家個人是殘忍的。資本家和工人同樣受資本主
義支配，他們在總體上都必須按照體制的要求行事。按照馬克思的觀
點，資本主義體制有內在的矛盾，因此最終必將自行滅亡。但是，它之
所以會自行滅亡，乃是因為它孕育著一個在奮力掙扎中即將誕生的更高

級更完善的制度。不言而喻，馬克思的批判永遠是向前看，而不是向後看，他相信未來社會裡工人的狀況會得到合理安排，經濟社會化。他相信，消除了資本主義的矛盾的經濟必然會產生這樣的邏輯結果。他既不打算描述這種未來經濟，也不打算把它作爲努力追求的理想。他像黑格爾一樣認爲，歷史是必然的、合理的，人類必然奮鬥，奮鬥目標是獲得他們渴望得到的和必須創造的東西。因此，馬克思從表面上乏味的經濟因果的分析中，以半宗教式的信念提出一種異乎尋常的道德召喚。他呼籲人們投入向文明和權利的進軍，正是這種呼籲把工人大軍聚集在馬克思的社會主義旗幟下。

資本主義的崩潰

　　因此，《資本論》的主要目的是要表明，自行毀滅的資本主義必然導致它的對立面：社會主義。馬克思的論證，旨在承認李嘉圖（Ricardo）古典經濟學的核心原則：勞動價值論（labor theory of value）。馬克思認爲勞動價值論是關係資本主義的眞正科學的理論，然而又辯證地表明它在邏輯上缺乏條理。馬克思分析的基本概念是「剩餘價值」（surplus value）。爲資本主義辯護的正統觀點認爲，從長遠看，在一個自由交換的制度中，每個人得到的價值與他向市場提供的價值相等，從而可以得到一份與之相應的社會產品。馬克思反對上述論點，他試圖表明，在資本家擁有生產手段的工業體制中，勞動被迫生產的價值比它獲得的要多，也比維繫這個制度所需的要多。平均工資僅接近於養家糊口的最低水平，這種狀況並不是馬爾薩斯所說的人口壓力所造成，而是私有制造成的。資本家在資本主義制度中的壟斷地位，使他能以利潤和租金的形式獲取剩餘價值。這個論證以及由此派生的大量論點和專門用語，導致了一場長時間的著名論戰，但是，論戰結束之前便過時了。因爲李嘉圖的價值論乃上述論證的出發點，而在論戰過程中，非馬克思主義的經濟學家就認爲它已經陳舊不堪了。馬克思一般的經濟學和特殊的剩餘價值論，完全應當歸屬於經濟理論史。當今的馬克思主義者依然把它奉若神明，而像列寧那樣熱忱的馬克思主義者卻已很

少提及它。但是，對馬克思來說，剩餘價值是立論的基石，在剩餘價值的基礎上，馬克思斷言，資本主義制度必將自行滅亡。這個理論又引出兩個命題，後來的馬克思主義者將其奉爲信條：第一，資本主義必然崩潰；第二，資本主義的崩潰必然導致社會主義。

因此，馬克思的經濟分析作出一系列的預言，預示資本主義怎樣以自己的方式走向最後的滅亡。由於資本家內部的競爭，工業將集中成爲越來越大的生產單位，並形成壟斷，財富愈益集中在幾個大財閥手裡，爭奪利潤的競爭使剝削更加殘酷，工人階級日益貧困。由於勞動長期不能消耗它所生產的產品，資本主義經濟出現生產過剩、經濟蕭條和失業。小商、農民、個體手工業者——手工業經濟的小資產階級殘餘——逐步淪爲靠工資維生的無產者，資本主義社會將出現兩極分化：一方是資本家及其附庸；另一方是無產階級。馬克思最後指出，這種狀況必然導致革命，剝削者將被剝奪，生產手段將社會化。

這些預言是長期爭論不休的題目，根據馬克思寫完著作之後發生的事態，這些預言具有截然不同的價值，這表明它們不是從正確的理論推斷出來，即使有正確的部份，也只是對資本主義工業運行方式的敏銳猜測。工商業機構合併，規模擴大，以及週期性繁榮和蕭條的趨勢，目前已得到證實，儘管各法人組織傾向於分散所有權，放棄馬克思暗示的控制財產的想法。至於工人階級日益貧困的預言，則不攻自破，工業社會無疑已經提高了他們的生活水平。資產階級下層將淪爲無產者的預言也證明是錯誤的，因爲工業化大大擴充了所謂白領階級的隊伍，按照馬克思的分類法，他們應該稱爲小資產階級。正如馬克思所預料的，資本主義呈現出國際性的趨勢，但是，在高度發達的工業化國家，沒有跡象表明工人階級要聯合起來進行國際間的階級鬥爭，並不像列寧於一九一四年預計的那樣。資本主義工業似乎並未使階級對抗尖銳化。若進行這種廣義的比較，較爲公正的說法似乎是工業社會比手工業社會的等級少，階級界限更容易跨越，社會異常穩定。社會革命出現在俄國和中國，並未出現在英國或德國。馬克思相信自己的方法是正確的，預言革命的發生和資本主義的解體迫在眉睫，然而，這些預言却往往是錯誤的，因爲革命並未出現，或者出現在不該出現的地方。

馬克思預言的另一半，是伴隨資本主義崩潰而產生的社會化或集體

化經濟。這完全是依據辯證法作出的猜測。可以肯定，這反映了馬克思對早期資本主義的野蠻行徑抱有完全合乎情理的厭惡。但是，辯證法不可能使他想到批判而只能使他作出預言，並認為預言必然實現。發展必然走向起點的對立面，資本主義的對立面是共產主義。馬克思沒有任何可靠的根據便相信，廢除私有制將剷除資本主義的一切弊端。私人占有和競爭生產的「無政府狀態」（anarcby），將為和諧的計劃經濟所取代，為「自由個體所取代」，「他們具有共同的生產手段，而且作為組合的社會勞動力，可以有意識地使用各自的勞動力」。達此目的的第一步，是將生產「置於社會有意識的、預定的控制之下」，或簡言之，實現公有制。由於這個變化，私人所有制工業支撐的階級結構將被破壞，最終被摧毀，一個無階級的社會將出現。套用恩格斯的名言說，國家將「萎滅」（wither away），因為國家是以剝削為基礎的社會壓迫機構，勞動專業化和勞動分工也將透過某種令人費解的方式失去必然性。恩格斯還借用聖西門（St. Simon）的名句，「對人的政治統治應該變成對物的管理和對生產過程的指導」。[20]

　　這是對馬克思嘲弄空想社會主義的報復，或者是一幅啟示性幻想，任何一種社會革命理論要想具有說服力，就必須作些幻想：在全部歷史過程中，過去一向為暴力和剝削所支配的人際關係，在某個時刻將為完全理想化的和合作的關係所代替。無階級社會是未來世界的神話，可以彌補現在的幻滅和革命挫折所造成的沮喪。然而，未來世界的神話一旦與歷史具有必然終點的觀念相結合，將產生一種十分危險的道德哲學。因為未來是不可及的，如果現實完全由暴力支配，只要暴力能引向歷史預定的目標，並且能夠取勝，使用暴力就是正當的。事實上，馬克思像黑格爾一樣，輕視道德禁忌、信念和理想。由於氣質和信念所致，馬克思認為改良不可能成功，必須「砸碎」現存的社會，確立新的起點。雖然革命必須事先擬定計畫，但革命成功後的事情，只能由新秩序去安排。在這個幻想中，社會道德就是狂熱，至於現實中是否可能爆發革命，馬克思因受自己經歷的限制，從未考慮過。落實的烏托邦的社會的道德，很容易成為一種犬儒主義。

社會革命的策略

馬克思始終認為自己的哲學是引導無產階級取得革命成功的指南，他的生涯可分為兩部份：學者和社會主義領導人。馬克思之後，很難說西歐有那種政治激進主義在某些方面不受馬克思的影響。不過，有兩大政治運動自稱是眞正的馬克思主義，它們極其相似，卻又有微妙的差異，因此，它們與馬克思的關係是理解馬克思哲學的重要組成部份。首先是第一次世界大戰之前出現的西歐大陸黨派社會主義（party socialism），其次是俄國一九一七年革命以來的共產主義（communism）。後者直接從前者發展而來，因為列寧是俄國馬克思主義政黨的領導者，也是第二國際或馬克思式的社會主義黨派組織的摧毀者。共產主義者與社會主義者之間的敵對，甚至比共產主義者與資產階級政黨之間的對立還要強烈。共產主義政黨的策略與社會主義政黨的完全不同。至一九一四年，社會主義政黨在西歐大陸的幾個國家，特別是德國，已經獲得相當可觀的政治權力，工人階級獲得選舉權之後，這些政黨透過自由選舉普遍擴大了自己的權力。相反，列寧的政黨從一開始就不是，也不希望是受群眾支持的民眾政黨。不過，黨派社會主義和共產主義確實都是從馬克思那兒吸取了不同的策略。我們將在下一章論述列寧的馬克思主義時詳盡解釋這種表面上自相矛盾的現象。這裡只需指出，馬克思本人就已提出兩條不同的策略路線，而且都符合馬克思哲學的內涵。

首先，大約在一八五〇年，馬克思似乎要改變他的革命策略思想，儘管他沒有明確聲明。他在《共產黨宣言》（1848）中斷然否認共產主義者形成了一個政黨；他們是「工人階級中最先進和最堅決的部份」，列寧將他的政黨描述成無產階級的「先鋒隊」，顯然就是以此為根據。這時間，馬克思確實認為，資產階級革命在德國已迫在眉睫，法國的社會主義革命有可能觸發德國革命。因此，他或許相信，革命者中一批具有明確綱領並對社會革命的歷史必然性具有清醒認識的傑出人物，可能具有成為所有激進的無產階級運動的總參謀部的作用，譬如，成為左翼工

聯的總參謀部。顯然，他很快便意識到，這些小資產階級激進組織太强大了，不能用這種方式駕馭，由於一八四八年革命嘗試的失敗，他斷言，儘管工業化使工人產生了深刻的革命覺悟，但是仍然需要進行長期的準備。他依然認爲，社會革命是不可避免的，但是，根據社會進化理論，他也認爲，資產階級社會在充份發揮出資本主義制度的一切潛力之前，不能「製造」一場革命。這個策略有雙重涵義：社會主義政黨必須切實迫使資產階級改良，以此加强工人階級的力量，但是，它主要關心的問題必須是如何保持意識形態的純粹性和行動自由。它絕不透過與資產階級政黨合作而與之分擔政治責任。馬克思的社會主義政黨的慣用策略，是拒絕在非社會主義政黨組成的聯合政府中任職。

顯而易見，如果這個策略成功，就可能使原定的革命目的歸於失敗。這個策略旨在採取非社會主義本質的改良吸引選票，以建立自己的權力。甚至《共產黨宣言》也要求徵收累進所得稅。但是，一個政黨透過選舉取得的改革越成功，進行革命的理由就越少。這確實是成功的馬克思主義社會黨認爲即將發生的情況。一八九五年，恩格斯曾誇獎德國社會民主黨利用合法手段比利用非法手段取得的成就大。社會主義知識份子是哲學上的馬克思主義者，他們在理論上仍是革命的，只有像伯恩斯坦（E. Bernstein）一類的少數「修正主義份子」，才成爲堅定的演化論者。但是，到十九世紀末，德國社會民主黨之類的政黨，幾乎不能發生革命。事實上，馬克思想像的共產主義社會已經成爲一種理想，需要在無限長期的過程中透過自由政治手段逐步逼近。據假定，如果爆發革命，或許可以保留當時已經獲得的民主政治成果。至一九一四年，這種信念已在西歐社會主義政黨的馬克思主義者中根深柢固。

其次，馬克思有意對策略作出區分，一種適合於工業經濟已經「成熟的」國家的社會主義政黨，一種適合於經濟相對落後的國家。只有前者能夠成功地領導革命，因爲革命最終是由進化的經濟造成的。還有一個問題，即介於發達與不發達之間的國家的社會主義政黨應遵循什麼策略。馬克思認爲，法國是革命的天然領導者，德國相對落後。早年的確如此，但是一九一四年情況就大不相同了。於是，馬克思對落後國家應該採取何種策略的認定，在俄國馬克思主義者看來顯得特別重要。因此，發生了這樣的情況：有兩份馬克思本人未曾發表，而在他逝世後由

恩格斯付印的文件，受到托洛斯基（Trotsky）和列寧的重視，而德國
社會民主黨對此竟毫無反應。㉑

　　馬克思在一八五〇年認為，資產階級革命即將在德國爆發，並將獲
得成功，為此他給中央委員會起草了一份告共產主義者同盟書（《共產
黨宣言》也是為同盟寫的），告誡社會主義少數派在革命中採取什麼策
略。他說，革命獲得成功之前，社會主義政黨要與資產階級革命家合
作。然後，轉而反對他的同盟者，無產階級必須有完整的權力。即使社
會主義革命沒有成功的希望，社會主義政黨也能透過一切巔覆手段迫使
政府和商業無法正常工作。它必須煽動貧民反對富農；它必須把目標擺
在使土地國有化；它必須利用一切可能力量迫使革命政府攻擊私有財
產。總之，無產階級的戰鬥口號必然是「不斷革命」（revolution in
permaweuce）。於是，馬克思在一八五〇年提出了不斷革命的概念，
這個概念一九〇六年為托洛斯基採納並加以發揮，一九一七年，列寧將
其作為對付俄國資產階級革命的策略。

　　馬克思對哥達代表大會（Gotha Cougress）綱領所作的評論，似
乎更加重要。這個綱領於一八七五年促使德國各激進組織聯合起來，由
此開始，一個強有力的社會主義政黨形成了。馬克思的評論支離破碎，
尖銳刻薄，然而為了和諧，他又不得不克制自己。馬克思的評論直指德
國的現實狀況，與馬克思的其他評論相比，它與四十年後俄國的情況似
乎有更直接的聯繫。馬克思直言不諱地說：「德國的勞苦大眾由農民
而不是由無產者組成」。農民自覺的「要求」，與他們應該提出的「要
求」，因而也是他們「真正的」（或「辯證的」）要求，相去甚遠。在
一個高度工業化的社會裡，農民是軟弱的，沒有能力建設一個新社會，
他們之所以重要，只是因為人數眾多。雖然他們沒有領導能力，但是可
以被指導、被操縱，他們的不滿可以被妥善引導，轉而支持為數較少的
無產階級，只有無產階級才能領導真正的社會主義革命。馬克思對哥達
綱領的宗旨進行了批判，譴責它們根本不是社會主義的，反倒與資產階
級革命的宗旨毫無差別：選舉權和人民的其他政治權利。這些東西在社
會主義之前的社會中具有價值，但是對社會主義來說，不過是「迷人的
裝飾品」。馬克思關於無產階級「先鋒隊」控制農民居多數的社會的觀
點，顯然啟發了列寧，使他在一九〇五年制訂出「無產者和農民的民主

革命專政」的計畫。馬克思在哥達綱領的旁注裡還提到資本主義向社會主義過渡的問題，儘管只是一帶而過，未加任何描述。這個過渡分兩個階級，生產資料公有制將廢除對剩餘價值的占有，並將資產階級的許諾：將工人生產的全部價值給予工人，付諸實施。不過，這畢竟不是眞正的共產主義，共產主義將廢除勞動分工，增加社會產品，以實現「各盡所能，按需分配」的共產主義理想。在資本主義和社會主義的過渡時期，「國家只能是無產階級的革命專政」。顯然，馬克思的哥達綱領批判以及其他論述，被列寧所吸收，並體現在他於一九一七年撰寫的小冊子《國家與革命》（ the state and Revolution ）之中。

　　因此，馬克思的社會哲學實際上支持了兩種互相矛盾的政治策略概念。一條是馬克思的政黨社會主義路線（ Mavxian party socialism ），期望工業主義的進化產生具有階級自覺的無產階級，它的力量日益增強，最終可以接管一個在政治上已經實現民主的社會。直至一九一四年，這似乎是馬克思策略的主要方針。由於把工人階級組織成爲像德國社會民主黨那樣人數衆多的政黨，因而取得了很大的進展。政治上的激進主義是這一策略的主要前提，革命則是政治經濟長期發展和普及教育的結果。而另一條路線，一九一四年以後制訂的列寧主義路線（ Leninism ），則又回到馬克思思想的早期階段，認爲在一個以農民爲主，缺乏自由政治權利的社會裡，共產主義是有識之士和少數無產者的理想。對於這條路線，革命是面臨的現實，是政治經濟變革的前提。在很大的程度上，它依賴於馬克思附帶提及的落後國家的共產黨所應採取的策略。就其主觀意向而言，俄國的馬克思主義者並不認爲應該放棄或改變馬克思社會哲學的核心原則，即經濟決定論，而西方的馬克思主義者則認爲放棄這個原則是不可避免的。

註　解

❶《德法年鑑》（ *Deutsch-französische Jahrbücher* ）1844 年。《神聖家族》（ *Die heilige Familie* ），1845 年。斯坦寧（ H. J. Stenning ）選擇了一部份，以《卡爾‧馬克思選集》（ *Selected Essays by Karl Marx* ）爲題出版，紐約，1926 年版。《德意志意識形態》（ *Die deutsche Ideologie* ），1846 年版。其中第 1、3 部份由帕斯卡（ R. Pascal ）譯成英文，紐約，1939 年版。《哲學的貧困》（ *La misère de la philosophie* ）1847 年版，英譯本由達特（ C. P. Dutt ）編，紐約，1936 年版。《共產黨宣言》（ *The Communist Manifesto* ），1848 年版。馬克思和恩格斯著作的標準版本（ 不完全 ），是《馬克思，恩格斯，歷史批判著作全集，著作、文章、書信》（ *Kral Marx, Friedrich Engels, historischkritische Gesamtausgabe, Werke, Schriften, Brief* ）。

❷致拉薩爾（ Lasalle ）的信（ 1861.1.16 ），《馬克思恩格斯通信集》（ *Marx-Engels Correspondence* ）1934 年版，第 125 頁。參見《資本論》（ *Capital* ），第 1 卷，保羅和保羅（ E. and C. Paul ）的英譯本，第 392 頁，注 2。

❸《德意志意識形態》，帕斯卡英譯本，第 22 頁。

❹1854 年 7 月 27 日，《馬克思恩格斯通信集》，第 71 頁。

❺致魏德邁（ Weydemeyer ）的信（ 1852.3.5 ），同上書，第 57 頁。

❻《政治經濟學批判》（ *Critique of Political Economy* ），序言史東（ N. I. Stone ）的英譯本，1904 年版，第 11 頁。

❼《德意志意識形態》，英譯本，第 14 頁。

❽《哲學的貧困》，英譯本，第 93 頁。

❾《1848 年至 1850 年法蘭西階級鬥爭》（ *Die Klassenkämpfe in Frankreich* ,1848~1850 ），1850 年在《新萊茵報》（ *Neue Rheinische Zeitung* ）上發表的文章，1895 年由恩格斯編輯出版，英譯由達特（ C. P. Dutt ）編，紐約，1934 年版。《路易‧波拿巴的霧月十八日》（ *Der achtzehnte Brumaire des Louis Bonaparte* ），1852 年版，英譯本由達特編，紐約，1935 年版。

❿《路易‧波拿巴的霧月十八日》，英譯本，第 40 頁。

⓫《政治經濟學批判》，序言，英譯本，第 11 頁。

⓬《歐根‧杜林先生在科學中實行的變革》（ *Herm Eugen Dührings Umwälzung*

der Wissenschaft），1878 年版，（通常稱之爲「反杜林論」，馬克思與恩格斯合寫），伯恩斯（E. Burns）的英譯本，紐約，1935 年版。《路德維希・費爾巴哈和德國古典哲學的終結》（ Ludw Feurbach und der Ausgang der deutschen Philosophie）1884 年版；英譯本，紐約，1934 年版。1890 年 8 月 5 日和 10 月 27 日，1891 年 7 月 1 日和 11 月 1 日致康拉德・施密特的信，1890 年 9 月 21 日致約瑟夫・布洛赫的信；1893 年 7 月 14 日致梅林的信，見《馬克思恩格斯通信集》，第 472、477、487、494、475、510 頁。

⓭《反杜林論》，英譯本，第 30 頁。

⓮《路德維希・費爾巴哈和德國古典哲學的終結》，英譯本，第 11 頁。

⓯《馬克思恩格斯通信集》，第 354 頁。

⓰轉引自塞利格曼（E. R. A. Seligman）：《歷史的經濟學解釋》（ The Economic Interpretation of History, 1902 年版），第 142 頁以下。

⓱艾塞亞・柏林（Isaiah Berlin）：《卡爾・馬克思》，1948 年版，第 144 頁。

⓲參見卡爾・曼海姆（Karl Mannheim）：《意識形態和烏托邦：知識社會學導論》（ Ideology and Utopia: An Introduction to the Sociology of Knowledge），英譯本由路易・沃思（Louis Wirth）和愛德華・希爾斯（Edward Shils）合譯，1936 年版，包括豐富的文獻目錄。新近還有一部論述，見斯達克（W. Stark）的《知識社會學：一篇幫助更深刻理解思想史的論文》（ The Sociology of Knowledge: An Essay in Aid of a Deeper Understanding of the History of Ideas, 1958年版）。

⓳《資本論》，英譯本，第 382 頁。

⓴《反杜林論》，英譯本，第 315 頁。參見恩格斯致貝貝爾（Bebel）的信（1875.3.18～28），見《馬克思恩格斯通信集》，第 332 頁。

㉑《中央委員會告共產主義者同盟書》（ Address of the Central Committee of the Communist League），1850 年 3 月，由恩格斯於 1885 年發表，見《馬克思恩格斯選集》（ Max and Engels: Selected Works，莫斯科，1955 年版），第 1 卷，第106～117 頁。《對德國工人黨的幾點意見》（ Marginal Notes to the Programme of the German Workers Party），1875 年（即《哥達綱領批判》），由恩格斯於 1891 年發表，收入選集第二卷，第 18～37 頁。

參考書目

1. *The Social and Political Thought of Karl Marx.* By Shlomo Avineri. Cambridge, 1968.

2. *Karl Marx, His Life and Environment.* By Isaiah Berlin. 3rd Edition. New York, 1963.

3. *Karl Marx's Interpretation of History.* By Mandell M. Bober. 2d ed., rev. Cambridge, Mass., 1948.

4. *Marxism, Past and Present.* By R. N. Carew Hunt. London, 1954.

5. *The Theory and Practice of Communism.* By R. N. Carew Hunt. 2d ed. London, 1957. Part I.

6. *The Meaning of Marxism.* By G. D. H. Cole. London, 1948.

7. *The Philosophical Foundations of Marxism.* By Louis Dupre. New York, 1966.

8. *The Materialist Conception of History: A Critical Analysis.* By Karl Federn. London, 1939.

9. *Marx's Concept of Man.* By Erich Fromm. New York, 1961.

10. *Towards the Understanding of Karl Marx: A Revolutionary Interpretation.* By Sidney Hook. New York, 1933.

11. *From Hegel to Marx: Studies in the Intellectual Development of Karl Marx.* By Sidney Hook. New York, 1936.

12. *Reason, Social Myths, and Democracy.* By Sidney Hook. New York, 1940. Chs. 9~12.

13. *Marx, Proudhon, and European Socialism.* By John H. Jackson. London, 1957.

14. *The Ethical Foundations of Marxism.* By Eugene Kamenka. New York, 1962.

15. *Karl Marx: An Essay.* By Harold J. Laski. London, 1922.

16. *Karl Marx's Capital: An Introductory Essay.* By A. D. Lindsay. Lon-

don, 1925.

17. *Democracy and Marxism.* By H. B. Mayo. New York, 1955.

18. *Karl Marx: The Story of His Life.* By Franz Mehring. Eng. trans. by Edward Fitzgerald. New York, 1935.

19. *Marxism: The Unity of Theory and Practice.* By Alfred G. Meyer. Cambridge, Mass., 1954.

20. *Alienation: Marx's Conception of Man in Capitalist Society.* By Bertell Ollman. Cambridge, 1971.

21. *German Marxism and Russian Communism.* By John Plamenatz. London, 1954. Part I.

22. *The Open Society and Its Enemies.* By K. R. Popper. Rev. ed. Princeton, N. J., 1950. Chs. 13～21.

23. *Marx in the Mid-Twentieth Century.* By Gajo Petrovic. Garden City, 1962.

24. *An Essay on Marxian Economics.* By Joan Robinson. London, 1942.

25. *Democracy and Socialism: A Contribution to the Political History of the Past 150 Years.* By Arthur Rosenberg. Eng. trans.by George Rosen. New York, 1939.

26. *Karl Marx, His Life and Work.* By Otto Rühle. Eng. trans. by E. and C. Paul. New York, 1949.

27. *Philosophy and Myth in Karl Marx.* By Robert C. Tucker. Cambridge, 1961.

28. *Human Nature: The Marxian View.* By Vernon Venable. New York, 1945.

29. *Marxism: A Re-examination.* By Irving M. Zeitlin. Princeton, 1967.

第三十五章
共 產 主 義

　　共產主義哲學乃一馬克思主義的修訂，主要出自列寧之手，因而通常稱之爲「馬克思－列寧主義」（Marxism-Leninism）。其實，托洛斯基也起了相當重要的作用，後來由於他被開除出黨，所以共產主義者或者全盤否定他，或者竭力貶低他。史達林在《列寧主義基礎》（Foundations of Leninism, 1924）中，對列寧與馬克思的關係作出正式定義，他說：「列寧主義是帝國主義和無產階級革命時代的馬克思主義。」因此，重點應該放在列寧於第一次世界大戰期間以及俄國一九一七年共產主義革命之後的著作和演說。史達林定義的內涵是，由於《資本論》（1867）發表之後，歐洲資本主義發生了演變，特別是殖民主義擴張以及由此引發的一九一四年世界大戰，所以列寧對馬克思主義進行了修正。史達林在同一作品裡還提到對列寧哲學的另一種解釋，即列寧主義是適應俄國情況的馬克思主義，史達林當然反對這種解釋，因爲它把列寧主義貶低爲只是順應馬克思的地域意識形態而已。然而，非共產主義作家卻一再重申後一種解釋，因爲一九一四年以前的十多年中，列寧不過是俄國馬克思主義一個派別的領袖，當時，他的大部份著作事實上都是討論俄國的政黨問題。

　　關於列寧的這兩種解釋都有一定的道理，但並沒有充份說明列寧的馬克思主義的重大意義。雖然這兩種解釋似乎是獨立的，甚至是對立的，令人驚訝的是它們彼此息息相關。一九一四年前後，列寧一直研究俄國革命黨的問題，這一點十分明顯，勿需贅言。戰爭把他的注意力轉向「帝國主義」（imperialism），這也是事實，但是，他關於帝國主義的著作實際上並沒有什麼創見，因爲他廣泛藉助了早期馬克思主義和非馬克思主義的思想，他們對資本主義的發展所作的科學分析比列寧更

爲透徹。一般說來，列寧只對帝國主義的策略感興趣，即帝國主義給革命領袖提供種種機會。戰爭使他看到，殖民地人民的不滿和對民族的熱望提供了各種可能性。這與列寧作爲俄國革命社會主義領導者的經驗有關。列寧在俄國取得的成就使馬克思主義在工業相對不發達，農民經濟和農民占主導地位的國家取得成功，西歐的馬克思主義常常忽略這個問題。列寧面臨的俄國局勢，是世界上落後與殖民的國家所具有的共性，因此，他把馬克思主義用於俄國，就成了把馬克思主義應用於帝國主義時代，倒不是因爲他把馬克思主義用於帝國主義國家本身，而是因爲他的方法在帝國主義國家的殖民地附屬國裡卓有成效。史達林當然絕無此意，不過，這使他的解釋具有一定的眞實性。不發達國家有一些歐化人物，數量不多，能量頗大，他們形成一個階級，能夠控制政局，管理經濟；他們懷有民族抱負，痛感經濟落後，迫切要求工業化。這種强烈的衝動，使他們採納了俄國的方法，以求急功近利。但是，使用這種方法將使人民付出昂貴的代價，然而，他們卻沒有政治傳統或組織去阻止它。列寧在俄國的成功對這些國家具有强大的吸引力。因此，把列寧主義定義爲馬克思主義在農民人口居多數的非工業化經濟和社會中的應用，似乎最爲貼切。列寧主義的世界意義便在於這種社會遍布世界。

對列寧和共產主義來說，馬克思主義始終具有雙重作用。首先，馬克思主義是一種信條或宗教象徵，是不容懷疑的信仰對象和敎條。馬克思主義的這個作用，使共產主義信仰和共同理想增加了凝聚力。因此，列寧爲了支持一項政策，往往從馬克思那兒引上一段或一句作爲口號，從而使這項政策具有經典依據。反過來，他也常常指責相反的策略違背了馬克思主義，與基本敎義派引用聖經十分相似。列寧一生中加在其他馬克思主義者身上最常見、最激烈的指責，莫過於說他們「篡改」了馬克思主義的原意，只要對原文作字面上的正確詮釋，這種篡改行爲便暴露無疑。列寧對馬克思哲學的一些信條確信不疑，例如，社會革命的絕對必然性，或者說，革命將創造一個沒有資本主義弊端的共產主義社會的絕對必然性。諸如此類的信念，對列寧來說，是個信仰問題，由於馬克思主義具有這種半宗敎的性質，所以成爲列寧爲之獻身的對象，革命則成爲道德上的「無上命令」（maral imperative）。同時，馬克思主義在列寧那兒還有一個完全不同的作用；列寧像馬克思一樣，總是說哲

學是行動的指南。根據這種作用，馬克思主義不是靜止的教條，而是富有啓發性思想的總和，可以用來分析形勢，估計可能性，從而找出最有效的行動途徑。毫無疑問，列寧就是這樣運用馬克思主義的。他一生中不僅深入研究了馬克思和恩格斯撰寫的全部著作，而且閱讀了德國和俄國馬克思主義學者撰寫的大批著作。實際運用時，列寧的馬克思主義高度靈活。在一些更正統的馬克思主義者眼裡，列寧的實踐完全背離了傳統，他們也用「篡改」馬克思加倍回敬列寧。列寧一生的事業，幾乎沒有一項重大政治決策不被他黨內的成員斥爲拙劣的馬克思主義。列寧把最正統的教條與最靈活的實踐結合起來。實際上，他的實踐往往先於理論，但是，他的正統使他不能坦率地承認他對馬克思原意所作的種種修正。他的典型作法是用一種解釋把二者結合起來，以期表明，列寧目前確定的意思，「確實」是馬克思的原意。對那些非常教條又非常實際，能化躊躇爲果敢的人來說，這種方法並不罕見。

　　從西歐政黨的馬克思主義理論和實踐，過渡到最後出現的蘇維埃馬克思主義理論和實踐，絕非一蹴可幾。它是在解決俄國特有的緊迫問題時形成的。俄國的領導者一開始就認爲，偉大的德國社會民主黨當是人們效法的楷模，但常常不可能做到。列寧和托洛斯基作爲俄國的革命者，常常要受西方馬克思主義的制約，即使他們已經確信需要與這種傳統保持距離，最艱巨的任務則是說服他們自己的追隨者。因此，列寧主義是逐步形成的，問題發生時，要找到切實可行的策略，然後盡可能地使之嵌入馬克思主義的框架。爲了理解既成的結構，必須記住：一方面是俄國馬克思主義的政黨所處的形勢，另一方面，是對馬克思主義的主要設想、信念和教條的忠誠，給予俄國領導人造成的壓力。這個過程的最後結局，是兩種因素的結合，沒有任何完整的計畫。他們的理論闡述常常是東拼西湊，因爲應付俄國的現實問題是他們生存的條件。不過，拼湊總是圍繞著一個基礎，這就是他們的馬克思主義哲學。本章大體按年代順序闡述蘇維埃馬克思主義理論的構建過程。

俄國馬克思主義

　　十九世紀八〇年代，俄國組織了第一個馬克思社會主義政黨，該黨
遵循本國的社會主義，以土地改革和人道主義哲學為基礎。這個哲學的
主要原則是，社會主義可以從俄國鄉村的原始共產主義發展而來，因而
可以繞過工業主義階段。如前一章所述，馬克思本人不願接受這種可能
性。這個哲學在策略上意味著，社會主義的宣傳機構首先應該面向農
民，可是這種觀點一旦付諸實施，必將一敗塗地。因此，俄國的馬克思
主義一開始就相信，馬克思指出的社會發展道路——從封建主義經資本
主義到社會主義——乃是社會演進的絕對規律。他們斷言，在俄國和世
界各地，社會主義的宣傳機構都必須面向城市，面向工業無產階級。自
然，沒有哪一位馬克思主義者會忽略俄國工業落後，以及產業工人在農
民占壓倒多數的人口中只是極少數的這一事實。然而，他們的理論偏向
很容易使俄國的馬克思主義者低估農民的重要作用。列寧作為革命領
袖，其主要動力在於堅信，沒有農民，至少沒有得到農民的默許，任何
革命都不可能成功。他完全贊同馬克思的理論，即社會主義革命必然是
無產階級的運動，但是，他也從未忽略這一事實：必須不惜一切代價去
贏得哪怕只是暫時的農民支持。因此在一九一七年，他延緩了自己以社
會主義方式解決農業生產的步驟，從而得到農民的默許。總之，他有意
利用農民對土地的渴望，使他們暫時處於被動地位，贏得時間使社會化
的工業生產得到恢復。

　　社會進化的嚴苛「法則」，迫使俄國馬克思主義（Russian Marx-
ism）政黨必然處於而且長期處於歐洲社會主義運動的邊緣。倘若不能
「超越進化的必然階段」（overleap the natural phases of evolut-
ion），俄國只能發生「資產階級革命」，完成這場革命之後，成功的
社會主義革命的時機才成熟。俄國馬克思主義政黨所處的地位與西歐馬
克思主義政黨截然不同。因為作為革命家的馬克思，其理論和實踐都促
使他認為，法國大革命致使資本主義一勞永逸地占據了統治地位，成為
歐洲現代社會的典型。俄國卻沒有發生類似的情況。對俄國馬克思主

者來說，俄國的一九〇五年革命乃是劃時代的事件。它表明資產階級革命在俄國爆發了。由此提出了一個至關重要的策略問題：在一個落後國家裡，當資產階級政黨站在進步勢力一邊，社會主義政黨沒有機會實現自己的目標時，社會主義政黨應對革命的資產階級政黨採取什麼策略？馬克思主義沒有提供明確的答案，只有一些模糊的設想，而且主要針對德國，當時，馬克思認爲德國是一個落後國家。一九〇五年和一九一七年，列寧和托洛斯基都曾爲解決這個問題而奮鬥。直至一九一七年之後的很長一段時間裡，依然沒有一位俄國馬克思主義者相信俄國革命能夠持久，除非得到「更成熟的」西歐工業國家革命的支持。

俄國馬克思主義政黨面臨的另一個主要策略問題，是什麼樣的黨組織最有可能成功，具體點兒說，就是在合法鬥爭與非法鬥爭中如何配置黨的力量？馬克思和德國社會主義政黨的經驗都沒有提供直接的答案。一八五〇年以後，馬克思和恩格斯都與地下組織斷絕了關係，在沙皇俄國，任何擁有健全能力的社會主義領導者都不會效仿這種做法。德國社會民主黨生存在工人階級已經獲得選舉權的國家裡，依靠爭取選票使黨發展壯大。而在俄國，一九〇六年以前不存在任何形式的選舉，即使此後的杜馬（Duma）時期，也像沙俄的一切改革措施一樣，演出了一場悲劇史，它的步子太小，爲時太晚了。西方的社會主義政黨認爲，自由的政治改革和言論結社自由之類的民主權利，乃是獲取成功之前奏，所以，認爲社會主義政黨理所當然的像其他政黨一樣，是民衆的政黨，並在組織內部實行民主。在俄國，類似的原則只能作爲理想，任何社會主義政黨都不能實行，是否有哪一種革命能依此獲得成功，依然值得懷疑。正如後來所證明的，黨組織在確定共產主義的政治性質時起決定性作用。

自二十世紀初期，俄國馬克思主義者就因黨的組織問題而發生分裂，而且一再分裂。列寧作爲馬克思主義理論家，首次亮相便是倡導建立一種黨組織，他一生都是馬克思主義社會民主工黨布爾什維克（Bolshevik）的領導人。❶他既是理論家又是組織者，不過，他首先是組織者，他的理論著作總是偏重於策略問題。實際上，他所寫的一切，除了在俄國西伯利亞流放時寫的《俄國資本主義的發展》（ *Development of Capitalism in Russia* ）之外，都涉及特定的環境，

或者由特定事件所引起。革命前的幾年中，他一直參與黨內論戰，並在論戰中以尖酸刻薄而惡名昭著。列寧的布爾什維克與孟什維克（Menshevik）反對派利用辯證法的微妙之處進行論戰，長期以來始終是俄國馬克思主義的特點。在繁瑣、冗長、無聊的分析後面，存在著眞正的實際差別。它們不涉及馬克思主義的基本原理，在這一點上雙方是一致的，只涉及對革命社會主義政黨有益的組織和策略。布爾什維克一般認爲，運動的中心在於從軍陰謀性的地下組織，以及地下組織的非法活動。按照這個邏輯，黨的核心是職業革命家（professional revolutionist）組成的內部小集團，他們毫無保留地，狂熱地獻身於革命，有嚴格的紀律和嚴密的組織，爲保密起見，機構不宜太大。他們還是工會和工人的「先鋒隊」，儘管那些人當時並不是眞正革命的因素。孟什維克不否認非法活動的必要性，但傾向於認爲革命的目的在於進行合法的政治活動，把工人階級組織起來。因此，在他們看來，黨是羣衆組織，要盡可能地接納工會及其他形式的工人組織。黨的組織形式必然是非集權的，或許是同盟式的，至少有自發的民主。這兩種觀點大體上與兩派的意識形態相符。一方面，反映了革命的陰謀家與非法秘密組織的關係，另一方面，反映了工人與工會的關係。❷這兩種態度意味著，並且將表明，革命初獲成功之後還將沿著什麼道路前進。顯然，列寧一派的觀點，與長期代表革命甚至搞恐怖活動的組織有著明顯的類似之處，而不論這些組織是否馬克思主義的。反對派的觀點則試圖模仿西歐馬克思主義政黨所制訂的路線。在這方面，列寧的馬克思主義是俄國獨有的，更接近一八五〇年馬克思所寫的革命小册子，而不是後來西方馬克思主義的傳統路線。

列寧的政黨理論

黨的組織問題是列寧第一部重要理論著作的主題。這本小册子題爲《怎麼辦》（*What is to be done*），一九〇二年發表於主要由列寧自己策劃與創辦的刊物〈火星報〉（Iskra）上。該書猛烈抨擊了只求改善福利的工聯主義，對其他形式的馬克思主義的修正主義，也進行了同樣猛

烈的抨擊，但是，他顯然崇尚十九世紀七十年代的革命者，甚至恐怖份
子。小册子的主要論點，成爲列寧政黨的組織原則，它扼要地體現在這
一段裡：

> 由最可靠、最有經驗、經過相當鍛練的工人組成多數不多，且緊
> 密團結的核心，它在各主要區域都有自己的代表，並且按照嚴格秘密
> 工作的種種規則與革命家組織發生聯繫，——這樣的核心在羣眾最廣
> 泛的支持下，不必要具有任何確定的形式，也能充份執行工會組織所
> 應當執行的一切職能，並且執行得像社會民主黨所希望的那樣。❸

　　但是，僅僅根據政治上的權宜之計倡導黨的組織形式，卻不是列寧
的方法。列寧及其反對者都充份認識到，在上邊引用了那段話裡，所描
述的黨並不是按照德國社會民主黨的形式設計的。他也認識到，這個黨
與公認的馬克思主義原則背道而馳。馬克思最經常被人引用的名言，莫
過於「工人階級的解放只能是工人階級自己的事情」。這句話概括了經
濟唯物主義的實際意義，即生產關係產生了無產階級特定的革命意識形
態，這種意識形態是有效的社會革命的主要動力。以這個原則爲基礎，
馬克思主義者把自己的「科學」社會主義與空想社會主義區分開來，將
「不可避免的」革命與理想主義（唯心主義）者和冒險主義者「製造
的」革命區分開來。無產階級的思想是在工業發展的基礎上形成的，工
業尚未發展之時，靠暴力和規勸不能引起社會革命。列寧深知，如果不
相對改變馬克思的意識形態理論，他的黨組織的概念在邏輯上就不能成
立。因此，他對公認的馬克思主義理論做了驚人的修正，爲此，招來一
片責難。儘管如此，他依然援引《共產黨宣言》以支持他的修正。❹他斷
言，以往的馬克思主義論點把工聯主義與社會主義的思想或意識形態混
爲一談。工人不能自發地成爲社會主義者，只能自發地成爲工聯主義
者，社會主義只能靠資產階級知識份子從外部灌輸——

> 我們已經說過，工人本來也不可能有社會民主主義的意識。這種
> 意識只能從外部灌輸進去。各國的歷史都證明：工人階級單靠自己本
> 身的力量，只能形成工聯主義的意識。即必須結成工會，必須與廠主
> 鬥爭，必須向政府爭取頒布工人所必要的某些法律等等信念。❺

　　列寧指出，從歷史上看，馬克思和恩格斯的社會主義哲學是資產階

級知識份子的代表人物創見的，並由同樣的團體引入俄國。工會運動不能使革命的意識形態自身得到發展。因此，革命政黨面臨兩種選擇：或者讓工會淪爲資產階級意識形態的俘虜，或者向工農灌輸社會主義知識份子的意識形態。

意識形態概念是列寧全部思想模式的特徵，值得一評。首先，列寧表明的觀點自然是俄國革命知識份子的觀點，他習慣將革命視作必須「從外部」（from without）灌輸給羣衆的東西，並且相信，如果沒有知識份子的領導，人民將渾渾噩噩，麻木不仁，是一羣毫無頭腦的烏合之衆。其次，在西歐的馬克思主義者看來，列寧的觀點顯然不正常。因爲列寧實際上等於說，工人階級在本質上並不傾向於革命，他們雖然親身參加資本主義生產，但在其中幾乎一無所獲，通常沒有能力思考他們的社會地位或如何改變這種地位。這一切都與馬克思的信念相矛盾，馬克思認爲，正是工業的經驗造就了無產階級，無產階級天生就是革命的。最後，列寧的思想確實具有反民主的色彩，好像並不眞正信任無產者，儘管他表面上是爲創立無產階級政府籌建了無產階級政黨。列寧所說的無產階級，顯然需要一些領導者指揮管理，這些領導者不是無產者，但是他們知道無產者需要什麼，儘管事實上無產者很少有這種需要。奇怪的是，列寧關於工聯主義（trade unionist）的論點，與馬克思關於小資產階級（petty bourgeoisie）的論點十分相似。後者在政治上軟弱，或者跟著無產階級走，或者跟著資產階級走，而列寧自相矛盾地將這些論點用於無產階級自身，在他看來，無產階級意識形態的製造者不是一個社會階級，而是資產階級知識份子小集團。他的意識形態概念是極端主智論（ultra-intelleotualist）的，因爲只有馬克思主義的專家才有能力討論無產階級的策略問題，無產階級處於一種十分奇特的地位：聽從專家意見，就連他屬於無產階級這一點也需要專家指點。根據同樣的理由，它的實際內涵也是受人操縱的，因爲無產者必須由人指導，才能像無產者那樣行爲。後來，列寧眞正創建了一個政府，稱之爲「勞動人民的政府，由無產階級〔黨〕的先進份子執掌，而不是工人羣衆執掌」。起初，對此所作的解釋是因爲俄國工人階級落後，但是，其後卻成爲一切共產黨的特徵。

對待無產階級及其意識形態的這種態度，乃是列寧思想的一個部

份，它在許多文章中反覆出現，人們把它視作列寧哲學的特徵。列寧常常將「自覺性」（consciousness）與「自發性」（spontaneity）加以對比，過度信任前者，對後者的不信任已根深柢固。自覺性一般意味著理智力：理解的預見能力；組織、規劃、預測等能力；充份利用各種機會的敏感性以及先發制人的本領。自覺性的最終成果是馬克思的歷史規律，一個黨若遵循這個規律，便可走在歷史的前面，並根據社會變化的一般趨勢策劃其行動。對列寧來說，政治從字面上看就是在宇宙範圍內利用各種可能性的藝術；只有能預見「下一步」的黨才會獲取成功。列寧的黨是自覺性的化身，是完美預見性的實現，是對任何意外都有備無患的理想化。相反，「自發性」意味著衝動、蠻幹或隨心所欲。就社會而言，乃是造成翻天覆地的社會運動，實質上，它是一股盲目的、不可理解的、但又不可抗拒的力量，沒有它，任何社會變革都不可能。列寧對自發性的態度，尊重之中又摻雜著強烈的不信任和恐懼感。他相信，沒有自發性，什麼重要事情都做不成，也沒有任何領導或政黨都不能製造出這種自發性，但是他又不相信自發性，因為它是盲目的、原始的，他害怕自發性，因為它無法預測。然而，一位精明強幹、能嫻熟掌握使自覺性得以建立的全部藝術的領導者，要能夠指揮、引導、並控制自發性，使之沿著進步的方向前進，避免在無益的暴力中消耗自己。羣眾體現自發性，黨則體現自覺性。黨由少數聰明、有教養的菁英組成，自身並沒有什麼力量，但是，只要能夠駕馭社會羣眾的不滿和行動，它便有無窮無盡的力量。作為一種個人的哲學，人們會懷疑它是知識份子的狂妄與多疑，甚或是懷疑論者的奇妙混合，歸根究柢它更像叔本華（Schopenhauer），而不是黑格爾。對這位屢受挫折、卓立不羣、抱負遠大、希望渺茫、渴望安全的知識份子來說，這是很自然的。就世界範圍而言，列寧的黨簡直是一項馴服人類命運的方案，但在實施中，卻成為官僚主義指揮和控制的一個方案。

　　列寧關於自發性與自覺性的對比，賦予民主以新的涵義。他規定黨由菁英份子組成，是根據思想和道德的優越而精心挑選的少數人，是工人階級最先進的部份，因而是工人階級的「先鋒隊」。但是，列寧並不想造就一批貴族。按照他所設想的黨的工作，先鋒隊與它所領導的羣眾有所區別，但又不能與之分離。有兩種做法使黨的領導者脫離羣眾，按

照共產黨工作人員的守則，這兩種作法均屬罪大惡極：一種是「冒進」
（run ahead），未說服羣衆就急於動作，並且走得很遠，或者，在未
進行宣傳使羣衆有所準備之前，便提出一種超前的正確方針；另一種是
「落後」（lag behind），即跟不上情緒激昂的羣衆。列寧的民主意味
著在兩種錯誤之間尋找第三條道路。這並不是意味著一個民主的領導者
應按人民的願望辦事，因爲這樣做不是近視就是判斷失誤。只有仔細分
析人民的需要，勸導他們滿足自己的需要，這種需要才是重要的。在決
定什麼是客觀上的妥當政策時，用馬克思主義科學武裝起來的黨永遠是
正確的，或者在人所能及的範圍內是正確的。因此，領導無須從他所領
導的人民那兒尋求什麼目的，它主要應該學會怎樣盡可能推動人民迅速
前進，而又不濫用强制，適當地使用强制才會產生最佳效果。黨的民主
包括順應不可避免的趨勢，包括達到目的所必需的宣傳手段和策略，也
包括在一定範圍上實行强制，以免適得其反。列寧認爲，一九一七年將
土地交還農民的策略是民主的。

　　列寧的政黨理論與他的意識形態概念密切相關。列寧的黨具有三個
主要特徵，並成爲各地共產黨的顯著特徵：首先，黨掌握了馬克思主
義，具有無與倫比的知識和洞察力，也具有强有力的方法，辯證法
（dialectic）。辯證法是科學，但力量卻遠遠超過科學，因爲它能預測
社會進步，並成爲推動進步的政策指南。因此，辯證法可以作出道德式
甚或宗教式的決定。馬克思主義成爲共產黨的教條，必須保持其純潔
性，甚至不惜採用强制手段。因此，黨在某種程度上具有教士的特質，
要求成員服從它的判斷，使個人目的服從組織目的；其次，列寧的黨原
則上由經過嚴格挑選和訓練的菁英份子所組成，它不是一個羣衆組織，
單靠遊說和爭取選票施加影響。它聲稱具有思想和道德優越：思想優越
在於擁有一批行家，精通黨的唯一科學理論，道德優越在於它的成員大
公無私，爲了階級的命運，爲了社會和人類，可以奉獻一切。它的理想
是一種徹底的獻身，首先獻身於革命，然後獻身於革命爲其開闢道路的
新社會的建設；第三，列寧的黨是一個嚴密的中央集權組織，排斥一切
形式的聯邦制、地方自治、以及其他類型的組織體。它是一個半軍事性
的組織，普通成員必須嚴格遵守紀律，服從規則，各級領導人則自上而
下地栓在一系列等級結構中。他允許成員在黨未決策之前，就政策問題

展開自由討論，但是，一旦做出決定，就必須無條件接受並照辦。列寧將這種組織形式稱之為「民主集中制」（democratic centralism）。

列寧畢生相信，革命成功取決於兩個因素：透過嚴密的組織紀律達到物質上的統一，透過馬克思主義的信念或信仰建立意識形態的統一。列寧就是在這兩塊基石上創建了革命基業，並且從未懷疑過它們的功效。可以隨便引出許多言論，但只有下面一段最能說明問題——

> 無產階級在爭取政權的鬥爭中，除了組織而外，沒有別的武器。無產階級既然被資產階級世界中居於統治地位的無政府競爭所分散，既然被那種為資本的強迫勞動所壓抑，既然經常被拋到赤貧粗野和退化的「底層」，無產階級所以能夠成為，而且必然成為不可戰勝的力量，就是因為它根據馬克思主義原則形成的思想統一是用組織的物質統一來鞏固的，這個組織把千百萬勞動者團結成工人階級大軍。❻

由此不難理解，列寧的政黨理論為什麼遭到猛烈批判，而且許多批判是來自其他的馬克思主義者。從總體上，它與西歐任何一個成功的馬克思主義政黨組織都有很大差別。它可以辯解說，在沙皇俄國，任何非法政黨只能這樣應付緊急事變，但是，這絲毫不能使它免遭批判，甚至是列寧派之外的其他俄國馬克思主義者的批判。因為它的非民主內涵和非自由的可能性顯而易見。波蘭的馬克思主義者羅莎・盧森堡（Rosa Luxemburg）說，列寧所謂的「無產階級紀律」是中央委員會貫徹的紀律，不是「社會民主主義自願的自我約束」。對列寧政黨最尖銳的批判來自列寧未來的夥伴，爾後又成為死對頭的列昂・托洛斯基（Leon Trotsky）。他的批判採取預言的形式——

> 黨的組織取代了黨本身，中心委員會取代了黨組織，最後，獨裁者取代了中央委員會。❼

列寧草擬的黨組織的方案，其原則一直延續到一九一七年該黨奪取政權之日，時至今日，共產黨依然遵循這種組織原則。然而，一九〇二年的理論不是一九一七年的理論，列寧時代的黨也不是史達林時代的黨。儘管一般原則業已確定，但是，幾乎每項原則的內涵都有不同意見，甚至引起激烈的爭論。民主集中制演變成什麼，如何演變成刻板的

條條框框，將在後面章節加以論述。

列寧論辯證唯物主義

　　列寧論黨的著作，確切的說，他所寫的一切，都清楚地表明他是一個活動家，一個精明強幹而又不過份拘泥細節的政治活動家；為了自己的目的，他一貫巧妙地擺布結盟者，同樣也以這種方式要弄馬克思主義。不過，列寧性格中還有鮮為人知的另一方面。辯證法的概念迷惑了他。他不僅從馬克思那兒，而且從黑格爾那兒學習辯證法，因為辯證法概念來源於黑格爾的邏輯學，列寧的筆記充滿了對辯證法的思考。在某種意義上，思想與現實或知識與行動之間關係的哲學之謎，讓列寧著迷，他相信辯證法便是打開謎底的鑰匙。這是他狂熱信仰馬克思主義的根源，他膚淺地掌握了馬克思關於費爾巴哈論綱的要意，即哲學家重要的不在於解釋世界，而在於改造世界。列寧在一個筆記中寫道：辯證法是「關於事物間普遍的、全面的、活生生的聯繫的思想，以及這種聯繫在人們頭腦中的反映」。❽「事物」一詞與列寧通常所說的一樣，指社會歷史事件，在這裡，每個事件都直接或間接地與過去和未來相關，又與其他一切事物處於對立統一的無限複雜的糾結之中。他認為有一個主要聯繫或鈕結，解開了它，一切就迎刃而解了。思想以某種神秘的方式複製萬物，「反映」（refled）是列寧慣用的比喻方式，分析它，找出癥結所在，然後按新方法將各部份重新組合。思想實質上是一系列的抽象、「意像」（image）或者「圖像」（picture）；在「現實生活」中，以某種奇特的方式進行抽象化，可以產生某種新的、獨一無二的東西。生活永遠日新月異，充滿種種轉變的可能性，比人們所預見的更有「創造性」；或者正如黑格爾所說（列寧十分欣賞這句話），任何民族都不能從歷史學到任何東西。這個警句不能自圓其說，如果不向生活、經驗、歷史學習，人們將一無所獲。雖然從生活中汲取的一切規則都可以打破，不應機械地遵循它們，以為新的不過是重複舊的，但是，認識規則可以增強人們的洞察力，使人們看到「下一步」。在列寧看來，辯證法意味著抽象與洞察力的結合，教條主義與機會主義的結合，列寧的

領導工作常常體現了這種結合。可以說，辯證法立足於過去和現在，使人們認識過去，預見未來。因此，列寧一直為之驚嘆，它像科學，或許便像魔術。

列寧曾寫過一本書，試圖認真探討這類主題，這就是他的《唯物主義和經驗批判主義》（ *Materialism and Empirio-Criticism,* 1909 ）。該書公開討論辯證法，討論辯證法與自然和社會科學的關係，辯證法與唯物主義、唯心主義（ idealism ）、科學實證主義（ scientific positivism ）等哲學體系的關係。雖然可以透過這本書了解列寧的學術觀點和工作方法，但是，如果誰想從中發現列寧如何真誠地關心辯證法，一定大失所望。事實上，這本書是黨內若干次論戰的意外收穫，列寧一生都在與人論戰。❾列寧派的一些成員，由於贊同布爾什維克的策略與列寧走到一起，長期以來，他們一直受十九世紀末風靡德國的新康德主義（ new-kantianism ）所吸引。這早已不是什麼秘密，列寧為了保持黨內合作，一直容忍這種異端邪說。到了一九〇九年，其中一人獲得的聲望足以威脅列寧的領導地位，因此列寧決定不再遷就他們。列寧的書是清黨的一個步驟。倘若列寧只想證明，誰要是既想當馬克思主義者，又想當康德主義者，誰就是糊塗蟲，那他是具有足夠的事實根據。可以肯定，本書前一章也偶爾談到，馬克思和恩格斯認為辯證唯物主義是一種工作假設，這些言論無疑也是對康德主義的讓步。但是，要求辯證唯物主義既是工作假設，又是邏輯規律，似乎不太可能，馬克思通常認為辯證法是邏輯規律，只有從根本上重建體系，否則，馬克思根本不能把黑格爾主義變為康德主義（ Kantianism ）。到此為止，列寧完全正確。但是，他的書不只對兩個不同的哲學體系進行邏輯分析。列寧要將離經叛道者清除出黨，他曾在別處坦率宣稱，一旦反對派被清除出黨，任何真理和公正都不可能站在聲名掃地的這一方（被清除出黨者）。因此，列寧不擇手段地歪曲反對派的意見，指責他們背離了正統的馬克思主義，為資產階級敵人效勞——

　　在這個由一整塊鋼鐵鑄成的馬克思主義哲學中，絕不可去掉任何一個基本前提，任何一個重要部份，不然就會離開客觀真理，就會落入資產階級反動謬論的懷抱。❿

特別受到列寧攻擊的是物理學家恩斯特‧馬赫（ Ernst Mach ）的

科學實證主義。馬赫竭誠建立一個沒有任何形而上學觀點的科學哲學體系，這使他成爲當時新康德主義的典範，對布爾什維克而言最深刻的印象是，它是列寧打算清除的質素。列寧的論據幾乎全部來自恩格斯的《反杜林論》（*Anti-Dühring*）和《費爾巴哈》（*Feuerbach*），但是，他的辯論方式與恩格斯完全不同。恩格斯批判論敵的理論，而列寧卻攻擊論敵的品格。他說，即使尋求新觀點的渴望，也「暴露出精神的貧困」，這種哲學標誌著「心中有鬼」（guilty conscience）。「科學家馬赫的哲學，它給予的科學如同猶太給予耶穌之吻」。列寧援引恩格斯的意見說，只有兩種哲學體系是可能的：唯物主義和唯心主義。在列寧的解釋中，唯物主義被歸結爲一種膚淺的論斷，即客觀現實（指物質）不依賴於我們的意識而獨立存在。他以多種方式反覆陳述這一點，若仔細分析，就會發現這些方式具有不同的內涵，最終只不過重申我們確實能夠「認識」。有時他說，客體引起知覺，有時又說，知覺是客體的正確映像（根本不是同一回事），有時還說，我們可直接認識客體，彷彿知覺是一種直覺。他使用「反映」客體或客體的「意象」、「圖像」等比喻手法，好像它們是自明的，他從未解釋過「反映」（reflect）一詞，而在列寧的筆記中，卻經常引用這個含混而多義的術語。他的唯心主義等同於「主觀主義」（subjectivism），否認任何客觀真理標準。他像恩格斯一樣，認爲科學能夠證實經驗陳述這一事實足以駁倒唯心主義。唯心主義是虛假的，但是並非一派胡言，因爲非時空的存在是教士編造的神話，以愚弄人民──簡言之，是「人民的鴉片」（opium the people）──長期以來，人民一直相信這種神話。列寧常常交替使用「唯心主義」和「僧侶主義」（clericalism），認爲唯心主義維護宗教，支持統治階級，爲其剝削辯護。由於唯物主義與唯心主義之間不可能有中間地帶，所以，像馬赫這樣的實證主義不是「賣弄學問」、「冒充博學」、「掩蓋它優於唯心主義和唯物主義的企圖」，就是虛僞的唯心主義，打著科學旗號的僧侶主義，「調和騙子的行爲」，「資產階級、市儈、怯弱者對教條的容忍」。列寧對辯證法的論述絕不會讓人相信這是列寧常常思索的主題，因爲他只是在重複恩格斯的老生常談。真理既是相對的，又是絕對的，有部份錯誤，但「近似於絕對的、客觀的真理」。任何意識形態都有歷史侷限性，但每一種理論又都有其相應的客

觀眞理性。他說，這種不確定性，足以防止把科學變爲敎條，而確定性
則排除了任何宗敎信仰和不可知論。

作爲一種哲學立場的表述，這種做法未免徒勞無益，但是，卻能讓
人看淸列寧的觀點和思維模式。他的論辯始終貫穿著對僧侶主義的莫名
其妙的同情，以及對科學實證主義在道德上的厭惡。他憎惡僧侶主義或
所謂的唯心主義，但並不害怕它，因爲他知道答案。顯而易見，它是一
個誠實的敵人，不掩飾其敎條主義和權威主義的目的，列寧暗自把這種
狀況歸之於它的哲學本能。正如他在筆記中寫的，僧侶主義實際上是
「不結果的花，但是卻長在一顆多產、眞實、有力、萬能、客觀、以及
絕對的人類知識之樹上」。另一方面，像馬赫（Mach）這樣的科學家
對形而上學爭論的冷漠，以及他哲學中的經驗主義和非權威主義氣質，
引起列寧在道德上的極大反感。他的思想方法與列寧格格不入，因此列
寧不相信它是誠實的。

出於這種思想偏見，列寧在改變馬克思關於辯證法與科學之間關係
的論述時遠超出自己原來的意圖，也就不足爲奇了。馬克思仿效黑格
爾，把辯證法視爲一種方法，特別適用於歷史和社會研究領域，因爲這
些領域必須討論生長與發展問題，而普通的邏輯學無法解決這些問題。
馬克思認爲，辯證唯物主義不能取代費爾巴哈等人的唯物主義，他認
爲，後者完全適用於物理學和化學等學科，但是，前者可以補充後者，
用於所謂的「歷史」研究。到了一九〇九年，物理學的狀況發生變化。
馬赫和法國科學家彭加雷（H. Poincaré）等人的研究，就是由於現代
物理學概念——譬如，非歐幾里德幾何學——的應用引起的，這些概念
在馬克思時代的牛頓物理學中尚未出現。從某種意義上說，列寧在專心
致志於政治的運籌帷幄，在黨內施展陰謀詭計之餘，尚能關注科學哲
學，足見其非凡的智力。平心而論，應該承認，列寧懷疑他身旁的追隨
者把「新」物理學當作某種神學推論的藉口並沒有錯。按照古典力學，
「物質」與「能量」的物理學概念是嚴格區分的，後來發現兩者有時可
以互換，這一發現使人感到，如果把能量想像爲「精神性的」東西，事
情就更淸楚了。眞正使列寧感到困惑的是，他以不同的方式做著他有充
份理由反對的人也正在做的同類事情。辯證唯物主義在他看來是魔法鑰
匙或「開門咒」，可以解決一切難題。倘若物理學家和數學家都知道，

辯證法所證明的一切差別都是相對的，不是絕對的，他們就不會爲某種物質有時表現爲能量，能量有時表現爲物質而感到困惑不解了。這僅僅證實了恩格斯的話，自然界沒有固定的分界線。而按照馬克思主義理論的指引方向前進，就會愈益接近客觀真理。實際上，這等於把馬克思主義從一種解釋變爲適用於一切主題的普遍方法，而且是透向更高知識的唯一可靠的方法，是科學中一切議而不決的問題仲裁者。這表明，科學的終極方法是引證權威，否認權威乃是異端邪說。這的確是列寧對馬赫的最終批判：由於他懷疑三度空間，因而拋棄了科學而去信奉神學。這種論點不僅是對科學的歪曲，也是對馬克思的歪曲。雖然馬克思有時比較偏狹，但是他常常擔憂他的原則是否符合人們的觀察和歷史的本來面目。馬克思生性注重經證據。列寧卻注重信仰：如果事實與信仰不相符合，那麼事實是錯誤的。

列寧談論社會研究時，這一點更爲明顯。他坦率地宣稱，科學的公正無私不僅不可能，也不應該去追求。思想是武器，社會哲學只是武器的配件，政黨就是用這個武器進行階級鬥爭的。他說，經濟學教授是資產階級的科學推銷員，哲學教授是神學的科學說客，而神學只不過是精緻的剝削工具。眞正的社會科學理論所能發現的只能是經濟和歷史進化的一般輪廓；辯證唯物主義證明了這一點。要求在哲學、經濟學、政治學上保持科學的超脫態度，不過是爲了掩飾既得利益。在辯證唯物主義框架中，可能有兩個社會科學體系：一個是根據資產階級的利益而形成，一個是根據無產階級的利益而形成。無論是無產階級還是資產階級，每個社會科學家都是一個特殊的辯護律師。如果他誠實，一開始就會承認其信仰，絕不會詭稱自己得出的結論不依賴其信仰。列寧當然主張，無產階級的社會科學相當優越，但並不是因爲形式上更精確，經驗上更可靠，它的優越在於代表了未來的潮流和站在社會最前列的新生階級的呼聲。相反的，資產階級在進行一場保衞戰時，儘管毫無希望，卻依然竭力阻止或拖延資本主義的崩潰和共產主義的勝利。它的科學充其量是靜止的，更正確地說，是腐朽的、反動的。列寧的論點至少具有坦率的優點，但也是循環論證。因爲證明無產階級是「上昇的」階級，乃是以馬克思的歷史規律必定是正確的依據。由於列寧主張，一切理論都有黨性，因此，他若不宣稱馬克思主義是個例外，其論點便毫無邏輯

性。事實上，列寧只把馬克思主義作爲信條，他的論點自然充斥著令人
生厭的神學，並摻雜了陰謀詭計和背信棄義的汚言穢語。在這方面，列
寧與恩格斯有顯著差別，儘管他在其他方面效法恩格斯。恩格斯說，杜
林的理論自相矛盾，但他從不說杜林不誠實。

　　《唯物主義和經驗批判主義》直接批判科學理論，並未涉及文學與藝
術，但是，我們毫不懷疑，列寧打算使文學藝術服從革命利益。一九〇
五年以及在同一問題的爭論達到頂點的一九〇九年，列寧說，文學「必
須成爲偉大的社會民主機器上的齒輪和螺絲釘」（literature "must be-
come a wheel and screw of the great social-democratic machine"）。
他對藝術的態度愛恨交織，令人莫名其妙。他似乎很欣賞俄羅斯文學，
對文學家懷有誠摯的敬意，雖然他認爲文學家沒有能力作革命者；他深
深陶醉在音樂中，人們常常引用的高爾基講述的一段故事，足以證明這
一點。⑪列寧是一個眞正的知識份子，擁有知識份子的一切興趣，但他
也是一個狂熱者，像其他一切狂熱份子一樣，爲了達到狂妄的目的「革
命不惜犧牲人民、朋友、敵人、原則、規律、道德、眞理等等。他也輕
舉妄動，像其他輕舉妄動者一樣，沒有責任感，不過，他從不希望成爲
偶像，而命運使他成爲偶像。撰寫《唯物主義和經驗批判主義》一書時，
列寧是個流犯，毫無疑問，他準備死在流放地。在一九〇九年，誰都沒
有讀過這本書，眞正知道這本書的人也知道其內情——它是僑居瑞士的
一羣默默無聞的俄國革命者進行晦澀難懂的黨內論戰的產物。目前，它
卻成了教科書，俄國每一位攻讀哲學的學生都要研究它，至少表示信
服，而每個俄國心理學家在討論感覺理論時，也必須注意列寧對「反
映」的論述。在科學方面，列寧是馬克思的追隨者，他自己也注定要有
追隨者，一九四八年，俄共黨中央委員會通過一項決定，宣稱**孟德爾主
義**（Mendelism）是一個奧地利牧師和一個充當美國資本主義「推銷
員」的遺傳學家串通一氣的資產階級騙局。但是，假定列寧進行論戰的
一切小冊子都是絕對眞理，有時也很麻煩，當他把辯證法變爲普遍的科
學方法時就是如此。因爲辯證法的唯一價值是批判性：它僅僅是一種方
法，表明一個論點包含著矛盾。掌握政權的列寧主義，既不歡迎批判，
也不鼓勵人們發現自身結構中的矛盾，因爲這或許暗示著，需要進行一
場新的革命把社會主義轉變爲共產主義。直到史達林行將就木之際才發

現，「只有形式邏輯是普遍有效的」。但是，一個政權爲了適應政策而必須改變它的邏輯，它能保持理智上的誠實嗎？

資產階級革命與無產階級革命

在馬克思主義的戰略原則中，處理最好的莫過於在時機「成熟」以前，也就是說社會「矛盾」尚未造成革命環境之時，無論靠武力還是陰謀，都不可能發生革命，這一規則它被看作是馬克思的「科學」社會主義與空想社會主義或單純冒險主義的區別之所在。恩格斯在《反杜林論》中用了不下三章的篇幅強調並闡述這一原理。不過，最有權威的章節是〈資本論〉前言中的一段話，馬克思說，雖然一個民族能向另一個民族學習，但是，「它既不能跨越自然進化階段，也不能靠行政命令把這些階段抹掉」。他還說：「一個比其他國家更先進的工業發達國家，只是爲他們展示自己未來的發展前景。」革命者所能做到的一切，就是「縮短並減輕分娩的陣痛」，儘可能迅速地完成向社會主義的「必然」過渡。這些話字面的涵義似乎是，一切社會必須根據自然規律經歷三個階段：封建主義社會（feudalism）、資本主義社會（capitalism）、社會主義社會（socialism），每個階段的過渡都是透過革命完成的。由於上邊提到的原因，這個「規律」對俄國馬克思主義者尤爲重要。然而，任何馬克思主義的社會主義者，若要在道德上推翻資產階級政府，必須暫時容忍它。社會主義者在這種關係中採取的態度，始終是個關鍵問題，但是，直至十九世紀末，西歐才找到一種通常的解決辦法：社會主義者應該支持自由主義的政治改革，它可以加強工人階級的力量，但是不參加資產階級政黨組成的聯合政府。

這種解決方式與俄國馬克思主義者毫不相干。俄國既沒有議會，也沒有內閣，更沒有資產階級革命。按照這種理論，資本主義經濟發展首先必須引起資產階級革命，摧毀沙皇政府的封建統治，建立適合資產階級社會的自由政體。然後，才有希望發展到社會主義。辯證唯物主義似乎證明，無產階級的革命精神及其政治教育，只能作爲工業主義和政治自由主義的結果而發展。因此，俄國社會主義政黨，必須讓自己的策略

適應在野而又革命的資產階級政黨的策略，並支持資產階級革命。然而，資產階級依然是無產階級的死敵，無產階級不應過度地捲入資產階級革命，這樣會對自己革命的成功造成不利的影響。一九〇五年的俄國革命便遇到這個尖銳問題。這次革命為人們帶來希望，使人們看到俄國革命不僅可能，而且迫在眉睫，但是，它顯然還不是一次完善的資產階級革命。在現代西歐政治中，沒有與之相應的東西，馬克思的著作也很少涉及這個問題，因為馬克思哲學的主要構架取決於這一假設：法國革命是封建主義與資本主義的分界線。一八四八年及其以後相當長的時間裡，馬克思一直認為，社會主義革命在法國或英國指日可待。與俄國情況最相似的是德國，馬克思認為德國是落後國家，他在一八四八年預料，德國將步法國之後塵。甚至到了一八七五年，馬克思在《哥達綱領批判》（ Critique of the Gotha Program ）中還說，德國「絕大多數勞苦大眾由農民組成，而不是由無產者所組成」，這也是一九〇五年俄國狀況的真實寫照。然而，到了十九世紀末，德國社會主義決定致力於一項逐步改革的綱領（雖然黨的理論依然是革命的），這也未對活躍的俄國革命引者起任何指導作用。結果，一些雖與非工業化國家相關但與馬克思重大原則無甚聯繫的隨意評論，反而被俄國馬克思主義者視為至寶。

一九〇五年之後，兩種革命（資產階級革命與無產階級革命）的問題，成了人們苦苦思索的主題。因為沒有一個負責的馬克思主義者會去考慮單憑奪取政權就能「跨越」資產階級革命這樣一種可能性。當時存在兩種互不相容的理論，以及與它們相應的適合俄國馬克思主義政黨策略的種種意見。一種是孟什維克的，其傾向是儘可能地模仿西方巨大的馬克思主義政黨。它效法正統道路：資本主義工業尚未發展，無產階級尚未成為多數之前，社會主義不可能在俄國成功。因此，在革命中，馬克思主義者必須支持資產階級；政治自由化之後，社會主義革命的時機尚未成熟之際，社會主義政黨可以組成左翼反對派。這個理論背後的策略依據是，俄國資產階級實際上是革命的，並將擔負領導責任，其內涵是，社會主義政黨應在較自由的資產階級政黨中尋找同盟者。這個理論雖然並非很正統，但是，幾乎很難想像有比這個綱領更令人沮喪的了，因為在一段不確定的時間內，馬克思主義政黨只能期待獲得輔助地位。

事實上，這個理論並不實際，因爲它沒有就農民政策提出任何建設性的策略，而農民問題乃是俄國最嚴峻的策略問題。雖然托洛斯基與孟什維克結盟，但是他和列寧都對這種綱領表示不滿。

　　對兩種革命問題抨擊最猛烈的，來自托洛斯基。不難發現，托洛斯基的不斷「革命論」確實是馬克思主義分析的光輝典範。⓬他把孟什維克理論斥之爲「原始的」馬克思主義（ "primitive" Marxism ）——

> 　　以爲在無產階級專政與一個國家的技術和生產資源之間有一種自
> 動依存關係，這是一種非常原始的經濟決定論之理解。這種概念與馬
> 克思主義毫無共同之處。

「馬克思主義首先是一種分析方法。」必須考慮到俄國乃至世界資本主義的全部境況，托洛斯基（ Trotsky ）指出：第一，俄國資產階級怯懦、軟弱，與一七八九年的法國資產階級有著天壤之別。因爲俄國工業一直依靠國家或外國資本，而外國資本又指望國家保護其投資；第二，俄國工業已經造就了無產階級，因爲採用了現成的先進技術和大規模的生產組織。結果，俄國的工廠主害怕勞工甚於暴政。即使在一八四八年，德國資產階級也未完成他的革命，而一九〇五年，俄國的城市工人卻領導了革命。因此，托洛斯基得出一個大膽的結論：「在經濟落後的國家裡，無產者能比發達資本主義國家更早地掌握政權。」當然，從某種意義上說，必須從資產階級革命起步，因爲必須摧毀封建主義殘餘，但不能停留在這一點上。無產者必須繼續向資本主義發動進攻，沒收大地產，支持農民反對地主，把兩種革命結合起來。農民會暫時將工人視作解放者。「政權必然落入在鬥爭中起領導作用的階段——工人階級（ Working Class ）——之手。」革命政府將是無產階級專政。托洛斯基將兩種革命的結合稱之爲「聯合發展法則」（ law of combined developmewt ）。

　　工人能夠奪取政權，但是能夠保持政權嗎？托洛斯基認爲，這不取決於俄國，而取決於西歐的態勢。工農聯盟是暫時的，儘管農民可以站在工人一邊反對地主，但是，卻不會支持集體主義或國際主義。工人革命將受到資產階級政府的干預，因而必須鼓動西方的無產階級起來造反。俄國無產階級本身不能建立社會主義經濟，如果得不到世界無產階

級的支持，「俄國工人階級不可避免地會被反革命政府擠垮」。托洛斯基寫這些話時，馬克思主義者普遍認為西歐革命的時機已經「成熟」，甚至在一九一七年布爾什維克奪取政權時，俄國的馬克思主義者還是普遍相信，俄國革命至少應得到德國革命的支持，否則就會失敗。恰恰是這些觀點，使俄國革命保持在資本主義發展的國際理論的範圍之內，從而保持了馬克思主義的正統性。因此，事實上，一九一七年革命的構想與托洛斯基一九〇六年闡述的不斷革命論實質上是相似的。從所謂原始的馬克思主義的立場出發，社會主義革命發生在歐洲工業化程度最低的國家，似乎只能是一種輕率的冒險。它的成功將永遠改變馬克思主義的傳統概念。正如史達林後來所說，鏈條在最薄弱的環節上被打破。實際上，托洛斯基的分析表明，經濟解釋與馬克思的「鐵的歷史規律」無關。

　　列寧關於兩種革命的思想，無法與托洛斯基邏輯嚴謹的不斷革命論相比擬。出於某種原因，列寧並不認為這個理論有多麼重要。❸但是，他的結論與托洛斯基並無多大差別。列寧根據自己獨特的策略思考問題，他不願過早斷定俄國革命的幾股力量如何組織起來。他像其他人一樣，認為社會主義革命應該依靠西方的支持，他和托洛斯基出於同樣的理由不信任俄國的資產階級。因此，孟什維克與資產階級政黨結盟的政策，在列寧看來似乎不現實。列寧指責托洛斯基忽略了農民，但是，他們之間的差別充其量不過是側重點不同，因為倘若不依賴資產階級，唯一可能的選擇就是工人階級與農民形成暫時的聯盟，這是他們倆都採納的重要策略思想。列寧認為，革命也許以農民的反抗為起點，在工人階級的領導下成為真正的資產階級革命。一九〇五年，他把自己的綱領命名為「無產階級和農民的革命民主專政」。第一步是支持農民剝奪大地主，但是有一定風險，可能會轉變為像普魯士發生的與容克（Junker）的妥協。因此，無產階級的目標就是迫使革命不斷前進，直至建立完全的民主共和國。一九〇五年或稍後，列寧不再希望造就一個農民的有產階級，他所擔心的唯一一項改良運動，是一九〇七年以後的斯托雷平（Stolypin）改革。列寧的政策是使土地國有化。把農民變為國家的佃戶，這是走向資產階級經濟的第一步。這也將是走向集體農業的第一步，而農民在十九世紀三〇年代將會發現，這是多麼巨大的一

步啊！但是在一九〇五年，列寧考慮的依然是如何完成資產階級革命的問題。

列寧強調的核心思想是，農民有革命的可能，可以為無產階級政黨所利用。但是，他像托洛斯基一樣意識到，這種聯盟必然是暫時的。因此，他將自己的理論稱之為「臨時革命政府」（provisional revolationazy government）計畫，在某個時刻，與農民的聯盟必須變為與西歐無產階級的聯盟。至於兩種聯盟的過渡要持續多長時間，列寧並不清楚。他甚至先於托洛斯基偶然地推測這種間隔可能消失，雖然他一再斷言兩種革命依然大相逕庭——

> 我們將立刻由民主革命開始向社會主義革命過渡，並且恰恰是按照我們的力量，按照有覺悟、有組織的無產階級的力量，開始向社會主義過渡。我們主張繼續革命。我們絕不半途而廢。❹

然而，與此同時，他仍然寫了可能出自孟什維克的話——

> 當然，在具體的歷史環境中，過去和將來的成份交織在一起，前後兩條道路相互交錯。……但這絲毫不妨礙我們從邏輯上和歷史上把發展過程的幾個大階段分開。我們大家都認為資產階級革命和社會主義革命是截然不同的兩個東西，我們大家都無條件地堅決主張可以把這兩種革命極嚴格地區分開，但是，難道可以否認前後兩種革命的個別枝節成分在歷史上相互交錯的事實嗎？❺

甚至在十年之後，第一次世界大戰爆發使俄國革命成為實際問題時，列寧還說，從工農聯盟變為與歐洲無產階級的聯盟，足以把兩種革命區分開來。❻即使時間間隔在某點上消失，這種差別依然存在。列寧之所以維護馬克思的傳統似乎出於如下原因：他不能拋棄這個信仰，兩種革命之間的差別，在某種程度上可以保證隨之而來的社會主義民主。因為在前面引證的「兩個策略」中，他說任何馬克思主義者都不會忘記，無產階級除了「資產階級自由和資本階級進步」、「完善的政治自由」之外，沒有通往自由的其他途徑，而這種資產階級的政治自由已經包含在他那「無產階級和農民的革命民主專政」的公式中了。然而，從上邊的引文可以清楚地看到，早在一九〇五年，列寧的理論就已包含了

類似托洛斯基不斷革命論的重要思想。顯而易見，如果兩種革命合而爲一，和西方社會主義政黨的長期發展及其與自由負責的政府交往的經驗便沒有任何相似之處了。列寧在「資產階級自由」問題上的躊躇，歸根究柢只是形式的，而不是眞的相信專政不好。一九一七年革命時機到來之際，兩種躊躇都煙消雲散了。

帝國主義的資本主義

　　一九一四年，第一次世界大戰爆發了，而西歐的社會主義黨派尤爲支持戰爭，列寧的思想發生了新的轉變。到了一九一四年，列寧雖然還在潛心研究馬克思主義文獻，但是，他的思想依然以俄國社會主義政黨問題爲主。戰爭把馬克思主義推向民族和國際政治的關係之中，一些馬克思主義者背叛國際主義及其反對愛國的聲明表明，這類事情應成爲革命戰略首先要關注的問題。一九一四年至俄國革命爆發這一時期，列寧主要研究資本主義走向帝國主義及其對社會主義革命的影響問題。

　　西方馬克思主義者的背叛行爲使列寧感到震驚。列寧一直相信卡爾・考茨基（Karl Kautsky）之類的德國理論家冠冕堂皇的革命言詞，他無論如何不會相信，德國的黨竟會投票贊成戰爭預算。一旦事情已不容懷疑，考茨基在列寧眼裡便成了「叛徒」。列寧成爲僅有的幾個馬克思主義者之一，其中包括卡爾・李卜克內西（Karl Liebknecht）、羅莎・盧森堡（Rosa Luxemburg）等，他們準備爲自己國家的戰敗而歡呼。列寧也很願意走這一步。「從俄國各民族勞動階級和俄國廣大勞苦大眾的觀點來看，兩害取其輕，應當使沙皇政權及其軍隊失敗。」他的口號是「把帝國主義戰爭變爲內戰」，即變爲無產階級革命。但是，大批社會主義政黨的背叛，使列寧不得不緩和與修正主義者的關係，這些修正主義者一直遭到他的鄙視和謾罵，儘管他從未對他們的理論進行過認眞的研究。馬克思關於革命即將來臨，工人階級日益貧困，資產階級下層降低到無產者等預言，都未出現。雖然列寧願意相信，是黨的領導者出賣了無產階級，但是，他不能不看到這個事實，即西歐的無產階級允許這種出賣，而且在某種意義上甚至歡迎這種背

叛。按照馬克思主義理論，無產階級生來就是革命的，事實卻證明他們根本不是革命的，這顯然是伯恩斯坦（Bernstein）的論點。當時，列寧必須正視這個異常現象：為何在最發達的資本主義國家，資本主義工業化並沒有產生革命的無產階級？旣然他不打算放棄這個理論，就必須證明馬克思主義依然認爲無產階級革命是不可避免的。他還必須說明，西歐無產階級遇到世界資本主義發展過程中的一股逆流，到一定時候，發展過程將恢復正常。一九一五年至一九一六年，列寧的作品主要圍繞著這一主題展開，這些論述後來正式定義爲「列寧主義是帝國主義時代的馬克思主義」。❿

　　事實上，列寧的論點並不是他的獨創，無論對馬克思主義者還是非馬克思主義者來說，帝國主義和國際資本主義都不是什麼新課題，按照科學標準，列寧所作的分析遠比其他馬克思主義者遜色。⓲他強調策略，而不是經濟理論，他的重點在於表明，馬克思關於革命特點的結論仍然有效。總而言之，他追隨恩格斯早已建立的模式，承認馬克思低估了資本主義制度發展的可能性。對經濟的分析可簡述如下：隨著工業企業規模的不斷擴大，資本主義經濟形成壟斷，到了一定時候，在不斷發展的資本主義經濟中，壟斷成爲統治一切的特徵。商業中組織了越來越多的托辣斯和卡特爾，國內企業中，私人企業家之間的相互競爭實際上停止了，工業的控制權從商品生產者手中轉入金融家和銀行家的手中。商業資本與銀行資本融合，最後越來越受金融寡頭的控制。經濟受到這種控制之後，馬克思所說的資本主義競爭的無政府狀態，實際上已經減弱了，因此矛盾也得以控制，但是在國際範圍內，結局卻完全不同。這種制度獲得的最高利潤來自不發達國家的廉價勞動和原料，獲得的更高收入來自在不發達國家的投資。擴大再生產又不斷創造更大的市場壓力。因此，儘管企業家之間的競爭減弱了，國家之間或資本主義國家集團之間的競爭卻逐漸增加；關稅成爲國家貿易戰爭的武器；當國內政治向國家社會主義方面發展時，國際政治卻向帝國主義國家之間爲爭奪不發達國家的領土和人口方向發展。結果，爲瓜分不發達國家和擴張殖民地而進行帝國主義戰爭。列寧得出的結論，用最通俗的話來說就是，一九一四年爆發的戰爭，只不過是德國資本主義企業聯合體及其子公司與英法資本主義企業聯合體及其子公司之間，爲控制非洲而展開的鬥爭。

可以肯定，資本主義發展是不平衡的。一些小資本家集團，為了一些次要的目標，在主要鬥爭的邊緣進行小規模的戰鬥。俄國資本家希望控制君士坦丁堡，日本則企圖剝削中國。在更落後的國家如塞爾維亞和印度，像以往的歐洲一樣，仍然存在著真正的民族主義運動。不過，壟斷和金融資本在本質上是資本主義自由競爭的必然結果；政治上的帝國主義是壟斷資本主義的必然結果。因此，帝國主義是「資本主義發展的最高階段」（imperialism is "the highest stage of capitalist development".），是向更高級的共產主義經濟和社會的過渡階段——

> 帝國主義是作為一般資本主義基本特性的發展和直接的延續。但是，資本主義只有發展到一定的、很高的階段，才變成了資本帝國主義，這時候，資本主義的某些特徵開始變成自己的對立物，從資本主義到更高級的社會經濟結構的那個過渡時期的特點，已經全面形成和暴露出來了。[19]

列寧認為，這個理論不僅可以解釋戰爭，也可以解釋馬克思關於工業經濟發達國家中無產階級即將來臨的預言為什麼沒有實現。資本家從剝削落後民族獲取高額利潤，所以，他們能給本國的勞工支付高工資。因此，歐洲的勞動者，尤其是技工，生活水平不斷提高。毫無疑問，較高生活水平的獲得，是建立在對殖民地和不發達國家非技術工人更沉重的剝削的基礎上。歐洲工人階級實際上已經成為世界剝削制度的同夥，而且在某種程度上參與了分贓。因此，階級鬥爭得到了暫時的、邏輯上的緩和；或者說，資本主義找到了一條延緩其固有「矛盾」的出路。結果，在歐洲歷史上的一段時期內，列寧把它劃入一八七一年（巴黎公社無產階級起義的日子）至一九一四年之間，歐洲無產階級受小資產階級意識形態的影響。他們成為修正主義幻想的犧牲品，即資本家與工人之間有共同的利益，利用和平或改良的方法使經濟持續發展。列寧說，一九一四年「無產階級群眾由於少數處境優越，技術熟練並參加了工會的工人投入自由，亦即資產階級的政治懷抱，從而全部渙散，失去了鬥志」。他自然把這種情況視為墮落。歐洲工人階級變得「體面了」，並成為寄生蟲。資本主義也「墮落了」，它不再是一種積極的社會力量，像一八七一年以前那樣。資產階級成為腐朽而反動的階級，只對保護自

己的既得利益感興趣，具有典型的食利者思想。實際上，列寧想要證明的東西似乎太多了，即全歐洲社會，包括資產階級和無產階級，都墮落了，因爲他想斷言，革命即將在西方重新爆發。他對政治民主的評價似乎比一九〇六年更消極，當時他認爲，政治民主是通向社會主義的唯一道路。他對民主的態度一直很曖昧。正如馬克思在《哥達綱領批判》中所說的，民主只有作爲走向社會主義步驟，而且是必然的步驟時，才有價值。現在列寧傾向於將民主稱之爲純粹的騙局和偽善。列寧以戰爭管制爲例，證明公民自由不過是扔給平民百姓的麵包片，一旦威脅到資產階級社會唯一掌握實權的金融統治時，立即會被奪去。底下將會顯示，列寧對民主的評價確實低得可憐。

　　列寧對事態發展的最後結論還有待作出，他試圖表明，歐洲無產階級依然是革命的。正如他所說的，「戰爭正在促進社會主義革命」。他的畢生信念使他無法看到他的論點蘊含著另一種可能性，即西歐的革命可能會長期延遲，致使變帝國主義戰爭爲國內戰爭的政策不能成立。他所做的只是重申馬克思的一般論點。帝國主義透過資本輸出促進了不發達國家的工業化，因而擴大了資本主義。資本主義的本性不會改變，也不可能改變。它的內在矛盾不會消除，只能「轉化」，必然以新的面目出現。帝國主義統治階級和勞動階級，已劃分爲利益互相衝突的國家集團，這種劃分與世界性的生產體系不相適應。民族團結的意識形態，排外的關稅政策，以及國家壟斷政策，成爲適度擴大經濟體系的障礙，作爲基礎的生產力將重新取得對人爲限制的領導權。更有甚者，列寧顯然相信，這些矛盾具有兩種形式：第一，資本主義不能防止或控制蕭條和危機，他預計蕭條和危機會更頻繁、更劇烈，它們是資本主義經濟不可克服的弱點；第二，他更明確地指出，帝國主義國家不能避免戰爭；一九一四年爆發的戰爭，是各國之間爲帝國擴張而進行的一系列持續不斷的戰爭中的第一次。因此，列寧提出一個未加發揮的觀點，即不斷爆發的戰爭和蕭條必然逐步削弱資本主義的力量。後來的共產主義者把它作爲資本主義必然崩潰的標準證據。實際上，馬克思的結論就這樣重新得到確認。由托洛斯基執筆的「第二個共產黨宣言」（Second Communist Manifest），於一九一九年爲共產國際通過，宣言聲稱，世界大戰展現的人類苦難景象，解決了「社會主義運動中關於貧困理論的學術爭

執」。列寧年輕的朋友，尼古拉・布哈林（Nikolai Bukharin）概括出如下的結論：

這次大戰切斷了使工人受主人束縛，奴隸般地屈從帝國主義國家的最後一個鏈條。無產階級哲學最後的侷限性被克服了，這就是拘泥於民族國家的狹隘性和愛國主義。與整個階級持久的總體利益相比，與國際無產階級進行社會革命，以武力推翻金融資產階級專政，摧毀國家機器，建立工人階級反對資產階級的新政權相比，眼前的利益，從帝國主義掠奪和與帝國主義保持聯繫中得到暫時好處，就成爲次要的東西。❷⓪

不管列寧做此結論時如何深信不移，從總體上看，其論點表明了歐洲無產階級兩種全然不同的作用。大約有四十年的時間，無產階級一直處於沉寂之中，馬克思的預言未能實現。一九一五年，無產階級變得非常具有革命性，革命有一觸即發之勢。列寧像一般俄國的馬克思主義者一樣，始終相信考茨基鼓吹的西歐革命時機已經成熟，只有得到西方革命的支持，俄國革命才能鞏固。爲了解釋一九一四年社會主義者的背叛，他採納的這一理論，即西方的無產者與資產階級聯合起來剝削殖民地人民。於是他假定，戰爭將使西方無產階級轉變態度，領導世界無產階級反對資本主義和帝國主義壓迫者。然而，似乎沒有什麼理由解釋戰爭爲什麼會改變西方無產階級和受剝削的不發達國家人民的相對地位。很難看出，列寧究竟以哪條馬克思主義原則爲依據，斷言西歐無產階級一下子會變得具有革命性，或者斷定在資本主義發展不平衡，非工業國家依然受剝削的情況下，西歐無產階級不會繼續沉默。他對西歐革命即將到來深信不疑（儘管他的證據並不特別充份），這一點暫且不提，列寧的上述分析使他即將建立的共產主義政府面臨了一次抉擇：它可以寄望於西方革命，也可以按照同樣的邏輯寄希望於與西方資產階級無限期地共處。一九一七年以後，列寧直率地預言，共產主義與非共產主義國家之間的戰爭將不可避免。因此，理論家可以把世界政治緊張局勢視爲資本主義與共產主義之間，或者是資本主義國家之間的緊張局勢，這兩種看法都未超出正統的列寧主義範圍。❷①

馬克思主義的其他一些重要修正，在某種程度上顯然受列寧帝國主

義理論的啓發，但通常不夠充份，也不十分清楚。一九一七年以後，
「無產階級」一詞與馬克思賦予的專門意義已有很大差別。如通常將
「世界無產階級」（world proletariat）當作「殖民地半殖民地國家工
人」的同義詞運用，雖然後者絕大部份顯然不是由資本主義生產體系直
接產生的無產階級——

> 資本主義使人類的廣大羣衆無產階級化。帝國主義使這些羣衆失
> 去平衡，並使其捲入革命。「羣衆」一詞的概念，近年來幾經變化。
> 過去議會主義與工聯主義所說的「羣衆」，今日已成爲上流社會的人
> 物；千百萬不能參政的人成爲當今的革命羣衆。㉒

列寧本人意識到，當他把馬克思最爲著名的口號加上「和被壓迫民
族」幾個字，使其成爲「全世界無產階級和被壓迫民族聯合起來」時，
便從根本上改變了馬克思主義。他解釋說——

> 當然，從《共產黨宣言》的觀點看，這是錯誤的。但是，《共產黨宣
> 言》是在完全不同的條件下寫的，從當前的政治形勢來看，這是正確
> 的。㉓

作這種更改的戰略意圖十分清楚：力圖使反對帝國主義列强成爲共
產主義和殖民地人民的共同事業。不過，殖民地的人民一般不是馬克思
意義上的無產者，他們的經濟絕大部份是前工業或前資本主義的。對馬
克思主義作出的更改，是依照一九〇六年托洛斯基指引的方向，當時托
洛斯基指出，世界資本主義使落後國家爆發革命，比高度工業化的社會
更加容易，他認爲傳統理論是「原始的」。到了一九一八年，列寧也婉
轉地談到同樣的思想。雖然他時常主張以往的觀點，但是，他特別說明
了自己的修正意見，彷彿它是一種「正確的」解釋。㉔因此，如前所
述，如果西方資本家和無產者（馬克思意義上的）的聯盟，在高度工業
化國家有一個長久的穩定期，這種修正倒與列寧帝國主義理論相一致。
在這種情況下，共產主義國家不是與西方無產者長期結盟，而是與不發
達國家長期結盟。

鑑於列寧關於帝國主義理論支離破碎的矛盾性質，或許可以勾劃出
一幅帶有臆測性的新馬克思主義社會進化理論（Neo-Marxiantheorg of

social revolution），與馬克思主義最初的傳統截然不同，但是多少帶點從中演化出來的痕跡。與列寧曾經明確表述的其他理論相比，它與托洛斯基的不斷革命論有更密切的聯繫。毫無疑問，它似乎言之成理，因爲列寧逝世後，俄國馬克思主義就是遵循這條道路。不過，應當清楚地看到，嚴格說來，這並不是歷史事實，它與任何一位理論家的見解都不相吻合。它似乎只是列寧提出的可能性建議，由此引起列寧主義者的多番猜測。㉕

可能的新馬克思主義社會進化理論，不是描述社會階級之間的主要差別，以及把社會變革說成是階級對立的結果（馬克思語），而是描述民族或社會之間的主要差別：一方面是資本主義，工業化高度發達的社會；另一方面是不發達的，前工業化或部份工業化的社會。事實上，列寧經常使用「資本主義國家」和「無產階級國家」一類的詞。這兩個階級的國家可以在一定時期並存發展，雖然資本主義國家的工業所有者和產業大軍在某種意義上也是靠剝削不發達國家寄生的。在這兩類國家中，不發達國家可能處於更有利的地位，因爲他們可以使用發達國家現成的技術，正如托洛斯基所說，俄國也可以這樣。較發達的資本主義國家的意識形態可能更趨於僵化和保守，更注意維護既得利益，列寧賦予西歐食利者階層的意識形態就是如此。爲了對付資本主義，不發達國家必須進行調整。爲了自衛，必須發展與對手勢均力敵的經濟力量和軍事力量。如果它們的意識形態較爲靈活，就可能在全面規劃和政治指導下建立工業化經濟。它們無需重覆資本主義的全部過程和錯誤。它們可能不必實行資本主義就完成工業化的進程。由於發展不平衡，有可能在一國實現社會主義。不發達國家是由先進與落後的多種原因構成，就像沙皇俄國一樣，既有原始的農業，又有先進的工業技術。每個不發達國家的各種因素都具有獨特的組合方式，一個戰略家，必須考慮本國的性質。正如托洛斯基所說，馬克思主義實際上是一種「分析方法」。考慮到新馬克思主義的宣傳對象，最令人信服的應該是，俄國顯然站在進步的前列，在進步的東方反對垂死的西方的鬥爭中，它充當典型、示範和領導者。

革命的途徑

　　俄國三月革命之時，列寧就準備採取行動。他可以合理化地將這次革命稱之爲完成資產階級革命，或者叫做開始進行社會主義革命。在兩種革命之間劃一條清晰的界線似乎已無足輕重，因爲無產階級和農民的革命民主專政使列寧逐步得出托洛斯基一下子便得出的結論，亦即兩種革命將融爲一體。㉖他在流放地瑞士密切注視著俄國的動態，並迅速作出決定：這種情形已經發生，革命的過程將「過渡到社會主義」——

　　　　假如我們再用狹隘的想像理論硬套在複雜、迫切、迅速發展的實際任務上，而不是把理論視爲行動的指南，那就大錯特錯了。㉗

　　因此，列寧到達彼得格勒僅一周，便使他的追隨者大吃一驚。因爲一九〇五年他曾說過，社會主義者永遠也不應該忘記，民主共和國是通向共產主義的唯一道路，而現在，他卻把這個思想稱之爲「革命前布爾什維克檔案中的古玩」（orchise of "Bolshevik" pre-revolutionary antique）。生活比思想更富於「創造性」，馬克思主義要與事態的發展並駕齊驅——

　　　　現在必須弄清一個不容置辯的眞理，就是馬克思主義者必須考慮生動的實際生活，必須考慮現實的確切事實，而不應當抱住昨天的理論不放，因爲這種理論和任何理論一樣，至多只能指出基本的和一般的東西，只能大體上概括實際生活中的複雜情況。……誰按舊方式提出資產階級革命「完成」的問題，誰就使活的馬克思主義變成死教條的犧牲品。按照舊方式，結論是：在資產階級統治以後，才可能是和應當是無產階級和農民的統治，亦即是他們的專政。但是，生動的實際生活中已經產生了另外一種情況，產生了一種非常奇特的、嶄新的，從未有過的兩種統治互相交錯的情況。㉘

　　總而言之，當辯證法使形式發生變化時，一個領導者和一個政黨必須敢於在適宜的良機進行賭博，「你必然是勝利者」。到一九一七年四

月，列寧相信這一時刻已經來臨，並決定在有利的時機奪取政權。

他還要克服幾個障礙。社會主義必須經過民主共和這一信念，不是馬克思主義的表面部份。從經濟的觀點看，馬克思主義一直認為，沒有高水平的經濟，就不能建成社會主義，民主政府始終被認為是適合於這種經濟的政治上層建築。因此，民主被描述為通往社會主義的「必然階段」。但是，這個必然階段的概念在體系中含混不清，特別是具有馬克思主義所不承認的倫理學色彩。❷正如激進派所宣稱的，它也許意味著民主自由本質上是內在的道德價值，但是，在放任主義經濟社會中，未能真正實現。社會主義的主張也許等於說，在社會主義社會，這些價值可以保留下來，並能更好地實現，而且，由於生產手段的公有制，還會帶來其他的附加價值。民主體制，如選舉制和代議制，以及自由政府的公民自由等等，都將為社會主義政府所接受。馬克思一直想進行這類嘗試，雖然他在《哥達綱領批判》中大發雷霆，斥責代議制政府是「古老民主的連禱」。不管怎麼說，十九世紀末，通過立法實現了民主目標，從而確立了西歐馬克思主義的民主品格。問題的是，共產主義與社會主義之間是否可能建立有效的聯繫？十月革命之後，卡爾・考茨基作為理論上的馬克思主義革命家，主張社會主義不僅包括生產的社會組織，而且包括社會的民主組織。列寧的抉擇以國際工人運動永恆的分裂為基礎，英國的馬克思主義者哈羅德・拉斯基（Harold Laski）就認為，這是列寧的成功所造成的最終災難。

民主作為社會主義的「必然階段」，可以也確曾為人作了極不相同的解釋。有的人可能利用這個表述，他們不認為民主具有內在的道德價值，所以將言論自由、集會自由等公民自由，視為進行階級鬥爭的極好場所。他們還可以把公民自由作為煽動不滿情緒的現成手段，或者，因民主機構存在的種種弱點，也可以為圖謀破壞民主的人所利用。總而言之，民主只是一種工具，列寧對民主的主要看法也是如此。他的價值尺度中唯一絕對的東西，就是進行革命。除此之外，他的道德水平充其量是操縱性的（manipulative），令人驚訝地獲悉，他對民主方法從未有過深厚的道德感情。確實，他對民主方式根本沒有什麼切身的體驗。因此，他達到作為「必然階級」的民主的方法，就是詆毀為西方所重視的民主體制和民主實踐。在論述帝國主義的一本小冊子裡，他已經把這些

斥之爲騙局和僞善了。雖然，他在返回俄國的前三個月內一再斷言，
「資產階級國家最強大、最進步的形式是議會民主共和」，但是，他很
快就宣稱，任何資產階級政府都需要「實行最兇殘、最野蠻的鎮壓」。
即使對憲政自由作了保證，那也是供富人享受特權，而不是工人階級享
有的權利——

> 在資本主義社會裡，在它最順利發展的條件下，比較完全的民主
> 制度就是民主共和。但是這種民主制度始終受到資本主義剝削制度狹
> 窄框子的限制，因此，它實質上只是供少數人，供有產階級，供富人
> 享受的民主制度。資本主義社會的自由始終與古希臘共和國只供奴隸
> 主享受的自由大致相同。由於資本主義剝削的條件，現代的雇傭奴隸
> 被貧困壓得「無暇過問民主」，「無暇過問政治」，大多數居民在通
> 常的和平局面下被排斥在社會政治生活之外。❸

同樣，列寧返回俄國的最初幾個月裡，不斷否認他會像冒險家那
樣，領導一個不負責任的陰謀集團去奪取政權，而且在絕大多數人尚未
覺悟之前，他不會強行改變政府。但是，到了八月，他力圖表明，對於
把政治歸結爲階級鬥爭的哲學來說，多數人統治的概念是無意義的，這
是無需爭辯的事實。正如他當時所說的，這只是一種「憲政幻想」
（constitutional illusion）❸。因爲任何重要的政治事件，總是來自兩
個有統治可能性的階級利益的衝突，而政黨只是階級鬥爭的工具。更強
大的階級終歸要獲勝，如果鬥爭是你死我活的，鬥爭將是一場內戰。如
果大多數人對這個結果感到滿意，那是因爲人們對獲勝的政黨所給予羣
衆的東西暫時感到滿意。如果大多數人需要另外的東西，而統治階級仍
按常規行事，那末大多數人不是被鎮壓，就是被欺騙。因此，在資產階
級政府中，憲政自由是擁有眞正權力的資產階級特權的盾牌，它們是掩
飾欺騙和強制工人階級的幌子。任何政府歸根究柢都是一種專政，眞正
的問題在於「誰控制政府？」列寧很快就把他的結論交給即將建立的政
府來付諸實施，但是，他暫時還滿足地表明，多數的統治與進行革命毫
無關係。他說，在革命中，無數的事實表明，「較有組織、階級覺悟較
高、武裝較好的少數人，將他們的意志強加給多數人」。一個革命黨要
先奪取政權，然後再爭取多數。

　　這個結論與兩個重要的策略問題直接相關：其一，一如往常，與作為無產階級先鋒隊的列寧黨和無疑居多數的農民之間的關係有關。列寧的口號「無產階級和農民的革命民主專政」以及托洛斯基的不斷革命論，已經包含了答案。他們倆都暗示，要利用農民對土地的渴望，求得他們對革命的先鋒隊——為數不多的城市工人階級——的支持。他們也暗示，要是農民不聽管教，就粉碎這一聯盟。另一個問題是黨與蘇維埃的關係，這個問題更棘手。列寧對他四月返回國內時面臨的眞實境況作了如下描述，即兩個政權並存，一個是資產階級臨時政府，一個是蘇維埃（Soviet）。在這種情況下，左翼政黨唯一可能口號是「一切權力歸蘇維埃」（All power to the Soviet），列寧採用並一直堅持這個口號〔只有七月，當科爾尼洛夫（Kornilov）的陰謀威脅到軍事獨裁那段時間除外。〕但是，在蘇維埃中，任何一種馬克思主義都是少數，而布爾什維克是馬克思主義中的少數。此外，蘇維埃革命的自發性和它們根本的民主觀更接近於孟什維克的思想，而不是列寧的理論，前者認為應實行社會主義政黨組織的聯邦制，後者認為應實行嚴格的中央集權政黨制。更有甚者，正是托洛斯基，而不是列寧，成為一九〇五年聖・彼得堡的英雄，把蘇維埃描述為「革命政府胚胎」（embryo of a revolutionazy government）的也是托洛斯基，不是列寧。當時，列寧的黨對蘇維埃和工會冷眼旁觀。當列寧成為一次成功的革命英雄之後，在粉飾性的宣傳中，出現了這樣的神話：從一開始，列寧就覺察到，只有蘇維埃才適於作社會主義革命的機構。但是，一九〇五年至一九〇六年的歷史記錄並非如此。列寧確實認識到，蘇維埃的重要性在於它是「指導羣衆進行鬥爭的機構」，他還責備過那些忽略這種重要性的追隨者。但是，一九〇五年，他對蘇維埃的態度是「小同情，大懷疑」。他強調蘇維埃不能卓有成效地「組織起義」，他甚至提出，如果革命組織得更嚴謹，蘇維埃就可能成為「多餘的」。❷列寧只有一種信念始終一致：自發性應為自覺性所控制，黨是無產階級覺悟的中心。這幾乎是一九一七年的情景。到了十月底，黨控制了蘇維埃。蘇維埃根本不是多餘的，而是黨建立政府的前線。托洛斯基五月中旬才到達俄國，當他得知列寧已經接受了他的理論的核心部份，兩次革命合併的思想時，感到心滿意足，早已忘記了他曾抨擊過列寧的黨。兩個革命領袖最後握手言和，多

數人的統治成了實實在在的「幻想」：在一九一七年底的最後一次自由
選舉中，布爾什維克只獲得四分之一的選票。

革命前景

　　列寧按照自己的方式取得了革命的成功，隨後他又寫了一本小册子
《國家與革命》（ *State and Revolution* ）❸，這本書展現了他採取最後
步驟時的種種期待。但他的《國家與革命》並未能完成，革命使列寧中斷
了寫作。僅從題目即可看出，列寧的思想發生了變化，因爲列寧過去一
直不大注意政府的形式，現在，他迫切地感到需要粗略地勾劃他認爲即
將發生的變化。從形式上看，這本小册子把馬克思和恩格斯所有關於社
會主義國家的論述，按時間順序加以排列，但是，他的意圖是要辯證地
表明，工人國家的形式，確實已在十九世紀革命經驗的基礎上出現了。
在《共產黨宣言》（ *Communist Manifesto* ）中只提到一次，經過一八五
〇年的摸索，到一八七一年巴黎公社使之具體化。馬克思的天才發現了
形成中的國家雛型。毫無疑問，列寧未完成的第二部份似乎要描述在一
九〇五年和一九一七年的蘇維埃中國家形式得以完成。作爲歷史，它充
滿高度的想像，作爲馬克思主義，儘管摘錄的部份是準確的，卻是斷章
取義，可是對習慣於辯證法的聽衆來說，它具有很強的說服力：只要向
前走一步，無產階級國家就會誕生。不幸的是，隨之而來的是幻想破
滅。因爲列寧期待提出一個綱領，而把這個付諸實施時，幾乎斷送了革
命，並且創造了一個與蘇維埃國家毫無相似之處的形象。
　　列寧首先努力從機會主義者手中拯救恩格斯在《反杜林論》中關於國
家「逐漸消亡」的著名論述。列寧指出，機會主義者粗俗地歪曲了馬克
思主義，認爲資產階級國家可以和平演變爲社會主義。馬克思所要證明
的是，階級鬥爭存在於一切生產資料私人占有的社會裡。無產階級革命
首先必須使能夠眞正代表全社會的階級控制生產。此後，隨著敵對階級
的逐步消亡，國家也將逐步消亡，但是，聲稱資產階級國家不是資產階
級用來剝削和壓迫工人的工具，則是嚴重歪曲了馬克思主義。因此，資
產階級國家必然在暴力革命中滅亡，暴力革命將剝奪生產資料的資本主

義占有，把所有權轉移到勞動者手中，進而建立進入共產主義的中間階段。但是，這也是一個國家，用恩格斯的話說，是「自由國家」（free state），然而這個詞本身就是矛盾的。中間階段確實是民主的高級形式，高於資產階級國家最高形式的民主共和，但它依然是國家，因而是一種專政。它是「無產階級革命的專政」。

因此，列寧的論點承認一個結論，即無產階級革命像其他革命一樣，把權力從一個階級手中轉移到另一個階級手中，它將產生一個國家，依然是鎮壓的工具，與它所取代的國家毫無二致。它將是「組織成為統治階級的無產階級」所創造的相應的暴力機器，把自己的目的強加給社會中的非無產階級和半無產階級。因為工人不能靠接收現成的民主共和完成他們的革命。他們必須摧毀這些形式，用自己的統治形式取代它們。這需要長期而持久的生死搏鬥，這場搏鬥能否進行到底，只能靠堅定不移的決定和無情地使用暴力。無產階級專政必須追求兩個目的：第一，它必須「鎮壓剝削階級」，剝削階級被推翻之後，會以十倍的瘋狂進行反抗，因此要防止他們的反革命；第二，它必須形成新的經濟和社會秩序。一個政黨的主要功能在於後者，因為黨是一切尚未充份覺悟的階級的導師、響導和領導者。《國家與革命》雖然沒有明確表明，但已經暗示無產階級專政實質上將是政黨專政。它還明確表明，無產階級政府是等級森嚴的，並且包攬一切；它將「由社會和國家對勞動量和消費量實行最嚴苛的統治」。雖然新國家的民主是，「一個階級系統地使用暴力反對另一個階級」，但是，與「資產階級社會的貪污和腐敗的議會制度」相比，它是一種更高的形式。

因此，《國家與革命》的特殊目的是要表明，較早的無產階級革命，的確已形成了完全不同的非議會民主形式，馬克思早已概述過這一理論。列寧主要是深化了馬克思在《法蘭西內戰》（*Civil War in France*）中對巴黎公社的描述，並根據自己對蘇維埃的解釋作了進一步的闡述。巴黎公社是「無產階級革命打碎資產階級國家機器的第一次嘗試」，它揭示了「能夠而且必須取代被打碎的國家機器……的政治形式」。正如馬克思所看到的，它是更充份的民主，保留了必不可少的代表制原則，但是沒有虛偽的議會形式。它是由「人民武裝」所引導的政府，沒有官僚、警察、常備軍等寄生蟲。馬克思意識到，公社是工作組

合體，不是清談館；他們的成員，旣制定法律，又執行法律，所有的官員都是經選舉產生，可以隨時罷免。最重要的是它廢除了官場上金錢所帶來的特權，使國家的公僕與工人享有同等的報酬。唯一的缺陷是，它並沒有徹底打垮資產階級，因爲它是少數。列寧說，公社一旦擴及到全體人民，就將爲已經開始消亡的國家提供一項計畫。它將是集權的，但集權主義（ceutralism）乃是自願的。占多數的人民羣衆本身即可完成資產階級國家只爲少數特權官僚預備的職能。它的原則很簡單：人人要工作，人人有工作，報酬均等。在某種意義上，它是一種「天眞的、原始的民主」，因爲資本主義已經將商業與公共服務組織到這樣一種程度，即「計算和控制」已經變爲一種簡單的操作，如「登記、塡表、開支票」。任何能讀、能寫的人都能勝任。可以聘任專家、技師，他們會自願爲無產階級工作，就像他們目前自願爲資產階級工作一樣。對鐵路、大工廠、大商業和銀行的經營管理，像管理郵局一樣簡單。如果在二十四小時之內能驅除官僚，就可以接管控制權，所有公民就會成爲受雇於國家性企業聯合體的雇員。

這幅從工業經濟和從資本主義轉變爲社會主義的荒謬漫畫，無論從哪兒來看都非常奇特，因而有必要加以解釋。首先，關於馬克思對巴黎公社的論述是一幅傑作。事實上，馬克思已料到公社要失敗，並且告誡他們不要冒險，後來，他爲公社盡了最大努力，但是，除了前面提到的那些泛泛之談以外，就無話可說了。其次，列寧描述的無產階級專政的畫面不過是老生常談。他把無政府主義者和工團主義者關於由工人直接控制工業的種種想法拼湊在一起，儘管這些激進派的某些觀點來自馬克思，西方的政黨馬克思主義認爲，一個稍有工業社會管理常識的人或充份了解馬克思的社會主義者，對這些想法都不屑一顧；第三，這類空想的思辯，似乎與列寧的性格格格不入，列寧一般非常實際，甚至他的誠懇也常常遭到人們的懷疑。❸❹最簡單、最可信的解釋似乎是列寧想到了革命的前景。因爲他在一段時間裡曾相信共產主義會迅速並輕而易舉地降臨。最後，列寧在九月份的預測（如果他確實預測過）顯然與共產主義的長期發展毫無關係。人們確實想知道，共產主義的思想家們是否曾希望忘掉列寧的小冊子。革命以後讓工人管理工廠的嘗試幾乎使經濟崩潰。黨員繼續與工人領取同樣多的報酬，但是，一旦眞正地想提高生產

水平，他們又會採納與資本主義社會差不多的級差工資。列寧似乎總是把這些東西視為對共產主義的背叛，但是，正如他在一九二〇年所說的，社會正義必須服從生產的利益。

然而，《國家與革命》確實為共產主義意識形態增添了一份永恆的因素。這個理論來自馬克思的《哥達綱領批判》，該書認為，共產主義將分為兩個發展階段。第一個階段有時被稱為社會主義，以別於共產主義，於此階段全體人民將占有生產資料並廢除剝削。在這個階段，一種平等思想將盛行，因為每個人都將按照自己勞動創造的價值領取報酬。但是，正如馬克思所說，這仍然是「資產階級權利」，因為它「根據勞動量」來提供消費。它的原則是「各盡所能，按勞分配」。在這一階段，各社會階級將逐漸消失，對鎮壓的需要也將隨之消失，所以國家將逐漸消亡。隨著資本主義的廢除，生產也將獲得巨大的發展，列寧預料（社會主義一般都這樣預料），這將引起人類本性的變化，「人再也不像如今在外頭的普通人」，人將具有這樣的特性，個別反社會的人無疑會隨時受到制約，就像文明人拉開打架的人一樣。最後，人性將為真正的共產主義做準備，在無階級的社會中，沒有壓迫，充份實現了公道和平等，它的原則是「各盡所能，按需分配」。

成功後的問題

一九一七年十一月七日，布爾什維克的革命出人意外，輕而易舉地獲得了成功，致使列寧及其政黨面臨一個新問題：過去常常以非法形式秘密活動的革命者，現在必須轉變為政府。這些人對這種轉變顯然缺乏積極的、建設性的思想，因為他們的主要精力在於革命，不在於制定規畫。他們確實有一個目標：建立集體主義經濟和社會主義政府。但是，如何達到這一目標，他們缺乏明確的認識，關於實施中的困難，其絕大部份認識是錯誤的。儘管目標異常模糊，但依然是它準備的最主要特徵。正是這個目標構成了他們與馬克思主義之間最主要的聯繫，成為強制推行臨時拼湊的計畫的固定目的，並需要採取激烈的措施控制社會，社會是他們的實驗場所。因為在俄國這樣的國家裡，農民和農業人口占

百分之八十，要想採取盡可能減少抵抗的路線，任何政黨都不會把權力
中心放在只有少數產業工人的城市，也不會把實現工業化作爲主要政
策。雖然政黨尙未意識到，無產階級革命必將與馬克思主義發生矛盾：
革命之後應繼續進行工業革命，馬克思甚至曾經認爲工業革命先於黨的
存在。但實際上，工業革命還十分遙遠；就像第三次革命那麼遙遠。一
九二八年開始實施第一個五年計劃時，史達林就宣布要「自上而下地」
進行第三次革命。像往常一樣，列寧是第一個看到目的和道路的人。他
很快從《國家與革命》玫瑰色的迷霧中清醒過來。一九一九年他已承認，
無產階級專政就是無產階級政黨的專政；一九二二年他說，沒有重工業
的俄國，「作爲文明國家是注定要滅亡的，更不用說建構社會主義
了」。他也看到，只有降低農民的生活水平，革命才能維持。

　　爲了實現自己的目標，需要建立一個政府，新政府只有口號，沒有
綱領。它只有一個大略的革命策略，以往列寧把它稱爲無產階級和農民
的民主革命專政，這個策略實質上就是利用農民對土地的渴望穩住他
們，同時讓少數工人階級建立自己的政權。列寧透過鼓勵農民剝奪地
主，的確成功地進行了這一策略。甚至，在任何情況下都已不能阻止農
民這樣做。但是，這個計畫也要求，在將來某個不確定的時間內，當可
以轉而與西方無產階級結盟的時候，將廢除與農民的聯盟。這一理論預
計，俄國革命是永恆的，但是這一預期的革命卻沒有出現。因此，長期
的結果是驅使地主階級勢必形成一個更強大的農民有產階級，該階級在
未來的社會主義社會中，將成爲一股難以同化的資產階級階層。幾年以
後，必須靠暴力討伐富農來消除這一威脅。新政權還有一個「一切權力
歸蘇維埃」的口號，然而，革命成功之後，便不復使用了。因爲工團主
義者在革命早期一度寄予的希望早已破滅，蘇維埃的原始民主，根本不
可能建立大規模的民主，更談不上建立實現社會主義目標的政府了。因
此，蘇維埃絕大部份只具有否定的意義。富於欺騙性的「高級」民主，
排斥了西歐議會制的經驗，把民主的討論變爲文字詭辯。蘇維埃的民主
比議會「民主一千倍」，即使它違反該詞所包含的一切具體權利。對這
個模糊的綱領必須補充一個事實：多少年來，俄國的局勢是新政權爲生
存而抗爭，它的最高祈求是不惜一切代價生存下去。從這個角度看，蘇
維埃政權的成就乃是精力、勇氣、和隨機應變造成的奇蹟。

關於列寧政治哲學的關鍵性事實在於一九一七年，它取得成功時，手中掌握著唯一有形的，可以利用的組織，即「黨」。黨的概念是一九〇二年列寧的馬克思主義概念的顯著特徵。是黨發動了革命，目前也是黨建立了政府。列寧的眞正貢獻是提出革命突擊隊的概念，突擊隊投身於革命，實行嚴格的紀律和集中領導。一九一七年後的若干年中，它從未有，也絕不會有合法地位。它是靠列寧個人的感召力，而不是依靠自身的組織系統來維持和領導的。它沒有固定程序進行決策並把決策變爲政策。此外，列寧領導和突出的特點是靈活性，爲了推動唯一的目標革命，黨要靈活地適應各個環境，而且要說服馬克思主義者，去從事冒險活動，使他們不再認爲這些活動不符合馬克思主義。一九一七年以後，情況依然如故。黨只在一點上沒有異議：既然已經奪取了政權，就要保持政權。在建立社會主義這一目的所規定的模糊限度內，完全可以採取不同的方法。事實上，選擇每一個特殊行動路線都標誌著意見的千差萬別，只要列寧活著，解決這些分歧就只能靠黨紀律的長期經驗，而透過列寧在黨內的統治地位來解決。當然，這些決定只是黨處在危機時刻才會做出。因此，必須把黨和共產黨政府的理論與行政問題分開，後者包括創建軍隊，確保黨對軍隊的領導，並且爲自身和新政府建立一套官僚機構。從長遠的觀點看，有兩個關鍵問題：黨如何確保對其他組織，如工會，甚或政府本身，進行權力壟斷？以及，如何在黨自身內部確保權力壟斷的最高領導權？因此，共產政府理論，本質上是黨的理論。在某種意義上，答案也不是新的，無非是兩個術語的引申，它們一開始就存在於列寧主義的詞彙中：黨是無產階級先鋒隊，黨的組織原則是民主集中制。換句話說，當這兩句話成爲實際過程的代名詞時，就具有了以前所沒有的確切的涵義。以下兩節將討論這些問題。

無產階級先鋒隊

黨希望它在十一月七日輕易獲得的成功將會贏得大多數「羣衆」的全面支持，但是，如果他們確實這樣想過，那麼他們的希望很快就破滅了，因爲在選舉立憲議會時，他們只獲得很少的選票。因此，雖然黨曾

支持過選舉，但隨即解散了議會。過了許久，托洛斯基說，這一舉動，
「給形式上的民主以善意的打擊，從此以後，再也沒有恢復元氣」。因
此，必須用蘇維埃「眞正的」民主取代議會「腐朽的資產階級民主」。
但是，黨依然處於進退維谷的境地：或許允許其他黨派（包括社會主義
的，甚或馬克思主義的）加入聯合政府，但是要保持它的領導地位，這
樣做的風險在於有時被迫將權力讓給反對派，或者在爆發內戰的可能性
上，實行少數人的統治。連做出這個決定也引起了爭論，可見當時的管
理程序概念多麼模糊。事實上，這個抉擇引起了激烈的爭吵，但托洛斯
基和列寧毫不妥協，並將組成「清一色的布爾什維克政府」的政策視爲
黨的政策。資產階級政黨作爲反革命而被宣布爲非法，不久以後，包括
馬克思主義孟什維克在內的社會主義政黨，也被迫緘口，然後被取締。
到了一九二一年，各種形式的反對派被迫轉入地下。無產階級先鋒隊的
內涵就此確定了下來：黨是無產階級、半無產階級農民唯一的代言人，
黨以無產階級的名義實行統治。它的確是「壓倒性多數」，因爲它的所
謂多數不過是包括了一切不打算反對革命的人。至於政府，除了黨之
外，根本不存在任何權力中心。黨可以隨心所欲地在任何時間，以任何
方式徵詢臣民的要求，也可以根本不費這個事。

　　這次革命的成功，使列寧在世界各地激進團體中的威信倍增，一九
一九年，列寧把這些組織吸收到第三國際或共產國際中。一年以後，也
就是一九二〇年的夏季，他十分愼重地給布爾什維克詞彙中的關鍵術語
做了明確的說明，並制定了各國政黨加入這一新組織的條件。共產國際
內部的歷史與俄國共黨的歷史平行發展。俄國共黨永遠是共產國際的領
導者：列寧生前尚且允許進行眞正的意見交流。而在史達林時代，共產
國際幾乎已形同虛設。不過，新組織的計畫與社會主義國際相去甚遠，
後者即將被取代。加入共產國際的條件規定，各成員黨必須仿效俄國共
黨的組織和策略，俄國共黨成爲世界各地共產黨的楷模。共產國際所作
的一切決定，均對這些黨有約束作用。季諾維也夫（Zinoviev）說，共
產國際的理想是在全世界範圍內建立一個由各國支部組織實行中央集權
的共產黨。一九二〇年七月，共產國際透過一個大綱對共產黨作了如下
定義。這個定義顯然以列寧一九二〇年的思想爲基礎，但比當時的陳述
更爲明確——

　　共產黨是工人階級最先進、最有階級覺悟，因而也是最富有革命性的一個部份。經過自然淘汰過程，共產黨成了由最優秀、最有階級覺悟、最忠誠和最有遠見的工人組成的黨。共產黨除了整個工人階級的利益之外，別無其他利益。共產黨之所以不同於工人階級整體，乃因為：共產黨看清了整個工人階級所要走的整條歷史道路，並在道路上的每一個轉折點，關心維護整個工人階級的利益，而不是維護個別集團和行業的利益。共產黨在組織上和政治上是工人階級最先進的部份，是引導全體無產階級和半無產階級群眾走向正確道路的工具。㉟

　　共產國際會議前夕，列寧發表了一本小冊，根據俄國共黨賴以取勝的方法，以及與共產黨政府和諸如工會一類的工人組織的關係，向俄國共黨可能的模仿者作了指示。小冊子明確闡明了「無產階級先鋒隊」的實際涵義。從總體上看，它賦予黨的領導涵義，與《國家與革命》完全不同。列寧說，它看上去「像是眞正的寡頭政治」，而事實上它也的確如此──

　　　　我們共和國的任何國家機關未經黨中央指示，都不得解決任何重大的政治問題或組織問題。黨直接依靠工會來進行自己的工作。……現在工會會員已經超過四百萬。工會形式上是一種非黨的組織，而實際上絕大多數工會的領導機構，首先當然是全俄總工會的中央機構或常務機構……，都由共產黨組成，執行黨的一切指示。總之，這是一個形式上非共產黨的、靈活的、比較廣泛的、極爲強大的無產階級機構。黨就是透過這個機構與階級和群眾取得密切的聯繫；階級專政便是在黨的領導下透過這個機構來實現的。如果沒有工會的密切聯繫，沒有工會的熱烈支持，沒有工會在經濟建設方面，以及在軍事建設方面奮不顧身的工作，那麼別說我們能管理國家和實行專政兩年半，就是兩個半月也不成。當然，要有這麼密切的聯繫，實際上就要進行很複雜的、多樣化的宣傳鼓動工作，及時地和經常地召集工會領導者的會議，以及有威信的工會工作者的會議……。㊱

　　當然，列寧還補充道，這必須「採取一切機智靈活的方式和不合法的方式，保持緘默，隱瞞眞情地打入工會」，待在工會。於是，無產階

級先鋒隊的涵義是，黨沒有能力直接使用暴力以前，要憑藉滲透和顛覆，在政府和羣衆組織中占佔據有影響的或統治的地位。

列寧關於方法問題的坦誠聲明，在與會代表，尤其是英國代表中，引起了軒然大波，儘管他們來自把革命意圖公之於衆的團體。反對意見指責列寧實際上以黨代替了工人階級。他的答覆是典型的語意學遊戲。確實沒有什麼可爭的。人人都同意，社會主義就是工人階級統治，工人必然接受黨的領導，黨必然是少數，少數人必須是工人階級中最有組織的部份，這就是共產黨。㊲七年以後，史達林利用幕後操縱和陰謀詭計等不可告人的手段，確立了他在黨內無可爭辯的統治地位，他婉轉地談到這場辯論，並引用《共產主義運動中的「左派幼稚病」》(*"Left-wing" Communism*)中的一段話作爲結論——

> 例如在我們蘇聯，在無產階級專政的國家裡，我們的蘇維埃組織和其他羣衆組織，沒有黨的指示，就不會決定任何一個重要的政治問題或組織問題——這個事實應當認爲是黨的領導作用的最高表現。在這個意義上可以說，無產階級專政實質上是無產階級先鋒隊的「專政」，是它的黨即無產階級的主要領導力量的「專政」。㊳

於是，從無產階級先鋒隊中產生了一種簡單而又明確的共產主義國家哲學。這是自稱爲人民的政府，但根本不是人民的政府，因爲人民根本無權控制政府。這也是自稱爲「人民」的那些人當中，最合格的少數人自我選擇、自我確定的終身制的政府，由少數菁英組成。這是沒有任何法律約束的統治，也是除了成功的和所謂善意表明的强制的那些限制之外，沒有任何方法上的限制。這些菁英聲稱有非常高超的統治科學，可以使他們「明察秋毫」，這一點寫在黨的定義裡，爾後又載入黨的官方史册——

> 馬克思列寧主義的力量，就在於它使黨能判明局勢，了解周圍事變的內在聯繫，預察事變進程，不僅洞察事變在目前怎樣發展和向何處發展，而且洞察事變在將來怎樣發展和向何處發展。㊴

因此，毫不奇怪的，菁英們不僅能決定政策問題，而且能確定意見的「正確性」和藝術的審美價值。這種自命不凡是任何一個公開否認神

啓的政府都無法比擬的。

在共產國際第二次代表大會上對黨的描述，後來實質上已收入一九三四年和一九三九年的共產國際章程修正案中。一九三六年第一次確認黨的合法地位的憲法，也保留了這一描述。根據一九三六年的憲法，黨是「一切工人組織的領導核心」。這個憲法也包含著保護公民自由等內容，與西歐自由主義憲法的某些條款極為相似，不過，這完全是當時正在實行人民陣線的政策所致。史達林在介紹憲法時謹慎地說，它絕不會影響黨的地位。他還解釋了一黨制的合理性：在蘇聯，階級鬥爭已不復存在——

> 我應當承認，新憲法草案確實保留了工人階級專政制度的效力，同樣也毫無變動地保留了蘇聯共產黨現在的領導地位。……
>
> 黨是階級的一部份，且是階級的先進部份。多黨制——也就是政黨自由——只有在有利益敵對而又不可調和且對抗階級的社會裡才存在。……
>
> 在蘇聯只有兩個階級，即工人和農民，這兩個階級的利益不僅不能彼此敵對，相反地，是互相友愛的。所以，在蘇聯也就沒有多黨制存在的基礎，也就是說，沒有這些政黨自由的基礎。❹

就法律所允許的範圍而言，列寧的黨就是這樣最終地、永久地確定了它的涵義。

民主集中制

列寧政治思想中始終如一的特色，莫過於他對集權組織的偏愛，或者反過來說，如果妨礙了他的行動自由，他不信任任何一種聯邦制，或者聯盟。這是列寧黨的最顯著特徵。列寧在一九〇二年便已設計出來，雖然有時環境迫使他改變做法，他也不願意背離這一原則。他把這個原則稱之為「民主集中制」（democratic centralism），加上「民主」這個修飾語，或許主要是為了維護他那招致尖銳批評的政黨理論。計畫中的民主部份，主要是指在黨宣布決議之前成員商討政策的權利，決議一

經形成，就不得再提出反對意見。集中制意味著，在權力階梯上處於較高地位的人所作的決定，應對每個黨組織起制約作用。對於一個革命黨或任何一個只執行命令的組織而言，這個原則是完全合理的，但是，它沒有提供任何方法，使人們能夠用來處理嚴重分歧，以貫徹政策的目的。總而言之，列寧生前黨內還很盛行自由討論，儘管由於較爲複雜的統治問題取代了革命，這種風氣逐步減弱。列寧提倡的政策通常成爲黨的政策，但是要經歷激烈的爭吵，例如，決定奪取政權，就未被頑固的少數人所接受，直到革命成功才得到認可。一些反對者甚至表現出不可思議的變節，把計畫洩露給報界。列寧要求把他們開除出黨，但沒有做到，其中二人依然擔任領導工作，直到三〇年代大整肅，才把他們整肅掉。前面所說的組織「清一色的布爾什維克政府」的決定，受到尖銳的批評，布列斯特－里托夫斯克條約（treaty of Brest-Litovsk）使黨自上而下產生了分裂，但是，自由討論依然沒有被壓抑。到了一九二一年，這種自由引起了許多麻煩，因爲許多基層黨員激烈地反對對工會實行嚴格的控制，這也許是受了《國家與革命》中工團主義的影響。中央委員會的處罰權明顯擴大了，因而大大增強了最高領導集團對黨的控制。「宗派主義」（Fractionalism）或是有計畫有綱領的小集團被予以禁止，違者清除出黨。人們認爲這一步驟過份嚴厲，所以在一九二四年以前，新的規定一直保密。

列寧的逝世加劇了事件的進程，一場曠日持久的奪取鬥爭開始了。史達林的個性與列寧全然不同。列寧主要靠高超的才智和堅強的性格控制黨的決議，而史達林則靠秘密行動、陰謀詭計、在競爭者中挑撥離間，煽動他們自相殘殺。不過，如果列寧活著，是否會產生不同的結果？依然值得懷疑。黨進行革命時所擔負的任務，遠不如控制政府複雜。此外，任務也越來越複雜，首先是內戰，爾後是建設，其中最困難的是一九二八年開始強行推行工業化，以及工業化所要求的農業重組。在這種壓力下，黨根本不可能透過詳盡的討論作出決定。黨發展成爲具有固定指揮系統的組織，這是一切官僚機構的典型特徵，也是列寧集中制概念所包含的「原則」。它的結構等級森嚴，獨裁者或核心集團控制著中央委員會，而中央委員會控制著黨，黨作爲「先鋒隊」又控制著政府和黨以外的一切組織。總之，正如列寧所說的，黨成爲「傳送帶」

（ transmission bolt ），從最高層沿著一條線，把命令送到需要的目的地。

一九二〇年，共產國際的形式確定了民主集中制的精確定義，它要求所有加入共產國際的黨都接受這個定義。定義如下——

> 共產黨必須建立在民主集中制的基礎上，民主集中制的基本原則是：上級黨組織要由下級黨組織推選；上級黨組織的一切指示對下級有絕對的和強制性的約束力；必須有一個堅強的黨中央，在黨代表大會閉幕期間，黨的一切領導同志必須完全而且毫不遲疑地承認黨中央的權威。**㊶**

以後的論述略有變化，但意義沒有重大改變。例如，一九五六年制訂的黨的原則，運用了「少數服從多數」的字眼。**㊷**不過，這個規則是玩弄辭令，其實際涵義是，在指揮系統中地位較高的人，對比他地位低的人具有權威。像「多數」和「少數」之類的詞，在共產主義實踐中顯然毫無意義。至於下級「選舉」上級，似乎也沒有什麼意義，因為通常不進行選舉，選舉黨的領導者的正常途徑是由上面指定，即使形式上進行選舉，也不過是為內定的人選蓋個橡皮圖章。黨制訂政策應該經過討論或評議，但會議何時召開，何時閉幕，完全由領導者決定。執行政策時雖然也允許人們批評，但是不能對政策本身提出批評。因此，討論可能異常自由，也可能根本不討論；可以議論官僚機構的下層，但絕不能議論上層，所以討論只是嚴格紀律的手段，只能加強領導者對組織的控制。民主集中制的決定性事實是它不具備下述條件：有秩序的討論，討論成為決策的一個因素，因而使明達的輿論影響決策。議會制或代表制政府無論多麼不完善，還是不同程度地做到了這一點，而沒有創造出切實可行的取代方法的任何政府形式，都沒有權利稱自己為民主政府。民主集中制抓住了一個明顯的特徵：任何組織都執行某種政策；但是它卻隻字不提決策時如何把知識和判斷融入決策過程的問題，或政策背後的自願合作問題。而這些終歸都是棘手的問題。

隨著時間的推移，黨發生了巨大的變化。它建立了龐大的官僚機構，各級黨組織的主要書記處於關鍵位置，；史達林和赫魯雪夫，都是沿著這條道路爬上了等級階梯的頂點。由於自然過程，也由於史達林力

主大整肅，黨的成員幾乎全部更換了，老布爾什維克的知識份子已經滅絕，由官員、經理、技師和專業人員組成的新知識份子，隨著工業化的發展已經成長起來。這些變化恰好反映在黨的活動方式上，但是不能改變黨的理論，或改變黨對蘇維埃社會各部門的控制。赫魯雪夫導演了反對個人崇拜的著名鬧劇，但是絲毫不能改變這一切。它根本不是爲了「透露給報界」，而無疑是爲了甩掉史達林晚年的偏執狂強加給最高領導層背上的包袱，企圖消除由於他的全面恐怖政策在官僚機構本身，在作家、藝術家、科學家，實際上是在全體人民中間由「紀律造成的冷漠情緒」。整個說來，赫魯雪夫的講話是頌揚黨的黃金時代，那時列寧常常允許展開討論，只是在「必要時」才偶爾使用恐怖手段，而且主要不是對付黨員的。更具體地說，赫魯雪夫講話顯然代表了一種政策，它可以使黨的官僚機構更加生氣勃勃，並且可以重建黨對政府官僚體制的控制。據說，政策是成功的：「毫不誇張地說，在這五年裡（從史達林逝世到 1957 年底），他建立了俄國有史以來官僚主義政黨統治最堅固的基礎。」❸雖然他的講話聲稱要在最高領導層裡恢復集體領導，但卻沒有在憲法上提出任何措施，以保證其實施，也沒有提出領導人接班的固定程序。

一國社會主義

黨的概念以及帝國主義的資本主義的概念，使共產主義理論的邏輯結構日趨完善，但是，卻沒有政治體系所應具有的主要推動力，史達林補充的**一國社會主義**（Socialism in one country）的思想便成了推動力，這是他在理論上的唯一建樹。在某種意義上，它也是列寧主義，至少是本章闡述的列寧主義的正常頂點。因爲正如本章所說，列寧的成就在於提出了一種經過修正的馬克思主義，它適用於以農業經濟爲主的工業不發達社會。因此，一國社會主義最終使列寧的馬克思主義與西歐馬克思主義分道揚鑣。後者是馬克思提出的，也是高度工業化經濟從資本主義社會轉變爲社會主義社會的馬克思主義理論。從爲人們廣泛接受的馬克思主義理論的立場看，史達林一國社會主義的思想在邏輯上缺乏說

服力，這一點似乎沒有什麼可驚異的，而他也似乎不想爲自相矛盾的思想尋找據點。這種思想起因於列寧逝世後的一個偶然事件，那時，史達林急於爭奪接班權，消滅托洛斯基，正是在這種情況下，他提出了這個理論。對不斷革命論以及托洛斯基與列寧的關係，史達林作了不公正的，甚至虛假的描繪。在此我們無需進一步揭露。儘管如此，一國社會主義已成爲列寧主義的重要因素。在這一口號下，共產主義俄國，作爲一個强大的工業和軍事大國出現了，因爲一九二八年實行第一個五年計畫在俄國掀起了一場革命，與一九一七年列寧領導的革命相比，具有更大的、更深遠的政治影響和社會影響。由於把共產主義與具有强大推動力的俄國民族主義套在一起，五年計畫成爲整體計畫經濟的第一個偉大嚐試。而且，由於第一個五年計畫成功，俄國共產主義成爲世界上具有民族抱負的農民社會仿效的楷模。

一九二四年，史達林非常武斷地提出，俄國「能夠而且必須建立社會主義社會」。僅在幾個月之前，他還一再重覆一九一七年前後流行的意見，即社會主義在俄國能否持久取決於西歐的社會主義革命。史達林指出，在俄國建立社會主義的唯一障礙是「資本主義圍堵政策」所造成的威脅，這些威脅包括陰謀、「間諜網」、資本主義敵國的干涉。共產主義國家和資本主義國家不能長久共存的信念，當然不是什麼新鮮東西。列寧也持這種觀點，但是，從馬克思主義的觀點看，這並不妨礙蘇聯建構社會主義。馬克思主義者曾假定，社會主義需要擁有高度生產水平的經濟，因而社會主義是工業社會，俄國顯然不是。史達林並未看到這一論點，卻提出社會主義可以在地域遼闊、自然資源豐富的國度裡建立。他實際上忽略了馬克思主義經濟方面的立論，代之以政治立論。史達林設想，有了充足的資源、充份的勞動力，並擁有無限權力的政府，社會主義就可以作爲一項政治政策來完成。這當然是在一國建構社會主義，從理論上講，它與馬克思主義的基本原理——政治依賴於經濟——完全不同。另一方面，史達林的設想却與列寧主義的某些因素很容易吻合。

史達林提出的政策不同於黨一貫遵循的政策，當時並不十分淸楚，因爲在一九二四年，沒有一個人否認應該儘快地走向社會主義。當列寧說服黨放棄把共產主義推向西歐的計畫並接受德國在布列斯特—里托夫

斯克提出的條件時，這一點就是爲了實際目的而確定下來的。據說，列寧同意德國的領土要求，是以空間換取時間。但是，如果沒有共產主義在俄國獲勝的設想，贏得時間就沒有任何意義。於是列寧說，「從社會主義在一國勝利的時刻起」，唯一重要的問題是「爲發展和鞏固業已開始的社會主義革命創造最佳條件」。至於有關政策，列寧寄厚望於他的帝國主義理論所提出的可能性：出現一個和平共處的重要時期。在闡述資本主義發展的不平衡理論時，他曾說過：「社會主義可能在數國或一國首先取得勝利」。他當時想到的是已經實現工業化的國家，但是，天賦不及列寧的人可能認爲將這個觀點用於俄國就很不錯了。最後，他的後期著作似乎在說，透過自身文化和工業的發展，俄國也可以走上一條通向社會主義的漫長道路。托洛斯基在共產國際說：「爲蘇維埃俄國而鬥爭已經與反對世界帝國主義的鬥爭融爲一體了」。❹這些話，頗具有俄國民族主義的情緒。事實上，史達林的理論之所以更加突出，與其說是因爲他在理論上對列寧主義有重大修正，不如說是因其辯證法拙劣。

　　因此，假如史達林未提出策略的改變，其理論必然空洞無物，僅剩下在俄國能否建成社會主義的空論。當然，還有其他一些重要問題，如速度問題，但是史達林對此毫無建樹。工業化是否應與農業改革同步進行，或者它是否應該同樣遲緩並較長期地容忍一九一七年允許的農民農業？一九二四年，圍繞著這些問題發生了尖銳的分歧，那時社會主義在一國獲勝，似乎更有利於漸進主義而不是它的對手，因爲這個理論似乎承認這項任務十分艱巨。史達林玩弄狡猾的政治伎倆：他爲了消滅敵手而站在漸進主義一邊，並確立了自己的統治權，爾後，在第一個五年計畫中，他迅速實現了工業化，其速度之快，令人難以想像。鑑於他的政治手段，人們可以斷言，包括刻意造成理論模糊的全體過程，都是蓄謀已久的，但是，確實不能說，史達林從開始便預見到結局。鑑於他理論的軟弱無力，可以斷言，黨接受一國社會主義的理論，絕非出於邏輯上的原因。實際情況似乎是，黨在逆境下統治了七年，憂心忡忡，害怕人們說它掌握權力的基礎是期待西方革命，而這種希望也似乎越來越渺茫。由於取得了成功，它對自己的能力又恢復了自信，不僅要堅持下去，而且打算向前發展，但是，它所繼承的革命理論成爲前進的障礙。對一國社會主義的最合情理的解釋似乎是，史達林說出了黨想聽到的政

治觀點，它比辯證法更有說服力。❻

　　黨沒有意識到它正把自己置於何地，然而，它承認一國社會主義，意味著承認史達林於一九二八年開始實行的強制工業化和隨後一年進行的強制農業集體化。後者是前者必不可少的條件。不像史達林所說的為了增加農業生產，而是為了擴展工業，建立勞動後備軍，簡化對強制徵收農民囤積糧食的管理手續。這項政策的實際成功乃近代史上的奇蹟，是在黨的控制和領導下獲得的奇蹟。經過十幾年的時間，黨在俄國創立了一支軍隊，由於獲得西方的支持，它頂住了第二次世界大戰中德國的猛烈襲擊。它創建了一個工業體系，生產能力大大擴展，並以極快的速度，年復一年地無限擴展。它創建了一個穩定的、有辦法的政府，政府始終控制著軍隊，並以某種方式管理著工業體系。與此同時，黨控制著政府。它對俄國社會進行了必要的相應改革。它造就了一代有文化的農民，使農民成為工業勞動力，它培養出現代工業社會不可缺少的經理、技師、工程師和科學家。正如史達林所說，這是第三次革命，它「由上面」強制推行，是徹頭徹尾的極權專制。在十年的時間裡，它也強加給俄國苦難和野蠻，這與馬克思所敍述的英國兩個多世紀的資本原始積累頗為相似。對此，馬克思曾說：「資本一來到世上就渾身沾滿污穢，它的每一個毛孔裡都浸透著鮮血。」❼俄國的情況也是這樣。

　　史達林的革命傳奇屬於通史範圍。我們這裡所要涉及的是俄國馬克思主義政治理論的內涵。其結果是使史達林的俄國，在社會主義名義下，成為歐洲最強大的民族力量。無論怎麼虛構，也不能把俄國的國家機構說成是俄國經濟的上層建築，因為這個上層建築顯然創造了它的經濟基礎。在一國社會主義裡，切斷了與傳統經濟決定論的最後聯繫。托洛斯基的不斷革命論和列寧的帝國主義早已使這一理論軟弱無力。史達林藉助的動力是俄國人的愛國主義，因為，建設社會主義祖國和建設俄羅斯祖國只是言辭的差別。社會主義政權的涵義僅僅是生產資料歸國家所有，它的現實卻是政治上的專制主義和強制實行工業化。它確實聲稱廢除了剝削，但是，它的論據是語意學的論證：工人「擁有」工廠，他們不會自我剝削。它也聲稱，消除了階級鬥爭之後，工人和農民之間的關係是「友善的」。但是，資本的積累主要靠降低農民的生活水平，實行強制性節約完成的。黨還稱自己是無產者，但是，它愈來愈傾向於由

工業化所需要的經理人員所組成。一九三一年，史達林規定了經理的職責，他們與資本主義工業經理之間的差別主要在於不負責廣告業務。❹社會主義「競賽」引入了按勞動等級確定工資級差的工資制。這與資本主義差不多。爲了保持社會主義的聲譽，該政權提供較大範圍的小額優惠，如社會醫療、支付假日工資等等。工業的發展提供了大量的機會，特別是爲享受義務教育而又有才幹的、精力旺盛的靑年提供了大量的機會。毫無疑問，這大大有助於該政權的穩定性。它的粗暴由於它的目標之完成而趨於緩和。事實上，即使考慮到第二次世界大戰引起的駭人困境，整個過程也異常艱苦。史達林習慣透過秘密警察使用恐怖主義，強迫黨和廣大人民勞動，人民長期沒有安全感，這是一種更加嚴重的困境。建立集體工業和集體農業的決定，是馬克思主義的遺跡，這也是史達林的方法與沙皇的主要區別所在。後者試圖把俄國建成強大的民族國家。

　　民族國家的概念也是社會主義的，從馬克主義社會哲學的觀點看，它也是邏輯上的畸型兒，因爲馬克思主義沒有確定的國家或民族國家的概念，而且一向認爲社會主義與國家或民族國家概念不相容。馬克思和馬克思主義者經常認爲，民族主義只是封建主義的殘餘，民族愛國主義像宗敎一樣，是蛻化了的情感，是一種虛假的意識形態意識（false ideological consciousness），使工人階級更易於遭受較明智的資產階級剝削。《共產黨宣言》提出一個原則：「工人無祖國」（workingmen have no country）這個原則被視爲馬克思主義的主要力量所在，它將工人從消磨鬥志的幻想中解放出來。馬克思主義一直自認爲國際主義，但是，它期望工人階級覺醒，乃至足以爲本階級尋求眞正的利益時，民族差別才消失，就這個意義而言，它的國際主義是消極的。由於缺乏確定的國家概念，或者對國際主義所表現的眞實文化價値缺乏認識，它的國際主義是十九世紀早期個人主義的殘餘，個人主義竭力要廢除被視爲過時的壓迫制度，因此，認爲集體主義的理想形式就是簡單地鏟除一切障礙和阻力。這種看法使本質上具有現實主義特徵的馬克思的思想，帶上了「空想主義」（utopiawism）的色彩。馬克思主義對國家的態度事實上也是如此。在馬克思主義的神話中，國家也將在社會主義革命成功後逐漸「消亡」（恩格斯語）。根據它自身的理解，馬克思主義始終

是一場階級運動，而革命乃是無產階級對資產階級專政的反抗。《共產黨宣言》把階級鬥爭概括為「迄今為止一切社會的歷史」，根本沒有為一般的民族或國家利益概念留有一席之地，也不認為有這個必要。無產階級專政取代了資產階級專政，消極的一面是鎮壓反革命，積極的一面是建設共產主義，其目的何在，人們幾乎一無所知。一國的社會主義把史達林的俄國變成非常強大的民族國家，這個國家幾乎沒有政治哲學。更確切地說，它有一個詳盡的哲學體系，但不能明確而積極地用於它的事業。結果，它的政策與它所宣傳的理論之間幾乎沒有明顯的聯繫，理論似乎只是一種裝潢，其作用是掩飾傳統的民族主義和帝國主義行為。

　　由列寧建立和史達林繼承的政府按其自己形成的概念，是城市工業無產者和農民的聯盟。列寧和托洛斯基預料這個聯盟是暫時的，因為他們不認為農民會自願追隨工人階級政權的政策，無論是集體主義或國際主義。他們也不期望只占人口少數的工人階級能夠或者會脅迫占壓倒多數的農民。在這一點上他們錯了，就像列寧曾錯誤地假定，在某個時刻，工人與西方無產階級的聯盟將取代工農聯盟一樣。農民問題並不是靠任何社會哲學（社會主義或民族主義）去解決，而是靠本世紀二〇年代末，史達林野蠻強制實行的集體化解決的，它使農民陷入悲慘境地，連沙皇也望塵莫及。它使工業得以迅速發展，就此而論，這一政策確實是成功的，但是它也造成了工農業間長期的比例失調，到了史達林晚年，失調使整個政權陷入危境。史達林的農業政策充份體現了一個不負責任的暴君的輕舉妄動，而這一切又被工農「友善」的幌子掩飾著。它並不代表任何民族利益的合理思想，而這正是該政權的哲學所缺乏的。同樣，這個政權自認是工人階級政府，也妨礙了它的工業化政策。這個哲學唯一積極的因素，就是史達林一再聲稱的，一切反對他極權專制主義的人都是反革命，因此，藉著陰謀叛國的罪名大肆屠殺終身獻身於革命的人。黨和政府都失去了代表工人階級的合法性，因為若是以有效地建立大規模工業體系為目的，實際上便無權代表工人階級。這個政權對待工人階級就像對待其他階級一樣，一律實行強制，如果它的確是某個社會階級的代表者，它的寵兒似乎就是它所造就的經理和技師的新階級（new cless），誠如米諾萬・吉拉斯（Milovan Djilas）之類失望的馬克思主義者曾坦率做過的預言。它的工業政策造成了生產資料生產和生

活資料生產之間的又一失調，他的各種社會主義表白無法爲之辯護，但是，它可能是代表了一種用和平意圖欺騙人民的軍國主義。

　　一國社會主義的理論，並未表明俄國應如何與那些不同於傳統民族主義的帝國主義國家進行交往。共產主義本身代表了一種意識形態的聯結，使共產黨國家具有共同的利益，但是，沒有明顯的理由表明爲什麼應該如此。生產資料爲國家所有並未使俄國工業從控制西里西亞的鋼鐵產量獲得任何好處，也沒有使它對待波蘭的態度變得寬厚些。俄國對待東歐衛星國的政策，總的說來，是利用它們增強自己的經濟軍事力量。南斯拉夫在衛星國中，是唯一擁有很大獨立性的國家，它是戰爭結束時唯一不屬於俄國占領區的國家。俄中兩國長期的相互關係，無疑是對共產黨國家共同利益的嚴峻考驗，這兩個國家都無法把對方作爲衛星國。不過，一國社會主義，確實改變了俄國的國際傾向。史達林採取的政策，實質上意味著拋棄了共產主義取決於西歐工人階級的支持這一理論。事實上，有充份理由說明爲什麼支持沒有來自西歐。但是，由於共產主義乃工人階級運動的概念，人們並不承認這些理由。也許除了少數特殊情況之外，幾乎沒有什麼理由說明具有較高生活水平，不依賴工會，並且通常處於自由政體中的西歐工人階級，爲什麼會爲共產主義所吸引。共產主義在西方的政治作用，通常是一種顛覆作用，只有在民怨鼎沸的地方，共產主義才有效力，因爲在那兒，顛覆乃是極富吸引力的政治活動形式。當史達林拋出他的理論時，那些社會和經濟結構更接近於俄國的國家，實際情況並不相同。一個以農業經濟爲主，農民人口占絕大多數，承受著人口迅速增長壓力的國家，即使保持現有的低生活水平，也亟須實現工業化。在這種社會中，工業化所遇到的問題實際上也就是俄國所遇到的問題，即資本積累和缺乏以優惠條件獲得貸款的能力。資本的積累只能像俄國那樣，採取強制手段。這種國家通常也缺乏抵制獨裁的政治結構。因此，史達林迅速實現工業化的影響十分明顯，結果，一國共產主義的國際影響使俄國轉向東方。早在一九二三年，列寧就預見到這種可能性，當時他說，他的帝國主義理論意指世界將分爲「兩大陣營」。他把這種可能性歸之於「帝國主義」，並認爲這是不利因素，因爲他認爲，較強大的一方將是高度工業化的歐洲集團。在第二次世界大戰中結成暫時的聯盟之後，史達林重新提出兩個陣營的思想，

但是，他不再認爲這是不利因素了。總之，在一國實行共產主義的國際
影響，就是世界分成兩個實力集團，資本主義集團與共產主義集團，帝
國主義集團與熱愛和平的集團，或乾脆稱之爲西方與東方。每個集團的
前途顯然取決於能否成功地把中立國拉到自己一方。自由政治體制的擴
展，大約依賴於能否提供一種取代野蠻的强制手段的方法。

　　在俄國，一國社會主義所造成的悲慘的强制，被這一前景削弱了，
依照馬克思主義的傳統，强制只是暫時的。首先，他們的意圖在描繪建
立社會主義；一九三六年，史達林宣布這個目標實現了。其次，馬克思
和列寧都曾提到過向共產主義過渡，史達林說，這種過渡可以在一國完
成。那時，不再需要鎮壓，國家可能「消亡」。這個前景深深根植於馬
克思主義的傳統，它已成爲該政權不得不兌現的支票，或許也是批評和
不滿的焦點。人們可能會問，既然沒有了剝削階級，國家爲什麼還不開
始消亡？一九三九年史達林說，人們「有時」確實「問到」這個問題。
他的回答就是馬克思主義理論家的預言落空時的回答。他說，提問者只
是「認眞記住了」詞句，卻「沒有理解它的基本內涵」。他們忽略了環
伺在側的資本主義列强布置的「間諜網」。他斷言「國家在共產主義的
一定時期仍將存在，除非全世界都成爲共產主義，資本主義包圍圈同時
消失」。❸史達林在他的晚年一部著作中，又一次拐彎抹角地探討了這
個問題。一九五○年，他撰寫了幾篇有關馬克思主義和語言的文章，其
目的是要表明，邏輯和語言都不依賴於階級鬥爭，因爲語言是全社會各
階級之間的共同媒介。這個深奧的問題似乎不可能是一個有趣的主題，
但是，當他指責那些同志「迷戀於……爆發」，並把這作爲重大社會變
革的方式時，他的目的暴露無疑。在蘇維埃社會中，沒有「敵對階
級」，他以現實農業集體化的自上而下的革命爲例，表明不需要「爆
發」。❹換言之，在黨的領導和控制下，將完成向共產主義的過渡。赫
魯雪夫間或也試圖消除這個過渡的烏托邦式的內涵。在第二十一次黨代
表大會上（1959年），赫魯雪夫把他的七年計畫描述爲「建立共產主
義」，同時，告誡人們，共產主義社會不是「無形狀的和無組織的」。
他也談到了一種可能會使史達林毛骨悚然的可能性，即「公共組織」自
願聯合的發展取代「迄今爲止由國家機構執行的許許多多職能」，當
然，是在黨的領導下。這似乎是一個合理的假設，至少黨的意向是國家

正在消亡，剩下的政權只是服務機構，與福利國家的概念相關：生產能力達到不使生產資料的生產降低到必要標準以下的水平，提高生活資料的生產，並相應提高消費品生產，在減少工作量的情況下，相應提高生活水平，並且放寬行政管理或下級權力。

共產主義在中國

　　在列寧眼裡，俄國一九一七年布爾什維克的革命，只是在世界範圍內推翻資本主義世界革命的第一步。一九二〇年，共產國際派了一名代表前往中國，煽動並促進那裡的共產主義活動。但是，中國共產主義除了某些做法受外來刺激以外，基本上已經形成了自己的特點，這些特點集中體現在一個土生土長的中國人身上，這個人就是中國共產黨的主席，富有傳奇色彩的毛澤東。

　　毛澤東的老戰友劉少奇於一九四六年曾向安娜·路易斯·史東（Anna Louise Strong）談起過毛澤東，他對毛澤東的重要性評價既有說服力，又有權威——

> 　　毛澤東的偉大貢獻在於把馬克思主義從歐洲型變爲亞洲型。馬克思和列寧都是歐洲人，他們用歐洲語言書寫歐洲歷史和歐洲問題，很少談及亞洲和中國。馬克思主義的基本原則無疑適用於一切國家，但是，把他們的普遍眞理具體用於中國革命的實踐，則是一個艱巨的任務。毛澤東是中國人，他分析了中國問題，指導中國人民爲勝利而鬥爭。他運用馬克思列寧主義的原理解釋中國歷史和中國的基本問題。他是成功地做到這一點的第一個人……他創立了中國或亞洲式的馬克思主義。中國是半封建、半殖民地國家，爲數衆多的人民饑寒交迫，耕種著一小片土地……在向較爲工業化經濟過渡時，中國面臨來自先進工業國家的壓迫……東南亞的其他國家情形類似。中國選擇的道路，將會對他們產生影響。[50]

　　一八九三年，毛澤東出生於湖南一個農民家庭。父親是個小商人，擁有少量土地。毛的父親顯然是個極其嚴厲、節儉的人，他試圖管住兒

子，但是沒有成功。毛澤東八歲被送到私塾唸書，其間也得務農。後來，他反抗過省立學校的清規戒律和課程設置，他把大量時間花在公共圖書館裡，他貪婪地閱讀盧梭、達爾文、亞當·斯密、穆勒等人的譯著。二十歲時，進入師範學校學習哲學。雖然改變中國的強烈願望深深激動了毛，但毛當時並不是一個馬克思主義者。用他自己的話說，他當時的心理狀態是「自由主義、民主改良主義和空想社會主義的奇妙混合」。[51]他學習期間幾乎沒有學習外語，這個事實顯示了他後來的著作具有鮮明的中國特色。這意味著他所接觸的西方文獻，包括馬克思主義文獻在內，都是翻譯過來的。因此，毛與他的一些受過俄國訓練的同僚不同，他並不那麼緊跟蘇聯版的馬克思教導。

一九一八年，毛澤東來到北京，在北京大學圖書館當圖書管理員，在那裡，他第一次閱讀了《共產黨宣言》。一九二〇年，毛認為自己是一個馬克思主義者了，一九二一年，他參加了中國共產黨第一次代表大會。一九三五年，毛澤東控制了黨，後來雖然幾經起伏，但是他的統治一直延續至今。

毛作為富創意的政治理論家的重要作用，一直頗有爭議，但是，即使把他的學說簡單地視為馬克思和列寧思想的邏輯引申，也不能懷疑他的學說具有重大的政治歷史意義。列寧已經認識到，在工業不發達的國家中，農民的重要性，毛澤東則把農民置於革命戰略的中心地位。毛澤東似乎曾經提出過，農民將取代無產階級「先鋒隊」的作用。這在一些馬克思主義者眼裡，簡直是異端邪說。早在一九二七年三月，毛澤東在〈湖南農民運動考察報告〉（Report of an Investigation into the Peasant Movement in Hunan）中就發揮了這些思想，並形成一種新型的共產主義。其中有段重要的話摘要如下：

> 這個貧農大眾羣，總共占鄉村人口百分之七十，乃是農民協會的中堅，打倒封建勢力的先鋒，成就那麼多年未曾成就的革命大業的元勳。……貧農，因為最革命，所以他們取得了農會的領導權。……這個貧農領導，是非常需要的。沒有貧農，便沒有革命。若否認他們，便是否認革命。若打擊他們，便是打擊革命。[52]

不過，毛始終保持著一定的正統性，他一直要求在中國的階級鬥爭

中保持「無產階級的領導權」。中國共產黨根據列寧的模式由職業革命家組成，即便黨員中並沒有多少眞正的工人，但還是用無產階級的意識形態進行領導。㊳

毛強調農民的作用無論是異端邪說，還是對馬克思列寧主義的開明運用，無疑植根於中國的環境中。毛的靈感絕大多數來自中國歷史。「農民的大搏鬥、農民起義和農民戰爭，才是中國封建社會歷史發展的眞正動力」。㊴中國歷史充滿了農民戰爭的實例，尤其值得注意的是公元九世紀黃巢起義和十七世紀李自成起義。㊵這些起義都失敗了，因爲農民起義軍應像裝備落後的游擊隊，進攻和退卻，但是，他們卻沒有休養生息的强大的根據地。毛吸取了這個敎訓，他很早就宣布，正確的政策是建立鞏固的革命根據地，以農村包圍城市。

在毛看來，由於帝國主義和反動派的力量盤踞在城市，要把鬥爭繼續下去，就要在相當長的一段時間內，避免與較爲强大的敵人進行決戰。當革命力量仍然很弱小時，必須「把落後的農村建設爲先進的、鞏固的根據地，成爲軍事、政治、經濟、文化、革命的偉大堡壘，這樣就可以與利用城市攻擊農村地區的兇惡敵人進行鬥爭」。㊶由於中國幅員遼闊，農村與現代化城市幾乎完全隔絕，毛認爲，形勢會有利於在農村建立根據地，並且最終奪取全面勝利。

的確，很少有政治思想家以及共產主義領導者對戰爭和軍事力量估價得如此之高。毛認爲，「只有槍桿子才能改造世界」，「誰要想奪取國家政權，並想保持國家政權，就必須有强大的軍隊」、「槍桿子出政權」（political power grows out of the barrel of a gun.）。㊷毛所講的戰爭不是一般國際意義上的戰爭，而是內戰，它具有鮮明的政治目的，即奪取政權，統治國土。

毛所描述的這場政治戰爭，其游擊戰的作戰公式是「敵進我退，敵駐我擾，敵疲我打，敵退我追」。毛的目的很明確，是要推翻一個穩固的、裝備良好的、以城市爲基地的政權。顯然，要達到這個政治目的，不是靠一系列孤立的勝利，而是靠蠶食過程削弱現政權，使人民對政府保護他們的能力不再抱任何幻想。

隨之而來的是「運動戰」階段，它所使用的戰術與游擊戰相似：進攻、退却、突襲，但要調動更多的軍隊。只有當敵人特別軟弱，革命力

量足夠強大時，這一階段才能開始。只有在這一階段之後，才能展開傳統的陣地戰，那時，敵人處於絕對劣勢。由於最終的目的是奪取政治的勝利，耐心必須是革命的首要品格之一。毛清楚地認識到，這一將戰爭延長的戰略，可能需要相當長的一段時間。

毛也許是對革命成功之後政治的發展作了大量著述的第一個馬克思主義理論家。恩格斯只是淡淡地談到「國家的消亡」，而列寧在《國家與革命》中，引錄恩格斯的話來證實他的論點：在共產主義制度下，對人的統治將被對物的統治所取代。馬克思主義理論的基本分析工具辯證的推理概念認爲，在辯證過程結束之時，衝突和辯論都會停止，所有的矛盾都將得到解決。階級衝突將把歷史推向無產階級革命階段，這個階段終將以無階級（因而也是無衝突的）社會而告終。在馬克思主義者的心目中，這就是過程「結束」的範例。

不過，毛明確地認爲，這一辯證過程漫無止境，綿延不斷。在論述思想發展過程時，毛說：

> 客觀過程的發展是充滿著矛盾和鬥爭的發展，人的認識運動的發展也是充滿著矛盾和鬥爭的發展。一切客觀世界的辯證法的運動，都或先或後地能夠反映到人的認識中。社會實踐中的發生、發展和消滅過程是無窮的，人的認識的發生、發展和消滅也是無窮的。根據於一定的思想、理論、計畫、方案以從事於變革客觀現實的實踐，一次又一次地向前，人們對於客觀現實的認識也就一次又一次地深化。客觀現實世界的變化運動永遠沒有完結，人們在實踐中對於眞理的認識也就永遠沒有完結。馬克思列寧主義並沒有結束眞理，而是在實踐中不斷開闢認識眞理的道路。我們的結論是主觀和客觀、理論和實踐、知和行的具體的歷史的統一，……從感性認識而能動地發展到理性認識，又從理性認識而能動地指導革命實踐，改造主觀世界和客觀世界。實踐，認識，再實踐，再認識，這種形式循環往復，以至無窮，而實踐和認識的每一循環內容，都比較地進到了高一級的程度。這就是辯證唯物論的全部認識論，這就是辯證唯物論的知行統一觀。㊳

毛明確提倡更開放、更靈活地理解辯證法，也設法選擇一種適合中國國情的西方理論，二者錯綜複雜地交織在一起。共產主義者一直在談

論社會過程和社會環境中的「矛盾」，但是，毛發現，有必要區分「敵我矛盾」和「非敵我矛盾」。

敵我矛盾是代表人民的革命者與人民的敵人之間的矛盾，而非敵我矛盾只存在於人民之中。一九三〇年，史達林也說過一些內容相近的話，當時，他區分了聯盟內部和聯盟外部的矛盾，前者是人民羣衆和無產階級的矛盾，後者是資產階級份子與無產階級專政的矛盾。但是，毛堅持認爲，工人階級和民族資產階級的矛盾是非敵我性的，即它是人民內部矛盾。此外，毛澤東與史達林不同的地方在於，雖然共產主義運動眞正代表了人民，但與人民也有矛盾。(59)

在毛所謂新民主主義和「社會主義改造」的特殊教條中，可以見到這類哲學概念的具體運用。一九四〇年毛提出，中國革命成功之後，所建立的政治制度應與俄國模式有一些重大差別。它不同於正統的無產階級專政，也不同於史達林的工農民主專政，而是，「無產階級領導的、反帝反封建的、人民民主專政的共和國」。(60)一九四九年，當全面勝利即將來之際，他呼籲容納民族資產階級。

從更正統的觀點看，民族資產階級是人民的敵人，但是，他們卻被逐步容納到新民主主義之中，不過毛謹愼地指出，他們絕不能占主導地位。在相當長的時間裡，允許他們繼續經商，以此來改變社會主義改造的模式。按照毛的看法，「民族資產階級在現階段具有極大的重要性。帝國主義，一個最兇惡的敵人，仍然站在我們的身旁。中國的現代工業在國民經濟中只占很小的比例……爲了抵禦帝國主義的壓力，把落後的經濟提到一個較高的水平，中國必須利用對國民經濟和人民生活有益無害的所有城市和農村的資本主義因素。在進行共同的鬥爭中，我們必須與民族資產階級聯合起來」。把民族資產階級當作非敵我矛盾，用以結合革命力量，這其實在眞實的馬克思主義裡，旣是理論上正確的，也是實踐上方便的方法。(61)

一九六六年，毛發動的無產階級文化大革命震撼了中國，引起世界的關注，大批青年學生組成了紅衞兵，矛頭直指中國社會的各個方面，至少在某種程度上指向中國共產黨本身。前面曾經引用的對毛作了權威性評價的劉少奇，也被整肅。

不久，背離毛敎導的傾向愈益嚴重，毛對此深感不安，因此，他認

為有必要發動一場廣泛的文化改革和政治整肅。文化大革命的基本目標是「一小撮黨內走資本主義道路的當權派」。按照毛主義者的觀點，這些走資派與廣大工農兵、革命幹部、革命知識份子的矛盾是主要的敵我矛盾。紅衛兵一直試圖保持敵我矛盾與非敵我矛盾的差別，他們決心徹底推翻代表「資產階級」思想的領導者，使這些人名譽掃地，他們對受蒙蔽，追隨這些人的部份「人民」才使用推理和辯論。有跡象表明，這些理論上的細微差別在實踐中已經模糊不清，中國社會滑向無政府主義的邊緣，只有靠軍隊恢復秩序。

撰寫本書時，尚不能對毛在政治理論和實踐中的貢獻作最後判斷。不過，在文化大革命中，毛的所作所為也許是對其政治理論的最好嚐試。文化大革命似乎維護了毛的中國式馬克思主義社會，防止它被工業化和隨之而來的生活腐化所推翻，現代西方社會就是這樣的典型，蘇聯也在朝這個方向發展。恩瑞卡·科洛蒂·皮切爾（Enrica Collotti Pischel）在文化大革命發動之前就尖銳地指出了毛的問題，她寫道：

> 武松徒手搯死了老虎，圖以自衛。農民武松是中國革命無往而不勝的象徵。從農民武松到「東風壓倒西風」，毛詳盡闡述了一整套理論，歐洲人很難理解這種藉題發揮對中國群眾的影響。把豐富的想像力和通俗化結合起來的能力，就成為喚起人民，指導中國革命的基本工具，在某個範圍內也是黨的主要動力。但是，隨著社會主義建設過程中技術問題和客觀問題的重要性超過武裝鬥爭，這種能力的重要性日趨減少。在較複雜的社會裡，特別是在單憑人為因素，尤其是單憑意志論者的行動和道德因素難以左右的社會裡，毛的「簡單化」失去了部份效力，並且很容易成為機械地和教條般重覆的根源，也迴避現代世界提出的具體問題。[62]

毛能否通過文化大革命為他的學說注入新生命，並使之具有更大的效度；或者經過一段時間以後，毛的學說被視為對工業化世界的問題所作的過時且是中國特色的回覆，現在來下這個結論還為時過早。

共產主義的特徵

　　無疑的，毛澤東在共產主義發展中寫下新的篇章，但是列寧仍是共
產主義的典型代表。儘管列寧的思想具有半學術性質，似乎常常運用抽
象的辯證法作出具體回答，但是它的實際特點不是邏輯的，而是列寧賦
予共產主義的道德格調和偏愛。他與馬克思的聯繫不在於論證的說服
力，而在於把獻身於社會革命作爲人類進步的唯一確定方式，他發現這
一點不是在《資本論》的辯證法中，而是在馬克思的革命小册子中。列寧
賦與共產主義的道德觀，遠比學術內容重要。正是這種道德觀，使共產
主義成爲一種信仰，具有神聖感，成爲好戰的門戶之見，成爲對原則的
獻身，並成爲運用大量詭辯爲自己辯護的行爲。這顯然與十七世紀的喀
爾文主義（Calvinlsm）相似，人們一直對二者不斷加以比較，不過，
二者的道德內涵大相逕庭。喀爾文主義充其量不過是追求個人的完善和
自由，共產主義的最高追求則是獻身於黨和事業，用阿瑟・柯斯特勒
（Arthur koestler）《正午的黑暗》（Darkness at Noon）中的主人翁的
話說，是做「有用而不虛榮的人」。這兩種道德有共同的弱點，因爲耗
盡畢生精力以達到一個簡單的目的，從而求得正常人生的解脫，乃是僞
善。

　　對共產主義的批判通常也是指對喀爾文主義的批判，「目的可以證
明手段合理」便是其中一例。不過，這一批判並沒有切中二者的要害。
對相信自己擁有一個公式，相信這個公式無可置疑，不容重新考量，並
且相信自己發現了人生全部意義的倫理學來說，目的必定能夠證明手段
的合理性。根據定義，在這種倫理學中，道德可以使人類達到最高目
的，這表明，道德實質上是被操縱，被利用的。這始終是共產主義倫理
學的最顯著特徵。列寧一再說，對一個無產者來說，道德是階級利益的
關鍵，是奪取政權的基礎。可以肯定，共產主義者期望，鬥爭的結局是
建立各盡所能，按需分配的社會。但是，任何一個善良人都會贊同，這
個含糊其辭的公式，除了革命勝利本身之外，它沒有任何內容。喀爾文
主義可以在邏輯上證明這種倫理學是正確的，因爲它相信自己獲得了神

的啟示和神的委託。但列寧卻以「科學」的名義，不加證明地賦予馬克思主義雙重作用：道德和宗教。他的黨自相矛盾地把科學家和牧師的特性結合在一起，成為掌管人類進步全部計畫的菁英，不僅掌管政府和經濟大權，而且掌握了文學和藝術大權。由於身負重任，它像先知那樣無私地奉獻，也像狂人那樣偏狹殘暴。

評論家常說，人性不能長期保持高度的獻身精神，一代革命者的狂熱不可能傳給第二代或第三代，它注定為時間並且主要是被成功所腐蝕，這些說法都是正確的。一九一七年的預言家們已不在世，其中許多人為他們自己推行的革命所摧毀。即使果真如此，它仍不足以證明這種精神消逝得無影無踪。當今蘇聯領導人雖然由技術人員和管理人員所組成，但是，他們仍然像列寧一樣真誠地相信，共產主義是未來的潮流。他們滿懷信心地努力工作，時間對他們有利，資本主義社會及其自由政體內部動盪不安，孕育著自取滅亡的種子，就像人的生命轉瞬即逝一樣。根據他們自己估計，他們真的相信，他們是在反對本質上低劣、落後、原始，因而有害的東西，這些東西是他們的死敵，好的東西永遠是更好的東西的死敵。即使他們相信這一點，他們也沒有在對付非共產主義西方這個問題上，制訂出任何明確的策略路線。共存雖然是暫時的，但仍有可能無限期地延續下去，馬克思預言的典型特徵就是沒有時間限制。既然共產主義在適當時候將遍布世界，所以可以合情合理地等待資本主義世界被自身週期性的蕭條和戰爭所摧毀。如果資本主義世界在其敵人──共產主義──的壓力下，結成不穩固的聯盟，共產主義者就應當採取遠見卓識的策略，即減小壓力，讓資本主義體系內部的矛盾起作用。但是很清楚的，一個行將就木而又尚未體面的被埋葬的政權，如果只須輕輕一推即可使之一命嗚呼，那麼，還能想像出什麼道德因素阻止這樣做呢？這一切都很貼切地勾劃出那些很實際的列寧繼承者的態度和設想。顯然，這種信念無須任何證據，也可以不採反面的證據，因為倘若承認資本主義和共產主義是一對相互敵視、包羅萬象的體系，世界便不能同時容納二者。

其他的共產主義批評家沉溺於辯證法，喜歡說共產主義也要受矛盾的影響。它的烏托邦之路必然要經歷工業化，但是，沒有普遍受過教育的人民，沒有受過高等教育的科學家和技術人員，就不可能有工業文

明。蘇聯的教育是從零開始，不斷加以灌輸，在不足一代人的時間裡普遍掃除了文盲，科研能力也達到很高的水平。這是否在削弱它所支持的制度和根基呢？據說，廣泛受到教育的公衆，不會始終順從於極權主義統治或獨裁政府，有教養的人必然支持專制政府不敢輕視的公衆輿論。如前所述，這一論點在某種意義上是合理的。由於史達林逝世，蘇維埃政權無疑發生了巨大變化。它不再繼續依靠慣用的恐怖主義和暴行；它控制了秘密警察的專制權力，接管了強制勞動和集中營。根據一項自我否定的法令，黨把不影響政治目的的日常工作納入法律範圍之內。它對藝術家和作家的控制至少不再採取消滅的方式；它也不再使科學屈從於任性的妄想，如史達林厭惡孟德爾主義一樣；只要不觸及黨的神話，它也主張歷史的研究自由。在不到六年的時間裡，發生了一系列的變化，但是，由於史達林的愚蠢和殘暴，這一切很可能在紀律造成的冷漠中宣告結束。不過，經歷兩次世界大戰之後，如果還認爲有教養的公衆必然支持自由政治制度，未免太缺乏批判能力了。一九一四年的德國大概是世界上文化教育最普及、技術水平最高的國家，但是，並未使第二帝國實行政治自由，也未使德國人民免受國家社會主義荒唐行爲的支配和希特勒的野蠻統治。只有受十八世紀神話殘餘影響的人，才會支持這一思想，即聰明而有教養的人民，一定會創造政治民主的習慣。這種習慣不是由誰發明的，而是取決於基本的社會制度。至少在西歐，形成這些慣例的必要條件似乎一直是允許多種權力中心並存的社會，各權力中心之間的相互分歧，必須靠磋商和協議來調整。共產黨恰恰不能容忍這種情況，因爲這違背了它的理論和實踐。在俄國，生活水平的提高，教育普及和文化自由的擴展，要比對黨的指示及其最高領導加以有效的法律控制容易些。蘇聯政府一位高級法律官員就近幾年放鬆控制問題，對美國一位法學教授作了如下評論：「 如果必要，我們仍將恢復舊方法（史達林的方法）。但是，我認爲沒有必要。 」❸

現在的共產黨的確是一個新政黨，與進行煽動和策劃革命陰謀的一小撮激進分子有天壤之別。而列寧的黨在一九一七年奪取政權，就是依靠這些方法。黨現在統治的俄國，也遠不同於列寧接管時那個遍身戰爭創傷，支離破碎的國家。雖然黨的規模已經擴大，但是，與其承擔任務之重要性和複雜性相比，遠遠不夠。它的成員仍然要嚴格挑選，透過一

套嚴格的程序。雖然黨吸收了大量工人和農民，擴大了自己的基礎，但是僅僅具有無產階級政黨其名，它早就不再優先考慮工人階級出身的申請者了。對許多可憐而有才幹的青年來說，這依然是一條投機之路。它的平均教養程度遠遠高於列寧的黨，不過，它的成員依然有一些人（包括赫魯雪夫在內），到了成年才開始讀書寫字。技術人員、管理人員，以及行政人員，在黨內占很大比重，他們負責設計、管理和控制各項工程，其規模之大可與世界任何巨大工程相比。黨仍然是精銳部隊，但它的目標是吸收在工業、政治、知識等各界中佔重要地位的男女。雖然黨及其任務發生種種變化，但是，若想找出有別於列寧在一九〇二年制訂的建黨規劃中任何一條組織原則或職能，卻是徒勞無益的。一九〇二年，列寧把黨描述為一支管弦樂隊，黨的領袖好比樂隊指揮。他熟悉並指揮每一件樂器，知道哪件樂器定了調；也知道哪一部份發生變化才能保持完美和諧。這個形象的描述，準確地反映了當初列寧的建黨思想，也準確地反映了當今黨的狀況。它對黨的實際活動的表述比列寧時代更貼切。黨對自身功能所持的自負，至今仍無改變。一九五八年，赫魯雪夫使用列寧很可能使用的語言對黨說：「同志們，自發性是所有敵人中最兇惡的敵人。」

與此同時，黨取得的成就比預期的大。黨也犯一些愚蠢的錯誤，有時是一些極大的錯誤，但並非無法彌補。在史達林統治下，黨有建設性目標，但是，黨在發展中缺乏人性，無比狠毒，這兩方面極不相稱，後者可能使那些為虎作倀的老年領導者至今仍受良心譴責。但是，黨塑造了一個領導層，能勝任艱巨任務，且心狠手毒，他們成功地埋葬了自己的過失和罪責，雖然它們難以數計。透過這個領導層，黨證實了一開始被預言不可能的事情：計劃經濟不僅可行，而且能高速發展，這必將使它「趕上」，並最終超過它試圖與其決一雌雄的工業體系。

於是，它形成一種模式，世界上那些與俄國面臨相似的社會經濟難題的國家和人民，可以廣為仿效。黨沒有證明，顯然也不能證明的成就是，它所創建的無可爭議的價值中，不包括西方競爭性經濟中已經實現了的政治自由。由同一批人既全面控制經濟又全面控制政府的體系，似乎不大可能與沿著西方民主道路前進的體系平行發展。兩種經濟體系都表明，當災難性的人口增長受到控制時，各自都能創造高於需求的生活

水平。兩個體系都有二十世紀國際政治中的主要荒謬之處：二者各自將相當大部份的資源用於製造誰也不敢使用的武器，而且，可能由於疏忽大意或偶然失誤，而會從根本上摧毀掉享受任何水平的需要。

註　解

❶ 布爾什維克（Bolshevik）和孟什維克（Menshevik）的意思是多數派和少數派。用這兩個詞分別指謂兩個派別，最早是在 1903 年黨的第一次全國代表大會上。列寧一直將自己的派別稱作「多數派」，因為這個名稱有威望，儘管這一派常常不占多數，有時不再作為黨而存在。1903 年開始的裂痕，直至 1912 年才成為徹底而永久的分裂。在這期間，兩派不斷改變各自立場，出現了一系列令人迷惑不解的「聯合」與再分裂。即使一個籠統的聲明，也帶有種種傾向性。奇怪的是，兩派最終決裂後，似乎才在理論上互相探討。由此得出結論：「歸根究柢，黨內的真正分歧在氣質和策略方面的要多於理論方面。」倫納德·沙皮羅（Leonard Schapiro）：《蘇聯共產黨》（*The Communist Party of the Soviet Union*），紐約，1960 年版，第 132 頁。關於該黨至革命前的詳細情況，可參見該書第 1 部份。

❷ 伯特倫·沃倫夫（Bertram D. Wolfe）：《三人搞了一場革命》（*Three Who Made a Revolution*），紐約，1948 年版，第 367 頁。

❸ 《文集》（*Collected Works*），第 4 卷，第 2 冊，第 194 頁；《選集》（*Selected Works*），第 2 卷，第 133 頁。英文版《文集》譯自莫斯科列寧學院發行的俄文版文集，不全。《選集》英文版也是根據列寧學院的編選。兩種文本都是由紐約「國際出版社」出版。

❹ 列寧的論據取自《共產黨宣言》：「使自己達到領悟整個歷史運動的資產階級思想家」。

❺ 《文集》，第 4 卷，第 2 冊，第 144 頁以下。《選集》，第 2 卷，第 53 頁。

❻ 《進一步，退兩步》（*One Step Forward, Two Steps Back*, 1904 年版），《選集》，第 2 卷，第 466 頁。

❼ 在一本題為《我們的政治任務》（*Our Political Tasks*, 1904 年）的小冊子裡攻擊列寧。這種攻擊並非出於托洛斯基對民主的同情，而是起因於列寧在《火星級》編輯部的行為引起爭吵。實際上，托洛斯基關於黨組織的主張，與列寧的觀點相差甚微。參見艾薩克·多依舍爾（Isaac Deutscher）：《武裝的先知：托洛斯基，1879–1921》（*The Prophet Armed. Trotsky:* 1879–1921, 1954 年），第 45、78 頁。

❽阿爾弗雷德·邁耶（Alfred G. Meyer）：《列寧主義》（ *Leninism*，麻薩諸塞
州，坎布里奇，1957 年版），第 10 頁。

❾見沃爾夫：《三人搞了一場革命》，第 29 章。

❿《文集》，第 13 卷，第 281 頁；《選集》，第 11 卷，第 377 頁。

⓫見《同列寧相處的日子》（ *Days with Lenin*, 1932 年），第 52 頁。

⓬「不斷革命」（ permanent revolution ）這個標題取自 1850 年馬克思估計革命即
將在德國爆發時向共產主義者同盟建議的口號。托洛斯基在敍述彼得堡蘇維埃一
書中，首先發表了這個理論。此書是他在彼得堡蘇維埃失敗後在監獄中寫成的。
某些章節曾以「工人專政的前景」爲題，英譯本在《我們的革命》（ *Our Revolut-
ion*，紐約，1918 年版）一書中（第 63～144 頁）中發表。上引文摘自第 85 頁。
這個理論在《不斷革命論》（ *The Permanent Revolution*, 1930 年 ）中得到進一步
發揮。此書有英譯本，紐約，1931 年版。多依舍爾《武裝的先知：托洛斯基，
1879～1912》一書對不斷革命論作了概述（第 149～162 頁）。該理論有一段不尋
常的歷史。1906 年，很少有人注意不斷革命論，部份原因是由於托洛斯基的書
一出版即被查禁。1924 年，史達林爲詆毀托洛斯基，譴責該書爲糟糕的列寧主
義，儘管列寧在 1917 年和其他俄國馬克思主義者一樣，認爲俄國革命的持久性
有賴於西歐的革命。史達林說，列寧直接從馬克思那兒得到不斷革命論的一切要
點，而托洛斯基的詮釋是「死氣沉沉，書呆子氣的智慧」。參見《列寧主義問題》
（ *Problems of Leninism*，莫斯科 1940 年版）第 122～123 頁。於是，不斷革命
論成了「托洛斯基主義」，成了反動的異端邪説。

⓭多依舍爾認爲，列寧是間接得知托洛斯基的那本書，也許是那本書早期被查禁的
緣故。同前書，第 162 頁。或許，列寧對托洛斯基攻擊他的政黨理論一直耿耿於
懷。

⓮〈社會民主黨對農民運動的態度〉（ 1905 年 9 月），《選集》，第 3 卷，第 145
頁。

⓯〈社會民主黨在民主革命中的兩種策略〉（ 1905 年 6～7 月），《選集》，第 3 卷，
第 99～100 頁。

⓰「幾個論題」（ 1915 年 10 月），《文集》，第 18 卷，第 357 頁。

⓱見《文集》，第 18 卷和第 19 卷；《選集》第 5 卷。尤其是《在偷來的旗幟下：社會
主義與戰爭》〔 *Under a Stolen Flag, Socialism and War*, 1915 年，與季諾維也夫
（ G. Zinoviev ）合著〕；《帝國主義：資本主義的最高階段》（ *Imperialism: The*

Highest Stage of Capitalism, 1916 年）；以及布哈林（Bukharin）的《帝國主義與世界經濟》（*Imperialism and World Economy,* 紐約，1929 年）。這些著作發表於 1917 年 3 月革命之後。

⑱在馬克思主義作家的著作中，最重要的著作是魯道夫·希法亭（Rudolf Hilferding）的《金融資本：資本主義發展的最新階段》（*Das Finanzkapital: Eine Studie über die jüngste Entwicklung des kapitalisms,* 維也納，1910 年），列寧主要取材於這部著作。列寧也大量取材於霍布森（J. A. Hobson）的《帝國主義》（*Imperialism,* 1902 年；修訂版，1905 年）。有關帝國主義的文獻，溫斯洛（E. M. Winslow）在《帝國主義的類型》（*The Patterns of Imperialism,* 1948 年）中曾加以評論，特別是第 7 章。

⑲《帝國主義：資本主義的最高階段》，見《文集》，第 19 卷，第 159 頁；《選集》，第 5 卷，第 80 頁。

⑳《帝國主義與世界經濟》，英譯本（1929 年版），第 167 頁。這本書是 1915 年寫的，列寧為其作序。直到 1917 年才發表。

㉑見馬庫塞（H. Marcuse）：《蘇維埃馬克思主義：批判的分析》（*Soviet Marxism: A Critical Analysis,* 1958 年）。

㉒引自托洛斯基 1920 年 8 月 8 日在共產國際第二次世界代表大會上的發言。《共產國際，1919～1943》（*The Communist International,* 1919～1943），簡·德格拉斯（Jane Degras）選編的文獻滙編，第 1 卷（1956），第 177 頁。

㉓引自阿爾弗雷德邁耶：《列寧主義》（1957），第 270 頁。

㉔同上書，第 253～254 頁。

㉕參見邁耶所謂的〈退卻的辯證法〉（dialectic of backwardness），同上書，第 12 章。

㉖1919 年 3 月，他說真正的無產階級革命開始於 1918 年夏季。馬庫塞，同前，第 43 頁。

㉗〈遠方來信〉（1917 年 3 月 24 日），《文集》，第 20 卷，第 1 冊，第 54 頁。

㉘《論策略書》（*Letters on Tactics,* 1917 年 4 月），《文集》，第 20 卷，第 1 冊，第 121 頁；《選集》，第 6 卷，第 34 頁以下。列寧從《兩種策略》（1905）中搬來一些話，用以證明他並沒有「真正」改變主意。

㉙體系上的含糊不清是辯證法固有的特點。根據語意學，必然階段的涵義包括德文動詞 "aufheben" 及其分詞 "Aufgehoben"，這是黑格爾使用的準技術術語，這個

詞的字面意思是「提起」，與英文「昇華」的意思差不多；它還有「摧毀」的意思。在黑格爾的唯心主義形而上學中，這個詞表達了一種精神上的假定：在歷史的變革中，體制消失了，但價值保留著。它的基本價值被「轉換」了，在後繼的體制中再現。簡言之，就是假定歷史的變革是進步的。黑格爾的唯物主義繼承者——馬克思是其中之一——把辯證法解釋爲准因果關係，但保留其道德內涵。不管怎麼表達，把後一階段形容爲「更高階段」乃是一種評價，不僅僅是因果關係或邏輯關係的簡單陳述。

㉚《國家與革命》（ State and Revolution ），第 5 章，第 2 節。《文集》，第 21 卷，第 2 冊，第 217 頁以下。《選集》，第 7 卷，第 79 頁。

㉛《論立憲派的幻想》（ On Costitutional Illusions, 1917 年 8 月 ）。《文集》，第 21 卷，第 1 冊，第 66 頁以下。《選集》，第 6 卷，第 180 頁以下。

㉜《杜馬的解體與無產階級的任務》（ The Dissolution of the Duma and the Tasks of the Proletariat, 1906 年 ）。《選集》，第 3 卷，第 378 頁以下。見沃爾夫：《三人搞了一場革命》，第 369 頁。沙皮羅：《蘇聯共產黨》，第 68 頁。

㉝《文集》，第 21 卷，第 2 冊，第 147 頁以下。《選集》，第 7 卷，第 33 頁以下。1917 年 8～9 月，他躲在赫爾辛基寫這本小冊子。第二部份是回顧 1905 年和 1917 年的革命，但是幾乎一句話也沒有寫。這本小冊子於 1918 年發表。

㉞邁耶《列寧主義》中引錄了幾種理解，參見第 195 頁以下。

㉟《共產國際，1919～1943》，簡‧德格拉斯編，第 1 卷，第 128 頁。〈論共產黨的作用〉第 127～135 頁；〈入盟條件〉，第 166～172 頁。

㊱《共產主義運動中的「左派」幼稚病》（ "Leftwing" Communism, An Infantile Disorder, 1920 年 4 月 ），《選集》，第 10 卷，第 88 頁以下。「幼稚病」是指法國和其他地方一些新的共產主義組織，不願在議會和工會等「陳腐的」資產階級機構中採取滲入和阻礙議案通過的策略。

㊲這場辯論記錄在〈論共產黨的作用〉（ On the Role of the Communist Party ）的講演中（ 1920 年 7 月 ），《選集》，第 10 卷，第 214 頁以下。

㊳《列寧主義問題》，第 135 頁。

㊴《聯共（布）黨史》（ History of the Communist Party of the Soviet Union〔Bolsheviks〕），縮寫本。紐約，1939 年版，第 355 頁。

㊵〈關於蘇聯憲法草案〉，《列寧主義問題》，第 561-590 頁。引語摘自第 578～579 頁。

㊶《共產國際，1919～1943 年》，第 1 卷，第 134 頁。

㊷1956 年修改前的章程載於約翰・哈扎德（John N. Hazard）的《蘇維埃政府體系》（*The Soviet System of Government*, 1957 年）一書的附錄。

㊸沙皮羅：《蘇聯共產黨》，第 563 頁以下；見結尾一節，第 547–590 頁。

㊹列寧談一國社會主義的理論，寫入《論歐洲聯邦的口號》（*The United States of Europe Slogan*, 1915 年），《選集》，第 5 卷，第 14 頁。在他最後的著作中，參見〈寧可少些但要好些〉和〈論合作社〉，《選集》第 9 卷，分別見第 400 和第 409 頁。托洛斯基的話被收入 1920 年 8 月 8 日通過的一份宣言，《共產國際，1919～1943 年》，第 177 頁。

㊺關於一國建成社會主義，見多依舍爾《史達林的政治傳略》（*Stalin, A Political Biography*, 1949），第 281～293 頁。

㊻《資本論》，英譯本（人人叢書，1933），第 843 頁。

㊼見〈經濟建設中的新條件和新任務〉（New Conditions, New Tasks in Economic），《列寧主義問題》，第 368 頁。

㊽他在黨的第十八次代表大會上作的報告〈幾個理論問題〉，《列寧主義問題》，第 656～666 頁。

㊾《馬克思主義與語言學》（*Marxism and Linguistics*，紐約，1951 年），第 27 頁。

㊿安娜・路易斯・史東（Anna Louise Strong）：〈毛澤東的思想〉（The Thought of Mao Tstung），載《美亞雜誌》（*Amerasia*）XI，第 6 期（1947），第 161 頁。斯圖亞特・施蘭姆（Stuart Schram）：《毛澤東的政治思想》（*The Political Thought of Mao Tse-tung*，紐約，1963 年）第 56 頁。

51史諾（E. Snow）：《西行漫記》（Red Star Over China，紐約，現代叢書，1944 年）第 147 頁。

52《毛澤東選集》（*Selected Works*，倫敦，1954～1956 年），第 1 卷，第 32 頁。中文本見《毛澤東選集》，人民出版社，1967 年袖珍本，第 21 頁。

53參見切斯特・唐（Chester C. Tan）：《20 世紀中國的政治思想》（*Chinese Political Thought in the Twentieth Century*, Garden City: Doubleday & Co, 1971），第 347 頁。也可參見施蘭姆：《毛澤東的政治思想》，第 28–37 頁。

54《毛澤東選集》，英文本，第 3 卷，第 76 頁。

55唐：《20 世紀中國的政治思想》，第 349 頁。

㊏《毛澤東選集》，第 3 卷，第 85 頁。轉引自唐的上書，第 349 頁。

㊐唐的上書，第 350 頁。

㊑毛澤東：《實踐論》（On Practice），轉引自施蘭姆的《政治思想》，第 128 頁。

㊒見唐的上書，第 359～364 頁。

⑩《毛澤東選集》，第 3 卷，第 118 頁。

㊓〈論人民民主專政〉（On the People's Democratic Dictatorship），《毛澤東選集》（北京外文出版社，1964 年），第 49 頁。轉引自唐的上書，第 353～354 頁。

㊔引自施蘭姆的《政治思想》，第 81 頁。

㊕哈羅德·伯曼（Harold J. Berman）：〈蘇聯的法律改革—1957 年發自莫斯科〉（Soviet Law Reform-Dateline Moscow 1957,7），《耶魯法律雜誌》（*Yale Law Journal*）LXVI（1957 年），第 1215 頁。

參考書目

1. *How the Soviet System Works: Cultural, Psychological, and Social Themes.* By Raymond A. Bauer, Alex Inkeles, and Clyde Kluckholm. Cambridge, Mass., 1956.

2. *Justice in Russia: An Interpretation of Soviet Law.* By Harold J. Berman. Cambridge, Mass., 1950.

3. *The Permanent Purge: Politics in Soviet Totalitarianism.* By Z. Brzezinski. Cambridge, Mass., 1956.

4. *The Theory and Practice of Communism.* By R. N. Carew Hunt. Rev. and enlarged. London, 1957. Part Ⅲ.

5. *The Soviet Impact on the Western World.* By Edward H. Carr. New York, 1947.

6. *Communism and Social Democracy*, 1914～1931. By G. D. H. Cole. 2 vols. London, 1958.

7. *Khrushchev's Russia.* By Edward Crankshaw. Baltimore, 1959.

8. *The Changing World of Soviet Russia.* By David J. Dallin. New Haven, Conn., 1956.

9. *The Communist Millenium: The Soviet View.* By Theodore Denno. The Hague, 1965.

10. *Stalin, A Political Biography.* By Isaac Deutscher. New York, 1949.

11. *The Prophet Armed. Trotsky*, 1879～1921. By Isaac Deutscher. New York, 1954.

12. *The Prophet Unarmed. Trotsky*, 1921～1929. By Issac Deutscher. New York, 1959.

13. *How Russia is Ruled.* By Merie Fainsod. Cambridge, Mass., 1953.

14. *The Soviet System of Government.* By John N. Hazard. Chicago, 1957.

15. *A Study of Bolshevism.* By Nathan Leites. Glencoe, Ill., 1953.

16. *World Communism: The Disintegration of a Secular Faith.* By

Richard Lowenthal. New York, 1966.

17. *Soviet Marxism: A Critical Analysis.* By Herbert Marcuse. New York, 1958.

18. *Leninism.* By Alfred G. Meyer. Cambridge, Mass., 1957.

19. *Marx against the Peasant.* By David Mitrany. Chapel Hill, N. C., 1951.

20. *Soviet Politics-The Dilemma of Power: The Role of ideas in Soviet Change.* By Barrington Moore. Cambridge, Mass., 1950.

21. *Terror and Progress USSR: Some Sources of Change and Stability in the Soviet Dictatorship.* By Barrington Moore. Cambridge, Mass., 1954.

22. *German Marxism and Russian Communism.* By John Plamenatz. London, 1954. Part Ⅱ.

23. *A Concise History of the Communist Party of the Soviet Union.* By John S. Reshetar, Jr. New York, 1960.

24. *The Dynamics of Soviet Society.* By W.W. Rostow New York, 1953.

25. *The Communist Party of the Soviet Union.* By Leonard Schapiro. New York, 1960.

26. *Russiaś Sovical Economy.* By H. Schwartz. 2d. New York, 1954.

27. *Russian Political Institutions.* By Derek J. R. Scott. London, 1958.

28. *Lenin, A Biography.* By David Shub. Garden City, N. Y., 1948.

29. *Stalin, A Critical Survey of Bolshevism.* By Boris Souvarine. Eng. trans. by C. L. R. James. New York, 1939.

30. *Soviet Philosophy: A Study of Theory and Practice.* By John Somerville. New York, 1946.

31. *The Political Thought of Mao Tse-tung.* Edited with an introduction by Stuart R. Schram. New York, 1963.

32. *Chinese Political Thought in the Twentieth Century.* By Chester C. Tan. Garden City, 1971.

33. *Political Power in the U.S.S.R., 1917～1947: The Theory and Structure of Government in the Soviet State.* By Julian Towster. New York, 1948.

34. *The Bolsheviks: The Intellectural and Political History of the Triumph of Communism in Russia.* By Adam B. Ulam. New York, 1965.

35. *Dialectical Materialism.* By Gustav A. Wetter. Eng. trans. by Peter Heath. London, 1959.

36. *To the Finland Station: A Study in the Writing and Acting of History.* By Edmund Wilson. Garden City, N. Y., 1940.

37. *Three Who Made a Revolution: A Biographical History.* By Bertram D. Wolfe. New York, 1948.

第三十六章
法西斯主義與國家社會主義

　　從總體上看，共產主義的政治哲學代表了前後一貫、細心發展的觀點。即使有所變化，也小心翼翼地保持著與馬克思主義的連續性，這種發展曾有兩代學者先後加以闡釋。第一次世界大戰以前，列寧和托洛斯基則是對馬克思主義抱有堅定的信念，並積累了政黨領導的長期經驗。與此相比，義大利的**法西斯主義**（fascism）和德國的**國家社會主義**（national socialism）就如雨後春筍般的驟然成長。戰前，根本不存在什麼法西斯政黨和國家社會主義的政黨，戰後，它們才從悲觀失望的氣氛中脫穎而出。它們的領袖對於哲學建構既無興趣又無能力。儘管構成它們意識形態的信念、觀念以及偏見很早便已存在，但從來沒有形成一貫的思想體系。而當它們被拼湊在一起稱之為「哲學」時，這種結合在很大程度上就屬於機會主義的。它們的被挑選出來，並不是根據它們是否符合眞理或前後一致，而是出於情感的要求，並經常對思想的眞誠（intellectual honesty）抱一種犬儒式的冷漠態度。

　　在義大利和德國，機會主義是政黨擴大權力過程中固有的特徵。觀點不同、利益相悖的集團湊合在一起，不是訴諸共同的目標或原則，而是借助於共同的憎恨和恐懼。它們透允諾每一個人每項要求的政客手段，把農民和大地主、小業主和大實業家、白領工人和工聯主義者，統統鬆散地拉在一起，因爲任何一種開誠布公的明確綱領，都會排斥該黨所要吸收的某一集團。這兩個國家的領導人，都有意識、有目的地採用了這種謀略。墨索里尼（Mussolini）在其早期的演講中，採取了實踐者（實行家）的姿態，標榜自己是沒有理論的經驗主義者或直覺主義者。他的座右銘是「努力行動，切勿空談」（Action not talk）；「毋需教條，懲戒足矣」（There is no need for dogma, discipline suffices）。他在一九二四年的一篇文章中寫道：

> 我們法西斯主義者有勇氣摒棄一切傳統的政治理論，我們既是貴
> 族又是民主派，既是革命者又是反革命，既是無產階級又是反無產階
> 級，既是和平主義者又是反和平主義者。只要具有一種穩固的目標就
> 足夠了，那就是國家。其餘的一切都微不足道。❶

德國也有類似的情況。一九二六年，國家社會主義黨透過了二十五
個條款，並宣布爲該黨不可更改的原則，而實際上，它們與該黨的政策
毫不相干。❷在一九三三年的競選中，希特勒拒不宣布任何綱領——

> 因爲一切綱領都是空洞的。有著決定性作用的是人的意志、正確
> 的眼光、男子漢的氣魄、眞誠的信念、内心的願望——這些才是決定
> 性的東西。❸

該黨在德勒斯登（Dresden）的一位領導人，一九三〇年寫信給一
位實業家，信中說得更爲坦率——

> 別讓自己繼續爲我們宣傳品上的詞句所迷惑了……有「打倒資本
> 主義」之類的時髦口號，……然而必不可少的是……我們必須使用憤
> 怒的社會主義工人的語言……由於策略上的緣故，我們不可能公布一
> 個率直的綱領……。❹

一九二九年，當墨索里尼決定法西斯主義必須「爲自己提供一整套
信條時」，幾乎是透過命令趕製的，這項工作必須在兩個月之內完成，
「從現在起直到國會代表大會召開之時」。

在這種情況下，許多人得出一個結論：法西斯主義和國家社會主義
根本沒有哲學。它們的方法似乎是羣眾心理與恐怖主義的混合物，它們
的領袖除了攫取和鞏固權力之外，似乎沒有任何其他目的。當然，在某
種程度，這是事實，但並非完全如此。法西斯主義和國家社會主義是眞
正的民眾運動（popular movement），它們喚起成千上萬德國人和義
大利的狂熱忠誠。即使是那些玩世不恭的高級領導人，也很難說他們究
竟是自己所協助創立的意識形態的主人還是奴隸。❺一個頗有些道理的
論證是，雖然他們眞誠地相信反猶太主義，但事實上反猶太主義也正是

他們最不幸的障礙。法西斯「哲學」在許多方面是一種臨時的拼湊，然而，構成它的許多因素卻經久不衰，且具有感染力——不僅具有熟悉的親密，也抱有強烈的偏見，並常常充滿著渴望。法西斯哲學的確沒有一個合理的計畫，以抵達有限而明確的目標。它根本就沒有這種要求。它自稱具有「創造性」，依靠「正確的眼光」和「內心的願望」。然而，當它暗中或公開宣揚創造性及遠見是與理智及理性相對立時，不過是鸚鵡學舌，重複了歐洲哲學早已流行了一個世紀的思想而已。當它把創造性看作超凡脫俗的領導者獨具的特權時，僅僅是重複自卡萊爾（Thomas Carlyle）以來人們一直喋喋不休的浪漫主義英雄崇拜。法西斯的英雄（尤其是在失敗時）俗不可耐，法西斯的哲學無疑也是一幅庸俗無聊的漫畫，與其他漫畫一樣，它也模仿真實的事物。無論是好是歹，它屬於歐洲政治思想和政治實踐的進化，在這個意義上，也是一種哲學。

有人曾作出假設，認為法西斯主義和國家社會主義純粹是個人野心的產物，是透過宣傳和恐怖的手段強加給義大利和德國的。倘若法西斯主義和國家社會主義確實隨著墨索里尼和希特勒的死亡而消聲匿跡，或者說，在其他國家的確沒有類似的主義，那倒更為言之有理。然而，很少有那位思想家會這樣認為，不管他的願望是否如此。法西斯主義和國家社會主義是對現實事態的反動。不幸的是，它們在理智上的平庸和蹂躪文明世界道德信念的事實，並不能保證不再發生類似的事件。唯一的保證是在處理產生這些主義的社會固有問題時，多一點兒理智而少一點野蠻。就其動力而言，法西斯主義和國家社會主義依賴於國家愛國主義，這種愛國主義被認為是當今政治領域中最強而有力的情緒，而且也是具有真正文化價值的因素。不過，在法西斯主義和國家社會主義橫行的歐洲社會——實際上是在一個世界社會（world-society）中——其絕對的國家自決權和國家主權顯然不可能實現。它們的「新秩序」宣稱要解決政治世界與經濟的不平衡，前者以國家作為統治單位，後者則僅有少數力量才能接近自足程度。其解決辦法有一個前提，即任何國際秩序必須是在一個優越國家強力控制下的帝國主義。只有當行之有效的國際秩序能行使更為自由的原則時，這個前提才會被徹底否定。在國內政策上，法西斯主義和國家社會主義自稱要穩定經濟，因為通貨膨脹的經濟蕭條大大動搖了資產者和勞動者的安全感。它們提出要以平和、有序、

正當的方式解決勞資之間的緊張關係，這種緊張關係直接危及生產和國家的安全。它們承諾在一種除了準備戰爭外從來不可能被充份利用的生產力經濟中，實現充份生產和充份就業。它們的「解決辦法」，實際剝奪了工人的公民自由，也無法保障資產者的財產權和自由權。它的代價的確是破壞性的，不再付出如此代價的唯一保證就是以更明智的辦法兌現這些允諾。只要公眾的某個重要部份被說服，相信政界的理智全是貧乏無聊、爭吵不休、膽小怕事、無所作為，或者說，相信民主程序軟弱無力、頹廢墮落，並為富豪所控制，那就決不能排除法西斯主義以某種形式復活的可能性。

國家社會主義

　　法西斯主義和國家社會主義的哲學在很大程度上是一種湊合，由內容無雜和人所熟知的各類因素拼湊而成。因此，要想找出它的歷史淵源，確實相當困難。無論它的朋友還是敵人，都從義大利的歷史和德國的歷史中尋找其「根源」，前者追溯到但丁（Dante），後者追溯到馬丁‧路德。這種歷史說明，將毫不相關的思想聚合在一起，根本不能解決問題。自十六世紀以來，歐洲文獻不乏對政治專制主義的辯護，政治專制主義的確是最簡單的政治思想，最適合抵禦動盪和混亂的威脅。由於顯而易見的理由，法西斯主義和國家社會主義翻遍了歷史，以搜尋它們可資利用的思想和英雄人物。這個過程本來可以導致兩種運動發展截然不同的哲學，因為德國民眾和義大利民眾很難為同樣的情感要求所驅使。作為一種純粹的邏輯，很容易將《我的奮鬥》（Mein Kamapf）的哲學與墨索里尼在《義大利百科全書》所撰文章的哲學加以對照。但是，這種對照也說明不了什麼，無論語言多麼不同，卻從未有人懷疑過二者的實質是相同的。差別即使有邏輯矛盾，也不難說明。可以先從兩種哲學間明顯而不甚合理的共同之點入手。

　　義大利法西斯主義和德國國家社會主義都自稱是為了國家目標而追求適用的社會主義制度，或者如戈培爾（Goebbel）在宣傳中標榜的那樣，追求所謂「真正的社會主義」。在這兩個國家裡，他們最終都是透

過自稱為社會主義政黨和國家主義政黨結成的聯盟而奪取政權。一九二
〇年初，雖然墨索里尼有長期激烈的反國家主義記錄，但是他突然宣布
接受國家主義❻，而國家主義政黨也象徵性地接受了工聯主義的社會主
義。德國也發生類似的事件，希特勒依靠與胡根貝格（Hugenberg）國
家主義的聯合，最終獲取了國會的多數席位，儘管他曾公開宣布拒絕一
切妥協與聯盟❼。阿爾弗雷多・羅科（Alfredo Rocco）長期擔任義大
利國家主義者的領袖，在新的聯合政府中出任司法部長，一九二五年，
他在下院的一次發言中，闡述了以社會主義的國家主義形式出現的法西
斯主義的原則——

　　法西斯主義懂得，社會集團的組織問題——即工聯主義問題——
絕不是必然地與摧毀資本主義的運動相聯繫，資本主義經濟建立在私
人生產組織的基礎上，取而代之的是以社會生產組織為基礎的社會主
義經濟。法西斯主義認識到，必須將工聯主義現象與社會主義分離開
來。因為社會主義政治學說中的反國家主義、國際主義、和平主義、
人道主義、造反精神等意識形態，把一切問題複雜化，它們與工聯主
義毫不相干。因此，法西斯主義創立了一個完全由愛國情操和國家團
結所激發的國家工聯主義。❽

　　這種思想異常簡單而富於感染力，幾乎不需要尋找它的根源。社會
應該互助合作，而不應彼此傾軋。國家是每個人所隸屬的社會。因此，
每一個階級和每一個利益集團，都應該同心協力為國家利益效勞。這種
思想也蘊含著一個政黨的主要戰略方針，其意圖是為了憑藉烏托邦的綱
領來攫取權力。該政黨必須是社會主義的，至少名義上如此，因為在義
大利和德國，普遍流行的政治主張長期以來總與某種意義的社會主義相
聯繫。但是，它起碼應該抵制和消除那些社會主義工會的政治影響，無
論它們是否信奉馬克思主義。國家社會主義巧於算計，竭力爭取下層的
中產階級，即小店主和領取薪金的職員，他們飽嚐通貨膨脹和經濟蕭條
之苦，又膽戰心驚地面臨著被拋向無產階級隊伍的危境，這是馬克思主
義很早以前便已向他們指明的厄運。就一切國家而言，下層中產階級都
是在有組織的工人與大企業之間的夾縫裡坐臥不寧，它憑藉自己的力量
無法與之抗衡，來自政府方面的幫助自然倍受青睞。大工業和大商業家

則希望國家主義透過新的結合而清除社會主義的隱疾。至少，可以使他們擺脫工會施加的強大壓力。但是，在接受社會主義的同時，他們也丟棄了逃避政府監督的幻想，因爲那種奢求過於脫離現實。從總體上看，較爲實際的想法似乎是由他們控制政府，政府去控制工人；而無論如何，爲了在國外進行商業擴展，他們需要得到政府的支持。因此，國家主義修正的社會主義對每一個人都承諾了幸福。仔細分析一下，這種預見似乎是一種烏托邦，但是，在一個戰爭餘悸未消的社會，在一個中產階級被通貨膨脹所剝奪，大批青年沒有合理就業機會的社會，它至少是深受歡迎的慰藉。這種假定的合作關係確實很不平等，有些人眞正相信社會主義就是國民收入的重新分配和一般生活水平的根本改善。這種合作也不十分穩固。但是每一方總希望下次得到好處，領導者也總是把好處一會兒拋向這一方，一會兒又拋向那一方。隨著政黨地位的日益鞏固，它也就逐步地獨立於各個方面。

　　國家社會主義的綱領也決定了它的政治理論，因爲理論必須支持綱領。就其本質而言，這意味著代表國家利益的國家政府完全控制國家經濟。因此，它既反對任何形式的自由主義，也反對馬克思主義，前者企圖限制政治對經濟的控制，後者則認爲經濟決定了政治。所以，法西斯的政治哲學必須採取政治唯心主義的崇高形式。它必然譴責馬克思唯物主義的殘忍和自由主義的利己主義與全權政治（ plutocracy ）。爲了反對自由、平等、幸福的權利，它必須建立服務、獻身、紀律的責任感。它是眞正的國家主義，必須將國際主義與膽小懦弱和不知廉恥等同起來，必須將一切自主的集團解釋作階級鬥爭的工具來取而代之。它必須給議會貼上「清談館」（ talking shop ）的標簽，將一切形式的民主程序看作無益、軟弱和墮落的象徵。它必須把國家的榮譽和權力設定爲一種道德目的，以囊括或廢棄一切個人財物。它必須擴張國家的意志，作爲能夠克服一切物質障礙和精神障礙的力量。這些實際上正是墨索里尼於一九二七年填入〈義大利勞工憲章〉（ Italian Labor Charter ）的原則。義大利國家的目標「高於分散的個人或由個人組成的集團的目標」。「一切形式的工作……都是一種社會職責。」生產只有一個目的，那就是個人的幸福和國家力量的發展」。

普魯士社會主義

在德國，爲民族的意圖而凝聚一切民族資源包括經濟和文化思想，也是相當古老而又爲人所熟悉的。實際上，德國歷史比義大利歷史更接近於實現這一思想。有時人們用它來替國家主義的利益服務，有時用它爲社會主義的利益服務，但是，無論強調那一方面，這個思想本身並不稀奇。就本質而論，這就是哲學家費希特（Fichte）在一八○○年的《封閉的商業之國》（ *Der geschlossene Handelsstaat* ）中所發揮的思想。弗里德里希・李斯特（Freiedrich List）的經濟哲學，早已背離了英國經濟非政治化的傳統，爲國家經濟的發展制定了一項明確的計畫，以國家擴張爲宗旨，從政治上調節資本和勞動。❾雖然德國的社會主義政黨一般說來是馬克思主義的，但是社會主義的探索始終包括羅德貝爾圖斯（Rodbertus）、拉薩爾（Lassalle）、歐根・杜林（Eugen Dühring）之類的人物，他們的哲學更傾向於某種國家社會主義，而不是國際主義。階級鬥爭可以爲某種形式的勞資合作所取代的思想，幾乎始終是修正主義異端的顯著特徵。

因而毫不奇怪，這種簡單而熟悉的思想在第一次世界大戰剛剛結束後經濟混亂和政治腐敗的時期，居然能夠吸引德國人。有兩位作家在德國知識份子中爲普及**普魯士社會主義**（Prussion Socialism）的思想頗下了一番功夫，他們雖然在哲學上的影響並不顯赫，在文學上卻才華橫溢。他們是奧斯瓦爾德・史賓格勒（Oswald Spengler）和阿圖爾・默勒・馮・登・布魯克（Arthur Moeller van den Bruck）。❿依照史賓格勒的哲學，歷史是「文化領域」之間相互鬥爭的記錄（record of the straggle between "clture areas"）。有時，文化領域被描述爲「歐洲」，以便與「亞洲」相對照，有時指「白色人種」，以便與「有色人種」相對照。無論那一種情況，都得出一個結論：捍衛歐洲文明的疆域，抗拒亞洲和有色人種，乃是德意志之歷史使命。政治民主是一種墮落的形式，部份起因於工業化，部份起因於主智論（intellectualism）所造成的權力意志的墮落。因此，它必然爲獨裁領袖和爭奪世界霸權的

時代所取代。在這一過程中，國家將被吞併，就像以前許多部落和民族被羅馬同化吞併一樣。民主和自由建立在人具有理性的基礎之上，主智論是「通道上的雜草」，是城市無產階級腐化的典型表現。只有在農民和貴族身上，健康的占有欲和權力欲才得以倖免於難，他們才是歷史的推動力。人的生性是一種野獸。正義、幸福、和平統統都是夢想，改善物質條件的理想是令人生厭的愚腐之見。由此可見，社會主義必須袪除馬克思主義關於國際主義和階級鬥爭的教條。在德國，這意味著社會主義必須與普魯士強調紀律和權威的傳統相結合。政黨和議會制度必須讓位於政治和經濟的等級制度，特別是產業工人階級，必須強迫他的俯首貼耳。根據史賓格勒的看法，根本的問題是商業統治國家，還是國家統治商業。前一種思想是英國式的，後一種是德國的。史賓格勒的關於健全社會之概念，在許多重要方面與國家社會主義的主張相一致：一個普魯士貴族工業家的政治階層（Junker-industrialist political class），一個穩固的小農經濟，一個足以提供軍費的工業，一個俯首貼耳而又不具獨立政治影響力的工會的工人階級。這些設置只要相互協作一致，史賓格勒認爲德國有希望一躍而成爲大陸帝國的霸王，對抗或超越英國。

　　默勒‧馮‧登‧布魯克的思想與此基本相似。《第三帝國》（*The Third Reich*）反覆出現的主題是「每一個國家都有自己的社會主義」，但是在理想上，社會主義的「開端也就是馬克思的終結」。作爲猶太人，馬克思缺乏對理想價值的評價，尤其是缺乏對國家價值的評價。一個眞正的國家社會主義不是唯物主義，而是唯心主義。它不是無產階級的，因爲「無產階級始終處於最底層」。國家社會主義剔除了自由主義和自由民主的一切因素，前者爲金權統治裝點門面，後者則是國家的滅亡。國家社會主義依賴於「深知自己目標的國家意志」，指引它的偉大領袖能夠代表國家的意志。階級鬥爭爲國家的團結所取代，因爲只有一個統一的國家才是強大的，才能在混亂的歐洲巍然屹立——

　　　　唯一的問題在於德國工人階級中的國家主義者是否願意並有力量把無產階級的戰線轉向國家社會主義，或者更明確地說，使其向右轉，把反對自己國家的階級鬥爭轉爲集中的力量，統統指向國外的敵人。⑪

　　在這一段裡，「國家社會主義」的表達並不是指希特勒的政黨，不

過，它的應用的確暗示了希特勒採取這一名稱的原因。

希特勒究竟是否受「普魯士社會主義」（prussian socialism）的影響，現在還很難說，並且也無關宏旨。《第三帝國》（The Third Reich）由於戈培爾的贊同於一九三一年再版發行，但是在社會主義成員被清除出黨之後，布魯克的評價也隨之貶值，成為純粹的「文人」。然而毫無疑問的，正如希特勒在《我的奮鬥》（Mein Kampf）中描寫的那樣，他確實計劃透過國家主義者與社會主義者的結合來組織他的政黨。❷他說，一九一八年之時，德國是個「一分為二」的民族。它的國家主義部份「包括國家的知識階層」，顯然軟弱而且無能，不敢正視戰爭的失敗。另一方面，廣大的工人階級組織在馬克思主義政黨之下，「有意識地反對任何國家利益的增長。」但是，它「包含了一些國家因素，沒有它們，國家復興根本不無法想像，也根本不可能」。新運動的最高目標是「民眾的國家化」（nationalization of the masses），「恢復國家自保的本能」。毫無疑問，希特勒的宣傳相當聰明，刻意向深受馬克思主義影響的工人階級頻送秋波。國家所起的作用和無階級社會一樣，都是一種空想，階級鬥爭被「窮苦」國家反對猶太民主金權勢力的鬥爭所取代。希特勒關於改善經濟的許諾是無限的，卻都含糊其詞，其程度全然以不使反馬克思主義者感到厭惡為限。

因此，法西斯主義和國家社會主義都試圖吸引整個國家，消除或壓制各集團和不同利益之間的相互爭鬥，並將全部國家資源控制在政府手中。他們是雙重意義的社會主義者：他們不但求助於公眾，這些人歡迎的政治運動往往是社會主義的；他們還要求對工商業實行徹底的政治控制。然而，他們並不真誠的打算按照工人階級的利益重新分配國民收入，在這個意義，他們又不是社會主義者。他們也是雙重意義上的國家主義者：除了國家主義，沒有其他什麼感情能夠那樣廣泛和有力地把那些必須統一起來的各不相同的利益集團控制住；同時，國家主義也是議會主義和國際主義的死對頭。他們的國家主義絕不包含下述意義，即把國家主義作為一種文化價值或各族人民的道德特性加以尊重。因此，他們的成果只有一種結局。能壓倒現代國家中不同社會和經濟利益的唯一條件就是備戰。因此，法西斯主義和國家社會主義實質上是戰爭政府和戰爭經濟；這種政府和經濟的建立不是為了應付國家的緊急情況，而是

永久性的政治制度。在國家自決並非維護歐洲政治秩序的可行計畫的形勢下，它們意味著爲發動帝國主義來侵略而嚴密控制國家資源，爲進行帝國主義擴張而把義大利人民和德國人民組織起來。他們認爲，正如史賓格勒所說，唯一可行的國際組織形式，就是「不靠妥協和讓步，而靠勝利和殲滅」的國際主義。正如墨索里尼在阿西比亞戰爭前夕所說，他們是與個人自由和民主相對立的一類社會主義者和國家主義者，他們「被賜予」比以往任何時候更高程度的服從、犧牲和爲國捐軀「美德」。他們表示：「整個國家的政治、經濟和精神生活，都應該集中到形成我們軍事需要的事情上來。」

非理性主義：哲學的思潮

　　若一種哲學的直接政治內涵是依靠戰爭來進行國家的擴張，那它必然是一種冒險哲學。這種目的若言之成理，無論對個人幸福還是國家的實際利益，都不能給予理性的評估。它賦予國家的偉大以神秘莫測的價值，即爲國家「創造力」設定某種遙遠而輝煌的目標，即刻便打消個人精神上的顧慮，促使他接受紀律和英雄主義，不需要接受任何理性目的。總之，它必須設定某種能夠自圓其說的意志和行動。在十九世紀的思想中，不乏這種哲學見解。法西斯主義和國家社會主義的敵人，通常把這個運動描述爲「理性的反動」（revolt against reason），法西斯主義和國家社會主義的理論家不僅接受這種描述，而且反覆強調。他們的作品主張：「生命」支配理性，而不是理性支配「生命」。歷史上的豐功偉績不是靠智慧，而是靠英雄意志建立的。人民之所以幸存不是靠思想，而是靠遺傳本能或血液中固有的種族直覺。當他們的權力意志克服了物質和精神上的障礙之後，就可以成爲偉人。同樣，他們始終認爲，追求幸福的願望與責任、紀律、英雄主義和自我犧牲精神相比，是一種卑劣的動機。自由平等的民主理想、立憲制和代議制政府的公民自由與政治自由，在法國大革命時期達到頂點，它們代表著哲學理性主義（philosophical rationalism）的殘餘。「枯燥的主智論」（barren intellectualism），是法西斯主義和國家社會主義用來描述一切敵對政治

理論（無論自由主義還是馬克思主義）的標準貶義詞。

　　哲學的非理性主義（philosophic irrationalism）是十九世紀歐洲思想的重要組成部份，但很有限，因爲它只對藝術家和文學家而不是對科學家或學院學者有吸引力。它也是批判的，因爲它反映了一種不滿和格格不入的情緒。現代工業社會並不是與藝術家和神秘主義志趣相投的場所。非理性主義來自這樣的體驗：生活太艱難，太複雜，千變萬化，理不出頭緒，自然界受一種晦暗、神秘的力量所驅使，科學也難以理解它。因循守舊的社會甘於刻板而淺薄，令人無法忍受。因此，它提出一些違背理性的認識原則和實踐原則。無論怎麼描述，與理性相比，這種力量是創造性的，而不是批判的；是深刻的，而不是膚淺的；是順乎自然的，而不是墨守成規的；是不可控制，難以琢磨的，而不是有條不紊的。耐心地評估論據和系統地搜集事實，乃是資產階級的美德，天才或聖人對此則不屑一顧。

　　雖然這種非理性主義幾乎沒有任何積極的政治或社會內涵，但是，它卻把邏輯上對立而情感上協調的兩種傾向結合起來。這兩種傾向是對民族、人民和國家的崇拜以及對英雄、天才、偉人的崇拜。有時，它也把民族的整體想像成爲文明的載體和源泉；從它的精神神秘地滋生出文學與藝術、法律與政府、道德與宗教，所有這一切都帶有國魂的精神特性。在德國，對民族的崇拜一直是文學浪漫主義的特徵。早在法國大革命之前，赫德（Herder）就將「眞正的民族思想」與法國和英國啓蒙運動時期的世界主義理性論加以比較。這種對民族的崇拜表現在：與十八世紀擬古典主義相比，它有意識地把中世紀藝術理想化，再度興起對民間詩歌和民間音樂的欣賞，以及喚起憲法和政治體制歷史理論的「德意志精神」。民眾作爲文化創造者是一個整體，不是個人。但是，思想上的浪漫主義傾向同樣可以採取極端的個人主義形式，因爲一切藝術上或政治上眞正的偉大成就，往往被視作英雄或絕頂智慧的創造，他們都是從民族中產生的。從卡萊爾和尼采（Nietzsche）到華格納（Wagner）和史蒂芬・喬治（Stefan George），英雄崇拜一直是浪漫主義思想的眞正本質。❸這種形式的個人主義，常常把對民族整體的敬仰與對民眾個人的蔑視奇妙地結合起來。英雄個人主義與民主平等主義相對立。英雄蔑視有條不紊的資產階級生活中的功利主義和人道主義美

德，悲觀地蔑視舒適和幸福。他過著危險的生活，最終不可避免地要遇到災難。他是天生的貴族，受自身靈魂魔力的驅使而建立功業，當凡夫俗子的惰性摧毀他之後，人民反而開始崇拜他。

叔本華（Schopenhauer）和尼采是十九世紀非理性主義哲學的創始人。叔本華看到，在自然和人生的後面，存在著盲目力量的爭鬥，他把這種力量稱為「意志」（will），爭鬥既無目的又無止境，它是一種毫無意義的努力，它渴望做到一切，對什麼都不滿足，它創造一切又摧毀一切，永遠一無所獲。在非理性力量的漩渦中，只有人類理智能夠建立表面上秩序井然的小島，由於對理性和目的抱有幻想，才在小島上找到一塊不安穩的立足之地。叔本華的悲觀主義以道德直覺為基礎。在這個世界上，人的願望是虛幻的，人的努力是渺小的，人的生活毫無希望。叔本華的悲觀主義深深地蔑視菲利士人式的（Philistine，意指世俗的）價值觀和道德觀，他們自以為是、自我滿足、自鳴得意以及粗俗無禮。這些人以為，根據習俗和邏輯力量，就可以將生活中難以理解的力量與現實結合起來。叔本華認為（也許不完全公正），這種半盲目的、精神上的傲慢，集中體現在他的對手黑格爾身上。他反對歷史的邏輯，主張天才、藝術家和聖賢的創造，他們主宰意志不是靠控制意志，而是靠否認意志。人類的希望不在於進步，而在於滅絕，在於認清鬥爭和成就都是虛幻。他認為，要想解脫，必須靠宗教禁欲主義，或者靠有意識而無欲望的美的憧憬。叔本華認為，日常生活的道德觀出自憐憫，意即苦難是不可避免的，以及人的不幸實質上是相同的。

尼采打破了這種非理性主義與人道主義、意志與沈思的奇妙結合。如果生命與自然完全是非理性的，那麼，就應該從理智上和道德上確立起非理性（irrationality）。如果成就毫無意義，人生來必須盲目奮鬥，那麼，人們只能接受；如果可能，還要愉快地接受奮鬥，而不是成就。價值在於奮鬥，甚至在於毫無希望的奮鬥。人的內在力量不是憐憫和克己，而是生活的堅定和權力意志。叔本華說，平庸、自大、虛偽之輩都是卑鄙的，尼采同意這種說法，但是認為超越此輩者只有英雄，而非聖賢。所有的道德價值必須給以重新估價：承認天生優越以取代平等；用強大有力的貴族統治取代民主；用強硬和傲慢以取代基督教的謙卑和仁愛；用英雄生活代替幸福；用創造代替頹廢。正如尼采堅持主張

的，這的確不是民衆的哲學，或者確切地說，它把民衆置於較低的地位，他們的健全本能是追隨他們的領導者。這種健全本能一旦被腐蝕，民衆只能產生奴隸的道德，也就是虛構的人道、憐憫和自我克制。這在某種程度上反映了他們的卑下，但是更確切地說，這是狡猾奴隸所發明的一劑靈驗的毒藥，其目的在於軟化創造者的力量。因爲任何東西都不像具有破壞力的獨創精神那樣使常人憎惡或恐懼。尼采發現，民主和基督教乃是奴隸道德的兩種具體形式，它們各以特定的方式使平庸神化並成爲頹廢的象徵。尼采絞盡腦汁搜尋詞彙，以恰當地形容他的英雄：「高大、金髮、碧眼、粗野」的超人，他蔑視對手、鄙薄幸福、自立規章。但是，形形色色的革命者，特別是年輕的革命者，之所以稱頌他的哲學，是因爲他控訴了現代資產階級的市儈習氣和庸俗作風。

　　儘管尼采的思想與法西斯主義和國家社會主義明顯地相似，但是，他們之間的關係並不像人們想像的那麼簡單。批評家常常傾向於認爲，法西斯主義和國家社會主義運動的觀點主要來自尼采。法西斯主義和國家社會主義者願意承認這種思想淵源，部份是因爲這種關係確有其事，更主要的或許是因爲他們需要藉助一位偉大作家的威望，以彌補他們實際上十分蹩脚的作品。墨索里尼和希特勒都不反對人們將他們視作超人，他們從心眼裡瞧不起受其統治的民衆，並且公開表示這種輕蔑。「價值轉換」（transvaluation of value）是他們用來代替犬儒主義的文雅措辭。法西斯主義和國家社會主義者一樣，熟練地扮演了「新野蠻人」（new barbarian）的角色，高度文明以及道德的克己力量都未能感化他們，他們吹噓自己是墮落文明的拯救者。他們像尼采一樣，從內心仇視民主和基督教。不過，在一些重要方面，他們不得不審愼地利用尼采，尼采的作品也需經過仔細篩選之後方可編輯成册。十九世紀，只有爲數不多的作家如此蔑視國家主義，尼采認爲國家主義比庸俗的偏見好不了多少。尼采以作爲一名「有教養的歐洲人」爲榮。尼采稱第二帝國的德國人爲「具有奴隸靈魂」（slave-souled）的人，只有與斯拉夫混血才能得到拯救，沒有任何一位德國作家比尼采的批判更激烈。尼采唯一讚賞的歐洲歷史時期是義大利文藝復興時期和法國路易十四統治時期。最後，他對猶太人儘管時常出言不遜，但總的說來，他並不反猶太。他曾把猶太人描述爲「當今歐洲最强大、最堅韌、最純潔的國

家」。❿沒有一個國家社會主義者引用過尼采的格言:「要作一個出色的德國人,必須擺脫德國人的陋習」。

　　叔本華和尼采的非理性主義幾乎完全是道德方面的。但是,在十九世紀的哲學中,也有其他的傾向,這些傾向同科學密切聯繫,在某種意義上也是非理性主義的。它們常常被冠以實用主義和實證主義之類的模糊稱謂。它們通常有兩個淵源:一個是生物學的發現,認為理性或智力像其他心理功能一樣,可以視為一種生命過程,源於自然的有機進化;另一個是邏輯的發現,認為科學程序,甚至包括精密科學,都含有假定和假設,這些假定和假設,從任何理性的角度來看,都不是自明的(self-evident),將它們描述為約定或方便恐怕更容易些。十九世紀的許多哲學都具有這兩種傾向,但公認的代表人物首推法國哲學家亨利‧柏格森(Henry Bergson)。柏格森的非理性主義與尼采格言式的道德說教不同,他是系統地利用理性去削弱理性,並且頗為機智地批判了自詡為真理之源的科學知識。關於批判的一面,柏格森的《創化論》(*Creative Evolution*)一書試圖表明,智力只是生物適應的一個因素,它是生存競爭和控制人類環境的工具。科學的作用是功利,而不是獲得真理。不過,這種負面的批判僅僅澄清了背景。柏格森的主要目的是表明智力乃「生命力」(life-force)之奴僕,生命力是一種朦朧無邊的動力,與叔本華的意志或哈特曼(Hartmann)的「無意識」(Unconscious)十分相近。只有直覺才能直接認識世界究竟為何物:世界乃是難以界說,無法預言,超越理性的創造力(creative force)。柏格森認為,大腦天生即有這種直覺,它與本能頗為相似,深深紮根於生命中,而不是在理性中。在人類發展過程中,由於人類過份依賴理智而使其發育不健全。他還認為,直覺力量可以恢復,可以作為一種方法上的工具來獲取形而上學的真理,但是,他根本說不出這種方法是什麼。事實上,他求助於直覺也就是求助於生物學、心理學和哲學上的生機論(vatalist)的神秘主義。

哲學是神話

　　大約到十九世紀末，哲學非理性主義始終未得到實際的政治應用。總的說來，它一直是藝術家的哲學，學術界的哲學家對此不屑一顧，政治哲學家也常常忽略它。在心理學和社會學中，的確有一種日益增長的傾向，即反對對人類行為作主智論或理性主義的解釋，而相應地強調「非邏輯」因素，這些因素或者表現為本能的情感和衝動，或者表現為擬邏輯的合理化作用。在帕雷托（Pareto）的社會學中，邏輯與非邏輯的對比，形成了社會變革循環論，儘管證據不足，人們還是相信它對墨索里尼產生了一定的影響。政治權力必然集中在統治階級手中，這個階級之所以掌握政權，乃因為它控制著社會理想，並準備以實力實現之。掌握權力乃至鞏固和保持權力，會使統治階級衰老，「狐狸」取代了「獅子」。老的統治階級最終將被更年輕、更強壯、更無情的權力角逐所取代。不過，心理學和社會學理論在科學上並不是非理性主義的。帕雷托的社會學企圖賦予社會科學一種精確性，期與自然科學相媲美。

　　不過，喬治・索雷爾（Georges Sorel）在他的《暴力論》（*Réflexions sur la violence,* 1908）中❺，把柏格森的思想直接用於社會哲學。長期以來，索雷爾對「進步的幻想」和民主始終持批判的態度。只要他聲明他的工團主義是馬克思主義的，那就不難發現，它一定是吸收了馬克思從黑格爾那兒繼承下來的某些神秘進化論的成份。索雷爾認為，馬克思所說的資本主義恰似哈特曼所說的「無意識」，乃是一種盲目而狡猾的力量，它把社會生活推到高級階段，是它始料未及的。索雷爾正確地認識到，柏格森的「生命力」屬於同一哲學傳統，原則上與黑格爾關於歷史普遍邏輯的信念相對立。所以，可以用它祛除馬克思經濟決定論的一切遺跡，或者切實消除一切通過理性因素解釋社會變革的理論，將階級鬥爭看作無產階級創造性「暴力」的表現形式。柏格森的直覺是能夠直接透視創造性進化的洞察力，也可以為革命提供一門哲學，直接用來證明總罷工等行動（與馬克思主義的社會主義政黨的政治行動相反）是正當的，它們歷來是工團主義者（syndicalist）策略的主要依據。因

此，在索雷爾看來，社會哲學已成爲一種「神話」，一種遠見，或一種
象徵，它可以把工人聯合起來，激勵他們爲反對資本主義社會而鬥爭。
他認爲所有偉大的社會運動，例如基督教，起源於神話的追求。要分析
或考察神話是否正確；即使僅想知道是否可行，均毫無意義。因爲神話
在本質上是一種想像，它可以激起感情的波瀾，提供動力和凝聚力，讓
集體的能量釋放出來。政治哲學不是理性行動的一種指南，而是狂熱決
心和盲目獻身的一種煽動。總罷工被索雷爾視爲無產階級神話，由於缺
乏感情色彩，以致起不了多大作用。但是，他的思想，即任何社會哲學
都是某種神話，則屬於革命工團主義範圍。墨索里尼多年來一直是這個
流派的鼓動家兼編輯人。一九〇九年，他詳盡考察了索雷爾著作的義大
利譯本。法西斯主義對哲學性質和目的的看法，實質上與索雷爾的神話
觀念相似。索雷爾的神話觀念已經將叔本華和柏格森的哲學非理性主義
表現在社會和政治方面。不過，索雷爾從未給神話下最終的定義。他在
晚年同時沈迷於法西斯主義、布爾什維克主義，以及反革命的國家主
義，未明確表示自己屬於哪一派。

　　所謂**神話哲學**（myth philosophy）乃一種生活夢幻，而不是什麼
計畫，更不是建立在理性基礎上的理論。它是一個民族深層本能的釋
放，這種本能是「生命力」本身固有的，存在於他們的「血液」或「精
神」之中。墨索里尼一九二二年在那不勒斯的一次演講中說到（他所用
的語言顯然在重覆索雷爾的聲音）——

　　　　我們創造了自己的神話。這種神話是信仰，是激情。它不一定非
　　要成爲現實不可。事實上，它是一根刺棒，一種希望，一種信仰，也
　　是一種勇氣。我們的神話就是祖國。我們的神話就是祖國的偉大。❻

　　這種法西斯主義神話，是阿爾弗雷多・羅科（Alfredo Rocco）之
類的義大利國家主義者刻意創立的，他們的依據是：現代義大利乃羅馬
精神之後裔。羅科認爲，如果不重新改寫歐洲歷史，就無法表明民主是
衰落和無政府狀態的頂點，也是導致羅馬帝國滅亡的原因。個人權利的
自由主義思想，只是取消羅馬帝國時期國家權利和權威思想的最後一
步，羅科認爲，這是「日耳曼個人主義」衝擊的產物。但是，即使在國
家瓦解的黑暗時代，義大利也始終沿襲羅馬遺風，因爲自由主義不適合

「拉丁頭腦」（Latin mind）。法西斯主義的目的是：在政治教育領域恢復義大利的思想傳統，即羅馬傳統」。⓱羅科在闡釋義大利著名作家托馬斯・阿奎那（Thomas Aquinas）和馬志尼（Mazzini）等人的作品時，表現出精湛的技藝，幾乎無懈可擊，因爲他們屬於「拉丁頭腦」的直覺。毋庸贅言，他所說的「日耳曼個人主義」的思想，到德意志聯盟建立之日便宣告完結了。

當然，希特勒與索雷爾的聯繫並不像墨索里尼與索雷爾那麼直接，但是，這種聯繫並無必要。希特勒從墨索里尼和法西斯的神話中找到了模式。《我的奮鬥》賦予無法翻譯的「世界觀」（weltanschauung）一詞的涵義，實際上就是這麼回事。「世界觀」是不會妥協的，它要求完全而絕對地接受，排斥異己觀點；它像宗教一樣容不得異端邪說；它不擇手段地攻擊對方；它不承認相反的觀點有什麼合理性；它完全是敎條主義的和狂熱的。因此，「世界觀」是一種「精神基礎」，沒有它，人類就不可能像他們在生存鬥爭中那樣兇殘和狂放。政治實質上就是「世界觀」之間的生死搏鬥——

> 只有在兩種「世界觀」的相互鬥爭中，不斷而無情地使用暴力武器，才能使結局有利於它所支持的一方。⓲

在國家社會主義中，「血和土」奠定了「精神基礎」，它在德國所起的作用，如同羅馬帝國神話在義大利所起的作用。雖然它有堂而皇之的僞生物學和僞人類學支撐，但是拒不接受科學的批判，羅科修正歐洲歷史後受到歷史的批判時，也採取這種態度。羅森堡（Alfred Rosenberg）在《二十世紀的神話》（*Myth of the Twentieth Century*）一書中使用的「神話」一詞，顯然是藉助於索雷爾——

> 一個種族或一個國家的生命，不是一個合乎邏輯發展的哲學，因而也不是一種按照自然規律發展的過程。它是由神秘的綜合或靈魂的活動構成的，合理的推理或因果關係無法解釋它……所有不接受正常合理批判的哲學，歸根究柢不是一種知識，而是一種確認，精神上和種族上的確認，一種對民族性價值的確認。⓳

血統純正比理性或事實更有說服力。另一位國家社會主義哲學家，

海德堡的恩斯特・克里克（Ernst Kriek）指出了如下的對立：

> 出現了……血統與形式理性、種族與目的的理性、榮譽與利潤、
> 團結與個人主義分裂、尚武精神與資產階級安全、民族與個人和群眾
> 之間的對立。❷

法西斯主義與黑格爾主義

　　根據上述解釋，法西斯主義和國家社會主義在思想上的共鳴乃起源
於哲學非理性主義。這個結論似乎有必要考察一下它們與黑格爾國家主
義和國家理論的關係問題。事實上，這種關係相當複雜。黑格爾哲學在
十九世紀一直被認為是叔本華非理性主義的邏輯對立物。墨索里尼確定
法西斯主義需要哲學之後，選擇了法西斯主義的哲學版本，顯然這個版
本藉自義大利的黑格爾主義。他充份利用了黑格爾主義對個人主義的批
判，猛烈抨擊自由主義和議會主義，後來的英國自由主義理論家始終很
重視這種批判。另一方面，德國國家社會主義哲學家往往忽視了黑格
爾，或者像羅森堡那樣，公開拋棄黑格爾。此外，國家社會主義的批評
家認為，黑格爾國家理論的大部份內容，與十九世紀德國政治的具體內
容不相容。❷這種明顯的差異部份出自墨索里尼哲學的機會主義性質，
部份出自義大利和德國之間的內部差別，以及兩種運動在這兩個國家不
同的地位。

　　至少就意向性而言，黑格爾的體系與非理性主義尖銳對立。這一點
頗為明顯，不需詳細敘述。黑格爾體系的核心是邏輯，各個部份都以辯
證法為基點，而辯證法乃是嚴格的理性。黑格爾的理性概念的確過度地
「浪漫化」了，他的辯證法缺乏他自稱的精確性，而辯證法要想成為科
學研究的可靠方法，也必須具有精確性。但是，這並不影響他的意向，
也不影響他對社會變遷的解釋。在黑格爾看來，這是非常必要且符合邏
輯的。它未給英雄人物或羅科所謂「罕見偉人的直覺」留有用武之地，
因為黑格爾始終對偉人的歷史作用持懷疑態度。在這方面，與黑格爾社
會哲學最相近的當代哲學是馬克思主義，除形而上學外，辯證唯物主義
無論在起源或概念上，實質上都是黑格爾主義的。因此，試圖用黑格爾

批判馬克思，很難不說是哲學上的愚蠢。但是，對歷史進行經濟的解釋，至少像政治上的自由主義一樣，是法西斯主義和國家社會主義的批判對象。第一次世界大戰結束時．義大利和德國都必須論證，單靠肯定或維護國家意志就可以克服物質資源的貧乏，從而憑藉政治手段來創造經濟發展的良機。政治優於經濟力量，此乃法西斯主義和國家社會主義的信條。這兩種運動無論在實際上還是口頭上都是革命，或者更確切地說是反革命的。但是，長期以來，黑格爾主義的革命可能性一直爲馬克思主義者所利用。希特勒無疑也讚賞並模仿馬克思主義鼓動家煽動暴亂的策略，他清楚地意識到，國家社會主義不能照搬馬克思主義理論家的哲學。

　　在國家主義和反自由主義方面，黑格爾的政治哲學和法西斯主義以及國家社會主義的政治哲學是一致的。不過，這種一致所包含的哲學觀點的統一，比一般認爲的要少。黑格爾的國家主義在邏輯上是體系中最薄弱的一部份。黑格爾從未充份地說明過，在幾十種可能的社會團體中，爲什麼可賦予國家以特殊的地位。此外，黑格爾的國家主義雖然在道德上美化了戰爭，但並不是帝國主義，因爲帝國主義與任何把國家（民族性）視爲文化價值加以崇拜的行爲並不相容。另一方面，早在第一次世界大戰以前，國家主義就不再以任何確定的形式依賴於黑格爾了。無論在哪兒，國家主義都傾向於反對自由主義，反對議會制度；其理由在於，代議制和人民政府與強硬的國家政策互不相容—這與法國大革命以後的國家主義形成鮮明的對比。他們在各地趨於軍國主義化，崇尚習武好戰的精神價值。他們利用黑格爾的論點反對個人自由和平等的價值，但是，這只能意味著他們不懂黑格爾哲學。讀過特萊奇克（Treitschke）《政治學》（*Politics*）的德國人，或者懂得莫拉斯（Maurras）和巴雷斯（Barrès）的君主主義的法國人，從黑格爾那兒學不到什麼國家主義。黑格爾主義在鼎盛期所起的作用，或許是將國家主義等思想植入歐洲的政治傳統，即使如此，它的使命也早已完成了。

　　當墨索里尼決定法西斯主義需要哲學時，他顯然寄厚望於喬萬尼·甄特利（Giovanni Gentile）。甄特利像克羅齊（B. Croce）一樣，長期以來一直與義大利的黑格爾哲學流派保持一致。甄特利掌握了黑格爾的國家學說，但是沒有更多的時間使用它。墨索里尼接受了甄特利賦予

他的禮物，於是，義大利法西斯主義的理論是「國家」理論，即國家至上，國家神聖不可侵犯和國家包羅一切的理論，它的箴言是——

> 一切爲國家；國家不容反對，國家無所不包。

由於墨索里尼控制了政權，他很容易就將國家權力等同於他的政府的權力。由於國家是「倫理觀念」的化身，法西斯主義就可以以一種崇高的政治理想主義的面目出現，這與馬克思主義者自我標榜的唯物主義形成鮮明的對比；它也可以以社會道德或宗教的概念出現，從而與階級鬥爭和政治自由主義形成鮮明對比，後者僅被描述爲自私自利和反社會的個人主義。事實上，這就是墨索里尼在《百科全書》上刊登的文章所遵循的路線㉒——

> 法西斯主義，現在以至永遠都信仰神聖，信仰英雄主義；也就是說，在行動中不受任何直接或間接經濟動機的影響。按照經濟歷史的觀點，人是受命運潮流擺布的傀儡，真正操縱潮流的力量根本不在人的掌握之中，如果否定了經濟歷史的理論，也就否定了經濟歷史觀的天然產物，即不可改變與不會改變的階級戰爭的存在。法西斯主義首先否認階級戰爭可能是社會變革的優勢力量……法西斯主義否認關於幸福的唯物主義概念，根本不理睬這一概念的發明者，十九世紀前半葉的經濟學家：也就是說，法西斯主義認爲生活好即幸福的公式是錯誤的，它把人降低到動物的水平，使人只關心一件事——吃得好、長得胖，從而使人成爲純粹的肉體存在。

因此，法西斯主義確實是「一種宗教概念：人與一種更高的法則、一種客觀意志有內在的聯繫；這種法則和意志超越個體，並能使人成爲精神社會中有覺悟的成員」。創造並體現這種精神社會的是國家，不是民族——

> 不是民族產生國家，那是一種過時的國家主義思想。……確切地說，是國家創造了民族。國家把意志，因而也把真正的生命賦予意識到自己在道德上具有統一性的民族……的確，國家是普遍道德意志的體現者，它創造了民族獨立的權利。

這些段落無疑含有大量黑格爾式的語言，其實並沒有多少真正的黑

格爾主義。哺育墨索里尼的工團社會主義長大的，的確沒有什麼黑格爾主義，也沒有多少馬克思主義。一九二○年，他在發表的評社論中仍然給國家打上人類「大禍根」的印記，一九三七年他與德國結盟後，才採納了種族理論。在甄特利手中，法西斯主義的「國家」學說有時成爲恐怖主義的辯護士。他說，那些破壞反法西斯工會集會的法西斯集團「是眞正的國家力量，它們尚未誕生，正在孕育之中」。此外，甄特利認爲，強權就是公理，自由就是服從——

　　最大的自由永遠與最大的國家力量並存……每種力量都是道德力量，因爲它永遠是意志的表現；無論用什麼方式辯護——説教還是大棒——其功效不過是使它終於能得到人們發自内心的支持，並説服人們同意它。㉓

甄特利的法西斯主義國家理論，充其量不過是黑格爾理論的漫畫形式。克羅齊是義大利最著名的黑格爾主義者，也是義大利哲學家中法西斯主義的勁敵。在法西斯主義尚未興起之前，克羅齊就指出，甄特利的形而上學包含著尼采的非理性主義因素，他是一個可疑的黑格爾主義者。

國家社會主義從未替自己提出「國家」理論，這與甄特利爲義大利法西斯主義戴上黑格爾主義面具是截然不同的。希特勒在《我的奮鬥》中斷言，國家不是目的，而是手段，倘若國家的策危及民衆利益，就應該受到抵制。在國家社會主義哲學中，最明確的莫過於這一主張：即單一種族的民族是文化的創造者和承擔者，並且提供了道德和政策標準。換言之，希特勒哲學是一種「落伍的自然主義思想」，墨索里尼反對這種思想，支持國家的「倫理學」思想——

　　正像國家本身不是目的一樣，責任感、盡職、服從等等也不是目的，它們都是手段，只有運用這些手段，才能維護精神上和體力上處於同一水平的都能以生存的世界。㉔

法西斯主義的「國家」（state）一詞或國家社會主義的「民族」（folk）一詞涵義相當模糊，若想從中得出明確的結論，簡直徒勞無益。不過，使用上的差異確實符合當時特定的歷史現實。希特勒在寫

《我的奮鬥》時，正作為一夥名譽掃地的非法革命者的領袖而遭監禁。再也沒有什麼比論證德國人需要國家更不合時宜了，當時兩代德國人都相信，他們已經擁有了國家。此外，一九一八年德國革命的一個重要事實是，雖然德皇下了台，但並沒有太大地削弱官方統治階級，也沒有嚴重干擾政府日常的官僚主義程序。正如我們在論述黑格爾時所說的，這些程序乃是黑格爾立憲政府理論中「國家」一詞的具體體現。這個詞沒有政治自由主義的涵義，但是意味著相當程度的公民自由，當然也意指高度有序的法律程序。在義大利，墨索里尼能夠花言巧語地把法西斯主義作為創造這類統治機器的一次嘗試，因為義大利政治中實際上從未有過這種東西。由於**法人**（corporative）的國家機器問世，其存在便有了理論根據。希特勒若在德國也模仿這種策略，未免荒唐。因為希特勒在德國面臨的問題之一，就是摧毀官僚機構。在絕大多數德國人的頭腦中，「國家」意味著第二帝國的官僚主義程序。種族理論與國家社會主義的目的更吻合，與國家社會主義的領導概念相吻合，也與國家社會主義建立的極權相吻合。因此，國家社會主義專政特有的哲學，不是義大利運動中那種膚淺的黑格爾主義，而是用以支持德國運動的種族理論。它實質上由兩部份組成：第一，關於血與土、種族與生存空間（lebensraum）相關的理論思想；第二，極權政府對這些觀念的實際運用。

民族、菁英和領袖

在國家社會主義的著作中，出現次數最多的修詞莫過於有機體（organism）及其機關。這個修辭旨在說明作為國家成員的個人與國家之間的關係。墨索里尼把它寫進了義大利一九二七年的〈勞工憲章〉之中——

　　義大利國家是一個有機體，它有自己的目的、生活、以及行為方式，它比分散的個人或由個人組成的團體更優越。

當然，這種類比非常古老。從盧梭開始，對個人主義的批評就經常使用它，而且經常誇大到荒謬的程度。除了人同時具有權利和義務這種明顯

的倫理說教之外，沒有任何確定的涵義。「有機的」（organic）一詞長期以來一直具有神秘的、生機論的內涵，但是，很少有什麼生物學基礎。國家社會主義的種族概念，把這些模糊的想法發展成為一種哲學，並聲稱它們有科學根據，但事實上是偽科學根據。結果產生了神秘的民族概念，並發揮了這一概念的血與土的理論。領導者概念及其與平民的關係，實際上是全部複雜關係中最重要的因素。國家社會主義的政治理論是民族的和適合民族的國家哲學。因此，在《我的奮鬥》中，希特勒一再重申，國家社會主義是「民族」（folkish）國家理論——

> 民族國家的最高目的是保持種族的基本要素，這些要素提供了文化，創造了美和更高級的人類尊嚴。因此，我們雅利安人能夠把國家僅設想為活生生的國家有機體，國家不僅使民族性得以保存，而且通過進一步訓練國家精神和理想，把它引向更高級的自由。㉕

本段杜撰的「民衆」一詞，是根據譯者的理解，因為英文中沒有與德文 "Volk" 相應的詞及其派生詞，特別是關於國家社會主義者使用的詞。這一理論的中心思想是種族觀念或「有機的人民」（organic people）觀念。不能將 "folk"（民族）描述為種族，種族是生物學意義上的，"folk" 則涉及文化，文化永遠是習得的或後天的，不是遺傳物。它也不同於一般所謂的「民族」（nation），因為按照國家社會主義理論，「民族」是生物學範疇。它也不是人民（people），因為它是一個集合體，是一個真正的、非經驗主義的實體，其中每一個具體的人都是匆匆逝去的載體。斯蒂芬·喬治稱之為「孕育生命的黑暗子宮」，從總體上看，這個形象描述乃是最好的解釋，因為這個詞的意義無法用語言表達。孕育生命的黑暗子宮培育了種族的人，即個人；他所擁有的一切，他之為他，他所做的一切，都來源於它；他在誕生之地擁有一個席位，他之所以舉足輕重，僅僅因為在某個時刻，他體現了它的無限潛能。「神聖的血緣紐帶」把他和同伴聯在一起。他受到的最高訓練是遵守紀律，他的最高榮譽是為種族的生息繁衍奉獻一切。他的價值（無論是道德、美，還是科學真理方面）來自民族（Volk）衆，如若不能維持和培育民族，便毫無意義。因此，個人的尊嚴和價值絕不相等，因為他們透過不同的等級體現了民族的現實性。換言之，他們建立了優劣等

級，民族的體制必須把不同的價值等級與相應的權力和特權區分開來。領袖位於中心，追隨著聚集在他的周圍，大部份受其領導的普通人在外圍。社會和政治的國家社會主義理論包括三個要素：羣衆、統治階級或菁英，以及領袖。

乍看之下，國家社會主義爲人民羣衆描繪的圖景似乎自相矛盾。希特勒和墨索里尼都沒有掩飾他們對人民羣衆的輕蔑。希特勒說，任何國家的大多數人都不具備英雄主義氣概和才智，他們不好也不壞，碌碌無爲。在社會鬥爭中，他們呆板遲鈍，只能尾隨在勝利者的後面。他們的本能反應是畏懼創造性，憎惡優越性，他們的最高願望是尋找領袖。他們對知識和科學思維無動於衷，因爲他們對此一無所知，唯一能觸動他們的是仇恨、狂熱以及歇斯底里等激烈情緒。對他們只需反覆重申最簡單的觀點，並且以狂熱的片面性和公然無視眞理，無視公允或公平的方式來灌輸——

　　廣大羣衆只是自然的一部份………他們所要求的是强者的勝利、弱者的滅亡或無條件投降。㉖

另一方面，希特勒或墨索里尼都毫不懷疑，他的地位取決於他所煽動起來的狂熱虔誠和自我犧牲。他們確實激起了狂熱，這是一個簡單事實。一旦有機會利用恐怖主義，他們便持續和系統地加以利用。國家社會主義和法西斯主義是眞正的羣衆運動，他們獲取政權也是靠這種運動。恐怖主義僅僅是宣傳的邏輯延伸。甄特利無恥地宣稱，國家社會主義的「論證」本身就是一種思想上的棍棒。國家社會主義宣傳的特點是謾罵加奉迎，這是從心理上訴諸原始的罪惡感和贖罪感的方法，該方法非常符合國家社會主義的理論。因爲大部份人都沒有知識，只有低級的本能和意志。人性深處是「堅定的羣體本能，它植根於血緣紐帶中，在危機時刻不至於使國家毀滅」。或者正如墨索里尼用不同的語言表達的同樣意思：「當代人的信仰能力是無限的。」當然，信仰可以創造奇蹟。無疑的，他們都眞誠地相信——

　　一切偉大的運動都是人民的運動，都是人類情感與激情的噴發，它的導火線可能是殘酷的苦難女神，也可能是投入羣衆當中的語言火炬。㉗

　　國家社會主義理論將羣衆與天生貴族、領袖或統治階級區分開來。前者只是附庸，在刺激下爲運動提供重壓和力量，後者提供智慧和指南。由於它依賴羣衆，所以自稱爲「眞正的民主」，但是，它並不認爲羣衆具有判斷能力，認爲羣衆的政治見解毫無價值，任何普及教育都無助於改變這種狀況。在這方面，二十世紀最具革命性的哲學，即培育墨索里尼的工團主義和列寧的黨組織理論，開闢了它所遵循的理論路線。墨索里尼尚未成爲法西斯份子以前的很長一段時間，他就把政黨描述爲「小的、果敢的、有冒險精神的核心」。㉘國家社會主義僅僅把它的革命策略思想作爲普遍性的生物學事實。選擇菁英的過程要透過永恆的權力鬪爭來完成，權力鬪爭是自然界的鬥爭。國家社會主義的統治階級是最適種族，確切地說，天生的民族領袖從「孕育生命的黑暗子宮」中降生——

　　　　拋棄羣衆民主觀點的世界觀，力求把世界交給最優秀的人……從邏輯上看，就必須使人民服從相同的貴族政治原則，並保證優秀人物掌握領導權和最高影響。

　　選擇菁英於是成爲自然過程，與計算選票的機械方式截然不同。他們以明白無誤地體現民族內在的權力意志之方式來代表人民——

　　　　世界史是少數人創造的，因爲這個在數量上的少數人體現了多數人的意志和決心。㉙

　　國家社會主義菁英的首腦是領袖，一切行動均打著他的旗號，據說，他對一切「負責」，但是人們對他的行爲絲毫不容懷疑。領袖與民族的關係實質上是神秘莫測或非理性的。馬克斯·韋伯（Max Weber）所謂的**奇理斯瑪**（Charismatic），也可以用通俗的語言來表達，可以說領袖是吉祥的人，是運動的「福音」，能夠帶來好運氣。㉚領袖是民族的後裔，神秘的血緣關係把他和人民聯繫在一起；他的權力源自他賴以生存的種族；他憑藉一種近似於動物本能的直覺領導人民；他依仗血緣親近感將人民吸引在周圍，這種親近關係與理智信念毫不相干。他是血統純正的男子漢，是作爲天才或英雄被孕育出來的。用表述領袖概念的華麗語言來說，他「像一株靠千千萬萬條根鬚供給養料的參天大

樹」。他是「爲共同目標而奮鬪的無數生靈的至尊者」。希特勒在《我的奮鬥》中，用不太富有詩意的語言表達了同樣的意思，他從宣傳的角度描述了領導者的特徵。領導者既不是學者也不是理論家，而是一個注重實踐的心理學家和組織者。作爲心理學家，他力圖掌握一些方法，以便爭取絕大多數消極的信徒；作爲組織者，他把追隨者嚴密地組織起來，以鞏固他的成果。書中唯一稱得上有條理的部份是對宣傳和完善宣傳藝術的論述。他沒有忽略任何詭計：如演講優於筆戰，燈光、氣氛、標誌和人羣的效果，晚間開會的優點在於聽衆幾乎無力抗拒演說者的建議。領導作用的發揮依靠嫻熟的提議，集體催眠術，激發每一種潛意識，成功的關鍵在於「巧妙的心理學」和「洞察廣大人民羣衆思維過程的能力」。❸領導者像藝術家一樣，玩弄人民於股掌之中。

種族的神話

　　民族和領袖的思想，藉著一般種族理論以及種族與文化關係的理論而得到支持，尤其是亞利安或日耳曼種族的神話，以及它在西方文明史中的地位。因此，種族理論和與之平行的輔助理論——生存空間說（theory of Lebensraum），乃國家社會主義意識形態的核心要素。種族問題被看作基本的社會問題，也是打開歷史之謎的鑰匙。希特勒在《我的奮鬥》中，把德意志第二帝國的垮台歸咎於沒有認識到種族的重要性，阿爾弗雷德・羅森堡是國家社會主義的官方哲學家，他把種族間以及各特有文化觀念的鬥爭作爲一個原則，去解釋歐洲文明的進化。作爲政治或社會運動的國家社會主義政策，被認爲以歷史哲學爲基礎。事實上，國家社會主義發展的種族理論很少依靠種族遺傳學的科學研究，也很少把種族作爲生物學現象進行科學研究。它是徹頭徹尾的僞科學。它在很大程度上是杜撰的神話，用以支持政治上的沙文主義，它的效力仰仗於種族偏見，尤其是反猶太主義。

　　種族神話的思想像國家社會主義意識形態的其他內容一樣，乃長期流行思想的集大成者。「種族」（race）一詞並非在確定的生物學意義上使用的，所謂「雅利安優秀種族」（Aryan master race）的後裔，

向來是這個詞支撐法國人、美國人，以及德國人的國家自豪感。「種族」一詞可能是法國人哥比柳（Gobineau）於十九世紀中葉首次提出來的，不過，哥比柳用它並非為了支持國家主義，而是支持貴族統治，反對民主。在十九世紀與二十世紀之交，一個德國化的英國人豪斯頓·斯圖亞特·張伯倫（Houston Stewart Chamberlain）及其岳父理查德·華格納（Richard Wagner），在德國普及了雅利安神話。❷哥比柳與張伯倫之間的重要差別在於，後者把日耳曼精神變成國家優越的主張。在第一次世界大戰結束後的一段時間裡，它成為緩解國恥之痛的止痛劑。依照種族主義的文獻，雖然它在許多國家廣泛支持了形形色色的運動，但總體說來，它反對自由主義和帝國主義，也反對猶太主義。在德國，自馬丁·路德時代起，反猶太主義便一直喧囂不息。國家社會主義對猶太人的一般指控是：帝國主義和馬克思主義都是猶太人的，猶太人的陰謀是奪取世界政權這種觀念已經流行了數十年。因此，國家社會主義的種族民族觀，為大量人們熟知的教條所利用，這些教條的支柱是強烈的偏見和只相信自己民族優越的傾向。

種族理論的基本原理在《我的奮鬥》中闡述得比較清楚，但沒有系統。❸簡要概括如下，第一，一切社會進步都取決於生存競爭，適者生存，弱者滅絕。種族透過競爭，使天生的菁英應運而生。這種競爭也發生在種族、以及代表不同種族特性的文化之間；第二，雜交產生的種族混合使高級種族退化。種族混合乃文化、社會、政治腐敗的原因所在，一個種族要純化自身，必須消滅混血；第三，雖然文化和社會制度直接反映了種族內在的創造性，但是，一切高級文明或重要文化，卻只來自一個種族，至多不過是少數幾個種族創造的結果。具體說來，種族可分為三類：創造文化的種族或雅利安種族；承受文化的種族，它只能借用和選擇文化，但不能創造文化；摧殘文化的種族，即猶太人。創造文化的種族需要從屬的劣等種族提供勞力和服務；第四，在創造文化的雅利安人中，自我保存的是逐步由自利轉變為關心社會。雅利安人傑出的道德品質是忠於職守的理想主義（忠誠），而不是理智。這些命題只以概化的形式表現了國家社會主義歸之於民族、菁英、以及領袖的特徵。

阿爾弗雷德·羅森堡在《二十世紀的神話》（1930 年）一書中，把種族理論發展成為歷史哲學，這是國家社會主義意識形態的基本論述。

按照羅森堡的看法，一切歷史都必須根據種族之間以及它們特有的理想之間的鬥爭，更確切地說，按照雅利安人或創造文化之種族與一切劣等種族之間的鬥爭，來重新編寫，重新解釋。羅森堡假定，創造文化的種族從北方某地開始擴展，遷徙到埃及、印度、波斯、希臘、羅馬，成為一切古代文明的創造者。古代文明的衰落是因為雅利安人與劣等種族混合。雅利安種族之分支條頓族，長期致力於反種族混合的鬥爭，這場鬥爭導致羅馬帝國的覆滅，產生了當代歐洲社會的道德價值或文化價值。一切科學和藝術，一切哲學以及一切偉大制度，統統是雅利安人創造的。與之相對立的是其寄生種族猶太人，他們創造了現代種族的毒藥：馬克思主義與民主、資本主義與金融、無聊的主智論、對愛情和謙虛的柔弱氣息的仰慕。基督教中一切具有保留價值的東西，都反映了雅利安人的理想，耶穌本人就是雅利安人。但是，從總體上看，基督教已被「伊特魯利亞人（Etruscan）──猶太人──羅馬人的體系」所腐蝕。羅森堡認為，他在中世紀的德國神秘主義，尤其是艾克哈特（Eckhart）的神秘主義中，可以找到真正的德國宗教。二十世紀的最大需要是進行宗教改革，重新樹立視榮譽為個人、家庭、民族，以及種族最高美德之信念。

這種武斷地重寫歷史的哲學依據，是種族的或生物學的實用主義。一切精神和道德能力都受種族制約。「靈魂是種族的內在表現」（Soul is race seen from within）。它們取決於先天的思維洞察力和思維形式，種族無論有什麼疑問或採取什麼對策，都取決於該種族的思維方式。日耳曼人提出的問題對於猶太人毫無意義。「一個種族所能掌握的最發達、最全面的知識，包含在它的第一個宗教神話中。」因此，不存在一般意義的道德標準和價值標準，也不存在一般的科學真理原則。認為不同種族可以理解並鑑賞同樣的真、善、美，恰恰是主智論墮落的一部份。每個種族都絕對必須壓抑外族，因為外族將用暴力對付本族的心理結構。由於真理是「有機的」，即一個種族內在能力的現實化，因此，真理的檢驗標準就要看科學、藝術、宗教力量能否改變種族的形式（結構），內在價值，以及生命力。任何創造性的哲學都是確認或信念（bekenntin），它表現了這個種族的直覺以及為獲得統治權而採取的意志行為。國家社會主義教師聯盟發表的支持希特勒的聲明，有一篇出

自哲學家馬丁・海德格（Martin Heidegger）之手。這篇聲明實際上是
羅森堡的主張的改寫——

　　　　眞理是使人民的行動和知識變得確實、清楚、堅強的揭示（rev-
　　elation）。從這種眞理出發，可以產生眞正的求知欲，但是，求知欲
　　受求知能力限制。這種偏限性爲建立或確定眞正的問題和眞正的研究
　　劃定了範圍。由此出發，我們獲得了科學，它與民族本身的存在有著
　　必然聯繫……我們已使自己擺脫了對一種缺乏根據、軟弱無力的思想
　　的偶像崇拜。

　　羅森堡關於認同雅利安種族的論點，隱晦地羅列了藝術風格、道德
理想，以及宗教信仰之間的相似之處，其實大部份是空想，而且是主觀
的。此外，他稱自己的哲學是神話。國家社會主義一經在德國建立，種
族理論便發展爲「科學的」人類學，在漢斯・根舍（Hans F. K. Günt-
her）的指導下，尤其如此。根舍是耶拿的社會人類學教授。❸一般說
來，除承認這個理論的人之外，沒有那位生物學家或人類學家會相信，
可以有衡量種族優越的生物學標準，或可以肯定種族特性與文化具有關
聯性，這些命題早已無數次地被駁倒。毫無疑問，科學論證幾乎無力反
駁以信仰意志或植根於血統中的直覺爲基礎的理論。而國家社會主義及
其他理論中，種族理論也常常落入索爾斯坦・韋布倫（Thorstein Ve-
blen）所謂「應用精神病學」領域，這是利用偏見達到不可告人之目的
的領域。當然，這並不意味著沒有人眞正相信這個理論，反猶太主義者
就十分眞誠，但是，只有非理性主義者才把幻想當美德。即使那本粗製
濫造、聲名狼籍的〈天國聖人錄〉（Protocols of the Wise Men of
Zion），也有許多人深信不疑，因此戈培爾在日記中寫道：「第一個看
穿猶太的國家，……將在世界上居於統治地位。」❸判斷種族理論的標
準不在於是否正確，而在於它所導致的結果和它服務的目的。
　　種族理論對國家社會主義政策的實際影響有三個方面：首先，它導
致鼓勵人口發展，尤其是所謂雅利安種族發展的政策，鼓勵辦法是給予
結婚者和大家庭發放津貼，而德國亟欲擴張領土的根據卻是德國人口已
經過剩；其次，種族理論導致一九三三年的優生法（eugenic legislat-
ion of 1933）。從表面上看，這項法律是爲了防止遺傳病傳播，而實際

上，代表了絕育或消滅肉體和精神缺陷的一般政策。顯然，這項政策以野蠻和殘酷的方式加以落實。必須假定，道德敗壞和社會混亂大大抵消了優生的成就，但是，種族理論却理所當然地以這一倫理學假設為前提，即人道主義和同情弱者並非美德。再次，最有特色的一點在於，種族理論產生了一九三五至一九三八年的反猶太法。這項法律的目的是增強或保持種族的純淨。這項法律禁止德國人與四分之一（或更多）猶太血統的人通婚，猶太人的財產被沒收，各行各業都排猶，猶太人淪為劣等國民，他們是「國家的奴隸」，不是公民。在徹底消滅猶太人，對殘存的猶太人實行强制勞動的過程中，這些措施達到登峯造極的地步。希特勒在一九三九年曾預言，徹底消滅猶太人乃一場新戰爭的結局。❸

　　國家社會主義的反猶太政策，是在一個非人道世紀中慘無人道行為的頂峯。不過，把種族理論用於猶太人，在邏輯上純係偶然，它還可以用於其他國家，隨著希特勒向東方擴展德國版圖的政策時，它也的確用於其他國家。在被占領的波蘭，烏克蘭人的待遇要比波蘭人好一些，但不能與德國人平起平坐。然而，波蘭人至少有形式上的自由，猶太人則徹底淪為奴隸。種族理論的一般涵義是公民地位和政治地位的等級制，其中日耳曼種族享有權力和特權，在他們之下，依次排列著不同的從屬種族。總之，正如希特勒在《我的奮鬥》中所說，種族理論意味著主宰的種族與為其服務的「輔助」種族。但是，由於種族是虛構的（就理論的涵義而言），事實上意味著國家社會主義能夠以種族為依據，壓迫和剝削任何一個團體。種族理論在邏輯上不過是使國家社會主義菁英的統治合法化的一種方法。

　　更令人費解的是，國家社會主義哲學和反猶太主義的隱秘目的不知何在，因為它們屬於混沌的大衆心理學領域。不過，有一點顯而易見：它們至少在兩個方面鞏固了國家社會主義。首先，反猶太主義使各種仇恨、恐懼、忿怒，以及階級對抗，有可能轉變為對一個活生生的敵人的恐懼；對共產主義的恐懼變成對猶太馬克思主義的恐懼，對雇主的怨恨變成對猶太資本家的怨恨；國家危機感變成為對猶太人陰謀統治的恐懼；經濟上的不穩定變成仇視猶太人控制大企業。對猶太人統治儘管誇大其詞，似乎也無關緊要。猶太人所處的地位，似乎適於扮演種族理論指派給他們的角色。他們是少數人，對他們的偏見愈積愈深。他們强大

得令人生畏，但又異常軟弱，遭受攻擊而無還手之力。由此看來，種族理論只是統一德國的一種心理手段，把德國社會的敵對情緒統統引向一個可以輕易消滅的敵人。必須補充的是，猶太人的財產給了國家社會主義黨及其擁護者以優厚的酬勞。其次，種族理論爲希特勒的帝國主義政策，即以犧牲斯拉夫人爲代價向東南方擴張，提供了意識形態的根據。只有在這個地區，才有猶太人的聚集區。反猶太主義作爲一種心理力量，與德國人比波蘭人、捷克人、俄國人優越的信念很難區分。與泛日耳曼主義保持經常聯繫的種族理論，很容易用來培育一種思想，即中歐的日耳曼國家是中心，周圍是不斷擴大的非日耳曼衛星國。因此，種族理論與國家社會主義意識形態的第二個因素相吻合，「土」（soil）的概念是「血」（blood）的概念的自然補充。

生存空間

　　國家社會主義關於領土或空間的理論，像種族理論一樣，源自歐洲流行了近一個世紀之久的思想。從根本上說，它只是在中歐和東歐建立一個強大德國計畫的擴充，在軍事實力所允許的範圍內，強大的德國要擴張。它與種族理論的相似之處在於它並非德國所獨有。事實上，是瑞典阿普薩拉大學（University of Uppsale）的一位政治科學家魯道夫・克切林（Rudolf Kjellén），將此一計畫擴充爲哲學，名曰地緣政治學（Geopolitik），國家社會主義則把它加以普及。❸❼克切林的地緣政治學歸根究柢是一門古老學科「政治地理學」（political geography）的發揮，尤其是吸收了弗德里希・拉茨爾（Friedrich Ratzel）的政治地理學。地緣政治學一個基本上正確的科學思想是對國家歷史和發展進行切實的研究，必須包括物理環境學、人類學、社會學、經濟學等因素，也包括憲政組織和法律結構。在其發展中，地緣政治學與研究地理的出發點之間，已沒有多少聯繫了。在克切林理論的背後，也有著對俄國向西方擴張的恐懼。地緣政治學在國家社會主義者當中傳播，與卡爾・豪斯霍費爾（Karl Haushofer）的作用分不開，儘管當時許多德國作家和學者都發揮了作用。雖然豪斯霍費爾及其同伴從世界各地搜集了大量有

關地理學、社會學、經濟學，以及政治學方面的材料，但是，他沒有為這門學科的定義作出什麼貢獻。將這些五花八門的東西聯接在一起的，不是科學組織，而是在制訂戰略方針時可能運用這些材料的軍事參謀總部，或者決心擴張勢力的政府。豪斯霍費爾還使地緣政治學成為有效的宣傳喉舌，它使德國具有「空間意識」（space-conscious）。這兩個特點一般說來是地緣政治學與地理學的區別之所在。按照豪斯霍費爾的《地緣政治學雜誌》（Zeitschrift für Geopolitik）編輯的意思，地緣政治學應是「指導現實政治的藝術」和「國家的地理學良心」，現實政治實際上是帝國主義的擴張。像種族理論一樣，地緣政治學把學識和替帝國主義政治辯護的偽科學結合起來。

在國家社會主義的帝國主義理論中，最富有特色的思想是英國地理學家哈爾福特·麥金德（Halford J. Mackinder）爵士提出來的。早期的帝國主義理論，例如海軍上將馬漢（A. T. Mahan）的理論，主要強調了海軍力量的重要性，而且主要依據大英帝國的歷史。麥金德在一九〇四年提出一個思想，即歐洲大部份歷史可以解釋為東歐和中亞內陸國家壓迫沿海國家的歷史。他把這一廣大地區稱之為中樞地區或「心臟地區」，即占世界陸地總面積三分之二的「世界島」（歐、亞、非三洲大陸）的核心。澳大利亞和美洲只是邊緣島嶼。因此，如果那個國家能夠控制這塊領土的資源，並把海陸力量結合起來，它就能統治世界。麥金德一句格言概括了他的論點：「誰控制了東歐，誰就控制了心臟地區。誰控制了心臟地區，誰就控制了世界島。誰控制了世界島，誰就控制了世界。」❸他的直接目的是力主英俄聯盟的益處，而德國人同樣明白這段格言的涵義。這個論點提示了一個計畫綱領，解決了蒂爾皮茨（Tivpitz）自 1900 年進行海軍擴軍以來德國帝國主義思想中不確定的一些問題，即徘徊於建立海上強國還是大陸強國之間，以及東德容克地主階級思想與西德工廠主階級思想之間的差異。事實上，二者都是正確的，但是，向歐洲大陸鄰國擴張則處於優先順序。首先是俄國，從理論上講，要想解決這個問題，或者與俄國結盟，或者征服俄國。大陸強國法國是頹廢的，根據種族理論，它有「黑人」種族的特徵。英帝國主義的方式已經過時。德國外交與策略的目的是穩住西方列強，統治俄國。實際上，這是希特勒在《我的奮鬥》中概括的德國政治理論❹，據說，希

特勒是受到豪斯霍費爾的啓發。他說，第二帝國的基本錯誤是採取擴大工業和出口的策略，而不是擴張領土。在德國一千多年的歷史中，最重要的事件是開拓奧斯特馬克（Ostmark）和易北河以東的殖民地。國家社會主義「將不再向歐洲南部和西部進行無休止的推進，把視線直指東方……我們的第一步只能是俄國及其毗鄰的屬國。」

　　國家社會主義的生存空間理論，其推理方法和種族理論一樣，公開的依據是感情與可疑的科學的奇妙混合。德國人一直有一種傾向，即把中世紀帝國理想化，生存空間理論利用了這種傾向，聲稱「早在發現美洲大陸之前」，本帝國就已經存在。它利用這樣的神話斷言，中歐乃至共產主義之前的俄國，其一切政治文化成就，都是少數日耳曼人的工作成果。因此，德國是這片領土的「天生的」（natural）領導者和統治者。地緣政治學一般的和專門的科學論點，主要採取了生物學的類比方式。國家是「有機體」，國家之間的關係是自然淘汰。只要有活力，它們就發展，一旦不再發展，便死亡。一個不發展的國家，或者是腐朽了，或者是該國家受「空間限制」和缺乏政治建設的天才。生命力旺盛的國家在「無上命令」之下，被迫擴張領土。國家的疆界是「末梢器官」或發展邊緣。國家沒有天然固定的疆界，只有臨時界線，即不斷發展中的寧靜點。「好的」邊界有利於擴展，總之，容易滲透，便於製造事端。條約和國際法無法限制生來具有強大力量的民族。它的憲法和按照法律建立的體制，只是組織和增強權力的助手。透過節育或和平主義自動限制競爭式鬥爭，只不過是把未來讓給劣等國家，因爲鬥爭是進步的法則——

> 　　教養較高而殘暴不足的種族，由於土地有限而必須限制人口增長。而教養較差殘忍有餘的原始民族，由於生息之地擴大，可以無限增長人口。換句話説，總有一天，世界會落入文化落後但精力和活動旺盛的劣等人手中。❹

　　因此，生存空間的觀念是種族觀念的附屬品。的確，從科學上分析，這兩種思想是背道而馳的，文化如果取決於種族就不可能取決於地理學。但是，聯結二者的不是科學。聯繫的紐帶實質上是神話或情緒。像「文化之鄉」或「家鄉泥土」之類的話，將兩種普遍而强烈的人類感

情聯繫在一起，即每個人對家鄉的戀情以及對本國家生活方式的熱愛。他們正是利用這兩種感情實現了軍事的征服計畫。

　　祛除這些感情因素，可以看到，地緣政治學的生存空間概念背後隱藏的實際推理，取決於這一假設，即經濟繁榮依賴於政治控制，經濟和政治都依賴於軍事力量。應當補充的是前面概述的策略理論，即現代條件下的軍事力量是陸地而不是海上力量。最初的考慮不是領土問題，而是原料出口和工業成品市場。希特勒一再將人口與領土加以比較，例如，美國的人口密度是每平方公里十五人，德國則是每平方公里一百四十人。希特勒也將「富國與窮國」或無產國與有產國加以比較，這種比較顯然只在市場問題上有意義。人口過剩便需要擴張的理論有一前提：只有靠政治力量才能獲得市場。因此，地緣政治學的「空間」概念是一種形象化的描述，它源於地域廣大無疑具有戰略上的好處。從字面上看，它意味著為了擴充實力，進行經濟剝削，應征服德國毗鄰。在這個意義上，還必須理解地緣政治學自我滿足之概念。它的政策不是開發內部資源，尋找原料的代用品，雖然某些國家社會主義者如格雷戈爾·斯特拉瑟（Gregor Strasser）認為這是他們的政策。它們是一種措施，其目的是為了透過戰爭獲得世界市場的相對獨立性。地緣政治學的原則是，自給自足乃是成功國家的標誌。這一原則表明，備戰是持久的需要，因為它取決於國家的商業繁榮。

　　對生存空間的涵義講得最為清楚的，大約是希特勒一九三二年在德國杜塞多夫市（Düsseldorf）對企業家所作的著名演說。這次演講的成功大概是他政治生命的轉折點。他說，德國的昌盛以及救濟失業者有賴於對外貿易，但是，人們能靠純粹經濟手段征服世界的思想，是「最大，最可怕的幻想之一」——

　　　　並不是德國企業征服了世界，然後再發展德國的實力。就我們的狀況而言，強權國家要為貿易世界的繁榮創造條件……在經濟生活的背後如果沒有堅定不移的國家政治意志，亦即準備出擊且猛烈出擊，就不可能有經濟生活。

　　在一切帝國主義背後，都有白種人行使「極端殘忍的權力統治他人」。

　　然而，只要世界上不同地區繼續存在著不同的生活標準，白種人實際上就能維持自己的地位。如果你今天賦予我們所謂出口市場同我們擁有的生活水準相吻合，你就會發現，白種人在國家政權和個人的經濟財富上就不再擁有優越地位。❹

兩年之前，希特勒在評論自給自足問題時說：

　　我們的任務是大規模地把世界組織起來，使各國生產最適宜的產品，其中，白種日耳曼人負責這一龐大計畫的組織工作……剝削其他種族是勢必要擔負的任務，因爲劣等種族的任務註定不同於高等種族：後者必須控制政權，並與盎格魯—撒克遜人一起繼續保持控制權。❹

　　因此，國家社會主義的生存空間理論可能是解決國際貿易和政治問題最原始的（在邏輯上也是最簡單的）方法。它意味著靠軍事力量進行政治統治，靠剝削制度使屬民永遠保持低水平的生活，使統治者保持高水平的生活。如果一個強國不能統治世界（這當然是統治世界心臟地區的最終目的），這個理論便意味著實行區域主義。世界將分爲幾大「塊」或幾個控制範圍，其中每一大塊各受其統治國的統治。這具有美**國門羅主義**（Monroe Doctring）的意味，因此，門羅主義在地緣政治學的理論家心目中具有非常重要的地位。至於美國堅持在美國範圍之外的其他地區享有權利，他們認爲是帝國主義。他們經常將自己的計畫描述爲歐洲的門羅主義。區域及區域間的關係僅僅是力量之間的關係，因爲任何條款都不過是暫時的妥協，任何邊界都不過是暫時的「寧靜點」，它標誌著兩種力量暫時處於均衡狀態。在每個地域，統治力量（從理論上講是占統治地位的種族集團）給從屬集團分派經濟職責和政治地位。因此，從法律上看，生存空間理論像種族理論一樣，將制訂出民法和治外法權。國際法將在雙重意義上消失。國家之間不再有平等權利，個人之間或少數國家之間，也不存在平等權利。國籍在法律意義上將與國際主義一道消失。雖然國家社會主義得到德國民族感情的支持，但其理論實質上卻蘊含著前國家帝國（pre-national empires）那樣的世界組織形式。

極權主義

　　義大利法西斯主義和德國國家社會主義本質上都盡力淹沒一切階級和集團間的差別，以達到帝國主義擴張的唯一目的。神話構成了他們的哲學，從而促進了這一目的的實現。因此，無論怎麼解釋，二者的實際結果都是國家內部組織的極權主義（totalitarianism）。由於上面說過的原因，國家社會主義的種族理論為這種運動提供了一種哲學，它比墨索里尼的黑格爾主義更充份，不過，二者仍得出了同樣的結論。政府能夠而且必須控制每一個人或每一集團的每一行為和利益，以便增強國家力量。因此，按照極權主義理論（theory of totalitarianism），政府不僅有絕對的權力行使職權，而且可以無限擴大。它的管轄無所不在。每一種利益與價值，無論經濟的、道德的、還是文化的，都是國家資源的一部份，都將受到政府的控制和利用。未經政府許可，不得成立政黨、工會、工商協會。只有接受政府法規的控制，才能有加工業、商業或工作。如果沒有政府的指導，便沒有出版和公眾集會。教育成為政府的工具，宗教原則上亦如此，雖然法西斯主義和國家社會主義都只是勉強被教會所默許。❸閒暇和娛樂也成為宣傳組織的媒介。沒有私人領域，任何由個人組成的協會都要受政治的控制。民間成員一律要磨損他的個性，他的能力、甚至私情。

　　作為政治組織的一種原則，極權主義當然意味著專政。它迅速廢除了德國聯邦主義和地方自治政府，實際上消滅了諸如議會、司法獨立等自由政治體制，將普選制降低到精心操縱的公民投票的水平。政治管理不僅無孔不入，而且像國家社會主義者自詡的那樣「團結」（monolithic）；這意味著整個社會組織都降低到一個體系，它的一切能力統統用於實現國家目的。事實上，對極權主義的這種表述，存在著大量的虛構。當然，權力絕對集中在領導者手中，即集中在制訂政策的最上層人物手中。但是，領導者的權力取決於個人的優勢，執行政策的行政組織「事實上是私人帝國、私人軍隊、與私人情報組織的混雜」——

　　　事實上，不負責任的專制主義與極權管理互不相容；因為政策的

不確定性、隨意改變的危險，個人報復的恐懼，以及每個人的地位使他或強或弱等等，都必須設法保留他在合夥資本中已經得到的所有權力，以此保護自己，以防不測。因此，歸根究柢根本沒有什麼合夥資本。❹

如果這在管理水平上是真實的，在立法或司法水平就倍加真實了。國家社會主義的極權主義，從未對政府的任何部門進行合理的分工，也從未組成一個擁有若干合法權利的管理機構，使其按照眾所周知的規則工作。與政治自由主義相比，官僚政治的這些特點還沒有被德國立憲主義講清楚。事實上，由於國家社會主義上台，它早已被摧毀。既存的行政和司法機構保存了下來，但是黨的幹部已滲透進來，以打破他們的習慣程序。除此之外，還增設了許多令人不解的新機構。這些機構根據不同的機會，有時履行舊職責，有時履行新職責。因此，戈培爾抱怨說：「我們生活在沒有明確規定司法權的國度裡⋯⋯結果，德國對內政策完全沒有方向。」❺國家社會主義實際上完全摧毀了德國人統治國家的理想。因此，德國國家社會主義的批評家根本否認這是一個「國家」。

職能混亂和缺乏明確的司法關係乃道道地地的極權主義特徵。例如，關於國家社會主義憲以及關於黨與政府的關係，從來就沒有明確的憲法理論，雖然它是法律上唯一允許存在的黨。黨在法律上是法人團體，但是它無疑的不服從任何法律或政治統治，它的行為根本不顧及立法、行政和司法。同樣，黨衛軍、衝鋒隊、以及希特勒青年團，雖然名義上是黨的機構，而不是政府機構，但是，他們擁有一切立法權和司法權，享有不受法律制裁的特權。另一方面，司法部門完全喪失了獨立性和安全感，與此同時，司法上的自由裁決實際上被無限誇大了。法律本身有意弄得含糊不清，因此，一切決定實質上都是主觀的。一九三五年修改的刑法，允許處罰一切與「良民情感」不符的行為，即使這些行為並不違反現行法律。同樣，新聞工作者可能因為發表下述文章而被吊銷執照：混淆個人私利與公共利益，削弱德國人民的團結或冒犯德國人的榮譽和尊嚴，嘲弄或猥褻某人。顯而易見，任何有理性的政府都不會執行這類法規，在法律和正當程序面前人人平等的原則，完全被行政當局的自由裁決所代替。極權主義實際上意味著，如果一個人的行為具有政治意義，那麼當政府、黨或任何一個代理機構決定行使職權時，他根本

不受法律的保護。

　在社會經濟結構上，結果也差不多。極權主義著手組織指導經濟和社會生活的每個側面，不給任何個人隱私或自願選擇留有餘地。但是，重要的問題在於觀察這類組織的具體涵義。首先，也是最重要的，它意味著大量長期存在並為經濟和社會活動提供動力的組織遭到毀滅。為了社會目標、成人教育或互助而設立的工會、貿易、金融和工業協會以及兄弟會組織，均以自願和自覺管理為基礎，它們或者被取締，或者被接管，或者重新配備成員。成員資格實際上是強制性的，官員根據「領導原理」（leadership principle）進行挑選，規章不由成員決定，而由指定的代理機構決定。「領導原理」處處以個人權威代替常規的工作權威，以強制性的嚴密組織代替自制。在某種意義上，其結果是自相矛盾的。因為極權社會雖然是以令人迷惑的方式組織起來，以達到預期的目的，但是個人比任何時候都孤單。他在名義上所「隸屬」的組織中孤立無援，他對該組織的目標和管理沒有發言權。不管國家社會主義如何蔑視民主社會的「原子個人主義」（atomic individualism），極權社會是名副其實的原子社會。人民作為整體成為實實在在的「羣眾」（masse），成為宣傳工作的理想對象。極權主義的顯著特徵不在組織本身，因為每個複雜社會都是錯綜複雜地被組織起來。它的特徵在於組織的性質，在於它是一個嚴密控制的代理機構。

　關於經濟組織，義大利的法西斯主義與德國的國家社會主義從表面上看有顯著差別。法西斯主義與人們熟悉的義大利工團主義一樣，採取了「法人國家」的形式。在德國，早期國家社會主義也曾議論過法人國家，但是後來它與黨綱中的其他社會主義因素一道被拋棄了。法人國家的概念很簡單，比法西斯主義產生得要早。它意味著工人和所有者應該為增加生產而合作，他們應該通過談判簽訂工資合同，而不是訴諸罷工或封閉工廠。十四年中，法人機構如雨後春筍般地建立起來。它們包括地方、地區、國家三級主要經濟部門中雇主與雇員的縱向企業聯合體，也包括一些工業行業中雇主與雇員的橫向組合。一九三九年，這一組合成立了最高領導機關「組合議會」。從理論上說，組合議會是各行各業的職能代表，執行工團主義和行會社會主義長期奉行的路線。同樣，在理論上，這些企業聯合體是雇主與雇員為進行集體討價還價而建立的自

治協會。事實上，雖然不強迫入會，但不管入會與否，一律從工資裡扣會費，工資契約對非會員也有約束力。在德國，勞工陣線是黨的一個部門，除了行政原因之外，它不是按行業組織的。入會是強迫的，職業工會被廢除了。因此，勞工陣線毫不掩飾其集體討價還價的功能，工資由政府選派的勞工信託人調整。雇主企業聯合會並未被摧毀，但被改為按領導原理組織起來的全國性社團。

因此，義大利的制度顯然是雇主和雇員平等代表的自我管理的協會，而德國的制度則完全是由政府進行工業管制。事實上，它們的工作方法幾乎沒有或根本沒有什麼區別。勞資雙方都失去了結社自由和活動的獨立性。在義大利的計畫中，假設的勞資雙方平等從未實現過。在這兩個國家裡，最後的控制權都掌握在政府或黨所任命的人手中，這些人與資方的關係比與工人的關係密切得多。這兩個國家一般傾向於擴大產業單位的規模，把小獨立生產者吸收到卡特爾中。工人獲得的實際利益是充份就業，但從總體上看，他們佔國家收入的比例更小了。總而言之，法西斯主義和國家社會主義的極權主義，具有將戰爭經濟列於首位的國家所應具有的一些顯著特徵和傾向，這就是問題的實質。

極權主義對經濟的控制，一直擴展到出版教育、學術、藝術，以及國家文化的每一個角落，擴展到影響國家力量的每一個因素。一九三三年，戈培爾成立了一個部門，它「對影響國家精神生活的一切因素負責」。正如希特勒所說，「從幼兒識字課本到權威性的報刊，直至每一家劇院，每一家電影院」。對包括科學在內的每一個問題的指示，都將成為「增強國家自豪感的手段」。它必須「盡善盡美地利用本能和理性，把國家意識和國家情感銘刻在青年的心靈中和大腦裡」——

> 任何男孩和女孩，在尚未最終認識到血統純正的必要性和性質之前，不得離開學校。❻

這就是各級教育體系和一切智力工作領域實施的綱領。關於藝術，一本法律教科書宣稱——

> 極權國家不認為藝術可以獨立存在……它要求藝術家對國家抱積極態度。❼

政府制訂過許多計畫，試圖用新的條頓人崇拜代替基督教，或清除

其非雅利安成份，以使之純淨。不過，爲了謹愼起見，政府本身從未參
與實施這些計畫。羅森堡所謂「古老而邪惡的不受限制的教育自由」，
在德國大學裡消失了，取而代之的是「眞正的自由」，自由乃「國家生
存力量的一個器官」。猶太學者被免職了，學生都根據「領導原理」組
織起來。按照國家社會主義的原則，德國高等教育的目的是培養政治菁
英。在這方面，典型的教育機構不是大學，而是技術學校和黨的本部學
校。歷史學、社會學、心理學一類的社會研究，實質上成爲宣傳部門的
分支機構，經過改造之後用來闡述和傳播種族神話。有一篇物理學論文
竟然宣稱「科學像一切人類成果一樣，也是種族的，並受血統的制約」
⑱，簡直荒謬之極！

像雅利安物理學這種稀奇古怪的思想，對理工科的教學沒有產生多
大的影響，這恐怕是事實。但是，它們可以使人們深入認識極權主義政
府無法解決的難題。旨在最大限度內控制軍事力量和知識份子的政府，
把教育體制投入一場特殊的實驗之中。實質上，它必須解決這一問題：
既排斥社會研究和人文科學，又使自然科學保持足夠的活力，以支持技
術的發展。如果無法實現前者，政府便失去自身存在的根據。如果沒能
實現後者，政府便失去權力的基礎。在一定的時間內將二者結合起來是
可能的，但是，究竟能維持多久，則是另外一個問題了。在德國，無法
知道，失去猶太數學家和物理學家，究竟給戰爭所需要的科學研究造成
多大損失。

國家社會主義、共產主義、民主主義

對剛剛過去的四分之一世紀政治理論的論述，必然以**國家社會主義**
（national socialism）與共產主義（communism），以及二者與自由
民主主義（liberal democracy）的比較而告結束。因爲在這一時期，三
者都在爭取人們的忠誠，使追隨者爲之努力奮鬥，自我犧牲。這個時期
結束時，國家社會主義被其他二者的暫時合作打敗了，不過，共產主義
與民主主義的合作，使二者之間的對比較以往任何時候都更加鮮明。只
有極其樂觀的思想家才會預言，國家社會主義的基本目標不會以新的形

式復活。因此，二者間的對立和相似，既是現實問題，又是需要不斷探討的政治理論問題。因爲從根本上說，這三種主義都建立在對立的觀點之上，建立在每一主義的性質及其在國家和國際社會能夠且應該發揮的作用之上。

國家社會主義和共產主義之間的許多相似性是表面的、明顯的。二者都是在社會和經濟的動亂中獲得繁榮，動亂部份出於戰爭災禍，部份反映了西方社會內部失調。二者都是政治上的專制。他們輕蔑地拋棄了議會在審議和談判中的輔助作用，而議會是集歐洲幾世紀的政治經驗，在自由主義原則的指導下建立的，它是一種比專政更穩定、更可行的替代物。二者都把恢復整肅作爲政治制度。二者都只容許一個政黨存在，允許該政黨保持自己的強制機器。根據他們的理論，黨是自成體系的貴族統治，它的使命一部份是領導，一部份是教育，一部份是強制，使大多數人沿著對他們有利的道路前進。二者都混淆了個人判斷與公共控制的界限，在這個意義上，二者都是極權主義。二者都把教育體系變爲普遍灌輸的工具。二者的哲學完全是教條主義的，一個以雅利安種族的名義，一個則以無產階級的名義，宣稱他們具有深刻的洞察力，能爲藝術、文學、科學、宗教制訂規則。二者都滲透了類似於宗教幻想的精神狂熱。在策略問題上，二者的主張都十分魯莽，二者的要求都漫無邊際。他們謾罵對手，將自己的讓步視爲權宜之計，將對手的讓步視爲軟弱。二者的社會哲學都認爲，社會本質上是經濟力量或種族力量的體系，只有靠鬥爭和控制才能調節它們之間的關係，而不是靠相互理解和妥協。因此，雙方都把政治作爲補充實力的一種方法，因而是權力的一種表現。

但是，除了上述的相似性之外，共產主義的道德水平和思想水平，肯定比國家社會主義高。首先，共產主義的基本目的至少是寬宏大量的、人道的。它的誠意毋庸置疑。它的理論是馬克思主義兩代學者的產物，它自認，在道德上和思想上都有連續性。確實，它堅認與馬克思保持一致，並使馬克思思想成爲一種教條。相反，國家社會主義理論是機會主義的產物，有時是犬儒主義和道地學術騙局的產物。它的道德觀，乃是喪失社會地位者的道德觀。馬克思主義來源於這一認識：現代技術和資本主義使人性喪失，道德敗壞。當時的自由主義也看到這一點，雖

然馬克思主義輕視自由主義，但並不否認它在自由政治發展中做出的巨大貢獻。馬克思主義的傳統是主張發展民主，而不是限制民主。由於它在俄國的發展環境和一定的主觀意圖，迫使列寧刪除了馬克思主義是民主的內涵。即使如此，它的目標從表面上看依然是仁慈的，儘管其方法常常十分殘忍。相反，法西斯主義和國家社會主義的力量來自努力維持社會和經濟的優勢體系，使之永久化。對長期被迫處於較低生活水準的民族來說，它只給予情感上的補償，其方式是讓人民參與宏大的國家使命，所謂國家使命實質上是經濟帝國主義。它也描繪了物質報償的圖景，但永遠不會實現。國家社會主義構想的國家社會形式的權力和特權結構，是參照同樣結構的國際社會的圖案設計出來的。這個目的暴露了該圖案的虛幻性質。它不僅導致了戰爭（這早就確定無疑），也不僅造成了難以置信的損失和苦難（這也已在預料之中），而且國家社會主義政府的性質是盡可能地把戰敗轉化為毀滅。一個將自身變為個人專制的政府，根本不可能為了國家經濟和政治結構的完善而放棄權力。

　　國家社會主義哲學和共產主義哲學，往往使不是追隨者無法從理智上接近它們。它們都要求絕對服從，將其學說的必然性和完善性建立在一種洞察力之上，這種洞察力根本不是局外人所能具有。兩種哲學都不把自身看作思想與道德的媒介。國家社會主義宣稱有**雅利安科學**（Aryan science）和**雅利安藝術**（Aryan art），共產主義則宣稱有無產階級科學和無產階級藝術。這兩種主張都是以抨擊非雅利安人和資產階級的墮落來支撐的。即使如此，至少就哲學原則而言，兩種教條和專政的潛在能力並不處於同一個水平。共產主義從不公開地反對理性，它忠實地相信，辯證法是一種邏輯手段，可以從理性上對它的結果進行評價。或許，它的邏輯信仰不是太少而是太多。它的教條主義過份天真地相信，自己有能力按照馬克思的公式認清歷史的進程、人類動機的作用，以及各種制度的性質。相反，國家社會主義公開宣稱，它的哲學是神話，它之所以「真實」，是因為意志相信它是真實的。在國家之間，它設立了不可逾越的種族障礙，即使對它的信徒來說，除了感情的陶醉以外，並沒有任何情感一致的基礎。不過，必須承認，兩種教條主義之間潛在的差別非常微薄，當辯證法包含的非理性因素流露出來時，更是如此。如果不採取極端手段就不能解決對立雙方的衝突，如果智力以及

它所包含的科學、藝術、哲學與社會各階級糾纏在一起，如果無產階級與資產階級只有在無階級社會和烏托邦裡才會相遇，那麼結果與國家社會主義一樣，因為差別似乎是先天的。但是，國家社會主義的菁英永遠不會把自身的消亡作為理想，這也是千真萬確的。

自由民主主義哲學與共產主義或國家社會主義哲學的基本差別在於，民主主義永遠相信普遍溝通的可能性。無論普遍的天賦權利還是最大幸福或共同利益，其理論的目的是作為一種媒介，透過這一媒介，具有正常合理智力和善良願望的人，可以超越國家和社會等級的界線進行溝通。達到一個有限的權威目的時，可以透過談判獲得盡可能的了解和一致同意。因此，民主主義的社會哲學不是把社會視為非人格力量的羣體，即種族或經濟力量的羣體，而是看作人類或人類利益的複合體。它承認，這些利益或多或少總是敵對的，總有必要加以調整或再調整。不過，民主主義的基本前提是承認這種調整的可能性，因為溝通總是可能的，總的來講，人類在處理他們之間的相互關係時，不是訴諸武力，而是通過談判，似乎更符合人類的特點。至少在文明社會，暴力不是社會關係的普遍特徵。因此，民主主義的道德觀並不認為相互讓步和妥協是背叛原則，而是看作達成一致的方法。從總體上看，這種方式比一方利益支配其他利益，一個黨統治其他黨的協議方式更令人滿意。民主主義哲學的目的是擴大談判範圍，不是限制談判範圍。這個目的的根據是，一個健全的和普遍同意的認識，並不要求有多高的心理透視能力。它取決於這樣一個事實：強制充其量不過是一種原始的方法，運用這種方法控制人類個性及人類社會聯繫之類的微妙機制，恐怕要失敗，即使獲得一時的成功，也會由此積累許多怨恨、懊喪，以及導致未來失敗的好鬥心理。因此，從民主理論中可以得出如下結論：根據定義，政治應視為談判的場所，它的組織是一種代理機構，用以交換意見，促使相互理解，以獲得談判的成功。這種觀點賦予政治以某種程度的社會重要性，對於僅僅將政治視作社會力量之反映或強者得勢的理論來說，這是根本不可能的。

不過，溝通和談判既有道德預設，又有語意學的預設。它們肯定，社會中存在著自由智力（free lntelligence）的因素，與種族和社會地位無關，這些因素能夠認識各種社會力量，並在一定範圍內加以指導。

此外，它們也肯定，還有一種不受種族或社會地位約束，並與智力相關的因素，即善良意志（good will）。善良意志能使社會力量以最小的摩擦和强制來調整相互間的關係發展。在後一種設定中，也許存在著傳統民主美德的政治意義，這就是人類必須以自由和平等的身分相處，此乃亞里斯多德以來自由主義思想從未放棄的信仰。自由與平等不是政治上的天賦權利，也不是獲取幸福的外援，但是，將它們二者視作道德態度還是十分合理的，沒有這種態度，任何完整意義上的溝通和談判都是不可能的。倘若有關雙方都尊重對方的信念，至少假定對方不完全是邪惡愚蠢的，那麼，心靈的眞正交流才會有效。沒有這種態度，就不可能有彼此的相互理解。這種態度實際上就是平等待人。當各方可以暢所欲言而不致遭到報復時，就會產生一致的同意。稍有誠意者都會承認這個事實：自由政治必然具有黨派性，但總體說來，這種黨派性是寬宏大量的，因爲它不是那種沒有限制或肆無忌憚的黨派性。這種態度可以使人在理解的基礎上進行交流、溝通，談判將以一致同意而告終。它固然不能保證談判必然成功，但是，沒有它必然失敗。民主主義在道德上的設想，作爲個人態度是軟弱的，要使它在政治上發揮效應，必須依靠使其發揮效力的機制和程序，發掘這類程序猶如發現任何工藝程序一樣，乃是人類第一流智慧用於人際關係的藝術。因此，正如批評家所說，民主社會的哲學是一種主智主義形式。但是，它不是那種維護陳腐心理的主智主義。確切地說，這種主智主義假定相互理解是可能的，理解不僅有賴於善良意志和寬容，而且也擴大善良意志和寬容。

註 解

❶引自弗朗兹·諾伊曼（Franz Neumann）：《巨獸》（*Behemoth*，第2版，牛津大學，1944年），第462頁以下。

❷《我的奮鬥》英譯本（紐約，1939）列舉了這些政策，並加以評論。引自該書第686頁注釋。這個版本從頭至尾都有參考資料。

❸引自康納德·海登（Konrad Heiden）：《元首》（*Der Fuehrer*, 1944年版），第554頁。

❹引自愛德華·莫勒（Edwar A. Mower）：《德國把時鐘向後撥》（*Germany puts the Clock Back*, 1933年版），第149頁。

❺參看特里沃·羅珀（H. R. Trevor-Roper）《希特勒的最後幾天》（*The Last Days of Hitler*，麥克米蘭出版公司，1949年版），特別是1～3章。戈培爾是納粹領袖中唯一自稱具有非凡才學的人，他本來無疑樂意把全部才幹獻給共產主義、君主制度、甚至民主，只要希特勒採納了其中的任何一項。然而，由於對希特勒的英雄崇拜和反猶太思想，他徹底受騙了。見路易斯·洛克納（Louis P. Lochner）的英譯本《戈培爾日記1942～1943年》（*The Goebbels Diaries*, 1942～1943, 1948年版，第16、62、116、180、241、354、370、377等頁。

❻這段歷史詳盡地記錄在高登斯·梅加羅（Gaudens Megaro）的《墨索里尼的成長》（*Mussolini in the Making*, 1938年版），特別是第246頁以下。

❼《我的奮鬥》，第759頁以下。

❽引自赫伯特.馬修斯（Herbert L. Matthews）的《法西斯主義的成果》（*The Fruits of Facism*, 1943），第96頁。

❾《國家政治經濟制度》（*Das nationale System der politischen Okonomie*, 1841年版），英譯本由勞埃德（S. S. Lloyd）譯，紐約，1885年。國家社會主義把李斯特視為「生存空間」的發現者而使他東山再起。

❿史賓格勒（Spengler）：《普魯士主義和社會主義》（*Preussentum und Sozialismus*），1920年在慕尼黑出版。他的《西方的沒落》（*Decline of the West*）和《決定的時刻》（*Hour of Decision*）尤為著名，但政治重要性較小，二者均由阿特金森（C. F. Atkinson）譯成英文。布魯克的《第三帝國》1923年在漢堡出版。此書有一節譯本，題為「德國第三帝國」（Germany's Third Empire，倫敦，

1934年版）。見哥哈德・克雷斯（Gerhard Krebs）：「默勒・馮・登・布魯克：『第三帝國』發明家」，載《美國政治科學評論》（Am. Pol. Sci. Rev）XXXV（1941），第1085頁以下。

⑪《德國第三帝國》，英譯本，第167頁。

⑫參見他於1939年4月1日在威廉施哈芬講演中有關自傳的一段，《我的新秩序》（My New Order，紐約，1941年版），第619頁以下。

⑬在埃里克・本特利（Eric R. Bentley）的《一個世紀的英雄崇拜》（A Century of Hero-wor ship，費城，1944年版）中，有既同情又批判的論述。

⑭《善與惡之外》（Beyond Good and Evil）第251節。

⑮《暴力論》由赫爾姆（T. E. Hulme）譯成英文，紐約，1941年版。奇怪的是柏格森的早期著作中缺乏他的哲學在道德方面實際應用的例子。《道德和宗教的兩種來源》（Les deux sources dela morale et clela deligion）直到1932年才出版。

⑯引自赫爾曼・芬納（Herman Finer）：《墨索里尼的義大利》（Mussolini's Italy, 1935年版），第218頁。

⑰《法西斯主義的政治教義》（Dottrina politicadel fascismo, 1925年版），英譯者迪諾・比貢賈里（Dino Bigongiari），載於《國際調節》（International Conciliation），第223期。

⑱《我的奮鬥》，第223頁，參見第784頁。

⑲《二十世紀的神話》（1930年），第114頁以下。

⑳引自弗朗茲・諾伊曼的《臣獸》（1944年），第464頁。

㉑見赫伯特・馬庫塞：《理性與革命》（Reason and Revolution, 1941年版），特別是第402頁以下。參見《巨獸》，第77頁以下，第462頁。

㉒《義大利百科全書》，第14卷，1932年版；後來又以La dottrina del fascismo為題在米蘭再版。1935年在羅馬又出版了英文本，題為《法西斯主義：教義與體系》（Fascism, Doctrine and Institutions）。這篇文章分為兩部份，一部份是對一般原則的論述，也許出自甄特利（Gentile）之手，另一部份是對政治和社會理論的論述，不像前一部份那麼抽象。赫爾曼・芬納在《墨索里尼的義大利》翻譯第一部份時附有評論。索姆斯（Jane Soames）翻譯了第二部份，載於《政治季刊》（The Political Quarterly），第4卷（1933年），第341頁，《國際調解》第306號重載。三段引語分別摘自第2部份，（《國際調解》第306號，第9頁），第1部份第5節，第1部份第10節。

㉓《建造法西斯國》（*Che cosa èil fascismo*，1925 年版），第 50 頁。譯文選自赫伯特·施奈德（Herbert W. Schneider）的《建造法西斯國》（*Making the Fascist State*）（1928 年版），附錄，第 29 號。這段話出現在帕爾梅羅（Palmero）的一次演講中。當書付印時，對法西斯暴徒的說法加了一個腳注。「大棒」一詞是從警棍譯過來的。

㉔《我的奮鬥》第 780 頁。參見第 122、195、579、591 頁。

㉕同上，第 595 頁。

㉖同上，第 496 頁。參見第 1 卷，第 12 章。在《戈培爾日記》中，也反映出類似的思想。第 56 頁記載了他和母親的一次談話：「對我來說，她總是代表著人民的聲音。」

㉗《我的奮鬥》，第 136 頁。前一段引語第 598 頁。墨索里尼的話引自埃米爾·路德維希（Emil Ludwig）：《與墨索里尼的談話》（*Talks with Mussolini*, 1933 年版），第 126 頁。

㉘梅加羅，前引書，第 187 頁；參見第 112 頁。

㉙《我的奮鬥》，第 661 頁和第 603 頁。

㉚即使像戈培爾那麼思想「解放」的人，也這樣看待希特勒，見《日記》第 62 頁。即使打敗仗，希特勒在他的黨內也一直處於無可爭議的支配地位，見特里沃·羅泊：《希特勒的最後幾天》，第 1 章。

㉛《我的奮鬥》，第 704 頁以下。參閱第 2 卷第 2 章。引語摘自《戈培爾日記》，第 192 頁。

㉜哥比柳的著作於 1853～1855 年在巴黎出版。第 1 卷由艾德里安·柯林斯（Adrian Collins）翻譯成英文，題爲《人種間的不平等》（*The Inequality of Human Races*），1915 年在倫敦出版。約翰里斯（John Lees）翻譯了張伯倫 1899 年發表的著作，題爲《十九世紀的基礎》（*The Foundations of the Nineteenth Century*）1910 年在倫敦出版。至於其他探討種族與文化關係的科學文獻，見科克爾（F. W. Coker）：《近代政治思想》（*Recent Political Thought*, 1934 年），第 315 頁。

㉝主要見第 1 卷，第 11 章。

㉞見《歐洲歷史的種族成份》（*Racial Elements of European History*），英譯者爲惠勒（G. C. Wheeler），1927 年於倫敦出版。對種族理論的科學批判以及該理論在國家社會主義之前的發展狀況，參閱魯思·本尼迪克特（Ruth Bened-

ict）：《種族：科學與政治》（ *Race: Science and Culture* ），倫敦，1940 年版，
該書列舉了許多生物學家和人類學家的評論。

㉟《戈培爾日記》，第 377 頁。參見第 241，353，370 頁。在這些段落裡，戈培爾記
述了他對英美新聞界沒有扣壓他的反猶「論點」深感震驚的情況。康拉德・海登
（ Konrad Heiden ）提出把「猶太人統治世界」的情景作爲國家社會主義的模型
甚至也是可以的，見《元首》（ 1944 ）第 100 頁及全書。關於《天國聖人錄》的歷
史，見約翰・柯蒂斯（ John S. Curtiss ）：《對天國聖人錄的評價》（ *An Appra-
isal of the Protocols of Zion* ），紐約，1942 年再版。

㊱弗朗兹・諾伊曼分析了優生法和反猶太人法，見《巨獸》，第 111 頁以下。附錄，
第 550 頁以下。

㊲概括性論述見羅伯特・斯特勞斯－于貝（ Robert Strausz-Hupé ）：《地緣政治
學：爭奪空間與權力》（ *Geopolitics: The Struggle for Space and Power* ）紐約，
1942 年版。比克切林著作更長的概述見約翰尼斯・馬特恩（ Johannes Ma-
ttern ）：《地緣政治學：國家自給自足與巴爾的摩帝國的教義》（ *Geopolitik:
Doctrines of National Self-Sufficiency and Empire Baltimore*, 1942 年版 ），第
5、6 兩章。卡爾・豪斯霍費爾和其他國家社會主義地緣政治學者的論述摘自德
文特・惠脫塞（ Derwent Whittlesey ）：《德國征服世界的戰略》（ *German Str-
ategy of World Conquest* ），紐約，1942 年版；以及安德烈斯・多派倫（ Andr-
eas Dorpalen ）：《豪斯霍費爾將軍的世界》（ *The World of General Hausho-
fer* ），紐約，1942 年版。

㊳《民主理想與現實》（ *Democratic Ideals and Realities*, 1919 年版 ），1942 年再
版，第 150 頁。見麥金德（ Mackinder ）早期文章〈歷史的地理中樞〉載《地理雜
誌》（ *The Geographical Journal* ）第 23 卷（ 1904 ），第 421 頁以下。

㊴主要參見第 II 卷，第 14 章。第 I 卷，第 4 章。顯然，關於能否征服俄國的問
題，豪斯霍費爾的幻想比希特勒少。

㊵《我的奮鬥》，第 421 頁以下。

㊶講話全文收在《演說集》（ *Speeches* ）中，倫敦，1942 年版，編者諾曼・貝恩斯
（ Norman H. Baynes ）第 777 頁以下。書中引語分別摘自第 804 頁和第 794
頁。

㊷同上，第 775 頁。

㊸戈培爾認爲，除猶太人以外，「牧師也是最可惡的壞蛋」，但他允許他們延遲到

戰爭結束後再「看見光」。《日記》，第 146 頁，參見第 120 頁以下，第 138 頁。

㊹特里沃‧羅珀，同前引書，第 2 頁，參見第 233 頁。

㊺《日記》第 301 頁。關於國家社會主義政府的組織問題，見弗朗茲‧諾伊曼的《巨獸》，第 62 頁以下，附錄第 521 頁。參見約翰‧赫茨（John H. Herz）：「納粹政權下的德國行政管理」，載《美國政治科學評論》（*Am. Pol. Sci. Rev*）XL（1946），第 682 頁。

㊻《我的奮鬥》，第 636 頁以下。見英文版《納粹入門》（*The Nazi Primer*），譯者蔡爾茲（H. L. Childs），紐約，1938 年版，這是為希特勒青年團出版的教科書。

㊼引自威廉‧麥戈文（William M. McGovern）：《從路德到希特勒》（*From Luther to Hitler*），波士頓，1941 年版，第 655 頁。

㊽這句話及其他類似的話見愛德華‧哈特索恩（Edward Y. Hartshorne）：《德國大學與國家社會主義》（*The German Universities and National Socialism*，麻薩諸塞，1937 年），第 112 頁以下。

參考書目

1. *The Origins of Totalitarianism.* By Hannah Arendt. 2nd Ed. New York, 1958.

2. *The German Dictatorship.* By Karl Dietrich Bracher. New York, 1970.

3. *Hitler: A Study in Tyranny.* By Alan Bullock. New York, 1952.

4. *Rosenberg's Nazi Myth.* By Albert R. Chandler. Ithaca, N. Y., 1945.

5. *Mussolini: Twilight and Fall.* By Roman Dombrowski. Eng. trans. by H. C. Stevens. New York, 1956.

6. *Fascist Italy.* By William Ebenstein. New York, 1939.

7. *The Nazi State.* By William Ebenstein. New York, 1943.

8. *Today's Isms.* By William Ebenstein. 2d ed. Englewood Cliffs, N. J., 1958.

9. *Mussolini.* By Laura Fermi. Chicago, 1961.

10. *Mussolini's Italy.* By Herman Finer. New York, 1935.

11. *The Psychology of Dictatorship.* By G. M. Gilbert. New York, 1950.

12. *The 12-Yeas Reich.* By Richard Grunberger. New York, 1971.

13. *A History of National Socialism.* By Konrad Heiden. New York, 1935.

14. *Der Fuehrer: Hitler's Rise to Power.* By Konrad Heiden. Eng. trans. by Ralph Manheim. Boston, 1944.

15. *Freedom and Order: Lessons from the War.* By Eduard Heimann. New York, 1947. Ch. 2.

16. *The Rise and Fall of Nazi Germany.* By Thomas L. Jarman. London, 1955.

17. *The Educational Philosophy of National Socialism.* By George F. Kneller. New Haven, Conn., 1941.

18. *The Fruits of Fascism.* By Herbert L. Matthews. New York, 1943.

19. *Mussolini in the Making.* By Gaudens Megaro. Boston, 1938.

20. *The German Catastrophe.* By Friedrich Meinecke. Eng. trans. by Sid-

ney B. Fay. Cambridge, Mass., 1950.

21. *Mussolini: An lntimate Life.* By Paolo Monelli. Eng. trans. by Brigid Maxwell. London, 1953.

22. *What Nietzsche Means.* By George A. Morgan, Jr. Cambridge, Mass., 1941.

23. *Nazi Culture: Intellectual. Cultural and Social Life in the Third Reich.* Edited by George Mosse. New York, 1966.

24. *Behemoth: The Structure and Practice of National Socialism, 1933~ 1944.* By Franz Neumann. 2d ed. New York, 1944.

25. *The Final Solution: The Attempt to Euterminate the Jews from Europe, 1939~1945.* By Gerald Reitlinger. London, 1953.

26. *The Rise of Italian Fascism, 1918~1922.* By A. Rossi. Eng. trans. by Peter and Dorothy Wait. London, 1938.

27. *The Plough and the Sword: Labor, Land, and Property in Fascist Italy.* By Carl T. Schmidt. New York, 1938.

28. *The Corporate State in Action: Italy under Fascism.* By Carl T. Schmidt. London, 1939.

29. *The Last Days of Hitler.* By H. R. Trevor-Roper. New York, 1947.

30. *The Rome-Berlin Axis, A History of the Relations between Hitler and Mussolini:* By Elizabeth Wiskemann. New York, 1949.

31. *The Third Reich* essays by several authors. Published under the auspices of the International Council for Philosophy and Humanistic Studies. London, 1955.

人名索引

名詞索引

國立中央圖書館出版品預行編目資料

西方政治思想史/ 賽班（George H. Sabine）
著；李少軍，尚新建譯.--初版.--臺北市：桂
桂冠，1991〔民80〕印刷
　　　　面；　　　公分.--（桂冠政治學叢書；24）
譯自：A history of political theory
含索引
ISBN 957-551-443-2（精裝）

1.政治－哲學，原理－西洋－歷史

570.94　　　　　　　　　　　80003337

桂冠政治學叢書24
西方政治思想史

原　　著/ 賽班
譯　　者/ 李少軍、尚新建
責任編輯/ 邱瑞貞
發 行 人/ 賴阿勝
出 版 者/ 桂冠圖書股份有限公司
登 記 證/ 局版臺業字第1166號
地　　址/ 臺北市10769新生南路三段96-4號
電　　話/（02）368-1118　363-1407
電　　傳（FAX）/ 886　2　368-1119
郵撥帳號/ 0104579-2
排　　版/ 紀元電腦排版公司
印　　刷/ 海王印刷廠
初版一刷/ 1991年10月
本書如有破損、裝訂錯誤，請寄回調換

定　　價/ 新臺幣600元
ISBN　957-551-443-2